KARL JASPERS

DIE ATOMBOMBE UND DIE ZUKUNFT
DES MENSCHEN

Jaspers war der erste Philosoph, der die durch die Atombombe geschaffene neue Weltlage umfassend reflektierte und damit einem neuen politischen Bewußtsein den Weg ebnete. Er entwarf, vom Standpunkt des Abendländers, die Perspektiven einer postkolonialen Weltordnung, die auf den Krieg als Mittel der Politik verzichtet, ohne die Freiheit als Ursprung politischen Handelns preiszugeben.

Diese Spannung durchzieht das ganze Werk, das in wenigen Monaten in einer äußerst krisenreichen und angespannten Phase der Nachkriegsgeschichte – Ungarn-Aufstand, Suez-Krise – niedergeschrieben wurde. Es ist einerseits eine Erörterung der damaligen Weltlage, die selber nicht immer frei ist vom Ton des Kalten Krieges; es ist andererseits ein systematisches Werk, das jedes schnelle Rezept zur Rettung der Welt in Frage stellt und alle Politik in einem überpolitischen Ethos verankert. Freiheit und Friede, auf Grund von Wahrheit und durch Ausbreitung der Vernunft: Das ist die Direktive des Buches, die allen Staatsmännern und allen Staaten die Bereitschaft abverlangt, den Anspruch auf eine unumschränkte Souveränität im Interesse der Menschheit zu opfern. Gleich unbeugsam im Kampf gegen den Totalitarismus wie in der Kritik der liberalistischen Heuchelei, stellt sich Jaspers bewußt die Grenzfrage, ob angesichts der Drohung durch den Untergang das Überleben den Vorrang gewinnt vor der Freiheit. Sie enthält, so glaubte er zu sehen, eine unechte Alternative. Denn ohne Freiheit verliert das Überleben seinen Sinn und ohne Überleben die Freiheit ihre Basis. Und so kann die Antwort nur heißen: keines ohne das andere; aber es kommt auf die Chance der Völker und der Einzelnen zur Freiheit an – und diese bleibt mit dem Risiko der Vernichtung verbunden. Aus der Apokalypse rettet somit keine politische Pragmatik, sondern lediglich die Rückbesinnung auf die Ursprünge des Menschseins und die sittliche Umkehr im politischen Handeln, die in jeder Situation neu zu vollziehen ist.

Das Buch war über zwei Jahrzehnte vergriffen. Wegen seiner Aktualität in der gegenwärtigen Weltlage hat sich der Verlag zu einer ungekürzten Neuausgabe entschlossen.

Karl Jaspers, 1883–1969. Psychiater und einer der Gründer der deutschen Existenzphilosophie. Ab 1916 Professor der Psychologie und ab 1921 bis zu seiner Amtsenthebung 1937 Professor der Philosophie in Heidelberg; lebte von 1948 bis zu seinem Tod als Professor der Philosophie in Basel. Seine Werke fanden weltweit Verbreitung.

KARL JASPERS

DIE ATOMBOMBE UND DIE ZUKUNFT DES MENSCHEN

Politisches Bewußtsein in unserer Zeit

R. PIPER & CO VERLAG
MÜNCHEN ZÜRICH

Dieses Buch ist die Ausarbeitung eines Vortrags, den ich unter gleichem Titel im Herbst 1956 am Rundfunk hielt. Auf diesen Vortrag habe ich viele erwünschte Zuschriften erhalten. Ich bitte alle, die mir geschrieben haben, um Entschuldigung, daß ich nicht Kraft und Zeit hatte zu danken. Manche Stellen dieser Schrift bitte ich sie als Antwort auf ihre Einwände, Fragen und beschwörenden Ausrufe zu nehmen.   K. J.

ISBN 3-492-00537-3
Neuausgabe 1982
6. Auflage, 45.–52. Tausend 1982
(1. Auflage, 1.–8. Tausend dieser Ausgabe)
© R. Piper & Co. Verlag, München 1958, 1982
Umschlag: Disegno
Gesamtherstellung: Clausen & Bosse, Leck
Printed in Germany

VORWORT

Eine schlechthin neue Situation ist durch die Atombombe geschaffen. Entweder wird die gesamte Menschheit physisch zugrunde gehen, oder der Mensch wird sich in seinem sittlich-politischen Zustand wandeln. Diese doppelt irreal anmutende Alternative versucht mein Buch zur Klarheit zu bringen.

Bei scheinbarer Ruhe des Alltäglichen ist heute die furchtbar drohende Entwicklung anscheinend unwiderstehlich im Gange. Die aktuellen Aspekte ändern sich schnell. Aber der Gesamtaspekt wird der gleiche bleiben: Entweder der plötzliche Ausbruch des Atomkrieges, vielleicht nach Jahren, nach Jahrzehnten, oder die Konstituierung eines Weltfriedenszustandes ohne Atombomben mit dem neuen, wirtschaftlich auf die Atomenergie gegründeten Leben. Der Weg dorthin wäre allein durch politische und juristische Operationen noch nicht beschritten. Auch mit dem im Sprechen einmütigen bloßen Nein zur Bombe ist das Entscheidende noch nicht erreicht. Daß der erste Schritt auf die Ermöglichung des Weltfriedens hin eigentlich noch nicht getan ist, kommt heute zum Bewußtsein. Wissen wir, was zu tun ist?

Vielleicht könnten Rettung bringen Propheten, wenn sie es vermöchten, höchststehende Menschen und Massen gleicherweise in ihren Bann zu ziehen und zu überzeugen durch Beispiel und Glaubenskraft und Bußforderung. Sie würden ihren Ruf erheben, der jene Umkehr erwirkt, ohne die der Mensch heute verloren scheint. Aber sie sind nicht da und wären heute unglaubwürdig. Meine Schrift möchte nicht verwechselt werden mit solch prophetischem Ruf. Denn sie spricht ohne andere Vollmacht als die des Denkens der Vernunft, die jedem Menschen eigen ist. Sie wendet sich aus Vernunft an Vernunft, aber an die große Vernunft, nicht bloß an den Verstand. Sie möchte gehört werden von denen allüberall, die selbst denken und prüfen.

Wir wollen uns nicht darüber täuschen, daß für unsern Verstand das Scheitern aller Rettungsversuche wahrscheinlich ist, aber noch weniger darüber, daß dennoch die große Hoffnung nicht grundlos uns beschwingt: wenn wir unserer Freiheit und damit unserer Verantwortung gewiß werden, ist die Wandlung und damit die Rettung möglich.

Der Sinn dieser Schrift ist zunächst, die Tatsachen zur Kenntnis zu nehmen, den Weltzustand vor Augen zu gewinnen, die Gesichtspunkte nacheinander zu versuchen, um im Ganzen der Gegebenheiten und der Möglichkeiten sich zu orientieren. Das Buch verlangt Geduld. Wer verstehen will, muß das Ganze lesen. Jeder Gedanke wird auf einem Standpunkt gedacht, dann aber überschritten. Der Leser darf sich nicht fangen lassen von einzelnen auf dem Wege vorkommenden Aussagen. Diese Orientierungen führen an Grenzen. Sie zu vergegenwärtigen, bedeutet noch keine Wandlung. Aber sie können zu ihr erwecken.

Diese Wandlung selber schließt in sich eine neue Weise des Denkens. Wenn wir die Leistungen bewundern, welche Menschen in ingeniösen Entwürfen mit Tüchtigkeit und Arbeitswillen hervorgebracht haben, und wenn wir daran teilhaben, so braucht das doch keineswegs die heute herrschende Denkungsart zur Folge haben. Das Denken unserer Zeit orientiert sich überall, auch wo nichts mehr zu »machen« ist, am »Machen«. Es will die Rettung finden durch eine technische Überwindung der Technik, als ob das die Technik gebrauchende Handeln des Menschen noch selber einer technischen Lenkung unterstehen könne. Daher gibt es die optimistische Erwartung, der Friedenszustand könnte als solcher für sich allein, ohne Veränderung des gesamten Lebens, zweckhaft gemacht werden. Viele aber durchschauen den Wahn, verzweifeln und sehen nur den Abgrund. Denn blinde, in Zwecken gefangene, zumal maßlos gesteigerte Tätigkeit führt ins Nichts. Die Wendung unseres Schicksals wird die Folge der Einsicht sein, daß alle Technik, alles Machenkönnen, alle Leistung nicht genügt. Der Mensch muß Wissenschaft und Technik einfügen in ein Umgreifendes. An der Grenze unseres Machens liegt erst der ganze Ernst unseres Denkens. Unser Zeitalter muß lernen, daß nicht alles zu »machen« ist.

Wir lenken die Aufmerksamkeit auf den Wendepunkt (oder: die Umkehr, die Wandlung, den Sprung) vom Denken im äußeren Herstellen zum Denken im inneren Handeln, vom Verstand zur Vernunft. Das Denken aus der objektiven rationalen Erkenntnis braucht sich, wo es versagt, nicht zu verlieren in das Dunkel der Schwärmereien, sondern kann sich umwenden in die Helligkeit des übergreifenden Denkens. Vielleicht wird der Leser aus der Gewohnheit unserer heutigen Denkungsart unwillig, wenn ihm nicht der Schlüssel dargereicht wird, mit dem nach Anweisungen die Tür zum Heil aufzuschließen wäre. Vielleicht folgt er willig, wenn er sich ermutigt sieht in dem, was er schon kennt: in der Denkungsart der Vernunft, die allseitig sehen läßt und zu den gründenden Entschlüssen führt.

Diese Schrift will mitarbeiten an dem politischen Bewußtsein unserer Zeit dadurch, daß sie es aufnimmt in das Umgreifende des Überpolitischen. Denn Politik, die auf einen Bereich menschlichen Tuns gleichsam als auf ein Ressort sich zurückzieht, ist unfähig, die Frage, ob die Menschheit am Leben bleibt oder nicht, zu lösen.

Das philosophische Denken soll mithelfen auch an der inneren Verfassung des Einzelnen, wie sie aus Vernunft in dieser totalen Bedrohtheit zu gewinnen ist. Ich will wissen, wofür ich leben und wirken möchte; will wissen, was ist, um zu tun, was ich kann, aber auch um bereit zu werden für das, was kommen mag. Wir müssen leben angesichts der in den Tatsachen sich zeigenden Gefahr.

Doch ein Lehrer der Philosophie muß sich bescheiden. Er macht aufmerksam. In einer oft besinnungslosen Welt veranlaßt er zur Besinnung dadurch, daß er das Wesentliche, das Einfache zu sagen versucht. Aber die Besinnung ist nicht schon Handeln. Wer mitdenkt, kann im inneren Handeln nur vorbereiten, die Entscheidungen aber fallen in der Praxis.

Tiefes Denken und konkretes Handeln sollten in einem und demselben Menschen, im Staatsmann, zusammenkommen. In der Realität ist meistens die Trennung. Der Philosoph hat Verantwortung für die Wahrheit des Gedachten, deren Wirkung unberechenbar ist; aber er ist nicht gebunden an die Situationen des Tages. Der Staatsmann dagegen hat Verantwortung für die Wirkung seiner Tat; er sieht sich gebunden durch die augenblickliche Wirkung seiner Rede in dieser Lage. Beide haben durchweg ihren Mangel: Der Philosoph handelt nicht, der Staatsmann beschränkt sein Denken auf das Nächstliegende. Aber Philosophie und Politik sollten sich treffen.

Basel, Februar 1958

Karl Jaspers

INHALTSÜBERSICHT

EINLEITUNG:

ERSTER TEIL:

WIE ALLGEMEINE ERÖRTERUNGEN AN GRENZEN FÜHREN: POLITIK. ETHOS. OPFER

ZWEITER TEIL:
DIE GEGENWÄRTIGE POLITISCHE WELTLAGE VOM STANDPUNKT DES ABENDLÄNDERS

DRITTER TEIL:
ERHELLUNG DER SITUATION DES MENSCHEN IM UMGREIFENDEN

Ethos der Vernunft fordert. — d) Die unerläßliche Umkehr ist nicht zu planen. — e) Zwei Aspekte der Umkehr. — f) Der einzelne Mensch.

AUS DER EINLEITUNG

1. DER NEUE TATBESTAND

1. Seit jeher sind neue Zerstörungswaffen zunächst für verbrecherisch erklärt worden, einst die Kanonen, zuletzt die warnungslose Torpedierung durch U-Boote im Ersten Weltkrieg. Doch bald wurde durch Gewöhnung ihr Dasein eine fraglose Gegebenheit. Heute aber ist die Atombombe (Wasserstoffbombe, Kobaltbombe) ein grundsätzlich neues Ereignis. Denn sie führt die Menschheit an die Möglichkeit ihrer totalen Vernichtung durch sich selbst.

Die Bombe auf Hiroshima am 6. August 1945 war die erste. Wir hören: 50 000 bis 150 000 Tote! Wenige Tage später fiel auf Nagasaki die zweite. Vor solcher Zerstörungsgewalt kapitulierte Japan. Aber diese ersten schon so erschreckenden Bomben waren geringfügig gegen die inzwischen in menschenleeren Gebieten versuchsweise abgeworfenen Wasserstoffbomben. Wir hören: deren Energieentfaltung übertrifft die der Bombe auf Hiroshima um das 600fache. Trotz des Entsetzens wollte die Welt sich auch jetzt noch beruhigen, bis es klar wurde, daß das Ausmaß und die Art der nachfolgenden Lebenszerstörungen der Berechnung entglitten waren.

Sachkundige sagen mit völliger Bestimmtheit, daß es heute möglich ist, durch die Tat von Menschen die totale Zerstörung des Lebens auf der Erde herbeizuführen. Die Forscher, die im Gang der modernen naturwissenschaftlichen Entwicklung den neuen Tatbestand selber in die Welt gesetzt hatten, haben ihn auch öffentlich bekannt gemacht. Ich wähle die Aussagen solcher Männer, die an der Herstellung der Atombombe als solcher nicht unmittelbar beteiligt waren:

Einstein unterschrieb 1955, kurz vor seinem Tode, mit anderen eine beschwörende Erklärung, in der es heißt: »Für den Fall einer massenhaften Verwendung von Hydrogenwaffen ist mit dem plötzlichen Tod eines kleineren Teils der Menschheit und mit qualvollen Krankheiten und schließlichem Absterben aller Lebewesen zu rechnen.«

Otto Hahn schrieb: »Wenn auch die gewöhnlichen Atombomben, wenn selbst die Wasserstoffbomben nur örtlich begrenzte, dort aber schreckliche Wirkungen haben, dann kommt doch darüber hinaus noch die Möglichkeit der Erzeugung von Kobalt 60 mit diesen Wasserstoffbomben . . . Es wurde in den Vereinigten Staaten ausgerechnet oder geschätzt, daß zehn große Wasserstoffbomben, mit viel Kobalt umkleidet, eine so große, viele Jahre wirksame Aktivität an Kobalt 60 ergeben, daß das Fortbestehen der Menschheit damit ernstlich gefährdet würde, ganz gleich, wo die Bomben gefallen sind. Dies sind wohl zur Zeit noch Schreckgespenster, aber die Tatsache besteht, daß die Menschheit heute oder in naher Zukunft wirklich in der Lage ist, sich selbst auszulöschen . . . Auch ohne Kobalt entstehen bei der Explosion durch die dabei frei werdenden Neutronen gefährliche radioaktive Staubteilchen, die auf große Entfernungen fortgetragen werden können.«

Max Born: »Schon jetzt ist wahrscheinlich der Vorrat von A- und H-Bomben in den Vereinigten Staaten und Rußland ausreichend, um sämtliche größeren Städte beider Länder gegenseitig zu vernichten ... Aber weit Schlimmeres ist in Vorbereitung, vermutlich sogar schon fertig zur Anwendung, wie z. B. die Kobaltbombe, bei der ein radioaktiver Staub entsteht, der sich über weite Gebiete verbreitet und auf Jahre hinaus alles Leben in diesen Gebieten tötet.« Ein Krieg zwischen Großmächten »bedeutet die Wahrscheinlichkeit allgemeiner Vernichtung nicht nur der Kämpfenden, sondern auch der Neutralen«.

Thirring über die Wasserstoffbombe: »Eine einzige solche Bombe würde genügen, um selbst Riesenstädte wie London, New York oder Chikago binnen Sekunden in einen rauchenden Trümmerhaufen zu verwandeln, und darüber hinaus ein Gebiet von der Größe von halb Österreich durch radioaktive Verseuchung unbewohnbar zu machen.« Wenn dieser vorsichtige Prognostiker nicht heute schon die totale Lebenszerstörung voraussagt, so sagt er doch schon jetzt: »In einem dritten Weltkrieg würde es keine Sieger und Besiegten mehr, sondern nur 98prozentig und 100prozentig Vernichtete geben.«

Das sind Aussagen der Physiker und Chemiker. Wir lesen die Berichte der Augenzeugen der bisherigen Bombenwirkungen; wir sehen die Bilder der zum Himmel aufsteigenden Pilze der Explosionen; wir hören von den japanischen Fischern, die 1954 weit entfernt vom Versuchsfeld durch radioaktive Substanzen getroffen wurden, dahinsiechten und sterben mußten. Es ist nicht Sache dieser Schrift, über die naturwissenschaftliche Erkenntnis, die technischen Wirklichkeiten und Möglichkeiten, die biologischen und medizinischen Beobachtungen der Strahlenwirkung zu informieren. Es gibt eine große, auch populäre Literatur der Sachkundigen, von der ich in der Bibliographie angebe, was mir in die Hände kam und lehrreich schien.

2. Weder die Forscher noch wir anderen wissen, wie weit die Atomwaffenherstellung im Augenblick gelangt ist. Jeder von uns kann die Tatsache verstehen, daß Amerika und Rußland (und im Abstand England) unter Aufwendung ungeheurer Mittel ständig ihren Vorrat an solchen Bomben vermehren und deren Zerstörungskraft steigern. Das Staatsgeheimnis deckt die Tatsachen zu. Wir wissen nicht, welche Angriffe mit welchen Arten von Explosionen vorbereitet sind. Ob die vorhandenen Bomben, wenn sie sämtlich abgeworfen würden, schon ausreichen, um die Erdatmosphäre in solchem Maße radioaktiv zu verseuchen, daß alles Leben aufhört, ist öffentlich nicht bekannt. Wer zweifeln möchte an der Möglichkeit, daß heute schon alles Leben auf der Erde vernichtet werden könnte, hat vielleicht recht. Aber in zehn Jahren oder noch früher ist es soweit. Diese geringe Zeitdifferenz vermindert nicht die Dringlichkeit der Besinnung.

Es ist anzunehmen, daß die Staatsführer der beiden Großmächte unterrichtet sind, obgleich man nicht weiß, wie selbst in der Führung die Kenntnis der Geheimnisse beschränkt und vereinzelt wird. Was die Führer planen, ist vermutlich ihnen selber nicht klar. Ratlos schieben sie hinaus, aber bereiten vor, was zu tun für sie alle unmöglich scheint. Der Öffentlichkeit geben sie keine Kunde, es sei denn etwa in ungeheuren Drohungen Chrustschews, die phantastisch anmuten, doch auch keine konkreten Angaben enthalten. Es ist, als ob nicht nur das militärische Geheimnis, wie von jeher, die Staatsmänner zum Schweigen zwinge, sondern schon die Gefahr des Wortes. Es geht eine Tendenz durch die Welt, gefördert von den Regierungen, die Dinge nicht zur Beunruhigung ihrer Völker werden zu lassen.

3. Trotzdem wächst die Beunruhigung, aber vielleicht in falscher Richtung. Man protestiert gegen die Versuche mit Wasserstoffbomben. Man ist betroffen von den Feststellungen erhöhter Radioaktivität überall. Man kämpft lokal gegen den Bau von Atommeilern wegen der Gefahr von Explosionen.

Wohl ist es sinnvoll, alle Möglichkeiten in Veränderungen des Wetters, in Störungen des Lebens (verderbliche Mutationen, die erst in kommenden Generationen sichtbar werden), in Erzeugung von Krankheiten (Leukämie usw.) durch Beobachtungen zu klären. Man kann sich grundsätzlich klarmachen, welche Verwandlung der gesamten, in Jahrmillionen zu dem gegenwärtigen Gleichgewicht gelangten physikalischen Lebensbedingungen auf der Erde entstehen könnten. Wohl ist eindrucksvoll der schon erfolgte Nachweis einer Erhöhung der Radioaktivität in Niederschlägen, Pflanzen, Tieren, Milch an vielen Orten der Erde als Folge der Versuchsexplosionen. Denn diese winzigen, praktisch noch ungefährlichen Wirkungen (Thirring: Die bisherige Gefahr der Radioaktivität infolge der Atombombenversuche ist »vieltausendmal geringer als die Schäden durch Auspuffgase der Kraftfahrzeuge«) deuten die Richtung an, in die es weitergehen könnte. Die Beobachtungen dieser Erscheinungen werden mit Recht ständig erweitert und bekanntgemacht. Durch eine nicht berechenbare, kumulierende Wirkung würde bei massenhaften Atombombenversuchen schon in Jahren die Gefahrengrenze überschritten werden können.

Man muß unterscheiden:

Erstens: Es bestehen Gefahren sowohl der friedlichen Nutzung der Atomenergie wie der Versuche mit Wasserstoffbomben in Friedenszeiten. Diese Gefahren scheinen beträchtlich zu sein. Schädigungen (Krankheiten und Keimmutationen) können durch ständige Aufnahme an sich zunächst geringfügiger Mengen von Radioaktivität entstehen. Aber diese Gefahren sind partikulare Probleme und werden wie andere Gefahren untersucht und bekämpft. Auch wenn Hunderttausende von Menschen den durch sie entstehenden Schäden erliegen sollten, so ist das Verderben doch begrenzt und wird durch ständige Bemühung vermutlich in engere Grenzen gebannt werden.

Zweitens: Es bestehen im Kriegsfall Gefahren der Zerstörung von bisher nicht gekanntem Ausmaß. Die Bomben, ob durch Flugzeuge oder Raketen ans Ziel gelangt, vernichten unmittelbar alles Leben in diesem Raum in einem mit den Superbomben schon groß gewordenen Umkreis. In einem weiteren Umkreis folgt das langsame Sterben der tödlich Getroffenen. Die Überlebenden dieses unbestimmt begrenzten Gebietes bemerken im Laufe der Zeit Krankheiten oder Mißgeburten unter dem Nachwuchs. Da dieses Unheil die großen Städte und ganze Länder treffen würde, spricht man heute einmütig von der Zerstörung der Zivilisation im Fall eines neuen Weltkrieges. Vor Jahren sagte Einstein: »Ich weiß nicht, welche Waffen im nächsten Krieg zur Anwendung kommen, wohl aber, welche im übernächsten: Pfeil und Bogen.«

Drittens: Es besteht die Gefahr des Untergangs der Menschheit und allen Lebens durch die Summierung der Wirkungen bis zur lebensvernichtenden Verseuchung der gesamten Erdatmosphäre.

Gemeinsam ist allen drei Gefahren die Ungewißheit, in welchem Maße sie existieren. Aber die Vorstellung ist von Stufe zu Stufe gesteigert, jedesmal eine grundsätzlich andere: lokale und partikulare Katastrophen; Untergang der Zivilisation; Untergang der Menschheit. Gegen die erste Gefahr gibt es technische Vorkehrungen und Versicherungen. Gegen die zweite gibt es die Rettung eines Restes durch technisch maximale Schutzmaßnahmen, die einem winzigen Teil erfolgreich zugute kommen können. Gegen die dritte, schlechthin neue Gefahr gibt es kein technisches Mittel. Was angesichts ihrer möglich ist, soll das Thema dieser Schrift sein.

4. Diese dritte Gefahr wird gesteigert durch ihre Verschleierung. Von dem eigentlich neuen, alles, was geschah und geschieht, übergreifenden Tatbestand wird die Aufmerksamkeit abgelenkt auf die großen, aber ihm gegenüber vordergründigen Gefahren. Die Übertreibungen der bisherigen Wirkungen der Bombenversuche und die Spekulationen über deren Möglichkeiten erzeugen bei ihrer Widerlegung nach der Angst, die sich als unbegründet erwies, eine falsche Ruhe.

Vorläufig liegt es nicht im Bereich erkennbarer Möglichkeiten, daß die Kettenreaktion von den bestimmten Substanzen, in denen sie stattfindet, übergreifen könnte auf die Materie als solche und dann den Erdball im ganzen durch eine Atombrunst zerstören würde, wie eine Feuersbrunst Wälder und Städte. Der spielende Gedanke, ein Mensch könne einst durch den Druck auf einen Knopf den Erdball zur Explosion bringen, ist heute noch so gegenstandslos wie früher.

Auch ist es eine Ablenkung, wenn die angstvolle Erregung auf die Gefahren der friedlichen Erzeugung und Verwendung der Atomenergie gelenkt wird. Es gibt keine »narrensicheren Maschinen«, auch kann ein Unfall nicht ausgeschlossen werden (schon ist 1957 ein solcher in der Plutoniumfabrik Windscale – England – eingetreten und wird sich in dieser Gestalt kaum wiederholen, aber in anderer möglich bleiben). Aber es wird doch glaubwürdig berichtet, daß unter Kontrollen ein hohes Maß von Sicherheit erreichbar ist. Die gefährlichen Abfallprodukte seien nicht zu fürchten, könnten in tiefe Schächte vergraben und unschädlich gemacht werden.

Das naturwissenschaftliche Urteil ist kritisch begründet nur bei Beachtung des Quantitativen in den Beobachtungen (die bloße Mitteilung »Steigerung der Radioaktivität« kann völlig belanglos sein). Gedanken über mögliche natürliche Folgewirkungen der Radioaktivität sind noch nicht ein Wissen von Realitäten.

Durch die Widerlegung irriger Auffassungen rückt trügerischerweise der eigentliche Tatbestand selber in das Licht der Fragwürdigkeit. Denn mit der

Widerlegung falscher Phantasien gerät auch, was schon reale Möglichkeit ist, in die Sphäre des Phantastischen. So geht die Stimmung hin und her zwischen Übertreibungen am unrechten Orte und Beruhigung dort, wo die größte Unruhe nottut.

5. Was die Männer der Naturwissenschaft, zuverlässig in ihrem Urteil über das Tatsächliche, mitteilen, ist nicht Spekulation, sondern Realität. Ihre Aussagen kann ein vernünftiger Mensch nicht lesen, ohne das Ungeheure zu spüren. Sie haben das Menetekel für die Menschheit an die Wand geschrieben.

Bisher konnte der Mensch als einzelner sich selbst das Leben nehmen. Er konnte in Kämpfen töten und getötet werden. Völker konnte man ausrotten. Jetzt aber kann die Menschheit im ganzen durch Menschen vernichtet werden. Daß dies geschieht, ist nicht nur in den Bereich der Möglichkeit getreten. Es ist für die rein rationale Erwägung wahrscheinlich, daß es geschehen wird. Das zu sagen, scheint unbesonnen. Wir zögern. Wir müssen prüfen.

Unter der Voraussetzung, daß die sachkundigen Mitteilungen der Forscher richtig sind — ein Zweifel daran ist nicht gut möglich —, ist in der Folge zu begründen, daß jenes niederdrückende prognostische Urteil des Verstandes zwar sich aufzwingt, aber auch, daß es nicht das letzte ist. Denn Wahrscheinlichkeit ist nicht Gewißheit, und vor allem: es handelt sich hier nicht nur um erkennbare, unausweichliche Naturnotwendigkeit, sondern um das, was Menschen tun werden, um das, was aus Freiheit möglich ist.

Daß das Wissen um die Wahrscheinlichkeit des totalen Untergangs wirksam wird, ist der einzige Weg, über den das heute noch Wahrscheinliche schließlich unwahrscheinlich und gar unmöglich werden könnte. Dazu ist notwendig, mit dem Wissen von dem Tatbestand recht umzugehen. Ich kann etwas wissen, aber kapsele dieses Wissen gleichsam ein, lasse es nicht zur Geltung kommen; ich lebe, als ob es nicht da sei. Wir müssen täglich daran denken, wenn ein Wissen in uns Folgen haben soll. Die ungeheure Drohung der Wasserstoffbomben scheint heute noch nicht akut. Sie betrifft mich noch nicht leibhaftig hier und jetzt. Zwar weiß ich davon, wenn ich danach gefragt werde, aber ich meine: es hat noch Zeit. Nein, es ist nicht viel Zeit. Allerhöchstens handelt es sich um Jahrzehnte. Vielleicht ist die Frist viel kürzer. Vielleicht liegt der entscheidende Zeitpunkt ganz nahe.

2. DIE AUFGABE UNSERES DENKENS VOR DIESEM TATBESTAND

1. Die Atombombe ist heute für die Zukunft der Menschheit drohender als alles sonst. Bisher gab es wohl irreale Vorstellungen des Weltendes. Die Nah-

erwartung dieses Endes noch für die damals lebende Generation war der sittlich-religiös wirksame Irrtum Johannes' des Täufers, Jesus' und der ersten Christen. Jetzt aber stehen wir vor der realen Möglichkeit eines solchen Endes. Nicht mehr ein fiktiver Weltuntergang, überhaupt kein Untergang der Welt, sondern die Tötung allen Lebens auf der gesamten Erdoberfläche ist die mögliche Realität, mit der von nun an zu rechnen ist, und zwar — bei dem wachsenden Tempo aller Entwicklungen — schon in naher Zukunft. Die beschwörenden Äußerungen der Forscher müssen erschüttern. Wie kann man ruhig bleiben, wenn man das Unbezweifelbare hört!

In dieser *Situation* ist es wenig, aber Voraussetzung für alles Weitere, nachzudenken: sich zu orientieren — zu sehen, was geschieht — das Mögliche, die Folgen der Ereignisse und Handlungen zu vergegenwärtigen — die Situation in den sichtbar werdenden Richtungen zu erhellen — schließlich zu erfahren, daß die neue brutale Tatsache unser Denken bis in den Grund des Menschseins treibt, dorthin, wo zur Frage wird, was der Mensch ist und sein kann.

Die Grundsituation des Menschen ist, daß wir uns in der Welt finden und nicht wissen: woher und wohin. Diese Situation wird durch die Möglichkeit der totalen Selbstvernichtung anders als früher bewußt. Denn sie zeigt eine Seite, an die vorher niemand gedacht hat. Wir müssen uns unserer selbst in der neuen Situation vergewissern. Mit unserer Vernunft vermögen wir zwar die letzten Gründe nicht zu erreichen, wohl aber das Sein für uns und, was wir wollen, zu klären.

2. Der Atombombe, als dem Problem des Daseins der Menschheit schlechthin, ist nur ein einziges anderes Problem gleichwertig: die Gefahr der *totalitären Herrschaft* (nicht schon das Problem von Diktatur, Marxismus, Rassentheorie) mit ihrer alle Freiheit und Menschenwürde vertilgenden terroristischen Struktur. Dort ist das Dasein, hier das *lebenswerte* Dasein verloren. An beiden äußersten Möglichkeiten kommen wir heute zum Bewußtsein dessen, was wir wollen, wie wir leben möchten, wozu wir bereit sein müssen.

Beide Probleme scheinen schicksalsgemäß zusammenzugehören. Sie sind wenigstens praktisch untrennbar miteinander verbunden. Das eine ist nicht ohne das andere zu lösen.

Die Lösung beider aber *fordert Kräfte des Menschen, die aus solcher Tiefe hervortreten müssen, daß er selbst in seiner sittlich-vernünftig-politischen Erscheinung sich wandelt* in einem Maße, daß es der Wendepunkt der gesamten Geschichte würde.

3. Es ist zum Erstaunen, daß die offenbare Tatsache von den Menschen überall auf der Erde, von den Menschen vor allem Rußlands und Amerikas, bisher nicht eigentlich zur Kenntnis genommen wird. Daher ist die Revolu-

tion der Denkungsart noch nicht eingetreten, die bei Besinnung auf das Faktum unausweichlich scheint.

Ablenkend wirkt, daß die Aufmerksamkeit auf Nebentatsachen gelenkt wird, die zwar von bedenklicher Natur, aber nicht von absoluter Bedeutung sind. — *Beschränkend* wirkt, daß die Tatsache isoliert betrachtet wird, während sie nur im Zusammenhang mit dem Ganzen des menschlichen Daseins und mit den Fragen des Menschen nach sich selbst ihr Gewicht erhält. — *Vergessenheit* bewirkt das Befangensein im augenblicklichen Wohlergehen wirtschaftlicher Prosperität.

Die ablenkenden, abschirmenden, vergessenmachenden Methoden geschehen unwillkürlich. Sie könnten nur überwunden werden durch eine *totale* Besinnung, die zunächst im einzelnen Menschen die Umkehr erzeugt. Die Menschheit könnte durch sie ergriffen werden wie von einer Welle nicht bloß der Sorge, nicht bloß der Empörung gegen alles, was zum Untergang treibt, sondern auch des vernünftigen Willens. Dieser würde das Ganze unseres Menschseins, unseres Lebens, unserer Antriebe überprüfen. Aus dem ewigen Ursprung könnte neu beginnen, was wir sein sollen, um des Lebens wert zu sein. Erst wenn das Bewußtsein des neuen Faktums auf das Leben Einfluß gewänne, könnten auch die gewohnte Politik, ihre Interessen und Ziele, sich in eine neue Politik verwandeln, die der vernichtenden Drohung gewachsen ist.

Daß solches geschehe, kann niemals eine Schrift bewirken. Aber die Mitteilung bloßen Denkens kann, wenn viele auf ähnlichen Wegen gehen, aufmerksam machen und vorbereiten.

4. Wir beschreiben den gegenwärtigen Zustand, der in dem Sprechen, als ob man wüßte, doch anmutet wie ein *Nichtwissenwollen*. Was, wenn wir es lesen, uns notwendig betroffen macht, versinkt alsbald unter anderen sensationellen Tatsachen. Was man vielleicht im Augenblick nicht bezweifelt, läßt man doch als so Ungeheuerliches nicht in sein Herz dringen. Wir ertappen uns, wie wir das, was gewiß ist, doch nicht eigentlich als gewiß nehmen. Dann aber wissen wir von der Tatsache noch nicht. Denn Wissen heißt hier, sich zu überzeugen, daß es sich um das für uns äußerste Faktum handelt, von dem her alles, was wir sind und sein können, gleichsam in einen anderen Grundzustand versetzt werden müßte.

Man möchte fragen: Wenn die ersten Christen an das Weltende glaubten und dessen gewiß waren, ohne es zu wissen, sondern sogar irrend — muß man dann heute das, was man weiß, auch noch glauben, damit es, als Wirklichkeit angeeignet, ein Moment der Lebenspraxis wird?

Man läßt es stehen, als ob es einen nichts angehe, da es ja in diesem Augenblick, hier und jetzt, noch nicht akut ist. Wie der Kranke sein Karzinom vergißt, der Gesunde, daß er sterben wird, der Bankrotteur, daß kein Ausweg mehr ist, verhalten wir uns so auch gegenüber der Atombombe und machen, den Horizont unseres Daseins verdeckend, gedankenlos noch eine Weile fort?

Man möchte von der Atomgefahr am liebsten nichts wissen. Man wehrt ab: unter der Drohung der totalen Katastrophe lasse sich keine Politik und keine Planung machen. Wir wollen leben, nicht sterben. Trete aber jenes Unheil ein, so sei alles aus. Es habe keinen Sinn, daran zu denken. Es ist, als ob diese Sache zu denen gehört, über die man anstandshalber schweigt. Denn es ist Gefahr, daß sie das Leben unerträglich macht. Aber diese Unerträglichkeit ist das, was allein zu dem Ereignis führen kann, das den so drohenden Tatbestand selber verändert.

Welch gewollt blinde Lebensverfassung! Das Wegschieben des Möglichen geht gegen die Vernunft. Wer er selbst ist, will wissen, was wißbar ist. Und welch schlechte Politik! Heute sehen wir uns unausweichlich im Schatten der großen Katastrophe. Eine noch keineswegs durchdachte reale Möglichkeit zu behandeln, als ob sie verschwinde, wenn man sie ausschlösse, ist wie das Verhalten des Vogels Strauß.

Daß jene Katastrophe ständig als Möglichkeit, ja, Wahrscheinlichkeit vor Augen steht, ist heute eine gewaltige Chance für die Selbstbesinnung überhaupt und zugleich die einzige Chance für die politische Erneuerung und damit für die Abwehr der Katastrophe. Um was es sich hier handelt, sollte in den Alltag aller Menschen dringen als Aufforderung zur Besinnung. Hier liegt der Horizont des realen Geschehens, in den wir uns stellen müssen. Wir dürfen nicht bloß erleiden, was kommt. Das Nichtwissenwollen ist selber schon das Unheil.

Unsere Hoffnung ist, daß alle Menschen es wissen werden, und daß dieses Wissen angeeignet wird und dann Folgen hat. Denn das aneignende Wissen kann allein das Unheil verhüten. Es ermöglicht nicht nur vereinzelte zweckmäßige Handlung, vielmehr daß der Mensch sich selbst und sein Leben wandelt, daß seine Grundverfassung neu geprägt wird.

3. DIE ABSICHT DIESER SCHRIFT

Vor der Drohung totaler Vernichtung sind wir zur Besinnung auf den Sinn unseres Daseins zurückgewiesen. Die Möglichkeit der totalen äußeren Zerstörung fordert unsere *ganze* innere Wirklichkeit heraus. Als ein besonderes Problem kann die Atombombe nicht genügend erfaßt werden. Nur wenn der Mensch als er selbst auf die in seine Hand gegebene Möglichkeit antwortet, kann er ihr gewachsen sein. Wenn er die Sache nur als eine Schwierigkeit unter anderen behandelt, wird er ihrer nicht Herr werden.

Daher ist die Absicht dieser Schrift, nach Kräften alle Fragehorizonte angesichts der Bombe zu durchschreiten. Sie möchte mit dem Gesagten über das Gesagte hinaus fühlbar machen, worauf es eigentlich ankommt. Der Leser soll veranlaßt werden, bewußter wiederzuerkennen, was er schon weiß, es zu prüfen und vielleicht deutlicher werden zu lassen, als es dem Verfasser gelungen ist.

1. Die Idee der Allseitigkeit. — Erst mit allen Fragerichtungen kann die Wahrheit offenbar werden. Was durch das Dasein der Bombe aufgegeben ist, möchte ich daher in jedem möglichen Horizont auf je bestimmte Weise fassen, jeden Weg versuchsweise gehen. Ich möchte alle *Stimmungen* zur Sprache kommen lassen: die empörten und aggressiven, die hoffnungslosen und verzweifelten, die gelassenen, die vertrauenden. Ich möchte die Argumente von den Stimmungen lösen, soweit sie in ihrer Objektivität gültig sind. Ich möchte die grundsätzlich verschiedenen *Denkweisen* zur Geltung kommen lassen. Da Fragen und Antworten nicht alle auf derselben Ebene liegen, können sie auch nicht als gleicher Art auf dieselbe Weise behandelt werden. Ich möchte die Denkweisen auf ihren Stufen versuchen, damit jede ihre Grenzen zeige.

Meine Absicht geht auf das *Ganze des politisch-philosophischen Bewußtseins,* das heute Wirklichkeit und Wahrheit werden kann. Der Einzelne zwar, der es versucht, läßt gewiß zunächst Wesentliches aus und muß sich vielfach irren. Aber das Prinzip, das Ganze durchzudenken, ist unumgänglich. Darauf kam es mir an. Die Absicht kann ein Einzelner nur mangelhaft durchführen. Aber diese Absicht selber nicht nur allgemein auszusprechen, sondern den Versuch der Durchführung zu machen, halte ich für wichtig. Die Idee des Ganzen muß im Hintergrunde wirksam sein, wo immer ein Besonderes untersucht wird.

Meine Hoffnung ist, daß, wer auf demselben Weg geht, es besser machen wird, ohne seinerseits zu vergessen, was in dieser Schrift berührt ist. Ein solches Gesamtbewußtsein, mit seinen Spannungen, muß allgemein werden, wenn wir sinnvoll miteinander reden wollen, um die Entscheidungen in hellstem Bewußtsein vorzubereiten und im weitesten Horizont zu finden.

2. Zwei Denkweisen (Verstand und Vernunft). — Ein Unterschied ist von einer alles umgreifenden Bedeutung. Das Denken des *Verstandes* erfindet und macht. Seine Vorschriften können ausgeführt werden und durch endlose Wiederholung das Machen vervielfältigen. Es entsteht eine Weltverfassung, in der einige Köpfe die Maschinen konstruieren, gleichsam eine zweite Welt erschaffen, in der dann die Massen als Funktion der Ausführung dienen. Das andere Denken, das Denken der *Vernunft*, ermöglicht keine Ausführung nach Anweisungen in Massen, sondern verlangt von jedem, als er selbst zu denken, ursprünglich zu denken. Hier wird die Wahrheit nicht durch eine beliebig wiederholbare Maschine erwiesen, sondern durch Entscheidung, Entschluß, Handlung bezeugt, die jeder als er selbst vollzieht und dadurch mit anderen einen gemeinsamen Geist verwirklicht.

Was aus den freien Akten unzähliger Menschen entsteht und wie ein uns überwältigendes Geschehen auf uns zuströmt, das ist nicht *nur* ein Geschehen. Jeder Mensch ist dabei ein freies mithandelndes Wesen. Wenn er auch noch so ohnmächtig sich fühlt, niemand ist absolut ohnmächtig. Dem Gang der Geschichte gegenüber mögen wir wohl verzagen, wie gegenüber der unerbittlich steigenden Flutwelle des Ozeans, und mitgerissen werden. Aber wir bauen Deiche in Gemeinschaft, und Menschen vermochten standzuhalten. Die Geschichte unterscheidet sich von der Flut des Ozeans. Diese Flut ist stumm. Aus der Geschichte kommt die Sprache, und wir antworten. Daß Menschen sich zusammenfanden, ist selber ein durch ihre Freiheit beseeltes, nicht nur ein Naturgeschehen. Wenn der einzelne Mensch auch noch so winzig ist als Quantität unter den Faktoren, durch die die Geschichte erzeugt wird, er ist doch ein Faktor. Er kann nicht alles abwälzen auf ein Geschehen, für das er gar nichts kann.

In der für den Verstand unbegreiflichen, für ihn nicht einmal Realität besitzenden Umkehr ist das Selbstbewußtsein des Menschen gegründet. Will ich mein Seinsbewußtsein in der Denkhaltung des Verstandes und seines Wissen- und Machenkönnens gründen, so sinke ich ins Nichts. Will ich mich auf diesem Wege suchen, finde ich mich nicht. Ich habe mich im bloßen Verstandesdenken vergessen. Mit der Vernunft kehre ich zu mir selbst zurück.

Nach der Umkehr bleiben Verstand und Vernunft miteinander verbunden. Was gegenständlich mit dem Verstand denkbar ist, muß als solches bis an seine Grenze durchgedacht werden, um in der Umwendung alles so Gedachte in der Vernunft zu bewahren. Das Erkennbare wird in seinen Grenzen zugleich erfahren und überschritten.

3. Ergänzung und Alternative. — Was auf dem *Wege* der Darstellung liegt, ist, für sich isoliert genommen, berechtigten Einwänden ausgesetzt. Weil es zunächst für sich deutlich werden muß, wird es zur Verführung, an dies gerade Gefragte und Beantwortete sich vorzeitig zu fixieren. Man läuft sich in Erörterungen fest, die nur auf dem Wege, aus einem beschränkten Gesichtspunkt, galten. Es klingt endgültig, so daß man sich gleichsam einfangen läßt und sich darin verliert.

Daher ist es notwendig, sich in jedem Augenblick der eingenommenen Position des Denkens, von der her man sieht, bewußt zu werden, die Gesichtspunkte zueinander in Beziehung zu setzen, sie als Schritte in einem Ganzen zu spüren, die Verflochtenheit der Argumente bei Vermischung der Gesichtspunkte wahrzunehmen. Es ist in der Tat nichts isoliert.

Erst nach dem Durchschreiten der Horizonte mit den in ihnen auftretenden Aspekten kann die Vergegenwärtigung im Ganzen sachentsprechend werden. Aber wir gewinnen nicht ein System des Ganzen, sondern eine geordnete Erörterung der Perspektiven. Das Ziel ist, im Raum der Informationen und Denkbarkeiten sich der letzten Motive zu vergewissern, aus denen unser Urteil und die Richtung unseres Handelns entspringt.

Daher ergänzen sich die Teile dieser Schrift. Keiner scheint mir entbehrlich. Sie sind nur im Ganzen zu verstehen, aber ohne daß das Ganze als solches vor Augen tritt. Das entspricht unserer menschlichen Situation, in der wir nur uns orientieren und vergewissern und uns des Grundes bewußt werden können, aus dem wir je geschichtlich leben.

Nicht alles löst sich, und das Ganze vollendet sich nicht. Wenn wir uns hüten vor manchen vorzeitigen, rational schnell gestellten, aber nicht notwendigen Alternativen, dann stoßen wir um so entschiedener auf wenige, für uns in der Situation unüberschreitbare, insofern wahre Alternativen. Sie bringen uns vor die großen geschichtlichen Entscheidungen, denen wir im zeitlichen Dasein nicht ausweichen können. Sie scheinen unerbittlich, ohne daß wir sie in rationaler Form genügend bestimmt wissen können (dann würden die Entscheidungen zu Rechenexempeln von einem Standpunkt außerhalb der Alternativen, in denen wir doch darin stehen). Wir möchten sie überwinden, ohne doch in Wahrheit über sie hinausblicken zu können.

Daher ist im Denken der Ergänzungen ebenso wie im Berühren der für uns letzten Alternativen nur der Raum zu gewinnen, der uns unbegrenzt und über jede Perspektive hinaus noch zu erwarten scheint. In ihm finden wir den Entschluß unseres Handelns auf dem Lebenswege, der doch nicht der Weg aller Menschen ist.

Daher dürfen allgemeine Vorschläge nicht als das Letzte gelten, sondern als das Medium, worin wir, immer in der Ungewißheit des Ganzen, wissen, was wir an unserem Ort, in diesem Augenblick, in dieser Situation angesichts der offenen Geschichte wollen.

4. Das Denken in »Ressorts«. — Die Absicht dieser Schrift ist, nicht von einem Ressort (etwa von der Philosophie als einem Fache) her Stellung zu nehmen. Sie wendet sich an das im Menschen, was über allen Ressorts liegt. Diese Absicht ist angreifbar, weil von allem und jedem die Rede zu sein scheint, aber sie ist notwendig, weil nur so erreicht werden kann, worauf es ankommt. Es handelt sich um ein Grundproblem, zu dessen Lösung der ganze Mensch verlangt wird.

Für jede Leistung zwar ist Arbeitsteilung unumgänglich, so in den Wissenschaften die Spezialisierung der Fächer, in der Organisation der Verwaltung die Ressorts, in der Politik die Mannigfaltigkeit der Sachbearbeiter. Es gibt daher Vollmachten durch Sachkunde, durch Beruf, Ämter und Stellungen, durch Angehörigkeit zu Menschengruppen, Völkern, Staaten. Der Einzelne weiß sich beauftragt, im Namen von etwas Besonderem zu sprechen, und ist zugleich gehalten, die Aufträge der anderen Berufe und die Ansprüche der anderen Gruppen zu respektieren. Das hat seinen Sinn auf der Ebene der Ordnung des Besonderen, der Aufgaben, der Arbeiten, der Autoritäten. Auf dieser Ebene ist das menschliche Dasein unausweichlich und mit Recht geteilt in »Ressorts«.

Aber alle Teilung setzt die Einheit des Ganzen voraus. Das besondere Tun ist auf die Dauer heilsam und fruchtbar nur durch Bindung an das Ganze. Die Ressorts haben eine Grenze ihres Sinns. Das Ganze, was sie zusammenhält, begrenzt auch ihren Geltungsbereich und ist der Ursprung, der sie führt. Das Ganze aber ist allen Menschen gemeinsam, gehört niemandem oder jedem, aber mit Geltungsrecht nur in dem Maße, als er des Ganzen inne wird, Mensch als ganzer Mensch ist. Die Teilung in Ressorts hört auf, wo die Lenkung aller Ressorts notwendig wird, damit jedes Ressort für sich gedeihen kann.

Das Ganze aber oder der Ursprung oder das letzte Ziel kann nicht wiederum zur Sache eines Ressorts werden, nicht selber noch einmal ein Ressort sein. Vielmehr gewinnen von dort her erst alle Ressorts ihren Sinn, muß er in ihnen gegenwärtig sein.

Man setzt voraus, daß, wenn nur jeder sein Ressort richtig mache, das Zusammenwirken zum Ganzen von selbst erfolge. Man hat den Wahn, die Ressorts würden, verteilt an verschiedene Menschen, von selber sinnvoll zusammenwirken, ohne daß jemand das Bewußtsein davon hätte.

Man kann den Vergleich machen: Der Organismus, der durch eine Menge spezieller Organe lebt, ist gesund, wenn in der Wechselwirkung aller jedes einzelne untergeordnet bleibt dem Ganzen, das selber kein besonderes Organ, sondern in allen gegenwärtig ist. So erfolgen die politisch-geistig-sittlichen Entscheidungen, wenn sie wahr sind, aus dem Ganzen, dem alle Ressorts der Tätigkeiten, Forschungen, Berufe, Ämter untergeordnet bleiben. Und wie im Organismus das Ganze nur gedeiht, wenn die Teile ihre Aufgabe erfüllen, so das Dasein des Menschen nur, wenn die Ressorts in ihrer Arbeit tüchtig sind. Dieser Vergleich hört jedoch am entscheidenden Punkt auf. Das Ganze des Organismus ist bewußtlose Natur. Das Ganze des sittlich-politischen Zustandes ist durch Denken, das den gemeinsamen Geist erzeugt.

In jedem Bereich unseres denkenden Daseins kehrt dieses selbe Problem wieder. Es ist übergreifend das von Verstand und Vernunft, von Fachwissenschaft und Philosophie.

Wissenschaft ist gegenständlich zwingende Erkenntnis durch den Verstand, Philosophie ist Selbsterhellung der Vernunft. Beide sind in ihrer Unterschiedenheit untrennbar. Wissenschaft wird bodenlos ohne Philosophie. Philosophie braucht bei jedem Schritt den Verstand und damit die Wissenschaft.

Das Denken, das keinem Ressort angehört und an keines verfällt, ist jene Philosophie, die in jedem Menschen vorausgesetzt werden darf, wenn auch im Schlummer. Sie kann für den Menschen als Menschen zum hellsten Bewußtsein und zur kritischen Sicherung gebracht werden. »Philosophie ist für mich zu hoch«, »In der Philosophie bin ich nicht sachkundig«, »Philosophie hat mich nie interessiert«, mit solchen Wendungen wird abgelehnt, was man doch selber, ohne es zu bemerken, daher meistens dürftig und schlecht, tut. Diese ständige Philosophie in allen Menschen prägt das Bewußtsein, bestimmt die Motive, trägt die öffentlichen Selbstverständlichkeiten.

Es ist ein Mangel der Philosophen und besonders der Mangel von uns Philosophieprofessoren, wenn wir, statt die Sprache des Menschen zu suchen, unser Denken in ein Ressort, die Fachphilosophie, sich beschränken und entarten lassen. Nicht den Unverstand der Menge haben wir anzuklagen, sondern unseren mangelnden Ernst und unsere Ungeschicklichkeit.

Die Absicht dieser Schrift ist philosophisch. Sie ist nicht, einen Vorschlag zu machen, nicht, einen politischen Akt zu vollziehen, nicht, eine Lösung im ganzen zu bringen. Sie gehört keinem »Ressort« an und nimmt keines zu ihrer Legitimation für sich in Anspruch.

Der Lehrer der Philosophie kann veranlassen zum Vergegenwärtigen. Er kann das Bekannte und Unbekannte in solchem Zusammenhang zu zeigen versuchen, daß ein Bewußtsein des Ganzen entstehen möchte. Er kann orientieren, zeigen und hinweisen. Er kann Konsequenzen durchdenken. Er kann aber nicht wollen, was über die Kraft des bloßen Denkens einzelner geht. Er kann nicht die Welt lenken und muß die Gebärde der Weltlenkung als Schein verwerfen, um nach Kräften in Wahrheit zu sagen, was sichtbar ist und gedacht werden muß.

Die Philosophie bewegt sich in dem einen Ursprung des Menschen, der gleicherweise bei den Trägern der *Forschung* und des *politischen Handelns* zur Geltung kommt.

Der vom Ursprung gelöste Zustand läßt in den *Wissenschaften* die Sachen in Fächer sich zerstreuen ohne die Rückbeziehung auf die Einheit der wissenschaftlichen Haltung, die selber philosophisch ist und allem Forschen erst den Sinn bewahrt, aus dem es hervorgegangen ist. In solcher Zerstreuung treten die Verabsolutierungen von Gesichtspunkten und Methoden und der im Endlosen leer werdende Betrieb zutage, in dem nur noch Richtigkeiten und Brauchbarkeiten gefunden werden ohne Erfüllung durch Wahrheit. Ohne Philosophie geht zwar nicht die Richtigkeit, aber der Sinn der Wissenschaften verloren.

Der vom Ursprung gelöste Zustand läßt in der *Politik* die Dinge an die Ressorts der Sachverständigen verteilen, die Sachverwaltungen miteinander konkurrieren oder als unberührbar sich gegeneinander abschließen. Die Macht des Ganzen wird geschwächt. An seine Stelle tritt der Zufall der Herrschaft eines Ressorts.

In der Atombombenfrage ist heute ein typisches Verhalten, daß jeder Fachmann seine Sache vorträgt, nacheinander der Physiker, der Biologe, der Militär, der Politiker, der Theologe, und daß sie alle ihre Nichtzuständigkeit außerhalb ihres besonderen Gebiets erklären. Aber sie wenden sich damit doch an den einen Menschen, der sie alle verstehen soll und, soweit er dies vermag, verstehend kontrolliert, und das, was sie mitteilen, für seine Einsicht im ganzen nutzt, und sie vom Ganzen her wiederum beurteilt. Wo ist dieser ganze Mensch? Es ist jeder Einzelne und auch jeder der fachlich Vortragenden. Es ist eine heute allzu bereitwillig anerkannte Weise des Sichentziehens mit Sätzen wie: »Hier bin ich nicht zuständig«, »Das ist nicht mein Fach«. Das ist zwar richtig in bezug auf spezialistisches Wissen und Können. Aber es wird unwahrhaftig, wenn es sich um Auffassungen, Entscheidungen, Entschlüsse handelt, die die Sache im ganzen und damit den ganzen Menschen angehen.

Die Grenze des Ressortdenkens (daß es Fragen gibt, die auf das Ganze gehen und jedermanns Sache sind) ist in der Atombombenfrage offenbar. Sie ist keine einzelne Frage, die durch besondere Maßnahmen der Sachkundigen schon eine Lösung finden kann. Sie ist heute nicht eine Frage unter anderen, sondern die Daseinsfrage überhaupt, die Frage nach Sein oder Nichtsein. Sie wirft ihre Schatten auf alles, was wir noch sonst tun und fragen können. Ihre Lösung liegt in einer Tiefe des Menschseins, die keine besondere Erkenntnis, kein besonderes Tun, sondern nur der Mensch selbst erreicht. Hier wird ihm eine Aufgabe gestellt, die er nicht in den Vorbauten seiner in Ressorts geteilten Aufgaben beantworten kann. Es ist vergeblich, die Frage isoliert zu betrachten als eine partikulare Unheilsdrohung, der partikular zu begegnen und die als eine Einzelfrage zu lösen ist. Vielmehr steht der Mensch im ganzen in Frage und muß sich mit seinem ganzen Leben einsetzen, um ihr gewachsen zu sein, in der Zeit des Friedens durch seine ganze Lebensweise und dann in der kritischen Situation durch Wagnis und Opfer. Er hat Möglichkeiten, die nicht mit seinem Verstand zu planen, aber unerläßlich zu verwirklichen sind, wenn er der Situation Herr werden will. Hier hört das Ressortdenken ganz und gar auf. Wenn hier Wahrheit ist, so geht sie nicht nur jeden an, sondern muß von jedem selbst eingesehen und damit hervorgebracht und aus dem Grunde seiner Existenz verwirklicht werden. Wir schreiten in eine Zone, wo Konventionen abfallen, die Umgangsformen der Ressorts sinnwidrig werden, der Vordergrund der Achtung vor den Tabus, des Schweigens und des Sichnichtberührens durchbrochen wird.

Was Sachkundige sprechen, hat nur für die besondere Sache, nicht im Ganzen einen Vorrang. Was sie in bezug auf das Ganze sagen, ist zu prüfen als das, was uns allen gemeinsam ist, wodurch wir alle Träger unseres Schicksals und mitverantwortlich sind.

Wer in der Politik etwas im ganzen zu sagen hat, spricht daher nicht als Fachmann, sondern als Mensch, dem der Fachmann in sich und alle Fachlichkeit sonst dient. Darum hören wir überall hin, wo einsichtiges Denken Sprache gewinnt. Wir möchten dahin gelangen, wo wir als Menschen mit anderen Menschen unseren Weg finden müssen, nicht nur als im Besonderen Fachkundige, sondern als im Ganzen denkende Wesen.

5. Keine »Lösung«. — Da wir die Kraft zur totalen Zerstörung besitzen, aber bisher nicht die Macht, diese Kraft mit berechnender Sicherheit zu beherrschen, fragt jeder: Was soll geschehen? Wo liegt die Lösung?

Man möchte eine eindeutige und endgültige Auffassung. Man möchte die konkreten Vorschläge: zu einer Handlung, zu einer Einrichtung, zu Verträgen, zu einer schrittweisen Entwicklung, womit die ganze Sache in Ordnung käme. Damit verlangt man Unmögliches.

Für einen konkreten Augenblick ist zwar das Herausheben eines bestimmten Gedankens, das Bestehen auf einer bestimmten Forderung sinnvoll. Das ist ein politischer Akt. Dieser Vorschlag bestimmten Tuns kann nur in einer konkreten Situation seinen Sinn haben von einem Orte her, an dem der Handelnde steht. Er wird wahr nur in dem Maß, als die gesamten Perspektiven in ihren Horizonten gegenwärtig bleiben.

Diese Horizonte zu zeigen, ist möglich. Wir können sie durchdenken und durchfühlen (gleichsam mit dem versuchsweisen Einsatz des Grundes in uns selbst). Damit wird die innere Verfassung wirklich, aus der im konkreten Augenblick Vorschläge und Handlungen entspringen und aus der solche geprüft werden können. Das Denken schafft den Raum, klärt die Voraussetzungen, stellt das Wißbare bereit, auf Grund dessen in der Situation der Weg gefunden werden muß. Man begreift schwer, daß unsere Einsicht sich nur entwickeln kann in einer Vielheit der Aspekte und Denkungsarten, daß dann aber die wirkliche Handlung der Sprung in die Geschichtlichkeit ist. Dieser ist nicht ableitbar. Er ergibt sich weder wie das Ergebnis eines Rechenexempels aus dem Allgemeinen noch aus dem anschaulichen Bild der faktischen Weltlage. Der geschichtliche Entschluß ist um so tiefer, als er im weiten Raum des Wißbaren und des real Anschaulichen sich geprüft hat und durch das lebenwährende innere Handeln in dem vernünftigen Menschen vorbereitet ist.

Die Natur der Sache steht also gegen falsche Erwartungen, mit denen man an eine Schrift, wie die vorliegende, herangehen kann. Ich zeige nicht, wie man es machen muß. Ich entwerfe keine Theorie von dem, was werden wird. Ich nehme keinen endgültigen Standpunkt ein. Ich tröste nicht durch eine letzte Antwort. Wohl aber kommen Vorschläge vor, werden Entwürfe der Zukunft erörtert, werden jeweils Standpunkte eingenommen. Aber das alles geschieht auf dem Wege. Wohl versuche ich eine Orientierung über unsere Lage, aber auch sie nur in möglichen Perspektiven. Es bleibt alles in der Schwebe. Ich zeige, daß es für den bloßen Gedanken keine Lösung gibt, die nach Anweisung auf angebbare Weise zu verwirklichen wäre.

Ein solches Denken, das dem Menschen vergönnt ist, aber ohne ihm die Ruhe des Abschlusses zu bringen, fordert langen Atem. Es fordert auszuhalten in den Spannungen des Unlösbaren. Es fordert die Offenheit, der nur aus dem letzten Ursprung Erfüllung werden könnte.

Alle Schwebe, alle Offenheit, alle Unbegrenztheit im Fragen ist aber zuletzt nicht Skepsis, sondern der Wille, durch dieses Denken die Entschiedenheit der Existenz zu ermöglichen. Diese selbst wird frei gelassen in ihrer durch nichts zu erleichternden Verantwortung. Denken hilft zur Reinheit. Dieses Denken ist der Enthusiasmus der Vernunft.

Ein Problem, das keine Lösung für immer finden kann, wirkt um so mächtiger, weil es unentrinnbar ist. Man wird seiner ansichtig, wenn man die falsche Voraussetzung des Verstandes durchschaut, daß alle Probleme lösbar seien (und die unlösbaren auf falschen Fragen beruhten). Der Verstand macht die falsche Voraussetzung, daß der Mensch sich in der Welt richtig einrichten könne, und dann im Falle der Enttäuschung die falsche Schlußfolgerung, es sei alles vergeblich, der Untergang des Ganzen komme gewiß.

Pronunziamentos von Forschern, Literaten, Philosophen, Theologen sind gut, soweit sie Tatsachen berichten. Wenn sie mehr tun, so sind sie im engeren Sinne politisch, daher wirksam im Interesse von Parteien und Staaten, mit oder ohne Willen dazu. Oder sie wären prophetische Verkündigungen und Forderungen kraft höherer Vollmacht. Man höre sie, lese sie und sehe die Sprechenden an, ob man ihnen in diesem Sinne Glauben schenken kann. Die vorliegende Schrift möchte nur orientieren und klären und erinnern. Die Lösung der großen Frage erfolgt durch die Tat, nicht durch den Gedanken, doch durch zahllose Taten zahlloser Menschen, und nach Vorbereitung durch ihr Denken der Möglichkeiten.

6. Die drei Teile der Schrift.

Es ist nicht möglich, alles zugleich zu sagen. Das jeweils Gesagte aber bleibt nur wahr, wenn dem Autor und dem Leser das Ganze potentiell gegenwärtig ist.

Für die Ordnung der Gedanken über die Folgen der Atombombe habe ich eine Dreiteilung gewählt: *Erstens:* Die allgemeinen Erörterungen, die an Grenzen führen. *Zweitens:* Die Darlegung der gegenwärtigen Weltlage. *Drittens:* Die Erhellung des Menschseins im Umgreifenden. Im Ersten Teil werden Prinzipien entwickelt, am Leitfaden von Realitäten unserer Zeit, um zu sehen, daß sie unerläßlich sind für unsere Einsicht, aber keine Lösung bringen, sondern an Grenzen gelangen, wo sie versagen. Im Zweiten Teil wird die Weltlage geschildert, in der konkret gegeben ist, woran niemand, der verwirklichen will, vorbeigehen kann. In diese Lage muß jeder, ob er will oder nicht, faktisch und mit seinem Bewußtsein eintreten. Im Dritten Teil wird auf Grund des prinzipiellen und des konkreten Wissens der beiden ersten Teile der Versuch gemacht, das Umgreifende der Vernunft zur Geltung zu bringen. In unserer neuen Lage soll wieder unser Menschsein fühlbar werden: was es (mit Kants Wort) heißt, ein Mensch zu sein.

Der Dritte Teil ist der umfangreichste. Er behandelt die Fragen, die in den Hörerzuschriften auf meinen Radiovortrag am häufigsten, fast allein aufgeworfen wurden. Er führt in die Philosophie, die nicht nur Sache akademischer Lehre, sondern im Menschen als Menschen, als Vernunftwesen wirklich ist.

Bei der Trennung der drei Teile sollte doch im Denken des Besonderen von Anfang an schon das Ende der Schrift mitsprechen und umgekehrt bis zuletzt auch die Besonderheit der Anschauungen vor Augen bleiben. Die Grundgedanken sollten in abgewandelter Gestalt wiederkehren. Von vornherein zeigt sich, daß das Politische von einem Überpolitischen abhängig ist, aber auch, daß dieses Überpolitische nicht eindeutig ist. Wenn es von uns als Ethos, Opfermut, Vernunft angesprochen wird, so ist doch jedes dieser drei auf die anderen angewiesen oder mit ihnen eins. Die Trennung ist nur eine Weise des Mitteilbarmachens. Wir möchten mit ihrer Hilfe uns die Aufgabe des Menschen zum Bewußtsein bringen und unseren Blick über die Welt hinaus richten, dorthin, von wo uns die Kraft zur Erfüllung unserer Wirklichkeit in der Welt kommt.

ERSTER TEIL

Wir sehen zunächst ab von der konkreten Weltlage, um uns allgemeine Prinzipien zu vergegenwärtigen, für die das augenblickliche Geschehen uns nur als Leitfaden dient.

ERSTES KAPITEL

DAS ANFÄNGLICHE POLITISCHE DENKEN
IN BEZUG AUF DEN NEUEN TATBESTAND

Wenn ein neuer Weltkrieg kommt, werden sicher die Atombomben fallen. Wenn das Verhängnis der Atombombe verwehrt werden soll, dann darf kein Weltkrieg entstehen. Jeder kleine Krieg bringt schon eine Gefahr, daß er zum Weltkrieg führen könnte. Darum darf kein Krieg mehr sein.

Dies wird heute konkret so gedacht: Der Kampf mit Atombomben ist faktisch ein Doppelselbstmord der Gegner. Sie werden es nicht tun. Denn die Angst vor den Folgen bezwingt auch ihren bösen Willen.

Dann aber wird weiter gedacht: Weil der Atomkrieg unmöglich geworden ist, ist jeder Krieg der Atomgroßmächte miteinander unmöglich geworden. Denn da in einem Weltkrieg auf Leben und Tod irgendwann doch der Einsatz der Atombombe droht, wird keine Großmacht mehr wagen, den Krieg zu beginnen. Weil er für alle der Vernichtungskrieg würde, kann er überhaupt nicht mehr entstehen. Die totale Bedrohung erzeugt die totale Rettung. Die äußerste Notsituation erzwingt die Formen politischer Daseinsgestaltung, die mit der Atombombe auch den Krieg überhaupt unmöglich machen.

Dieser allgemeine Gedanke beruhigt jedoch nicht. Angst allein ist auf die Dauer kein zureichendes und kein verläßliches Mittel. Es muß etwas getan werden, um Dauer zu erreichen. Daher werden heute zwei Forderungen erhoben: *Erstens*: die Atombombe muß abgeschafft werden. *Zweitens*: ein nicht durch Angst allein, sondern durch Recht begründeter Weltfriedenszustand muß errichtet werden.

1) Die Abschaffung der Atombombe.

Der heute allgemeine Gedanke ist: Man soll die Versuche einstellen, man soll die Herstellung der Atombomben verbieten und die schon hergestellten vernichten. Es scheint der einfachste Weg. Zu beschreiten wäre er durch einen Vertrag. Bedingung des Vertrags ist die gegenseitige Kontrolle. Nur sie kann seine Durchführung sichern.

Dies wäre der rettende Akt. Mit ihm aber würde sogleich mehr geschehen als die Abschaffung der Atomgefahr. Denn unfehlbar wäre mit der gegenseitigen Kontrolle eine Umformung des politischen Daseins verbunden, nämlich der Übergang von dem Zustand der Staaten, die sich wie Bestien im Naturzustand gegenüberstehen, zu einer Staatengemeinschaft, die auf das Recht von Verträgen gegründet ist, deren Einhaltung durch Institutionen gemeinsamen Ursprungs gesichert wird. Es wäre der Übergang von dem Zustand bloßer Koexistenz, die jeden Augenblick durch den Gewaltakt einer Seite in Krieg sich verwandeln kann, zum Zustand der Kooperation, die die Freiheit aller bedingt sein läßt durch die Überordnung gemeinsam beschlossener und durch Vollzugsorgane wirksam gemachter Verträge. Es wäre der Anfang des Weltfriedens.

Denn die Folge solcher Kontrolle wäre erstens ein gegenseitiger Einblick in alle Verhältnisse, der als solcher schon eine gegenseitige Offenheit verwirklichen würde, die den für den Frieden unerläßlichen gemeinsamen Geist zur Folge hätte. Die so entstehende Ubiquität der Nachrichten wäre schon der Akt des Friedensschlusses in erster Gestalt. Zweitens wäre Folge der Kontrolle die freiwillige Einschränkung der Souveränität aller durch die faktische Anerkennung der der Staatssouveränität übergeordneten Geltung von Verträgen, die, wie alle Verträge, nicht allein auf Vertrauen beruhen dürfen, sondern auf eine wirksame Kontrollinstanz angewiesen sind. Diese wäre von den vertragsschließenden Staaten über sich selbst zu errichten. Nur so wird die Freiheit der Willkür zum Vertragsbruch aufgehoben.

Mit der Errichtung dieser gegenseitigen Kontrolle wäre der erste, schon entscheidende Schritt zum friedlichen Weltzustand getan. Von da an wäre die Verwirklichung des Friedens unvergleichlich viel leichter, als es dieser Anfang ist.

Die Abschaffung der Atombombe und die Errichtung der wirksamen Kontrollinstanz scheinen jedoch unmöglich als ein isolierter, selbständiger Vorgang auf Grund verständiger politischer Planung.

a) Die Beurteilung der Verläßlichkeit einer Kontrolle setzt die jeweils erreichten technischen Kenntnisse voraus. Eine Konferenz zwischen den russischen und amerikanischen und englischen und vielleicht auch anderen Physikern (nicht Politikern) müßte klären, welche möglichen und notwendigen Verfahren zu einer verläßlichen Kontrolle führen würden. Eine solche Konferenz hat bisher nicht stattgefunden.

b) Eine Kontrolle kann auf so weiten Gebieten wie den asiatischen und amerikanischen gar nicht absolut zuverlässig durchgeführt werden: man kann immer wieder unter dem Erdboden verstecken, sogar gewaltige Lager und Produktionsstätten. Sollte aber auch die Kontrolle gelingen, so wäre sie garantiert nur im Frieden. Alle Staaten, die im Besitz der Konstruktionsgeheimnisse sind, könnten im Kriegsfalle die Bomben herstellen und die Schnelligkeit solcher Herstellung im Frieden vorbereiten. Schließlich würde die Kontrolle um so schwieriger, je leichter die Herstellung der Atombomben würde und je mehr Staaten sie in Händen hätten.

c) Wie weit die Kontrolle sich erstrecken müßte, zeigt der amerikanische Barudi-Plan (aus der Zeit, als Rußland noch nicht im Besitz der Atombombe war). Die gesamte Atomenergie der Erde müßte einer internationalen Behörde unterstellt werden. Diese hätte über alle Uranvorkommen der Welt, über alle Industrien, die die Atomenergie gewinnen und verwerten, die Kontrollrechte, und zwar auch über das Eigentum und die Verwaltung. Ihre Beamten sollten exterritorial sein, wie die Botschafter, sollten überall in der Welt, wo und was sie wollen, inspizieren und Aufnahmen machen dürfen. In den führenden Gremium der Behörde entscheidet die Mehrheit ohne Vetorecht einzelner.

Dieser Plan, zu dem sich Amerika damals bereit erklärte, während Rußland sich zögernd verhielt, sollte jedoch unter einer Bedingung stehen: er ist nur durchzuführen zugleich mit allgemeiner Abrüstung. Daher sollten auch die schon vorhandenen Atombomben (damals nur amerikanische) erst vernichtet werden, wenn der Kontrollapparat funktioniert.

Das Ergebnis ist: Die Kontrolle ist nur möglich mit allgemeiner Abrüstung. Erst wenn der Weltfriedenszustand gesichert wird, ist auch die ausreichende Kontrolle möglich. Der Gedanke und der Versuch der Kontrolle allein kann das Ziel nicht erreichen.

Dem Unheil läßt sich nicht begegnen, ohne den Krieg aus dem Gang der menschlichen Dinge auszuschalten. Der Krieg, den es gab, seit Menschen da waren, müßte aufhören. Was früher in Kriegen entschieden wurde, müßte andere Wege der Entscheidung finden. Was bisher an Kräften hohen Mutes und ethisch gegründeter Opferbereitschaft oder an abenteuerlustigem Übermut und vergeudender Wildheit oder an hassender Zerstörungswut in Kriegen zur Geltung kam, müßte andere Bahnen für seine Verwirklichung finden. Ohne den Weltfrieden gibt es keine Verhinderung des Untergangs der Menschheit. Die Atombombe wäre nur mit annähernder Sicherheit ausgeschlossen, wenn der Krieg überhaupt unmöglich wäre.

d) Praktisch wird die Kontrolle heute nicht allein darum verweigert, weil die Voraussetzungen des Weltfriedenszustandes nirgends, auch nicht von den westlichen Staaten, akzeptiert werden. Der heute entscheidende Grund ist: Der Totalitarismus als Herrschaftsform und die Kontrolle schließen sich aus. Die Kontrolle zulassen würde für den Totalitarismus bedeuten, auf seine Herrschaftsform zu verzichten, also abzudanken. Denn diese Herrschaftsform beruht auf der Geheimhaltung und auf der staatlichen Lenkung der gesamten Publizität. Sie duldet nicht die Freiheit der Nachrichten und die unbeschränkte öffentliche Mitteilung der Gedanken. Jede Bekanntmachung dessen, was nicht durch den Staat selbst mitgeteilt wird, gilt als Spionage oder Landesverrat. Der Totalitarismus und die Menschen, die ihn tragen, als Führer und als Apparat, müssen sich sträuben gegen die Kontrolle als solche, solange sie sich mit dieser Herrschaftsform identifizieren und nicht den umwendenden Entschluß fassen. Sie müssen gegen die Kontrolle an sich aus ihrer Selbstbehauptung notwendig denken: principiis obsta. Und diese Stellung selber müssen sie wieder verschleiern und reden, als ob sie grundsätzlich für die Kontrolle bereit seien. Sie müssen über die Kontrolle ständig so verhandeln, daß sie deren Verwirklichung im Keime ersticken. Sie müssen Kontrollen erdenken, die keine sind, weil sie das Entscheidende nicht erreichen, und doch zur Täuschung derer dienen, die sich düpieren lassen von etwas, das nach Kontrolle aussieht.

Wenn die unfehlbare Wirkung der Kontrolle schon als solcher für die Erzeugung des Friedenszustandes mit Recht erwartet wird, so kann diese Erwartung auch so ausgesprochen werden: Die Zustimmung zur Kontrolle setzt den Willen zu dieser Wirkung voraus. Die Kontrolle bedeutet im Akt ihrer Einsetzung schon die Solidarität, die sie bewirken würde. Es wäre ein Zirkel, der in der Verwirklichung das Verbindende, Bewahrende, Dauernde steigert, so wie ein Teufelszirkel die Zerstörung vorantreibt.

2) *Prinzipien eines Weltfriedenszustandes.*

Der Weltfriede wird nur durch eine neue Politik möglich sein. Wir entwerfen die Prinzipien des Weltfriedens in einer Konstruktion aus der Natur der Sache, ohne schon nach der Möglichkeit seiner Verwirklichung zu fragen. Zwar denken wir keine Phantasie von einem utopischen Reich makelloser Geister, wohl aber die Konstruktion aus Realitäten der Natur des Menschen und seiner Freiheit. Damit gewinnen wir einen Maßstab für das, was wir wollen, und für die Wirklichkeiten, die schon da sind.

Der Weltfriedenszustand beruht auf zwei Voraussetzungen. *Erstens* auf dem *freien Willen:* es soll Recht und Gerechtigkeit statt Gewalt herrschen. *Zweitens* auf der *Realität:* die Menschenwelt ist nicht richtig und gerecht eingerichtet und wird nie vollkommene Gerechtigkeit erreichen; aber der

Mensch kann sich bemühen, auf dem Wege zur Gerechtigkeit weiterzukommen.

Daher gilt im Dasein nichts als endgültig außer der Selbstbehauptung dieses in Freiheit auf Gerechtigkeit gerichteten Lebens.

Alles kann revidiert werden. Neue Realitäten treten auf. Neue Fragen werden aufgeworfen. Die Nachprüfung vollzieht sich vorbereitend im öffentlichen geistigen Kampf. Sie schreitet zur Verwirklichung in legalen Formen, die als Formen selber wieder legal revidierbar sind, aber, solange sie bestehen, als durch Gewalt unverletzbar anerkannt werden. Todfeind dieser Freiheit ist allein die Berufung auf Gewalt.

Da der Zustand nie der der vollendeten Gerechtigkeit sein kann, so ist er nur der Zustand des Rechts, der immer noch Unrecht einschließt, und der Zustand der Gewaltlosigkeit, der immer noch ein Minimum von Gewalt zur Aufrechterhaltung seiner selbst einschließt. Todfeind dieses Zustandes ist aber die Gleichgültigkeit gegen Unrecht und gegen Gewalt. Er ist in seiner Selbstbehauptung angewiesen auf die ständige Empfindlichkeit gegen das Unrecht und die Ungerechtigkeit und auf die Energie, sie zu korrigieren.

A) Formulierung der Prinzipien: Die Prinzipien dieses Zustandes in und zwischen den Staaten lassen sich auf Grund der beiden ersten Voraussetzungen in folgenden Sätzen aussprechen:

I. Es müssen Bindungen gelten, damit die Gewalt nicht durchbricht.

a) Die Bindung fordert *Anerkennung der Gesetzlichkeit.* Verträge werden als rechtsgültig anerkannt, solange sie nicht durch neue Verhandlungen geändert werden.

b) Die Bindung fordert *Verzicht auf Willkür.* Die Überordnung des Rechtsgedankens hat daher zur Folge den *Verzicht auf absolute Souveränität,* und weiter den *Verzicht auf das Vetorecht* gegenüber den Beschlüssen irgendeines legal eingesetzten Gremiums. Der Verzicht auf absolute Souveränität und auf das Vetorecht bedeutet die Bereitschaft, mit den anderen »Souveränen« so vernünftig und so glaubwürdig durch ständig sich bewährende Handlungen umzugehen, daß eine Verantwortung in Gegenseitigkeit fühlbar wird und dadurch ein Vertrauen entsteht und wächst.

Dieses Vertrauen ist aber niemals von der Art, daß es sich nicht sichern müßte durch rechtliche Institutionen einer übergeordneten Instanz. Oder anders: das Vertrauen selber verlangt in Gegenseitigkeit, daß das, was sich in Rechtsformen vertraglich fixieren läßt und durch Rechtsentscheidungen erledigt werden kann, auch diese Formen annehme. Es geschieht, wie zwischen Freunden, zur Erleichterung der Ungewißheit in Daseinsfragen, um dadurch freieren Raum für die eigentlich menschlichen Zwecke zu gewinnen.

c) Es bleibt immer ein *Rest von Gewalt.* Es ist eine Täuschung, daß das

Recht als solches sich zuverlässig durchsetze. Wie auch die Wahrheit, und nicht nur die Unwahrheit, ihren Advokaten braucht, so braucht das Recht Macht, die nicht schon die Macht des Rechts selber ist.

Der *Krieg* kann nur ausgeschaltet werden, wenn es eine oberste *Rechtsinstanz* gibt, die *an die Stelle von Gewalt* das Recht setzt und die auch die tiefstgehenden Meinungsverschiedenheiten und Interessengegensätze zu entscheiden vermag. Diese Instanz aber muß über eine wirksame Gewalt verfügen, um ihre Entscheidung durchzusetzen und zu erhalten. Wie ein Staat nicht die Polizei abschaffen kann, so die vertraglich sich verbindenden Staaten nicht die Gewalt, um die unter ihrer Garantie geschlossenen Verträge zu sichern. Das Zustandekommen der überstaatlichen, von den Staaten einzusetzenden, mit bisher unerhörter Vollmacht ausgestatteten Behörden, die Wirklichkeit der Form, in der die immer noch bleibende Gewalt als gemeinsame der Verfügung der Rechtsinstanz unterstellt wird, ist das große Problem.

d) Die Bindung fordert die *Anerkennung von Abstimmungen*, der Majoritätsbeschlüsse, zuletzt der Entscheidung des Volkswillens auf diesem Wege. Freie und geheime Wahlen sind das Mittel der Erkundung des jeweiligen Volkswillens.

Wer politisch handeln will, soll das Volk in Kenntnis setzen, es überzeugen durch Denken, es durch Gründe, durch Anschauungen und durch Vorbild erziehen. Wahrheit muß auf die Dauer durch das Volk sich bestätigen lassen. Nur auf diesem Wege gibt es das Heranwachsen der Menschen zum Mitwissen der Dinge, zum Begreifen und zum Entschluß aus der allen Menschen aufgegebenen Umkehr.

Wer in Empörung über die Dummheit der Menge sich gegen die freien Wahlen wendet, der vergißt, daß die Herrschenden im Gang der Geschichte durchweg (nur in zufälligen Ausnahmen war es anders) nicht klüger, nicht wahrhaftiger, nicht besser, nicht verantwortlicher waren als die Mehrheit der Beherrschten, und diese nicht besser als jene, und, daß, je größer die Aufgabe wird, es um so mehr auf die Erziehung und Mitwirkung aller Menschen ankommt.

Kein anderes Mittel zur Befragung steht uns zur Verfügung als Wahlen und Abstimmungen. Daß in diesen das Beste erreicht wird, ist die Verantwortung eines jeden und vor allem derer, die sich um die Macht bewerben. In dem ständigen Kampfe der Geister in der Öffentlichkeit wird offenbar, was ist. Nur durch ihn kann der Boden im Mitwissen und Mitwollen des dann sich selbst erziehenden Volks, das heißt eines Jeden gewonnen werden. Freie und geheime Wahlen sind das allein faßliche Mittel der politischen Freiheit und des Friedens zugleich. Denn nur in dem Maße, als sie der Idee der

Demokratie folgen und deren Bindungen anerkennen, sind die Staaten zum Frieden fähig.

II. Zur Konstituierung, Bewahrung und Entwicklung der Bindungen bedarf es der uneingeschränkten Kommunikation.

a) Freiheit ohne Gewalt ist nur möglich bei Übermittlung der *Nachrichten,* bei *Verkehr* der *Völker* und bei *öffentlicher Diskussion,* und nur wenn dies alles ohne Einschränkung geschieht. Der Akt des beginnenden Friedensschlusses ist daher die Zulassung der Nachrichtenmitteilung und des geistigen Kampfes in der Öffentlichkeit über die ganze Welt, aber so, daß beide keiner Zensur unterworfen sind und ohne Gefahr für den Einzelnen stattfinden können. Wirkliche, weltweite, unbegrenzte *Publizität* ist Bedingung von Freiheit und Frieden.

b) Das *Prinzip der Wahrhaftigkeit* fordert: Tatsachen anerkennen; sich auf den Standpunkt des anderen stellen; differierende Daseinsinteressen sehen; seine eigenen wirklichen Motive aussprechen.

c) Friedensgemeinschaft ist nur vermöge der Kraft eines *öffentlich verbindenden Geistes:* eines empfindlichen *Rechtsbewußtseins,* das in der Mehrzahl der Fälle jeden sich mitverantwortlich fühlen läßt an geschehendem Unrecht. Nur dann kann das Unrecht nicht das Maß annehmen, daß unwiderstehlich die gewaltsame Empörung eintritt und den Friedenszustand aufhebt.

Seit den Sieben Weisen aus der Zeit der frühen griechischen Polis gilt in einem freien Staat für jeden Bürger der Satz: Das Unrecht, das einem anderen Bürger angetan wird, wird mir angetan. Ein freier Rechtsstaat oder eine republikanische Regierungsart (im Sinne Kants) ist nur dort, wo dieser Satz sich verwirklicht.

Was unter den Bürgern eines Staats gilt, das gilt in einem friedlichen Weltzustand unter allen Bürgern aller Staaten. Dieser Weltzustand fordert, durch die Gemeinschaft der Staaten einzugreifen zum Schutze der Menschen, die irgendwo ihrer Menschenrechte beraubt werden. Wie im Staat eine staatliche Instanz, so würde in den friedlich konföderierten Staaten jeder Bürger eine überstaatliche Instanz mit Erfolg gegen Unrecht, das ihm durch seinen Staat geschieht, anrufen können und dürfen.

Die innere Aufgabe jedes Staates ist untrennbar von dem Interesse am Inneren aller anderen Staaten, aber nicht auf dem Wege des Eingriffs eines Staats in einen anderen, sondern auf dem Wege des Eingriffs seitens der übergreifenden von Staaten eingesetzten Gremien.

III. Damit die im Wandel der Dinge auftretenden Ungerechtigkeiten der Zustände nicht zur Gewaltsamkeit führen, muß eine friedliche Revision aller Verhältnisse offengehalten werden.

Der Anspruch der Gleichberechtigung der Menschen und Völker ist ein anerkanntes Prinzip. Aber mit der Forderung der Gleichberechtigung steht im Widerstreit die faktische Ungleichheit der Menschen und der Völker durch Naturanlage (die sich nie endgültig feststellen läßt) an Kraft und Begabung, durch ihre sichtbaren Leistungen, durch ihre Taten und deren Folgen, durch ihre Menge. Daher kann es nur eine Gleichheit der Chancen durch die von außen bedingten Möglichkeiten geben, nicht die Gleichheit der Wirklichkeit aller Menschen. Würde man äußerlich eine Gleichheit herstellen, so würde sie sich morgen durch die natürliche und ethische Verschiedenheit der Menschen wieder in Ungleichheit auch im Äußeren verwandeln. Eine über die Gleichheit der Chancen hinausgehende Gleichmachung der Menschen ist die höchste Ungerechtigkeit. Daher ist das Prinzip der Gleichberechtigung (als einer ethisch-politischen Wahrheit) nicht identisch mit dem der Gleichheit (als einer die natürlichen und ethischen Realitäten verleugnenden Unwahrheit). Soll Friede sein, so muß das untilgbare Ungleiche grundsätzlich respektiert werden, damit es ohne Gewaltsamkeit Rangordnungen entstehen lassen darf.

Aber die Ungleichheiten und damit die faktischen Rangordnungen sind stets in Wandlung. Die in ihrem Besitz befestigte Ungleichheit ist ungerecht.

Wohl gibt es eine geschichtliche Kontinuität durch das, was die Eltern und Ahnen getan und hervorgebracht haben. Sie haben einen Grund gelegt, der fortwirkt. Ihm entspringen Berechtigungen durch Herkunft und Gründung, aber nur soweit sie sich gegenwärtig glaubwürdig darstellen und bewähren. Es gibt nicht endgültig bestehende, für immer gültige Wirklichkeiten der Rangordnung durch Geburt, Herkunft, Tradition, Besitz.

Prinzip des Friedenszustandes ist daher sowohl die Anerkennung der Unterschiede wie die Bereitschaft, die realen Rangverhältnisse auf Grund der faktischen Wandlungen der Ungleichheiten zu revidieren, aber nur auf gesetzlichem Wege, nach geistiger Vorbereitung.

So müssen auch faktisch ungerecht gewordene politische Grenzen und Verträge auf gesetzlichem Wege revidierbar sein. Unterworfene oder sich zu einer faktischen Besonderheit entwickelnde Völker sind auf ihren Willen hin durch eine überstaatliche Instanz freizugeben. —

Leicht ist die Konstruktion solcher Prinzipien eines politischen Friedenszustandes. Gedachte und für recht anerkannte Prinzipien sind aber dadurch nicht auch schon wirklich.

Noch leichter ist es, über sie zu lächeln unter Hinweis auf die Realitäten. Man nennt sie Utopien, wenn man sich selbst für einen klugen Realisten hält. Kant antwortet: »Eine Verfassung von der größten menschlichen Freiheit nach Gesetzen, welche machen, daß jedes Freiheit mit der anderen ihrer zusammen bestehen kann, ist doch wenigstens eine notwendige Idee . . . Nichts kann Schädlicheres und eines Philosophen Unwürdigeres gefunden werden, als die pöbelhafte Berufung auf vorgeblich widerstreitende Erfahrung, die doch gar nicht existieren würde, wenn jene Anstalten zu rechter Zeit nach den Ideen getroffen würden.«

Darum sind jene Konstruktionen keine Utopien, solange sie im Sinne der Idee verstanden werden. Sie sind in ihrer Entfaltung ein Schema der Idee, deren Erfüllung unendliche Aufgabe bleibt, und sie sind als solche die Maßstäbe zur Prüfung und Beurteilung der Wirklichkeit und die Leitfäden für die Wirksamkeit der Idee in uns.

B) Die faktische Verwerfung der Prinzipien eines Weltfriedenszustandes:
Gegenwärtig läuft die Politik noch in denselben Bahnen wie von jeher, benutzt dieselben Mittel und dieselbe Sophistik der Argumentationen wie immer. Es ist daher leicht zu zeigen, wie heute noch das Gegenteil jener Prinzipien wirksam ist. Sie gelten innerhalb von Staaten nur bis zu einem gewissen Grade und damit unzuverlässig, zwischen den Staaten aber entweder gar nicht oder, wenn ein wenig, so nur bei einem Teil der abendländischen und vom Abendland beeinflußten Staaten.

Die Prinzipien des Friedens aber werden nicht nur faktisch mißachtet. Da die meisten Menschen Frieden wollen, werden von den Staatsmännern Friedensprinzipien *ausgesprochen*. Diese aber sind heute die einer wirklich friedlichen Weltordnung gerade entgegengesetzten:

Als unantastbar soll gelten: Die *absolute Souveränität* jedes Staates; daher die Forderung der gegenseitigen *Nichteinmischung* und des *Vetorechtes* in gemeinsam errichteten Gremien. — Die *Gleichberechtigung* aller in ihrer Willkür. — Die friedliche Koexistenz der vermöge total verschiedener Rechtsgrundgedanken sich ausschließenden Staats- und Gesellschaftsformen bei *Verwehrung gegenseitigen freien Verkehrs* durch eiserne Vorhänge. — Sehen wir diese Prinzipien im einzelnen an:

Absolute Souveränität und *Nichteinmischung* müssen heute in der Not nur darum gelten, weil so der unfehlbare Mißbrauch der Einmischung verhindert und der Krieg verschoben wird. Für einen wirklich friedlichen Weltzustand wären sie unerträglich. Denn unter rechtlichem Maßstab sind die Ansprüche absoluter Souveränität und der Nichteinmischung identisch mit dem Anspruch auf die eigene Willkür, in konkreter Situation allein zu entscheiden, was rechtens sei, das heißt faktisch auch selber Unrecht tun zu dürfen. Sie bedeuten die Bereitschaft zum Vertragsbruch und zum Kriege, soweit die eigene Macht es erlaubt, und die Umstände es geraten erscheinen lassen, sie zum eigenen Vorteil anzuwenden. Der Vorbehalt des *Veto* innerhalb der beschlußfassenden Institutionen macht jede Überordnung eines Rechtsprinzips über die Staaten unmöglich.

Die Nichteinmischung verwehrt dem rechtlichen Geist, sich als gemeinsamer im Verkehr der Staaten miteinander zu entwickeln. Wie jeder Bürger eines Staates das Unrecht, das einem anderen geschieht, als ihm selber angetan empfinden muß, so müßte jeder Staat von dem Unrecht, das den Bürgern eines anderen Staates geschieht, als von einem ihm selbst widerfahrenen Unrecht betroffen sein. Weder ein Staat noch eine Staatengemeinschaft kann Bestand haben, wenn die Bürger gegen das Unrecht, das Bürger in anderen Staaten trifft, gleichgültig bleiben.

Staaten, die eine terroristische Gewalt gegenüber ihren Untertanen üben, verwirklichen in sich den Unfrieden durch ihre Gewaltanwendung und bedrohen den Frieden der Welt, weil sie stets bereit sind, solche Gewalt von ihrem Staat über die Menschheit zu verbreiten.

Gleichberechtigung macht den Frieden unmöglich, wenn sie eine Gleichberechtigung der Willkür bedeutet und nicht nur das gleiche Recht, auf legalem Wege für seine Interessen einzutreten.

Wer keinen *freien Nachrichtenverkehr* und keine *freie öffentliche Diskussion* aller Fragen in seinem Staate zuläßt, wer nicht das Ringen von Parteien um Entscheidungen in freien Wahlen erträgt, der bezeugt, daß er sich unbedingt behaupten will als das, was er als dieser Machtapparat ist, was er aber ohne Gefahr für sich öffentlich nicht zeigen darf. Denn die Notwendigkeit des Verschweigens beweist, daß Unrecht getan wird. Wer etwas der Öffentlichkeit entziehen will, will Unrechtes, wenn es um öffentlich relevante, für die Gemeinschaft nicht gleichgültige Handlungen geht. Verschweigen, List und Lüge sind schon potentielle Gewalt. Wer die Macht oder den günstigen Zeitpunkt zur Anwendung von Gewalt nicht hat, arbeitet vorläufig mit dem Betrug im Gewande *friedlicher Koexistenz.* Er bereitet durch jede nur mögliche »friedliche« Schwächung des Gegners den endgültigen Gewaltakt vor. Um ihn zu verwehren, bedarf es der Publizität. Nicht nur die Herrschenden müssen miteinander reden, sondern die Völker. Eiserne Vorhänge bedeuten Gewalt und Freiheitsberaubung.

Ergebnis: Die Forderung des Überpolitischen.

Die Prinzipien der absoluten Souveränität, des Vetorechts, der Gleichberechtigung der Freiheit jedes Staats, auch der Freiheit zu einer Ordnung durch Terror und unter Verweigerung der bedingungslosen Publizität sind nur ein scheinbar moralischer Schleier, hinter dem jeder tut, was er will, um seine Machtinteressen zu sichern. Zum anderen sind sie ein Damm, aufgerichtet im öffentlichen Bewußtsein, um das Unheil hinauszuschieben, aber ein Damm, der jeden Augenblick brechen kann. Diese Prinzipien geben einerseits freien Raum zur Gewalt, andrerseits stehen sie zur Bearbeitung der schwankenden öffentlichen Meinung zur Verfügung, die mit ihnen leicht zu täuschen ist, sogar gerade dann, wenn diese Prinzipien durchbrochen werden.

Friede ist niemals durch Koexistenz, sondern nur in Kooperation. Aber für die Atempause wird Koexistenz in Kauf genommen, um wenigstens den Krieg hinauszuschieben. Daher ist in der gegenwärtigen Situation nicht zu verwerfen, was man als wider den Friedenszustand gerichtet erkennt. Die Grundsätze des rechtlichen Friedenszustandes ohne weiteres unbegrenzt in Kraft zu setzen, wäre heute für den, der es einseitig täte, Selbstmord. Der Abstand zwischen den Prinzipien des Weltfriedenszustandes und den ausgesprochenen Prinzipien des gegenwärtigen Zustandes ist so groß, daß beide vielmehr entgegengesetzt sind. Was soll geschehen?

Setzen wir das politische Denken fort, so würde der Plan zu fassen sein, entgegen den gegenwärtig noch herrschenden Prinzipien die den Frieden herbeiführenden Prinzipien doch langsam zur Geltung und Wirksamkeit zu bringen. Weil die Menschheit nicht zugrunde gehen will, würden die Staaten sich entschließen müssen zur Einschränkung ihrer souveränen Gewalt. Was in der ursprünglichen Staatsbildung für einen beschränkten Raum geschah, würde sich für eine Vertragsgemeinschaft der Staaten wiederholen. Was durch wissenschaftliche Intelligenz mit der Atombombe als Möglichkeit äußersten Unheils hervorgebracht wurde, soll durch dieselbe Intelligenz, durch eine Technik von Institutionen, zur wirksamen Inkraftsetzung von Verträgen überwunden werden.

Wenn das gelänge, so brauchte der Mensch sich nicht zu ändern. Seine intelligent erdachten Institutionen würden durch den Willen aller jeden Einzelnen zwingen, von den Grundantrieben des Menschen keinen Gebrauch mehr zu machen: von dem Drang zur Gewaltanwendung, — von der Lust an der Gewalt und ihrem Wagnis, — von dem Drang, in solcher Gewalt sich selbst zu opfern, zu sterben oder zu siegen, — von dem Drang zu immer größerem Abenteuer, um die Schalheit des Daseins loszuwerden. Diese Antriebe müßten sich unter dem gemeinsam errichteten Zwang nunmehr umsetzen in Erscheinungsformen ihrer Auswirkung, die für die Gesamtheit nicht gefährlich sind.

Aber dieser Prozeß findet bisher nicht statt. Was so aussieht, erweist sich nicht als fortschreitende Besserung des Zustands, sondern als ein Hinauszögern. Hinter der Verschleierung durch den Vorgang, als ob dergleichen geschehe, findet vielmehr die Verstärkung der eigenen Machtpositionen und die Vorbereitung zum Äußersten statt. Wohl sind die auf den Prozeß der institutionellen Besserung des Zustandes gerichteten politischen Erwägungen einleuchtend. Der Versuch dieses Weges ist ständig zu wiederholen. Aber er ist in jedem Falle unzureichend.

Der politische Weg selber bedarf einer anderen Führung. Wer auf diesem Wege gründend für die Dauer wirkt, ist immer von mehr als politischen Motiven gelenkt. Politik, wo sie dem Menschen angemessen war, hat nie sich selbst genügt. Es sind Glücksfälle in der Geschichte — wie in den Freiheitskämpfen der Engländer, Schweizer, Holländer, Amerikaner —, in denen das Ethos die Tüchtigkeit und die Klugheit und die Methoden der Politik durchdringt, im Unterschied von den großen politischen Leistungen, die der überlegenen Geschicklichkeit einzelner Individuen entspringen und als bloße Geschicklichkeiten vergänglich sind, weil sie keine politische Erziehung bewirken.

In der Fortsetzung politischen Denkens stoßen wir also an die Grenze, wo bloße Politik versagt und den Entschluß des Menschen verlangt, der angesichts der größten Not eine Wandlung vollzieht. Längst allerdings und immer wieder und heute gibt es die Meinung, die Natur des Menschen sei unveränderlich dieselbe, wie sie in der faktischen Politik jederzeit sich gezeigt habe. Daher würden die Kriege unausrottbar sein und mit ihnen der bedenkenlose Gang politischen Tuns in Lüge, Betrug, Übertölpelung. Diese natürliche Realität darf in der Tat nicht vergessen werden, aber ebensowenig das andere: Etwas Überpolitisches ist eine Triebkraft im Politischen selber. Daher macht ein sich auf seine Eigengesetzlichkeit beschränkendes politisches Denken ratlos in jedem an das Äußerste gelangenden Zustand. Dieses vermeintlich realistische Denken ist eine Verschleierung, in der der Mensch selbst vergessen wird, nicht anders als umgekehrt die Denkungsweisen, die in Illusionen die Realität der bloßen Natur des Menschen vergessen.

Etwas Überpolitisches lenkt schon die politischen Institutionen, Gesetzgebungen, Planungen, wenn sie dauernd wirksam sind. Von dorther muß der Geist kommen, der ihre Verwirklichung in den konkreten Situationen durchdringt, wenn sie verläßlich werden sollen.

Das Überpolitische vergegenwärtigen wir uns als die sittliche Idee und als den Opfermut. Erst durch sie wird die Errichtung eines Weltfriedenszustandes unter Bedingungen gestellt, die nicht durch Verträge und Institutionen allein zu schaffen sind, die vielmehr aus jenem Anderen im Menschen stammen, das der Betrachtung der greifbaren Realitäten außer Sicht bleibt.

Zweites Kapitel

IM VERSAGEN DER POLITIK
DIE ÜBERPOLITISCHE MACHT DER SITTLICHEN IDEE

1. Weil Torheit und Bosheit, die bisher begrenzte Folgen hatten, heute die ganze Menschheit ins Verderben reißen, weil wir nunmehr, wenn wir nicht insgesamt miteinander und füreinander leben, insgesamt zugrunde gehen werden, verlangt die neue Situation eine ihr entsprechende Antwort.

Die über alles Politische hinaus liegende Antwort auf die immer schon unheilvolle menschliche Situation ist längst gegeben und oft wiederholt, seitdem die *Propheten* des Alten Testaments sie wagten und für immer lehrten. Weil sie aber in der Folge der Zeiten, ob im Ernst oder im Unernst, immer wieder vergeblich gegeben wurde, sind viele ihrer überdrüssig geworden. Erinnern wir trotzdem an die alte und immer neue und jederzeit gültige Forderung, welche die Situation heute mit nicht mehr überbietbarer Dringlichkeit stellt: Es genügt nicht, neue Institutionen zu finden; uns selbst, unsere Gesinnung, *unseren sittlich-politischen Willen* müssen wir verwandeln.

Was längst im einzelnen Menschen da war, wirksam in kleinen Umkreisen, aber ohnmächtig im Ganzen blieb, ist nun zur Bedingung für den Fortbestand der Menschheit geworden. Ich glaube nicht übertreibend zu reden. Wer weiter lebt wie bisher, hat nicht begriffen, was droht. Es nur intellektuell zu denken, bedeutet noch nicht, es in die Wirklichkeit seines Lebens aufzunehmen. Ohne Umkehr ist das Leben der Menschen verloren. Will der Mensch weiterleben, so muß er sich wandeln. Denkt er nur an das Heute, so kommt der Tag, mit dem der Atomkrieg beginnt, durch den wahrscheinlich alles ein Ende hat.

2. Wie aber steht es *heute faktisch?* Während die politischen Wirkungskräfte nicht weit genug reichen, sehen wir noch nichts von einem Wandel der sittlichen Motive. Der Mensch ist geblieben, wie er immer war: dieselbe Gewaltsamkeit, Rücksichtslosigkeit, Kriegstollkühnheit, — und demgegenüber dieselbe Bequemlichkeit, das Nichtsehenwollen, das Ruhebedürfnis und der Mangel voraussehender Sorge bei denen, welchen es im Augenblick wohlergeht (sie ließen sich in solchem Zustand stets von kühnen Draufgängern überspielen), — dieselbe Unverschämtheit von Erpressungen und Nachgiebigkeit gegenüber solchen Erpressungen, — dasselbe Verstecken aller hinter rechtlichen Argumentationen unter einer nur fiktiven Instanz, die von den einen heimlich verachtet, von den andern als Sicherung ihrer Bequemlichkeit an-

gesehen wird, und von jedem im entscheidenden Augenblick preisgegeben werden kann.

Der Wandel kann nur geschehen durch jeden Menschen in der Weise, wie er lebt. Zuerst kommt es allein auf ihn selber an. Jede kleine Handlung, jedes Wort, jedes Verhalten in den Millionen und Milliarden ist wesentlich. Was im großen vor sich geht, ist nur Symptom dessen, was in der Verborgenheit der vielen getan wird. Wer nicht Frieden mit seinem Nachbar halten kann, wer durch bösartiges Verhalten dem andern das Leben schwer macht, wer im verborgenen ihm Unheil wünscht, wer verleumdet, wer lügt, wer die Ehe bricht, seine Eltern nicht ehrt, die Verantwortung für seine Kinder in der Erziehung nicht übernimmt, wer die Gesetze bricht, — der verhindert durch sein Tun, das selbst in der abgeschlossenen Kammer nie nur privat ist, den Frieden der Welt. Er tut im kleinen, was im großen die Selbstvernichtung der Menschheit zur Folge hat. Es gibt im Sein und Tun des Menschen nichts, das nicht auch politische Bedeutung hat.

So bedarf auch das Tun der Staatsmänner der Erhellung aus dem Ethos, das die Voraussetzung für das Am-Leben-Bleiben der Menschheit ist. Wenn einer am Konferenztisch die beschwörendsten sittlich-politischen Reden gehalten hat und zu Hause sich treulos verhält, so ist er mitschuldig am Fortgang des Unheils. Wenn er mit dem toleranten Sinn für Menschliches — Allzumenschliches in seinem Amtsbereich Menschen mit verwahrloster Lebensführung duldet, so untergräbt er den verläßlichen Geist des Ganzen. Wenn einer das Wunder der Verwandlung des sittlichen Menschen will und doch in der Welt mit aller Intelligenz am gedankenlosen Weitermachen mitwirkt, dann mißbraucht er ein unverbindlich gewordenes Formulieren zur Verschleierung und macht das Sittliche selber verdächtig. So geht es weiter: redend, verhandelnd, unternehmend, organisierend, bis der Tag kommt, an dem alles wie mit einem Wischer beseitigt wird.

Man fragt wohl, wie denn das »private« Verhalten auf das politische Handeln wirken könne. Offenbar habe doch das eine mit dem anderen nichts zu tun: Diese Frage weist mit Recht darauf hin, daß eine unmittelbare Kausalwirkung nicht vorliegt. Aber sie verkennt, daß das Private Symptom des Menschen ist, der einer und derselbe bleibt, in welchem Bereich er sich auch bewege. Nur Opportunität läßt ihn in einem Bereich an Regeln festhalten, die er sonst vielleicht nicht befolgt. Der Börsenmakler hält sein Wort, weil er, wenn er es ein einziges Mal nicht täte, in seinem Beruf ausgespielt hätte. Der Politiker befolgt Regeln, welche die einer Gemeinschaft von Staaten sind, weil ihre Verletzung unter normalen Umständen zu unangenehme Folgen hätte. Aber in der Politik ist, im Unterschied von besonderen Berufen, das Normale selber die Ausnahme, die den Schein des Dauernden hat. Es ruht jederzeit entweder auf dem Grunde der Kraft letzter erinnernd wirksamer Entscheidungen oder steht auf dem Sande der Vergessenheit, der bald ins Gleiten kommt. Was zu tun dem Politiker kein Ethos gebot, sondern die Opportunität eines Bereichs und die Konventionen einer gesellschaftlichen Gruppe, das kann er nicht fortsetzen, wenn es um Sein und Nichtsein geht. Dann sprechen Motive, die nicht für diesen Fall, wie etwa für einen auch bestimmbaren Bereich, als besondere auftreten und bis dahin aufgeschoben werden können. Die Motive, die hier zur Geltung kommen müssen, wirken nur, wenn sie ein Leben lang unter politisch harmlosen Umständen und im ganzen Leben des Einzelnen schon gewirkt haben, und wenn dazu in der Politik selber jederzeit das Bewußtsein von Sein und Nichtsein, das Äußerste, aus dem dunklen Hintergrund schon seinen Anspruch stellte und nicht in der Gemütlichkeit eigentlich kampfloser Freundlichkeit und Schläue vergessen wurde. Das Ethos ist nur eines und nicht teilbar.

3. Wenn das Politische abhängig ist vom Überpolitischen, so muß *das Überpolitische* selber *unabhängig* bleiben von der Politik. Wenn Politik nur gut ist im Dienste des Überpolitischen, so tötet sie das Überpolitische durch Politisierung. Die Verabsolutierung der Politik führt zum Versagen selbst den politischen Aufgaben gegenüber. Bleibt Politik nicht abhängig vom Überpolitischen, so kann sie blind in den Ruin rasen.

In der Verfassung freier Staaten ist dieses Verhältnis sichtbar vertreten in der Überordnung des Verfassungsgerichtshofs über die Politik, wenn es sich um die Verfassungsgemäßheit einer politischen Aktion handelt. Die »Politisierung der Justiz« wird dann mit der Zerstörung des Überpolitischen zum Verderben der Politik selber. Dagegen ist die Redewendung von der nicht zuzulassenden »Justifizierung der Politik« ein ahnungsloses Bonmot im Ausweichen vor der großen Entscheidung für den Ernst des Überpolitischen, das als das sichtbar zur Geltung kommende Rechtsbewußtsein der Politik Grenzen setzen soll. Durch seine Verläßlichkeit konstituiert dieser Ernst das sittlich-politische Bewußtsein eines Volkes.

4. Im Gegensatz zu allem Politischen ist *das Ethos nicht zu planen.* Es wäre ein falscher Sinn, wenn der sittliche Ernst nicht seiner selbst wegen, sondern als Mittel zur Erhaltung des menschlichen Lebens gemeint wäre. Es ist umgekehrt. Die Unbedingtheit im überpolitischen Ethos kann die Rettung des menschlichen Lebens zur Folge, aber nicht zum Ziel haben. Das Ethos als Mittel einzusetzen, um das bloße Leben zu retten, ist vergeblich, weil in solcher Zweckhaltung das Ethos selber preisgegeben wird.

Während alles Planbare in den politischen Raum rückt, müßte — so kann man denken — etwas Unplanbares geschehen. Hier findet die Frage: Was sollen wir tun? keine Antwort mehr, die angibt, wie es zu machen sei, sondern hört den Ruf der alten Propheten an schlummernde Möglichkeiten. Heute, vor der äußersten Drohung, ist mehr nötig als nur bessere Einsicht: eine Umkehr des Menschen. Diese Umkehr ist aber nicht zu erzwingen.

Man kann die Realitäten zeigen und die fordernde Stimme aus Jahrtausenden zum Sprechen bringen. Beides müßte bis in den Unterricht der Schulen dringen: was Menschen von Möglichkeiten der Zukunft wissen können, und was jene Stimme fordert. Ob dadurch im einzelnen Menschen etwas geschieht, das ist schon im jungen Menschen der Freiheit jedes Einzelnen überantwortet. Wenn die Grundtatsachen unseres politischen Daseins heute offengelegt sind, die Konsequenzen der Verhaltungsweisen entwickelt werden, dann liegt die Antwort bei dem Einzelnen, nicht durch eine Meinung, sondern durch sein Leben.

5. *Kann der Mensch anders werden?* Ist die Umkehr möglich? War der Mensch nicht immer der gleiche in drei, in fünf Jahrtausenden, die wir geschichtlich kennen, und in den früheren, die wir erschließen? Man sagt: Der Mensch kann nicht anders werden. Die Geschichte lehrt: Was immer Menschen Großes hervorgebracht haben, Menschen haben es alsbald wieder zugrunde gerichtet. Die Geschichte ist ein Trümmerfeld. Auf Grund der Erfahrung kann man keine Änderung erwarten.

Was an dieser These richtig ist, trifft die natürliche Gegebenheit des Menschen als eines Lebewesens unter anderen. Aber es trifft nicht zu für das, was den Menschen zum eigentlichen Menschen macht, der nicht nur eine zoologische Spezies ist: Bei gleichbleibender psychophysischer Konstitution wandelt der Mensch in immer wieder vollzogener Umkehr seine geschichtliche Erscheinung. Alles Große, Leuchtende und als Vorbild Wirksame ist, gegen alle mögliche Erwartung, trotz des gleichbleibend Niederziehenden erwachsen aus anderem Ursprung. Trotz dessen, was Biologie und Psychologie erfassen, ist geschichtlich ein Wandel des Menschen möglich. Er ist geschehen mit den alten Propheten in Israel, mit den Denkern und Dichtern in Griechenland, mit den spätantiken und christlichen Erneuerungen in den ersten Jahrhunderten, mit dem biblisch gegründeten Ethos der protestantischen Welt. Jede dieser Wandlungen ist zwar bald verkümmert, aber als fordernde Erinnerung geblieben.

6. Das *Ethos* wird *Moral*, wenn es sich erschöpft in Geboten und Verboten. Diese Moral hat noch ihre Wahrheit, aber nur als Moment eines Übergreifenden. Sie gilt zwar unbedingt, ist nicht zu überspringen, sofern sie das ist, was in Kants Kategorischem Imperativ als Form ausgesprochen ist. Aber wie sie konkret vom Material der zeitlichen Situation erfüllt wird, ist nicht zu errechnen. Die Form des Unbedingten hat den Inhalt nicht zur ableitbaren Folge.

Das Moralische hat einen Ehrenplatz in den Reden der Politiker. Sie brauchen es gern zum Abschluß einer Rede, gleichsam als Dekoration, damit der Hörer in guter Stimmung und mit erhobener Brust von dannen gehe. So las ich einen Redeschluß, in dem drei Sätze standen: »Auch das Moralische kann ein Stück Macht sein« . . . »Im Atomzeitalter wird uns keine Politik zu etwas führen können, wenn sie nicht tief im moralischen Bewußtsein der Völker fundiert ist« . . . »Wenn es ums Moralische geht, muß man immer bei sich selbst anfangen.« Die Wahrheit dieser drei Sätze würde sich zeigen, wenn sie im Gedanken sich entfaltete und wenn sie durch das Tun des so sprechenden Politikers in seiner Person bewährt und sichtbar und überzeugend und dadurch als Vorbild wirksam würde.

Das Ethos verdünnt sich zur bloßen Moral, wenn es sich löst von dem unsere Wirklichkeit gründenden Opfermut und von der großen Vernunft, die mehr ist als der bloße Verstand. Vernunft hat die Führung für Ethos und Opfermut, obgleich beide mit ihr aus dem Unbedingten kommen. Was im Ethischen verborgen ist, ist mehr als nur ethisch. Was aber in Ethos und Opfermut der Ergänzung bedarf und beide durch ihre eigene Erhellung erst tiefer begründet, das zur Klarheit zu bringen, wird im weiteren Gang dieser Schrift versucht.

DRITTES KAPITEL

DAS ÜBERPOLITISCHE IM OPFER

Der Tatbestand der Atombombe ist so ungeheuerlich, daß von ihm her die Politik in einen anderen Aggregatzustand versetzt wird. An jenem Tatbestand wird alles politische Handeln orientiert werden, dessen alte Motive doch noch wirksam bleiben, wenn sie nun unter eine andere Instanz gelangen.

Die anfängliche Darlegung des heute geläufigen politischen Denkens vergegenwärtigte, daß das Unheil der Atombombe nicht durch Beseitigung dieser Bombe allein, sondern nur durch das Ende der Kriege überhaupt, durch einen Weltfriedenszustand gebannt werden kann. Zu meinen, auf die Dauer Kriege führen zu können ohne Atombombe, aber mit Einschüchterung durch die Atombombe, ist ein Wahn.

Die formulierten Prinzipien des Weltfriedens aber hatten einen großen Mangel. Ihr Gegenteil geschieht nicht nur, sondern wird heute noch dazu ausdrücklich anerkannt. In ihnen kam nicht zur Geltung, was getan werden muß, solange Menschen nicht nur in Grenzfällen als Verbrecher, sondern in der Mehrheit des Durchschnittlichen den geheimen Vorbehalt der Ausnahme für sich beanspruchen, nämlich für die Willkür ihres bösen Willens, wenn sie nur können. Wie sollen Recht und Ordnung zur Geltung kommen unter der Voraussetzung, daß der Mensch böse sei?

Es gibt offenbar eine Grenze der reinen Politik. Wo sie versagt, bedarf sie zum Erfolg der Führung durch ein Überpolitisches, wenn sie nicht in die Anarchie der Geschicklichkeiten verfallen und dann in der Krise völlig versagen soll. Da der Weltfriedenszustand nicht allein auf rein politischem Wege verwirklicht werden kann, war der Gedanke unumgänglich: Der Mensch scheint verloren, wenn er nicht, veranlaßt durch den Druck der Situation, aus seiner Freiheit eine moralische Wandlung erfährt. Diese Umkehr kann zwar nicht Gegenstand, muß jedoch Voraussetzung einer neuen Politik sein. Daher wurde erinnert an das Moralische, an den Ruf der Propheten, an die Notwendigkeit der sittlichen Umkehr.

So schien der politische Weg zwar sinnvoll, aber für sich allein vergeblich. Der moralische Weg aber ist, weil nicht planbar, für den politischen Realisten irreal. Der Realist weist auf die Natur des Menschen, wie sie immer war und sein wird. Daher ist der Realist auf längere Frist (die schnell eine kurze werden kann) absolut pessimistisch. Er macht seine Politik für den Augenblick. Der Moralist dagegen erhebt aus der Idee eines wiedergeborenen moralischen

Menschentums unerfüllbare Forderungen. Er bleibt, weil er an der gegenwärtigen Realität vorbeidenkt, ungehört. Der realistisch angesehene Gang der Geschichte scheint hoffnungslos, die moralische Umwandlung aber utopisch.

Haben wir sowohl im politischen Denken wie im moralischen Appell vielleicht zu eindeutig gedacht? Die Tatsächlichkeit des Realen und die Richtigkeit des Moralischen sind nicht zu bestreiten. Aber sie werden Wahrheit erst durch Orientierung an etwas, das Realismus und Moralismus übergreift. Wenn diese beiden sich auf sich selbst beschränken, dann wird der politische Realismus die Dinge nur für den Augenblick weitertreiben, abwarten und zusehen, der moralische Idealismus aber mit seinen Forderungen die Ereignisse nur verurteilen. Beide bezeugen so, daß sie nicht wagen, vor das Äußerste zu treten. Daher unsere Frage: Gibt es etwas, das, über Realismus und Moralismus hinausliegend, beiden erst Wirkungskraft gibt?

In den politischen und moralischen Gedanken wird vergessen, was Einsatz des Lebens, Sterben und Opfer bedeutet. Man spricht davon, aber verwirklicht es nicht in seinem Inneren. Man weiß es, aber behält es beim politischen und moralischen Denken nicht in der Mitte der Aufmerksamkeit. Staatsführer gründen dann ihr politisches Ethos nicht in dem Bewußtsein, daß sie in der Situation stehen, in der es jeden Augenblick um Kopf und Kragen gehen kann. Sie werden zu Beamten, Advokaten, Funktionären. Sie horchen auf Gesetze und warten auf Anweisungen oder Beschlüsse anderer Instanzen, um in Sicherheit tun zu können, was der Natur der Sache nach ein Moment radikaler Unsicherheit und damit unabwälzbarer Verantwortung in sich trägt.

Wenn Aufgabe der Politik die Lebenssicherung ist, so verlangt diese Aufgabe im entscheidenden Augenblick das Opfer des Lebens. Aber die Frage bleibt unbeantwortet, was Opfer und Tod an sich selbst bedeuten. Denn durch den Zweck in der Welt sind sie keineswegs genügend zu begründen.

Das Opfer der Völker im Freiheitskampf:

Grenzenloser Opfermut ist eine Wirklichkeit in der Politik. Er zeigt sich im Trotzen ganzer Völker gegen Gewalt mit Gewalt. So waren früher die Freiheitskämpfe der Holländer und Schweizer, so die Französische Revolution, so sah heute der Freiheitskampf der Ungarn aus. Diese Beispiele sind unter sich ganz verschieden. Die Schweizer und Holländer: ein Dauervorgang sich zur Freiheit durchkämpfenden Lebens — die Französische Revolution: ein im totalen Planen sich verschwendender Enthusiasmus, aus dem bald das Gegenteil seines anfänglichen Sinns hervorgeht — Ungarn: die elementare Auflehnung gegen fremde Unterdrückung und Ausbeutung, von der man noch nicht sagen kann, welche ethisch-politischen Kräfte hier dauernd wirksam werden. In allen Fällen finden mit dem größten Wagnis unerhörte Opfer statt.

In der Reaktion der Welt auf solche Ereignisse zeigt sich die sittlich-politische Anlage im Menschen, sein Freiheits- und Gerechtigkeitswille. Das opfermutige Zerreißen der Fesseln findet Widerhall bei denen, die zwar nicht dabei sind, aber, im Zuschauen ergriffen, die Impulse eigenen künftigen Tuns legen möchten. Daher: die plötzlich sich über Europa und Amerika verbreitende Erschütterung, eine sonst kaum gekannte Einmütigkeit der meisten, das Wachwerden des Bewußtseins menschlicher Würde und die Erfahrung ihrer totalen Bedrohtheit! Es ist wie ein Hinstürmen durch die Geister, unwiderstehlich, so daß selbst die Widerstrebenden sich fügen. Es erwacht das Gewissen in aller Welt, wenn auch politisch-militärisch nur im Zuschauen. Unabhängig von Religionen, Klassen, Interessen antwortet auf das Ereignis der Mensch als Mensch. »So etwas vergißt sich nicht mehr«, schrieb Kant nach der Französischen Revolution, Kant, der auch schrieb, die wichtigsten politischen Ereignisse der neueren Jahrhunderte seien die Freiheitskämpfe der Schweizer und Holländer. »So etwas vergißt sich nicht mehr«, das bedeutet: was hier geschieht, hat Folgen ins Unabsehbare. Das Ethos im politischen Wollen erhält von dorther Ermutigung und Maßstab und den über alle Zweckmäßigkeit hinausgehenden übersinnlichen Bezug.

Das Politische wird nur durch den Erfolg als richtig bewährt, durch Scheitern als falsch erkannt. Das Überpolitische, das die Politik durchdringen kann, hat Sinn und Wert in sich selbst. Der Opfermut ist nicht Mittel der Politik, aber hat entscheidende politische Folgen. Er ist das Feuer, das, wenn es einmal da war, auch in der Asche fortglimmt und wieder emporflammen kann.

Das sind Wirkungen anderer Art als Alexanders Eroberung Asiens oder Cäsars Eroberung Galliens, die kausal so außerordentliche Folgen (von heute her gesehen auch positive in der geistigen Entwicklung Europas und Asiens) für den Gang der Geschichte hatten, doch sittlich-politisch nichts bedeuteten. Die Freiheitskämpfe werden Vorbild für das Ethos der Politik, jene Taten vom Typus Alexanders oder Cäsars aber zum Vorbild für spätere Eroberer und für die Impulse der Gewaltsamkeit und zum Gegenstand für den ästhetisch-abenteuerlichen Enthusiasmus schwärmerisch Berauschter oder ohnmächtig Unzufriedener. Ihre Bewunderung wird zur Vorbereitung für blinde Teilnahme am politischen Unheil.

Das Scheitern überpolitisch gegründeter Freiheitskämpfe, so entsetzlich es ist, mindert nicht ihren Sinn. Die Französische Revolution gelangte in ihren Folgen schnell in den Terror und dann in einen Zustand neuer Unfreiheit und militärischer Diktatur mit Unterdrückung des Geistes. Aber der Ursprung hatte einen anderen Sinn, der erst durch weitere Umstände so völlig verkehrt wurde. Daher hat Kant nie aufgehört, von diesem Ursprung her dieser Revolution trotz allem seinen Glauben zu schenken.

Anders Burke. Er dachte an die in den Zusammenhängen politischer Realitäten auftretenden Folgen und sah sie von Anfang an richtig voraus. Daher verwarf er schon den Ursprung dieser Revolution wegen der Verantwortungslosigkeit im Preisgeben aller geschichtlichen Substanz. Darin liegt Wahrheit und Beschränktheit von

Burkes Urteil. Die ethischen Impulse des Opfermutes solcher Revolution verlangen die Umsetzung aus dem Rausch des Bodenlosen (bei so vielen Beteiligten) in die Verantwortung geschichtlichen Tuns. Erst in der Substanz geschichtlicher Kontinuität kann, was damals zunächst scheiterte, zur Verwirklichung kommen. Jede Wiederholung solcher Revolution wie der französischen ohne die durch die Erfahrung ihrer realen Folgen für alle möglich gewordene Besinnung bedeutet seither politische Verantwortungslosigkeit.

Während Kant in Wahrheit den überpolitischen Ursprung im opfermutigen Ethos des Menschen, Burke in Wahrheit die überpolitische Bedingung im geschichtlich gewordenen Zustand des englischen Geistes sah, steht gegen beide die falsche Verabsolutierung der Politik als solcher. Sie leugnet das Überpolitische und verlangt, sich nach den ewigen Naturgesetzen der Politik zu richten. Dann gilt nur der Erfolg, und zwar der Erfolg von Selbstbehauptung und Machtgewinn, auch ohne Gehalt dessen, was sich behauptet. Die Mittel waren und sind immer die gleichen: Gewalt, List, Betrug, Lüge. Diese Politik ist an sich unsittlich, diese Macht an sich böse. Aber die Sphäre des Bösen hat ihr eigenes Gesetz. Wer in sie eintritt (sagt der Realpolitiker), ohne diesen Gesetzen zu folgen, ist verloren und handelt außerdem ohne das spezifische für die Politik gültige Ethos des Bösen. So lautet die politische Doktrin, die ohne jede Einschränkung (nämlich ausschließlich aus dem Sinn bloßen Machtgewinns) in Indien (Kautilyas Arthashastra) oder unter Bedingungen (nämlich dem Endziel politischer Freiheit und nationaler Unabhängigkeit) von Machiavelli gelehrt worden ist.

Prinzip des Weltfriedens war die Ausschaltung der Gewalt zugunsten von Recht und Gerechtigkeit. Der ganze Ernst aber der Gewalt als untilgbarer Grenzsituation menschlichen Daseins pflegt bei solchen Erörterungen verlorenzugehen.

Politik ist Umgang mit der Gewalt. Aber die Gewalt selbst und wie sich der Mensch zu ihr stellt und sich dieser Stellung als einer unüberschreitbaren bewußt wird, das ist überpolitisch. Von dorther kommen die Motive, die der politischen Gesinnung Struktur geben. Was Wille zur Gewaltlosigkeit, was Opfer, was politische Verantwortung, was Soldatentum bedeuten, wird erst von dorther klar.

1. Die Gewalt als Grenzsituation

a) Die *Grundsituation alles Lebendigen,* daß es sich frißt, sich verteidigt und entkommt, daß innerhalb der gleichen Art Kämpfe um die Geschlechtspartner, die Nahrung, die Machtverhältnisse stattfinden, daß (in der Ausdrucksweise der Inder) das »Gesetz der Fische« herrscht (die großen fressen die kleinen) — alles kehrt beim Menschen wieder.

b) Aber der Mensch setzt gegen die Gewalt einen *Damm.* Er sucht sie (im Daseinsinteresse aller) gleichsam zu kanalisieren. Soweit dies gelingt, ist *Staatsordnung.* Das menschliche Dasein ist auf bewußt organisierte Gewalt gegründet. Die Gewalt ist aus dem menschlichen Dasein nicht auszuschließen. Nur in einem Reich von Engeln gäbe es sie nicht. Für Menschen kann es sich nur um die Ordnung der Gewalt handeln, die im Rechtsstaat gelingt, aber nur durch die Verfügung des Staats über die Polizei. Die Aktion der Polizei ist das Minimum von Gewalt, zum Schutze gegen Gewalt durch Gewalt.

Der Unterschied von Polizeiaktion und Krieg ist erstens die totale Übermacht, die keinen eigentlichen Kampf vollzieht und diesen, wo er nötig ist, so gestalten kann, daß er indirekt, bei einem Minimum von Lebensgefahr für die Polizei, erfolgt – zweitens die Lenkung der Polizeigewalt durch Gesetz, nicht durch den Entschluß, der in einer unlösbaren Situation »den Himmel« zur Entscheidung aufruft.

Immer werden Menschen entweder Gewalt anwenden (und heißen dann im Rechtsstaat Verbrecher) oder werden, was sie für Unrecht halten, dulden. Im Rechtsstaat braucht keineswegs jede Entscheidung und nicht jedes Gesetz gerecht zu sein. Es ist für Menschen möglich, sich ständig um das Gerechtere zu bemühen, aber unmöglich, vollkommenes Recht zu verwirklichen. Die Polizeiaktion hat das staatliche Recht für sich, sie kann aber ihrem Inhalt nach Unrecht vollziehen. Das Dulden des mir so etwa widerfahrenen Unrechts geschieht im Rechtsstaat entweder durch die Einsicht, besser sei die Rechtsform selbst des Unrechts als die Gewalt, sich eigenmächtig zu verschaffen, was man für Recht hält. Oder die Duldung erfolgt bei mangelnder Einsicht durch den Zwang der Situation, daß Widerstand angesichts der totalen Übermacht aussichtslos ist und noch schlimmere Folgen für mich hat.

c) Die Staatsordnung wird aber durchbrochen nicht nur durch den Verbrecher, sondern auch durch die *Gewalt der Staaten gegeneinander* und durch Bürgerkriege. Daher tritt immer wieder das Äußerste der maßlosen Gewalt ein. Der Zustand einer unter die Lenkung durch Recht gebrachten Gewalt ist zwar ursprünglich mit dem Menschen gegründet, ist aber in Katastrophen immer wieder neu zu gründen.

Wenn der Friede als das Natürliche erscheint, dann gilt der Satz: Der Krieg (als Ausnahme) ist die Fortsetzung der Politik mit anderen Mitteln. Wenn aber der Zustand der Gewaltanwendung als das Natürliche erscheint, kann es heißen: Die Politik ist die Fortsetzung des Krieges mit anderen Mitteln. Das letztere ist bisher faktisch gewesen und heute als »Kalter Krieg« bewußter als je in Erscheinung getreten. Denn jeder Friede, auch wenn er ausdrücklich »für ewige Zeiten« besiegelt wurde, war bisher, wie Kant zeigte, nur ein Waffenstillstand, weil er geschlossen wurde mit dem geheimen Vorbehalt für künftige Kriege bei veränderten Verhältnissen.

Das Dasein jeder menschlichen Ordnung ist ihrer Wirklichkeit, nicht ihrem Sinn nach, begründet durch Gewalt. Die Erhaltung aller Staaten geschieht durch sie oder ihre Androhung. Sie ist unausweichlich gebunden an die Macht, die der Gewalt sich bedienen kann. Diese Grundsituation des Menschen wird gern, wenn es nur irgend möglich ist, gegen alle Tatsächlichkeiten verschleiert. Man möchte sie für die Ausnahme, das Abnorme, das Krankhafte gewisser

Zustände halten, dagegen Frieden, Ruhe, Gewaltlosigkeit als das Normale ansehen. Einsicht in diese Verschleierung bedeutet keineswegs die Verherrlichung der Gewalt, keineswegs die Neigung zu den Situationen der Gewaltanwendung, sondern nur die redliche Anerkennung der Härte dieses Tatbestandes und den Willen zur Entschleierung der Selbsttäuschungen, deren Folge ein Zustand allgemeiner Heuchelei ist. Dieser schafft die Situationen, in denen die bedenkenlosesten Gewaltmenschen die Oberhand gewinnen. Denn die, die im bequemen Glauben an Sicherheit durch gewaltlose Gesetzlichkeit leben und Vorteile genießen, sind durch Täuschung und Tücke darum so leicht zu überwinden, weil sie, wenn nicht Gewissen, doch »Bedenken« haben und die Bedenkenlosigkeit der Gewalt für unmöglich halten.

d) Die physische *Gewalt zwischen den Staaten* (der Krieg) wäre auszuschalten, wenn zwischen ihnen der *Rechtsgedanke* zur Geltung käme analog dem Verhältnis der Bürger zueinander in einem Staate. Die Idee ist, die Gewalt dem Gesetz unterzuordnen und dadurch rechtlich zu machen. Es würde, wie im Staate, nur noch ein Minimum von Gewalt übrigbleiben, nämlich die eines einzelnen sich gegen die Ordnung auflehnenden Staates, dessen Ohnmacht aber gegenüber der Gemeinschaft aller anderen wie die des Verbrechers im Staat niedergeschlagen würde durch die Macht der gemeinsamen Ordnung. An die Stelle des Kriegs würde die Polizeiaktion treten.

Dieser scheinbar so einfache Gedanke ist so lange eine Selbsttäuschung, als es noch Großmächte gibt, gegen die eine Polizeiaktion durchzuführen Krieg wäre und nicht Polizeiaktion. Durch den Namen würde die Realität verschleiert. Wohl gibt es die Macht des Rechtsgedankens und die Macht durch Überzeugen, durch geistiges Bezwingen und Vorbild. Aber diese Macht ist nur verläßlich, wenn sie an einem entscheidenden Punkt doch wieder durch Gewalt gesichert ist.

Es darf nicht vergessen werden: *erstens,* daß ein gesetzlicher Zustand nur zustande gekommen ist, wenn auch Gewalt in seiner Gründung gewagt wurde; *zweitens,* daß Recht nur wirksam ist, wenn die Urteile der übergeordneten Rechtsinstanz, falls sie Widerstand finden, durch Gewalt verwirklicht werden müssen, wenn sie nicht nichtig sein sollen. Wohl ist die Idee eines objektiven, allgemeingültigen Rechts überzeugend. Aber dieses Recht kann nur unter folgender Bedingung wirklich werden: wenn gegnerische Parteien beide sich im Recht meinen, eine Einigung nicht gelingt, fügen sie sich der übergeordneten Instanz; auch im zwischenstaatlichen Verkehr erkennt der Unterlegene an, daß Gesetzlichkeit, auch im Fall eines einzelnen Unrechts, besser ist als Gewalt. Wenn die Instanz nicht anerkannt wird und beide Parteien ausreichende Gewalt zu besitzen glauben — im Verhältnis zwischen Staaten —, dann ist

Krieg die Folge. Es hilft nichts, dann zu unterscheiden Angriffskrieg vom Verteidigungskrieg; es hilft nichts, vom gerechten Krieg und vom heiligen Krieg zu sprechen. Alle diese Urteile sind nicht Urteile einer übergeordneten Instanz, sondern von Parteien, auch wenn diese Parteien quer durch die Staaten hindurchgehen und nicht nur als Staat gegen Staat bestehen.

Solange Krieg möglich ist, sind wir auf andere Weise in Parteien gespalten, als wenn wir in einem Zustand geordneter Gewalt, d. h. im Friedenszustand, miteinander kämpfen. Der Unterschied zwischen der totalitären und der politisch freien Welt ist, daß in jener dieser friedliche Kampf ausgeschlossen, in dieser aber, obgleich stets bedroht, in weitem Umfang möglich ist. Mit dem Argument, wie ungerecht die gesellschaftliche Ordnung sei, wirft das Totalitäre diese Ordnung, unterstützt von geblendeten und empörten Massen, um, um nicht nur eine noch viel ungerechtere, sondern grundsätzlich freiheitswidrige Ordnung herzustellen. Innerhalb der freien Welt spürt man den Abgrund, wenn das Gegenüber nicht hört und nicht denkt und nicht sich besinnt, sondern nur in der Sprungbereitschaft zur gewaltsamen Aktion sich befindet. Solange Krieg möglich ist oder die wirksam entscheidende und dadurch den Frieden sichernde Instanz fehlt, ist es eine Anmaßung des Menschen, für sich in Anspruch zu nehmen, die absolute Instanz zu sein. Er kann nur sich selbst behaupten im Kampf gegen Gewalt durch Gewalt. Auch jene friedenschaffende Instanz würde keine absolute sein, denn sie kann Unrecht beschließen. Aber es wäre möglich, sie im weiteren Gang auf legalem Wege zu korrigieren. Wo aber Krieg ist, da ist nicht Rechtsentscheid, sondern Entscheidung durch Gewalt. Der Mensch kann nur im Frieden und in politisch freien Zuständen zur Geltung bringen und in geistiger Auseinandersetzung verfechten, was er für recht hält und was auf legalen Wegen sich vielleicht durchsetzt. Im gewaltsamen Kampf sind Nationen, Staaten, Parteien über das, was in diesem Falle recht und gerecht sei, nicht einmütig. Solange die Daseinsinteressen, die miteinander Krieg führten, dann weiter fortbestehen, ist auch nachträglich, wenn das Besiegte noch fortbesteht, keine Einmütigkeit der Auffassung zu erwirken, außer vielleicht bei wenigen Menschen, die in Gemeinschaft des Geistes einen unabhängigen Wahrheitssinn entwickeln (wie etwa in bezug auf die Schuldfrage des Ersten Weltkriegs die Historiker der gesamten abendländischen Welt, nämlich, daß damals die Schuld keiner der beiden Parteien allein aufzubürden sei).

Die Kraft des Rechtsgedankens ist unberechenbar wirksam. Das Gewissen ist nicht eine Fiktion. Ihm huldigen noch alle Politiker, Despoten und Verbrecher, indem sie ihr Unrecht als Recht verkleiden und ihre Untaten leugnen.

Daß die Macht der Grundgedanken des Rechts in unserem Dasein aber die Sicherheit ihrer Wirkung erst gewinnt durch ihre Verbindung mit Gewalt, über die sie verfügt, diese Grundsituation müssen träumende Menschen sich immer wieder einprägen. Der Rechtsgedanke ist als solcher nur durchzusetzen durch die Gewalt, mit der er ein Bündnis eingeht. Das Recht ist moralisch begründet, aber kraft der Gewalt wirklich.

Darauf beruht die Fraglichkeit der Sätze des Völkerrechts. Sie sind zwar überzeugend, aber darum ist noch keineswegs Verlaß auf sie. Das juristische Denken möchte die Welt selbst da noch wenigstens in seiner gedanklichen Ordnung halten, wo diese Ordnung radikal zerstört wird. Noch das Ordnungswidrige überkleidet es mit seinen Begriffen, um es in eine Ordnung hineinzunehmen. Es spricht von der »normativen Kraft der Tatsachen«, vom fait accompli, indem es das Unrecht, die Grundlage des gegenwärtigen faktischen Rechts, selber in Scheinrecht verwandelt.

e) Die Rechtsgedanken selber sind in geschichtlicher Entwicklung. Ihr letzter Grund, der vor dem bestimmten Recht liegt, ist, seitdem es Rechtsphilosophie gab, gefühlt, gedacht und formuliert worden. Und dieser Grund selber ist in Wandlung.

Den Menschheitsgedanken gab es seit der Zeit der Sophisten, mächtiger seit dem stoischen Naturrecht und schließlich seit der biblischen Religion. Seit dem 18. Jahrhundert sind *»Menschenrechte«* formuliert, die man, leider vergeblich, zu geschichtlicher Wirklichkeit bringen wollte. Als sie von der Französischen Revolution proklamiert wurden, widersprach sogleich Burke: Nicht Menschenrechte, sondern die Rechte des Engländers waren ihm der politische Lebensgrund. Er hatte die Gewißheit seines geschichtlichen Bewußtseins und die Einsicht in die Realität, daß Rechte nur kraft der Verfügung über Gewalt Sicherheit bedeuten. Er zog die großartige, für uns erschreckende Konsequenz. Aber er hat bis heute recht behalten. Es ist deutlicher als je, daß jeder Mensch sich nur auf die Rechte stützen kann, die er kraft seiner Staatsangehörigkeit, also kraft einer Macht, die Gewalt hat, besitzt. Wer sich auf Menschenrechte stützen will und dies als Staatenloser (der er etwa durch Gewalt seines ihn ausschließenden Staats geworden ist) versucht, erfährt, daß er in der Tat gar keine Rechte, weniger Rechte als ein Mensch hat. Nirgends sehe ich diese Realität unserer heutigen Welt so hellsichtig, so eindringlich, so unerbittlich dargelegt wie von Hannah Arendt (Totale Herrschaft, S. 430 bis 484). Auf ihrem Werk beruhen die folgenden Bemerkungen.

Heute sind die Menschenrechte, die faktisch weniger als jemals gelten, zugleich dringlicher als je geworden.

Wenn alle geschichtlichen Bindungen faktisch gesprengt werden, wenn die Masse der entwurzelten, sich als überflüssig fühlenden, nirgends hingehörenden Menschen wächst, wenn die Verlassenheit Unzähliger unerträglich bewußt wird, dann muß ein neuer Grund gesucht werden, der Boden, der alle trägt.

Wenn alle Völker der Erde, alle Kulturen und Staaten sich begegnen auf dem Weg gemeinsamen Schicksals, des Schicksals der Menschheit überhaupt, dann brauchen sie ein Gemeinsames, worin sie sich verstehen.

Wenn die Menschheit zu einem Ganzen dadurch wird, daß sie als Ganzes in ihrem Dasein bedroht ist und auf die Dauer nur als Ganzes sich wird retten können, jedes Volk auf alle anderen Völker angewiesen ist, um selber am Leben zu bleiben, dann werden Menschenrechte zur Voraussetzung dieser Rettung selber, weil nur mit ihnen ein gemeinsames Vertrauen zueinander entstehen kann. Die Grundlage des Daseins, die jeder Einzelne braucht, ist dieselbe, ohne die keine Menschheit sein kann, die doch *eine* nur ist durch einen gemeinsamen, unverletzlichen Boden.

Dem steht heute die Realität entgegen, daß die Menschenrechte von der überwiegenden Mehrzahl der Menschen praktisch noch verachtet werden (daß auch Marx sie verleugnete als eine bürgerlich-kapitalistische Ideologie). Man sieht: die philosophische Formulierung dieser Rechte hat bisher politisch noch nichts bewirkt. Es gibt zwar großartige Hilfe und Fürsorge einzelner für einzelne, auch gelegentlich von Staaten für rechtlos gewordene Staatenlose in sorgfältig begrenzter Anzahl (und dabei wieder die unausweichlichen Erfahrungen von der Mannigfaltigkeit menschlicher Charaktere). Aber der Appell an Menschenrechte ist politisch wirkungslos. Nur wo ein großer Staat die Menschenrechte (nicht bloß die Menschenrechte für *seine* Bürger) in seine Verfassung aufnehmen und zum Recht aller Menschen erklären würde, könnten sie wirklich werden. Denn ohne sichernde Gewalt kein Recht.

Weil aber kein Staat den Umfang hat, sich allen Vertriebenen, Unzufriedenen, Auswandernden öffnen zu können, ohne sein eigenes Dasein zu gefährden, so werden die Menschenrechte nur eine Chance haben, wenn viele und schließlich alle Staaten sie für ihre Bürger sichern, so daß Flucht und Auswanderung nicht mehr nötig, Ausschließung wegen Unverletzbarkeit der Angehörigkeit zum Staate der Herkunft unmöglich ist und für die Ausnahmefälle alle anderen Staaten ihre Grenzen geöffnet haben.

Die Entwicklung dahin setzt voraus die Einmütigkeit der Mehrzahl der Menschen in der Anerkennung der Menschenrechte und ihr klares Bewußtsein von diesen Rechten. Nur dem, was die Menschen wirklich wollen, stellt sich auch die Gewalt zur Verfügung.

Die Einheit der Menschheit ist heute die von der Realität selber aufgegebene Idee. Sie kann nur entstehen durch die Gemeinschaft in den Menschenrechten. Diese Einheit ist wieder Voraussetzung für die Rettung der Menschheit überhaupt.

Menschenrechte können nicht als abstrakte Gedanken wirksam sein. Sie sind in ihrer Bedeutung nur zu fassen, wenn sie aus dem Ursprung des Menschseins selber gültig erfahren werden. Sie sind gegründet in der Schöpfung des Menschen. Sie liegen vor aller Rationalität, die sie zwar formuliert, aber nicht erfindet. Sie fordern als umgreifende Autorität mit dem Anspruch an die Menschen: Erfüllt ihr sie nicht, so werdet ihr alle zugrunde gehen.

f) Noch ist die reale Situation: Im gewaltsamen Kampf ist die *Selbstbehauptung* dieses unseres jeweils bestimmten geschichtlichen Daseins in seiner Besonderheit maßgebend. Politik ist die Gesamtheit der Methoden, durch die solche Selbstbehauptung vollzogen wird, die jeden Augenblick an der Gewalt orientiert ist, gegen die und durch die sie sich sichert.

In der konkreten Situation ist die Frage: Was oder wer behauptet sich selbst? ein einzelner Gewalthaber, eine Gruppe, eine verschworene Gemeinschaft, ein Volk, eine Lebensform, eine Überlieferung, ein staatlicher Apparat, eine Armee als solche? eine Freiheitsidee als Wirklichkeit? eine abstrakte Vorstellung? ein geschichtlicher Grund oder eine Ideologie? die Liebe zu Haus und Hof, zu Frau und Kindern, zum Heimatboden? Ideen wie Abendland, Europa, die Christenheit? das Dasein zusammengeratener, organisierter, mit Fiktionen genährter Menschen, die, im Verfall der Fiktionen zugleich mit der Macht, die sie trug, dann nur als eine ratlose Menge ohne Orientierung übrigbleiben?

Die Motive der Selbstbehauptung im Kampf sind oft seltsam verflochten, sich widersprechend, verworren und zufällig. Bewußtsein und Meinungen verschleiern die wirklichen Kräfte oder die den Einzelnen, ohne ihn zu fragen, zwingenden Mächte.

Was durch Politik und Krieg in der gewaltsamen Selbstbehauptung sich rettet oder verstärkt, ist selber nicht politisch. Die Selbstbehauptung aber hält sich dann an alles, was Macht gibt, und an alles, was den Willen des Gegners nachgiebig machen und brechen oder sein Dasein vernichten kann.

2. *Die Idee einer gewaltlosen Politik*

Da Politik ihrem Wesen nach Umgang mit der Gewalt ist, durch welche die Selbstbehauptung stattfindet, müßte das Absurde geschehen: mit dem Verzicht auf Gewalt auch der Verzicht auf Selbstbehauptung; dann hört die Politik überhaupt auf. Das ist in der Tat geschehen in dem Leben der Heiligen, die dem Worte der Bergpredigt folgten: Widerstehe nicht dem Bösen; schlägt dir einer die linke Backe, reich ihm auch die rechte dar. Wo solches Leben konsequent bleibt, hat es seine eigene Würde trotz seiner politischen Würdelosigkeit. Es ist ein Leben, das weder leben noch nicht leben will, sondern in Indifferenz gegen sich selber da ist, solange es durch die gegebenen Bedingungen und Zufälle bleibt, ganz hingenommen von etwas Außerweltlichem, für das die Welt gleichgültig ist.

Nun aber hat man die Idee der Gewaltlosigkeit *selber zur Politik* gemacht. Damit ist nicht etwa gemeint die Methode der russischen Revolutionäre, solange sie noch in der Ohnmacht waren (und die Methode aller Untergrundbewegungen): nicht in offenen Kampf mit dem übermächtigen Gegner zu treten, sich nicht zu zeigen, sich nicht zu stellen, vielmehr nur Terrorakte, Attentate, Sabotage zu vollziehen und stets sogleich in die Verborgenheit zu verschwinden. Dies sind die Methoden des zur Zeit Ohnmächtigen, der die Gewalt für sich selber will und, wenn er sie gewinnt, sie um so wirkungsvoller auch gegen alle verborgenen Widerstände ausüben wird, weil er Kunde hat von ihren Methoden. Nicht dies ist gemeint, sondern das politische Prinzip der Gewaltlosigkeit derer, die sich offen zeigen, grundsätzlich die Gewalt für sich ablehnen, bereit sind, sie zu erdulden, und überzeugt, sie dadurch auch zu überwinden.

Die Völker wollen Frieden; Friede ist nur möglich bei Verzicht auf Gewalt. Dieser Verzicht, zu dem Pazifisten die Völker verführen möchten, ist geboren aus Angst und Ruhebedürfnis bloßen Glückswillens. Er ist nicht der innerliche Verzicht auf Gewaltsamkeit überhaupt, sondern nur auf die riskante. Es wird ein Seelenzustand begründet, der blind meint: wenn nur der eigene Staat keine Gewalt gebrauche, nicht rüste, seinen Friedenswillen ausspreche und durch die Tat des Sich-ohnmächtig-Machens bezeuge, überdies durch die Entlastung von Rüstungen seinen Bürgern ein materiell um so besseres Leben bereite, so werde alles gut gehen. Dieser Seelenzustand pflegt mit aggressiver Stimmung, mit Empörung und Neigung zu ungefährlicher Gewaltsamkeit einherzugehen. Nicht eine überpolitische Macht ist hier am Werk, sondern unterpolitische substanzlose Intellektualität und Selbstbetrug.

Nur einmal hat die Gewaltlosigkeit ihren Grund im Überpolitischen gehabt und zum Erfolg geführt. *Gandhi,* diese außerordentliche Figur unseres Zeitalters, macht uns betroffen. Er zeigte durch Leben und Handeln den Opfermut, der im Umgang mit der Gewalt entscheidend ist, und zwar nicht nur, wenn, wie durchweg, der Gewalt mit Gewalt begegnet wird, sondern auch und gerade dann besonders, wenn, wie durch Gandhi, Gewaltlosigkeit versucht wird. Weist Gandhi etwa heute den Weg?

Gandhi hat Indien von der englischen Herrschaft befreit, nicht durch Soldaten, sondern durch Gewaltlosigkeit, die sich auf das Recht berief. Er machte Politik, denn er ging mit der Gewalt um, aber auf eine unerhörte Weise. In einer Welt, die in der

Idee von Recht und Sittlichkeit zu leben vorgab (und zu einem geringen, aber das Ganze mittragendem Maße wirklich lebte), und die durch die Macht des Englischen Imperiums gehalten wurde, das die Gewalt nur in Grenzfällen, dann jedoch mit äußerster Brutalität anwandte, in dieser »zivilisierten« Welt, welche die militärische Gewalt in den Hintergrund des Bewußtseins verdrängt hatte, hob Gandhi die Verschleierung auf. Er enthüllte nicht nur theoretisch (das war längst geschehen), sondern praktisch die Herrschaft der Gewalt, indem er selbst sich ihr aussetzte und sie für alle Welt sichtbar erlitt. Er trat nicht aus der Welt in die Einsamkeit wie weltindifferente Heilige. Er handelte auch nicht allein, sondern gemeinsam mit den von ihm überzeugten Volksmassen. Sein Handeln war Herausforderung der Gewalt der Herrschenden, nicht selber Gewalt. Dies *Handeln der Gewaltlosigkeit* geschah durch Verweigerung der Zusammenarbeit (non-cooperation) mit den Engländern und durch Verletzung englischer Gesetze, die allen Indern als ungerecht galten (civil disobedience), so durch Verweigerung von bestimmten Steuerzahlungen oder durch Herstellung von Salz unter Durchbrechung des Salzmonopols. Die Folge waren zunächst gerichtliche Verfahren. Diese aber scheiterten an der Menge der zu Verurteilenden. Die Gefängnisse und die Gerichte reichten nicht aus. Gandhis entscheidende Kraft war die Bereitschaft, alle Folgen seitens der herrschenden Gewalt zu dulden, und diese Bereitschaft in den indischen Volksmassen zu erregen. Er erhob den Anspruch: Der Gegner soll nicht besiegt, sondern überzeugt werden. Man soll keine trennende Mauer gegen ihn errichten, sondern durch Offenbarwerden bestehenden Unrechts die rechte Zusammenarbeit mit ihm vorbereiten. So verblüffte Gandhi die Welt, indem er gegen Gewalt den Kampf durch Gewaltlosigkeit planmäßig und für das indische Volk hinreißend führte.

Gandhi hatte Erfolg. Nach Jahrzehnten dieses gewaltlosen Kampfes wurde schließlich Indien von den Engländern freigegeben. Gandhi, ursprünglich mit seiner Theorie und Lebenspraxis eine fremdartige Kuriosität, eher ein Gegenstand des Lächelns als eines ernsthaften Interesses, erwarb sich ein Ansehen in der ganzen Welt wie kaum ein Staatsmann dieser Zeit. Denn »Erfolg hat der Erfolg«.

Aber war er überhaupt ein Staatsmann? Hat er etwas politisch Gültiges, etwas Vorbildliches geschaffen? Hat er eine politische Lebensform gegründet? Was ist von ihm zu lernen?

Gandhi hat die *Theorie seines Tuns* entwickelt. Seine Politik beruft sich auf den religiösen, überpolitischen Grund. Dieser Grund ist die Aktivität des inneren Handelns: Es kommt an auf Satyagraha, das feste Sichhalten am Sein, am Wahren. Gandhi beginnt bei sich selbst. Der Widerstand, der nach außen sich richtet, soll die Folge der aktiven Kraft der Liebe, des Glaubens und der Aufopferung sein. »Der Satyagrahi muß sich zur Wahrheit, zur Keuschheit, zur Furchtlosigkeit, zum Opferwillen bekennen und muß alle Leiden, die ihm auferlegt werden, freudig bejahen.« Er ist kein passiv dahinlebender Mensch, sondern »ein Krieger der Wahrheit«. »Wie der Körper sich im Waffenhandwerk übt, so übt sich der Satyagrahi in geistig-seelischer Disziplin.« Er lebt in der Selbstläuterung.

Gandhi könnte erinnern an die *indischen Asketen* der Jahrtausende. Aber von ihnen allen unterscheidet er sich erstens dadurch, daß er nicht die Welt verläßt, vielmehr Verantwortung in der Welt auf sich nimmt. Damit verbunden ist der zweite Unterschied vom heiligen Asketen: daß Gandhi sein Leben lang ein Suchender bleibt, die Selbstreinigung fortsetzt und seine Schuld weiß. Er verwirft es, für einen Heiligen gehalten zu werden. Fast nichts ist ihm schwerer geworden, als sich gegen die Vergötterung seiner Person zu wehren, dem Drang der indischen Darshan-Sucher zu widerstehen. Alles schien ihm verdorben mit der Gesinnung derer, die ihn so entstellen wollten.

Dieser Mann hat der Gewalt, aber nicht der Politik abgesagt. Er wollte das

Unmögliche: Politik durch Gewaltlosigkeit. Er hat den größten Erfolg gehabt: die Befreiung Indiens. Ist also doch das Unmögliche möglich?

Zunächst: Er wollte keine physische Gewalt. Solche Gewalt hat er durch zahllose Inhaftierungen, durch Lebensgefahr und seine schließliche Ermordung erlitten. Wollte er aber darum überhaupt keine Gewalt? Da liegt der springende Punkt. Mag er noch so klar und ehrlich sagen, er wolle überzeugen, er wolle bekehren, er wolle mit dem Gegner einig werden, in der Tat übte er und will er einen *moralischen Zwang.* Sein persönliches Dulden, in der Wirkungskraft unermeßlich gesteigert durch das Echo im Dulden des indischen Volkes, wird zur »Gewalt«, die schließlich die Engländer aus Indien vertreibt.

Gandhi ist sich des Problems bewußt geworden. Wenn Studenten in Kalkutta andere am Besuch der Vorlesungen hindern wollten (im Vollzug der non-cooperation), indem sie sich auf den Boden legten, so daß ihre Leiber hätten zertreten werden müssen, erklärte Gandhi das für »schlimmer als Gewaltanwendung«. Die Studenten wußten, daß niemand über ihre Leiber schreiten würde. Daher sei ihr Verhalten eine »gedankenlose Unverschämtheit« ohne Ernst. Es sei moralische Erpressung. Der Gegner dürfe nicht in eine demütigende Lage versetzt werden. Gandhi selber aber hat im Gefängnis und außerhalb immer wieder gedroht, »bis zum Tode« zu fasten, wenn er ein Handeln der Engländer oder der Inder erzwingen wollte. Er hat sich gefragt, wo die Grenze sei zwischen erlaubtem moralischem Druck und verwerflicher moralischer Erpressung. Er antwortet: Entscheidend sei der Beweggrund der Handlung, die Güte oder die Bosheit des Vorhabens. Die Trennungslinie zwischen Recht und Unrecht sei manchmal so dünn, daß sie fast unmerklich werde. Trotzdem sei sie unüberschreitbar und unverkennbar.

Es wird berichtet von der Verwandlung der Atmosphäre in Indien durch Gandhi. Statt der Liberalität verbreitete sich ein allgemeiner Zwang des Fürwahrhaltenmüssens. Diese Gewaltlosigkeit, die zwar auf physische Gewalt verzichtet, übt eine andere, die unerträglich werden kann.

Dazu kommt, daß in den Massen die Erregung im leidenschaftlichen Dulden bei passivem Widerstand plötzlich umschlagen konnte in brutale physische Gewalt des Zurückschlagens gegen die Engländer. Gandhi war aufs höchste erschreckt, wenn es geschah. Er brach eine Aktion ab und konnte dies in der Tat vermöge seiner fast unglaublichen Macht über die Massen. Er wußte dann nichts anderes als selber für seine Person zu fasten und zu büßen. Dies war ihm das in seiner Hand tatsächlich wirksame, nun gegen die Gewaltsamkeit indischer Massen angewandte Druckmittel.

Man könnte erinnern an die alte indische Lehre von der Gewalt der Asketen. Durch ihre unerhörte Selbstvergewaltigung häufen sie eine magische Macht, die zur Herrschaft über alle Dinge führt. Selbst die Götter geraten in Angst vor der Macht solcher Asketen. Gandhis Selbstdisziplin erfolgt nicht ohne innere Gewaltsamkeit. Diese wird bei den ihm Folgenden anders, weil fanatisch. Solche Gewaltsamkeit gegen sich selbst aber ist keineswegs Läuterung, nicht freies Zu-sich-selbst-Kommen. Daher ist, wer sich selbst vergewaltigt, zur Vergewaltigung anderer bereit. Solche Vergewaltigung anderer durch moralischen Druck ist ein Element in Gandhis Wirksamkeit.

Gandhi selbst hat die Gewalt kriegerischen Kampfes — sich selbst widersprechend — wenigstens in *einem* Augenblick anerkannt und unterstützt. In seinem anfänglichen politischen Willen, durch Treue gegen England die Befreiung Indiens zu erreichen, hat er während des Ersten Weltkriegs sich für die Werbung indischer Soldaten und ihren Einsatz in Europa gegen Deutschland ausgesprochen.

Nun aber weiter: Wenn Gandhis Weg der Gewaltlosigkeit in der Tat die Gewalt nicht beseitigen, sondern nur verlagern kann, so hat er selbst doch seinen politischen Erfolg, zwar unter Begleitung eines Minimums physischer Gewaltakte seitens einzelner Inder, die er nicht wollte, ohne physische Gewalt erreicht. Hat er nicht doch die politische Methode gefunden, durch die das Recht über die Gewalt siegt? Hier liegt der zweite springende Punkt. Es ist für die Auffassung seiner Leistung entscheidend, zu sehen, in welchem Sinn sie ein einmaliges, höchst merkwürdiges Ereignis ist. Sie ist, kurz gesagt, viel mehr das Ergebnis der englischen politischen Gesinnung als der Gandhis, der fast wie ein Werkzeug wirkt im Gang der englischen Geschichte.

Gandhi konnte in aller Öffentlichkeit reden. Selbst aus dem Gefängnis ließ man ihn noch wirken. Die englische Liberalität und Rechtsauffassung gab den Raum für Gandhi. Warum wurde die englische Regierung immer ratloser vor der Masse des passiven Widerstandes? Sie sagte: Wir können doch nicht alle verhaften. Wohl war in des einen oder anderen Engländers Kopf gekommen: Es kommt nur auf die Rücksichtslosigkeit des Terrors an; wir müssen nicht verhaften, sondern töten; hunderttausend Inder getötet und dreihundert Millionen sind in Ruhe; die Publizität wird aufgehoben.

Die Geschichte lehrt, daß man Gehorsam schaffen kann, wenn man in Kauf nimmt, Menschen auszurotten und Wüsten zu hinterlassen: wie die Athener in Samos, die Römer in Palästina, die mittelalterliche Kirche in der Provence, Cromwell in Irland. Immer dann, wenn sie uneingeschränkt und bedenkenlos wird, ist absolute Herrschaft möglich, sei es aus unbefangener Politik an sich, sei es unter Berufung auf einen offenbarten Gott. Dieser Terror schafft Unterwerfung, bei der die stolze, ihre Freiheit behauptende Völker untergehen. Die Völker verhalten sich nicht gleich.

Vor der großen Frage: Wie weit ist eine Herrschaftsmacht bereit zu gehen, wenn ihre Herrschaft bedroht ist? haben die Engländer sich entschlossen: Besser als der radikale Terror ist der Verlust der Herrschaft. Wenn Engländer meinten, durch eine Lockerung der Herrschaft, durch ein schrittweises Zugestehen in einer Atmosphäre von Recht und Liberalität und durch Verbreitung abendländischer Erziehung würde schließlich die Herrschaft zu einer von allen Seiten bejahten freien Kooperation sich verwandeln, so war das ein kapitaler politischer Irrtum. Ob in weltgeschichtlicher Verantwortung das englische Verhalten in Indien eine einzigartige politische Dummheit oder auf lange Frist eine weise Handlung war, ob durch sie das Unheil auf der Welt, die Friedlosigkeit und das Chaos gefördert oder ein Weg des Heils für die Menschheit beschritten wurde, das ist heute nicht zu entscheiden.

Nur unter England und nur in dieser einmalig in der Geschichte der Imperien versuchten Liberalität der Herrschaft war Gandhis Erfolg möglich. Solche Politik der Gewaltlosigkeit hätte früher nie ein solches Ergebnis gehabt und würde es in Zukunft nur unter Bedingungen haben können, die durch Liberalität, Öffentlichkeit, Rechtlichkeit den englischen analog wären. Die Befreiung Indiens durch Gandhis Politik der Gewaltlosigkeit ist viel mehr ein Ereignis innerhalb der englischen Politik, viel mehr die Folge eines Ringens Englands mit sich selber als eine indische Tat.

Einzigartig aber ist, von niemandem erwartet, das große Faktum, daß ein Mann, klar bewußt und durch sein Leben überzeugend, vom Überpolitischen her Politik gemacht hat. Denn Gandhis Politik steht im Gegensatz sowohl zur uralten apolitischen Lebensweise der indischen Asketen als auch im Gegensatz zu der ebenso alten indischen Politik des eigengesetzlichen politischen Dharma, in dem alles erlaubt und gefordert ist, was die eigene Macht vermehrt. Diese zweifache Gegensätzlichkeit macht aus Gandhi einen modernen Menschen, der aus der Substanz indischer Überlieferung durch abendländisches Denken geprägt wurde:

Die indische Substanz wirkt in ihm durch seine Herkunft aus Kreisen des Vishnuglaubens und der Jainas und wird bezeugt durch seine Liebe zum Ramayana und zur Bhagavadgita. Doch schon von früh an ist seine Haltung kritisch. Durch seine Reise ins Ausland, nach England, vollzieht er den Bruch mit seiner die Auslandsreisen verbietenden Kaste. Dort studiert er englische Rechtswissenschaft (1888–1891), lernt die englische Rechtsauffassung kennen, z. B. die Anerkennung des Rechtes des sozialen Boykotts. Erschüttert von der Bergpredigt und von christlichen Märtyrern gelangte er in eine religiös-ethische Verfassung, die nun eine nicht mehr historisch zu klassifizierende, sondern persönliche wurde. Gandhi ist ein ernsthaftes, die meisten Abendländer und Inder in Schatten stellendes denkendes Leben, das die eigene Wurzel nicht verliert, aber in weltweitem Erfahren sucht und findet, was ihm als ewige Gegenwart des wahren Seins Ursprung seines Zukunftswillens wird. Er gehört nicht (wie seine Nachfolger) unter die fatalen west-östlichen Mischungen einer bodenlosen Intellektualität, die überschwemmt ist von dem plattesten Rationalismus und dem technischen Denken des Abendlandes und darin ertrinkt.

Die Größe, weniger Indiens, aber Gandhis ist: er hat mit Selbstaufopferung seiner Person das Überpolitische als Kraft der Politik in unserem Zeitalter zur Geltung gebracht. Er trennt Politik nicht von Ethos und Religion, sondern verankert sie dort, und zwar bedingungslos: Lieber sterben, lieber »das ganze Volk auf der Landkarte auslöschen« lassen, als die Reinheit der Seele preisgeben.

Gandhi scheint nie gelogen zu haben. Er sagte jederzeit offen, was er wollte und was er meinte. Das Prinzip der Lüge, das in aller Politik sonst eine entscheidende Rolle spielt, gab er restlos auf.

Die Selbsterziehung und Selbstreinigung, das eigene Leben des einzelnen Menschen, der sich mit der überpolitischen Forderung an alle wendet, war ihm die Bedingung wahrer Politik. Die Politik selber wurde zur Religion. Politik ohne Religion tötet die Seele, sie ist, sagte er, eine »Menschenfalle«.

Gandhi ist in unserem Zeitalter das sonst nicht gesehene Beispiel sittlich-religiöser Politik des sich offen zeigenden Menschen geworden. Ein in Südafrika wegen seiner Rasse gedemütigter, noch aus indischem Ursprung beseelter, aber englisch erzogener Mensch ist getrieben von der Liebe zu einem freien, seine Würde zurückgewinnenden Indien und zugleich von einer Bereitschaft zum Leiden und Opfer ohne Grenze, dabei ständig ausgesetzt dem Schuldbewußtsein, das zu neuen Entschlüssen drängt.

Heute stehen wir vor der Frage: Wie können wir aus der physischen Gewalt, aus den Kriegen herausgelangen, damit wir nicht alle durch die Atombombe zugrunde gehen? Gandhi gibt durch Tat und Wort die wahre Antwort: Allein aus dem Überpolitischen kommt die Kraft, die in der Politik zu retten vermag. Daß diese Antwort in unserer Zeit von einem Asiaten gegeben ist, kann beschwingen.

So groß aber dies Vorbild im Ernst des Überpolitischen ist, so unmöglich ist es als Wegweiser im politischen Handeln heute. Wir können schon nicht der Weise dieses Ernstes folgen, dessen Gehalt uns fremd anmutet (und auch gelegentlich durch vulgärhinduistische Aberglauben überrascht). Wir können nicht den konkreten Methoden einer Politik folgen, die nur in der Atmosphäre englischer Herrschaft für den begrenzten Zweck der Befreiung Indiens erfolgreich war. Gandhi gibt uns keine Antwort in der gegenwärtigen Weltwirklichkeit äußerster Härte.

Gandhis Verfahren wäre im Kampf mit dem Totalitären kein politischer Weg mehr, sondern nur ein Weg des sicheren Untergangs. Jedes Opfer würde verborgen, ohne Kunde, in metaphysischer Substanz zwar unantastbar, aber ungewußt von Menschen, geschehen. Weil kein Widerhall in die Öffentlichkeit gelangte, würde das Opfer ohne politische Folgen bleiben. Gegen den Terror, der keine Einschränkung durch Bedenken von Recht und Gewissen kennt, ist das Opfer insofern vergeblich, als es nicht in die Kommunikation menschlichen Tuns gelangt.

Wohl aber eignet sich Gandhis Lehre von der Gewaltlosigkeit für Politiker, die, selber ohne jenen Grund im Überpolitischen, sie nur nutzen, um die Welt zu täuschen. Welches Verhängnis, wenn Menschen gutgläubig nachgeben, auf Gewalt verzichten, weil sie an die Gewaltlosigkeit glauben! Sie werden dann nur um so radikaler von der Gewalt überwunden, die hinter dem Schleier der betrügerischen Lehre sich versteckt. Der Enthusiasmus für die Wahrheit in Gandhi wird zur Düpierung, Selbstpreisgabe und Selbstvernichtung.

Heute kann kein Zweifel mehr sein, daß der uneingeschränkte Terror der Gewalt jeden Widerstand, der nicht selber gleichgeartete physische Gewalt wird, vernichten wird. Die Niederwerfung Ungarns hat auch dem blödesten Auge sichtbar gemacht, daß der totalitäre russische Terror Ungarn als menschenleere Wüste einem befreiten Ungarn vorgezogen hätte. Gegen totale Gewalten hilft weder geringere Gewalt noch Gewaltlosigkeit. Nur eine Grenze ist denkbar: Der Vernichtungsapparat würde nicht mehr gehorchen, wenn in die Menschen dieses Apparats die Macht des Gewissens dringen würde. Daß dies eine Hoffnung und nicht unmöglich ist, aber gebunden bleibt an die Entwicklung der überpolitischen Vernunft, die jeder bei sich selbst zuerst vollziehen muß und die er ohne sein eigenes Tun nicht von anderen erwarten kann, wird im Dritten Teil dieser Schrift erörtert. Gandhi hat für die Situation, in der er wirkte, die Kraft des Überpolitischen bezeugt; die Inhalte und Methoden aber sind weder übertragbar noch vorbildlich.

Anders als die Politik der Gewaltlosigkeit Gandhis ist der *abendländische Pazifismus* aufzufassen. Bei diesem steht nicht das persönliche Ethos des durch sein ganzes Leben offen sichtbaren Menschen vor uns, sondern die bloße Forderung, das bloße Beurteilen und die Theorie. Die Aktion des Pazifismus ist das Protestieren. Aber faktisch protestiert er damit gegen das menschliche Dasein. Er will die Grenze nicht sehen: Wer das Dasein der Menschenwelt will und daß in ihr gebaut und der geschichtliche Gang ins Unabsehbare fortgesetzt werde, kann der Situation nicht ausweichen, daß angesichts der Gewalt nur Gewalt übrigbleibt oder Unterwerfung unter Gewalt, schließlich unter die Gewalt des Totalitären. Der Pazifist sagt, die Gewalt sei ohnmächtig, den Frieden zu schaffen und das Leben der Menschen zu sichern. Das ist zwar richtig, aber bedingungsloser Verzicht auf Gewalt hätte nur Folgen für den Verzichtenden, nicht für den Gesamtzustand der Menschheit.

Der Wille, aus der Einsicht in alle Realitäten zu tun, was möglich ist, um den Krieg zu verhindern, ist nicht Pazifismus. Der Gedanke der gewaltlosen Politik aber ist entweder der Ernst Gandhis oder unklares, pazifistisches, die Situation nicht erfassendes Denken. Einstein, der sich einen Pazifisten nannte, war nicht Pazifist, als er Roosevelt den Rat gab, die Atombombe herzustellen. Er huldigte in diesem Augenblick der Notwendigkeit der Gewalt angesichts Hitler-Deutschlands. Wenn Born sagt, Einstein treffe kein Tadel »außer vom Standpunkt des extremsten Pazifismus, der lehrt, niemals, auch nicht gegen das größte Übel, Gewalt anzuwenden«, so ist doch dieser nicht extremste Pazifismus, in dem die überwältigende Mehrzahl der Menschen einmütig ist, eben nicht Pazifismus. Wenn irgendwo Gewalt gegen Gewalt als unausweichlich anerkannt wird, dann ist die Grenzsituation des menschlichen Daseins betreten. Von dem dann sich noch so nennenden Pazifisten werden die Konsequenzen nicht durchdacht. In welcher Situation aber der

Entschluß zur Gewalt stattfindet (im Unterschied nur von den zahllosen Kompromissen differierender Daseinsinteressen, zwischen denen ein friedlicher Ausgleich möglich ist), das entscheidet die Freiheit: sie kann alle materiellen Partikularitäten preisgeben, nicht aber sich selbst. Wir werden sehen, wohin die Situation unter der Drohung der Atombombe führen kann.

Heute ist zwar schon die richtige Einsicht verbreitet, daß die Atombombe nicht abzuschaffen ist, ohne den Krieg überhaupt abzuschaffen. Viele aber meinen noch, allein die Atombombe außer Wirkung setzen zu können. Ihre Leidenschaft geht nicht gegen den Krieg, sondern gegen die Atombombe. Sie protestieren nur gegen die Bombe, wie die Pazifisten gegen den Krieg überhaupt. Wie aber pazifistische Gesellschaften nicht das geringste zur Verhinderung der Kriege beigetragen haben, so sind heute alle Bestrebungen, die nur die Atombombe verwerfen, ohne sie im Gesamtzusammenhang der realen Handlungen der Staaten und der offenbaren Antriebe der meisten Menschen zu sehen, vergeblich. Denn sie kommen nicht an die Wurzel des menschlichen Unheils, sondern haften am Symptom. Weil sie vom Wesentlichen ablenken, tragen sie bei zur Verneblung, als ob mit Empörung etwas getan sei. Denn hinter der Fassade von Meinungen und Affekten setzen sie, ob Pazifisten oder nicht, im alltäglichen Tun und Urteil die Lebens- und Denkweise fort, die als der faule Boden der menschlichen Wirklichkeit jene Schrecken zur Folge hat. Das angstvolle Beschwören ist als solches ebenso unwahr wie die Verschleierung des eigenen faktischen Lebens. Aber die Wirklichkeit geht über solche nichtigen Meinungen hinweg. Denn gegen das selbstzufriedene Bewußtsein »steht die Wahrheit im Bunde mit der Wirklichkeit« (Hegel). Das heißt: Die Wahrheit, die wirksam ist, verlangt, nicht in Symptomen sich herumzutreiben, sondern den Grundvorgang im Ursprung des Unheils zu sehen.

Die Wirklichkeit aber ist einerseits die Atombombe und andrerseits der gegenwärtige ethisch-politische Zustand der Menschheit. Welche Wahrheit ist mit diesen Wirklichkeiten »im Bunde«? Die Antwort kann erst am Ende dieser Schrift durch die Gegenwärtigkeit aller in ihr durchdachten Aspekte im unbestimmbaren Glanze eines Morgenrots fühlbar werden, ohne einer eindeutigen Aussage zugänglich zu sein.

3. Das Opfer

In der Situation der Gewalt kann aus dem Grund der Dinge wirklich werden, was unserem rationalen, auf Zwecke in der Welt beschränkten Denken unbegreiflich ist, was dazu unseren absoluten Lebenswillen niederschlägt, und was darum gern weggeredet wird.

a) *Beispiele:*

Die Bewohner einer indonesischen Insel — vielmehr ihre Fürsten und Adligen — ließen sich, als sie mit Gewalt zu dem gezwungen werden sollten, was europäische Zweckmäßigkeit verlangte, sämtlich von den Holländern erschießen. Sie erwiderten nicht mit Gewalt, sondern gingen feierlich in ihren besten Gewändern den Schußwaffen entgegen — den Holländern wurde es unheimlich. — So starben manche Indianer durch die amerikanische Eroberung und manche Bewohner Sibiriens durch die Russen. Solche Ereignisse berichtet schon Herodot.

Spinoza begreift den Freiheitswillen eines Volkes als einen Adel des Menschen, der nicht allen Menschen eigen ist. Dieser Wille spricht uns in jenen vergleichsweise primitiven Zuständen als Urkraft an, die heller und bewußter im Kampf um Menschenwürde stattfindet.

Das so gebrachte Opfer ist der Kern, wenn auch keineswegs die Masse der breiten Erscheinung solcher Freiheitskämpfe. Wir haben es erlebt 1956 bei den Ungarn. Die Qual an Ausbeutung und wirtschaftlichem Elend, die durch Jahre vorangetriebene Verzweiflung, die Unerträglichkeit der Freiheitsberaubung, die erzwungene Unwahrheit des gesamten Lebens treiben die Dinge an einen Punkt, wo ein Volk alles, das Unmögliche wagt. Ein Volk, das nicht passiv in der Gewöhnung an Elend und Terror selber erlischt, sondern seine Energie gleichsam speichert, bedrängt von der Unerträglichkeit und getragen vom Stolz, durchbricht eines Tages, auch ohne Vorbereitung, auch ohne Organisation seine Fesseln: Lieber sterben als so weiterleben! Die Initiative vieler Einzelner findet sich plötzlich, ohne Verabredung, zusammen, steigert sich gegenseitig, breitet sich aus sogar auf die sonst Natur sonst Passiven, wird mächtiger im Widerstand gegen die zur Unterdrückung aufgewendete Gewalt. Die Menschen gelangen über sich hinaus, beseelt von dem lange Verborgenen, das sie verbindet und das nun plötzlich geboren zu werden scheint.

Die Wahrheit und Wirklichkeit im Kern solchen Geschehens dürfen wir uns nicht verderben lassen durch das Zweideutige in der Breite der Erscheinung. Das überpolitische Opfer, von den das Ganze bewegenden Menschen übernommen, scheint zu verschwinden in der Ansteckung einer Massenbewegung, in der Selbstvergessenheit durch eine suggestiv überwältigende Atmosphäre. So war es im Mittelalter in den Flagellantenzügen, in den Kreuzzügen. Die gründende Kraft ist nicht in dem vorübergehenden Entflammen.

Die Selbstbehauptung eines Volkes im Willen zur Freiheit vollzieht sich im Opfer. Wofür? Für ein lebenswertes Leben? Für ein Leben in Freiheit? Für die Rettung dieses Volkes und seiner Überlieferung? Gewiß, aber das reicht nicht aus. In dem Opfer liegt mehr, das als ein Zweck in der Welt überhaupt nicht, als ein darüber hinausgehender Sinn nur unangemessen sich aussprechen läßt: das Opfer für die Gottheit, deren unerkennbare Wege dorthin geführt haben, wo die Möglichkeit dieses Opfers zu wagen unumgänglich wird für den, der das Bewußtsein seines ewigen Seins und damit der Transzendenz für sich retten will. Wer spürt, daß die Unterwerfung, die Verweigerung des Opfers, sein Verderben als Seele in der Welt zur Folge hätte, sein Absinken in das schlechthin Würdelose, der erfährt zugleich, daß mit dem Sichversagen für das Opfer etwas im Grund der Dinge verraten würde. Mit der Preisgabe des Menschseins, um nur am Leben zu bleiben, würde doch nur die Nichtigkeit des Nichts im Schein von Leben erreicht.

Nicht der Zweck des Opfers, aber seine mögliche Folge in der Welt (deren Ausbleiben seinen Sinn nicht vernichtet) ist die Erinnerung der Überlebenden, die eines Tags wiederholen werden, was scheiterte. Märtyrer steigern die Kräfte derer, denen sie Vorbild wurden.

In der Realität aber bleibt die harte Grenze: Nur durch Führung und Organisation kann politisch etwas zu Dauer werden und sich verwirklichen. Der raffinierte Terror einer Übermacht kann alle Freiheit zum Absterben bringen. Der Kampf der Freien kann dann nur ihr Elend steigern, das Ende ist die Liquidation der einen, das Hungern, Erfrieren der andern. In diesem Ende noch erfahren sie vielleicht ihre für die Welt verborgene Würde.

Es gibt keine Grenze der bloßen Gewalt, denn sie kann alles als Dasein vernichten. Aber es gibt *eine* Grenze: daß in der Vernichtung offenbar werden kann, was wirklicher ist als das Dasein und als alle Gewalt.

b) Im Dasein des Menschen gilt: Die Möglichkeit einer endgültigen rationalen Ordnung menschlicher Beziehungen scheitert vor der Gewalt. Wo Gewalt ist — töten und getötet werden —, da ist Kampf, der das Opfer des Daseins fordert. Wo dies Äußerste nicht eintritt, wo vielmehr das Leben unter Ordnungen geführt wird, die jedoch immer noch durch Gewalt gesichert sind, findet der »friedliche« Kampf statt um die materiellen Daseinsbedingungen. Er ist so erbarmungslos wie der Kampf durch die physische Gewalt. Opfer gehört zum Dasein entweder als der augenblickliche Einsatz des Lebens oder als dauerndes Verzehrtwerden im Verlieren von Daseinsmöglichkeiten.

Dies ist aber nicht nur ein Tatbestand. Als solcher wäre er allem Lebendigen gemeinsam. Das für den Menschen Wesentliche ist das *bewußte* Opfer, sein Wagnis des Lebens, das, als bewußtes Wagnis in der Welt, aus der Welt nicht angemessen zu begreifen ist. Der Grund aller hohen Dinge des Menschen ist ein Opfer. Und im Scheitern ist das Opfer selbst noch eine Vollendung, in der unendlicher Gehalt offenbar wird.

Der Mensch weiß sich als sich selbst erst in der Bewährung durch Mut und Todesverachtung. Diese haben einen anderen Boden als das bloße Leben. Für den Menschen gibt es mehr als Leben.

Entsagung, sofern wir am Leben bleiben, ist zwar nur ein Teilopfer, kann aber wie die Vernichtung erfahren werden, aus der ein anderes Leben hervorgeht.

c) Wir suchen das Opfer und seinen Sinn gern zu verschleiern, weil wir es nicht ertragen. Oder wir suchen es gleichsam abzugelten durch Verzichte, die es vertreten sollen. Wir blicken ihm nicht ins Angesicht, weil wir das Opfer nicht bringen wollen. Wir möchten ohne Opfer glücklich sein. Vergeblich aber ringen wir unser Glück dem Opfer ab, dem wir ausgewichen sind. Ohne Opfer geht ein Bruch durch unser Dasein. Es trübt sich in Selbsttäuschungen.

d) Das Opfer nimmt den doppelten Aspekt an: Verlassen der Welt und Wirken in der Welt.

Weltlos ist das Opfer in der Vergeudung des Lebens bei wildem, beliebigem Kampfe, der nur die eigene Todesverachtung zum stolzen Bewußtsein bringt, und weltlos auch bei blinder Hingabe im Gehorsam aus dunklen Erwartungen.

Auch Asketen und Heilige, die jederzeit zu sterben bereit sind, ohne Willen zur Welt und ohne Verantwortung für irgend etwas in der Welt, bringen das weltlose Opfer.

So ist es auch bei den Kriegsdienstverweigerern, die nicht ihr Leben retten wollen, sondern die bereit sind, alles Leid und alle Demütigung zu ertragen, lieber getötet zu werden durch ihren Staat, als selber am Töten mitzuwirken, kurz, die es sich nicht leichter, sondern schwerer machen als die anderen. Denn sie verlegen das Opfer dorthin, wo sie noch dazu verachtet werden, während die anderen das Opfer leisten, in dem sie durch die Gemeinschaft aller gestützt und anerkannt sind.

Ganz anders ist das Wagnis des Todes, das das Leben *in der Welt* will. Durch dieses Wagnis erwächst erst der eigentliche Ernst. Im Leben gründen wird nur, wer sein Leben preiszugeben bereit ist und wer in ständigem Sichverzehrenlassen von der Aufgabe es opfert. Dies Opfer, wenn es nicht im Opfertod sein Ende findet, wirkt bauend, weltwerdend, erfüllend. Wenn aber der Tod verlangt wird, ist der Mensch sich glaubwürdig dadurch, daß er — nachdem er bedacht und getan hat, was die Vorsicht forderte, und besonnen die Rangordnung des Wesentlichen zur Geltung kommen ließ — gelassen zu sterben und das Scheitern seiner Sache zu ertragen vermag.

e) Wir fragten: Wenn das Opfer des Lebens für das Leben stattfindet: Für welches Leben? Wofür die Selbstbehauptung, die das Opfer bringt? Was ist des Opfers wert?

Hier liegt die unüberschreitbare Paradoxie: Für etwas in der Welt geschieht das Opfer, das seinen Sinn jedoch auch dann behält, wenn all das, wofür es in der Welt stattfand, scheitert. Das heißt: Das, wofür geopfert wird, macht das Opfer nicht zureichend begreiflich, wenn dieses »für« nur ein Zweck in der Welt ist.

Den Soldatentod zu verstehen als Mittel zum Zweck, ist eine Herabwürdigung des Soldaten. Zu sagen, er sei vergeblich gestorben, wenn das Ziel nicht erreicht wird, beraubt sein Opfer der Substanz. Der ewige Sinn des Opfers ist unabhängig vom Erfolg dessen, wofür es in der Welt gebracht wurde, und doch nur gehaltvoll in Einheit mit dem Willen zu einer Verwirklichung in der Welt.

Das Wofür ist etwas, um das in dem Sinne gekämpft wird, daß das Leben nicht lebenswert sei, wenn das Opfer nicht gewagt wurde. Mit dem Opfer aber ist etwas Überzeitliches und Übersinnliches und Unbedingtes verbunden. Es ist, auch wenn »vergeblich«, nicht »sinnlos«.

Das Opfer offenbart das Geheimnis an der Grenze aller menschlichen

Dinge. Das Bewußtsein dessen geht in Urzeiten zurück, als der Mythus vom sich selbst opfernden Gott es aussprach.

Ein Widerschein des allumfassenden und alleinschließenden Opfers liegt auf dem Wagnis in und gegenüber der Gewalt. Wir vergegenwärtigen uns die Situation der Gewalt zunächst im mittelbaren (politischen) und dann im unmittelbaren (physischen) Kampf.

4. Die Situation der Gewalt im politischen Kampf

Politik ist bezogen auf mögliche physische Gewaltanwendung. Die physische Gewaltanwendung selbst ist Sache des Soldaten.

Es gibt zwei Extreme: Die Politik an sich, die nichts als Macht will, und das Überpolitische, das für die Reinheit der Seele in einer anderen Welt lebt. In der bloßen Politik ist die Sinngebung durch das Überpolitische verschwunden: es gilt der Machtwille dieses Daseins; weil ohne Gehalt, ist er nichts. In der Weltabkehr des Überpolitischen hört die Politik auf; der Bezug zur Politik geht verloren; sie wird sich selbst überlassen. Die Extreme können sich faktisch gegenseitig hervortreiben, sich gar im selben Menschen zusammenfinden, aber nicht verbinden (denn seine Seele spaltet sich; er ist nicht mehr er selbst).

Große Politik dagegen hat das Überpolitische zur Führung. Dieses Überpolitische war zunächst die ethische Forderung, den Krieg auszuschalten gemäß dem Gebot: Du sollst nicht töten. Es begründete den Sinn der Ordnung der Gewalt durch den Rechtsstaat. Dann aber war das Überpolitische der Sinn des Opfers im Einsatz des Lebens für ein Leben, das lebenswert ist, aber so, daß es nicht sinnlos, weil im zweckhaften Sinne vergeblich ist, wenn alles scheitert. Wie in der Politik das Überpolitische zur Geltung kommt, das ist die gründende Kraft in der Politik selber.

Das Problem wird diskutiert als Frage nach dem Verhältnis von *Politik und Moral*. Man sagt: Moral ist privat. In der Politik gilt mehr als Moral. Die private Moral auf die Politik zu übertragen, bedeute Verletzung der Pflicht, die der Staatsmann gegenüber der Existenz und den Interessen seines Staates, Volkes, Landes übernehme. — Antwort: Eine Spaltung des Ethos in private und politische Moral läßt beide nichtig werden.

Man sagt: In der Politik hat der Staatsmann Verantwortung für andere, für ein Volk. Was er als Einzelner für sich wagen und opfern darf, das darf er nicht als Wagnis und Opfer der anderen vollziehen. — Antwort: Die Verantwortung für andere bringt in der Politik unumgänglich mit sich, das Volk in das selbst eingegangene Wagnis als das gemeinsame hineinzuziehen. Das Opfer muß als gemeinsames mitgewollt werden, wenn der Staatsmann verantwortlich denkt. Die ethische Frage ist, ob der Politiker und Feldherr sich auf die Dauer mit dem Ganzen, das er führend vertritt, derart identifiziert, daß er für seine Person mehr wagt als andere, daß es *für ihn zuerst* um Tod und Leben geht.

Man sagt: In der Moral entscheidet die Gesinnung, in der Politik der Erfolg. Was aus Gesinnung geschieht, kann ruinöse Folgen haben; dies geht nur den an, der sie auf sich nahm. Was aber politisch getan wird, darf keine ruinösen Folgen haben, wird nicht durch gute Gesinnung entschuldigt, denn es geht das ganze Volk an. – Antwort: Auch im Handeln des Einzelnen ist der Erfolg nicht gleichgültig. Der Einzelne ist nicht allein, so daß er sich ohne Rücksicht auf andere, seine Nächsten und Freunde, preisgeben dürfte. Und umgekehrt gibt es auch in der Politik die Gesinnung als die des Volkes, das der Staatsmann vertritt. Ein böses Tun im Interesse des Volkes, das Nutznießer des Bösen wird, ist für dieses selber auf die Dauer unheilvoll.

In jedem Falle, ob privat oder politisch, ist unverantwortlich der bloße »gute Wille« oder die bloße »Meinung«, die nicht nachdenken, nicht die gesamte Realität der Situation ins Auge fassen. Diese Verantwortungslosigkeit, ob im Einzelnen oder in der Politik, ist überall unsittlich.

So einfach aber, wie eben geschehen, sind die Fragen, die in die Tiefe der Entscheidung des Menschen über sich selbst führen, ohne dort eine rational faßliche, eindeutige Lösung finden zu können, nicht zu beantworten. Max Weber hat sie behandelt, als er die berühmt gewordenen Begriffe *»Gesinnungsethik«* und *»Verantwortungsethik«* prägte.

Er formuliert zunächst die *»unaustragbar gegensätzlichen* Maximen«: Der *Gesinnungsethiker* »tut recht und stellt den Erfolg Gott anheim . . . Wenn die Folgen seiner aus Gesinnung fließenden Handlung üble sind, so gilt ihm nicht der Handelnde, sondern die Welt dafür verantwortlich, die Dummheit der anderen Menschen oder – der Wille Gottes, der sie schuf«. Der *Verantwortungsethiker* dagegen fordert, »daß man für die (voraussehbaren) Folgen seines Handelns aufzukommen hat«. Er rechnet mit den durchschnittlichen Defekten der Menschen, hat »gar kein Recht, ihre Güte und Vollkommenheit vorauszusetzen«. Die Folgen seines eigenen Tuns wälzt er nicht auf andere ab.

Eine universale Ethik, die für alle materiellen Gebiete, die geschäftlichen, amtlichen, familiären, erotischen u. a. Beziehungen die *inhaltlich* gleichen Gebote aufstellen könnte, gibt es nicht. Was aber das übergreifende Eine sei, das in dieser Verschiedenheit zur Erscheinung kommt, ist die ebenso unausweichliche wie rational unlösbare Frage.

Für die ethischen Forderungen in der Politik ist grundwesentlich: Politik arbeitet mit dem spezifischen Mittel der Macht, hinter der die Gewaltsamkeit steht. Dies spezifische Mittel bedingt die Besonderheit aller ethischen Probleme der Politik.

Gewalt ist ein sittlich gefährliches Mittel. Die Erreichung »guter« Zwecke ist politisch in zahlreichen Fällen daran gebunden, daß man sittlich bedenkliche Mittel in Kauf nimmt. »Keine Ethik der Welt kann ergeben: wann und wie und in welchem Umfang der ethisch gute Zweck die ethisch gefährlichen Mittel heiligt . . . Es ist unmöglich, ethisch zu dekretieren: welcher Zweck welches Mittel heiligen solle, wenn man diesem Prinzip überhaupt irgendwelche Konzessionen macht.« Gesinnungsethik und Verantwortungsethik sind auf diesem Wege nicht unter ein gemeinsames Prinzip zu bringen.

Diese Ausführungen sind für Max Weber aber nur Ausgangspunkt, nicht Abschluß seiner ethischen Überlegungen. Zunächst erdenkt er die Konsequenzen der Gesinnungsethik einerseits und der Verantwortungsethik andrerseits.

Der *Gesinnungsethiker* scheitert, wenn er handeln will, daran, daß er die Frage der Heiligung der Mittel durch den Zweck überhaupt verwerfen muß. Da politisches Handeln an das spezifische Mittel der Gewalt gebunden ist, muß der Gesinnungsethiker konsequent jedes Handeln verwerfen, welches dies sittlich gefährliche Mittel benutzt.

Aber die Gesinnungsethiker pflegen nicht so zu verfahren. Haben sie eben noch Liebe gegen Gewalt gepredigt, rufen sie im nächsten Augenblick zur Gewalt auf, und zwar, unter Täuschung ihrer selbst und der anderen, »zur letzten Gewalt«, die dann den Zustand der Vernichtung aller Gewaltsamkeit bringen würde.

Der *Verantwortungsethiker* gewinnt seine Verantwortung aus einem Überpolitischen. Denn die Sache, in deren Dienst er die politische Macht erstrebt oder das, wofür die Selbstbehauptung stattfindet, kann durch keinen politischen Gedanken gefunden werden, sondern muß ihm gegeben sein. Es ist zum Beispiel der Glaube an den nationalen oder an den menschheitlichen, an den sozial-ethischen oder an den religiösen Sinn des zu behauptenden oder zu gewinnenden Daseins, wodurch Politik Gehalt hat. »Sonst lastet der Fluch kreatürlicher Nichtigkeit auch auf den äußerlich stärksten politischen Erfolgen.« Der Verantwortungsethiker ist angewiesen auf etwas anderes als Politik, um Politik treiben zu können. Er will nicht die Macht um ihrer selbst willen, denn er will nicht »ins Leere und Sinnlose« wirken.

Verantwortung kann der politisch Handelnde übernehmen, soweit er die Folgen vorauszusehen vermag. Stets aber ist diese Voraussicht begrenzt. Die Tat hat andere Folgen als gemeint war. »Grundtatsache aller Geschichte ist, daß das schließliche Resultat politischen Handelns oft, nein: geradezu regelmäßig, in völlig unadäquatem, oft geradezu paradoxem Verhältnis zu seinem ursprünglichen Sinn steht.« Der Verantwortungsethiker ist angewiesen auf den Zusammenhang von Folgen, innerhalb derer er handelt, die er aber niemals übersieht. Sein »Dienst an der Sache« gibt seinem Handeln Gehalt, der aufgenommen wird von einem anderen, das er im ganzen nicht vorweg kennt und nicht rückblickend als notwendig begreift.

Daß politische Verantwortung sich einläßt mit der Gewalt, bedeutet: Sie hat es zu tun mit dem Bedenklichen und Gefährlichen, mit den »diabolischen Mächten«. Der Umgang mit der Gewalt hat Folgen für die Motive, aus denen politisch gehandelt wird. Der Verantwortungsethiker muß wagen die Lüge, den Vertragsbruch, das Töten. Er kann dies nicht grundsätzlich wollen und muß es doch tatsächlich tun und dann auch wollen, wenn er im Bewußtsein der Verantwortung für die Sache kämpft, deren Selbstbehauptung er sich politisch zur Aufgabe gesetzt hat. Er wird in das Böse verflochten, mit dem er umgeht. Wenn physische Gewalt schon im Gange ist und er mit Gewalt erwidern muß, dann sind List, Täuschung, Lüge unvermeidlich. Sind sie es auch schon dort, wo vorher Politik (und diese allerdings notwendig schon im Blick auf mögliche Gewalt) getrieben wird? Und sind sie es um so mehr, je mehr die Möglichkeit der physischen Gewalt näherrückt?

Der Verantwortungsethiker ist nicht der bedenkenlose »Realpolitiker«. Er will nicht die Macht an sich, sondern die Macht für eine Sache. Wenn diese Sache selber durch die Anwendung der Mittel zerstört wird, wird diese Politik sinnlos. Wo ist die Grenze zwischen dem aus umgreifendem Ethos unmöglichen und dem aus Verantwortung geforderten Bösen? Die Frage ist nicht zu beantworten als nur durch den Hinweis auf den Entschluß:

Dieser *politische Entschluß* ist weder eine errechenbare Konsequenz im Dienste beliebiger Selbstbehauptung noch die rational eindeutige Konsequenz einer dogmatisch formulierten Gesinnungsethik, sondern etwas, worauf sich niemand berufen kann, woraus sich niemand rechtfertigen darf. Der konkrete Entschluß ist aber nicht freigegeben als etwas Beliebiges. Was nicht zureichend zu begründen ist, das zeigt sich der Verantwortung gleichsam durch eine innere Stimme, die, ausgesprochen, eine Gemeinschaft überzeugen und sittlich-politisch prägen kann. Sie führt zur Verwirklichung in einem Tun, das in der Welt baut, weil es in einer Kontinuität steht und Kohärenz hat.

Der Verantwortungsethiker steht in einer ungeheuren Spannung. Diese ertragen nicht solche, die — kollabierend — in den rational bequemen extremen Konsequenzen entweder der Realpolitik der bloßen Machtpragmatik oder der apolitischen, politisch verantwortungslosen Gesinnungsethik leben, oder die, völlig absinkend, solchen Konsequenzen die gedankenlose Konfusion vorziehen. Hier haben Kinder und Knaben kein Wort. Max Weber fragt daher, »was für ein Mensch man sein muß, um seine Hand in die Speichen des Rades der Geschichte legen zu dürfen«. Und er erfährt es als »unermeßlich erschütternd«, wenn »ein Mensch, der die Verantwortung für die Folgen real und mit voller Seele empfindet, an irgendeinem Punkte sagt: Ich kann nicht anders, hier stehe ich. Denn diese Lage muß freilich für jeden von uns, der nicht innerlich tot ist, irgendwann eintreten können.«

Insofern, sagt Max Weber nun ausdrücklich, »sind Gesinnungsethik und Verantwortungsethik *nicht absolute Gegensätze, sondern Ergänzungen,* die zusammen erst den Menschen ausmachen, der den Beruf zur Politik haben kann«.

Was also zunächst »unaustragbarer« Gegensatz war und bleibt, wird nun »Ergänzung«. Verantwortungsethik ist nicht identisch mit Gesinnungslosigkeit. Es zeigt sich vielmehr: gegenüber der eindeutigen, die Folgen nicht ansehenden Gesinnungsethik und der gesinnungslosen Realpolitik reiner Machtpragmatik ist die Verantwortungsethik das Übergeordnete (die Antithese von Gesinnungsethik und Verantwortungsethik wird irreführend).

Das Bild des Staatsmanns sieht Max Weber in der Vereinigung dreier Momente: Leidenschaft, Verantwortungsgefühl, Augenmaß. *Leidenschaft* im Sinne von leidenschaftlicher Hingabe an eine »Sache«, an »den Gott oder Dämon, der ihr Gebieter ist«. *Verantwortungsgefühl* gegenüber eben dieser Sache als dem Leitstern seines Handelns. *Augenmaß* als Fähigkeit, »die Realitäten mit innerer Sammlung und Ruhe auf sich wirken zu lassen, die Distanz zu den Dingen und Menschen« zu haben. Das Problem ist, »wie heiße Leidenschaft und kühles Augenmaß miteinander in derselben Seele zusammengezogen werden können«.

Der verantwortliche politische Entschluß kann die sittlichen Gesetze (etwa: nur Wahrheit zu sagen in der Kommunikation zwischen Menschen — nicht zu töten) durchbrechen; er kann die Rechtsgesetze verletzen; er kann Verträge brechen. Aber niemals kann der Verantwortungsethiker solchen Durchbruch als Recht und als erlaubt begründen. Er weiß, was er tut, und macht weder Norm noch Vorbild daraus. Er würde den Ernst solchen Tuns antasten, wenn er es legitimieren wollte. Er nimmt auf sich, was er nicht abwälzen kann, weder auf einen an ihn ergangenen Befehl noch auf ein allgemeines Gesetz. Tut er es doch, so verleugnet er den Grund, aus dem allein dieses Tun kommen kann als nicht zu rechtfertigende und nicht zu wiederholende Ausnahme, mit der der Handelnde sich für Zeit und Ewigkeit identifiziert — für Zeit durch die persönliche Haftung mit allen Konsequenzen, für Ewigkeit durch Aufsichnehmen der Tat. Für sein Leben hier ist er einem nicht zu Vergessenden unterworfen, für immer schuldbeladen und gedemütigt. Handelt er an dieser Grenze nicht getroffen von einer für immer und unwiderruflich erfahrenen Notwendigkeit, die dem menschlichen Begreifen sich entzieht, weil die Welt kein Rechenexempel ist, so handelt er aus der Nichtigkeit seines Getriebenseins und seiner konventionellen Rationalität und macht zudem eine verantwortungslose politische Dummheit (wofür das »Not kennt kein Gebot« und »Der Vertrag ist ein Fetzen Papier« des 1914 sich vergeblich rechtfertigenden, ehrlichen, aber politisch hilflosen Beamten Bethmann-Hollweg ein Beispiel war).

Daß solcher Durchbruch ohne Möglichkeit der Rechtfertigung stattfindet, beruht auf dem Verhältnis des Feindseins, wenn es zur Gewalt auf Leben und Tod wird. Der Durchbruch kann, wenn überhaupt, sich nur gründen auf die Geschichtlichkeit der Substanz, die sich behauptet in der einmaligen Situation. Er wird sich bewußt in der Gesamtkonzeption eines Tuns, dessen anscheinend unumgängliches, aber es selber immer auch auf die Dauer schwächendes Moment dieser rechtsdurchbrechende Charakter ist.

Der Verantwortungsethiker steht unter dem ungeheuren Druck, der ihn stark macht, indem er das Diabolische verwehrt, solange es ihm nicht als wahrhaft unausweichlich sich zeigt. Niemals wird er zu unmenschlichen Handlungen kommen oder sie befehlen. Denn sie können als solche keine Dauer begründen und müssen das, wofür gekämpft wird, selber in der Wurzel vergiften.

Der Politiker steht in der Welt, die nicht richtig einzurichten ist, an der Grenze des Erkennbaren, handelnd aus immer unzureichendem Wissen, gegründet in einer geglaubten Substanz, für deren Selbstbehauptung gekämpft wird. Was er auf sich nehmen soll, scheint über Menschenkraft zu gehen. Angesichts dieses Ernstes ist es Unwahrheit, Rechtfertigungen zu suchen, die den Sinn dieses Ernstes vielmehr aufheben. Solche Rechtfertigungen werden über ihre Unwahrheit hinaus zur Gefahr, weil die Verantwortungslosigkeit, im Sinken unter alles Moralische, sich legitimieren möchte mit mißbrauchten Redensarten aus einer »Verantwortungsethik«.

Die politischen Todsünden sind: die Selbstbehauptung einer Substanzlosigkeit, die nichts ist (Beispiel: Nationalsozialismus); die Bequemlichkeit, sich der Mitverantwortung zu entziehen durch illusionäre Erwartungen, durch sich selbst verschleiernden Daseinsgenuß (Beispiel: die Appeasement-Politik gegen das Totalitäre); die Eitelkeit, die sich berauscht am Schein überschätzter Macht und in gehaltloser Gesinnung ahnungslos die Forderungen der Politik und die Interessen von Staat und Volk verrät (Beispiel: Wilhelm II. und seine Leute).

Die Idee des verantwortlichen Staatsmanns ist nur zu verwirklichen, wenn sie ihr Echo in einem Volke findet, das fähig und gewillt ist, die Verantwortung mitzusehen und mitzutragen. Die Idee ist verloren, wenn ein Volk diese Verantwortung nur auf seine Lenker abschiebt, die, wie es dann meint, es besser wissen müssen, was zu tun sei. Nur wenn die Spannung in die Bevölkerungen selber dringt, kann der Mensch der ungeheuren Situation, in die er heute geraten ist, gewachsen sein.

5. Die Situation der Gewalt im physischen Kampf

a) Der Kampf mit Gewalt, der Einsatz des eigenen Lebens, um entweder der Gewalt mit Gewalt zu widerstehen oder um selber mit Gewalt Herrschaft und Beute zu gewinnen, ist ein Urphänomen menschlichen Daseins. Dieses Urphänomen ist der *wilde Kampfgeist*. Er erzeugt, indem er sich losläßt, die Lust des Über-sich-hinaus-Seins in der Preisgabe des Lebens und die Erbarmungslosigkeit, der das Leben des anderen so wenig wert ist als das eigene, die sich austobt im Siege durch Vergewaltigung und Plünderung und schließlich sich mäßigt in dem höchsten Gefühl der Macht, den Besiegten am Leben zu lassen, damit er ihm als Sklave Dienst leiste.

b) Diese Mäßigung hat *Hegel* zu einer *Deutung des produktiven Sinnes des Kampfes auf Leben und Tod* geführt. Der Krieger ist ein Typus des Menschen; aber nicht jeder Mensch ist Krieger. Denn vor dem Kampf auf Leben und Tod wählt der eine das Lebensrisiko und damit die Chance des freien Lebens und eigener Herrschaft; der andere wählt die Lebensversicherung und damit das Leben der Knechtschaft. Hegels Deutung:

Vor dem Kampf auf Leben und Tod gilt für den einen, den Furchtlosen: Allein durch Daransetzen des Lebens bewähre ich meine Freiheit. Der andere dagegen, der um jeden Preis sein Leben will, empfindet »die Furcht des Todes, des absoluten Herrn«. Er ist darin »erzittert«, hat »sich innerlich aufgelöst« und »alles Fixe hat in ihm gebebt«. Das Leben zwar bewahrt er. Aber dieses ist nun anders geworden. Denn »in allen einzelnen Momenten ist seine Anhänglichkeit an natürliches Dasein« aufgehoben; er kommt im *Dienst* durch die Bearbeitung der Dinge für den Herrn in der Kontinuität seines Hervorbringens zu sich selbst in der Gestaltung des Hervorgebrachten. Der Krieger gewinnt die Herrschaft, mit der er nichts anfangen kann, als sich dienen zu lassen, oder er stirbt und hinterläßt die Anschauung seiner Bewährung nur für andere. Der Sichunterwerfende dagegen ist, als ob er gestorben sei, denn er läßt sein Dasein verzehren von der Arbeit, aber gewinnt darin ein neues sich faktisch erfüllendes Leben. Der Krieger, ob sterbend oder herrschend, bleibt leer, der sich unterwerfende Mensch kommt in der Arbeit zu sich selbst und zu wirklicher Entwicklung. Der Gang der menschlichen Dinge erfordert beide: Krieger und sich Unterwerfende, Herrschaft und Knechtschaft, aber der Weg der Entwicklung schaffenden Lebens führt über die Knechtschaft.

c) Der wilde Kampfgeist *wird zum Soldatentum* durch die Zucht zu geordnetem Einsatz in der Gemeinschaft einer Truppe. Der Kampfgeist ist diszipliniert, er bricht aus nur in Augenblicken, in denen die Führung es will.

Der Soldat kämpft nicht, wenn er will, sondern wenn ihm der Befehl erteilt wird. Er steht im Dienst. Er lebt in Kameradschaft mit denen, die ihm im Wagnis ihres Lebens verbunden sind. Er lebt in Treue zum Führer. Der Kampf findet statt mit Waffen, deren Benutzung gelernt werden, mit gemeinsamen Operationen, die geübt werden müssen. Die soldatische Führung wird in den Bereichen des menschlichen Daseins eine Aufgabe unter anderen: der Offizier ergreift sie als Lebensberuf. Seine Sache ist das Töten im Kampf, mit der Gefahr, getötet zu werden. Der Beruf besteht darin, alle Mittel und alle Geübtheit vorzubereiten für den Augenblick, wo die Aufgabe in der Realität gestellt ist. Zur Ausführung der Aufgabe gehören die Soldaten, zu denen heute jeder kriegsdienstfähige Staatsangehörige gehört, um den Beruf, den die anderen als Lebensberuf haben, als gemeinsamen Beruf aller dazu fähigen Staatsbürger für die begrenzte Zeit der Vorbereitung und dann für die Zeit des realen Kampfes zu übernehmen.

Das spezifische Berufsethos ist, außer der mit dem gemeinsamen Lebensrisiko verbundenen Kameradschaft und der durch den Soldateneid begründeten Treue, die Disziplin des Dienstes in zuverlässiger Ausführung der Befehle. Im Soldatischen hat sich durch alle Zeiten dieses Ethos entwickelt, das die persönlichen Eigenschaften von Selbstbeherrschung und Mut fordert. Dazu kam ein Bewußtsein des spezifisch Männlichen, als ob hier ein Lebensgeheimnis liege, das die Männer vereine und von den Frauen separiere (was in der Realität seit den Männerhäusern der Primitiven der Fall ist und noch in sublimer Form auf den Glanz Athens seinen tiefen Schatten wirft). »Wir Männer« ist ein Wort des Stolzes, des Mutes und der Macht, heute zwar vermodert und lächerlich, aber für Romantiker noch klangvoll. Man vergißt, daß, wo es in der Geschichte zum Äußersten kam, nicht selten Frauen sich einsetzten. Wenn es um Sein oder Nichtsein von Völkern ging, kämpften auch sie. Sie sind die körperlich schwächeren, aber nicht weniger heroischen Menschen und in den entscheidenden Augenblicken nicht weniger urteilskräftig.

Das soldatische Ethos hat im Umgang mit dem Feind wie mit den Ohnmächtigen zuweilen die »Ritterlichkeit« hervorgebracht. Denn der soldatische Kampf hat sich zwar aus den wilden kriegerischen Instinkten, aber in deren Ordnung und Überwindung entwickelt. Damit brachte er ein Ethos der Weise des Kämpfens hervor. Der Kampf findet nicht zwischen Bestien, sondern zwischen Menschen statt. Er galt als eine Schicksalsnotwendigkeit, die in gewissen Situationen verlangt, daß »an den Himmel« appelliert wird, um eine Entscheidung herbeizuführen. Dieser Kampf wird unter Regeln gebracht, durch die er ritterlich wird. Man will als Held mit Helden kämpfen. Der Gegner soll gleich stark sein, sonst ist der Kampf ehrlos. Gewisse Kampfmittel sind ausgeschlossen.

d) Solche Darstellungen wirken heute wie Märchen. Sie sind unglaubhaft angesichts der Realität schon des letzten Weltkrieges und erst recht in den bevorstehenden militärischen Perspektiven.

Ich spreche nicht von den *Fragwürdigkeiten des Soldatischen* von jeher. Das Soldatische besteht nicht an sich, sondern ist eingebettet in einen politischen Willen. Soll es nicht entleert werden, verlangt es eine Substanz, wofür das Wagnis geleistet wird in der Gemeinschaft des Opferwillens zur Selbstbehauptung. Ohne dies »wofür« sinkt das Soldatentum ab in Söldnertum, das den Kampf nach Möglichkeit meidet, oder in eine staatliche Armee, die innerlich nicht bereit ist, wenn sie für zweitrangige Zwecke eingesetzt wird.

Ich spreche auch nicht von einer Vergangenheit, in der das *Soldatische als Beruf* gesellschaftlich den Vorrang hatte. Obgleich das Ethos jedem Bürger eigen ist, der Soldat wird und als solcher mit dem gewaltsamen Tode, ihn bewirkend oder erleidend, in Berührung kommt, unterschied den Offizier von der Zivilbevölkerung, die im Krieg wohl den Tod erleidet, aber nicht mit ihm, selber tötend, umgeht, ein zweideutiger Glanz schon im Frieden. Er ist der Mann, der von Berufs wegen sein Leben opfert, aktiv, nicht erleidend, und der dies tut, um zu töten. Dieser Zauber war um so zweideutiger, als der Berufsoffizier im Kriege dieses Opfer nicht nur mit allen nun zu Soldaten werdenden Staatsbürgern teilte, sondern daß er in höheren Rängen sogar sich durchweg in Lagen befand, die sein Leben mehr sicherten als das aller anderen Soldaten: Diese Lage jedoch gab ihm einen neuen Glanz durch die Verantwortung, die er dadurch trug, daß seine Befehle über den Einsatz des Lebens der ihm Untergebenen entschieden. Die besondere Ehre und Ausnahmestellung in den Rängen der Gesellschaft, die dem Soldatischen in Gestalt der Offiziere und dem sich vermeintlich in ihnen verkörpernden Adel des Menschen eingeräumt ward, wurde dem Ethos dieses Staates und seiner Gesellschaft zum Verderben mit der unheilvollen Auswirkung für ihr Gesamtschicksal.

Von all dem braucht nicht mehr die Rede zu sein. *Realität und Aufgabe sind heute ganz anders.* Schon die letzten Kriegserfahrungen (mochten in Ausnahmefällen, und faktisch nur wirkungslos, die alten soldatischen Qualitäten ritterlicher Begegnung auch noch zur Geltung kommen) waren von der Art, daß fast alle Berichte übereinstimmen im Abscheu. Nach dem Ersten Weltkrieg gab es noch eine Kriegsliteratur, die selbst in der unmenschlichen Maschinenschlacht eine Größe mythisch-unwahrhaftig erspürte. Nach dem Zweiten Weltkrieg gab es nichts dergleichen. Der Krieg war in Dimensionen außerhalb des menschlich Faßlichen, Formenden, Bewegenden geraten, in ein Chaos der Entwürdigung des Menschen.

Die Entwicklung der Waffentechnik seit dem letzten Kriege hat nun noch einmal die ganze Situation soldatischer Möglichkeit so von Grund auf verwandelt, daß ein neues Zeitalter beginnt, in dem das durch Jahrtausende in aller Geschichte maßgebende Soldatentum in irgendeiner seiner alten Gestalten kaum noch eine oder doch keine für das Ganze wesentliche Rolle mehr spielen kann.

Was mit der ins Maßlose gesteigerten Technisierung des Krieges schon begann, hat mit der Atombombe sein Ziel und sein Ende erreicht. Die nun entscheidende Grenze ist diese: der Kampf hat aufgehört, Kampf zu sein, wenn durch den »Druck auf den Knopf« eine tötende Maschinerie in Bewegung gesetzt wird, gegen die es keine Abwehr gibt. Das Soldatische hört beim Tötenden wie beim Getöteten auf. Auf diese Grenze hin bewegt sich die Technisierung des Kampfes schon längst. Erreicht ist sie aber erst mit der Superbombe.

Diese Entwicklung der Waffentechnik hat innerhalb ihrer selbst noch einmal den grundsätzlich neuen Schritt getan zur Möglichkeit der Vernichtung der gesamten Menschheit. Sogar zwischen der Bombe von Hiroshima und der Wasserstoffbombe liegt an Zerstörungskraft nicht nur ein quantitativer, sondern ein qualitativer Unterschied. Dieses Neue gerät außer Sicht, wenn die begrenzte Wirkung der Atomwaffen im Vordergrund der Aufmerksamkeit steht: Welche werden angewandt? in welcher Reihenfolge und Kombination? Gibt es eine Grenze oder geht dem Gesetz des Krieges gemäß der Weg bald zum Äußersten? — oder beginnt es gleich mit dem Äußersten?

Die Situation ist schon heute oder spätestens in einigen Jahren da. »Wir nähern uns jenem Zustand der Waffentechnik, in dem der Druckknopfkrieg eine schaurige Wirklichkeit wird: Man wird, ohne einen einzigen Soldaten über die Grenze schicken zu müssen, durch technische Operationen vom Heimatboden aus seinen Kriegsgegner tödlich treffen können« (Thirring).

Die atomaren Waffen sind ungemein vielartig: von Flugzeugen abgeworfene Bomben, von Kanonen abgeschossene, von Raketen — nun schon interkontinental — beförderte Bomben. Dazu kann durch Ausschütten radioaktiven Staubes (der, wenn erst Atomkraftwerke arbeiten, in deren Abfallprodukten in beliebiger Menge zur Verfügung steht) langsames Absterben über ganze Länder gebracht werden. Dieser Todesstaub wird mit Raketen über das feindliche Gebiet, wie Thirring schildert, ausgestreut, »sinkt langsam und lautlos zu Boden und bedeckt ihn mit einer praktisch unsichtbaren Schicht, deren Gammastrahlung in den nächsten Tagen und Wochen unbarmherzig alle lebenden Organismen vernichtet«. Fast jeden Monat bringen die Zeitungen Nachrichten über Weiterentwicklung dieser Waffen. Solche Nachrichten sind für uns nur Zeichen. Was eigentlich schon wirklich ist und in welchem Umfang, davon gewinnt man keine deutliche Vorstellung.

Der Krieg ist in wachsendem Umfang kein Kampf mehr, sondern ein Ausrotten durch Technik. Die Gewalt selber hat durch das technische Zeitalter eine grundsätzlich neue Gestalt, zunächst teilweise, angenommen und nun vollendet.

Noch aber ist alles in Bewegung. Waffentechnik, Operationsmöglichkeiten, Strategie befinden sich durch Erfindungen und Kombinationen noch in einer ständigen Verwandlung, und dies so schnell, daß Vorstellungen, die noch vor wenigen Jahren gültig waren, heute schon überholt sind.

Das Überholte aber behält noch eine Bedeutung. Noch gibt es den soldatischen Kampf, nicht nur die Atomtechnik. Man unterscheidet konventionelle Waffen und Atomwaffen, lokale Kriege und Weltkrieg (Krieg der Kleinen und Krieg der Großmächte). Das Traditionelle ist, obgleich von den Atomwaffen überholt im Sinne einer grundsätzlichen Verwandlung des Krieges überhaupt, doch keineswegs erledigt als untergeordnetes Mittel der Politik.

Die Situation, in der immer noch wieder alles anders wird, erzeugt eine offenbare Ratlosigkeit. Bei dem schnellen Wechsel weiß man nicht mehr, was man wollen soll. Das Denken und Planen steigert sich auf neuen Wegen und fühlt sich dem Ausmaß der Möglichkeiten doch nicht gewachsen.

e) Die Mannigfaltigkeit der Kriegstechniken und der je zu ihnen gehörenden Erscheinungen des Soldatentums in der bisherigen Geschichte ist vergleichsweise ein Ganzes. Denn heute ist mit der Verwandlung des Kämpfens infolge der neuen Technik der Gewalt auch eine Verwandlung alles bisherigen Soldatentums im Gange. »Der Soldat« beginnt eine romantische Figur zu werden. Leicht ist die *Zersetzung des bisherigen Soldatentums* zu schildern, schwer oder gar nicht zu sagen, welche neue Gestalt hervorgehen könnte, die der Höhe der soldatischen Idee entspräche. Wir beschreiben die *Zersetzung:*

1. Das alte Soldatische setzte der Gewalt nicht nur physische Gewalt entgegen. Zwar heißt es: »Gott ist mit der größeren Zahl der Bataillone«, und Stalin fragte, als vom Papst die Rede war: »Wieviel Divisionen hat er?« Wenn damit Richtiges gesagt ist, weil an irgendeiner Grenze der Widerstand gegen eine absolute Übergewalt Untergang ist, so wird es doch falsch wegen der Unbestimmbarkeit dieser Grenze. Denn nicht immer entscheidet die größere Zahl. Mut, Unempfindlichkeit gegen Schrecken und Schock, Geistesgegenwart in der objektiven Verwirrung, die schnelle Einsicht in das Wesentliche der plötzlich auftretenden Situation, die Kraft des Entschlusses aus Klarheit und Opferbereitschaft, Treue und Verläßlichkeit vermochten viel. Nicht selten haben kleine Zahlen große Massen überwunden. Nicht selten haben in Schlachten wenige Entschlossene den übrigen ihre Tapferkeit mitgeteilt wie eine magische Macht. Aber irgendwo ist allerdings die Grenze, an der auch der Mutigste unterliegt, die Masse erdrückt, die Technik vernichtet.

Was die Beweglichkeit der Einfälle vermag gegen Stumpfheit des Massenhaften, was gegen die Gewalt technischer Veranstaltung die technische List erreichen kann, wie nach dem indischen Mythus ein gewaltiger Riese durch eine Maus zu Fall kommt, wie Goliath von David erschlagen wird, ist unabsehbar. Aber darauf ist nicht zu bauen; und irgendwo ist die Grenze, an der alle Möglichkeiten scheitern. Heute ist diese Grenze: die durch die Apparatur mit einem Schlag vollzogene totale Vernichtung.

2. Im Hinschwinden ist der Geist eines Soldatentums als Ethos eines selbständigen Berufsstandes, in das in den ersten Jahren des Nationalsozialismus noch mancher Jüngling, Vergangenes für gegenwärtig haltend, sich flüchten mochte, dort noch Wahrhaftigkeit, Anstand, Freiheit der Persönlichkeit erwartend, vergeblich. Denn diese Armee wurde von Jahr zu Jahr schnell anders: Das Leben in normierenden Ordnungen war nicht mehr möglich, wenn an Stelle der Ordnungen Maschinerien getreten, die alten Ordnungen nicht mehr entscheidend waren. — Die soldatische Eingliederung in ein Unpersönliches wurde verwandelt, wenn dieses Unpersönliche nicht mehr die Substanz einer Sache, sondern die als zwangsläufig empfundene Entwertung des Menschen war. — Die Härte gegen sich wurde leer, wenn sie um nichts geschah. — Der Opfermut wurde gegenstandslos, wenn das Wofür des Opfers fehlte. — Das Ganze wurde ein bloßer Mechanismus von Gehorsam und Disziplin ohne Freiheit des soldatischen Ethos, eine totale Unmenschlichkeit im Kleide hohl gewordener Worte.

3. In den Massenheeren kämpft der Soldat nicht, weil er in freiem Entschluß — in Solidarität mit seinen Landsgenossen, der gemeinsamen politischen Freiheit, dem Heimatboden — das Leben wagt, sondern umgekehrt: um sein Leben zu retten, das bei Weigerung verloren wäre, läßt er sich in die Armee zwingen. Wagnis und Opfer haben ihren Ort gewechselt, wenn der Staat nicht mehr politische Substanz, sondern nihilistischer Apparat ist. Wo nicht Opfer ist, sondern aus Lebensangst Gehorsam geleistet wird, da wird dies Tun nur noch lügenhaft mit dem Glorienschein des Heldenhaften umgeben. Wo noch wahre Opfer sind, da werden sie als Verbrechen gegen den Staat gebrandmarkt und durch kampfloses Auslöschen seitens der Übermacht beiseite geschafft. Gibt es am Ende weder Wagnis noch Opfer — die doch aus Freiheit geboren werden —, sondern nur die Apparatur? Ist schließlich, was wie Wagnis aussieht, immer häufiger Hineinschliddern und Gedankenlosigkeit?

4. An die Stelle der spezifischen Gefahr des kämpfenden Soldaten ist die Gefahr der gesamten Bevölkerung getreten. Diese, nicht der Soldat, ist Träger der Gefahr. Für den Soldaten wird vielmehr die größere Sicherheit durch bestmöglichen Schutz der militärisch Agierenden erreicht. Die Kampfsituation im alten Sinne ist auf die gesamte Bevölkerung ausgebreitet, die dabei vor allem der leidende, der Ausrottung am meisten ausgesetzte Teil ist.

5. Die Kriegstechnik hat die größte Wirkung durch Überraschung. Daher

fällt die Kriegserklärung fort. Weil die Mobilmachung erst *nach* einer Kriegserklärung viel zu gefährlich wäre, vorher aber die Spionage auf sie aufmerksam machen würde, kommt alles auf die Plötzlichkeit an und den Massenumfang der ersten »Kriegshandlung«, die der Absicht nach so groß ist, daß eine Gegenwirkung von Belang gar nicht mehr möglich bleibt. Damit fällt auch die Form weg, die zwischen den Staaten durch die Kriegserklärung einen Akt vollzog, der aufmerksam machte und Vorbereitungen auf allen Gebieten des Lebens erlaubte. Zugleich wird der ständige potentielle Kriegszustand fühlbar. Man steht immer vor der Möglichkeit des Äußersten. Die Gesinnung der militärischen Handlung ist von vornherein auf Totalität im Sinne von Ausrottung gerichtet. Ein soldatischer Geist hat gar keinen Raum mehr, sich zu entwickeln.

Solche Schilderungen der Zersetzung des Soldatischen gehen ins Extrem, das in einem kommenden Weltkrieg ohne Zweifel wirklich würde. Damit ist aber das Traditionelle noch keineswegs erledigt. Es spielt weiter seine beträchtliche Rolle erstens in der Unterscheidung von konventionellen Waffen und Atomwaffen, und zweitens in der von lokalen Kriegen und Weltkrieg.

f) Gegenüber den *Atomwaffen* nennt man alle bisherigen Waffen *konventionelle*. Die konventionellen Waffen sind bei den meisten Staaten die einzigen und bei den drei Atommächten keineswegs abgeschafft. Das heute noch gebliebene Soldatentum ist mit den konventionellen Waffen verbunden.

Bei den westlichen Großmächten besteht die Tendenz, die konventionellen Waffen zugunsten der Atomwaffen zurückzudrängen. Ein Grund ist die *wirtschaftliche Entlastung*. Die Kosten beider Rüstungen senken den Lebensstandard. Diese Senkung geschieht in Rußland durch Zwang auf Grund kühler politischer Voraussicht; in der konventionellen Rüstung ist Rußland der ganzen Welt gewaltig überlegen. Das ist eine der Ursachen seines viel niedrigeren Lebensstandards gegenüber der westlichen Welt. Diese will besser leben und darum an Rüstungen sparen und legt sich nicht aus Freiheit jene Beschränkungen auf, die erforderlich wären, um Rußland, das seine Bevölkerung unter Zwang setzt, in der konventionellen Rüstung gewachsen zu sein.

Ein zweiter Grund zur Bevorzugung der Atomwaffen ist ein Gedanke, der *das soldatische Opfer*, das Lebensrisiko für die Bürger des eigenen Staats *vermindern* möchte. Schon die persönlichen Beengungen des Militärdienstes in Friedenszeiten möchte man nicht auf sich nehmen. Amerikas Bevölkerung hat seit Korea eine entschiedene Abneigung, ihre Männer außer Landes einzusetzen. Sie meint, der Krieg lasse sich von dem persönlichen Risiko jedes wehrfähigen Mannes auf eine gewaltige Technik verlegen. Die immer vollendeteren, zerstörungsmächtiger werdenden atomaren Waffen sollen das Soldatentum durch Technik ersetzen. Man möchte eigene Menschenleben sparen durch Massenvernichtung bei den Gegnern. Man möchte sich befreien vom Ernst des opferbereiten Kampfes zugunsten einer einzigen totalen technischen Operation, bei welcher der Soldat überflüssig geworden ist. Man möchte alle Rüstungen herabsetzen, um die eine Rüstung der technischen Totalvernichtung vorzubereiten, und dies mit der Begründung, auf solche Weise würde der Krieg selber niemals mehr stattfinden. Dieser Gedanke hatte seine furchtbare, entsittlichende Verführungskraft, als nur Amerika die Atombombe besaß. Seitdem Rußland dieselben Waffen hat und man schon nicht mehr weiß, wer auf diesem Gebiet der Überlegene ist, und seitdem der amerikanische Kontinent mit wohlgezielten russischen Raketenbomben erreichbar ist, ist der Gedanke hinfällig geworden. Denn die eigene Bevölkerung ist in der gleichen Gefahr der Massenvernichtung, die einst dem Gegner allein zugedacht war. Rußland verfügt über seine Menschenmassen. Es hat sie durch alle Jahre ausgerüstet mit den besten Waffen, militärisch geschult, und dazu mit Einsatz hervorragender Physiker und Techniker unter Aufwendung gewaltiger Mittel auch noch seine Atombomben mit denen der Amerikaner auf gleiche Stufe gebracht. Es muß sich eine Revolution im militärischen Bewußtsein Amerikas vollziehen. Amerika will keinen Krieg mit Einsatz von Menschen, und es fürchtet nun für sich selbst den von ihm mit allen Mitteln vorbereiteten Atomkrieg.

Die konventionellen Waffen sind zu neuer Geltung gekommen. Es könnte sein, daß jenes Ende durch totale Auslöschung nicht eintritt, sondern daß unter Vernichtung von neun Zehnteln der Menschheit am Ende doch das Volk sich behauptet, der Staat siegt, der noch zuletzt im alten Opfermut kämpft. Dabei würden die Träger der dem Soldatischen entfremdeten Gesinnung vernichtet, der Geist des Opfermutes neu gegründet werden.

g) Nur die zwei (oder drei) Atommächte — darum allein Großmächte — haben das Problem der Abwägung von Atomwaffen gegen konventionelle Waffen. Alle anderen Staaten der Erde haben bisher nur konventionelle Waffen. Dieser Unterschied hat zur Folge, daß *lokale Kriege* der kleinen Staaten mit konventionellen Waffen geführt werden, der *Weltkrieg* der Großmächte allein und ohne Zweifel auch Atomkrieg wäre.

Daher sind die militärischen Überlegungen heute zweigleisig: Es gibt die Strategie lokaler Kriege und die Strategie des Weltkriegs. Beide sind aber abhängig voneinander. Die lokalen Kriegsmöglichkeiten stehen im Schatten der Weltstrategie der Großmächte. Die lokale Rüstung orientiert sich an der Weltrüstung. Die Frage der Kleinen ist: Wie sollen wir teilhaben an der Weltstrategie in Gefolgschaft eines Großen, durch den allein wir unser Dasein behaupten können, oder: Wie sollen wir uns an ihr orientieren (uns selber von ihr fernhaltend), um in unserer Lage uns zu behaupten, wenn wir konventionellen Waffen anderer ausgesetzt, aber von den Großmächten, solange wir für sie nicht wesentlich sind, uns selbst überlassen werden? Das planetarische Denken in der Weltstrategie muß zwar jeder mitvollziehen. Denn er ist unausweichlich in ihren Strudel hineingezogen. Dem Kleinen bleibt aber der unberechenbare Spielraum im Strudel an seiner Stelle. Für diesen Spielraum muß er seine Selbstbehauptung vorbereiten, die ihre Grenze dort findet, wo eine Großmacht den kleinen Staat in seine Weltstrategie hineinzwingt.

Keineswegs ist es so, daß die kleinen Armeen, weil sie gegen Atombomben und Raketen doch leistungsunfähig seien, abgeschafft werden könnten, oder daß kleine Länder sich der Strategie der Großen unterordnen müssen (wenn sie auch an ihr orientiert sind). Israel z. B. existierte nicht und könnte sich nicht halten ohne seine kleine Armee.

Solange noch irgendwo Krieg geführt wird (wenn auch unter der Drohung des Hineingezogenwerdens in die übermächtige Weltstrategie der beiden Großen und der Möglichkeit der technischen totalen Zerstörung), wird gefragt werden nach der Wiedergeburt des Soldatischen. In diesem Zwischendasein der Kleinen und für die Zeit bis zu dem Augenblick, an dem alles entschieden wird durch den »Druckknopfkrieg« der planetarischen Massenvertilgung, hat das Soldatische noch seinen Raum. Aber es kann auch da nicht seinen gleichen Charakter bewahren. Die Grundverfassung der inneren Haltung wird anders, wenn jeder Kampf im Schatten des Äußersten stattfindet, das noch nicht in Bewegung gesetzt ist, aber jeden Tag in Bewegung gesetzt werden kann, und dann alles Soldatische mit allem Leben überhaupt auslöschen würde; — und wenn dazu der eigene Kampf Anlaß werden kann, dieses Äußerste auszulösen, also selber schon eine über das soldatische Kämpfen hinausgehende Verantwortung tragen würde: Über den Kämpfen steht nicht wie früher »der Himmel«, der die Entscheidung durch den Kampf wirklich Entscheidung sein läßt, sondern stehen die Besitzer der Atombomben, die jeden Augenblick eingreifen, jedes Kampfergebnis umstürzen und das Ganze wegwischen können.

Am Ende steht entweder die totale Vernichtung des Lebens oder die Verwandlung des Menschen und seines Zustandes dorthin, wo der physische Kampf aufhört. Noch aber ist die Zeit des Übergangs. Die Handelnden werden in den so verschiedenen Situationen je an ihrem Ort auf der Erde erfahren und wissen und wollen und in der Relativität sich entscheiden müssen — oder sie werden chaotisch und ratlos nicht wissen, was sie wollen und bloßes Objekt des Unheils sein.

h) Die Situation ist so undurchsichtig und ungeheuer zugleich, daß die

Passivität verführend naheliegt: man kann ja doch nichts tun. Mancher denkt: wenn der Weltkrieg kommt, ist doch alles vergeblich. Es gibt keine Verteidigung gegen Atombomben. Im Zeitalter dieser Bomben hat die militärische Rüstung ihren Wert verloren. Rüstung und Wehrpflicht sind überflüssig geworden. Auch Zivilschutz ist unmöglich.

Das Soldatische fühlt sich in seiner Würde zerstört durch die Übermacht der Technik. Die romantische Verherrlichung der Materialschlacht ist völlig unglaubwürdig geworden.

Der Unwille der Resignation gibt alle Hoffnung auf und möchte ignorieren, was eines Tages alles in seinen Strudel der Vernichtung ziehen wird. Aber diese Resignation ist unwahr und mutlos. Im Blick auf eine vermeintlich zwangsläufige Entwicklung fördert sie selber den Zustand, der am Ende die Selbstvernichtung der Menschheit bringt.

Während im Schatten der Atombombe der Mensch unter den höchsten Anspruch gestellt wird, nämlich all sein Handeln in Hinsicht auf das Ziel des Weltfriedenszustandes zu prüfen, und während dieser Anspruch das Leben in seine höchste Spannung bringen müßte, geschieht bei vielen das Gegenteil. Sie möchten dem Krieg dadurch entgehen, daß sie selber nicht rüsten, aber die Rüstung der anderen geschehen lassen. Sie möchten nicht mehr das Entsetzliche erleben und geben sich gedankenlos preis einer Zukunft, die sie der Vergewaltigung, Ausplünderung, Verelendung in terroristisch gelenkter Sklavenarbeit ausliefert (in dem Augenblick, den der, der im Besitz von Waffen ist, für günstig hält). Sie möchten sich befreien von der militärischen Frage dadurch, daß sie sie nicht ernst nehmen. Sie möchten die Last des Lebens verringern, statt sie zu steigern. Wenn ich aber die Realität mir verschleiere, ihr nicht in ihr furchtbares Antlitz blicke, entziehe ich mich der Aufgabe des Menschen.

Statt dessen ergibt man sich den Vorstellungen des Schreckens. Am *Maßstab der Humanität* verurteilt man die entsetzlichen Qualen der von den Atomwaffen Getroffenen. Mit Recht. Aber darin etwas Neues zu sehen, wäre ein Irrtum. Jedes gewaltsame Töten war im Vorgang erbarmungslos und inhuman. Das plötzliche Getötetwerden durch Bomben, Gifte, Gase kann gar »humaner« aussehen als etwa die Qual, verblutend, durch Wundfieber und Durst und Schmerzen gemartert, einen langsamen Tod, auf dem Felde in hilfloser Lage, von niemandem beachtet, zu sterben. Die Weisen des Todes und des Invalidewerdens sind heute wie von jeher als Leiden mannigfach, aber im Wesen identisch. Der Unterschied ist ein quantitativer, nämlich ob einige oder Millionen oder alle Menschen elend zugrunde gehen. Die neue Unmenschlichkeit liegt in der Aussicht auf dieses Erleiden: Im Aufhören des

Kampfes zugunsten der Maschinerie kann der zu Tötende sich nicht wehren. Der Tötende aber bewirkt technisch den Tod, ohne im Augenblick der Ausführung eine Gefahr für sich selber zu erfahren und ohne den Tötungsakt als solchen wahrzunehmen, sei es, daß die Rakete abgeschossen wird, die auf Entfernung von Tausenden von Kilometern Städte in Trümmer legt und Millionen tötet, sei es, daß er den Hebel dreht, um das Gas in die Kammern einströmen zu lassen, in denen Hunderte sterben.

i) Man kann fragen, wie trotz allem *im Übergang* ein *neuer Soldat* entstehen könnte.

Was heute geschieht, ist deutlich: Die Offiziere werden Berufstechniker des Krieges, die Mannschaften Spezialisten. Beide bedürfen langer Ausbildung im Wissen und langer Schulung im technischen Können. Beide sind nicht mehr nur Kriegstechniker des lokal begrenzten Schlachtfeldes wie im ersten Weltkrieg. Denn im dritten Weltkrieg wäre das Schlachtfeld von Anfang an in planetarischem Umfang das gesamte Territorium nebst Luftraum und Meer, auf dem Wasser und unter dem Wasser, eine einzige Kriegslandschaft zwischen Himmel und Meeresboden.

Wie in solchen Situationen das ewig Soldatische wirklich sein kann, indem es andere Formen der Erscheinung unter so neuen, niemals dagewesenen Bedingungen annimmt, ist nicht vorzustellen und nicht vorauszusehen. Will man davon reden, wird man es immer in Gedanken und Gestalten des Vergangenen tun und sich irren und träumen, etwa so:

Die Gesamtheit der negativen Aspekte der atomaren Waffentechnik erhebt Forderungen an den Menschen, die zu erfüllen unmöglich scheint, und die sich doch erheben. Jeder Einzelne ist nur noch technischer Funktionär der Kriegshandlungen. Wenn das Unheilsgeschehen einmal begonnen hat, ist er ohnmächtig preisgegeben, wo er auch sei, geborgen allein in den Befehlsordnungen, solange sie noch bestehen. Unberechenbar aber sind ungewöhnliche Situationen, in denen Chancen sich auftun, wenn sie von einem Einzelnen bemerkt werden, und wo sie zu nutzen sind, so daß dieser Einzelne entscheidend werden kann für den Gang der Dinge.

Soll eine *neue Ehre* des Soldaten möglich sein, die darin liegt, zum vollendeten Techniker zu werden? Gleichsam losgelöst vom Boden im planetarischen Raum sich zu wissen und in ihm zu operieren? Führt hier — unabhängig sogar von der Politik des Totalitären und der Freiheit — die Macht einer Lebensform zu einem Berufsethos des Technischen, das überall von gleicher Art sein würde? Die Pflicht zur technischen Sauberkeit, Steigerung und Überlegenheit? Würde dies Ethos in der Beherrschung des Technischen zugleich aus dem Dienst unter dem Technischen zur Beherrschung des Technischen und zu einer inneren Distanz zu ihm führen?

Soll weiter eine *neue Würde* des Soldaten möglich sein, der teilnimmt an der Weltstrategie und darin seinen Sinn findet. Gelangt er in eine Dimension, in der der Kampf, weil er um den Planeten geht, zugleich um den Menschen geht? Wo ein Weltbürgertum entsteht, das, überall zu Hause, zur Heimat die Erde im ganzen hat, wo Heimat, Vaterland, Herkunft im bisherigen Sinn zwar nicht verschwunden, aber nicht mehr für die letzten Entscheidungen durch politisch-militärische Eigenmacht maßgebend sind? (Vielen Menschen, Millionen, ist heute das Schicksal der geschichtlichen Bodenlosigkeit durch Deportationen, dirigierte Wanderung aufgezwungen; wo aber dieser geschichtliche Boden noch Wirklichkeit ist und geliebt wird, bedarf er eines Schutzes durch eine allumgreifende Ordnung, in der er selber nicht mehr bestimmend ist.) Wo nicht mehr ein Vaterland als Lokalität, sondern das Menschsein um seine Selbstbehauptung kämpft? Würde ein Weltkrieg »Weltanschauungskrieg« (im Sinne Nietzsches), wie er es nicht einmal in den Religionskriegen war? Wo es im gemeinsamen und verbindenden Ethos im Technischen doch um Zukunft in Freiheit oder um Tod im Totalitären geht? Wo im Dienste nicht eines Staates, sondern des Menschheitsinteresses gekämpft wird? Solche Vorstellungen lassen sich nicht konkretisieren. Wenn sie das Entscheidende in uns zu berühren scheinen, werden sie doch sogleich zu einer Verführung in gar nicht hierhin gehörende Kreuzzugsgedanken.

Soll eine *neue Wahrheit* des Soldaten entstehen dadurch, daß er selber politisch wird und sich nicht als Werkzeug mißbrauchen läßt? Macht er die Erfahrung, daß der alleinige Besitz der Kampfmittel zur Weltherrschaft durch Despotismus führt, und daß Bedingungen der Freiheit aller zunächst das Gleichgewicht der Kräfte und dann der Ausbau dieser ganzen gigantischen Apparatur der Gewalt ist? Und zwar aus einem gemeinsamen Willen, der schon in der Vollkommenheit des Technischen sich als *einer* wußte und nun als Kommunikation des ganzen Menschen im Austausch ohne Gewalt sich verwirklichen möchte? Hier läge die Entscheidung der Zukunft, vielmehr die Voraussetzung oder der Nerv aller Entscheidungen.

Die neue Kriegstechnik verteilt die Gefahr anders als je. Der Soldat ist vielleicht der wenigst unmittelbar Gefährdete. Weil das Tun des Soldaten selber die totale Vernichtung würde, wird er vielleicht einen anderen Mut bewähren als jemals früher. Er fühlt die Verantwortung auf sich ruhen, sich nicht selbst und die Menschheit blind dem Verhängnis zu überlassen, das er vollziehen soll.

Die ewige Situation: Sieg oder Niederlage, Leben oder Sterben, ist heute nur gesteigert, weil das Totale, das bisher zwar der Potenz nach, aber noch nicht faktisch im Krieg lag, heute in seiner Maßlosigkeit herausgetreten ist. Daher gilt in bezug auf den Krieg immer dringender entweder: Wehre dem Anfang! oder: Untergang aller. Es gibt schließlich kein Ausweichen mehr in halbe Kriege, in Kriege mit konventionellen Waffen, in etwas, das die gewaltsame Entscheidung herbeiführen könnte, ohne daß alle Mittel der Gewalt auch eingesetzt würden:

Wird der neue Soldat verwirklichen, was heute unmöglich scheint, nämlich als der, der die Vernichtungsmittel in der Hand hat, sie in einem nicht organisierten Bunde über den Planeten hin, gehalten durch seine neue Ehre, Würde und Wahrheit, nicht zur Auswirkung kommen zu lassen? Wird er den Politikern, die einmal ratlos den Befehl geben würden, den Gehorsam verweigern, gewiß, daß der Soldat auf der anderen Seite — mit dem er sich verständigt — ebenso handeln wird? Das sind phantastische Vorstellungen. Aber sie zu träumen, ist nicht sinnlos. Sich auf sie zu verlassen, wäre absurd.

Doch in dieser Atempause, in der wir leben, können immer mehr Menschen sehend werden, können Konzeptionen und Handlungsweisen entstehen, welche den Weg zur Rettung finden, je mehr sie sich verbreiten, und schließlich die Menschen ergreifen, die den technischen Vernichtungsapparat bedienen, nun aber nicht mehr zur Auswirkung kommen lassen. Davon aber sind wir weit entfernt. Denn anfangen kann man nicht mit dem Ende des Weges. Voraussetzung für die Wirksamkeit der Umkehr im neuen technischen Soldaten ist die durch alle eisernen Vorhänge hindurchgreifende Gemeinschaft des Menschen als solchen. Die Rettung wird der Menschheit nicht geschenkt. Nicht dadurch, daß andere für sie mutig sind, sollen Menschen ihr nichtiges Glück fortsetzen. Träume können Möglichkeiten eröffnen.

Träumen wir weiter: Gibt es etwas Bleibendes im Menschen, das meistens schlummert und zuweilen wach wird? Mit dem bisherigen Krieg ist auch das bisherige Soldatentum zu Ende. Der atomare Krieg könnte durch seine Drohung einen neuen Soldaten erzeugen, der im Besitze der Kriegsmittel den Krieg verhindert. Wenn aber mit seiner Hilfe der Weg gefunden wird, statt in den totalen Untergang zu einem immer noch notwendig labilen Weltfriedenszustand, dann würde dieses Soldatentum einer neuen Welt dienen. Das Leben wird auch im günstigsten Falle des Überlebens der Menschheit kein Paradies sein, trotz der Herrlichkeiten, die es durch seine gewaltigen technischen Mittel schenken mag. Die soldatischen Eigenschaften: Opferbereitschaft, Verläßlichkeit und Ritterlichkeit in den Kampfformen, die dann sein werden, die Grundverfassung eines mutigen Lebens, die Freiheit und Unabhängigkeit dessen, dem das Leben nicht um jeden Preis gilt, werden bleiben, aber in Verwandlungen ihrer Erscheinung. Wir möchten wohl voraussehend in der

Phantasie entwerfen, was niemand weiß (da, was schöpferisch entsteht, nicht vorhergewußt werden kann). Aber wir können es nicht. Was wir tun, das sollen wir offenbar in der Unsicherheit tun, nicht in einer trügerischen Gewißheit des Vorhersehens im Ganzen.

Abschluß

Das Überpolitische des Opfers zeigt, wenn es allgemein begründet werden soll, nur Ausweglosigkeiten. Allgemein gedacht, hat es keinen rechtfertigenden Sinn. Es ist konkret und geschichtlich. Es gibt kein Opfer an sich (außer im unzugänglichen metaphysischen Sinn), das wahr und groß wäre: das Opfer etwa als Beweis, den der Mensch sich selbst von sich selbst gibt, daß er seinem Leben überlegen ist, daher es einsetzt und alles wagt, gleichgültig wofür und wann, erscheint als ehrfurchtslose Revolte gegen die Transzendenz, die das Leben in dieser Welt fordert. Wird aber als Sinn des Opfers das Wofür maßgebend, so ist dies immer ungenügend. Der Opfergedanke kann als allgemeiner nur hinweisen auf das Nichtallgemeine, Einzige in der transzendenten Gründung einer für das Wissen undurchschaubaren Wirklichkeit.

Das Opfer aber ist unumgänglicher Grund des Menschseins. Wird es in der Gestalt des Soldaten hinfällig, so wird es andere Gestalten annehmen. Verzichte, Entsagungen, Wagnisse, die auf dem Wege Momente einer neuen Vernunft sind, können nicht im voraus angegeben werden. Nur dies ist gewiß: ohne Opfer kein Menschsein. Zunächst sind die großen Verzichte nicht nur notwendig für die Rettung einer freien Welt, sondern auch, um den Menschen zurückzuholen aus der Verlorenheit eines Lebens, das nach begrenzter, als Last empfundener Arbeitszeit im Konsumentendasein ohne Gehalt aufgeht. Das Opfer würde den Friedenszustand nicht nur ermöglichen, sondern erfüllen.

Sollte ein dauernder Friedenszustand erreicht werden, so nur dann, wenn die Größe und die Kraft und der Mut des Opfers, die die bisherige Geschichte im Soldaten kannte, nun in nicht geringerer Gestalt wirklich würden.

ZWEITER TEIL

DIE GEGENWÄRTIGE POLITISCHE WELTLAGE VOM STANDPUNKT DES ABENDLÄNDERS

Wenn der Plan einer vertraglichen Abschaffung der Atombombe unter gleichzeitiger Kontrolle bisher nicht einen Schritt vorangekommen ist, so stehen wir immer vor dem Äußersten. Alle Geschichte ist Übergang. Heute aber stehen wir in dem totalen Übergang entweder in den Untergang der Menschheit (durch den Weltkrieg, der wahrscheinlich die Zerstörung allen Lebens bringt) oder in den Prozeß eines sich verwandelnden Menschen (der in einer neuen Weltordnung sich gründet). Wir leben die Übergangszeit zwischen der bisherigen Geschichte, die eine Geschichte der Kriege war und einer Zukunft, die entweder das totale Ende oder einen Weltfriedenszustand bringen wird.

Was von den Staatsmännern für den Frieden getan wird, ist bisher nur der Versuch, hinauszuschieben. Was so geschieht, hat von jeher Atempausen geschaffen, kostbare Atempausen im Gang des weiterschreitenden Unheils. Jetzt steht mehr auf dem Spiel. Wenn diese Atempause nicht, statt Atempause im immerwährenden Krieg, vielmehr endgültige Atempause wird, dann ist die uns vorstellbare Geschichte zu Ende.

Wer angesichts des drohenden Untergangs der Menschheit im Wissen darum, daß nur ein Weltfriedenszustand die Gefahr abwehren kann, fragt, wie der Weg gehen könne, darf nicht nur grundsätzlich über die Rechtsprinzipien und die Moralgesinnungen und das Opfer, sondern er muß auch realistisch über den gegenwärtigen Zustand der Welt nachdenken.

Zur Einleitung werfen wir einen Blick auf die militärische Situation und die Labilität unseres Zustandes.

EINLEITUNG

Die militärische Situation

a) *Die Selbsthemmung des Atomkriegs und ihre Unzuverlässigkeit.* — Die beiden Großmächte (Rußland und Amerika), die im Besitz der Massen von Atombomben sind, befinden sich in folgender Lage: Sie können durch die gelenkten Fernraketen mit Wasserstoffbomben alle Städte und Industriezentren des Gegners vernichten, ohne in einen Kampf einzutreten, nur durch die technische Apparatur, jeder von seinem Heimatboden oder seinen Stützpunkten aus. Aber sie können damit doch nicht den Krieg gewinnen. Denn jeder setzt sich selber der augenblicklich erfolgenden gleichen Zerstörung durch den Gegenschlag aus.

Die Physiker sprechen es aus: Während früher die stärkere Angriffswaffe durch stärkere Abwehr pariert wurde, gibt es jetzt keine Abwehr mehr, sondern nur Vergeltung. Ein Blitzkrieg kann sein Ziel nicht erreichen, weil er den Gegner nicht durch einen Schlag total vernichten würde. Daher kann, wie ein Physiker, der im Dienst der Russen arbeitet (Baron Manfred von Ardenne), gesagt hat, ein Atomkrieg aus heiterm Himmel niemals den Rückschlag auf das eigene Land verhindern, sondern müßte ihn auslösen. Hans Bethe hat die Situation so geschildert: Wenn in einem engen Betonkeller von zwei mal drei Metern Ausdehnung zwei Gegner sich mit Handgranaten bewaffnet gegenüberstehen, – wie groß ist die Versuchung, seine Granaten als erster zu werfen? Die Meinung ist durchweg: »Wir glauben, daß ein Krieg zwischen Großmächten eine Unmöglichkeit geworden ist oder wenigstens in naher Zukunft unmöglich werden wird« (Born). Den Umschlag des kalten Kriegs in einen heißen »halte ich für fast so unwahrscheinlich wie die Gefahr, daß eine Großstadt eines Tages durch einen Riesenmeteoriten gänzlich zerstört wird« (Thirring).

Clausewitz zeigte einst, wie der Krieg zwar zum Äußersten treibt, aber sich faktisch ermäßigt. – In Jahrhunderten europäischer Kriegführung gab es Ermäßigungen: Im Mittelalter durch die Idee der Ritterlichkeit, in neueren Zeiten durch die Idee der Trennung des Kampfes der Armeen vom Leben der Zivilbevölkerung. Diese mußte zwar Einquartierungen und Kontributionen erleiden, sollte aber selber nicht in den Kampf verwickelt werden (wie sehr dagegen in der Praxis verstoßen wurde, haben für die Zeit des Dreißigjährigen Kriegs die Bilder Callots festgehalten). Im Ersten Weltkrieg schon wurde durch den Staatswillen gegen diese Prinzipien gehandelt (Bomben auf unbefestigte Städte, Aushungerung Deutschlands, wie früher Festungen ausgehungert wurden). Im Zweiten Weltkrieg wurde durch den totalen Krieg grundsätzlich seitens Hitler-Deutschlands keine Grenze mehr anerkannt: Ausrottung von Bevölkerungen, Arbeitsversklavung, während die Zerstörung der Städte, durch Hitler eingeleitet (»ich werde sie ausradieren«), auch im Rückschlag gegen Deutschland und dann rücksichtslos stattfand. Alle Ermäßigung hat mit der totalen Vernichtung durch nur technische Operationen aufgehört. Sie kann sich heute offenbar durch keine Spielregeln und Verträge wiederherstellen. Im Frieden darüber etwa getroffene Vereinbarungen wären praktisch ohne Folgen. In der Not vor dem Untergang würde jede Macht wenigstens im letzten Augenblick zum Äußersten greifen. Kein Gesetz vermag eine Beschränkung der Waffen zu erreichen, wenn dieses Gesetz den Krieg zuläßt.

Nur jener eine einzige Faktor scheint nicht nur eine Ermäßigung, sondern die Aufhebung des gewaltsamen Kampfes zu erzwingen: Was beide Gegner zugleich vernichten würde, ist unanwendbar. Niemand, so scheint einleuchtend, wird es wagen, die Atombombe zu gebrauchen, wenn der Gegner sie hat. Wenn es keine Abwehr gibt, wohl aber die augenblickliche Vergeltung, so sind beide Gegner gelähmt. Würde New York durch eine Bombe unter Tötung aller Bewohner in Asche gelegt, dann eine Stunde später Moskau.

So einleuchtend dieser Gedanke scheint, es ist doch kein Verlaß auf ihn. Der Verzweifelte kann das Äußerste sinnwidrig tun. Angst um den eigenen Untergang kann lange, aber nicht in jedem Fall, den Einsatz der Bombe verwehren. Erwartet man etwas von den einfachen Verstandesgedanken, die man in gewohnter Sprache schon Vernunft nennt, so verschleiert man sich die Grenzsituation. Man glaubt an eine Vernunft, die nichts weiter wäre als ein Zweckverstand.

Der Gedanke, niemand werde es wagen, den Atombombenkrieg zu beginnen, wird durch Überlegungen gestützt, die offenbar unrichtig sind. Etwa: Hitler hat trotz massenhafter Herstellung der Giftgase diese auch in seiner Katastrophe nicht eingesetzt. Dieser Vergleich täuscht. Das Giftgas hatte im Ersten Weltkrieg militärische Bedeutung nur für einen Durchbruch im Stellungskrieg. Es erwies sich schon damals als schlechtes, weil ganz vom Winde abhängiges Mittel. Im Zweiten Weltkrieg hatte sich die militärische Kampfsituation geändert (nicht mit Gasen, sondern mit Tanks erfolgte der Durchbruch, womit der alte Stellungs- und Grabenkrieg aufgehört hatte). Keineswegs spielte bei Hitler, wenn er auf Giftgase verzichtete, Humanität eine Rolle. Auch die Amerikaner sind durch Humanität nicht abgehalten worden, Phosphorbomben auf deutsche Städte und die Atombombe gegen Japan einzusetzen. Hitler war im einseitigen Nachteil wegen seiner eingeschlossenen Lage in der Mitte. Mit Bomben abgeworfene Giftgase konnten ihm außerordentlich schaden, wogegen er seine Gegner sehr viel schwerer und in Amerika überhaupt nicht erreichen konnte.

Compton, der selbst bei der Herstellung der ersten Atombomben beteiligt war, sagt in seinem durch Authentizität, Nüchternheit und Ernst ausgezeichneten Buche: Weniger als tausend Superbomben (d. h. Wasserstoffbomben), abgeworfen innerhalb eines Jahres, würden ausreichen, die gesamte Erdatmosphäre in einen Zustand zu bringen, deren Radioaktivität oberhalb der Sicherheitsgrenze liegt, die für Menschen gilt, die mit radioaktiven Substanzen arbeiten. Die Kobaltbombe, meint er, sei keine Waffe von militärischer Bedeutung, weil ihre Wirkung nicht lokalisierbar sei. Der radioaktive Kobaltstaub würde die gesamte Erdatmosphäre vergiften, gleichgültig, wo die Bombe explodiert. Eine militärisch brauchbare Waffe müsse dagegen wenigstens innerhalb der Grenzen des feindlichen Territoriums lokalisiert werden können. Compton erklärt daher die Kobaltbombe für einen Nachtmahr von Propagandisten. Dazu fragt, wer die Mitteilungen der Physiker vergleicht: Wird an der Kobaltbombe nicht als an einem äußersten Fall nur klarer, was in geringerem Maße schon für alle Wasserstoffbomben gilt: mit wachsender Zahl der Explosionen ist die Gesamtwirkung immer weniger lokalisierbar? Dieser Rückschlag nicht nur auf den Angreifer, sondern auf alles Leben ist ein langfristiger Vorgang. Er wird bei jedem Bombenkrieg schon gewagt. Wo wäre die Grenze einer auf das Territorium des Gegners lokalisierbaren Bombenwirkung? Ist Comptons Zuversicht, daß die Kobaltbombe keine Waffe von militärischer Bedeutung sei, noch berechtigt, wenn die Führung einer Großmacht in höchster Gefahr des eigenen Untergangs denken sollte, die Kobaltbombe würde wenigstens den Gegner vernichten? Der menschliche Verstand ist in der Praxis nicht verläßlich, am wenigsten in größter Not. Der Anwendung von Waffen, wenn sie einmal da sind, ist durch die Wirksamkeit des bloßen Verstandes keine zuverlässige Grenze gesetzt.

b) *Die faktischen Rüstungen der Welt.* — Trotz des Gedankens an die Unmöglichkeit des Atomkriegs (und damit des Kriegs im großen überhaupt) rüsten alle Staaten. Diese Rüstungen sind gewaltiger als jemals. Thirring hat ausgerechnet, daß die Militärausgaben auf der gesamten Erde täglich rund eine Milliarde DM ausmachen.

Es gab eine kurze Zeit, als nur Amerika im Besitz der Atombomben war. Churchill erklärte damals, nur durch die Bomben Amerikas werde Stalin im Zaume gehalten, nicht ganz Europa, mit der damals entstehenden erdrückenden militärischen Übermacht Rußlands, ohne weiteres zu erobern. Denn wegen der Abrüstung aller anderen Alliierten wäre es ihm eine leichte Beute gewesen. Seitdem aber Rußland die Bombe besitzt, ist keineswegs der Weltkrieg ausgelöst. Doch rüsten nun beide mit allen Kräften für den Atomkrieg. Sie stellen mit gewaltigen Mitteln her, was sie nie anwenden möchten. Sie strengen alle Kräfte an, um diese Waffe so zu steigern, daß sie dem anderen dadurch überlegen werden. Man hält den Atomkrieg für unmöglich, und je stärker die Atomwaffe wird, für desto unmöglicher. Aber durch diese faktische Rüstung in einem sich steigernden Wettlauf bereiten sie paradoxerweise vor, was sie vermeiden wollen.

Zwischen Amerika und Rußland besteht jedoch heute ein folgenreicher Unterschied. Rußland hat die Bombe nur zur *einen* Hauptsache in der Vorbereitung seiner Kriegführung gemacht. Es hat die alten Waffen in so großem Umfange beibehalten und verbessert, daß es mit ihnen und seinen ausgebildeten Menschenmassen (auch nach einer Reduktion des Mannschaftsbestandes) allen anderen Staaten weit überlegen bleibt. Amerika dagegen verlagert seine Rüstung auf die Atombomben und hat die Neigung, die Landstreitkräfte und alle alten Waffen in zweiten Rang zu bringen. Rußland bewahrt das ganze alte Kriegspotential. Amerika möchte sich auf die Abschreckung durch die Atombombe verlassen. Rußland, obgleich es sowenig wie Amerika den Weltkrieg zu wollen scheint, ist ständig gewaltsam, wohin es langen kann. Es will keine Ruhe in der Welt, sondern jede Unruhe benutzen, um entweder »friedlich« die Welt zu erobern oder um seine Ausgangspositionen für einen künftigen Weltkrieg auszudehnen, und weil Ruhe Entwicklung der Freiheit in der Welt bedeuten würde. Es läßt daher kleine Staaten Kriege führen, liefert ihnen Waffen und Techniker, ohne selbst in den Krieg einzutreten. Und Amerika antwortet durch Waffenlieferungen an die von Rußland angegriffenen oder unter der Drohung eines solchen Angriffs stehenden kleinen Staaten.

Die Entwicklung der Waffentechnik bringt in kurzen Fristen Neues. Schnell werden dann Meinungen laut, das Vorhergehende sei überholt, die konventionellen Waffen durch die Atomwaffen, die Bombenflugzeuge durch die Raketen, die Stützpunkte durch beliebig zu stationierende Abschußbasen. Aber in dem Gesamtrahmen der Rüstungen der Welt spielt das Überholte zumeist immer noch eine beträchtliche Rolle. Und das Allerälteste, der Mann mit der Waffe in der Hand, wird im Kriege, falls Menschen übrigbleiben, immer noch den letzten Akt vollziehen. Man sieht jedoch, daß grundsätzliche »Umrüstungen« erfolgen und daß in den Militärs durch die schnellen Neuerungen eine begreifliche Unruhe und Atemlosigkeit entsteht durch die immer wieder anderen Aufgaben.

c) *Weltstrategie.* — Um 1900 galt es als neu, weltpolitisch »in Kontinenten zu denken«. Das war imperialistisch, nicht strategisch gemeint (außer der Anlage von Stützpunkten zur Flottenversorgung). Jetzt ist infolge der neuen Waffentechniken die Weltstrategie entstanden: das globale Denken, dem die ganze Erde ein einziges Schlachtfeld wird.

Man kann nur vermuten, was in den strategischen Köpfen Rußlands und Amerikas vor sich geht. Es scheint, daß im Westen aus der Ratlosigkeit vereinzelte Handlungen, Versuche des Neuplanens, ein Durcheinander und teilweises Gegeneinander stattfinden. Nicht einmal Europa ist einig, nicht Amerika und Europa, nicht die amerikanischen Ressorts unter sich. Dagegen scheint im Osten eine zentrale Lenkung und Planung des Ganzen sich zu vollziehen und konsequent umzugestalten.

Man sieht Tatsachen, die geographisch bedingt sind: Europa und Amerika sind durch einen Atomkrieg mehr gefährdet als Rußland wegen der stärkeren Konzentration der Bevölkerung in den großen Städten und den dichten Industriebezirken. Ein Überraschungsangriff ist seitens Rußlands leichter mit Erfolg möglich als umgekehrt.

Die weltstrategisch vorbereitenden Akte sind im Osten und Westen verschieden. Rußland errichtet Satellitenstaaten, die faktisch in seiner Gewalt sind und seinen Befehlen gehorchen. Da sie aber durch Gewalt gehalten werden, bergen sie in sich die Gefahr des Widerstands und der Sabotage während eines Krieges. Amerika sucht sich mit freien, souveränen Staaten zu verbinden durch Verträge, nicht durch Gewalt. Es errichtet mit Zustimmung solcher Staaten Stützpunkte, Abschußbasen, Materiallager, aber es räumt solche Stellungen, wenn ein Staat nach Ablauf eines Vertrags es verlangt. Es leistet wirtschaftliche Hilfe und gibt militärische Garantieversprechen. Da aber in jedem Fall die politische Gesinnung der Staaten maßgebend ist, gelingt diese Methode, durch die zur Zeit die russische Welt mit Stützpunkten umstellt ist, nur in ungleichem Maße, am sichersten bei den abendländischen Völkern.

Die Tatsache der Weltstrategie hat zur Folge, daß alle militärischen Pläne kleiner Staaten und lokaler Art zwar sinnvoll für die lokale Situation, aber abhängig von dem Handeln der Großmächte sind. Sie müssen sich an ihnen orientieren, ob sie sich ihnen anschließen oder ihre Neutralität versuchen. Sie haben einen Spielraum, den ihnen die Großmächte lassen, im Kriegsfall nur, wenn die Bezwingung oder Vernichtung der Kleinen mehr erfordert als sich für den Gesamtzweck lohnt. Aber sie stehen von vornherein im Raum des einen Schlachtfeldes der Erde.

d) *Kriege im Schatten der Atombombe.* — Die Drohung des Atombombenkriegs hat bisher keineswegs die Kriege aufhören lassen. Man kann Kriege führen ohne Atombombe, wenn auch im Schatten der Möglichkeit der Atombombe. Gemessen am Weltkrieg, sind es zwar kleine, lokale, hier jedoch furchtbar verwüstende Kriege. Statt des Satzes: Es wird keine Kriege geben, weil es Atombomben gibt, muß es vielmehr heißen: Es gibt heute Kriege ohne Atombombe.

Sollte es ein schreckliches Vorrecht der Kleinen werden, Krieg zu führen? Sie vollziehen Gewaltakte, um ihren Zustand zu ändern. Sie bedrohen ihre kleinen Gegner, um nach alten Verfahren mit Gewalt obzusiegen. Sie bedrohen damit zugleich die Großen durch die Gefahr des daraus entstehenden Weltkrieges. Diese Gefahr wirkt einschüchternd auf die Großen. Wenn die Kleinen gewaltsam Verträge brechen, wagen die Großen nicht, dem durch Gewalt gebrochenen Recht durch Gewalt Achtung zu verschaffen. Aber dies Vorrecht der souveränen Kleinen ist nur möglich, weil die Großen nicht einig sind in der Verteidigung der Rechte und Verträge. Sie nutzen vielmehr die Akte der Kleinen aus, um die eigenen Machtpositionen gegeneinander zu erweitern oder zu behaupten.

Die beiden Großen spielen dabei nach alten politischen Methoden. Aber unausgesprochen stehen sie unter dem Zwang der Atombombe, welche bisher verhindert, daß sie untereinander direkt kämpfen. Antriebe und politischer Wille sind wie von jeher, aber sie sind zugleich unter Druck gehalten. Daher gerät die Welt mit kurzen Zwischenräumen in Situationen, die in früheren Zeiten unmittelbar zum Krieg führten, während heute Drohungen, Demütigungen, Einschüchterungen wie kaum jemals geduldet werden.

So wird die Atombombengefahr hineingezogen in die alte Politik der Schläue, der Erpressung. Man spricht es aus: Gute Politik bestehe darin, die Dinge bis an den Rand des Krieges zu treiben, ohne in ihn hineinzugeraten.

Man appelliert propagandistisch an moralische Motive und versteckt in der Fülle ablenkender Argumentationen den einfachen Machtwillen, der so als nichtexistent behandelt wird. Kurz: Man will zwar die Atombombe nicht einsetzen, aber man hält sie als Drohung in der Hand. So ist das wunderliche Ergebnis: Je mächtiger die Staaten durch die Bombe sind, desto mehr scheinen sie vorläufig gelähmt, während die Kleinen ihre Gewaltakte vollziehen.

Was ist nun weiter möglich? Die Großen bemühen sich, um die kämpfenden Kleinen zum Frieden zu bringen, aber nicht ohne Hintergedanken. Sie ergreifen Partei und sind fast immer Partei gegeneinander (eine groteske Ausnahme war es, daß Amerika im Bunde mit Rußland gegen England, Frankreich, Israel agierte, auf dem Wege über die UNO). So geraten sie, während die Kleinen unter ihrer Duldung, unter ihrem teilweisen Schutz mit ihrer Hilfe kämpfen, selber in die Gefahr des zwischen ihnen auszutragenden Weltkriegs. Es ist, da kein Bewußtsein gemeinsamer Ordnung zusammenhält, immer nur wie ein Hinausschieben des Weltkriegs. Da jeder kleine Krieg verschleiert schon ein Krieg zwischen den Großmächten ist, birgt jeder in sich die Gefahr des Weltbrandes.

Es ist ein radikaler Unterschied zwischen einem dritten Weltkrieg, der unter Führung Rußlands und Amerikas auch durch sie selber ausgefochten würde, und allen anderen Kriegen zwischen den kleinen Mächten, bei denen die Großen nur aus dem Hintergrund mitwirken. Wenn die Großen selber einen Krieg führen, so nicht direkt gegen den anderen, sondern gegen abhängige Kleine und ohne Atombombe (so Amerika zum Schutz eines Angegriffenen in Korea, so Rußland gegen Ungarn).

Die Politik hat heute also zwei Ursprünge: die beiden Großmächte und die je besonderen Interessen der vielen kleinen Mächte. Die letzteren brauchen wie früher, mit den alten Methoden, alle Mittel sich durchzusetzen und sind von den mannigfachsten Motiven: nationalen, religiösen, sozialen, bewegt. Man will sich behaupten, sich befreien, seine Macht stärken, neue Staatsbildungen schaffen.

Doch keiner dieser Kriege ist wie früher. Der Unterschied ist der, daß alle bei ihren Unternehmungen auf die beiden Großmächte blicken, unter ihrer Mithilfe oder Duldung operieren, von ihnen Vorteile zu gewinnen suchen und sie gegeneinander ausspielen. Und das Interesse der beiden Großmächte ist bei allen Kriegen beteiligt. Sie haben stets ihre Hand im Spiel. Keiner möchte an Einfluß in der Welt verlieren, jeder ihn vielmehr erweitern.

In der Situation heute liegt die gewaltige Spannung zwischen der »Unmöglichkeit« eines Weltkrieges mit der Atombombe und der durch die kleinen Kriege ständig geschürten Gefahr, daß es doch zu ihm kommt.

Das Zeitalter einer »neuen Politik« zeigt sich vorläufig darin, daß seit 1945 alle kleinen Kriege und Konflikte nicht zum Ende einer Entscheidung, sondern nur zu einem Waffenstillstand kamen. Als Rußland selber einen Ansatz zur Gewalt über die Grenzen seiner territorial gesicherten Macht wagte (durch die Berliner Blockade), wurde diese durch Amerika mit friedlichen Mitteln (der unerwarteten Luftbrücke von immensen Kosten) abgewehrt. Als die Israeli 1948, durch Englands Abzug preisgegeben, nunmehr vor dem Überfall, der von allen Seiten zu ihrer Ermordung einsetzte, sich zum neugegründeten Staat zusammenschlossen und behaupteten, wurde dem Austragen des Kampfes (der wider alles Erwarten zum schwer errungenen, aber überwältigenden Sieg der Israeli zu führen im Begriff war) ein Ende gesetzt durch englische Drohung mit Luftbombardements; es kam nicht zu einem Frieden, wie in früheren Zeiten nach einem siegreichen Krieg, sondern zu einem Waffenstillstand. Im Koreakrieg, im Indonesischen Krieg geschah ähnliches: das Ende war Waffenstillstand, nicht Friede. »Waffenstillstände« sind das Kennzeichen dieser neuen Politik in der Welt. Jedesmal droht der Weltkrieg. Jedesmal wird seine Möglichkeit im Keime erstickt auf Kosten kleiner Mächte. Immer wieder sind die Handlungen, Ereignisse, Worte derart, daß nach allen früheren Maßstäben unmittelbar der Weltkrieg zu erwarten wäre. Die Spannung solcher Augenblicke wiederholt sich, und nie ist man absolut sicher, daß das totale Unheil nicht einbricht. Aber wenn der Weltkrieg wirklich droht, machen bisher die beiden Großmächte halt.

Die Situation ist also: Zwischen dem Äußersten entweder des Atombombenkriegs oder des Weltfriedenszustands gibt es das weite Feld der Kriege mit den konventionellen Waffen. Es kommt darauf an, das Augenmaß für den Rang der Realitäten, des faktisch Gegenwärtigen zu gewinnen. Man darf die Vorbereitung auf die Möglichkeiten naher Drohungen nicht versäumen, weil man nur auf die äußerste Drohung blickt. Das Äußerste kann zwar jeden Augenblick eintreten, aber braucht nie einzutreten. Es ist für das Handeln zwar eine Grenze aller Möglichkeiten, aber innerhalb dieser Grenzen liegen die Aufgaben konkreten Tuns.

Wer klein ist — und alle sind heute klein außer den beiden Großmächten —, muß mit Kriegen rechnen. Es können sich politische Veränderungen auf dem Wege über kleine Kriege vollziehen, soweit die Großmächte nicht eingreifen oder die Veränderung wollen. Wer sich selbst behaupten will als dieses Leben, als dieses Volk, als diese Gestalt des politischen Freiheitsprinzips, muß auf kleine Kriege (klein im Unterschied vom totalen Atombombenkrieg, aber furchtbar für ganze Völker wie von jeher) gefaßt sein. Wer im kleinen Krieg sich nicht behaupten kann, ist verloren in dieser Übergangsphase, in der die in einer ganz anderen Zukunft dann bleibenden Völker und ihre Territorien mit ihren Grenzen festgelegt werden. Daher ist überall die große Unruhe, im Schatten der Bombe, auch ohne Anwendung der Bombe, im Dasein total bedroht zu sein. Keineswegs ist der Krieg durch Politik ersetzt, keineswegs ist Rüstung in »alten Waffen«, keineswegs der Opfermut des Soldaten im »kleinen« Krieg gleichgültig.

e) Vor dem möglichen Ausbruch des Atomkriegs. — Ich wiederhole die gegenwärtige militärische Lage: Amerika und der Westen sind Rußland gegenüber an konventionellen Waffen weit unterlegen. — In den Atomwaffen ist Rußland der Stärke Amerikas nähergekommen und ist ihm in Raketen zum Transport der Bomben im Augenblick überlegen. — Das gesamte Kriegspotential des Westens wäre, wenn es im Kriegsfall noch Zeit hätte, sich zu entwickeln, heute beträchtlich stärker als das Rußlands.

Sollte Rußland den Krieg beginnen — etwa durch Überschreitung der Grenze nach dem Westen —, so würde seinen Massenheeren, die mit den konventionellen Waffen Europa schnell besiegen könnten, wahrscheinlich sofort mit Atomwaffen begegnet. Amerika würde dann den ersten Akt mit dieser Waffe vollziehen, würde aber in derselben Stunde den Gegenschlag erfahren.

Russische Politiker haben erklärt, sie würden nie zuerst die Atombombe einsetzen, sondern nur als Vergeltung (solche Erklärungen haben jedoch kaum mehr Gewicht als die Friedensbeteuerungen, die längst durch die faktischen Gewaltakte sich selbst widerlegt haben). Amerikanische Politiker haben solche Erklärungen nicht abgegeben (sondern nur: sie würden die Atomwaffe nie anwenden, außer wenn sie in äußerster Gefahr seien); wohl aber haben amerikanische Militärs erklärt, gegen einen russischen Angriff auf Europa würde sofort die Atomwaffe in Funktion treten (solche Erklärungen haben Gewicht, denn sie würden kaum abgegeben werden, wenn sie nicht ernst gemeint wären).

Eine Selbsttäuschung wäre es, einen Unterschied zu machen zwischen taktischen und strategischen Bomben oder überhaupt zwischen Arten der Atomwaffen. Eine »artilleristische« Anwendung der Atomexplosionen würde sofort den totalen Atomkrieg zur Folge haben. Dies ist von russischer Seite ausdrücklich erklärt und hat dasselbe Gewicht wie die amerikanischen Erklärungen: es würde nicht gesagt, wenn es nicht ernst gemeint wäre.

Sammelt man durch einige Zeit die Erklärungen von Generalen und Politikern an maßgebenden Stellen, so zeigt sich: Widersprüchlichkeit und häufiger Wechsel, Eindeutigkeit augenblicklicher Sätze, Unklarheit und Ausweglosigkeit im ganzen.

Die Wandlungen der militärischen Lage und die Spekulation über Möglichkeiten dürfen das Entscheidende, immer zu Wiederholende nicht verdunkeln: Die Welt befindet sich auf dem Wege zur totalen Zerstörung der Menschheit. Noch ist irgendein wirksamer Akt, der den Fortgang auf diesem Wege einstellte, nicht getan. Alle Unterscheidungen von Waffen in der Meinung, die absolut zerstörenden auszuschalten, alle allgemeinen Erklärungen guter Gesinnung und friedlicher Absichten, alle Vorschläge, die einen Stop bringen sollen, sind bisher völlig wirkungslos.

f) *Der labile Zustand.* — Damit unser Dasein nicht in starrer Wiederholung, wie das Leben der Tiere, sondern in hervorbringender geschichtlicher Bewegung sich entfalte, ist die Labilität jedes Zustandes notwendig; diese Labilität ist unentrinnbar. Auch der Weltfriede würde in der immer drohenden, wenn auch durch wirksame Rechtsformen — nur ungewiß — beherrschten Gefahr bleiben. Sonst müßte der Mensch in banalem Glück und vegetativem Dasein, hingegeben an Zerstreuung und Vergnügen, verlorengehen, verschwunden in einer neuen Unfreiheit. Nur in der Bewegung bleibt die Möglichkeit des Menschen groß und unabsehbar. Diese Labilität aller menschlichen Umstände ist fruchtbar, großartig und wünschenswert.

Anders ist die Labilität unseres heutigen Weltzustandes. Dieser scheint bisher nur die Verworrenheit vor dem Äußersten zu sein. Jeden Tag könnte die Fahrlässigkeit eines Schrittes dorthin geschehen. In dieser Labilität sieht es aus, als ob unter den Politikern an den Schlüsselstellungen der Führung kaum jemand noch wisse, was er eigentlich wolle. Er will keinen Krieg, der zum Atomkrieg würde. Aber dieser Wille gewinnt nicht die Führung. Denn der Politiker handelt, um den vermeintlichen Besitz seines Staates zu bewahren, zu befestigen, zu erweitern, die Glorie seiner Macht zu behaupten. Er wagt Kriege, ist ein unzuverlässiger Partner, läßt sich von wirtschaftlichen Interessen bestimmen, die den Weg zum Frieden versperren oder stören usw.

Der labile Zustand hat in sich eine Tendenz zu plötzlichen Explosionen. Kleine werden ungeduldig und weichen aus ins äußerste Risiko. Sie scheitern, so lange die Angst der Großen vor dem Weltkrieg diese kleinen Explosionen noch erstickt. Die Großen gelangen in eine wachsende Spannung. Noch schrecken sie vor dem Äußersten zurück, aber die Sorge steigt, daß irgendwo die Spannung reißt.

Ein noch in Formen der Vergangenheit lebender Politiker macht vielleicht als Ruhebedürftiger, unter den Ideen von Wohlfahrtsstaat oder nationaler Größe, unter dem Schilde einer wenn auch noch so durchlöcherten Gesetzlichkeit, mit halben Maßnahmen nur weiter. Er hat die Weltsituation nicht begriffen oder läßt, wenn er sie begriffen hat, dies nicht in seinem Denken, seinem Handeln, seinem Leben zur Wirksamkeit kommen.

In den Bereichen neuer, bodenloser Staatsbildungen sieht man dagegen ganz Anderes. Hier brechen Politiker aus jeder überlieferten Ordnung aus, vollziehen plötzliche Gewaltakte, überraschen, erpressen, sind durch ihre Bedenkenlosigkeit im übermütigen Risiko den historisch gegründeten in sich maßvollen Mächten überlegen, so einst Hitler, so die Kleineren, die heute in seiner mimicry figurieren. Sie setzen die Maschine des Ergaunerns und Eroberns in Gang, bis sie zerschellt. Oder sie haben für eine Weile Erfolg, weil die Großen entweder es bequemer finden, die vollendete Tatsache hinzunehmen, oder weil diese Abenteurer als Marionetten Größerer ihre pompöse Rolle spielen dürfen, bis sie als nichtige Kreaturen zugrunde gehen oder vielleicht Anlaß werden zur totalen Katastrophe aller.

In den staatlich bodenlosen Bereichen der Welt zeigen sich weitere Bilder: In einem von der angelsächsischen Welt angeeigneten, aber verflachten Aufklärungsdenken sieht vielleicht ein Asiate sich zum Spiel eines moralischen Weltenrichters veranlaßt, während er seinem eigenen Lande faktisch keinen politischen Weg zeigt, ihm nicht im geringsten zum sittlich-politischen Erzieher wird, sondern es in der Bodenlosigkeit zu neuem Unheil der Selbstzerfleischung und der Beute für andere treiben läßt (Indien). Andere denken auf lange Sicht und suchen in Nachahmung des Abendlandes eine technische Produktionsmaschinerie aufzubauen, mit terroristischer totalitärer Gewalt, um einst durch ihre Größe, den Umfang ihrer Bodenschätze und die gewaltigen Menschenmassen, die diesen technischen Apparat erfüllen können, den Nachfolgern die Chance der Weltherrschaft zu bringen (China).

Man kann fortfahren mit solchen Kennzeichnungen, die in keinem konkreten Fall ganz zutreffen und immer durch andere Motive ergänzt werden. Nirgends kann man bisher in diesen Motiven etwas sittlich-politisch Gründendes sehen, das im Blick auf die wirkliche Weltlage Verantwortung für die Zukunft trägt durch Erziehung des Menschen, der fähig würde zu einem Weltfriedenszustand.

In der Verworrenheit dieses Weltzustandes scheint zur Zeit (1957) die Kraft der Führung überall abzunehmen. Immer mehr meint man Getriebene an die Spitzen gelangen zu sehen. Wenn niemand die Führung hat, die er auf Grund seiner Besinnung, aus der Logik der Sache in einer einfachen Linie verwirklicht (sei es totalitär: Stalin, sei es durch Kraft der ihre Völker überzeugenden Gründe und die Überlegenheit eines persönlichen Wesens: Churchill, Roosevelt), so entwickelt sich eine Ersatzführung durch ein Phantom, durch eine gemeinte Führung.

Dann wird man ratlos im Kollektiv der Führung, das sich der Öffentlichkeit verbirgt. Man könnte zum Entschluß des Weltkriegs kommen, weil niemand mehr wagt, nein zu sagen, und zustimmt, obgleich er dagegen ist. Jeder hat Angst vor den anderen, und jeder meint, daß der andere wolle, was man selbst zwar nicht will, aber zu dem man nun ja sagen muß, wenn man seine kümmerliche Machtposititon behalten will. Wenn niemand mehr wagt, aus eigener Verantwortung alle anderen gegen die Verworrenheit der herrschenden und nicht herrschenden Meinungen überzeugend hinzureißen zum Rechten, dann geschieht das Unheil, für das dann niemand verantwortlich sein will. Aber alle sind mitschuldig durch Ausweichen. In potenzierter Gestalt könnte es werden, wie es 1914 war: Man begann den Krieg, den niemand wollte, für den niemand oder alle schuldig waren.

Die Voraussehbarkeit wird immer geringer. Eben noch waren Stalin und Truman da. Mochte der eine erbarmungslos terroristisch verfahren, der andere besorgt, aber entschieden in der Verteidigung, beide handelten aus einer Sachlogik heraus, die besonnen bleibt und weiß, was sie sieht und was sie will. Man konnte ihre Absichten nachdenken (mochten sie verwerflich oder wünschenswert sein). Sah man damals noch so etwas wie Führung in der Welt, so scheint sie im Augenblick, da dies geschrieben wird, führungsloser als je. Man meint nur noch doktrinäre Vorstellungen einerseits und momentane Geschicklichkeiten und Ungeschicklichkeiten andrerseits zu sehn, spürt nicht das konstante Einfache. So beginnt das Schlittern und die Herrschaft des Zufalls, der nicht mehr als eminent geschichtsbildende Macht in den Dienst der beweglichen Führung gestellt werden kann.

Übersicht der näher zu erörternden Themata

Die Lösung der militärischen Situation durch den Untergang oder durch die Erzeugung eines Weltfriedenszustandes ist gebunden an die geschichtlich gewordene Wirklichkeit dieses Augenblicks. Wie unter dem Druck der Atombombe die Politik in der gegenwärtigen Lage sich zeigt, was getan wird und welche Möglichkeiten bestehen, soll an drei Fragengruppen erörtert werden:

Erstens: Um das politische Handeln aufbauend wirksam werden zu lassen, muß man vom jeweils Nächsten ausgehen und seine Schritte finden auf dem Boden der Tatsachen im Blick auf das Weltganze.

Das politische Handeln wird bodenlos durch Beschränkung auf den engen Horizont der einzelnen Völker und Staaten. Bodenlos wird es auch durch Verblasenheit in der Abstraktheit des Allgemeinen, aus dem ein unendlich Zukünftiges sogleich verwirklicht werden soll. Politik ist angewiesen auf die geschichtlich gegründeten Schritte im Hier und Jetzt des wirklichen, unvollendbaren Ganges der Dinge. Gehaltvolle Politik ist nur möglich durch Aufmerksamkeit auf das Nächste in unserer konkreten Lage mit der Verantwortung im Blick auf das Ziel im Ganzen.

Zweitens: Um der Vernichtung durch die Atombombe zu entgehen, liegt alles daran, daß kein Krieg entsteht. Der UNO ist die Aufgabe gesetzt, den Weltfriedenszustand auf rechtlichem Wege zu erreichen.

In den tatsächlichen Verfahren der UNO scheint die Unwahrhaftigkeit die Oberhand zu gewinnen, deren Entschleierung durch alle diese Jahre in der Weltpresse schon stattfindet.

Drittens: Um die Freiheit des Menschen nicht zu verlieren, darf die Möglichkeit nicht verdeckt werden, daß in einem kommenden Augenblick die Entscheidung getroffen werden müßte: Entweder totalitäre Herrschaft oder Atombombe.

Die mögliche Alternative zwischen Totalitarismus und Atombombe oder zwischen Zerstörung der Freiheit menschenwürdigen Lebens und dem möglichen Untergang aller Menschen soll erblickt werden. Die Verweigerung dieses Blickes bedeutet den Verlust des Opfermuts. Opfer aber bleibt die Grundlage eigentlichen Menschseins.

In den Erörterungen dieses Kapitels werden unvermeidlich die negativen Züge der gegenwärtigen Politik hervortreten. Wir sollen uns dadurch nicht täuschen lassen. Das Festhalten am Konkreten der faktischen gegenwärtigen Lage ermöglicht die rettenden Schritte: im radikalen *Verzicht auf den Kolonialismus* über die neue Weise *abendländischer Selbstbehauptung* zu einer *Weltordnung* zu gelangen (Erstes Kapitel). — Der Rechtsgedanke, den die UNO, wenn auch noch so unwahrhaftig, vertritt, hat Chancen, solange freie Menschen leben, und wirkt noch in der lügenhaften Gestalt mit an der Verlängerung der Atempause (Zweites Kapitel). — Das Opfer, das das totale der Menschheit werden könnte, erinnert uns an den tiefsten Grund unserer Herkunft. Solche Erinnerung gibt den Mut, in der Wirklichkeit zu tun, was man kann. Nur Opfer können bewirken, daß jene Alternative nie wirklich gestellt wird (Drittes Kapitel).

Im Hinblick auf das Ziel des Weltfriedenszustandes darf man jeden Lichtschein des ersten Anfangs sehen und teilnehmen an jeder leisesten Möglichkeit. Vor allem aber soll man keinen Augenblick vergessen, daß der Gang der Dinge nicht nur ein zu beobachtender, kausal notwendiger ist, sondern daß er aus der Freiheit menschlicher Entscheidungen hervorgeht: das Negative kann ins Positive gewendet werden.

ERSTES KAPITEL

DIE POLITIK, AUSGEHEND VOM NÄCHSTEN, IST AUF DAS GANZE DER WELT GERICHTET.

Das Denken des Allgemeinen stößt an die Grenze der Wirklichkeit selber. Wir begreifen nur, was als Allgemeines uns denkbar wird. Aber wir müssen auf diesem Wege, wenn wir selbst wirklich werden wollen, dieser Wirklichkeit um so entschiedener ansichtig werden.

a) Die reale Menschheit.

Die wirkliche Menschenwelt, wie sie jetzt in ihren Gestaltungen da ist und wie sie in diesen Gegebenheiten heute lebt, ist geworden durch ihre Geschichte. Der einzelne Mensch steht in der mächtigen geschichtlichen Bewegung, in der er in seiner Situation seine Ausgangspunkte nehmen muß. Er findet sie vor, aber mit der Frage an ihn, wie er aus ihr heraus handeln will. Denn jeder Mensch fängt von neuem an. Er ist in seiner Ursprünglichkeit nicht zu übergreifen durch eine erkennbare Notwendigkeit. Seine Aufgabe ist, es nicht beim Gegebenen zu belassen.

b) Die Einheit der Menschheit.

Die hohe Idee der Gleichheit aller Menschen als Menschen, der Einheit ihres Ursprungs und Ziels, wird zur Abstraktion, wenn sie als bestehend vorausgesetzt wird. Gegen diese Idee hat zunächst der Hinweis auf die wirksamen und gar nicht zu überschätzenden Verschiedenheiten recht. Wir sehen die ganz anderen Zustände, die anderen Weisen des Glaubens im Philosophieren und in Religionen, die ganz andere Weise des Nihilismus, der aus der Zersetzung der überlieferten Glaubenssubstanzen auf je eigene Weise erfolgt. Wir haben es zu tun mit Menschen ganz verschiedener technischer, arbeitsethischer, wirtschaftlicher Verfassung. Uns umgibt eine Menschheit, von der zwei Drittel hungert oder unterernährt ist.

Der Hinweis auf die Verschiedenheiten wird aber seinerseits unwahr in der Verleugnung der Idee jener Einheit und in der Haltung der Verachtung gegen andere Menschen, Völker, Rassen wie in der Bereitschaft, sie durch List und Gewalt zu unterwerfen oder zu manipulieren wie bloße Lebewesen. Wir haben es mit allen Menschen als unseresgleichen zu tun, während keiner von uns gleich dem andern ist.

c) Kein rationaler Plan erfaßt das Ganze der Menschheit.

Wenn wir Pläne entwerfen aus unserer Auffassung der Menschheit im ganzen und der Situation heute, so können wir sie nie mit Recht als für alle gültig hinstellen. Niemand spricht im Auftrag der Menschheit, sondern jeder kann sich mit Plänen und Vorschlägen nur an andere wenden. Im Verstandesdenken liegt die despotische Tendenz, seine Richtigkeit für absolut zu halten. Der Verstand meint, den Standpunkt einzunehmen, der der Standpunkt aller sei, sofern sie nur unterrichtet und guten Willens sind. Er vergißt, daß er mit seinem Gedanken an der unendlichen Bewegung teilnimmt, die dadurch entsteht, daß der Gedanke des anderen verstanden und daß auf ihn Rücksicht genommen werden muß. Diktatorisches Denken und terroristisches Handeln gehören zusammen und vermögen nur zu zerstören.

Irreal ist die Vorstellung, von irgendwoher könne die Welt von Menschen im Namen der Menschheit gelenkt werden; es sei sinnvoll, einen Totalentwurf zu machen und der Menschheit als einer einzigen herrschenden Instanz zur Verwirklichung vorzuschlagen; es sei möglich, stellvertretend für die Menschheit im ganzen und ihr gebietend zu denken. Das alles ist vielmehr widersinnig. Wer es täte, müßte ein Wesen sein, das mehr als Mensch wäre.

Dagegen ist die Situation des Menschen diese: Weil jede durch Gewalt errichtete Einheit der Menschheit entweder zur unmenschlichen Despotie führen oder alsbald wieder zerfallen muß, ist es die Aufgabe des Menschen, im Miteinander, in der Bewegung, in dem Hervorbringen, in neuen Situationen, geschichtlich zu werden, was er nicht voraussehen kann, aber nur findet, wenn Mensch und Mensch in den entstandenen Situationen durch geistigen Kampf sich steigern, korrigieren, ergänzen. Kein Mensch ist der Mensch überhaupt und jeder ist Mensch. Keiner steht als Wesen über dem andern, keiner ist Gott. Jeder kommt nur zu sich selbst in der Kommunikation mit anderen.

Die Politik zwingt in das Mitdenken dessen, was der andere denkt. Es ist leicht, gleichsam ins Blaue, ohne Widerstand zu denken. Man möchte den bequemen Glauben bewahren, das bloße Denken treffe schon das Richtige. Dann braucht man sich nicht einzulassen auf die faktische Vielfachheit der Mächte. Die unangenehmen Tatsachen der menschlichen Realität möchte man ignorieren, als Dummheit und bösen Willen verurteilen und als vermeintlich auf die Dauer wirkungslos beiseite schieben. Das aber ist ein oberflächliches Denken, ein aus der herrlichen Aufklärung der Vernunft herausgefallenes optimistisches, vordergründiges, die Wirklichkeit vernebelndes Verstandesdenken. Wer aber nicht in die Tiefe der Tatsächlichkeit dringen mag (ohne sie je vollständig zu ergründen), nicht die Verschlingungen der Situation in den Perspektiven der Zukunft sich offenhält und durchdenkt (ohne je die Möglichkeiten in ihrer Gesamtheit vorwegnehmen zu können), der kann politisch keiner Lage gewachsen sein.

d) Staat im Raum von Staaten.

Wir befinden uns alle in der gewordenen augenblicklichen Weltlage. In ihr ist Politik nicht die einseitige Verwaltung eines Übersehbaren, sondern im Kampf ein Sicheinfügen in das reale Ganze, das niemand weiß und niemand in der Hand hat.

Da Politik an der Gewalt orientiert ist, muß sie über Gewalt verfügen können und auf Gewalt anderer bezogen sein. Nur durch Organisation der Gewalt (in Staaten) sind politische Handlungen und Entschlüsse, Gewaltaktionen und Verträge möglich. Gegenseitig können die Staatsmächte sich nicht berechnen wie Naturgeschehen, sondern auf der Basis der bis zu einem gewissen Grade berechenbaren Mittel verstehen, was dem andern möglich, was von ihm zu erwarten ist, aber mit grundsätzlicher Ungewißheit.

Ein Staat ist im Raum von Staaten. Kein Mensch, kein Staat führt die Welt, auch nicht der größte Staatsmann und nicht das mächtigste Reich. Niemals wird ein Mensch die Führung der Menschheit in seine Hand nehmen, wenn Freiheit bleibt. Aber gewaltige Mächte streben danach, dies zu erreichen.

Politik als die Bewegung in dem Miteinander und Gegeneinander von Mächten, die Gewalt besitzen, würde in zwei Fällen aufhören: Erstens, wenn Menschen Engel würden und die Möglichkeit der Gewalt fortfiele, und zweitens, wenn die Menschheit zentral als ein Weltstaat regiert würde (an die Stelle der Politik würde der Kampf um den Ort der zentralen Macht in dieser Despotie treten, der alsbald zum Zerfall dieser Weltstaaten führen und die Politik wieder entstehen lassen müßte).

e) Spannung von Selbstbehauptung und Weltfrieden.

Die Einheit der Menschheit ist geschichtlich als Vielfachheit. Die Idee der Einheit staatlicher Ordnung gestaltet sich in der Mehrheit und Mannigfaltigkeit der Staatsbildungen. Daher ist Politik bezogen einerseits auf die Selbstbehauptung der besonderen Gestaltungen und andrerseits auf das Ganze der Menschheit.

Hellsichtige Staatsmänner würden so denken und handeln, daß ihr Tun, das die Selbstbehauptung ihres Staats bezweckt, doch den Sinn vom Ganzen einer virtuellen, von niemandem beanspruchten Weltführung her empfängt. Die Selbstbehauptung hat ihren Ort im Ganzen der Menschheit gegen andere Selbstbehauptung. Die Spannung zwischen Selbstbehauptung und Menschheitsinteresse, das jeder schnell für sich mit Worten in Anspruch nimmt, aber keineswegs vertritt, ist unüberwindbar. Bis heute hat immer im Konfliktsfall die Selbstbehauptung, wie sie verstanden wurde, den absoluten Vorrang gehabt. Sie will sich unter keine Bedingung setzen lassen. Der durch die Idee der Menschheit geführte Weg könnte nur sein: den eigenen Interessen zu folgen unter der Bedingung, daß das Lebensinteresse der Menschheit im ganzen nicht verletzt wird, daher Verzicht zu leisten und Opfer zu bringen, wo dieses Ganze bedroht wird, um diesem und damit am Ende zugleich sich selbst zu dienen.

Das kann aber mit Erfolg nur geschehen, wenn die Antwort des anderen mitentscheidet für den gleichen Weg. Wenn nicht, wenn der andere nicht Selbstbehauptung und Opfer, sondern Eroberung will, dann gilt: Ohne Selbstverteidigung ist kein Weltfriede als nur der der Knechtschaft aller.

Der Weltfriede ist nur in dieser Spannung von Selbstbehauptung und Menschheitsidee zu gewinnen. Er ist nicht durch einseitige Akte, sondern nur durch das Miteinander der Staaten zu sichern (im Augenblick würde er zwischen Amerika und Rußland als den Großmächten, die allen anderen überlegen sind, vorläufig möglich sein). Daher ist der politische Anspruch, daß jeder Staat bei all seinem Tun zugleich an das Ganze der Menschheit und den Weltfrieden denkt. Nur wenn er für ihn sich verantwortlich weiß, kann er auch sich selber retten. Alle behaupten zwar, daß sie in der Politik ihrer eigenen Interessen zugleich das Interesse des Weltfriedens vertreten. Aber durchweg wird umgekehrt die Idee des Weltfriedens benutzt, um den eigenen Interessen zu dienen, nicht um des Friedens willen.

Dieser Tatbestand bezeugt von neuem: Nichts politisch Bauendes kann heute geschehen, wenn nicht der Handelnde in sich selbst die Umkehr vollzogen hat, durch die erst das politisch Mögliche im Horizont zugleich der Realität und der Ideen ergriffen wird. Verantwortung fordert: im Kleinsten schon an das Ganze und Ferne denken, dort die Bezugspunkte der denkenden Praxis zu gewinnen, die Rangordnung des Wesentlichen nicht zu verkehren. Aber niemand kann das Nächste überspringen, wenn er geschichtlich dem Ganzen dienen will.

Wenn die Frage: Untergang durch die Atombomben oder Weltfriedenszustand? zur letzten politischen Orientierung wird, wie es heute notwendig geworden ist, dann entspringt aus ihr die politische Kritik. Diese setzt zwar das Unumgängliche voraus: vom Äußersten her ist die Wandlung des Menschen gefordert, aus der die neuen politischen Entscheidungen folgen. Aber die an diesem Maßstab gewonnene Kritik hat Gewicht nur im Zusammenhang mit der je gegenwärtigen Lage. Prinzip dieser Politik ist, auf dem Grunde einer nichts überhastenden Geduld im vorfühlenden, nie gewissen Wissen von der Lage im Ganzen, die Bereitschaft zum entschlossenen Zugriff. Diese Politik fordert daher Warten in der höchsten Spannung, um den Augenblick nicht zu verschlafen. Wenn die gegenwärtige Realität nicht ungeduldig übersprungen werden kann, als ob man mit einem Schritt sogleich zum Letzten gelangen könnte, so ist im Gang der Dinge doch in jedem Augenblick zu ergreifen, was an der Zeit ist. Was dies ist, was heute eine unüberwindbare, was eine zu gestaltende oder umzuwerfende Realität ist, zeigt sich dem lebenwährenden Ernst eines Staatsmanns, der sein Volk davon zu überzeugen vermag. Kein Verstand weiß es gewiß. Das dem Verstand unmöglich Scheinende kann sich als möglich erweisen.

Wenn die Alternative ist: Entweder Untergang oder Weltfriedenszustand, und diese ganz bewußt wird, dann wächst die Anspannung auf das Höchste. Aber auch dann kann der dauernde Friede nur auf dem Wege über das faktisch Gegenwärtige erreicht werden, unter der Idee des vorläufigen Ziels, das in einem Zustand liegt, der nicht mehr wie heute auf die totale Selbstvernichtung hindrängt. Die Politik, die in der Atempause auf das Nächste sieht, wo allein sie anzufassen vermag, kann nur in der Idee die absoluten, in der Situation aber die vorläufigen Richtlinien finden.

f) Unerläßlichkeit der Weltpolitik.

Wahre Politik auch der Kleinsten ist heute Weltpolitik oder an der Wirklichkeit der Weltpolitik orientiert. Wir sind nicht allein in der Welt. Es ist merkwürdig: Die Grundtatsache, daß die anderen da sind, wird zwar von jedermann gewußt, aber praktisch so leicht vergessen. Wir sind auf das, was sie tun und denken, angewiesen. In jeder Lebenssituation und für das politische Denken ist es notwendig, maximal zu wissen und zu verstehen, was der andere will, was er in seiner gegenwärtigen Erscheinung aus seiner geschichtlichen Herkunft ist.

Heute, wo nichts geschieht, was in seinen Folgen nicht auf die Dauer mitbestimmt wird von dem Ganzen der Menschheit und für dieses eine Bedeutung hat, ist das Handeln blind, das ohne innere Gegenwärtigkeit dieses Ganzen, so wie es sich uns jeweils zeigt, getan wird. Daher versuchen wir in diesem Kapitel einige Hinweise auf dieses reale Ganze des gegenwärtigen geschichtlichen Augenblicks.

1. Der Weltzustand auf Grund der europäischen Expansion von vierhundert Jahren

a) Die Verkehrseinheit der Menschheit. — Die Menschheit liegt in ihrer Vielfachheit vor Augen: die Verteilung der Rassen, Völker, Kulturen, Staaten auf den Kontinenten und Inseln der Erde. Es sind vor allem: Europa; das weitere Abendland (die Weißen auf der Erde, wo sie nicht Ausbeutungs-, sondern Siedlungskolonien begründet haben, deren größte die Vereinigten Staaten von Amerika sind); die Kulturvölker Asiens (Inder, Chinesen, Japaner); die anderen zerstreuten Völker, unter denen allein der Islam in weiten Bereichen eine Einheitlichkeit der Lebensverfassung und sozialen Praxis religiösen Charakters bewirkt hat.

Die heutige Situation ist das Ergebnis der vier Jahrhunderte während en europäischen Expansion. Durch sie ist überhaupt erst — gerade eben, in so kurzer Zeit — die Einheit der Menschheit als reale Verkehrseinheit entstanden. Heute kann kaum irgendwo etwas geschehen, das nicht alle angeht. In den Zeitungen finden sich täglich die Nachrichten über Ereignisse des gesamten Erdballs.

Diese technisch ermöglichte und heute durch Flugzeuge und Radiostrahlen aufs höchste gesteigerte Verkehrseinheit ist die Voraussetzung für die Möglichkeit, sich gegenseitig zu kennen, zu verstehen, aneinander teilzunehmen, sich abzustoßen und zu hassen oder zu kooperieren. Ob aus dem Weltverkehr eine Weltkommunikation des Menschengeistes erwächst und wie diese aussehen kann, das ist bisher nicht beantwortet. Eine geistig-sittliche Voraussetzung wird hier maßgebend: Ob zwischen menschlichen Möglichkeiten ein Bruch besteht, der, da sie sich ausschließen, zu gegenseitigem Sichabschließen und zu dem Vernichtungswillen gegenüber dem Fremden führen muß — oder ob es eine die Menschen verbindende Vernunft gibt, in der alle sich treffen können, ohne die Differenz ihrer Lebens- und Glaubensweisen preisgeben zu müssen. Diese Alternative wird nicht durch Erfahrung von einem Sosein beantwortet, sondern durch den Entschluß der Menschen entschieden, die für das eine oder andere wirken wollen. In allen Völkern liegt eine schwankende Bereitschaft zum Miteinander. Sie ist begründet, sie ist auch verneint worden. Daß die Menschheit *eine* Wurzel und *ein* Ziel habe, daß Menschen als Menschen zusammengehören durch etwas, das alle Kämpfe zwischen ihnen, auch die auf Tod und Leben, übergreift, ist ein Glaube, der zwar verschüttet werden kann, aber nur um den Preis des Verlustes des vernünftigen Menschseins selber.

b) Der Rückstoß 1914. — Seit 1914 ist der Strom des Auswanderns fast plötzlich gestaut. Dies weltgeschichtliche Ereignis ist zunächst still und unbemerkt eingetreten. Die Welt ist nicht mehr offen, sondern wie mit einem Ruck ist alles in seine Grenzen gezwungen. Man kann nicht mehr weglaufen. Es gibt keine Chancen in der Weite weder für den Einzelnen noch für Bevölkerungsüberschüsse. Der Rückstoß bringt zunächst überallhin Verwirrung: wie Wasser, das nicht mehr weiterströmen kann, zurückprallt in Wirbeln.

Die Zeit ist vorbei, in der Menschen sich von der weiten Welt umgeben wußten, vor der zwar den meisten graute, die aber Freiheit bedeutete, weil sie dem Wagemutigen offenstand. Jetzt ist die Erde verteilt. Es gibt keine Freizügigkeit mehr.

Diese Freizügigkeit war als globale ein Vorrecht der Abendländer. Sogar Amerika hat schon früh die Einwanderung von Chinesen und Japanern, als sie ihm zuviel wurden, verboten. Jetzt ist solches Verbot nichts Besonderes mehr. Alle großen und kleinen Staaten wählen aus und entscheiden im Einzelfall, wen sie zur Einwanderung zulassen.

Wenn die Erde vergeben ist, dann müssen alle sich einrichten auf dem Raum, der ihnen mit ihrer Geburt zugehört. Soll Friede sein, muß der territoriale Bestand anerkannt werden. Der Satz »Volk ohne Raum« begründet kein Recht, sondern bedeutet Krieg. Gegenüber der Anerkennung der Verteilung der Erde scheint es nur die Alternative des Krieges zu geben, von Ausrottungskriegen oder erzwungener Einsiedlung.

Die Verteilung der Territorien heute ist das Ergebnis der bisherigen Geschichte, zu einem nicht geringen Teil Zufall. Die einen haben gewaltige Ländermassen mit reichen Bodenschätzen (Amerika, Rußland, China), andere besitzen kleine Länder. Aber mit dem Ruck, der jeder Expansion ein Ende setzte, gilt der Zusand, wie er in diesem Augenblick gegeben ist, außerordentlich vorteilhaft für die einen, von größtem Nachteil für die anderen. Jeder pocht auf den Besitz seines Territoriums. Der Druck einer Bevölkerung von auswärts her durch ungleiche Vermehrung begründet keinen Anspruch auf Land in den weniger bevölkerten Räumen. Australien ließ die Japaner nicht zu, Rußland schließt seine asiatische Grenze gegen die Unterwanderung aus China ab. Landnahme bedeutet Krieg.

c) Das koloniale Zeitalter. — Das Zeitalter europäischer Expansion unterschied sich von allen früheren Eroberungen, Wanderungen, Koloniebildungen der Völker durch folgende Momente:

Die abendländische Expansion breitete sich über *alle* nicht abendländischen Völker. Sie war die Eroberung des Erdballs. Aber diese gesamte Erde lag dem Zugriff offen als etwas, das als nicht einbezogen galt in europäische Rechte und Sitten. Zwischen Europa und der Welt lag ein Abgrund: in Europa ein gemeinsames Ethos, eine Gemeinschaft in der biblischen Religion, eine rechtlich in unendlich vielen Verträgen und Verteilungen fixierte Ordnung — außerhalb Europas war unbesetztes Land, das niemandem (nämlich keinem Europäer) gehörte, daher dem Raubzug, der Okkupation, der Niederlassung, der Ausbeutung offenstand für jeden, der wollte und wagte.

Gelingen konnte diese Expansion, weil gegen die überlegenen Waffen der europäischen Technik ein Widerstand auch der asiatischen Völker hoher Kultur unmöglich war. Diese Völker lebten in ihren weiten, doch im Verhältnis zum

Globus begrenzten Gebieten, ihre eigene Welt für die Welt der Menschheit haltend, ahnungslos in bezug auf die über sie hereinbrechende Gewalt. Die Überlegenheit der Europäer wurde noch gesteigert durch die Gesamtheit ihres rationalen Könnens.

Mit dieser Kolonisation begann für alle Völker der Erde ein grauenhaftes Zeitalter. Der Geist einer gierigen Erbarmungslosigkeit und Willkür wurde allgemein. Begegneten sich die Europäer in diesem Niemandsland der gesamten Erde außer Europa, so gerieten die Zugreifenden miteinander in den Kampf um die Beute, so wild wie der gegen die Ureinwohner. Während sie in Europa Frieden untereinander hatten, führten sie außerhalb gegeneinander diesen gleichen ungeformten Krieg, ohne Anfang und Abschluß, oft in dem Dunkel, aus dem keine Nachrichten nach Europa gelangten. So zeugen etwa auf Spitzbergen heute noch umfangreiche Grabstätten von namenlosen Kämpfen zwischen Holländern und Engländern, während beide zu Hause in Frieden waren. Das ist in abgelegenen Gebieten nur ein Symptom für die Atmosphäre der Rechtlosigkeit und Beutelust, die die Europäer über den Erdball verbreiteten. Vielleicht am erbarmungslosesten war dieser koloniale Prozeß in Nordamerika. Hier wurde die Urbevölkerung im Laufe von Jahrhunderten ausgerottet (Reservate bewahren dort heute einige Reste von Indianern wie in einem Naturschutzpark) und wurden Massen von Negersklaven importiert.

Das Entscheidende in diesem kolonialen Zeitalter war: den Europäern galten die Menschen außerhalb Europas nicht in gleichem Sinne wie sie sich selbst als Menschen. Wohl galt theoretisch der biblische Gedanke von der Einheit des Menschengeschlechts. Aber praktisch waren die fremden Völker nicht nur nicht gleichwertig, sondern rechtlos. Nur Christen hatten den Wert von Menschen. Die anderen, die Wilden, waren günstigenfalls Menschen, die zum christlichen Glauben zu bekehren (jeweils in einer der besonderen, sich gegenseitig bekämpfenden christlichen Konfessionen) und ihnen damit das Seelenheil zu bringen, als christliche Aufgabe galt. Im übrigen waren sie, wenn man sie nicht vernichtete, Gegenstand der Nutzung. Keine über Staatsmacht verfügende Instanz hinderte die Europäer, diese Menschen zu dem zu zwingen, was ihnen erwünscht war, oder sie zu töten.

In der Folge machte man die Nichteuropäer zum Gegenstand der Forschung. Nun wurde unterschieden zwischen den »wilden« Naturvölkern und den »Halbkulturvölkern«. Alle aber gehörten als Gegenstand der Erkenntnis mit ihren Produkten, und sei es die herrliche chinesische Kunst, nur in die Museen für »Völkerkunde«, noch bis in den Anfang unseres Jahrhunderts. Sie waren degradiert. Entsprechend galt als Weltgeschichte die Kontinuität der Geschichte der abendländischen Völker.

Die Folge dieses kolonialen Prozesses von vier Jahrhunderten war ein Haß aller Völker des Erdballs gegen die Europäer. Er mußte bei ihnen entstehen, da sie als Rassen für minderwertig gehalten, in dem Geist ihrer eigenständigen Kulturen nicht geachtet wurden, da sie, ausgesetzt der ruinösen Technik, lange Zeiten in ihrer Ohnmacht ständig gedemütigt wurden. Dieser Haß ist ihnen tief eingeprägt durch Generationen. Sie sind mit Recht empfindlich geworden, heute darin so maßlos, daß jede leise Erinnerung an dies Vergangene ihre Empörung von neuem entzündet. Eine Grundrealität des Daseins der Menschheit ist heute noch dieser offene oder verborgene Haß aller, die nicht Abendländer sind, gegen die Abendländer (gleicherweise gegen Europäer und Amerikaner).

Man wundert sich, daß der »Nationalismus« etwa in Asien eine viel stärkere Realität ist als in Europa. Aber es handelt sich bei dem gleichen Wort »Nationalismus« um etwas ganz Anderes. Der Nationalismus der großen asiatischen Kulturvölker hat seinen Grund in einer wirklichen Verschiedenheit ihrer Rassen von denen der Abendländer, die von den Amerikanern bis zu den Russen zusammengehören. Er ist ferner verwurzelt in der gesamten Kultur, die in ihrer Jahrtausende alten Herkunft wesensverschieden ist (wobei die indische, chinesische, japanische Welt unter sich durch geschichtliche Ereignisse, vor allem durch die Verbreitung des Buddhismus, geistig viel inniger miteinander verbunden ist als alle mit dem Abendland). Dieser Nationalismus ist weiter begründet in einem Minderwertigkeitsgefühl bei der widerwilligen Aneignung der abendländischen Technik und Denkungsart, verbunden mit einem Überlegenheitsgefühl der eigenen religiös-philosophisch gegründeten Lebenspraxis. Diese Menschen sind aufgeweckt aus der vergleichsweisen Ruhe eines Jahrtausende alten ihnen eigenen Unheils und der Jahrtausende alten Schönheit und Freude ihres Daseins. Sie sind hineingerissen in die als fremd empfundene Bewegung des technischen Zeitalters. Während sie glücklich scheinen können wie Kinder, wenn sie ihre technischen Erfolge haben, sind sie zugleich tief unglücklich. Und Ursache auch dieses Unheils ist das Abendland, das sie indirekt zwang, die Technik sich anzueignen als Bedingung ihrer Selbstbehauptung. Am Ende haben sie vom Abendland auch die nationalistische Denkungsart gelernt. Sie übertragen sie, mit abendländischen Denkmitteln sich legitimierend, auf die eigene, ganz anders bedingte, Wirklichkeit. Dadurch wird ihr Nationalismus mit einem Unangemessenen behaftet, brüchig, ist aber im Unterschied von der abendländischen nationalistischen Denkweise in elementaren, dunklen Antrieben befestigt.

d) Das Ende des kolonialen Zeitalters. — Nachdem durch Jahrhunderte eine selbständige Bedeutung nichteuropäischer Völker außerhalb des Möglichen zu liegen schien, ist das Ende dieses Zeitalters fast plötzlich gekommen. Noch um 1900 schien das Englische Weltimperium unerschütterlich. In seinem Schatten hatten andere Völker ihre Kolonien. Nach der Ermordung eines deutschen Gesandten in Peking durch den Geheimbund der Boxer griffen England, Deutschland, Rußland, Amerika und andere Staaten gemeinsam durch ein aus Kontingenten aller dieser Staaten zusammengesetztes Expeditionskorps unter englischer Führung mit einer gefahrlosen militärischen Operation ein. Der Kaiser Wilhelm II. entließ seine Truppen in Deutschland mit den Worten: Pardon wird nicht gegeben, Gefangene werden nicht gemacht. Als die Operation ausgeführt wurde, kommandierte der englische Oberbefehlshaber: the Germans to the front. Stolz jubelte man in Deutschland über diese Auszeichnung. Es war das letzte Mal eine Repräsentation kolonialistischer Grundgesinnung aus dem Übermut abendländischer Staaten.

Schon aber hatte die Wende begonnen. Zu jenem Gewaltakt gegen China hatte man auch Japan auffordern müssen. Japan hatte in seinem Krieg gegen China 1895 das Staunen der Abendländer hervorgerufen. Es war die erste Macht unter den Fremden, die sich durch Aneignung europäischer Kriegstechnik und Organisationsmethoden bewährt hatte. 1904—1905 bereitete dieses Japan Rußland eine katastrophale Niederlage. Ein mächtiges Reich weißer Rasse, halbeuropäisch, eine der größten Mächte der Welt, erlag einem asiatischen Staat, der nun selber als Großmacht anerkannt wurde.

Was war geschehen? Anfänglich waren die Weißen wie Götter, denn sie hatten das Wunder der Technik in der Hand. Oder sie galten, etwa den Chinesen, als Barbaren, die keine Ahnung hatten von der Tiefe, Wahrheit und Schönheit menschlicher Bildung und Lebensfreude. Aber das Prestige ihrer unüberwindlichen Gewalt lähmte die Völker auch dort, wo diese Gewalt nur in winzigen Ansätzen sich zeigte. Die englische Weltherrschaft, sagte ein Engländer (Liddell Hart), war ein Bluff. Wenn sie aber ein Bluff war, so hat dieser aufgehört, als England und Frankreich Millionen von Indern und Negern als Soldaten nach Europa brachten zum Kampf gegen Deutschland. Eine gewaltige Steigerung des Selbstbewußtseins der Nichteuropäer war die Folge. Das können wir auch, mußten sie denken, zumal angesichts des Krieges der Weißen unter sich.

Die Völker der Erde, durch europäische Technik unterworfen, standen vor der Frage, entweder in Ohnmacht als Objekt der Vergewaltigung zu versinken oder sich diese Technik anzueignen, um sich selbst zu behaupten. Nach Japan sind heute alle, mehr oder weniger, auf dem Wege. Sie haben ihre Freiheit gegenüber den Abendländern beansprucht und mit einigen Ausnahmen erreicht. Ihre errungene Selbständigkeit aber ist noch im Prozeß der Konsolidierung. In den meisten Gebieten — »unterentwickelte Völker« genannt — ist europäische Technik und Arbeitsweise erst noch zu begründen.

Das Zeitalter des Kolonialismus ist zu Ende. Die Herrschaft Europas über die Erde ist zusammengebrochen, seine Weltstellung vernichtet, sein Vorrang dahin, seine eigene Zukunft aufs höchste bedroht. Was wird geschehen? Wenn mit dem Wachsen der Menschenmassen von zwei auf drei und mehr Milliarden die Abendländer, schon jetzt in der Minderheit, immer weiter an Zahl zurückbleiben und wenn die ungeheuren Massen der Nichtweißen im territorialen Besitz des größeren Teils der Erde und der größeren Menge der Bodenschätze sich die Technik in gleicher Breite und Vollendung wie die Abendländer angeeignet haben, wird sich dann diese Mehrheit der Menschen, noch nicht verlassen von dem Wesenshaß, den vier Jahrhunderte in ihr erzeugt haben, gegen das Abendland wenden?

e) Möglichkeiten der Gemeinschaft aller Völker. — Mit dem Zusammenbruch der kolonialen Herrschaft hat die Technik die Welt erobert und das technische Zeitalter für die gesamte Menschheit heraufgeführt, die Geschichte zum ersten Male Weltgeschichte werden lassen. Ist das nicht der Sieg europäischen Geistes, nicht nur der Wissenschaft und Technik, sondern der Denkungsweise in angelsächsischer Aufklärung, im Marxismus, im nationalistischen Reden, in der gesamten Rationalität des Organisierens und Planens, des Kalkulierens? Ein allen gemeinsames gültiges Wissen und Können geht über die Welt. Mag sie es aufnehmen mit dem Jubel von Kindern, die plötzlich ein ungeahntes Können in ihrer Hand sehen, oder mit dem Widerwillen dessen, der, indem er es sich aneignet, zugleich spürt, daß er sich selbst zerstört — es ist doch immer das Gleiche: die Unwiderstehlichkeit in der Entwicklung des technischen Zeitalters.

Das ist kein Sieg Europas. Was zwar historisch durch Europa in die Welt gekommen ist, das ist unabhängig von diesem Ursprung an sich gültig. Es ist nicht eine eigene unvertretbare Kultur, sondern gehört dem Menschen überhaupt als rationalem Wesen. Es ist identisch übertragbar. Wo es einmal angeeignet ist, ist es, mit mehr oder weniger Begabung, zu fördern, sei es in bloßer Nutzung, sei es in Teilnahme am weiteren wissenschaftlichen Fortschritt, sei es in technischen Erfindungen. Die für diese Dinge notwendige Begabung ist kein Grundcharakter oder Dauerzustand von Völkern. Die Zahl der Patentanmeldungen ist heute ein gewisser Maßstab für die Erfindungskraft der Völker. Sie schwankt enorm. Während Frankreich im 19. Jahrhundert an der Spitze des Fortschritts stand, sind heute dort die Patentanmeldungen sehr gering an Zahl geworden. Das höchste Maß haben sie heute in Amerika. Unter den Männern, die in der unermeßlich schwierigen Herstellung der Atombombe in Amerika erfinderisch wirksam waren, befand sich eine große Zahl europäischer Emigranten aus Deutschland, Italien, Ungarn. Das Gemeinsame ist heute das technische Zeitalter der Geschichte. Die Begabungen hierfür sind unberechenbar verteilt. Sie werden angezogen von Aufgaben und Chancen. Sie gehören nicht mehr einigen bevorzugten Völkern. Entdeckungen und Erfindungen sind etwa in Rußland, in Japan zum allgemeinen Rang menschlichen Könnens aufgerückt.

Aber dieses Gemeinsame vereinigt nicht. Wissenschaft und Technik werden gleicherweise verstanden und gekonnt, aber ebensosehr als Mittel des Kampfes gegeneinander als zur Verbindung miteinander benutzt. Das gemeinsame identische Verständnis der Atombombe hindert nicht, sie zur Vernichtung gegeneinander vorzubereiten. Nur die Verbindung in dem, was nicht bloß den Verstand mit dem Verstand, sondern den Menschen mit dem Menschen vereinigt, kann den Frieden bringen.

Die friedliche Vereinigung setzt *Verstehen* voraus. Die Möglichkeiten solchen universalen Verstehens müssen wachsen, je mehr alle menschlichen Verwirklichungen sich real begegnen können. Das Bild des Menschen wandelt sich, wo es nicht mehr in die lokale Enge, ohne Möglichkeiten des Vergleichs, eingesponnen bleibt. Die Einheit der Menschheit kann erst durch die wirklich erfahrene Mannigfaltigkeit zu klarem und bewährtem Bewußtsein kommen.

Unsere Beschreibung des kolonialen Zeitalters hat dies zunächst vernachlässigt, weil es in den früheren Jahrhunderten fast wirkungslos geblieben ist. Aber schon während des Vorgangs der Kolonisation geschah, obgleich für den Gesamtprozeß vergeblich, das, was den guten Geist des Abendländers wenigstens in Einzelnen bezeugte. Nicht wenige von ihnen waren ergriffen von der Menschlichkeit der Fremden, ihrer sittlichen und religiösen Tiefe (besonders Chinas und Indiens). Sie verstanden im Umgang das geistige Leben der Völker mit Liebe und Gründlichkeit und kamen bald zur wissenschaftlichen Erforschung ihrer Sprachen, ihrer Schöpfungen, ihres Lebens, wie früher der Humanismus zur Erforschung der Antike. Sie suchten nicht nur dem Unrecht zu wehren, das diesen Völkern angetan wurde, sondern sie öffneten die Möglichkeiten der Kommunikation der menschlichen Ursprünge, wenn sie sich auf gleichem Niveau begegnen, und brachten damit auch für die Abendländer einen neuen Reichtum. Sie lehrten die Europäer durch Berichte und Übersetzungen der fremden Werke diese außerordentlichen Wirklichkeiten kennen. So war es eine große Leistung der Jesuiten in China, aus Verständnis für die chinesische Denk- und Glaubensweise (um in dieser selbst das biblische Denken auszusprechen und ein neues ursprüngliches religiöses Leben in China zu ermöglichen) die Wirklichkeit Chinas dem Abendland mitzuteilen. Ihre Berichte wurden eine Grundlage für das, was in Europa über China gedacht wurde, etwa von Leibniz, Voltaire, Hegel. An diesen großen Zug des liebenden Verstehens schließt sich an, was im Laufe der Jahrhunderte weiter geschah und was heute nötig ist. Denn erst wenn das Verstehen über die rationalen Denkformen der durchschnittlichen Verflachung hinaus ins geschichtliche Wesen trifft, beginnt Kommunikation.

Daß diese heute schon über die Erde hin stattfinde, kann man nicht sagen. Denn heute ist die eigene Substanz der großen Überlieferungen wie bei uns so in Asien in ständigem Schwinden. Wie das technische Zeitalter in Europa das, woraus wir leben, in Frage stellt, uns entwurzelt, so tut es das überall in der Welt und auch in den Hochkulturen Asiens. Hier geschieht es gewaltsamer, weil ohne den abendländischen Übergang der Zeiten des eigenen Hervorbringens der technischen Welt. Fertig und übermächtig stürzt diese auf die Menschen, die für sie nicht vorbereitet und durch ihre bisherige Kultur nicht für sie geneigt sind.

Wir Menschen treffen uns heute immer weniger von einem je eigenen Glaubensboden aus, sondern durch Entwurzelung aller in dem Wirbel, der unserem Dasein im technischen Zeitalter gemeinsam ist. Die Technik mit ihren Folgen ist zunächst ruinös für alle uralten Traditionen der Lebenspraxis.

Ein gemeinsames Interesse vereinigt daher heute die Völker der Erde: Kann die Technik als ein Werkzeug untergeordnet werden? Noch weiß man nirgends, wie. Wird das Ursprünglichere, das zunächst ausgehöhlt wurde, auferstehen mit neuer Macht, in neuer Erscheinung, und wird es der Technik als der bloßen Daseinsgestaltung Herr werden? Man sieht es noch nicht, aber muß es erwarten, wenn man sich des Menschseins im Ursprung bewußt ist. Oder wird die Technik absolut und wird sie den Menschen zerstören? Das ist ein nicht vollziehbarer, allerdings leicht dahingeredeter Gedanke.

f) Die Frage nach der neuen Politik. — Wir meinen Tatbestände zu sehen, finden sie aber in einer unendlichen Verwicklung. Wir machen uns Bilder, aber, indem wir sie entwerfen, treffen wir schon nicht mehr ihren Gegenstand, sondern einen ins Typische gesteigerten und vereinfachten Aspekt. Mit dem politischen Gedanken greifen wir in ein Netzwerk ständig bewegter Beziehungen des einmaligen geschichtlichen Daseins. Es entziehen sich uns die noch verborgenen, aber vielleicht bald mächtig werdenden Kräfte. Daher hat sich fast jede bestimmte Prognose als falsch erwiesen (nicht Prognosen allgemeinen Charakters der Zustände). Das politische Handeln ist stets wie ein Versuch in einem dunklen Ganzen. Es ist durch die Erfahrung immer wieder von neuem zu bestimmen.

Wir suchen die Grundlinien eines politischen Denkens, das in der Atempause vor dem drohenden Ende ineins das voneinander Untrennbare will: das eigentliche Menschsein und die Rettung seines Daseins. In den folgenden Abschnitten versuchen wir diese neue Politik, in unserer Situation am Ende des kolonialen Zeitalters, zu entwerfen. Für sie sind zwei zueinander gehörende Grundprobleme maßgebend:

1) Freilassen und Selbstbehauptung: Nur Wahrheit, nicht Lüge in den Prinzipien kann dem Frieden dienen. Vom Abendland her gesehen, verlangt die Ehrlichkeit *erstens* das wirkliche Freilassen aller kolonialen Gebiete ohne Hintergedanken. *Zweitens* aber verlangt sie angesichts der dadurch entstehenden großen Gefahren als Ergänzung die defensive Selbstbehauptung des Abendlandes.

Das erste: Die erfolgreiche Freiheitsbewegung der nicht abendländischen Völker ist nicht mehr aufzuhalten. Vergeblich ist es, in irgendwelchen Formen der Vergangenheit, unter noch so großen Zugeständnissen, die Herrschaft irgendwo fortzusetzen. Der Rückzug aus allen kolonialen Gebieten fordert zugleich die Umkehr des kolonialen Gedankens in sein Gegenteil, in die Gesinnung, das Dasein der anderen ihrer eigenen Verantwortung zu überlassen.

Das zweite: Den ungeheuren Gefahren, die entstehen aus dem Rassenhaß, aus kurzsichtigen, verworrenen Akten der Freigelassenen, aus der Untüchtigkeit vieler, sich im technischen Zeitalter ihre Lebensform zu schaffen, aus der Gewaltsamkeit, die sie gegeneinander mit unberechenbaren Folgen entwickeln, ist nur zu begegnen durch die defensive Einigung des Abendlandes. Diese fordert beträchtliche wirtschaftliche Opfer, Preisgabe eingewurzelter Gefühle nationaler Macht und eine Umwandlung der technischen, ökonomischen, sozialen Lebensformen. Nur so kann eine Selbstbehauptung ohne Aggressivität verläßlich werden.

2) Auf eine Weltordnung zu: In Freilassen und Selbstbehauptung ist die Stimmung der Feindseligkeit noch im Vorrang. Der Frieden fordert, daß nicht ein Nebeneinander, daß nicht ein Bedrohtsein mit der ständigen Gefahr von Explosionen der letzte Zustand sei. Der Sinn der großen Politik muß auf eine Weltordnung gehen. Diese kann nur ausgehen von den gegebenen Staaten, Territorien und Machtverhältnissen. Wir haben mögliche Wege und unüberwindbar scheinende Widerstände uns zu vergegenwärtigen.

Beide Grundzüge der neuen Politik — »Freilassen und Selbstbehauptung« und »Auf eine Weltordnung zu« — sind Probleme der Menschheit. Sie haben den Vorrang vor allen besonderen Problemen einzelner Völker und Staaten. Sie durchdringen alle Politik, die nicht eng und besinnungslos auf lokale und momentane Vorteile sich beschränkt. Beide aber sind heute anders als die analogen Konzeptionen früherer geschichtlicher Zeitalter. Sie sind nicht an dem Muster der einstigen europäischen Gemeinschaft vorstellbar. Denn diese, die in sich zugleich Kriege führte und um Ordnung ihrer Welt sich bemühte, hatte außer sich das Fremde, sei es als Gefahr (Islam), sei es als Objekte der Ausbeutung (im Kolonialismus). Das neue Freilassen und die neue Selbstbehauptung haben in einer nun geschlossenen Welt des Globus nichts mehr außer sich. Sie vollziehen sich im Rahmen der einen Menschheit auf der Erdoberfläche, nicht im Rahmen einer europäischen Welt. Sie können eine Ordnung nicht vermöge der Gemeinschaft eines einzigen Glaubens erstreben, sondern nur vermöge einer noch zu gewinnenden Gemeinschaft der Vernunft. Daher kann diese neue Weltordnung nicht repräsentiert werden, weder durch eine Reichsidee noch durch die Idee einer allgemeinen Kirche. Diese könnten nur zu lügenhaften Ausstattungsstücken eines Weltdespotismus werden. Wenn Freiheit, d. h., wenn der Mensch gerettet wird, dann muß er sich in einer nicht vollendbaren Selbsterziehung immer noch erringen. In ständiger Gefahr, begründet in den geschichtlich gewordenen Voraussetzungen, unabschließbar in einem gleichbleibenden Endzustand, wird ein labiler Zustand bleiben, der immer neu zu verwirklichen und zu sichern ist.

2. Die neue Politik I: Freilassen und Selbstbehauptung

Der Grundtatbestand ist: Der Gegensatz des Abendlands und der früher als kolonial behandelten Gebiete wird durchkreuzt von dem Gegensatz Rußlands und des Westens oder des Totalitarismus und der Freiheit. Beide, Rußland und Amerika, unterstützen den Antikolonialismus. Rußland schürt den Haß und bietet sich und seinen Kommunismus als hilfreichen Bundesgenossen, aber auch Amerika bietet sich und seine Freiheit an. Beide tun es nicht uneigennützig. Sie kämpfen miteinander um den Einfluß bei diesen Völkern. Beide betonen ihren Antikolonialismus und beschuldigen den anderen des Kolonialismus. Sie wollen die eigene Macht steigern, dem anderen die Ausbreitung verwehren. Im Schatten dieser Realität des Kampfes auf den weiten früheren Kolonialgebieten müssen wir die Möglichkeiten von Freilassen und Selbstbehauptung sehen. Die Durchkreuzung der beiden Gegensätze (Abendland — Kolonialgebiete, Amerika — Rußland) fördert einerseits die schnelle, aber noch ganz äußerliche Befreiung aller Farbigen, trübt andererseits das an sich mögliche reine Verhältnis im Freilassen.

a) *Beschuldigungen gegen den Kolonialismus.* — Schilderungen des kolonialen Zeitalters wirken wie Beschuldigungen oder wie Rechtfertigungen. Auf das Ganze dieses Vorgangs von vier Jahrhunderten gesehen, durch den ein europäisches Zeitalter, das technische, zum Weltzeitalter wurde und damit die Welteinheit und der Beginn der Geschichte als Weltgeschichte sich verwirklichte, sind aber Beschuldigung und Rechtfertigung unangemessen, es sei denn, man spreche von einer Grundschuld in der Größe des Menschen von Anbeginn. Trotzdem: Wir Abendländer sind es, die dies angerichtet haben.

Beschuldigungen und Rechtfertigungen im einzelnen treffen durchweg etwas Allgemeinmenschliches. Die grausamen, erbarmungslosen, tückischen Handlungen beherrschen die Geschichte Chinas und Indiens nicht weniger als unsere. Es ist eher eine Auszeichnung Europas, daß in ihm die Selbstbezichtigung wegen der kolonialen Handlungen früh einsetzte und ständig anhielt. Und sie war nicht völlig wirkungslos. Die Motive der im Kolonialismus aktiven Europäer waren heterogene: Abenteuer, Lust an Gefahr und Gewaltsamkeit, an Welterfahrung und Welterforschung in Entdeckungsfahrten, gläubiger Missionswille, Opfermut im Dienste Gottes, Goldhunger, Gründung eines in der Heimat verwehrten freien Lebens auf fremder Erde, politischer Gestaltungswille.

In der Größe des Vorgangs geschah ein schrecklicher Ausbruch menschlicher Leidenschaften. Die Größe liegt in dem Unheimlichen der Weltgeschichte, jenseits von Gut und Böse. Dies Große und Unheimliche hat niemand beabsichtigt. Niemand darf sich darauf berufen, weder zur Rechtfertigung noch zur Anklage.

Man kann zweifeln an der Wünschbarkeit der Befreiung der Völker, die niemals innere politische Freiheit gekannt haben. Die ganze Menschheit ist durch diese Befreiung in das Chaos gelangt. Waren nicht alle Völker *vor* dem Ende der Kolonialherrschaft glücklicher — soweit das Menschen sein können — als nachher? War der Weltfrieden um 1900, der Weltverkehr unter englischer Herrschaft nicht ein großer einmaliger Augenblick in der Weltgeschichte? Doch wir täuschen uns, wenn wir diesem Gedanken nachgeben. Wären die Abendländer von politischer Weisheit und sittlicher Reinheit gewesen, die sie zu Herrschern und Erziehern der Menschheit legitimiert hätte, bis unter solcher Erziehung, im Freilassen aller geistigen Ursprünge der Völker, die politische Freiheit überall auf der Erde langsam hätte heranwachsen können, so wäre eine solche Kolonialherrschaft vorzuziehen gewesen. Aber die Abendländer sind in ihrem faktischen Tun sittlich nicht besser und politisch nicht weiser gewesen als die großen Kulturvölker Asiens, wenn auch einzelne Denker und Staatsmänner wohl erkannten, was geschah, und es besser wollten (wie Engländer zuweilen in Indien). In der Tat hat die Vereinigung von allgemein menschlicher Barbarei, von Nachlässigkeit und Gehenlassen, von Genuß der Früchte, die von Abenteurern eingebracht worden waren, von zweideutiger Verwaltung, imperialistischen Herrschaftsbestrebungen bewirkt, was nicht der Weg der Menschheit werden konnte. Den Abendländern war einen Augenblick eine Aufgabe in die Hand gegeben, der gegenüber sie versagt haben. Die Folgen sind endgültig.

Aber die Nichtabendländer sind nicht besser als wir. Die von uns frei geworden sind, sind Menschen und nicht Engel. Mit der Freiheit, die ihnen im technischen Zeitalter fast in den Schoß gefallen ist (dank vor allem den angelsächsischen Impulsen), sind sie vor eine Aufgabe gestellt, die sie nun selber lösen müssen. Niemand lenkt sie, niemand erzieht sie. Die Überlieferung ihrer eigenen Weisheitslehren haben sie vergessen (wieder ist es unheimlich: sie scheinen die natürliche Beute totaler Herrschaft zu sein — aber nicht notwendig).

Das, was uns so bedenklich erscheint: die ganze Menschheit hineingerissen zu haben in das technische Schicksal, wird uns noch von keinem Volke vorgeworfen. Nicht gegen Technik lehnen sie sich auf, sondern gegen ihre Abhängigkeit von weißen Völkern. Gerade die technische Welt, und was mit ihr zusammenhängt, scheinen alle zu wollen. Sie übernehmen sie enthusiastisch, nachdem einzelne Völker aus ihrer religiösen Überlieferung eine Weile sich gesträubt, dann gezögert haben. Es ist wie eine Überwältigung, nicht durch Menschen, nicht durch eine fremde Kultur, nicht durch Europäer, sondern durch die Sache selbst, die dem Menschen als Verstandeswesen schlechthin, überall gleich, gehört, und alle vor die Aufgabe stellt, was sie daraus machen.

Bei der Befreiung der Völker von der Kolonialherrschaft sind neben dem elementaren Unabhängigkeitswillen Gedanken maßgebend, die erst die Kolonisation selber ihnen gebracht hat. Indem sie sich befreien, setzen sie fort, was die Kolonialherrschaft schon begonnen hat. Ohne England wäre heute kein Indien (eine große Einheit, mit den Ansätzen gemeinsamer Erziehung, gemeinsamen Rechts, mit der industriellen Entwicklung). Überall spielen die im Abendland oder durch das Abendland ausgebildeten Intellektuellen die Hauptrolle. Die Völker selber liegen noch großenteils im Schlummer der fragwürdig werdenden Traditionen. Aber kein Staat drängt zurück in den Zustand, der vor der Kolonialherrschaft war. China und Indien behandeln praktisch das, was von uns her gesehen sie so hoch auszeichnet und an sich ihre geschichtliche Substanz ist, als ob es nichtig wäre.

b) *Der große Verzicht.* — Für den Weltfrieden, zur Linderung des Hasses von mehr als der Hälfte der Menschheit gegen die Abendländer, ist es unumgänglich, daß diese ehrlich und restlos das Ende des Kolonialismus anerkennen. Wir haben die Folgen der Situation durchzudenken und die Prinzipien des aus ihr sich ergebenden politischen Handelns zu entwerfen. Das ist leicht, schwer dagegen ist es für die Abendländer und alle anderen Völker, in dem durch den Kolonialismus entstandenen Weltchaos den rechten und wirksamen Weg für den Frieden zu finden (und dieser Weltfriede allein kann uns vor der Atombombe retten).

Das erste ist der große Verzicht. Die abendländischen Mächte müssen sich auf ihre eigenen Territorien zurückziehen. Den anderen muß ihre volle Unabhängigkeit gemäß ihrem Willen zugestanden werden. Das ist in weitem Umfang geschehen. Wo es noch nicht geschehen ist, da ist ständige Unruhe (Vorderer Orient, Nordafrika, in den afrikanischen Gebieten). Der Verzicht muß politisch und ökonomisch zugleich sein, um in freier Gegenseitigkeit auf neuem Grunde politische und ökonomische Beziehungen zu gewinnen. Warum und wozu ist der Verzicht für den Weltfrieden notwendig?

Erstens: Die Expansion gelangt an ihr Ende, weil die Erde vergeben ist. Wie die Welt im ganzen keinen freien Raum mehr hat, vielmehr die Menschen nun in diesem Raum, den sie überblicken, sich einrichten müssen, so muß auch überall im besonderen die Selbstbeschränkung auf die eigenen Territorien erfolgen, um von diesem Boden aus den Weltverkehr unter neuen Voraussetzungen in wechselseitigem, gleichgewichtigem Interesse zu gewinnen durch Verträge, die mit Hilfe gemeinsamer Instanzen gesichert werden können.

Zweitens: Die Völker sind unwillig nicht nur gegen die politische, sondern auch gegen die Wirtschaftsmacht der Abendländer. Die Weise, wie sie diese erfahren haben, erscheint ihnen — oft nicht zu Unrecht — als Ausbeutung, Überlistung, Vergewaltigung. Zinszahlung erscheint ihnen als Tribut, Gewinnung der Rohstoffe auf ihrem Gebiet unter Heranziehung frei geworbener entlohnter Arbeitskräfte aus den Eingeborenen als Raub und Versklavung. Das ökonomische Denken, gebunden an juristische Geltungen und kalkulierbare Sicherheiten, ist ihnen fremd. Diese Auffassung wird unterstützt durch Übertragung marxistischen Denkens über das Verhältnis von Unternehmer und Arbeiter auf das Verhältnis von Kolonialmächten zu Eingeborenen. Daß diese Auffassung da ist, ist eine gewaltige Realität. Sie ist nur zu überwinden dadurch, daß die Freigelassenen ihre eigene Erfahrung der Freiheit machen, und daß das Wirtschaftsethos einer verkehrstechnisch geschlossenen Welt aus einem neuen Ursprung eine verbindende Kraft Gleichberechtigter wird.

Drittens: Alle Leistungen der Kolonialmächte, der Engländer in Indien, der Holländer in Idonesien, der Deutschen in den früheren afrikanischen Kolonien und in Kiautschau und alle die anderen Leistungen, bezeugen die Tüchtigkeit in Technik und ökonomischen Unternehmungen. Sie brachten den Eingeborenen materielle Vorteile. Aber sie sind doch nicht zuerst im Interesse der Eingeborenen geschehen, auch wenn dieses nachträglich berücksichtigt wurde, sondern aus Eigennutz und aus Lust am eigenen Werk als solchem. Dieses aber hat keinen absoluten Wert, der sich den Vorrang vor allem anderen geben dürfte. Es ist die Wiederherstellung der ewigen Rangordnungen des Guten notwendig, die im technisch-ökonomischen Fortschritt für alle, für die Kolonialmächte und für die Eingeborenen, verdunkelt oder verlorengegangen sind.

c) *Ein neues Wirtschaftsethos.* — Der Rückzug auf das eigene Territorium hat ökonomische Opfer gefordert und wird weitere fordern. Mehr noch: Er hat zur unausweichlichen Folge einen Wandel im Prinzip des industriellen Zeitalters. In diesem Zeitalter lebte die Industrie durch Expansion, durch die Erweiterung der Absatzmärkte, den ständig vermehrten Erwerb von Rohstoffen dort, wo sie durch die abendländisch organisierte Ausbeutung am billigsten zu haben waren, durch den Kapitalexport zur Errichtung von Unternehmungen in fremden Gebieten. Durch dies alles geschah eine wirtschaftliche Inbesitznahme, direkt oder indirekt, gesichert durch die Staatsmacht, die den Schutz der geschäftlichen Vorgänge und der Verträge übernahm. Jetzt dagegen muß an die Stelle der Expansion nach außen die Intensivierung nach innen treten.

Wenn dieser Weg unumgänglich ist, um den Weltfriedenszustand zu ermöglichen, so würden die größten Opfer gering sein gegenüber dem, was im anderen Falle zu erwarten wäre. Darum muß das neue Prinzip, das dem ökonomischen und technischen Denken absurd erscheint, wenigstens durchdacht werden. Das ist Sache der analytischen Energie ökonomischen Denkens (die dem Verfasser nicht zur Verfügung steht) in Verbindung mit dem neuen ethischen Willen.

Was ohnehin notwendig geschehen wird, kann nur durch freies Wollen in eine nicht ruinöse Entwicklung gebracht werden. Im Rahmen allein des bisherigen wirtschaftlichen Denkens kann es nicht gelingen. Wenn die europäische Expansion die Bedingung des wirtschaftlichen Lebens des 19. Jahrhunderts war, dann muß mit dem Ende dieser Expansion auch die Wirtschaft selbst sich wandeln. Wenn die wirtschaftliche Entwicklung umschlagen muß aus der Expansion in die Intensivierung, dann ist ein neues Wirtschaftsethos notwendig.

Max Weber hat das Wirtschaftsethos, das die Entfaltung des Kapitalismus mitbestimmte, erforscht. Die Zeiten dieses kapitalistischen Wirtschaftsethos unter der Berufsidee einer religiös begründeten innerweltlichen Askese sind vorbei. — Marx hat, vorausblickend, ein Wirtschaftsethos erdacht, das nie wirklich war und nie sein kann. — Heute wird die unbegrenzte Freiheit des wirtschaftlichen Handelns, die nach

Verlust des ethisch-religiösen Grundes als Willkür allein des eigenen Interesses übrigblieb und nun nicht mehr ethisch, sondern ökonomisch als »naturgesetzlich« begründet wurde, gerade wegen des Mangels an Ethos und wegen der ruinösen politischen Auswirkungen (Beherrschung der Politik durch wirtschaftliche Interessen) mit Recht nicht mehr anerkannt.

Innenpolitisch darf man nicht meinen, solche Probleme, wie das ökonomische Gleichgewicht und der Weltfrieden, könnten durch eine Institution, eine bestimmte Gesetzgebung, einen erdachten heilenden Trick gelöst werden. Die Neugestaltung einer der Expansion beraubten, in sich selbst zu intensivierenden Wirtschaft wird wahrscheinlich sehr radikal sein. Sie kann nur gelingen durch ein neues Ethos, das auch zum neuen Wirtschaftsethos führt.

Außenpolitisch aber wird unausweichlich sein: Nicht nur die Kolonialmächte, sondern auch die den Kolonialismus grundsätzlich bekämpfenden Staatsmächte (wie Amerika), um so mehr, wenn sie reich sind, können ihren Bürgern und den auf ihrem Boden agierenden Industrie- und Handelsgesellschaften nicht mehr gestatten, im Raum der früheren Kolonialgebiete die Ausbeutung der Naturschätze unkontrolliert auf Grund freier Verträge zu vollziehen. Der große Verzicht fordert vielmehr die Kontrolle des privaten Unternehmertums im Ausland durch die Staaten, die mit politischem Bewußtsein den Verzicht vollziehen.

In der Tat kann die Wirtschaft heute von der Politik nicht mehr getrennt werden. Die Methoden, wirtschaftliche Erfolge auf dem Erdball zu gewinnen, ohne politische Mitverantwortung zu übernehmen, wirtschaftlich beherrschend, aber politisch »neutral« zu sein (Dollarimperialismus), sind zur Selbsttäuschung geworden. Wie die Vereinigung von Politik und Wirtschaft tatsächlich erfolgt, das wird praktisch jeden Tag entschieden, aber heute noch in einer vernebelten Atmosphäre. Die geistigen Kämpfe um dieses Grundproblem der Politik und Wirtschaft zugleich müssen die Sache zur vollen Klarheit bringen.

Es ist eine Täuschung, die Rohstoffgewinnung in der fremden Welt sei eine Lebensbedingung der freien Welt. Es ist zwar kein Zweifel, daß bei der gegenwärtigen Abhängigkeit tiefgreifende wirtschaftliche Krisen eintreten, wenn solche Versorgung ausbleibt. Aber auch große Erschwerungen des wirtschaftlichen Daseins verletzen noch nicht die absoluten Bedingungen des Lebens. Die Wirtschaft hat heute die Tendenz, ihre besonderen Interessen für absolute Lebensbedingungen zu erklären. Es ist der Stop der Expansion, der das Schicksal und die Wende der Wirtschaft ist. Ob die Begrenzung durch den Umfang des Erdballs oder durch den halben Erdball gegeben wird, ist grundsätzlich einerlei.

Zwar ist es unverständig und unzweckmäßig, unausgenutzte Rohstoffe in der Welt liegenzulassen. Es ist begreiflich, daß man unter dem Zwang vernunftwidriger politischer Kräfte nur unter heftigem Sträuben verzichtet und mit Recht den Vorgang als absurd betrachtet. Aber den Vorrang hat der Weltfrieden. Wenn dieser aber vorbereitet ist und seinen jeweiligen und dauernden Bedingungen nicht zuwidergehandelt wird, dann bedeutet der Verzicht keineswegs Abbruch der Beziehungen und dauernde Preisgabe der Rohstoffnutzung. Was unter den Bedingungen des Weltfriedens und des neuen politischen Ethos möglich wird, ist nicht absehbar. Wenn die Geschäftsinteressen, statt absolut zu sein, gemäßigt und unter Kontrolle gehalten werden, dann ist die freie Entwicklung der Beziehungen zur früheren kolonialen Welt wieder offen ohne die Form der Expansion und ist der Zugang zu den Rohstoffen über die Welt in gegenseitigen Beziehungen wiederherzustellen.

Wir dürfen uns in der freien Welt nicht mehr düpieren lassen durch wirtschaftliche Forderungen, die unantastbar seien. Von dem in Deutschland (sogar von vielen dort damals bedeutenden Nationalökonomen) im ersten Weltkrieg erhobenen Anspruch: »Ohne das Erzbecken von Briey kann die deutsche Wirtschaft nicht leben« bis zu Edens: »Der Suezkanal ist die Lebensader Englands« und zu der gegenwärtigen These: »Europa braucht unbedingt das Öl des Vorderen Orients« und in anderen derartigen Behauptungen steckt immer nur: es ist eine jedesmal beträchtliche ökonomische Schwierigkeit zu lösen, vielleicht ein katastrophal scheinender Zustand zu überwinden. Aber viel schlimmere sind schon überwunden worden. Man muß wollen und die Wege finden in der Kooperation aller Staaten der freien Welt – diese Kooperation und die großen Opfer an Glorie, Prestige, Souveränität, in vorübergehenden materiellen Beschränkungen, an Preisgabe von Privilegien sind eine Voraussetzung. Wird die Verwirklichung dieser Voraussetzungen durch den Gang der Dinge erzwungen, so ist die Lage viel katastrophaler als bei ruhiger, rechtzeitiger ethisch-politischer Besinnung und bei dem Schwung, der das Leben ergreift, das rechtzeitig in Freiheit tut, was als unausweichlich erkannt wird.

Die entscheidende Kraft kann nur das neue Ethos sein. Ein solches Ethos wird nicht nur gedacht, sondern im einzelnen Menschen gelebt, und im Raum der zum Bewußtsein gelangten Realitäten getan. Es kann nicht gemacht werden. Erweckt durch neues Verstehen der alten großen Überlieferungen, wirkt es ursprünglich in der philosophischen Lebenspraxis von Menschen unseres Zeitalters.

Erst aus solchem Ethos, das durch die Einzelnen den Ernst erhält, wird auf dem Wege über die Politik die unbeschränkte Freiheit wirtschaftlichen Handelns unter Bedingungen gestellt, die die Staaten sich in ihren Gesetzen schaffen. Dies gelingt nicht allein durch gleichsam technische Operationen, sondern aus dem Ethos in den durch dieses beseelten zweckmäßigen Einrichtungen. Daß diese, indem sie die Freiheit der Willkür einschränken, nicht lähmen, sondern die ethische Energie im wirtschaftlichen Tun steigern, das ist die große Aufgabe.

Die Freiheit der Willkür darf das Unternehmertum nicht für sich beanspruchen, weder im eigenen Lande, noch im wirtschaftlichen Verkehr mit den Menschen in anderen Ländern oder mit diesen Ländern im ganzen. Nur unter der Kontrolle der eigenen Staaten kann die wirtschaftliche Tätigkeit im Umgang mit den Fremden deren Freiheitswillen unangetastet lassen. Die Politik muß den Vorrang haben, das heißt: das Handeln, das den Gesamtzustand auf den Weltfrieden hinlenkt.

d) *Der Umgang der Abendländer mit den früheren Kolonialvölkern.* — Heute wird öffentlich verworfen, was früher durchweg geschah und heute noch weiter geschieht: Der Kapitalexport in zwar riskanten Anlagen, aber mit großem Gewinn, unter dem Schutz der heimischen Staatsgewalt, im Umgang mit Eingeborenen, die den Mechanismus kalkulierender Wirtschaft nicht kennen, unter Verwendung der Arbeitskraft der Eingeborenen, die Lohn erhalten und materiell besser leben, aber so, daß ihr Leben leer, dessen Genüsse nichtig werden, weil die Substanz ihrer Überlieferung durch den neuen Betrieb zugrunde geht in der Täuschung des Glanzes der technischen Zivilisation als solcher.

Man hat gedacht, die Völker zu erziehen, wie es in großem Maßstab die Engländer — oft mit gutem Willen — für Indien taten. Aber sie haben wesentlich doch nur bringen können: Schulwissen, Technik, Organisation, Verwaltung, Recht, das, wodurch heute dank England ein Indisches Imperium ohne England vorläufig möglich ist. Völker aber wollen sich selbst erziehen, nicht erzogen werden. Sie wollen aus ihrer überlieferten Substanz sich mit dem Neuen von Technik und Wirtschaft aus eigener Initiative auseinandersetzen.

Wenn der Kolonialismus abgebaut ist, kann doch im Leben der anderen Völker nie der frühere Zustand wiederkehren. Da der Kolonialismus da war, ist das ungebrochene Leben allein aus dem eigenen geschichtlichen Grunde nicht wiederherzustellen. Die Völker haben mit der abendländischen Technik auch abendländisches Denken — wenn auch meistens in schlechter, mißverstandener Gestalt — kennengelernt. Sie haben abendländische Vergnügungen auf deren niedersten Stufen aufgenommen. Es tritt bei den durch zivilisatorische Lebensform geprägten Menschen die Grundhaltung des Nichtsglaubens in den Vordergrund (bei Asiaten unbewußt noch getragen von buddhistischen und hinduistischen Lebenshaltungen, die sie — wenn sie zu Intellektuellen geworden sind — als Glaubensinhalt verleugnen). Nihilistische Denkungsweisen werden von diesen Schichten, die doch in den Formen ihrer Lebensriten, ihres überlieferten Benehmens noch verharren, gern als die Wahrheit aufgenommen. Das aber bedeutet, daß der moderne geistige Kampf um den Lebenssinn, um das Menschenbild, um die Einsicht in Transzendenz heute über die gesamte Erde geht. Er steht am Anfang. Er verlangt Freiheit der Kommunikation.

Falsch ist es, die abendländische Zivilisation für die allein richtige zu halten, den technischen Fortschritt und den Besitz an materiellen Gütern, die Erhöhung des Lebensstandards an sich schon als Glück zu betrachten. Der Wandel des kolonialistischen Geistes bedeutet das Freilassen anderer Möglichkeiten des Lebens. Keineswegs brauchte die gesamte Erde in die Technisierung einbezogen zu werden als in die vermeintlich einzige Zivilisation. Es geschieht aber und wird wahrscheinlich vollendet, sowohl durch die Anziehungskraft auf alle (denn sie wollen doch daran teilhaben), wie durch den eigensüchtigen Nutzungswillen der Unternehmer (seien es Gesellschaften oder die Staaten selber) aller Rassen überall in den Völkern.

e) *Wirtschaftsverkehr und Verträge.* — Der wirtschaftliche Verkehr der Völker im technischen Zeitalter kann nur unter Einhaltung gemeinsam anerkannter Regeln stattfinden. Dieser Verkehr wird von allen gefordert, auch von den Totalitären hinter den Eisernen Vorhängen, die sie für diesen Zweck unter staatlicher Kontrolle öffnen.

Der Abbau des Kolonialismus und der große Verzicht, der Rückzug auf das eigene Territorium der Abendländer bedeutet weder Abbruch der Beziehungen noch Verweigerung des Handelsverkehrs. Damit aber diese Beziehungen rein und redlich sein können, ist zunächst die Freiheit der früher kolonial beherrschten Völker notwendig.

Wenn man weiß, daß diesen selben Völkern aus den Folgen ihres Freiheitswillens zunächst materieller Schaden, vielleicht größeres Elend als jemals, erwachsen wird, so ist dies kein Grund zum Sichaufdrängen. Die Eingeborenen überall müssen, so scheint es, die Erfahrung machen, an die sie nicht glauben, wenn sie sie nicht wirklich gemacht haben. Erst dann werden sie aus eigener Initiative die Kooperation suchen.

Nach dem Abbau des Kolonialismus ist daher die große Frage, wie nun der wirtschaftliche Verkehr stattfinden kann. Es geht nicht mehr mit der früheren Selbstverständlichkeit, die Menschen anderer Völker einmal der Form nach als Wesen der eigenen Art zu behandeln, ein andermal sie tatsächlich zu verachten und zu vergewaltigen, sei es durch Waffen, sei es durch List. Aber auch die Voraussetzung, sie kämen uns etwa mit einem allen Menschen gemeinsamen Geist des Geschäfts am Maßstab des ehrbaren Kaufmanns und Technikers entgegen, ist heute ebenso falsch wie die Meinung, der Abendländer sei ihnen in der Mehrzahl der Fälle etwa in solchem Ethos begegnet.

Die große Frage ist, bestimmter gefaßt, unter welchen Bedingungen Verträge möglich sind, die ehrlich gemeint, in ihrem Sinn beiden Teilen gleich klar bewußt sind, unter gleichen Voraussetzungen der Kenntnisse stattfinden, so daß nicht nur tatsächlich der Nutzen auf beiden Seiten gleich, sondern auch frei gewollt ist.

Verträge verlangen bei beiden Partnern einen gleichen Geist: Beide müssen wissen, was sie tun, und müssen halten wollen, was sie versprechen. Wer auf andere Weise Verträge schließt, schließt eigentlich keine Verträge. Er verkleidet in Vertragsform seine Überlegenheit an Macht und Können oder seine Ohnmacht, die duldet, aber durch List etwas gewinnen möchte.

Wer nicht weiß oder will, was ein Vertrag ist, für den ist er eine mißbrauchte Form. Er faßt sie heimlich auf als Gewaltakt oder als Betrug und ist in der Folge, je nach Lage, bereit, den Vertrag zu brechen. Ohne den gemeinsamen Geist der Vertragstreue ist ein echter Vertrag und ein wirtschaftlicher Verkehr nicht möglich, gar nicht im technischen Zeitalter. Also muß, wenn dieser Verkehr sein soll, er auf mehr gegründet sein als auf das Vertrauen des Geschäftsgeistes. Er braucht Garantien, die einen Zwang vorsehen oder andere Sicherungen gewähren. Beides wird aber von dem schwächeren Teil als Gewalt und als Beraubung seiner Freiheit empfunden. Die eingeborenen Völker, die nicht durch eigene Initiative in den Weltverkehr eingetreten sind, sondern über die der Verkehr gekommen ist, haben kein Vertrauen, und mit Recht, da sie sich, ohne zu wissen wie, in Fesseln gelegt fühlen. Die Abendländer haben kein Vertrauen, und auch mit Recht, denn sie machen die Erfahrung, daß die Verträge nicht gehalten werden.

Der Freiheitswille der Völker hat heute die Konsequenz, daß man die bisherigen Verträge, die ohnehin nach Belieben seitens der eingeborenen Mächte gebrochen oder annulliert werden (Ägypten, Indonesien, Persien u. a.), entweder liquidiert oder aus neuen, bewußt formulierten Voraussetzungen erst wieder frei begründet. Das aber setzt, wenn Gewalt als Mittel der Durchsetzung der Verträge verworfen wird, eine geistige und sittlich-politische Entwicklung der Eingeborenen voraus.

Wie das geschehen soll, ist nicht anzugeben. Nur dies: Für die Möglichkeit des Friedens ist Voraussetzung die Aufgabe der bisherigen Fiktionen. Die Einsicht in die reale Lage sagt: Verträge können nur geschlossen werden mit exakten Garantien auf Gegenseitigkeit, ohne Betrug, unter beiderseitigem Vorteil. Die gegenseitige Voraussetzung der Verläßlichkeit fordert, wenn das Vertrauen echt ist, zugleich die Festlegung dessen, was bei Vertragsbruch zu geschehen hat. Ist das nicht möglich, so ist auch kein ehrlicher wirtschaftlicher Verkehr möglich. Für den Frieden aber ist besser, keinen wirtschaftlichen Verkehr zu pflegen als unehrliche Verträge zu schließen. Die Forderung der Freiheit wird von den Völkern mit Recht erhoben, aber doch nur, wenn sie auch imstande sind, aus dieser Freiheit sich selbst zu helfen, und nur wenn sie die Freiheit der Willkür in die gesetzlich geordnete Freiheit verwandeln können (sonst würde die Forderung bedeuten: Ihr seid verpflichtet, uns die Freiheit zu lassen, aber auch, uns ständig die materiellen Mittel zu geben, diese Freiheit nach unserer Lebenslust und Willkür zu gebrauchen, ohne teilzunehmen an der Härte der Arbeit und Lebensordnung im technischen Zeitalter).

f) *Die Hilfe an »unterentwickelte« Völker.* — Der hohe und berechtigte Anspruch der Völker auf Unabhängigkeit und Selbsterziehung sieht in der Realität zunächst ganz anders aus.

Das furchtbare Elend, die Unterernährung und das Hungersterben in vielen Gebieten der Erde schreien nach Hilfe. Aber immer nur ein Tropfen auf den heißen Stein ist die unmittelbare materielle Hilfe von Abendländern aus christlichen Motiven. Deren Leistungen sind bewunderungswürdig, und für die wenigen Beschenkten werden oft Lebenschancen eröffnet. Diese Leistungen bezeugen eine hilfreiche Gesinnung — es ist gut, daß sie da sind —, aber sie verändern nirgends den Gesamtzustand des Elends. Und was die augenblickliche Not der Menschen fordert, das fordern nicht etwa die Staaten, die das Dasein der Not als ihre eigene Sache behandeln möchten und sich durch solche Hilfe gedemütigt fühlen.

Aber diese Staaten fordern nicht weniger, sondern mehr: wirtschaftliche Hilfe für ihre Entwicklung im ganzen. Dem kommt entgegen der in der freien Welt ausgesprochene Grundsatz von der »Hilfe an unterentwickelte Völker«.

Schenkungen haben stattgefunden auch an »entwickelte« Völker. In der Notlage nach dem Krieg erhielten europäische Völker Hilfe von Amerika gemäß dem Marshallplan. Gemeint war die »Initialzündung« für den wieder in Gang zu bringenden Wirtschaftsbetrieb. Diese Hilfe hatte den Sinn, daß der, dem geholfen wird, dadurch sich selber helfen kann. Solche Hilfe wirkte in einigen Fällen Wunder, aber schon bei den europäischen Völkern sehr verschieden.

Anders die Hilfe für »unterentwickelte« Völker. Diese Hilfe soll sie erst hineinbringen in das technische Zeitalter, ohne daß sie selbst durch ihre Lebensform gesinnungsmäßig auf die Denk- und Arbeitsweise dieses Zeitalters vorbereitet sind. Wirtschaftliche Hilfe ist vergeblich, wenn die Voraussetzungen fehlen, sie nutzen zu können. Es ist nicht nur ein Unheil, infolge des Konkurrenzkampfes abendländischer Ölgesellschaften orientalische Despoten mit Dollarmillionen zu überschütten, weil das Öl, mit dem sie nichts anfangen können, in ihrem Boden ruht. Es ist auch ein Unheil, durch »Wirtschaftshilfe« einzugreifen, wo sie nur Geschenk bleibt und nicht in eigene Arbeitsspontaneität sich umsetzt. Sie fällt in einen Abgrund, der nicht zu füllen ist. Die Völker werden nur immer begehrlicher. »Unterentwickelten Völkern« ist materiell nicht zu helfen, wenn sie die Hilfe als Zündung der Selbsthilfe gar nicht wollen. Aber es ist ihnen ihr Raum zu lassen, auf ihre Weise zu leben, zu hungern, in Massen geboren zu werden und hinzusterben. Sie haben das Recht zu ihrer Freiheit. Es ist ihnen jedoch nicht erlaubt, ihren Raum zu überschreiten; dies auf Gegenseitigkeit. Die Grenzen sind mit der Verteilung der Erde da.

Der heutige Weltzustand zeigt die »Unterentwickelten« wie die »Helfenden« oft in einem merkwürdigen Licht: Die »Unterentwickelten« verlangen Selbständigkeit, Souveränität, auch in der Verfügung über das, was ihnen geschenkt wird. Sie wollen keine Bedingungen annehmen. Aber sie beanspruchen die Hilfe als ihr Recht: Kredite, Investitionen auf ihrem Gebiet, Lieferungen von Waffen und Maschinen, Hilfe bei Hunger der Bevölkerung. Sie sind nicht dankbar, wenn sie geleistet wird, sondern mißtrauisch, daß ihre Unabhängigkeit angetastet werde. Sie sind empört, wenn ihnen die Hilfe nicht geleistet wird. Denn ihnen zu verweigern, was ihnen zukommt, ist ein feindseliger Akt. Investitionen zu nationalisieren, das heißt zu enteignen, halten sie für ihr souveränes Recht. Sie haben eine Stimmung, daß das durch abendländische Technik mit gewaltiger Arbeitsleistung Hervorgebrachte auch ihnen gehöre, ohne daß sie mit entsprechender Arbeit teilnehmen. Da sie umworben werden von den beiden Großmächten der freien und der totalitären Welt, verlangen sie noch Dank, wenn sie bereit sind, die Geschenke anzunehmen.

Die Unterentwickelten sind natürlich sehr verschieden. Jedem einzelnen dieser Völker wird durch die eben gegebene allgemeine Schilderung Unrecht getan. Aber gemeinsam ist ihnen: daß sie sich nicht helfen können in der neuen technischen Welt, die sie doch kennenlernen – daß sie die Probleme der Übervölkerung und des Hungers kennen – daß ihnen mehr oder weniger das Arbeitsethos und die Initiative des Abendländers fehlt – daß sie aus eigener Erfahrung und eigenem Willen politische Freiheit innerhalb des Staats nicht kennen und nicht begehren.

Auch die Helfenden bieten ihrerseits keinen guten Anblick. Sie folgen eigenen Interessen. Ihre Hilfe ist gar nicht in erster Linie als Hilfe gemeint. Man will sie leisten, um dadurch eine Sympathie für den Helfenden, eine Bindung an ihn zu gewinnen (im Wettstreit mit der anderen sich bewerbenden Großmacht). Man will eine wirtschaftliche Abhängigkeit schaffen, um dem eigenen wirtschaftlichen Interesse zu dienen (z. B. Beschaffung von Erdöl). Oder man denkt im Blick auf die politische Selbstgestaltung der Eingeborenen: alle Menschen könnten ohne weiteres demokratisch werden, durch Abstimmungen seitens der Bevölkerung sich lenken. Voreingenommen in der Selbsttäuschung über die ungeheuren Probleme der eigenen Demokratie und phantasielos in bezug auf das Von-Tag-zu-Tage-Leben der Massen setzen sie voraus, alle Menschen könnten ihrer Natur nach sofort in politischer Freiheit leben und moderne Menschen als gelernte Arbeiter in der hochentwickelten Industrie werden. Und wenn ihren Erwartungen nicht entsprochen wird, halten sie jede Gewaltsamkeit für berechtigt.

g) Das Freilassen als solches. – Der Entschluß des Verzichts bedeutet: Wir geben alle Formen eines Kampfes (politische, militärische, wirtschaftliche) um Gebiete auf, die nicht geschichtlich und durch eigenen Willen zur Solidarität des Abendlandes gehören. Dieser Rückzug ist bedingungslos. Die freie Welt hat bisher trotz ihrer ständigen Einbußen nicht diesen grundsätzlichen Entschluß gefunden, sich auf die ihr zweifellos eigenen Gebiete zu beschränken.

Wir müssen zulassen, daß andere Völker auf ihre, auf andere als die unsere, sinnvolle Weise leben. Zu dulden ist im Interesse des Weltfriedens jede Lebensart, sofern sie sich bei einem Volke auf sein Gebiet beschränkt. Ein Volk, das untüchtig, arbeitsunwillig, zur Muße und zum spielenden Lebensgenuß geneigt ist, ist gelten zu lassen als eine mögliche Wahrheit des Menschseins. Man darf es nicht beherrschen, nicht ausbeuten, nicht vernichten wollen. Jeder hat sein Recht zum materiellen Elend, zumal wenn in ihm vielleicht wächst, was aller Tüchtigkeit verschlossen ist. Aber wer so elend lebt, muß die Folgen tragen.

Wir verweisen sie nicht in eine Abseitigkeit. Wenn zwar die Einsicht uns zwingt, von der Solidarität freier Völker auszugehen und nicht vom Abstraktum einer Gesamtheit aller menschlichen Staatsgebilde, so ist diese Solidarität doch offen für alle. Aber Solidarität ist gebunden an geschichtlich gewordene und errungene Voraussetzungen. Die Solidarität eines begrenzten, nur auf Selbstbehauptung, nicht aber auf Eroberung gestellten Kreises der Menschheit kann verläßlich allein dann werden, wenn jedes Glied, vertraglich und wirklich, in der Vertrauensgemeinschaft lebt. Niemand darf eintreten, der sich nicht bewährt hat. Niemand wird zum Eintritt gezwungen, der nicht will.

Freiheit ist das meistgebrauchte Wort unserer Zeit. Was sie sei, scheint allen selbstverständlich. Jeder Staat, jedes Volk, jeder Einzelne will frei sein. Im Anspruch und in der Behauptung der Freiheit scheint alle Welt einig. Aber nichts ist unklarer, vieldeutiger, mißbrauchter als »Freiheit«. Hier nur eine Bemerkung zur politischen Freiheit:

Politische Freiheit ist in ihrer geschichtlichen Erscheinung vielfach und nirgends absolut zuverlässig. Sie ist in der alten englischen Freiheit, in der holländischen und der Schweizer Freiheit, in der Freiheit der Französischen Revolution, in der Freiheit der skandinavischen Staaten und auch des scheinkonstitutionellen Bismarckschen Deutschland, in der Freiheit Amerikas. Es gibt nicht die allgemeine Freiheit, sondern diese nur in ihren geschichtlichen Abwandlungen. Freiheit ist noch nicht, wo der Form nach eine sogenannte Demokratie als Organisationsform einer Bevölkerung auferlegt wird, die gar nicht weiß, was Freiheit ist, und nur unter deren Namen faktisch diktatorisch und, auf der Stufe des technischen Zeitalters, gar totalitär regiert wird.

Politische Freiheit ist nicht identisch mit abendländischer Freiheit, sondern ihre Bedingung. Wo politische Freiheit preisgegeben wurde, da scheint uns auch die Freiheit überhaupt, Europa und das Abendland preisgegeben. Europa hat die Freiheitsidee in seiner Wurzel. Europa gilt, wo drei Jahrtausende in der Seele sprechen als Wirklichkeit, auf die die gegenwärtige Wirklichkeit gegründet ist und die ihre

Forderungen erhebt, und wo Menschen bei allen Divergenzen durch diese gemeinsame uralte Vergangenheit verbunden sind.

Man kann einwenden: Wie soll ein Weltfriede entstehen, wenn so viele Völker aus sich selbst vorläufig kein eigenes freies politisches Leben hervorzubringen vermögen? — wenn die Frage sich stellt: Was soll aus den durch das technische Zeitalter zerstörten substanzlosen Millionen von Menschen werden, während wir Abendländer selbst im Begriff sind, unsere Substanz zu verlieren? Die Antwort: Nicht wir haben, kein Mensch hat die Welt im ganzen in der Hand. Wir müssen sehen, was die äußerlich Befreiten wollen und tun. Wir können sie nicht zwingen, weil man zur Freiheit nicht gezwungen werden kann (ein »Zwingherr zur Freiheit« [Fichte] ist eine Absurdität und Deckname für den Despoten). Wir müssen warten, welche Verantwortung sie erfahren und übernehmen.

h) *Das Freilassen unter der Wirkung der russischen Drohung.* — Das bisher Erörterte wäre einfach und eindeutig, wenn das totalitäre Rußland nicht wäre. Denn der Umgang der freien Welt mit den früheren kolonialen Gebieten steht unter dem Druck der russischen Drohung. Wir müssen in Kauf nehmen, daß die nicht abendländischen Völker sich den Russen in die Arme werfen können. Mit Erfolg zu bekämpfen ist das nur durch das Nichtkämpfen, das darin liegt, als freier Partner bereit zu sein, wenn der andere in Freiheit, ehrlichem Willen und Wahrhaftigkeit entgegenkommt.

Es vollzieht sich der Konkurrenzkampf um die gewaltige Masse der früher kolonial beherrschten Völker. Die Situation ist: die Mächtigen bewerben sich darum, den Kleinen Geschenke leisten zu dürfen. Die Kleinen provozieren sie, indem sie die Mächte sich um sie bewerben lassen, in der Meinung, selber dabei frei zu bleiben. Die Kleinsten noch spielen Rußland gegen Amerika aus, das Gegenteil hört man nicht; es wird verborgen vermutlich dasselbe sein. Das Ganze wird ein für alle bedrohlicher Zustand.

Die berechtigte Sorge Amerikas ist, daß die früher kolonial beherrschten Völker, wenn man ihnen nicht ihre Wünsche erfüllt, Rußland anheimfallen. Daher wird die Nachgiebigkeit gegen diese Völker immer größer. Das mächtige Amerika nimmt die unverschämtesten Herausforderungen hin, als ob es schwächer sei als irgendeine orientalische Marionette. In der Tat führen die kriegerischen Aktionen des Totalitarismus in Verbindung mit seiner friedlichen Gebärde in diesem Kampf gegen die angelsächsische Großmacht zu einer ständigen Einschränkung des Besitzstandes und des Prestiges der freien Welt. Vertragsbrüche größten Ausmaßes werden vom Westen auf Verlangen Amerikas hingenommen, da es derentwegen nicht die Gefahr des Weltkriegs wagen will. Dagegen bestehen die Totalitären dort, wohin sie einmal ihren

Fuß gesetzt haben, rücksichtslos auf ihren Verträgen und scheuen nicht äußerste Gewalt des Terrors. Die Staaten der freien Welt aber geben Positionen auf, gewähren Souveränitäten, wo sie bis dahin selber herrschten, immer in der Erwartung, man werde nachher um so treuer zu ihnen halten. Das Gegenteil ist meistens der Fall. Die Methode scheint gerecht; sie ist die unausweichliche Umkehr des früheren kolonialen Verhaltens. Sie wird aber illusorisch, wenn Rußland in anderen Formen, unter anderen Namen, unter Schürung des anti-kolonialistischen Hasses der Farbigen eine Herrschaft erstrebt, die furchtbarer als alle frühere koloniale Herrschaft sein wird. Die alte koloniale Herrschaft wird von den Völkern aus vierhundert Jahren gekannt; man sieht sie, die heute zum Gespenst geworden ist, noch als Wirklichkeit. Die russische Herrschaft dagegen wird von der Welt noch gar nicht gekannt außer in den von Rußland terrorisierten Gebieten. In Jordanien zog England ab, als der jordanische Staat es forderte. Was dagegen in Ungarn Oktober 1956 geschah, scheint auf die Auffassung der nicht abendländischen Welt gar keinen Eindruck gemacht zu haben: Was man nicht selber erfahren hat, gelangt durch die bloße Vorstellung in der Phantasie nicht zur Wirkung.

An die Stelle des Kolonialismus ist keineswegs die Unabhängigkeit und Freiheit aller Völker der Erde getreten. In einem großen Teil haben sie noch nicht die Fähigkeit, frei sein zu können (man sieht sie in sich selbst chaotisch werden, z. B. in Indonesien; es ist möglich, vielleicht wahrscheinlich, daß Indien, das kraft englischer Strukturen noch eine Einheit ist, nach der schon vollzogenen ersten Spaltung in zwei Teile — Pakistan und Indien — in zahlreiche Herrschaften sich auflöst und sich ohne Idee und Ziel zerfleischt wie in seiner ganzen früheren Geschichte). Die meisten Völker empfinden aus der kolonialen Vergangenheit her die Methode freien Verkehrs und freier Wirtschaft als Unterdrückung, gestützt vom Marxismus in der Verwerfung der kapitalistischen Welt. Die neuen Formen der Herrschaft, die an die Stelle des Kolonialismus treten, sind ihnen noch keine Erfahrung, wohl aber ein bejahtes Paradies, eine utopische Ordnung, die in der Realität Terrorismus wird. Die Totalitären verschleiern unter der Anklage des Kolonialismus die eigenen Bestrebungen, um die Völker durch »Befreiung« schrittweise in völlige Abhängigkeit von sich selbst zu bringen. Unter der Anklage des Imperialismus verschleiern sie die neue Weise ihrer eigenen erstrebten Weltherrschaft. Es ist merkwürdig, daß es heute nicht verfängt, vom russischen Imperialismus, vom russischen Kolonialismus zu sprechen. Die Welt (außer dem Abendlande) glaubt nicht daran.

Man spricht von dem Kampf um das Vakuum, das, zwischen den Mächten Rußlands und des Abendlandes, der größere Teil der Erde ist. In dieser

Weltlage ist die Frage: Welches Risiko muß die westliche Welt eingehen auf die Gefahr hin, daß asiatische und afrikanische und amerikanische Völker sich auf Rußland stützen, wenn man ihnen die Erfüllung wirtschaftlicher Begehren versagt? Darauf die Antwort:

1) Der Aspekt der Weltlage kann so erscheinen, als ob der Kampf der abendländischen Mächte untereinander auf dem Boden des gesamten Erdballs, wie er in der Kolonialzeit stattfand, heute nur mit anderen Methoden sich fortsetze. Der Kampf Rußlands und Amerikas bedient sich dazu der »Hilfe an unterentwickelte Völker«. Der Kampf mit diesen Mitteln bringt den Westen in offenbaren Nachteil gegenüber Rußland. Die Propaganda der Freiheit des Westens wird nur als Propaganda der altbekannten kolonialistischen Gesinnung empfunden. Die Propaganda des Totalitären als Marxismus dagegen tritt als Verheißung auf, der Glauben geschenkt wird. Die Chance des Westens besteht nur unter der Bedingung, daß er die Motive aus der Zeit des Kolonialismus wirklich und restlos preisgibt, seine Absage an den Kolonialismus durch Redlichkeit überzeugend werden läßt. In den Methoden des Trugs und der Gewalt ist Rußland überlegen, vor allem wegen seiner einheitlichen außenpolitischen Führung (im Gegensatz zur mangelnden Solidarität der Westmächte), dann wegen der völligen Skrupellosigkeit des Totalitarismus.

Die Meinung des Westens, den Totalitarismus von Asien und Afrika fernhalten zu können durch Wirtschaftshilfe unter dem Ethos der freien Marktwirtschaft, könnte ein politischer Irrtum sein. Denn bei diesem Wirtschaftsethos fühlen sich diese Völker immer im Nachteil, während sie zum Kommunismus drängen als dem unbestimmten Paradies, das sie blind begehren, ohne es zu kennen. Soweit dies der Fall ist, würde alle Hilfe auf die Dauer nur ihre Kraft stärken, auf dem Wege zum Kommunismus fortzuschreiten, bis sie der totalen Herrschaft verfallen und die Tür des Zuchthauses für sie zugeschlagen ist. Der Westen würde sich durch das mit der gegenwärtigen Weise der Hilfe nur kurzfristige Aufhalten russischen Einflusses täuschen lassen und in der Tat seinen Gegnern Waffen liefern. Wenn sie dem Totalitarismus verfallen, so ist er durch Mittel der Hilfe, die in keiner gemeinsamen Gesinnung geleistet wird, nicht abzuwehren, am wenigsten dadurch, daß man sich zum Komplicen von Politikern, Abenteurern, Fürsten (faktisch gegen deren Völker) macht, die in kritischer Lage bedenkenlos Vorteile seitens der Russen vorziehen (auch wenn sie bei deren Annahme durch deren Folgen schließlich in die Sklaverei der Russen geraten) oder die durch ihre Völker, die dann von vornherein im Bunde mit den Russen sind, verjagt werden.

2) Es ist die Frage in jedem einzelnen Falle, ob noch freie Staaten und Völker den Schutz der ehrlich antikolonialistisch gewordenen Mächte des Abendlandes gegen die totalitäre Eroberung ihrerseits ehrlich wollen. Gegen die russische Einmischung bleibt nur die Nichteinmischung. Nur die Redlichkeit des abendländischen Bereitseins, dem der redliche Willen zu gemeinsamem Schutz entgegenkommt (wie anscheinend im Falle der Türkei), kann wirklich hilfreich sein (und nur dann auch Waffenlieferung). Diese Bereitschaft darf nicht den leisesten Ansatz eines Sichaufdrängens enthalten. Anders ist nicht zu helfen. Das Risiko der Zusammenballung des größeren Teils der Menschheit im totalitären Terror gegen das Abendland und alle anderen freien Völker ist unumgänglich.

Es kann einem in Fiktionen sich ergebenden Denken scheinen, daß außerhalb der totalitären Welt in der freien Welt ein Drittes möglich sei. Die als Bandungstaaten vermeintlich zusammenhaltenden Völker, die einen großen Teil der Menschheit umfassen, sind in ihren politischen Vertretern der Meinung, sie brauchten keiner der beiden Welten sich anzuschließen. Sie halten sich für frei, möchten neutral und am Ende gar Vorbild sein. Das ist bei ihrer offenbaren Verworrenheit ein Irrtum.

3) Die Freiheit der Schwebe zwischen Ost und West, um die eine Seite gegen die andere auszuspielen, ist eine Fiktion, die nur in diesem Zwischenaugenblick eine gewisse Realität hat. Die Schaukelpolitik ist Schläue der Bedenkenlosen, ihr scheinbar erfolgreiches Vorbild Tito. Auf die Dauer bedeutet gerade diese Schwebe den Eintritt in das Totalitäre. Es ist heute eine über die Welt verbreitete politische Dummheit in der Schläue des Ausnutzens der Situation zwischen Ost und West, gefördert durch die eigene Unzuverlässigkeit des Westens, dessen einzelne Staaten immer wieder ihr unehrliches Spiel zu eigenem und aller Verderben treiben.

4) Die Gefahr kann durch ständige Nachgiebigkeit seitens der Westmächte nicht abgewendet werden. Die eigene Erfahrung von der russischen Unterdrückung ist den Völkern nicht dadurch zu ersparen, daß man sich ständig von ihnen erpressen läßt, sondern nur durch ihre eigene Einsicht, die erst zur wirklichen Kooperation mit der Einsicht des freien Abendlandes führen würde. Es kommt auf die freie Beziehung der früheren Kolonialgebiete zu den westlichen Staaten an. Wo diese von den Völkern, die die russische Gefahr kennen, gefunden ist, sollte es ausgeschlossen sein, daß zu Ungunsten solcher Staaten eine Nachgiebigkeit gegen andere, zweideutige Staaten stattfände aus augenblicklicher Opportunität und Sorge.

5) Der »Kampf« kann nur gelingen ohne Kampf, nämlich durch Vorbild im freien Verkehr. Die Abendländer müßten zuerst die Wandlung finden und verwirklichen. Überzeugen kann nur der unaggressive, glaubwürdige Wille zur Gemeinschaft, ohne Machtwillen. Der Erfolg ist nicht gewiß. Aber gewiß ist, daß unser Schrecken vor den Milliarden anderer Menschen begründet ist und dadurch wachsen muß, daß wir Abendländer ihnen so lange falsch begegnen, als wir selbst noch nicht geworden sind, was wir sein sollen.

6) Politische Freiheit als Regierungsart ist europäischer Herkunft, gegründet in griechischer und römischer Wirklichkeit und Denkungsweise und im germanischen Genossenschaftsgedanken. Solche Regierungsweise hat Mittel und Formen, die wie Wissenschaft und Technik übertragbar scheinen (etwa Repräsentativsystem, Gewaltenteilung usw.) Sie wären dann nicht an das Abendland gebunden, sondern allen Menschen zugänglich. Aber es genügt nicht, wie für die Technik, der Verstand. Es muß ein Grund im Menschen zur Geltung kommen, den wir zwar für einen allgemein menschlichen halten, der es aber vielleicht nicht ist. Was die Nichtabendländer tun werden, müssen wir abwarten. Sie können sich zur Freiheit entwickeln nur durch Selbsterziehung im Blick auf die andere Welt; wir können sie nicht erziehen außer dadurch, daß wir selbst ein besseres Vorbild werden. Und wir können nur bereit bleiben für sie, wenn sie wollen.

Müssen die Völker sich in der Schlinge des Totalitären fangen, um selbst die Erfahrung dessen zu machen, von dem wieder frei zu werden dann für lange Zeit, vielleicht für immer, zu spät ist? Ist es sicher, daß sie diesen Weg gehen? Keineswegs, wenn auch für viele Völker wahrscheinlich.

Wenn das Risiko der Erweiterung der russischen Machtsphäre heute unausweichlich ist, so wird es doch eingeschränkt durch unzweideutig verläßliche Bundesgenossenschaft mit den Völkern, die aus freiem Willen die Solidarität mit dem Westen suchen. Es wird weiter eingeschränkt durch die Bereitschaft, in freien Verträgen, auf Grund der Vertragskontinuität, um die wirtschaftliche Kraft überall, wo der Wille dazu in Klarheit da ist, gegenseitig zu stärken. Eingeschränkt wird es auch durch die Anziehungskraft der freien Lebensform des Westens, wenn diese reiner, ehrlicher und unter den westlichen Staaten selber solidarischer wird, als sie es jetzt ist. Die Solidarität aller freien Staaten, die heute noch nicht besteht, würde erst entscheidend dieser Gefahr begegnen.

Eines Tages wird sich vielleicht der Geist der Asiaten gegen die russische Unterdrückung wenden, wenn sie deren Erfahrung gemacht haben. Vielleicht kommt der Tag, wo die Russen sich ihnen als die Abendländer erweisen, die schlimmer sind als alle vorhergehenden. Dann würden schließlich unter Bedrohung von China her die Russen den Bund mit dem Abendland suchen. Doch das alles steht noch längst nicht im Raum realer politischer Erwägungen.

Im Interesse der Völker, im Gang der eigenen Selbstbehauptung, im Blick auf den unserer Verantwortung aufgegebenen Weltfrieden ist das Risiko unausweichlich, die freigelassenen Völker würden von Rußland in seinen totalitären Betrieb, sie nutzend und verzehrend wie die eigene Bevölkerung, einbezogen werden. Dies Risiko ist mit der ehrlichen Umkehr des kolonialen Prinzips notwendig verbunden. Die Forderung ist und bleibt: freilassen! Wenn die Totalitären dies offenbar nicht tun, aber für die betroffenen Völker dieses zu tun scheinen, so kann nur deren Freiheit selbst entscheiden, welcher Auffassung sie folgen wollen.

i) *Nur die Solidarität der Selbstbehauptung kann dem Risiko gewachsen sein.* – Das Risiko ist nur zu rechtfertigen unter einer Bedingung: Der Entschluß der Selbstbehauptung des Abendlandes muß durch verläßliche Solidarität verwirklicht werden. Entweder erreichen wir nicht unsere, bisher ständig wieder verratene, Solidarität und werden vernichtet, oder wir ergreifen solidarisch das der Natur der Sache nach unumgängliche Risiko. Unsere Selbstbehauptung kann nur gelingen durch rechtzeitigen freiwilligen und festen Zusammenschluß der Völker des Abendlands, Europas, Amerikas und aller anderen freien Staaten auf der Erde, soweit sie frei sind nicht nur der Form nach, sondern im sittlich-politischen Bewußtsein der Bevölkerung. Nur ein einiges Europa in Verbindung mit Amerika und allen Staaten freier Regierungsart ist der Selbstbehauptung fähig.

Die Solidarität muß nunmehr alle politischen Motive durchdringen. Sie kann fest bleiben durch das Wissen, wie furchtbar wir alle gemeinsam bedroht sind. Dieses so unbequeme, zur Voraussicht und zum Opfer zwingende Wissen darf nicht verschleiert werden. Wunschdenken, Neutralismus (der wegen seiner Blindheit und Charakterlosigkeit so verächtlich ist wie Verrat), Vertrauen auf einen Automatismus im Gang der Dinge zerstören die Solidarität.

Für uns Abendländer hilft nur eines: in radikalem Verzicht auf Weltherrschaft sich zugleich zu ermannen zur Selbstbehauptung im absolut verläßlichen Zusammenschluß. Wird dieser Weg von uns nicht gegangen, so sinkt die Welt tiefer in das Chaos und in den ihm entsprechenden Totalitarismus, oder sie geht durch die Bomben ganz zugrunde.

Die Solidarität ist noch keineswegs erreicht. Die Selbstbehauptung der freien Staaten ist heute so schwach, weil die Solidarität mangelt. Es ist beunruhigend, fast unbegreiflich angesichts der Weltlage, daß die Einigung noch so fern scheint. Alle reden davon. Aber das kleinste Opfer, wenn es verlangt wird, läßt schon die Versuche in dieser Richtung zerbrechen. Man darf aber nicht festhalten an Resten alter Herrschaft (heute vor allem seitens Englands und Frankreichs) und damit die Solidarität faktisch verderben. Halbheit in der alten Politik und Halbheit im Fordern einer neuen läßt die politische und geistige Verwirrung der westlichen Welt entstehen, die von den Russen mit Erfolg gesteigert wird. Es ist, als ob man sich in die Selbstvernichtung stürze durch den Betrieb der alten Diplomatie, der Politik gegen einander, der Entschlußunfähigkeit, der Verantwortungslosigkeit einer entartenden Demokratie, in der jeder Eigenwille, jede Meinung, jedes Interesse, jedes Privileg ihr absolutes Recht beanspruchen, sowohl innerhalb dieser Demokratien wie im Verkehr der demokratischen Staaten miteinander. Wollen die Demokratien ihre Freiheit retten, so müssen sie sie zur Verantwortung werden lassen. Erst dadurch verwirklicht sich Demokratie und wird der Rettung wert. Daß dies noch nicht genügend geschehen ist, zeigt sich u. a. an folgenden Erscheinungen:

1) Das Nationale innerhalb Europas behauptet sich mit Recht nur noch als eigene Lebensform, überlieferte Anschauung, als Sprache, Geist und Erziehung. Als Machtprinzip eines Staates aber hat es nicht nur sein Recht verloren, sondern wird zum Widersacher der abendländischen Einheit. Staatsgrenzen sollten ohnehin in Europa immer mehr zu Grenzen von europäischen Verwaltungsbezirken werden. Schon gibt es bedeutende »Europäer« als einzelne Persönlichkeiten. Aber sie haben im Denken, nicht im politischen Handeln gewirkt. Noch dürfen wir nur auf Persönlichkeiten (zumal in kleineren Staaten) unsere Hoffnungen setzen. In den größeren europäischen Staaten scheint der alte Nationalismus noch unverwüstlich: Zuerst die eigene Nation als dieser Staat, erst ihre besonderen Interessen, erst ihre Weltstellung, die zu erfüllen jede für ihre Aufgabe hält, dann erst Europa. Beispiele sind zahllos aus allen europäischen Staaten. Churchill schien seine wundervolle Europarede in Zürich 1946, schließend mit den Worten »Europa arise«, vergessen zu haben, als er wieder englischer Premier war. Und nach dem politischen und militärischen Versagen unter Eden in der Suezkrise, die die Stellung und die Macht Englands, wie sie wirklich sind, offenbarten, konnte der neue Premier Macmillan den Satz sprechen: »Großbritannien ist groß gewesen, ist groß und wird groß bleiben.« Nicht nur die Staatsmänner ließen sich vom nationalen Stolz leiten. Im Sommer 1956 nach dem Gewaltstreich Nassers waren in englischen Häfen, als Kriegsschiffe in das Mittelmeer ausliefen, begeisterte Massen anwesend.

2) Die politische Einigung ist nur zu sichern durch die Begrenzung der Souveränität aller abendländischen Staaten im Verhältnis untereinander. Nur dadurch würde ihre Selbstbehauptung gegenüber jedem möglichen Angriff der totalitären und gesamten übrigen Welt unüberwindlich. Aber diese Solidarität ist noch schwach. Es ist erschreckend, wie erfolgreich Rußland seine Macht steigert mit dem seit alters gül-

tigen Grundsatz jeder bedenkenlosen Eroberungspolitik: »divide et impera!« Es ist Schuld allein des Abendlandes, der freien Völker, daß diese Politik in solchem Umfang wie heute gelingt. Gelenkt von ihren Eigeninteressen, zuletzt in der grotesken Steigerung, daß Rußland im Bunde mit Amerika (wegen Ägypten) England und Frankreich am Suezkanal den Rückzug befahl, und es zuließ, daß Bulganin London und Paris mit Atombomben drohte, woraufhin sie (wenigstens dem Zeitpunkt nach) nachgaben. Amerika setzte sich im Bunde mit Rußland gegen freie Völker durch (und Eisenhower erklärte stolz: Zum ersten Male hat sich Amerika unabhängig gemacht von der asiatischen Politik Englands und Frankreichs). Gestehen wir es: es war der schmachvollste und dümmste Augenblick der abendländischen Politik heute! Wohl hatten England und Frankreich am Bruch der Solidarität mindestens die gleiche Schuld durch ihre politische Unklarheit und Unklugheit. Denn sie mißachteten das stillschweigende und unumgängliche, sittlich-politisch zu rechtfertigende hegemoniale Verhältnis der größten Macht innerhalb der freien Welt in bezug auf die Beschlüsse der Außenpolitik. Niemand darf unter dem Gesichtspunkt der Solidarität außenpolitisch handeln, ohne mit Amerika vorher einig geworden zu sein. Amerika hat die analoge Verpflichtung gegenüber den kleineren Mächten. Es muß Rücksicht nehmen auf die wirklichen, nicht fiktiven Interessen der einzelnen freien Staaten, aber sie dem Gesamtinteresse der gemeinsamen Selbstbehauptung unterstellen. Die große Weltpolitik kann nicht durch Mehrheitsabstimmung verschiedener Staaten bestimmt werden. Die Solidarität fordert, sich zu fügen. Daher hat im Konfliktsfall Amerikas Wille, selbst wenn er unrecht hat, im jeweiligen Augenblick den Vorrang. Aber solche Solidarität hegemonialer Verhältnisse hat nur Bestand bei einem Treueverhältnis in Gegenseitigkeit unter Ungleichen. Diese verwirklicht sich im Beraten, im Miteinanderreden, Aufmerksammachen, im Hören auf die Gründe und in der Einsicht aus der Vergegenwärtigung der Gesamtlage und der Abschätzung der besonderen Motive und Wünsche. Konstituiert sich nicht das Treueverhältnis, das für alle irgendwann harte Verzichte zur Folge hat, so hat die Freiheit versagt. Dann ist ihr der zentral dirigierte Wille der totalitären Großmacht schlechthin überlegen.

Es müßte das höchste Prinzip der freien Völker sein, daß ihre Solidarität durch nichts gefährdet werden kann. Jedes Opfer hätten die einzelnen Völker zu bringen: dies Opfer ist immer noch besser als insgesamt die Freiheit zu verlieren. Sonst würde am Ende bezeugt, daß es keine des Schutzes und der Selbstbehauptung würdige Freiheit war. Die Menschen, denen sie durch ihre Geschichte zugewachsen ist, und nur diese Menschen, tragen die Verantwortung für das, was durch den Verlust dieser Freiheit der ganzen Menschheit geschehen wird.

3) Daß der Totalitarismus die Freiheit vernichtet, ist keineswegs in das Bewußtsein aller Menschen gelangt. Viele Intellektuelle des Abendlandes denken schwammig und neutralistisch. Die Mächte des Totalitären, ihre Vorstufen, ihre Wegbereiter zeigen auch in der westlichen Welt, daß der Freiheitsverlust im Totalitären eine Möglichkeit im Menschen überhaupt, auch ohne die zentrale russische Planung hat.

Die Zentralisierung einer terroristischen Gewalt, wie sie im technischen Zeitalter möglich ist, steht gegen den freien Bund von Staaten. Daher liegt in der freien Welt alles am Vertrauen zum Bunde miteinander, während in der totalitären Welt das Mißtrauen aller gegen alle durch eiserne Bande zur Zusammenwirkung gezwungen wird. Das Vertrauen als Lebensbedingung der freien Welt aber verlangt, ohne es erzwingen zu können, daß kein Staat mit Mächten außerhalb des freien Bundes für Eigeninteressen konspiriere.

Die Militärblöcke der totalitären und der freien Welt unterscheiden sich. In der totalitären Welt werden sie unter hartem Zwang ohne gemeinsames Ethos einheitlich gelenkt als Satellitenstaaten. In der freien Welt erreicht man sie in der Form der Bündnisse, die aber nur so viel bedeuten, als sie Ausdruck einer Freiheits- und Kulturgemeinschaft und einer gemeinsamen offenen Atmosphäre der Gesinnung sind.

k) Zusammenfassung. — Wenn die verläßliche Einigung Europas und des gesamten Abendlandes nicht geschieht, bevor es zu spät ist, so wird Europa überrannt und ist auch Amerika in der Folge verloren. Es müßte zur rechten Zeit etwas so Radikales geschehen, wie es für einen Teil Europas in einem Augenblick höchster Not Churchill 1940 vorschlug: alle Engländer und Franzosen sind mit einem Schlage Bürger eines Staates gleichen Rechts, um sich zu behaupten gegen das totalitäre Hitler-Deutschland. Diesen bestimmten Vorschlag nun etwa auf das gesamte Abendland zu übertragen, scheint nicht notwendig. Aber etwas, das eine analoge Bindung brächte, muß jeder, der sich die Lage nicht verschleiert, für dringend halten. Bei der gegenwärtigen Waffentechnik ist es zu spät, bei Kriegsbeginn nachzuholen, was vorher versäumt wurde. Das war für die Angelsachsen in der Vergangenheit möglich, wenn auch unter gewaltigen, die vorher schon ratsamen weit übersteigenden Opfer. Heute würde es vergeblich sein. Voraussicht und ihre Verwirklichung ist Bedingung der Rettung. Wenn die Demokratien den Gebrauch ihrer Freiheit stecken lassen im Augenblicklichen, so haben sie das sittliche Recht auf ihre Freiheit verwirkt. In die Völker selbst muß die Einsicht dringen. Die Staatsmänner versagen, die sie nicht überzeugend zur Wirkung bringen.

Aus der Geschichte ist ein großes Beispiel von Voraussicht Themistokles. Er riet den Athenern, alle Einkünfte der Bergwerke von Laurion zum Bau einer Flotte zu verwenden, um dem persischen Koloß aus dem Osten gewachsen zu sein, der sicher eines Tages über Griechenland herfallen würde. Seine einfache Voraussicht und das materielle Opfer der einsichtigen Athener hat Griechenland und die abendländische Freiheit gerettet, als zehn Jahre später tatsächlich der Angriff mit allen Kräften des Riesenreichs erfolgte.

Wie behaupten wir uns in der steigenden Flut des Chaos? In ihm hat bisher eine einzige totalitäre Macht einen gewaltigen Kriegsapparat aufgebaut und verstärkt ihn jeden Tag unter Ausbeutung ihrer gesamten Bevölkerung, auf Grund eines Planes, den in einem totalitären Staat wenige fassen können, um ihn allen, die davon nicht wissen, faktisch aufzuzwingen. Dagegen steht die Freiheit der Völker nur dann fest, wenn ihre Freiheit selber aus Einsicht vermag, was der Terror erzwingt: das große Opfer an materiellem Gut, an Lebensstandard und nichtigem Vergnügen; wenn die Staatsmänner unter viel verwickelteren Bedingungen vermögen, was Themistokles vermochte: die Völker selber zu überzeugen.

Der Weltfriede ist heute nur durch den Totalitarismus bedroht (Hitler brach 1939 den Krieg mutwillig vom Zaun, da er sich im Besitz seiner überlegenen Rüstung wußte); Rußland vergewaltigte die baltischen Staaten (Litauen, Lettland, Estland), Polen und Ungarn u. a. — es veranlaßte die Kriege in Korea und Indochina. Wenn die Menschen nicht unter Erpressung die Sklaverei wählen, dann ist der Weltfriede nur durch Selbstbehauptung der freien Welt zu retten, die den Angriff seitens der Totalitären abschreckt und eine Entwicklung einleitet, in der am Ende ein natürlicher Weltfriede möglich wird. Die Selbstbehauptung kann nur unter Risiko geschehen: Wir wissen nicht, was die anderen, die jetzt das Vakuum heißen, tun werden. Was sie aber tun werden, liegt auch daran, wie wir uns verhalten. Wir müssen mit der Möglichkeit rechnen, daß sie fast alle hineintaumeln in den Totalitarismus. Wir werden das nicht mit Gewalt, sondern nur durch Überzeugung hindern können. In diesem Raum ist das einzige Mittel die Kampflosigkeit von unserer Seite bei Bereitschaft zur Kooperation, in zusammentreffender Freiheitsgesinnung und Wahrhaftigkeit, für das, was wir als freie Menschen wollen.

Die einzige Waffe, die keine Waffe der Gewalt ist, steht, wie allen Menschen, so dem Abendlande zur Verfügung: die Wahrheit. Der Kampf der beiden Welten ist der zwischen Lüge und Wahrheit, aber so, daß das Totalitäre vom Prinzip her auf der Lüge sich aufbaut und dadurch mächtig wird, die freie Welt nicht wahrhaftig genug ist und dadurch schwach wird.

Die Macht der Wahrheit ist nicht kalkulierbar. Aber sie wird zwischen Totalitarismus und Freiheit entscheidend sein. Die Selbstbehauptung der freien Welt fordert, daß sie in sich durch unablässige Selbsterziehung wahrhaftiger wird. Das ist schwer und nicht zu planen. Dann aber fordert sie, was leichter ist: in bezug auf Tatsachen und Gedankenrichtigkeit in der Öffentlichkeit eine viel stärkere Aktivität der Aufklärung zu entfalten als heute geschieht. Die Energie der planmäßigen Lüge vom Totalitären her ist heute noch größer als die Energie ständiger klarer Darlegung der Tatsachen durch die geistige Arbeit des Westens. In den täglichen Nachrichten, in der Tagespresse und in den Schriften müßte die Unwahrheit der totalitären Welt, wie sie die anderen belügt und sich selbst in ihre eigene Unwahrheit verstrickt, nicht nur hier und da entlarvt werden, was schon geschieht, sondern es müßte immer wiederholt, an immer neuen Erscheinungen gezeigt und zugleich in größerer Einfachheit für alle offenbar werden. Sogar in der Vertretung marxistischen Denkens entfalten die Literaten vom Osten aus dem Erbe der Philosophie mehr Kraft als ihre Gegner im Westen, denen es sich nicht zu lohnen scheint, da sie ja Bescheid zu wissen meinen, und die die Macht philosophischen Denkens nicht kennen.

Kampflosigkeit setzt voraus die stärkste Rüstung für den Fall des Angriffs seitens des totalitären Kriegsapparats. In dem Kampf um das Vakuum gilt nicht: Offensive ist die beste Defensive. Es gilt auch nicht mehr für den Fall höchstgespannter Rüstung, die vor dem Losschlagen scheint. Aber es gilt: Nur die zuverlässige Einigkeit, die Solidarität in der Vorbereitung der Verteidigung und in dem Umgang mit dem Totalitären wie mit den Staaten des Vakuums, und die Gemeinschaft im Opfer kann den geschlossenen Körper bilden, der sich als Ganzes zu behaupten vermag, während auch das größte seiner Glieder verloren wäre, wenn es sich auf sich allein verlassen wollte.

Die Selbstbehauptung im eigenen Bereich darf keine, auch nicht die geringste offensive Handlung vollziehen, um diesen Bereich zu erweitern. Nur im Falle des Angegriffenwerdens, auch wenn nur ein kleiner Staat unter den solidarisch Verbundenen vom Totalitarismus vergewaltigt werden sollte, schlägt diese Defensive nun in eine gewaltige Offensive um unter Einsatz von allem.

Dieses friedliche Verhalten, das nur die Selbstbehauptung, aber in Wahrheit und Wirklichkeit keine Erweiterung will, läßt das containment nicht umschlagen in das rolling back (es sei denn durch vertragliche Vereinbarungen, die eine Verständigung zwischen dem totalitären Rußland und der freien Welt über Völker brächten, die ihrer Herkunft und Wesensart nach zum Westen gehören, wie Ostdeutschland, Ungarn, Polen).

Die opferbereiten freien Völker wollen, wenn sie sich treu bleiben, die Schuld des Gebrauchs der Atombombe wegen der Konsequenz der Vernichtung der ganzen Menschheit nicht auf sich nehmen. Das bedeutet aber, die gewaltige Rüstung in konventionellen Waffen zu leisten unter unvermeidlichem Sinken des Lebensstandards. Wie aber die Selbstbehauptung der Freiheit auch nicht möglich ist ohne die Bereitschaft zu dem totalen Opfer, in dem die Menschheit zugrunde gehen würde, soll in einem späteren Kapitel erörtert werden.

Die Idee der Selbstbehauptung, welche aus Kraft, nicht aus Schwäche verzichtet, daher den Frieden will, nicht die Eroberung, war im Deutschland des Ersten Weltkriegs da, ohne zur Geltung zu kommen. Max Weber plädierte von Anfang an für einen Frieden ohne Annexionen und ohne Entschädigungen. Als Deutschlands erste Siege es in den Taumel des Gewinnens brachten, sagte er: Friede ohne Vorteile auf einer Seite, kein Quadratmeter Annexion, keine Kriegsentschädigungen! Die Selbstbehauptung als solche ist für Deutschland genug. Sein Prestige wird steigen, seine Ehrlichkeit offenbar werden, seine Rolle in der Welt in freier Konkurrenz unbeeinträchtigt sein. Der fürchterliche Irrtum dieses europäischen Bürgerkriegs muß als Irrtum liquidiert werden. Standgehalten zu haben, ist Ehre genug. Diese Idee der Selbstbehauptung hat sich damals nicht durchsetzen können.

Heute ist die Lage ähnlich für das Abendland. Nach früheren Maßstäben handelt es sich um Preisgabe von Macht, von Positionen, von Prestige. Auf dem Wege dieses Verzichts, wenn auf ihm nur alles getan wird zur Errichtung der gemeinsamen, solidarisch haftenden, ehrlich in eins klingenden Selbstbehauptung, liegt die einzige Chance der Bewahrung unserer Freiheit, unserer Lebensweise, unserer geschichtlichen Überlieferung, aber auch die einzige Chance des Weltfriedens und der Freiheit der Welt.

Noch ist die Weltlage nicht so, daß Politik auf einer einzigen Ebene gleichartiger Staaten möglich wäre. Wie die Vielfachheit aussieht und wie trotzdem darin Willenstendenzen und Möglichkeiten auf eine Weltordnung zu sich zeigen, ist Thema des nächsten Abschnitts.

3. Die neue Politik II: Auf eine Weltordnung zu

Freilassen und Selbstbehauptung genügen nicht. Damit ist noch kein Friede. Wie können zwischen den wesensverschiedenen Staaten die Beziehungen sich so gestalten, daß der Weltfriede gewonnen wird?

Der Weltfrieden schien um 1900 durch eine Weltordnung gesichert, die die englisch-europäische war. Aus dem Kolonialzeitalter hatte sich zum erstenmal in der Geschichte diese Ordnung der Erde gestaltet, die uns in der Erinnerung märchenhaft scheint. Kriege waren lokal und wurden als anormal, als letzte Rückfälle in eine überwundene Vergangenheit empfunden. Aber das Jahrhundert des Weltfriedens enthüllte sein unwahrhaftiges Wesen 1914. Weil in der Tat keine Weltordnung da war, wurde der europäische Krieg zum Weltkrieg. Er entfesselte die Mächte und Völker der Erde. Die Frage der Weltordnung ist neu und eigentlich nun überhaupt zum erstenmal wirklich gestellt.

Jede Idee einer künftigen Weltordnung muß von dem gegenwärtigen faktischen Zustand der Welt ausgehen. Daher ist Voraussetzung des Nachdenkens eine Kunde von dem gegenwärtigen Zustand der Völker und Staaten, von dem gesamten, durch Menschen besiedelten und geformten Globus. Wir gewinnen solche Kunde, immer in beschränktem Maße, durch die Mitteilungen, die von Erfahrenen zu uns gelangen. Menschen, die in fremder Welt ihr Brot verdienten, Kaufleute, Techniker, Diplomaten, Missionare, Offiziere, Kolonialbeamte, Reisende, Journalisten usw. geben in ihren sehr ungleichwertigen Schriften Erscheinungsbilder, Erlebnisse im Umgang, gehörte Meinungen und Urteile. Weiter gibt es Sammlungen von Materialien, von wirtschaftlichen und statistischen Mitteilungen, von Dokumenten politischer und juristischer Natur. Man liest Erzählungen von den Ereignissen unserer Zeit, wie es kam und wie es herging und wie es an Ort und Stelle aussah.

Jeder Gedanke an eine Weltordnung kann sich nur auf Grund solcher Kunde von der Realität konkretisieren. Aber auch der Kundigste kennt nicht »die Realität«, sondern nur ein unerschöpfliches Feld von Tatsachen und unübersehbaren Kausal- und Sinnbeziehungen. Das Wissen von diesen Realitäten ist wohl stets auch falsch betont. Bilder täuschen durch Evidenz und Plastik der Darstellung. Die Realität selber ist zudem in schnellem Wandel. Eine vergleichende Lektüre von Reisebeschreibungen aus dem letzten Jahrhundert bis heute zeigt, daß, was eben noch wirklich war, es schon nicht mehr ist. Falsche Vorstellungen aber sind zugleich selber eine wirksame Realität. Der mit ihnen gemeinte Sinn eines Tuns und dessen faktische Wirkung treffen sich nicht. Aber die Koinzidenz von gemeintem Sinn des Tuns und faktischer Wirkung findet fast nie statt. Daher ist in allem Tun auch falsches Vorstellen und unvollständiges Wissen ein Faktor.

Auch nur einen Abriß der Vorstellungen von der Realität der Menschenwelt im gegenwärtigen Augenblick kann ich nicht geben (auch weil sie mir selber nicht zur Verfügung steht). Nur unter dem Gesichtspunkt »Auf eine Weltordnung zu«, die den Frieden bedeutet, versuche ich einige Tatsachen- und Gedankenbereiche zu erörtern. Ich möchte die Tendenzen wahrnehmen, die in ihnen auf eine Weltordnung hinweisen könnten, und die großen Gegensätze, die ihr widerstreben.

a) Mögliche Wege zu einer Weltordnung der Freiheit

Grundirrtum der Errichtung eines Weltstaats. — Heute wird von vielen wie selbstverständlich gedacht: Alle Menschen sind gleich, alle Staaten sind gleicher Art, alle Territorien der Staaten sind mit ihren Grenzen gleichen Rechtes; überall wollen die Menschen dasselbe, ihre Freiheit. Damit legt sich eine Abstraktion über die Wirklichkeit der Erde. Auf Grund dieser Abstraktion sind Sprechweisen, Argumentationen, Ansprüche erwachsen.

Im früheren Europa gab es, auf dem gemeinsamen antiken und biblischen Grunde, bei allen Kämpfen eine gewisse Gemeinschaft der Vorstellungen und Rechte zusammenhaltender und aufbauender Art. Heute gibt es keine Weltgemeinschaft in jenem alten Sinn europäischer Gemeinschaft, sondern nur jene Abstraktionen. Diese sind einer sophistischen Nutzung fähig, aber nicht wirksam zum Aufbau des Friedens.

Auf der Unwahrheit der Abstraktion hat man den Gedanken von der Weltordnung als Weltstaat gegründet. Man müsse den Weltstaat errichten mit Weltparlament, Weltpolizei, Weltwährung usw. Auf diesem Weg aber kommt man nicht voran, weil man die Wirklichkeit nicht nur überspringt, sondern auch vergewaltigt.

In der Realität könnte es einen einzigen Weltstaat nur geben durch gewaltsame Welteroberung. Sollte eine solche sich ereignen, so wäre zwar Frieden, aber die schrecklichste Despotie. Siegt die totalitäre Welt, so stabilisiert sie ihren Terrorismus, da die ständige verzweifelte Unzufriedenheit der Menschen nur durch ihn in Ruhe gehalten werden kann. Aber auch wenn in einem Endkampf die freie Welt siegen würde (falls überhaupt Menschen übrigbleiben), so würde doch fast derselbe Terrorismus die Folge sein. Denn der Krieg würde im Kampfe mit dem Drachen den für die Freiheit Kämpfenden selber durch seine alle Menschen restlos einspannende Machtorganisation in einen Drachen verwandelt haben.

Denkt man aber die abstrakte Illusion eines Weltstaats, der durch Vertrag errichtet würde, mit einer zentralen Polizei zur Aufrechterhaltung des Friedens, so würde unfehlbar irgendwann die Despotie derer entstehen, die diese Gewalt in Händen hätten. Denn jede Macht, die alle Gewalt in einer Hand konzentriert, vernichtet alsbald die Freiheit. Die politische Freiheit kann nur im Gleichgewicht von Gewalten — wie es seit dem Altertum in vielen Modifikationen verwirklicht und gedacht worden ist — gerettet werden. Menschen brauchen als Menschen die Kontrolle und das begrenzende Maß. Dieses wird in der Realität nur gelingen, wenn mögliche Gewalt durch andere mögliche Gewalt im Zaume gehalten wird, wenn es also — in unserem Fall — viele Polizeigewalten auf der Erde gibt. Eine zuverlässig begrenzte, das heißt gesetzlich gelenkte Gewalt muß in der Vielfachheit bleiben, weil nur dezentralisierte, aber überall unter dem Gesetz stehende Gewalt die Chance bietet: wenn eine Gewalt despotisch werden möchte, werden die anderen zusammenstehen, um die gesetzlos werdende willkürliche Gewalt im Keim zu vernichten. Aber diese Chance ist gebunden an die bleibende Gefahr.

Frieden in der Freiheit der Konföderation. — Daher kann eine Weltordnung der Freiheit nur die Form einer Konföderation in einem bleibend labilen Zustand haben. Sie kann nicht von vornherein eine Weltkonföderation sein, die ohne Rücksicht auf Staatsverfassungen und Lebensformen auch das im Wesen Ungleiche in den Schein einer Verbundenheit brächte. Konföderation kann wirksam nur bestehen durch Verträge zwischen Staaten, die in politisch freier Verfassung mit unbeschränkter Öffentlichkeit leben und die gemeinsam ihre Freiheit bewahren wollen.

Kant begriff in seinen Definitivartikeln des Ewigen Friedens als ersten: »Die bürgerliche Verfassung in jedem Staate soll republikanisch sein.« Damit meinte er die »Regierungsart«, nicht die Staatsform. Denn auch eine Monarchie kann nach republikanischer Art regiert werden. Zu dieser freien, zu ehrlichen Friedensbunde (der nicht ein traditioneller Friedensvertrag, das heißt nur ein Waffenstillstand wäre) allein fähigen Regierungsart gehört u. a. die »repräsentative Regierungsform«, die Gewaltenteilung, die Geltung der selbstgegebenen Gesetze und die legale Form der Änderung oder Neuschöpfung der Gesetze.

Daher kann nach Kant nicht aus abstrakten Gedanken ein Weltstaat gegründet werden. Vielmehr muß in der Wirklichkeit der Weg geschichtlich gegangen werden: »Wenn das Glück es so fügt: daß ein mächtiges und aufgeklärtes Volk sich zu einer Republik (die ihrer Natur nach zum ewigen Frieden geneigt sein muß) bilden kann, so gibt diese einen Mittelpunkt der föderativen Vereinigung für andere Staaten ab, um sich an sie anzuschließen und sich durch mehrere Verbindungen dieser Art nach und nach immer weiter auszubreiten.« Also nicht ein Weltstaat völlig Ungleicher, sondern eine Konföderation der in der politisch freien Regierungsart dem Wesen, wenn auch nicht den besonderen Formen nach Gleichen! Durch einen solchen Bund wird der Krieg innerhalb der Konföderation ausgeschlossen.

Kant fragt dann, wodurch solcher Bund den Frieden sichere. Offenbar nicht durch das Verfahren, mit dem innerhalb der Staaten das Recht gesichert wird. Im Staat gleicht eine oberste gesetzgebende, regierende und richtende Gewalt die Streitigkeiten friedlich aus und sichert den Frieden durch die Verfügung über die Polizei. Wenn aber in der Konföderation ein Staat sagt: »Es soll kein Krieg zwischen mir und anderen Staaten sein, obgleich ich keine oberste gesetzgebende Gewalt erkenne, die mir mein und der ich ihr Recht sichere«, worauf ist dann das Vertrauen zu einem Recht zu gründen? Nur auf »das Surrogat des bürgerlichen Gesellschaftsbundes, nämlich den freien Föderalismus«. An die Stelle der positiven Idee einer Weltrepublik tritt nach Kant nur »das negative Surrogat eines den Krieg abwehrenden, bestehenden und sich immer ausbreitenden Bundes ...« Er allein kann »den Strom der rechtscheuenden, feindseligen Neigung aufhalten, doch mit beständiger Gefahr ihres Ausbruchs«.

Diese bleibend mögliche Feindseligkeit gibt sich im Völkerrecht den täuschenden Ausdruck »eines Rechts zum Kriege«. Bei diesem Begriff, der für einseitige Maximen der Gewalt ein Recht in Anspruch nimmt, läßt sich nach Kant »eigentlich gar nichts denken«; es sei denn, daß »Menschen, die so gesinnt sind, ganz recht geschieht, wenn sie sich untereinander aufreiben und also den ewigen Frieden in dem weiten Grabe finden, das alle Greuel der Gewaltfähigkeit samt ihren Urhebern bedeckt«.

Zwar streift Kant den Gedanken eines Völkerstaats unter Zwangsgesetzen, in dem die Staaten im ganzen die Rolle der einzelnen Bürger im Staat spielen würden. Aber Kant kapituliert vorläufig, in der Geschichte, in der wir leben und handeln, vor der Realität. Während es nach der Vernunft keine andere Art gibt, aus der wilden gesetzlosen Freiheit der Staaten herauszukommen, als einen Völkerstaat unter Zwangsgesetzen zu bilden, die Völker aber dieses nach ihrer Idee vom Völkerrecht durchaus nicht wollen, so ist der sich ausbreitende Völkerbund der einzige Weg, »wenn nicht alles verloren sein soll«.

Die Konföderation freier Staaten umfaßt bisher und für uns unabsehbare Zeit nicht die ganze Welt. Daher liegt außerhalb des Kreises, der innerhalb der Konföderation als *Völkerrecht* sich verwirklicht, für die gesamte übrige Welt noch ein anderes Recht, das Kant in der Idee seines *Weltbürgerrechts* bezeichnete, aber nicht näher ausführte. Es sind also zwei Stufen zu unterscheiden: der Völkerbund freier Staaten und die Vereinigung aller Staaten in einem Weltbürgerrecht zum Zweck der Aufrechterhaltung des Friedens. Die Nichtuniversalität des Völkerbundes — vorläufig — ist die Folge der Voraussetzung, daß zu ihm nur freie Völker fähig sind.

Dieser Völkerbund wird heute nicht nur durch das politische Ethos gewollt, das allein zwischen freien Staaten den Ewigen Frieden mit Erfolg erstrebt, sondern zugleich erzwungen durch die Bedrohung der Freiheit, und zwar erstens durch den Totalitarismus und zweitens durch die substantiell noch ziellose Empörung der gewaltigen Völkermassen in den früheren Kolonialgebieten. Die freien Völker, die entschlossen die Prinzipien des Kolonialismus aufgeben, können, während sie einst Großmächte waren, jetzt nur noch als Kleine im Ganzen der Konföderation (ihrem Kantischen Völkerbunde) sich behaupten. Der Rückzug auf die eigenen Territorien hat zur Folge nicht nur den Verzicht auf Eroberungen, sondern auch auf das Festhalten früherer Weltgeltung. Das Bündnis der Verzichtenden ist die einzige Form ihrer Selbstbehauptung.

Dreifache Politik. — Es gibt heute die Politik der freien Völker, die des Totalitarismus, die der Masse der Völker der Erde, die weder totalitär noch frei sind.

Die *freien Völker* möchten politisch so leben, daß sie durch ihre Regierungsart und ihr Verhalten Anziehungskraft für die anderen Völker haben. So könnte durch deren freien Eintritt, auf Grund ihrer eigenen Entwicklung zur politischen Freiheit, der Völkerbund, der bisher nur die Konföderation der aus Freiheit schon zum rechtlichen Friedensbunde fähigen Völker war, am Ende weltumfassend werden. Die Gemeinschaft des Völkerbundes kann nacheinander jedes einzelne Volk, das zu innerer politischer Freiheit gelangt ist, nicht vorher, aufnehmen.

Der *Totalitarismus* dagegen will erzwingen. Er sucht die Welteinheit des Friedens als Eroberung durch sich selber. Er benutzt überall den Haß, um sich mit den Unterdrückten, Unzufriedenen, Hoffnungslosen zu verbünden. Im Schein der Unterstützung der Freiheit in den Leidenschaften der Empörung bringt er in seine Gewalt, was er dann terroristisch beherrschen würde. Nicht ein Völkerbund in Freiheit, sondern totale Herrschaft in Unterjochung durch einen Terrorapparat ist das Ziel.

Die *Völker, die weder frei noch totalitär* sind, sind das Feld, auf dem jene beiden großen Prinzipien der Freiheit und des Totalitarismus miteinander ringen. Sie werben gleichsam um die Völker. Diese aber benutzen ihre vorläufige Zwischenposition, um sich Vorteile von beiden Seiten zu verschaffen als Nutznießer der Situation, gar in dem Bewußtsein einer überlegenen unbefangenen sittlichen Haltung. Sie handeln in ihrer Schwäche und Selbsttäuschung widerspruchsvoll, faktisch grundsatzlos. Sie ergehen sich in der Schaumschlägerei moralisch-politischen Geredes.

Sichausschließen und Koexistenz. — Freiheit und Totalitarismus schließen sich in ihren Grundsätzen aus. Dazu steht die freie Welt unter der realen Drohung des expansiv Totalitären, der Totalitarismus fühlt sich bedroht durch das bloße Dasein der Freiheit in der Welt. Da aber beide, angesichts der Folgen der Atombombe, nicht miteinander Krieg führen wollen, erfinden sie die »Koexistenz« als das Minimum einer friedlichen Weltordnung.

Reine Koexistenz, die durch Aufhebung jeder Berührung auch jeden Kampf aufheben würde, kann nur bei radikaler Isolierung bestehen. Die physisch eine Erdoberfläche und die in einem einzigen Ursprung wurzelnde Menschheit würden gespalten in zwei. Dann wäre nur ein einziger Pakt notwendig: keinerlei Überschreitung der Grenze zwischen den beiden. Es ist, als ob zwei Welten wären, die voneinander nur wissen, daß sie da sind. Wie der Planet im ganzen faktisch geschlossen ist, so könnten aus seiner Oberfläche zwei Teile je in sich geschlossen sein. Für beide je einzeln ist das Problem, das für die Menschheit im ganzen angesichts der einen jetzt gekannten und verteilten Erde aufgetreten ist: Wie kann man leben ohne Expansion? nur daß dieses Problem nun zweimal, unabhängig voneinander, gelöst werden müßte.

Man braucht solche Koexistenz zweier isolierter Gebiete nur durchzudenken, um zu sehen, daß sie unmöglich ist. Das faktische Interessiertsein der Menschen an dem, was auf der anderen Seite geschieht, was dort zu lernen, zu kaufen ist, — dann die Wissenslust, zu erfahren, was dort ist, wohin immer der Mensch dringen kann, — schließlich die ursprüngliche Einheit im Wesen des Menschseins, seine grundsätzliche Kommunikationsfähigkeit durch Sprache schließen diesen Weg aus.

Wenn Koexistenz aber nicht radikal ist, so ist schon Kooperation und dann im Widerstreit Kampf. Denn Verkehr ist als solcher schon Anfang beginnender Kooperation oder beginnenden Kampfes. In bloßer Koexistenz befanden sich die Völker der Erde vor dem beginnenden Weltverkehr. Mit dem Verkehr ist beides zugleich: Kooperation und Kampf, entstanden. Da Rückkehr zur bloßen Koexistenz unmöglich ist, kann der Begriff Koexistenz nur eine partikulare Bedeutung haben.

Der Wille zur Koexistenz oder der Vorschlag, zu koexistieren statt zu kämpfen, ist zweideutig im Ursprung. Er meint entweder vorläufige Zulassung der politischen Lebensform des andern, um durch partikulare Kooperation schrittweise bis zur Aufhebung der bloßen Koexistenz und zur Kooperation auch im ganzen zu gelangen. Oder er meint — in der Atempause vor dem totalen Krieg — die partikulare Kooperation als bessere Vorbereitung zu diesem Krieg, den man doch nicht riskieren will.

Die »politische Koexistenz« ist ein Gedanke, mit dem die Welt heute sich täuscht. Man will den Verkehr miteinander, die Kooperation in wirtschaftlichen, kulturellen, sogar politischen Fragen, nämlich in bezug auf jene großen Gebiete der Erde, die weder frei noch totalitär sind. Aber in der je eigenen, wesensverschiedenen politischen Verfassung, in den Prinzipien der totalitären und freien Welt, soll Koexistenz herrschen. Diese Sphäre wird für tabu erklärt. Das aber ist nicht zu verwirklichen. Tritt man miteinander irgendwo in Verkehr und geht man sich gegenseitig irgendwo an, so geht man sich faktisch überall an. Wo man sich angeht, existiert man nicht bloß nebeneinander. Koexistenz als Zustand von Ruhe und Frieden ist nicht möglich, wenn sie nicht als völlige Isolierung beider Seiten voneinander durchgeführt wird.

Mit der Formel der Koexistenz verbirgt der eine Teil seinen faktischen Willen zur schließlichen Welteroberung durch Gewalt, der andere Teil seinen Willen zur Welteroberung durch geistige Überzeugung. Jener muß vor allem die Wirkung dieser Überzeugungskraft fürchten, wenn seine eigenen Völker erfahren, was die Freiheit ist. Dieser muß die totale Gewalt fürchten, die, wenn sie nur Chancen hat, aus der Verschlossenheit ausbricht.

Die Bereitschaft zur Koexistenz (als der gegenwärtig einzigen Friedensmöglichkeit) versteckt eine Erwartung, die beide Seiten vom Verlauf der Dinge haben. Der Totalitarismus erwartet gemäß dem marxistischen Denken den notwendigen inneren Zusammenbruch der kapitalistischen Welt. Diese Welt wird ganz von selbst in eine Entwicklung gelangen, an deren Ende sie ohne kriegerischen Kampf dem Totalitarismus anheimfällt. Die freie Welt dagegen erwartet, daß der Totalitarismus, da er dem Grundwesen des Menschen widerspreche, sich notwendig im Laufe der Generationen erweichen und auflösen müsse; die eingeborene Freiheit des Menschen werde ihn durchbrechen. Man brauche nur zu warten, dann werde die ganze Welt frei; die Menschen werden sich brüderlich in ihrer Mannigfaltigkeit unter gemeinsamen Voraussetzungen politischer Freiheit entfalten.

Aber diese Erwartung wurde auf beiden Seiten unsicher. Sie schwankt je nach den Ereignissen des Tages. Infolgedessen findet der Kampf – noch ohne Weltkrieg – so statt, daß beide gegen die Gefahr durch den anderen sich dadurch schützen möchten, daß sie die erwartete Entwicklung beschleunigen.

Dieser Kampf ohne Krieg und doch in ständigem Hinblick auf den Krieg wird nur zum Teil mit den uralten Methoden der Politik geführt. Heute kommen dazu wesentlich neue Methoden, die auf beiden Seiten verschieden sind (Possony). Wir werfen einen Blick nur auf den geistigen Kampf um die Vorstellungen und Antriebe der Menschen in beiden Lagern.

Hier ist das Wesentliche, daß das eine Lager seine Völker absperrt von Nachrichten, Gedanken, Diskussionen aus der freien Welt, das andere gerade die Aufhebung jeder Erschwerung dieses Verkehrs verlangt. Der Kampf wird daher auch ein Kampf um diesen Verkehr selbst. Der Totalitarismus will die freie Publizität nicht, nicht die Allseitigkeit des eigentlich menschlichen Verkehrs durch die Öffentlichkeit, weil die bloße Wahrnehmung der Freiheit der anderen seitens der eigenen Bevölkerung diese zum Aufstand gegen das Totalitäre ermutigen würde. Daher machte er diese Wahrnehmung seinen Völkern durch Abschluß unmöglich, will den Verkehr unter Kontrolle halten und möglichst eng beschränken. Die freie Welt dagegen will den Verkehr erweitern zu einer bis in das letzte Haus dringenden Publizität des Weltgeschehens und des Denkens der Menschen.

Weil die freie Welt die schrankenlose Publizität zu ihrer Lebensbedingung hat, muß sie auch dem Totalitarismus die geistige Wirksamkeit in ihr selbst gestatten. Dieser nutzt bedenkenlos die Freiheit, die er in seinem eigenen Herrschaftsgebiet vernichtet hat, um mit allen Mitteln der Täuschung in der Propaganda für die Gerechtigkeit, Größe und Wahrheit seines Weges zu wirken. Dies ist mit erschreckendem Erfolg möglich vor allem aus zwei Gründen: 1. Der Zustand des Totalitarismus sieht völlig anders aus für die, die ihn, in einer freien Welt lebend, erstreben, als für die, die darin sind und ihn erleiden. Die Phantasie der meisten Menschen reicht nicht aus, sich vorzustellen, was realiter doch in der Welt schon da ist. 2. Es ist eine Bereitschaft vieler Menschen in der freien Welt, in ihrer Unzufriedenheit, Bodenlosigkeit, ihrem Schlechtweggekommensein, ihrer Empörung, ihrem Bewußtsein überflüssig zu sein, hinzudrängen zu einem Weltzustand, der ihnen als Erlösung erscheint. Der Totalitarismus ist die gefährliche geistig-politische Erkrankung der Menschheit auch in der freien Welt. Daher findet nur in dieser Welt das sittlich-politische Ringen im geistigen Tun statt. Hier allein ist der Kampfplatz. In der anderen Welt ist dieser Kampf verboten. Die eigentlich verantwortliche Entscheidung fällt vorläufig allein innerhalb der freien Welt. Diese würde sich selbst aufgeben, wenn sie gegen das Geistige, auch wo es lügt, zum Zwang griffe. Sie muß sich selbst vertrauen, daß aus ihrer Freiheit schließlich die Wahrheit hervorgeht. Sie hätte ihr Recht verloren, wenn sie sich selbst dogmatisierte und dann statt dem freien Denken ihrerseits erst der Gewalt vertraute. Aber alle Totalitären und Neutralisten, obgleich ihnen in der freien Welt nichts geschieht, sind Verräter an dieser Welt, unter deren Bedingungen sie selber leben und denken. Und hier ist der Kampfplatz, hier die weltgeschichtliche Entscheidung.

In der totalitären Welt, wo deren Erfahrung den Menschen bis in die letzte Faser ihres Wesens gegenwärtig ist, ohne daß die meisten in der Dumpfheit der kontrollierten Publizität der Lüge es zu klarem Bewußtsein bringen können, würde eine Explosion erfolgen, wenn die Publizität unbeschränkt würde.

Der Zustand der Absperrung des geistigen Verkehrs zwischen den Welten ist Bedingung der Möglichkeit der großen Lügen, die heute überall vernebeln wollen. In diesem Zustand finden alle die anderen Kampfmittel statt und werden die Vorbereitungen getroffen. Daher können die »Koexistierenden«

heute den Kampf in den heftigsten Formen führen, in denen des Kalten Krieges, der alles möglich macht, nur das eine aber vermeiden soll, den totalen Krieg selber. Weil die beiden Großmächte den Krieg als den Untergang aller bisher nicht wollen, wird der Zustand einer äußersten Spannung heute noch durchgehalten.

Aber es wäre eine Täuschung, zu meinen, daß Koexistenz in dem beschränkten und unwahrhaftigen Sinn Dauerzustand sein könnte. Der Totalitarismus kann das Dasein der Freiheit, das ihn als solches schon bedroht, nicht dulden. Freiheit darf nicht möglich sein. Daher strebt er nach Welteroberung mit jedem möglichen Mittel. Die freie Welt kann das Dasein des Totalitären wegen dieser ständigen Gefahr der Gewaltanwendung nicht schweigend dulden. Sie sucht es durch Wahrheit von innen her in dem Bereich der totalen Herrschaft, soweit sie dorthin dringt, und durch Wahrheit in der übrigen Welt zu schwächen.

Hegemoniale Beziehungen und Unterwerfungsverhältnisse. — Was gegenwärtig, wenn nicht Weltordnung, so doch das ist, was in zwischenstaatlicher Politik das augenblickliche Leben im Frieden noch bewahrt, besteht in drei Formen: in hegemonialen Beziehungen, in Unterwerfungsverhältnissen, in Einflußsphären. Hegemoniale Beziehungen verwirklichen sich in der freien Welt heute durch den Vorrang Amerikas. Satellitenstaaten bestehen im Kreis um Rußland. Einflußsphären sind unklar abgegrenzt, werden von beiden Seiten in der übrigen Welt faktisch beansprucht und sind das Feld ständiger Unruhe.

Hegemoniale Verhältnisse sind unumgänglich im Bund der freien Völker. Sie sind nicht ausdrücklich durch Verträge anerkannt, weil eine Sache des politischen Vertrauens, der politischen Treue und des politischen Taktes. Sie beziehen sich nur auf die Bildung des Willens in der Außenpolitik, d. h. gegenüber dem Totalitären und gegenüber der großen Masse der Fluktuierenden, die politisch vorläufig noch keine eigenständige Macht sind. Diese hegemonialen Verhältnisse brauchen nirgends in die innere Freiheit der Staaten und Völker einzudringen. Die Kleinen haben das Recht, mitzureden und zu raten, aber nicht selbständig ohne Zustimmung der hegemonialen Macht oder gegen sie entscheidend zu handeln. Jeder Abendländer hat gleichsam zwei Vaterländer, das seines Herzens, seiner Herkunft, seiner Sprache, seiner Ahnen, und das des sichernden Bodens seiner politischen Wirklichkeit. Jene Vaterländer sind viele, dieser Boden ist heute noch einer: die Vereinigten Staaten von Amerika.

Die freien Staaten werden in den hegemonialen Verhältnissen durch Eigenmächtigkeiten und Treulosigkeiten ständig geschwächt. Die Freiheit in diesen

Beziehungen konstituiert bisher nur unzureichend die gemeinsame Selbstbehauptung, weil sie jeden Augenblick umschlägt in Willkür. Das Bewußtsein des Ganzen und seiner Forderungen, deren Erfüllung die Bedingung des Am-Leben-Bleibens jedes Einzelnen ist, ist nicht aufzuzwingen. Freiheit kann nur durch einsichtige Freiheit bestehen.

Herrschaft über Satellitenstaaten hat einen grundsätzlich anderen Charakter. Wie die Freiwilligkeit der Gemeinschaft in der Außenpolitik hier herabgesetzt ist zu dem Mechanismus des Gehorsams, so ist auch die Freiheit im Inneren der Satellitenstaaten aufgehoben zugunsten einer totalitären Verfassung. Ungarn war das Beispiel, wie der Gehorsam erzwungen wird durch fremde militärische Gewalt gegen ein ganzes Volk. In allen Völkern finden sich einige Volksverräter, die durch Terror mit Hilfe der Fremden den Willen der Fremden durchsetzen.

Satellitenstaaten haben als Folge völliger Unfreiheit (unter dem Namen der Selbständigkeit) eine unfruchtbare Unruhe, die nur mit Gewalt erstickt wird oder mit Gewalt ausbrechen kann.

Das *Verhältnis zu den Staaten in den Einflußsphären* und dieser Staaten untereinander ist ohne Prinzip. Diese Sphären bestehen nicht mehr wie im 19. Jahrhundert, als sie vertraglich zwischen den kolonialen Großmächten festgelegt werden konnten. Die gegenwärtigen faktischen, aber nicht anerkannten und nicht zugegebenen Einflußsphären sind ein Feld des Ringens und Werbens. Es entsteht der Schein von großer Selbständigkeit dieser Staaten.

In bezug auf den Weltfrieden sind diese drei Weisen zwischenstaatlicher Beziehungen ganz verschieden zu beurteilen. Die hegemonialen Beziehungen sind als freie Akte notwendig, nur solange die freien Staaten von außen in ihrem Dasein insgesamt bedroht sind. Die Unterwerfungsverhältnisse der Satellitenstaaten bestehen durch Gewalt, solange diese hält. Der Anspruch auf Einflußsphären, den beide, ohne es zuzugeben, und in anderer Form als früher erheben, hängt mit dem Weltgegensatz der Großmächte zusammen und würde mit diesem verschwinden. Alle drei Beziehungen sind durch die Kriegsgefahr bedingt.

Die Vergewaltigung von Völkern, die frei sein wollen, als Satellitenstaaten gibt es nur im Raum des Totalitären. Diese Vergewaltigung wird von der freien Welt vorläufig geduldet, weil die Alternative der Weltkrieg wäre. Es war ein unehrliches Versprechen der Republikanischen Partei bei der ersten Eisenhower-Wahl, Trumans containment zu übertrumpfen durch ein rolling back. Diese unverantwortliche Ermunterung für die Satellitenstaaten führte zur grausamen Enttäuschung des sich auflehnenden ungarischen Volkes, als es Eisenhowers Worte hörte: Wir haben die Ungarn nicht zum Aufstand ermuntert.

Die Kooperation freier Staaten im hegemonialen Verhältnis und der Gehorsam von Satellitenstaaten werden beide als »Blockbildung« bezeichnet. Aber die Blockbildung der unaggressiven Selbstbehauptung freier Staaten miteinander ist etwas ganz Anderes als die Blockbildung durch faktische Eroberung im Kleide von Verträgen unter der gewaltsam zwingenden fremden Militärmacht. Es gehört zu den Verwirrungen des Sprachgebrauchs heute, daß Wesenverschiedenes und zum Teil Entgegengesetztes mit demselben Namen benannt wird.

Der schwebende Zustand. — Der politische Weg der Welt geht entweder über die Selbständigkeit der Völker zu einer neuen Ordnung, in der, solange die Selbstbehauptung der Freiheit gegen das Totalitäre dazu zwingt, die heute sichtbare freie hegemoniale Beziehung notwendig ist. Oder der Weg geht zum universalen Totalitarismus, für den alle gegenwärtigen Verwirrungen, Ressentiments, Illusionen, Ideologien nur die Erweichung oder Fanatisierung der Menschen bedeuten, die durch diese Vernunftwidrigkeiten vorpräpariert werden, um dann im Totalitarismus einer Herrschaft unterworfen zu werden, die, solange sie noch nicht wirklich da ist, alle Probleme zu lösen scheint. Nach ihrer Verwirklichung aber, auch wenn dann fast alle die Enttäuschung und das Entsetzen ergreift, läßt sie keine Umkehr mehr zu.

»Kein Weltstaat, aber eine Weltkonföderation«, diese Forderung hat Mangel und Vorzug: Mangel, weil sie eine Weltvollendung in beständiger Ordnung als für den Menschen unmöglich erklärt (die sich im totalitären Despotismus täuschend anbietet); — Vorzug als das mögliche Beste; denn da die Welt nicht richtig und gerecht als ein gleichbleibender Dauerzustand einzurichten ist, bleibt jeder Zustand, der die Möglichkeit des Besseren, die Freiheit, bewahrt, notwendig labil.

Weil die Vollendung nie da ist, bedarf es der ständigen Verbesserungen. Diese sind infolge des Wandels aller menschlichen Dinge immer wieder aus neuen Situationen zu finden. Die Wege führen, wenn sie gewaltlos bleiben, über die Gesetzlichkeit der Einsichtigen. Durch sie werden die Entschlüsse in die Form friedlichen und freien Geschehens gebracht.

Das menschliche Leben ist jederzeit ein Übergangszustand, der sich heute zur Krise mit der Möglichkeit des totalen Untergangs gesteigert hat. Wird dieser Übergangszustand mit den Kriegen, die zu ihm gehören, überwunden, so konsolidiert sich der Weltfrieden, wenn er nicht der Kirchhofsfriede einer totalen Herrschaft ist, doch nur so, daß eine ständige Kriegsgefahr bleibt, zwar nur am Rande als mögliche Drohung, aber zugleich als Stachel für den

Ernst des Handelns im nie absolut sicheren Friedenszustand.

Friede in Freiheit ist gebunden an die Gefahr des Kriegs. Krieg aber wird heute zum Untergang der Menschheit. Man kann fragen: Gehört Freiheit etwa nur zum Übergangszustand der Geschichte zwischen Vorgeschichte und dem Ende der Menschheit und besteht die Alternative: Entweder Untergang des Daseins des Menschen überhaupt durch ihn selbst oder die Endkonsolidierung in einem Friedenszustand totaler Herrschaft, in dem menschliche Existenz in dem Sinne unserer Geschichte von Jahrtausenden nicht mehr möglich ist? Dem bloßen Verstand nach kann es so aussehen. Niemals aber wird der Freiheitswille des Menschen, durch den er sich erst als Mensch weiß, diese Alternative als zwingend anerkennen. Er wird immer den labilen Zustand, mit Kriegsgefahr und Untergangsmöglichkeit, vorziehen, der dem Wesen des Menschseins in seiner unaufhaltsamen Bewegung angemessen ist. Sollte er aber einst die absolute Ruhe eines Friedens seines Daseins in endloser Zeit vorziehen, dann würde er aufhören, Mensch zu sein, zugunsten eines funktionalisierten Daseins existenzlos sich wiederholenden Lebens.

b) Die einer Ordnung widerstrebenden Weltgegensätze

Kampf der Gegensätze überhaupt.

In den Gegensätzen von totaler Herrschaft und politischer Freiheit meinen wir heute einen wirklichen Gegensatz von Prinzipien zu sehen (nicht von Völkern). In dem Gegensatz von antikolonialistischem Haß und eigensinnig festgehaltenen Resten kolonialer Herrschaft meinen wir geschichtlich begründete, tief eingewurzelte Feindschaftsgefühle wahrzunehmen.

Gegensätze aber wie die von Kapitalismus und Sozialismus, von liberalistischem und marxistischem Denken scheinen überholt als sachgemäßer Ausdruck eines realen Kampfes. Sie sind nur noch Sprechweisen im Kampf um anderes. Gegensätze von Meinungen (Vorstellungen, Ideologien) können ursprünglich zwar Gegensätze realer Spannungen sein, die sich in jenen Meinungen zum Bewußtsein bringen. Solche Vorstellungen aber leben fort, wenn ihr geschichtlicher Grund schon verschwunden ist, und verschleiern dann die neue Wirklichkeit. Das Gewebe der wirklichen und der nur gemeinten Gegensätze ist kaum durchschaubar.

So groß aber die Bedeutung der geistig zum Ausdruck kommenden Gegensätze auch für die Folgen auf den Gebrauch der Gewalt ist, die Realität sagt uns doch unüberhörbar, daß die faktische Gewalt, die auf der bewußten Organisation der militärischen und industriellen und agrarischen Kräfte beruht, im Augenblick der einbrechenden Weltkrise alles entscheidet.

Alle Gegensätze werden daher übergriffen von den faktischen, über militärische Gewalt verfügenden Großmächten, heute Rußland und Amerika (sie brauchen es keineswegs lange zu bleiben; nach der Organisation Chinas etwa kann schon in drei Jahrzehnten alles anders liegen). Wo die Fronten der Realität in den über Gewalt verfügenden Mächten aufeinanderstoßen, sind sie kaum je in Klarheit, sondern, real nur gestützt auf Organisation der Macht, inhaltlich so vieldeutig, daß die Menschen kämpfen auch gegen das, was sie selber als Meinung vertreten, und verraten, was sie sich als Ziel gesetzt hatten. Der Kampf geht faktisch vor sich in einer Konfusion der Meinungen, die dann nur noch durch eines gelenkt wird, die faktische Gewalt und ihre Ergebnisse.

Insofern sind die Weltgegensätze, die in Meinungen, Interessendifferenzen, Haßgefühlen liegen (aus denen eine unübersehbare Vielfachheit von Konfliktsmöglichkeiten entspringt), vordergründig gegenüber der organisierten Macht der Gewalt. Diese nutzt entweder die Konflikte, um sie zu steigern, wenn sie durch ihre Auswirkung der eigenen Macht vorteilhaft sind. Oder sie sucht solche Konflikte beizulegen, wenn sie ihr unvorteilhafte Wirkungen haben. Solange das Interesse der Selbstbehauptung einer Gewalt entscheidet, ist noch nicht die Macht der Konföderation wirklich, die mit einiger Zuverlässigkeit im Interesse zugleich des allgemeinen Friedens und der Freiheit die Konflikte zu gerechter Lösung zu bringen sucht. Sie würde durch Kooperation innerhalb des Ganzen der bis dahin freien Welt in natürlicher Treue sich stabilisieren, und darüber hinaus durch Gerechtigkeit in Urteil und Tat helfen.

Noch sind die Großmächte die augenblickliche Realität der Gewalt, die sich im Kampfe miteinander alle Gegensätze dienstbar machen. In den für die Gewalt vordergründigen Gegensätzen kann aber in der Tat das Tiefere liegen, das die Großmächte überdauert und sich vielmehr ihrer als wechselnder Gestalten gleichsam bedient. Einen solchen tiefen, ihrerseits übergreifenden und weltgeschichtlich entscheidenden Gegensatz sehen wir heute in dem Gegensatz von politischer Freiheit und totaler Herrschaft.

Totale Herrschaft und politische Freiheit.

Wer heute nicht politisch träumen will, muß klar sein über totale Herrschaft, sowohl über das Faktische ihres Daseins, als auch über ihren *Sinntypus*, wie er in seinen Konsequenzen konstruierbar ist (Hannah Arendt; ihre Einsicht sowohl wie ihr offenhaltendes Fragen halte ich heute für unumgänglich, wenn wir uns die totale Herrschaft sachgemäß klären wollen). Man muß die *Methoden* des totalitären Kampfes kennen (und deren Verschiedenheit vor und nach der Machtergreifung) (Possony). Man muß von der *Funktion des Geistes* in dieser Welt wissen (Milosz).

Der Typus der totalen Herrschaft:

Die totale Herrschaft läßt keine Parteien zu. Sie selbst gründet sich auf die eine einzige Partei, die den Namen der Partei aus der Zeit, als sie in der freien Welt um ihre Machtergreifung kämpfte, beibehält. Die Partei bleibt eine Minderheit, auserlesen aus der Bevölkerung und ständig durch sich selbst kontrolliert und gesäubert.

Sie erklärt, so völlig identisch mit den Arbeitern und Bauern und dem gesamten Volk zu sein, daß sie jede Bewegung gegen sich als Bewegung gegen die Arbeiter und Bauern und gegen das Volk klassifiziert. Die Arbeiter haben daher kein Streikrecht mehr. Denn da sie durch den Staat Eigentümer aller Betriebe sind, würden sie ja gegen sich selbst streiken, was widersinnig und verbrecherisch wäre. Oder: der Führer ist das Volk. Gegen den Führer zu denken und zu handeln, ist Aktion gegen das Volk selber und daher Volksverrat.

Die Herrschaft der Partei kennt keine legale Opposition, sondern nur Gegner, die, weil sie unfähig (wegen Herkunft oder angeborener Artung) oder weil sie schlechten Willens sind, ausgerottet (»liquidiert«) werden. Daher der Terror, der jedoch, weil er die Form der Herrschaft selber ist, die Fiktion der Existenz gefährlicher Gegner unter verschiedenen Namen aufrechterhält, um die wirkliche Opposition des elementaren menschlichen Freiheitswillens mit ihnen diffamierend zu benennen (Konterrevolutionäre, Faschisten, Kapitalisten, Nationalisten, Imperialisten).

Die soziologische Erscheinung des neuen Zustandes ist die der Einheit von Staat und Gesellschaft, die Aufhebung aller Gewaltenteilung zugunsten der einen führenden Gewalt der Partei, aus der die Regierung hervorgeht. Der Unterschied der »Klassen« (die Kapitalisten sind charakterisiert durch ihren Privatbesitz an den Produktionsmitteln) ist ersetzt durch den Unterschied des Ranges der Funktionäre. An Stelle des Privateigentums tritt die Verfügungsgewalt über die Arbeit aller und über die Produktionsmittel durch den Staat, aber in Gestalt der kleinen führenden Schicht. Diese sind nunmehr die Ausbeuter. Der Unterschied an Einkommen, Lebensstandard und Luxus wird faktisch größer als in den »kapitalistischen« Ländern. Der Arbeiter und Bauer hat seine Freiheit verloren unter dem Namen des Mitbesitzers an allem Eigentum, woraus für ihn jedoch in seinem faktischen Zustand des wehrlosen Ausgebeutetseins nichts folgt.

Dieses Bild ist jedoch nur der erste Aspekt. »Diktatur«, »Herrschaft einer neuen Klasse« sind nicht unrichtige, aber ungenügende Kategorien. Wir stehen erstaunt, betroffen, verzweifelt vor einem Phänomen, das in der Führung selber seinen Sinn zu verlieren scheint und daher auch nicht mehr sinnvoll verständlich ist:

Es wird ein Zustand geschaffen, in dem Verhaftungen, Deportationen, Hinrichtungen ohne öffentliche Gerichtsverfahren, ja, ohne Angabe des Grundes an die Betroffenen jederzeit durch Regierungs- und Polizeiakte möglich sind. Das gesamte Leben wird funktionalisiert, jeder Mensch planmäßig an seine Arbeitsstelle gesetzt. Jeder ist ersetzbar. Diese Funktionalisierung ergreift im Zirkel die Führung selber. Jeder Mensch ist in der totalen Herrschaft in sie einbezogen.

Die totale Herrschaftsform ist der Terror an sich. Sie braucht die ständige »Säuberung« und die wechselweise Vergewaltigung irgendwelcher Gruppen, neuer Machtanhäufungen oder Klassenbildungen (der Armee, der Polizei, der industriellen Manager, der Bauern, des Apparats selber).

Aber wer und was ist es denn, was führt, säubert, sich behauptet? Die Antwort, es sei der Machtwille von Einzelnen oder von Gruppen ist wieder nicht unrichtig. Aber er trifft nur das überall in der Geschichte Gleiche. Es ist etwas, das als Parteilinie bezeichnet wird oder als die wahre Lehre. Doch auch das ist unzureichend, denn Parteilinie und Lehre wurden durch Umdeutung der eigenen Geschichte und der vorliegenden Doktrinen stets neu in nicht berechenbarer Wandlung umgebildet (gegen »Revisionisten«, »Dogmatisten«, gegen »Rechts-« und »Linksabweichungen« je in der gegenwärtigen Situation des unaufhörlichen Kampfes). Wenn auch die Lehre der Partei als der letzte vermeintlich feste Punkt von der Herrschaft in Anspruch genommen wird, kann doch auch sie es nicht sein; denn sie wird je nach Bedarf manipuliert und ist faktisch nur die Fiktion eines Feststehenden. Es ist das unheimliche Geheimnis eines wirksamen Mittelpunkts, der, nachdem totale Herrschaft als Terror da ist, jeden, auch den jeweiligen Diktator, in den Machtwillen der Menschen, ihre Selbstbehauptung hineinzwingt. Das Mißtrauen aller gegen alle, die Bedrohung jeder Macht durch andere Macht, die Unmöglichkeit einer in der Atmosphäre des Vertrauens sich konstituierenden dauernden Herrschaft setzt einen Selbstvernichtungsprozeß zugleich mit dem Aufbauprozeß der gewaltigen Militär- und Industriemacht in Gang.

Die Lüge im Prinzip:

Es ist ein gleichsam automatisches Geschehen, das von der Maschine sich nur dadurch unterscheidet, daß es von niemandem erdacht wurde und daß niemand es zu lenken vermag. Jeder, der hineintritt, wird hineingezogen in dies ungeheure Ganze, das mit unzerreißbaren Stahldrähten einspinnt, mit erbarmungslosen Schneidewerken zerstückelt, mit zweckhaft wirkendem Massenverbrauch Türme von Babel errichtet. Es kann nur als Ganzes zerschlagen werden oder zusammenbrechen und stillstehen wie eine Maschine, in die Sand gerät.

Aber dieser Automatismus ist doch durch Menschen bewirkt. In ihm offenbart sich eine ständige Möglichkeit des Menschen nun in neuer, vernichtender Form. Nur mit den Mitteln der Technik ist diese Herrschaftsform zu verwirklichen. Aber nicht die Technik als solche ruft sie hervor. Was in allen technischen Großunternehmungen analog ist, ist auch in der totalen Herrschaft da, aber ist hier nicht das Spezifische. Dies ist vielmehr die Lüge als Prinzip. Wahrheit und Lüge, Wirklichkeit und Fiktion werden so vereint, daß nichts Helles entsteht, sondern die radikale Lüge selber Wirklichkeit wird. Dieses Phänomen vergegenwärtigen wir in einigen Aspekten:

Die Führung hat nicht nur die absolute Gewalt. Sie erhebt in ihrer jeweils gegenwärtigen Gestalt den Anspruch, so irrtumsfrei, so weise zu sein, daß sie das Monopol auf die Wahrheit hat. Grundsatz ist, daß die Bevölkerung, der Mensch in seiner Durchschnittlichkeit, nicht jedem Wissen ausgesetzt werden darf. Das wahre Wissen ist in der Hand allein der politischen Führung. Auf Grund dieses Wissens ist die Führung legitimiert zur allein von ihr bestimmten Erziehung und Schulung in den Grundanschauungen, zur allein von ihr bestimmten Propaganda, zur Zensur allen geistigen Tuns, daher zur Aufrichtung der Eisernen Vorhänge um das eigene Territorium zwecks Verhinderung des Einströmens freien Denkens und unerwünschter Nachrichten.

Da alle Wahrheit bei der Staatsführung ist, gilt ihr Vorrang an Gewalt zugleich als Vorrang des Rechts und der Wahrheit. Rechtskontrolle ist ebenso überflüssig wie Prüfung der Grundlehre in kritischer Diskussion. Eine Kritik der Führung und der Doktrin ist ein Kampfakt, der als Staatsverbrechen zur Vernichtung des Täters führt. Jeder Versuch der durch Unruhe des Volkes selber unruhig werdenden Führung, eine leise Freiheit des Geistes, eine Kritik zuzulassen, erweist sich als eine Öffnung der Schleusen und muß schnell rückgängig gemacht werden. Die gewaltlose geistige Spontaneität wird mit Gewalt unterdrückt. Erst recht gibt es keine Freiheit politischen Handelns, keine Versammlungsfreiheit, keine Freiheit zur Parteigründung.

Etwas anderes ist die Freiheit in Naturforschung und Technik. Totale Herrschaft züchtet gleichsam, wie ein Ameisenstaat seine Nahrung gebenden Läuse, seine Techniker. Sie werden mit allen Vorteilen bedacht, gelangen in den Besitz außerordentlicher Mittel. Aber allein die Brauchbarkeit der Leistung entscheidet. Die Freiheit erstreckt sich nicht auf die grundsätzlichen Auffassungen in der Naturerkenntnis und gar nicht auf deren öffentliche Vertretung im freien Geisteskampf.

Gegen die Austragung durch Gewalt, die im Augenblick durch das Dasein der Atombombe gebändigt ist, steht die Macht der Menschen, die sich verstehen und vertragen wollen. Verbinden kann nur Wahrheit. Die im Ernst und unter allen Umständen miteinander reden wollen, setzen voraus, daß es Gemeinsames gibt, das nur als Wahrheit zu treffen ist. Und sie haben das

Vertrauen, daß im Menschen als solchem, auch unter Feinden, die auf Leben und Tod kämpfen, die Wahrheit etwas ist, wodurch man zusammenkommen kann.

Die Sprache ist das Mittel solcher Vereinigung. Man kann sich nur verstehen in einem Gültigen, einem übereinstimmend Gemeinten, und kann darin gemeinsam auch verstehen, daß man entgegengesetzter Auffassung ist und diese erörtern und vielleicht am Ende aufheben, vorläufig aber anerkennen, daß man noch nicht einmütig ist (agree to disagree). Man kann durch die Sprache lügen, indem man wissend sagt, was falsch ist. Dann belügt man den anderen, nicht sich selbst, und mißbraucht die Sprache. Aber nun ist ein weiterer Schritt möglich. Aus dem Lügen entsteht der Zustand, daß der Lügende schließlich glaubt, was er lügt, daß dann Wahrheit und Lüge ihren Unterschied verlieren. Die Sprache gewinnt den Charakter der Beliebigkeit. In jeder Tonart, jeder Argumentationsweise, jeder Denkungsart, unter wechselnden Maßstäben und Idealen wird, immer mit gleicher Selbstverständlichkeit, gesprochen und stets auch vergessen, was früher gesagt wurde. Von der schamlosen Lüge, die augenblicklich als solche erkennbar ist, bis zur unentwirrbaren Verlogenheit im ganzen geht die Unwahrheit, die mit der Kraft des Schauspielers, der sich selbst nicht als Schauspieler bis in den Grund durchschaut, vorgetragen wird. Man hat sich in die eigene lügenhafte Welt verfangen. Die Worte haben ihren gleichbleibenden Sinn verloren. Man versteht unter ihnen einmal das Gleiche wie der Gegner, dann das Gegenteil davon. Und darin auch begründet man die Beweglichkeit des Sinnes als Wahrheit durch eine zu einer spezifischen Sophistik verwandelten Dialektik.

In der totalen Herrschaft (ob sie nationalsozialistischer oder kommunistischer oder anderer Gestalt ist) ist dieser Zustand erreicht, der dem Prinzip im Grunde der anonymen Maschinerie entspricht. Es tut sich ein Abgrund auf, über den hinweg zwar gesprochen wird, aber keine Sprache mehr verbinden kann. Es ist die Frage, ob hier eine Grenze ist, wo das Sprechen selber schon Täuschung wird, und wo das Miteinanderreden nur noch bedeutet, wer dabei den anderen vernebelt und betrügt, wobei jeder seinen Gegner nur vernebeln kann, indem er schließlich auch sich selbst vernebelt. Die Intellektuellen im Bereich totaler Herrschaft stellen sich in den Dienst der großen alles fundierenden und alles durchdringenden Lüge. Wie das geschieht, wie vielfach die Lüge schillert (während die Wahrheit in der Idee eine ist), wie virtuos und wie unerträglich das Leben dieses Lügengeistes wird, hat Milosz anschaulich gezeigt. Die totale Herrschaft braucht diesen Geist, solange die Beherrschten noch Menschen sind. Die Intellektuellen, die fähig sind, ständig modifizierend immer das Eine zu sagen, das nicht die Wahrheit, sondern die

Lüge ist, sind daher ein kostbarer Stand. Sie sind, wenn sie auf ihre Freiheit und den Ernst der Wahrheit völlig verzichtet haben, materiell bevorzugt und haben einen hohen Lebensstandard.

Die Konstruktion des Prinzips erschöpft nie die lebendigen Menschen, die zu seinem Träger geworden sind. Daher folgt aus der Einsicht in das Prinzip nicht, daß die Beziehung zu ihnen abgebrochen werden müßte. Niemals darf politisch die Beziehung des Miteinandersprechens abbrechen, auch wenn der Gegner sein Sprechen nicht als Mitteilung zum aufgeschlossenen Sichtreffen im Wahren benutzt. Jedes Miteinanderreden zwischen Menschen birgt noch die Möglichkeit in sich, daß man doch schließlich in Wahrheit zueinander kommt. Es besteht die untilgbare Voraussetzung, daß in jedem lebendigen Menschen, mag er dem bösen Prinzip auch verfallen scheinen, die Möglichkeit des anderen liegt.

Man darf sich das ungeheure Problem, das hier angedeutet ist, nicht leicht machen. Die Lüge ist universell von mannigfacher Gestalt. Die Wahrheit hat Falschheit in sich selbst (vgl. in meinem Buch »Von der Wahrheit«, Seite 475 bis 600). Das Spezifische im Totalitären ist die Grundtendenz und ihre Radikalität. Die Lüge liegt schon im Prinzip seiner Doktrin.

Vergleich der totalitären und der freien Welt:

Nur in der Konstruktion ergibt sich ein klares Bild. In der Realität ist das Bild getrübt, weil in beiden Welten auch die Gegenkräfte zur Geltung kommen. Die Menschen unter totaler Herrschaft können trotz allem nicht in bloße Funktionen verwandelt werden. Da sie Menschen bleiben, muß das Regime Bereiche der Freiheit zulassen. Es werden Ventile geöffnet, wegen der sich zeigenden Gefahr alsbald wieder geschlossen und anderswo von neuem geöffnet. In der freien Welt andrerseits gibt es viele Abirrungen, sind die Ansätze totalitärer Neigungen eine ständige Verführung, vor den Aufgaben der Freiheit auszuweichen.

Beide Welten haben ihre Überlegenheit. Die totalitäre Welt ist überlegen durch die einheitliche Lenkung. Sie kann durch Planung über alle Kräfte der Bevölkerung verfügen. Sie kann ihr politisches Tun verbergen, während sie Einblick erhält in fast alles, was in der freien Welt geschieht und gewollt wird. Ihr Schweigen wird durch keine Öffentlichkeit enthüllt. Was sie im jeweiligen Augenblick will, bleibt — abgesehen von dem, was sie selber glaubwürdig mitteilt — für die andern ein Geheimnis.

Die freie Welt ist stark durch die Freiheit. Denn diese führt zu tieferen Einsichten, auch zu wissenschaftlichen Erkenntnissen grundsätzlich neuen Charakters. Sie läßt allen Spontaneitäten Raum. Sie erwirkt ihre innere Sicherheit durch das in weitgehend verläßlichen Institutionen durchgeführte Rechtsprinzip. Sie kennt die gegenseitige Kontrolle. Sie lebt durch Öffentlichkeit, deren freie Diskussion und freie Konkurrenz Bedingung der Erweckung aller Kräfte der Einzelnen ist. Auch was politisch getan wird, muß sich öffentlich rechtfertigen.

Die totalitäre Welt ist schwach nach innen und stark nach außen. Denn nach innen kann sie ihre Herrschaft nur durch Terror bewahren. Nach außen aber kann sie auf dem Boden der freien Welt unter Nutzung der dieser Welt eigenen Regeln durch die totalitären Methoden einheitlich geführter, mit gewaltigen Mitteln ausgestatteter Planung sowohl ihre Propaganda treiben wie subversive Organisationen bilden. Jener Propaganda kann die freie Welt allein durch ihre geistige Kraft aus dem Ethos ihres Prinzips Herr werden, indem sie sie am Ende wirkungslos versanden läßt. Dieser Organisationen dagegen — der beginnenden totalitären Staatsbildung im freien Staate — muß sie durch Wachsamkeit und polizeiliche Maßnahmen unter Führung der Gesetze Herr werden. Sie darf nicht die Methoden des Totalitären selber gebrauchen; denn dadurch würde sie ihr eigenes Wesen zerstören.

Die freie Welt ist stark nach innen und schwach nach außen. Ihre Stärke nach innen beruht auf der freien Zustimmung und Mitwirkung der Bevölkerung. Ihre Schwäche nach außen liegt in der Zerspaltenheit der freien Staaten untereinander und in dem Mangel einheitlicher Konzentration aller Kräfte auch in jedem einzelnen Staat. Sobald die freie Welt von außen im ganzen angegriffen wird, ist sie zunächst unterlegen, weil sie nicht in sich zusammengefaßt zu solchem Kampf gerüstet und bereit ist. Sie braucht dann Zeit, um ihre überlegene potentielle Kraft für solchen Augenblick erst zu entwickeln. Sie könnte verloren sein, wenn ihr diese Zeit nicht gewährt wird.

Der Osten ist dem Westen überlegen, soweit die Einheitlichkeit durch Nachrichtenabsperrung und Zensur, durch Schulung in der allgemeinen öffentlichen Sprechweise, durch Aufhebung der Denk- und Redefreiheit Stärke verleiht. Er kennt keine anderen Denkweisen außer so, wie sie ihm in Zerrbildern von überwundenen, jetzt reaktionär, anachronistisch, verbrecherisch gewordenen Denkweisen gezeigt werden. Aber diese Stärke ist bedroht durch das nur mit dem Menschen selber zu vernichtende kritische Denken, das sogar durch die in Zerrbildern dargestellten Gegnerschaften noch angeregt wird.

Der Westen ist dem Osten überlegen, sofern die Ungebundenheit der Lebensformen und Denkweisen neuen Versuchen Raum gibt, die Frische und den Wagemut fördert, die Energie des Einzelnen steigert. Aber diese Stärke wird Schwäche, soweit die Vielfachheit nicht mehr aus dem Grunde des Glaubensernstes sich nährt, sondern in der Bodenlosigkeit des Spielerischen ihre

Kraft zur Bestimmung des Lebens verliert, und soweit sie dann von den eisernen Apparaturen des technischen Zeitalters zur bloßen Verkleidung herabgesetzt und schließlich abgeworfen wird. Dagegen aber wirkt die Wiederherstellungskraft der Freiheit.

Der Osten hat eine Ideologie, der Westen keine, weil beliebig viele. Im Osten wird eine Ideologie als die allein wahre erzwungen, im Westen sind alle Ideologien frei gelassen, sich geistig zu zeigen, miteinander in Kampf zu treten unter den Bedingungen des Rechtsschutzes, den der politische Zustand der Freiheit gewährt. Sie werben für und gegeneinander durch Gedanken und Leistungen, durch Vorstellungen, Bilder, Symbole und durch ihre besonderen menschlichen Lebensformen und deren Praxis.

Der Osten hat die Ideologie des Kommunismus, der Westen nicht etwa die des Kapitalismus. Vom marxistischen Denken wird ihm nur suggeriert, er habe die Ideologie des »Kapitalismus«.

Liegt Kraft oder Schwäche im Mangel einer herrschenden Ideologie? Ist ohne Ideologie eine Glaubenskraft wirksam, die sich nicht an doktrinale Bekenntnisse zu binden braucht? Das ist die Schicksalsfrage des Menschen und seiner Freiheit. Auf sie erfolgt die Antwort durch keine Theorie, durch kein Wissen, sondern durch den Menschen und seine Freiheit selbst. Jeder gibt sich selbst die Antwort durch seinen Entschluß, wo er stehen, für was er leben und kämpfen wolle. Nicht aber folgt die Antwort durch das klägliche Fordern der Glaubenslosen, man müsse der kommunistischen Glaubenskraft des Ostens eine gleich starke Glaubenskraft des Westens entgegensetzen. Wie macht man das? Soll man einen Glauben als Mittel zum Zweck erfinden oder wiederherstellen? Vergeblich. Hier ist nichts zu »machen«, nichts zu planen. Was zu tun möglich ist, wird im Dritten Teil dieser Schrift zum Thema.

Der Kampf der beiden Welten:

Er hat einen zweifachen Charakter, den geistigen und den gewaltsamen.

Der geistige Kampf findet nur im Bereich der freien Welt statt, denn im Bereich der totalitären Welt ist er verboten. Sofern aber trotz Eiserner Vorhänge Nachrichten dorthin gelangen und jeder totalitäre Mensch, der ins Ausland gelassen wird, Erfahrungen macht, und dann für die übrige Welt, die weder frei noch totalitär ist, ist der Kampf als Wettkampf der Lebensformen möglich.

Man möchte denken: Die Lebensform, die allen ein größeres Glück, eine größere Unbefangenheit, dazu materielles Wohlergehen schafft, die durch Produktiv- und Erfindungskraft den Vorrang hat, die die Mannigfaltigkeit menschlichen Denkens und Lebens und seiner Schönheit ermöglicht, wird Gegenstand der Freude und wird Ansporn, auch auf solchen Weg zu gelangen.

In diesem geistigen Kampf durch Bezeugung der Freiheit in der Prägung des einzelnen Menschen wird jeder Mensch der freien Welt durch sein Dasein dann eine Niederlage, wenn er für die andere Welt nicht überzeugend wird, weil er die häßlichen Seiten mißbrauchter Freiheit in Willkür, Übermut, Eigennutz zur Erscheinung bringt. Die freie Welt ist nur zu retten, wenn ihre Glieder sie auch bewähren. Wo dies aber geschieht, kann sich der Haß derer steigern (aus der anderen und aus der eigenen Welt), die sich minderwertig fühlen und zerstören möchten, was sie doch nie erreichen zu können meinen.

Der geistige Kampf des Totalitären auf dem Boden der freien Welt ist für die freie Welt gefährlich durch die dem Totalitären überall entgegenkommenden Motive. Es wirkt der Zauber eines Paradieses, der aber nur besteht, solange man nicht selbst darin lebt, sondern sich durch Vorstellungen und durch gegebene Versprechen Wunschträume erfüllen läßt: Als eine Sozialreligion bemächtigt sich der Menschen der Inhalt solcher Träume. In dem Sinne, in dem Marx die Religion als Opium für das Volk auffaßte, hat er selber ein neues Opium geschaffen. Es wirkt aber auch der Anblick der Gewaltapparatur als solcher, an der Menschen, zugleich gehorsam und gewalttätig, teilnehmen möchten zur Steigerung ihres Daseinsgefühls. Auf andere wirkt das Totalitäre durch das Negative an sich. Es sagt Nein zu fast allem, was war und ist; es steht im Bunde mit allen Unzufriedenen, Empörern und Verzweifelten in der Welt. Der im Menschen verborgene Haß wird als grenzenloser, totaler Zerstörungswille mächtig. Aus solchen Ingredienzien (Paradieseszauber, Lust an der Gewalt, nihilistischer Haß totalen Vernichtungswillens) setzt sich der Trank zusammen, der in der freien Welt von nicht wenigen getrunken wird. So geschieht die Vorbereitung der Menschen zu dem Wahnsinnsakt, sich hineinzustürzen in den Abgrund. In uns selber liegen die Mängel, ohne die das Totalitäre nicht die Propagandakraft hätte. Diese Gefahr aber gehört zur freien Welt. Sie muß gewagt und bestanden, sie darf nicht eingeschränkt werden, wenn in der freien Welt der Mensch sich selber finden und das Recht dieser Welt bezeugen soll.

Ist aber die totale Herrschaft faktisch konstituiert in einer Großmacht, dann sind die Methoden der Gewaltausübung nach innen und nach außen verschieden. Nach innen bewirkt sie den »Frieden«, der den Kampf ersetzt durch einseitige übermächtige Gewaltausübung des Systems bis zur regelmäßigen Vertilgung eines Teils der eigenen Bevölkerung. Nach außen führt sie den »Kalten Krieg« unter dem Schleier der Koexistenz. Sie erzeugt und lenkt Organisationen in der ganzen Welt, die die Gewalt vorbereiten, durch die sie das Bestehende umstürzen wollen. Sie macht die freien Staaten sorglos, sucht unter ihnen die Differenzen zu steigern, nutzt alle Schwächen, Unredlichkeiten, Ruhebedürfnisse, Eigeninteressen für ihren totalitären Zweck. Dabei entfaltet sie bei der Einfachheit ihres zugleich geheimnisvoll wirkenden Prinzips in der Hand der hochbegabten Russen eine überlegene Intelligenz. In der Anpassung an die Situationen geschickt und bedenkenlos, wirkt sie (für den bloßen Betrachter großartig in der Konsequenz) mit Methoden folgenden Charakters:

Ein Mittel ist der Schein der Gemeinschaft. Man täuscht den Gegner — mit größtem Erfolg —, indem man ihn glauben lehrt, man könne zusammenarbeiten. Es ist erstaunlich, wie die Offenbarkeit gröbster Gewaltakte diese Täuschung doch immer nur für einen kurzen Augenblick aufhebt.

Die freie Welt will meistens sich nicht die harte Tatsache eingestehen: Zwei Prinzipien der bis in die letzten Verzweigungen unseres Lebens dringenden politischen Herrschaftsformen sind da und schließen sich gegenseitig aus. Es sind nicht zwei auf gleicher Ebene sich gegenüberstehende Prinzipien. Sie haben keinen gemeinsamen, sie noch irgendwie verbindenden Sinn, denn sie sind nicht Standpunkte, von denen aus man miteinander diskutieren kann. Die Sprache verbindet nicht mehr, weil der Sinn der Worte ins Gegenteil verdreht wird, und dies wiederum in ständigem Wechsel stattfindet. Es handelt sich auch nicht um Glaubensformen, zwischen denen, so fern sie sich stehen und so sehr sie sich bekämpfen mögen, etwas verbindet gegen die Leere und Wildheit des Nichtglaubens. Es handelt sich um das Menschsein selber, das einer dem andern abstreitet. Zwischen Freiheit und Totalitarismus handelt es sich um Sein oder Nichtsein.

Was aus dem Prinzip der totalen Herrschaft getan wird, ist in jedem Fall schlecht. Es kann nur den Schein der Übereinstimmung mit dem Erwünschten haben. »Es ist doch auch Gutes daran«, »Es wird doch auch Gutes geleistet«, solche Auffassung ist Täuschung. Hier, wo es um das Prinzip des Lebens selbst geht, ist radikal, ohne Kompromiß Nein zu sagen, ist der luziferische Schein des Guten zu durchschauen — oder man ist dem bösen Prinzip schon verfallen.

Es ist die Überlegenheit des Totalitarismus, diese Unvereinbarkeit jeden Augenblick zu wissen, es offen auszusprechen, dann wieder zu verschleiern und die Gegenmeinung, die auf Miteinanderreden und Sichverständigen rechnet, nur als Schwäche des Gegners zu benutzen. Das Totalitäre will nicht das allen Menschen Gemeinsame, nicht die Möglichkeit freier Entfaltung von Menschen und Völkern, nicht die Erweiterung der Chancen, nicht die ständig auf gesetzlichen Wegen öffentlichen Ringens zu gewinnende Korrektur der immer noch bleibenden und immer neu auftretenden Ungerechtigkeiten allen menschlichen Daseins. Es verwehrt, was den Kampf in einen geistigen verwandelt und dann die Entscheidungen auf Abstimmungen gründet und den Frieden sichert. Es will kompromißlos die Macht eines Staatswesens allein durch Gewalt als solche behaupten, für die es alle Ideologien, alle nationalen und menschlichen Freiheitsmotive zum Schein einsetzt, um sie in der Tat zu vernichten.

Totale Herrschaft und Technik.

a) Das technische Zeitalter ist universell. Die Welt hat sich in den letzten Jahrzehnten mit steigender Schnelligkeit nicht etwa europäisiert, aber technisiert. Die Technik verwandelt mit der Arbeitsweise auch die Wirtschaftsweise und das gesamte Leben. In ihr liegen Tendenzen, die heute gemeinsame Probleme aller sind.

Die unermeßliche Glücklosigkeit, die mit der Technik in die Welt kommt, in dieser technischen Welt selber zu überwinden, ist die gemeinsame Aufgabe aller Menschen in diesem Zeitalter. Wie sie aber aufgefaßt und unter welchen Voraussetzungen sie gemeistert werden oder nicht, unterscheidet die Völker. In der Weise der Begegnung mit diesem technischen Zeitalter gibt es zwei entgegengesetzte Möglichkeiten: entweder geschieht die Begegnung im Sinne der Rettung menschlicher Freiheit unter der Idee des Menschen und seiner Größe oder im Sinne der Verwendung der Technik zur gesteigerten Knechtung unter den Irrlichtern irgendeines Heils und einer Scheingröße (wie im Nationalsozialismus und Kommunismus).

b) Der Gegensatz der heute sich verwirklichenden Möglichkeiten geht meistens unter den irreführenden Namen Marxismus und Kapitalismus, nicht unter den treffenden Namen Totale Herrschaft und Freiheit. Was heute geschieht, wird unklar gesehen, wenn man beide Gegensätze identifiziert. Der Marxismus hat zum Mittelpunkt seiner Doktrin den Begriff des Privateigentums an den Produktionsmitteln als des Unheils und seiner Abschaffung als des Heils. Unter dem Begriff des Privateigentums werden alle Schrecklichkeiten des technischen Zeitalters versteckt, all das, was sich überall in diesem Zeitalter aus der Struktur der Arbeit und Wirtschaft für die Daseinsform des Alltags ergibt und allen früheren Daseinsformen ein Ende setzt. Die Welt wird durch das marxistische Denken düpiert. Es handelt sich primär gar nicht um die Frage nach dem Privateigentum an den Produktionsmitteln. Die freie Welt kämpft gegen die aus dem privaten Eigentum sich ergebenden Monopole, um gegen sie die Freiheit zu bewahren. Die totalitäre Welt dagegen beseitigt mit dem Privateigentum die Monopole zugunsten des einen Staatsmonopols, um nunmehr alle Freiheit im Namen des Gemeineigentums zu vernichten. Primär ist vielmehr die Frage nach der faktischen Organisation der Arbeit und der Weise der faktischen Verfügungsmacht über sie. Diese Macht wird ohne formelles Privateigentum größer als es jede Macht der Wirtschaft innerhalb der freien Ordnungen ist.

Zwei Maßstäbe pflegt man zur Beurteilung der Sozialsysteme, die das technische Arbeiten ordnen, anzuwenden: erstens den der *Produktivkraft*, die man objektiv, quantitativ und qualitativ feststellen kann; hier liegt etwa der in Statistiken sich ausdrückende Wettkampf zwischen Rußland und Amerika. Der zweite Maßstab ist der der relativen *Zufriedenheit des menschlichen Lebens* in den beiden Sozialsystemen und zugleich *ihr Wert an Möglichkeiten* menschlichen Gehaltes, menschlicher Würde und Freiheit; diese qualitativen Unterschiede sind einer vergleichenden objektiv zwingenden Feststellbarkeit nicht wie statistische Daten zugänglich.

c) Das Abendland, Europa und Amerika, und in teilweiser Nachfolge das zaristische Rußland und Japan haben die wirtschaftliche Verwirklichung der technischen Arbeit selber hervorgebracht. Anders die übrige Welt. Was bei uns mit der Entwicklung der Industrie zugleich entstand, die Menge der gelernten Arbeiter, der Techniker und Unternehmer (heute verwandelt zum Manager), das müssen andere Länder erst erwerben. Sie müssen das Analphabetentum überwinden, die Erziehungsvoraussetzungen für die Entwicklung brauchbarer Arbeiter gewinnen. Damit wird aber zugleich eine geistige Freiheit in den Bevölkerungen erweckt. Wer lesen und schreiben lernt, lernt auch anders denken, und wer denkt, leidet anders und entwickelt neue Impulse.

Drei Wege der Aneignung der im Abendland entstandenen Technik sind daher zu beobachten: *Erstens* die faktische Übernahme und Entwicklung zu eigenem Können (Japan). *Zweitens* der Aufbau der industriellen Arbeit durch totalitären Zwang (China). *Drittens* das Am-Leben-Halten durch ständige Hilfe (die »unterentwickelten Völker«):

1) Wenn die Alternative aufgestellt wird, die nichtabendländischen Völker müßten entweder unter abendländischer Hilfe und Leitung faktisch unselbständig existieren oder unter totalitärem Zwang sich technisieren und damit ihre nationale Unabhängigkeit gewinnen, so ist Japan das Gegenbeispiel. Japan begann in den letzten Jahrzehnten des 19. Jahrhunderts, in einem frühen Stadium des technischen Zeitalters, zu lernen und dann die noch im Werden begriffene Technik selbständig zu entwickeln. Es wurde eine moderne Industrie- und Großmacht, behauptete seine völlige Unabhängigkeit, aber entwickelte eine freie Wirtschaft wie das Abendland.

Für diesen Weg scheint es heute zu spät, wenn andere Völker ihn gehen möchten. Jetzt muß plötzlich und ganz die industrielle Revolution nachgeholt werden. Die moderne Technik, wie sie jetzt geworden ist, gedeiht nicht mehr auf dem Boden einer vorindustriellen Welt durch die Initiative Einzelner in freiem Wettbewerb. Es bedarf der großen Unternehmungen in einem Umfang, den nur eine Staatsmacht planen und durchführen kann. Die Aufgabe ist gestellt: Wie soll ein ganzes Volk zugleich und mit einem Schlage folgendes verbinden: aufzuhören, analphabetisch zu sein, unterrichtet zu werden — so daß es fähig wird, die zur Industrie brauchbaren Arbeiter hervorzubringen —, die Widerstände zu überwinden, die aus der gesamten Tradition der Lebensformen und des Glaubens sich machtvoll gegen die Industrialisierung wehren, große Unternehmungen im Zusammenhang des Lebens der ganz neu zu fundierenden Gemeinschaft technisch zu verwirklichen?

2) Selbstbehauptung (nationale Unabhängigkeit) ist heute an Technik gebunden. Das scheint für die Führer Chinas die Alternative gewesen zu sein. Für die Technisierung wählten sie totale Herrschaft und diese mit der marxistisch-kommunistischen Doktrin. Sieht man die Situation so, dann verbirgt sich hinter der Fassade dieser Doktrin der Eintritt Chinas in das technische Zeitalter, die Aneignung der Technik im ganzen, ohne Einschränkung, um seine Unabhängigkeit und Größe zurückzugewinnen. Denn die Politik des Abendlandes gegenüber China war, vor allem im 19. Jahrhundert, von beispielloser Willkür und Rücksichtslosigkeit, eine Kette immer schlimmerer Demütigungen, schließlich ein Zustand der Ausbeutung durch die Fremden, die sie durch erzwungene Privilegien um so leichter vollziehen konnten.

Tschiangkaischek blieb in Abhängigkeit von Amerika, wurde Christ, konnte sich der Korruption nicht entwinden, die die führenden chinesischen Kreise im Umgang mit den Fremden durchdrungen hatte. Der Kommunismus in China ist die erfolgreiche Unabhängigkeitsbewegung dieses großen Volkes, das seine Jahrzehnte dauernden Bürgerkriege beendete, zum erstenmal wieder seine alte territoriale Ausbreitung erreichen konnte und jetzt im Inneren seinen Eintritt in das technische Zeitalter mit Beschleunigung vollzieht, allein von Rußland zögernd unterstützt. China ist heute totalitär, aber nicht russisch und vielleicht auch nicht im Geist einiger Führer des Regimes grundsätzlich totalitär, wie Hitler oder Stalin, oder jedenfalls anders totalitär. Es könnte sein, daß China nur vorläufig diesen Weg zur Wiederherstellung seiner im kolonialen Zeitalter verlorenen Unabhängigkeit und zur Verwirklichung seines modernen technischen Aufbaus geht.

China, dieses größte Volk der Erde, das in Jahrtausenden neben dem Abendland einen anderen höchsten Sinn des Menschseins gelebt hat, ist in seiner mit Erfolg beanspruchten Unabhängigkeit nur äußerlich mit der von

Tito auf die Dauer vergeblich beanspruchten Unabhängigkeit zu vergleichen. Wenn China wegen der durch Amerika so gewollten weltpolitischen Situation sich vorläufig mit Rußland verbündet, so steht es doch von vornherein zu ihm keineswegs in einem Satellitenverhältnis.

Eine Frage, die, praktisch zu spät, für die historische Einsicht nicht gleichgültig wäre, ist diese: Wäre es möglich gewesen, daß Amerika seine Politik mit den Kommunisten in China gemacht hätte? Hätte Amerika die Technisierung Chinas in totalitärer Form unterstützen und in der Weltpolitik einen großen Bundesgenossen gewinnen können? Was Rußland getan hat, hätte Amerika vielleicht ausgiebiger und besser tun können: Keine Soldaten, aber viele Techniker schicken, keine Vorteile zungunsten Chinas beanspruchen, die Technisierung durch große Kredite fördern. Sind es politisch-doktrinäre Vorurteile, die das verhinderten? Oder hätte China doch den Amerikanern nie Vertrauen geschenkt? (Vgl. Golo Mann.)

Sollte das marxistisch-totalitäre Denken nur eine Fassade sein für das Motiv der nationalen Wiederherstellung eines Volkes von sechshundert Millionen als Großmacht im technischen Zeitalter, so ist doch diese Fassade keineswegs gleichgültig. Denn sie bedeutet in den Schulen und damit für die nächsten Generationen: Einprägen marxistischer Denkweise und vorläufiger Abbruch der gesamten konfuzianischen, taoistischen und buddhistischen Kulturüberlieferung, die nur Widerstand gegen das industrielle Zeitalter ist.

Es ereignet sich ein ungeheurer Vorgang in China, noch tiefer greifend als die Zersetzung der abendländischen Überlieferung in Religion, Philosophie, Kunst und Lebensweise durch das auf Wissenschaft begründete technische Zeitalter. Noch 1918 schrieb der Sinologe de Groot angesichts der beginnenden Modernisierung in China: »Zweifellos ahnt die erhaltende Partei, daß Änderung Selbstmord ist, aber wird sie ... den Beweis erbringen, daß das Tao des Weltalls und der Menschheit wohl erschüttert, jedoch nicht zerstört werden kann? ... Sollte es in der Ordnung der Welt bestimmt sein, daß das grausame Werk des Abbruchs seinen Fortgang nehme und die Tage von Chinas alter universistischer Kultur somit gezählt sind — dann sei wenigstens ihr letzter Tag nicht auch der Tag des Verderbens eines durch ausländische Einflüsse ins Unglück gestürzten Millionenvolkes!«

Was über China plötzlich gekommen ist, nachdem es sich lange gesträubt hat, ist aber dasselbe Problem, das für alle Völker und für die Abendländer selber gestellt ist. Was de Groot sagt: Wenn »China eine Erneuerung, eine Wiedergeburt« durch moderne Wissenschaft und Technik erleben werde, dann werde »China kein China, die Chinesen keine Chinesen mehr sein«, das gilt für alle Völker der Erde. Ist ihr Ende im technischen Zeitalter der Anfang ihrer neuen Existenz? Der Wunsch des Sinologen für China tut nicht weniger uns selber not. China ist jetzt auf dem Wege, gewaltsam zu tun, was wir langsam und mit verschleierter Gewaltsamkeit durchgeführt haben und weiter zu treiben im Begriffe sind.

Die Chinesen wirken aus der Vergangenheit von Jahrtausenden her, sind unersetzlich und unübertroffen durch hohe Philosophie, Religion und Kunst, durch eine tief eingeprägte Humanität des Maßes und des Gleichgewichts der Kräfte. Sie haben eine so große Geschichte, daß man glauben kann an ihre Substanz. Wir sind mit ihnen vom Ursprung des Menschseins her verwandt. Sie sind bewunderungswürdig und liebenswert. Ein Verstehen mit ihnen in Frieden wäre das Natürlichste.

Es ist für China trotz der gegenwärtig dort geredeten marxistischen Doktrin durchaus offen, wie dieses Volk aus einer jahrtausendealten Substanz sich wiederherstellt und dann die Wahrheit seiner uralten Überlieferung in neuen Gestalten verwirklicht. Wir dürfen nach solcher Vergangenheit erhoffen, daß China im technischen Zeitalter seine eigene neue Gestalt der Freiheit hervorbringen wird. Jetzt lebt China offenbar im Bewußtsein einer im Wachsen begriffenen Kraft, für die der Gegensatz Freiheit — Totalitarismus in der großen Bevölkerung noch nicht akut ist (aber im Kreis der Führer und Intellektuellen schon ständige Unruhe erzeugt). China ist in bezug auf diesen Gegensatz nicht neutral, sondern von ihm noch wenig berührt. Außenpolitisch ist es zur Zeit in dem Weltgegensatz Rußland—Amerika mit Rußland verbunden, ohne mit dem Bolschewismus eins zu sein. Daß in diesem Bunde China der übrigen Welt gegenüber mit Rußland kooperiert und bedenkenlos die Versklavung von europäischen Völkern öffentlich billigt und rühmt (Ungarn), mag für uns ungeheuerlich sein, aber es spielt für das, was China in sich selber tut, vielleicht kaum eine Rolle. Wenn es sich gegen abendländische Freiheit stellt und sich heute zum Totalitarismus hält, so könnte das auf die Dauer ein zu überwindendes Mißverständnis seiner selbst sein.

Falls Mao für die chinesischen Führer typisch ist, so würde seine Geistigkeit darauf deuten, daß der Totalitarismus in China keineswegs sein endgültiges Nichts verwirklicht. Zu so schönen Gedichten modernen Gehalts und alter Kultur wie den seinen wäre keiner der Totalitären Rußlands oder Deutschlands je fähig gewesen. Für China ist es vielleicht noch nicht die Zeit, in dem Weltgegensatz der politischen Freiheit und des Totalitarismus sich zu entscheiden. Aber die Situation kann sich schnell entwickeln. Machtpolitisch steht China ohnehin erst im Beginn der Entwicklung seines industriellen Potentials auf seinem ausgedehnten Territorium mit unermeßlich reichen Bodenschätzen. Doch technische Entwicklung, wenn sie einmal eingesetzt hat, kann schnell gehen. Dann stehen 600 Millionen Chinesen neben 200 Millionen Russen. Sibirien ist das Gebiet, wohin zunächst der chinesische

Bevölkerungsdruck sich wenden könnte. Wenn dann aber China über die gegenwärtige Form einer totalen Herrschaft wirklich für immer zum Totalitarismus käme, und wenn es, dessen Prinzip entsprechend, einst zur Welteroberung schreiten würde, dann käme es zum Weltunheil, und die Atombombe würde alles auslöschen.

3) Was die Hilfe an unterentwickelte Völker zur Folge haben wird, ist unklar. Den Weg Japans nachzuholen, scheint für sie schwer möglich. Den Weg Chinas zu wiederholen, scheint durchaus möglich. Heute ist das größte Beispiel für diese mögliche Alternative Indien. Indien lebt noch durch festgehaltene Überlieferungen des Englischen Imperiums. Seine Industrialisierung schreitet fort, aber nicht wie in englischer Zeit und nicht im Tempo Chinas. Es braucht Hilfe, bekommt sie von Rußland wie vom Westen. Die Masse der großen Bevölkerung, vieler Rassen mit vielen Sprachen, lebt dumpf dahin. Nur eine kleine Schicht abendländisch erzogener Intellektueller herrscht, wird gewählt und bestimmt vorläufig den Weg. Der Kommunismus wächst, ohne im Augenblick schon bedrohlich zu sein. Es herrscht eine Freiheit ohne gelebte und bewußte Freiheit. Der Sache nach besteht eine Konkurrenz zwischen China und Indien. Ist ein eigener indischer Weg in der Freiheit überhaupt möglich (wie ihn Japan gegangen ist), oder wird die blutige Verwirrung im Zerfall eintreten und am Ende der Totalitarismus die Herrschaft gewinnen?

Im gegenwärtigen Augenblick sind Indien und China noch ohne entscheidendes militärisches Gewicht. Doch reden sie mit. Indien ist neutralistisch mit starker Rücksicht auf Rußland. China ist mit Rußland im Bunde. Doch wesentlich ist etwas anderes. Beide haben, gesteigert nach ihrer eben erworbenen Unabhängigkeit, ein mächtiges Sicherheitsgefühl einfach durch die Größe ihrer Territorien, die Kontinenten gleichkommen, und durch die Masse ihrer Bevölkerung (gemeinsam mit ihren Nebenländern fast die Hälfte der Menschheit), und durch den jahrtausendealten Grund ihrer Geschichte. Sie erwarten die unzerstörbare Dauer für ihre Völker, die solange trotz aller Katastrophen zu überdauern vermocht haben. Sie haben Zeit. Aber das ist angesichts des Faktums der Wasserstoffbombe ein Irrtum geworden. Ihre Länder sind wie die gesamte Erdoberfläche dem tödlichen Unheil ausgesetzt, auch wenn kein fremder Soldat in jener Zeit der Vernichtung der Menschheit ihren Boden betreten würde. Nicht weniger als für andere Völker ist das Interesse Indiens und Chinas, zur Rettung der Menschheit überhaupt und damit ihrer selbst durch Denken und Tat mitzuwirken.

Auf längere Frist gesehen wird China, beim Fortdauern der Menschheit, gewiß eine Weltmacht ersten Ranges sein. Auf kurze Frist gesehen, sind

Amerika und Rußland die beiden allein entscheidenden Großmächte. Darum ist heute für die Gefahr des Untergangs durch den Weltkrieg wesentlich an sie zu denken.

Der Totalitarismus und die Völker.

Zwei Gegensätze: Totalitarismus und Freiheit sind Gegensätze von Prinzipien, Rußland und der Westen Gegensätze geschichtlicher Substanzen. Beide Gegensätze brauchen nicht auf die Dauer zusammenzufallen. Völker sind nicht Prinzipien. Das russische Volk hat mehr Möglichkeiten als jenes Prinzip der totalen Herrschaft, wie das deutsche Volk mehr als das totalitäre Prinzip im Nationalsozialismus. Die Prinzipien der politischen Freiheit und des Totalitarismus wandeln beide ihre Gestalt und können wie Funktionen erscheinen, hinter denen das Tiefere, Dauernde der geschichtlich gewordenen großen Völker wirksam ist. Die Russen sind nicht identisch mit dem Totalitarismus.

Zwischen den Prinzipien der totalen Herrschaft und der Freiheit ist kein ehrlicher Kompromiß möglich. Wohl aber können Völker sich begegnen, auch wenn sie von jenen Prinzipien gegensätzlich beherrscht sind. Denn Völker sind wie einzelne Menschen stets die Wirklichkeit, an der die Prinzipien nur eine teilweise Realisierung gewinnen. Daher kann sinnvollerweise die Kompromißlosigkeit gegenüber dem entgegengesetzten Prinzip nicht totale Feindschaft zu einem Volke bedeuten. Der »Kreuzzug« gegen ein Volk setzt dieses herab. Er beruht auf einer Fiktion, die, weil sie den Gegner im ganzen vernichtet, zurückschlagen muß.

Rußland: Das russische Volk, von mächtiger Kraft der Seele, unglücklich durch eine Geschichte teils der Knechtung durch Mongolen, teils eigener gewaltsamer Herrschaftsstrukturen, vital ursprünglich und kraftvoll, ergreifend durch religiöse Hingabe und Opfer, ist heute dem Totalitarismus verfallen. Rußland gehört zum weiteren Abendland: Die Russen sind Weiße. Sie sind durch das byzantinische Christentum geprägt. Rußland ist zugleich abendländisch und asiatisch. Es ist nicht ein Teil des Abendlands der romanisch-germanischen Völker, die im Rahmen der katholischen Kirche und der späteren protestantischen Bekenntnisse eine mehr als tausendjährige Geschichte hatten. Diese allein hat die moderne Welt und das technische Zeitalter begründet. Rußland kannte niemals die politische Freiheit des Abendlandes (die mittelalterliche Städtefreiheit, die auch im Westen Rußlands zur Geltung kam, blieb eine wirkungslose Ausnahme), kannte weder die Kämpfe unseres Mittelalters zwischen Kaiser und Papst, noch die Kreuzzüge, noch mittelalterliche Dome und Dichtungen, noch die Renaissance, noch die Reformation, noch die philosophischen und wissenschaftlichen Entwicklungen. Erst seit dem 17. und 18. Jahrhundert eignete es sich als gelehriger Schüler manche Ergebnisse abendländischer Entwicklung an, vor allem die Technik, brachte bedeutende Naturforscher und Historiker hervor, gelangte unter westlichem Einfluß zu einer großartigen eigenen Dichtung, die der Weltliteratur angehört, ergab sich der deutschen Philosophie, zuletzt dem Marxismus.

Rußland kolonisierte anders als Europa. Es nahm nicht teil an der Welteroberung, sondern eroberte in langsamem Prozeß in ständigem Vordringen nach dem Osten die jeweils nächsten Gebiete Asiens, bis es durch den ganzen weiten Kontinent an den Stillen Ozean gelangte. Es machte halt vor den großen Kulturvölkern, den Indern und Chinesen. Daher hat es trotz seiner gewaltigen kolonialen Eroberungen, da diese nur auf primitive Völker ohne machtvolles, in eigener Kultur gegründetes Selbstbewußtsein trafen, nicht das Ansehen einer Kolonialmacht, so wenig wie Amerika, das in analogem Vordringen nach dem Westen die Indianer bis an den Stillen Ozean vernichtete.

In Deutschland ist die totalitäre Herrschaft des Nationalsozialismus auf dem Boden einer sittlich-politisch entarteten Demokratie (nach einem verlorenen Kriege unter unerfüllbaren Friedensbedingungen) erwachsen, in Rußland auf dem Boden einer durch Jahrhunderte ununterbrochenen despotischen Herrschaft. Für die Auffassung der Weltlage ist notwendig: den russischen historischen Ausgangspunkt im Despotismus zu sehen, aber den Despotismus nicht mit der totalitären Herrschaft zu verwechseln.

Die politische Lage: Rußland, Europa, Amerika, die übrige Welt.

Rußland und Amerika: Tocqueville veröffentlichte 1835 seine kurzen, nie überbotenen, prophetischen, erst heute berühmt gewordenen Sätze:

»Es gibt auf der Erde zwei große Völker, die von verschiedenen Punkten ausgehen und zum nämlichen Ziele vorrücken, die Russen und die englischen Amerikaner.

Beide wurden in der Finsternis groß, und indes die Blicke der Menschen auf andere Gegenstände gerichtet waren, haben sie sich plötzlich in den ersten Rang der Nationen gestellt, so daß die Welt fast zu gleicher Zeit ihre Entstehung und ihre Größe erfuhr.

Alle anderen Völker scheinen ungefähr die ihnen von der Natur bestimmten Grenzen erreicht zu haben, mit der Verpflichtung, sich darin zu behaupten, aber diese beiden befinden sich noch in ihrem Wachstum . . . Jene allein marschieren leichten Schrittes in einer Bahn, deren Grenze das Auge noch nicht erblickt.

Der Amerikaner kämpft nur mit den Hindernissen der Natur. Der Russe dagegen mehr mit den Menschen. Der erstere bekämpft die Wüsten und die Barbarei. Der andere wird beschuldigt, die Zivilisation in ihrer vollen Rüstung zu bekämpfen. Der Amerikaner erwirbt seine Eroberungen meist mit dem Pfluge und der Russe, außer seinen jetzigen Grenzen, mit dem Schwerte seiner Krieger.

Um seinen Zweck zu erreichen, stützt sich der Amerikaner auf das persönliche Interesse und läßt, ohne sie zu leiten, die Kraft und die Vernunft der Individuen handeln. Der Russe dagegen vereinigt gewissermaßen in seinem durch seinen Charakter verehrten Autokraten die ganze Macht des Staats. Durch die Freiheit wirkt vorzüglich der Amerikaner und der Russe durch die Knechtschaft.

Beide gehen aus von verschiedenen Punkten, und ihre Bahnen sind verschieden; nichtsdestoweniger scheinen beide, nach einer uns noch geheimen Absicht der Vorsehung, bestimmt zu sein, jeder in seiner Obhut eine halbe Erde zu halten.«

In der Folge haben Nietzsche, Max Weber, Spengler Rußlands Größe, seine Zukunft und seine Gefahr für Europa gesehen und in großartigen Bildern festgehalten.

Jetzt scheinen Rußland und die totale Herrschaft identisch zu sein. In Deutschland konnte die Scheinidentität nur von außen aufgelöst werden. In Rußland ist die Menschheit darauf angewiesen, was die eigenen Kräfte des großen russischen Volks von innen vermögen.

Rußland und Amerika stehen als die beiden einzigen Großmächte heute unbestritten da. Diese Weltlage hat zur Folge, daß heute zwar noch alle Staaten wie immer zunächst an sich selbst denken und daß die Ereignisse anfänglich aus ihren lokalen Gründen entstehen, daß dann aber doch alles entschieden wird durch die Bezüge zu Rußland und Amerika. Diese beiden Mächte werden genutzt, gegeneinander ausgespielt. Alles verschiebt sich dadurch, wie Rußland und Amerika es gehen lassen, eingreifen, ihre Entschlüsse fassen.

Bei der überragenden Macht der beiden Großen ist der militärische Weltzustand paradox. Die beiden sind auf das ängstlichste bedacht, nicht miteinander in Krieg zu geraten. Sie wagen alles in Worten, in herabsetzenden, dem anderen das totale Unheil voraussagenden Reden. Aber sie halten an, wo die Gefahr eines kriegerischen Kampfes zwischen ihnen droht. Sie sind rücksichtsvoll, wenn diese Grenze nahekommt (so Amerika gegenüber der Vergewaltigung Ungarns durch Rußland). Denn beide tragen die Verantwortung für die mögliche Zerstörung der Menschheit. Ihre Entschlüsse ragen in eine andere Dimension als die all der Kleinen, die ihre Kriege führen.

In dem Gegensatz dieser beiden im Augenblick größten Organisationen der Gewalt liegt aber die Möglichkeit ihres plötzlichen Ausbruchs und mit ihm die Entscheidung über das Leben der Menschheit. Als in der Spannung wegen Ungarn das russische Volk damals, wenigstens in seinen Studenten, unter dem Hauch einer möglichen Freiheit in Unruhe geriet, als ob ein neues Leben keime, als die Herrscher die Gefahr für sich sahen und die Kraft des freien, für sie im Abendland inkarnierten Geistes fürchteten, als daher die totale Herrschaft sogleich ihre Zügel straffer zog, und als die Herzen aller abendländischen Völker für Ungarn schlugen, da rief im November 1956 bei einem für Gomulka gegebenen Gastmahl Chrustschew zu den westlichen Diplomaten: »Ihr mögt uns nicht . . . wir werden euch begraben.« Etwas sonst Verborgenes wurde offenbar. In dem Lapsus persönlicher Erregung konnte man damals, als gerade Bulganins Drohung mit Atombomben über London und Paris ausgestoßen war, spüren: Nicht nur Marxismus, nicht nur ein Staatsprinzip und eine Sozialreligion sprachen hier, gar nicht die Großherzigkeit des russischen Volkes, sondern vielleicht etwas Elementares, das in Rußland unter mongolischer Herrschaft sich bei einem Teil der Menschen festgesetzt hatte: der asiatische Haß, das Bewußtsein, verachtet zu sein. Dieser Haß hat jetzt das Wissen von dem Besitz der organisierten eigenen Gewalt als einer Übermacht, wenn auch noch nicht über die Welt, so doch über alle Abendländer, die im russischen Bereich, in Ungarn oder in Rußland selbst auftraten, und über ganz Europa, wenn es nicht von Amerika geschützt wird. Dieser Haß brach in diesem Augenblick rücksichtslos aus. Da schien nicht der Geist Iwans des Schrecklichen, nicht der Geist Lenins, sondern der Geist Dschingiskhans zu sprechen, nämlich die Bereitschaft zu der in den Mitteln bedenkenlosen Unterwerfung von Völkern, auch um den Preis ihrer Ausrottung und der Zerstörung ihres Landes. Solcher Wille brutaler Gewalt legt lieber eine Wüste um sich, als daß er eigenes unabhängiges Leben neben sich duldet. Aber man würde nicht nur irren, wenn man das russische Volk, sondern schon, wenn man Chrustschew als Menschen mit diesem Geist identifizieren wollte, der einen Augenblick sich kundgab. Jeder Mensch bleibt ansprechbar, erst recht, wenn er an weltgeschichtlich entscheidender Stelle seiner größten möglichen Aufgabe sich bewußt wird.

Europa besteht nicht mehr aus eigener Kraft: Europa hat nicht die Macht, selbständige Weltpolitik zu treiben, weder Frankreich noch England und auch nicht ein Bund aller europäischen Staaten. Mehr noch: Das Fortbestehen Europas ist nur dank Amerika möglich. Ohne Amerika ständen die Russen längst am Atlantischen Ozean.

Was würde geschehen, wenn der russische Totalitarismus in einem geschickt gewählten Augenblick zur Eroberung Europas schritte? Amerika hat sich nach dem Kriege, zumal durch die Beschützung Berlins, großartig bewährt. Amerika hat dadurch in Deutschland wie in Europa ein Sicherheitsgefühl geschaffen, in dem wir heute noch gedeihen. Ist nun auf den Schutz Amerikas in jedem Falle Verlaß, zumal fast alle europäischen Völker in verblendeter Torheit Gefühle der Abneigung gegen Amerika haben? Amerika lebte bisher in einem Friedenswillen fast um jeden Preis, außer wenn es in seiner Existenz sich unmittelbar bedroht sah. Daher neigte es dazu, Europa gegenüber abseits zu stehen, bis infolge eines ihm selbst widerfahrenen Gewaltaktes sein Volk billigte, was seine Staatsmänner vorher nicht tun konnten (nach der deutschen Erklärung des uneingeschränkten U-Boot-Krieges 1917; nach Pearl Harbour 1941). Nicht in jedem zukünftigen Fall ist darauf zu rechnen, daß Amerika den möglichen Verlust Europas als unmittelbare tödliche Bedrohung seiner selbst begreifen würde, wenn es dies auch in dem letzten Jahrzehnt getan hat.

Kriege ohne Atombombe könnten, wenn nur Rußland und Amerika nicht miteinander kämpfen, große Ausmaße annehmen. In Europa wäre bei solchem Krieg ohne Wasserstoffbombe, also noch ohne Gefahr für die Menschheit im ganzen, der russischen Armee nur eine solche gewachsen, die mit den alten Waffen standzuhalten vermöchte. Wenn ein Augenblick gewählt wird, in dem Amerika nicht eingreift, kann Europa vom bolschewistischen Totalitarismus auch heute noch ohne Atombomben wahrscheinlich schnell erobert werden, was nach 1945, als alle freien Völker, nicht aber Rußland, abrüsteten, leicht gewesen wäre, wenn nicht Amerika geschützt hätte, damals durch seinen Alleinbesitz der Atombombe. Worauf ist Verlaß, wenn die Amerikaner außerhalb ihres Kontinents, in neuer Blindheit auch für ihr eigenes Schicksal, nicht kämpfen wollten, die Russen aber mit ihren Soldaten und der Fülle der konventionellen Waffen sich auf Europa würfen und hier handeln würden wie in Ungarn, ohne den Wasserstoffbombenkrieg zu beginnen?

Dieser politische Grundtatbestand, daß Europa sich nicht mehr allein helfen kann, vielmehr, nur auf sich selbst gestützt, verloren ist, sollte bei allem politischen Handeln der Europäer nicht einen Augenblick vergessen werden. Ihn anzuerkennen, wie es unbeirrbar Adenauer tut, ist Bedingung einer gegenwärtigen friedlichen politischen Weltordnung.

Die abendländische Solidarität: Sie setzt voraus das gemeinsame Bewußtsein der ungeheuren Bedrohung aller und das gemeinschaftliche Bewußtsein der Zusammengehörigkeit in der einen, in mannigfachen Gestalten erscheinenden europäischen Welt in Jahrtausenden, begründet in der griechischen Antike, der jüdischen Bibel Alten und Neuen Testaments und der römischen Ordnungspraxis, die gemeinsam die christliche Überlieferung und die großartige Entfaltung von Philosophie und Wissenschaft, Kunst und Dichtung, von politischer Freiheit in den neueren Jahrhunderten hervorgebracht haben.

Die Solidarität verlangt heute bedingungslosen Zusammenschluß aller europäischen freien Staaten und Amerikas. Er wird gewollt, aber nicht erreicht, und er wird ständig verletzt. Die europäischen Kontinentalstaaten suchen Anlehnung an England (welches Getue von allen Seiten, als England sich verpflichtete, einige Divisionen auf dem Festland zu halten, und welche Enttäuschung, als es bei seiner Umrüstung sein Versprechen nicht hielt!). Aber England treibt Empire-Politik und zieht im Konfliktsfall die Interessen des

Empire den europäischen vor. England seinerseits sucht Anlehnung an Amerika. Wenn es aber, in Verletzung des hegemonialen Treueverhältnisses, eigenmächtig im Falle Suez vorging, mußte es die Demütigung durch Amerika erfahren und sehen, daß Amerika seiner eigenen Weltpolitik den Vorrang gibt.

Die politische Ordnung der abendländischen Staaten ist ein Anfang der Weltordnung. Wenn die Freiheit dieser Staaten, die innenpolitisch die Freiheit zu verwirklichen suchen, es nicht vermag, in verläßlicher Einheit zu operieren, so werden sie mit der Lässigkeit ihrer eigenen Ordnung ihr freies Dasein insgesamt verlieren. Freiheit verdient nur der, der sie recht zu gebrauchen versteht. Nur wenn sie zu leisten vermag, was totale Herrschaft durch eisernen Zwang bewirkt, kann sie bestehen. Ihre Ordnung ist der Ansatz zur Weltordnung, ihr Versagen die Hoffnungslosigkeit in bezug auf Weltordnung überhaupt.

Ein Beispiel für den Nichtbestand einer abendländischen Ordnung sind die Ereignisse von 1956. Ägypten nimmt rechtswidrig durch einen Gewaltakt den Suezkanal in seinen Besitz. Amerika versagt eine ernstliche Mithilfe zur Wiederherstellung des Rechts. England und Frankreich vollziehen nach Monaten einen Gewaltakt gegen Ägypten, um den Suezkanal wieder in den Besitz der rechtmäßigen Eigentümer zu bringen. Amerika steht mit Rußland im Bunde gegen ein gemeinsames abendländisches Interesse, während es gleichzeitig die Ungarn, die rechtmäßig für ihre Freiheit gegen fremde Besetzung kämpfen, im Stich läßt. Israel steht vor der wachsenden, durch russische Waffenlieferungen ermöglichten Rüstung Ägyptens, die den ausgesprochenen Zweck hat, Israel zu vernichten. Es steht im Bunde und nicht im Bunde mit England und im Bunde mit Frankreich bei der Suezaktion. Israel, diesem abendländischen Staat, wird von Amerika die Garantie der Grenzen versagt, während Amerika den Rückzug verlangt und seinen offenbaren Verteidigungsakt als Gewaltakt anklagt. In all diesen Vorgängen zeigte sich die ganze Verwirrung des Bewußtseins der Abendländer. Die politische Ordnung des Abendlandes ist nicht da. Sie wird solange nicht kommen, als alle abendländischen Staaten die alte Politik ihrer eigenen Interessen mit den alten Motiven, Ansprüchen und Mitteln fortsetzen. Eine neue Politik ist notwendig. Diese aber ist nur unter sittlich-politischen Voraussetzungen möglich, nur in einer Umkehr des abendländischen Menschen, die er immer schon in Einzelnen vollzogen hat, die nun aber durchgreifend in allen, die die Politik bestimmen, vollzogen werden müßte.

Politisch liegt der Beginn einer Weltordnung in der verläßlichen Einigung des Abendlandes zur Selbstbehauptung. Europa und Amerika umfassen die Staaten, die sich gegenseitig unbedingten Schutz, wie Eidgenossen, unter Einsatz von Gut und Leben, gewähren müßten, falls ein einziger von ihnen, und sei es nur der kleinste, von außen angegriffen würde.

Eine zweite Frage ist, wie diese Gesinnungsgrundlage sich Einrichtungen gibt zu gegenseitiger Beratung und Kontrolle, wieweit die Beziehungen hegemonialen Charakter gewinnen müssen, wieweit dagegen die Entschlüsse auf Abstimmungen zu gründen möglich wäre (nicht der Majorität von Staaten, sondern der Majorität der freien, in freien Staaten lebenden Menschen), also ein Sicheinfügen unter die Mehrheit stattfinden solle.

Eine dritte Frage ist, welche Staaten zu diesem Bündnis des Abendlandes gehören. Jedenfalls nur die, die freiwillig in den Bund eintreten, und dann die, die ein Recht darauf haben durch ihre geschichtliche Herkunft und gegenwärtige Wirklichkeit. Ursprüngliche und bewährte Freiheit müssen zusammen kommen. Nicht die Existenz des Staates ist ausreichend, sondern die Verläßlichkeit des Ethos seiner Bevölkerung, der Politik und Wirtschaft, die er treibt. Es sind Staaten zu diesem Bunde fähig, die nicht dem Abendland ursprünglich zugehören. Der Islam, selber durch die biblische Anschauungswelt begründet, ist kein Gegengrund.

Es müßte klar sein, daß nicht machtpolitische, nicht militärische, nicht geographische Gründe den Eintritt in diesen Bund auf Leben und Tod ermöglichen oder befördern dürfen. Nur Gesinnung, Lebensweise, Denkweise in der Kontinuität einer Bewährung und das dadurch bedingte unmittelbare Verstehen zwischen den Bevölkerungen dürfte maßgebend sein. Alle Völker können sich zwar im Laufe der Zeiten dorthin entwickeln und die Mitgliedschaft, die sie etwa begehren, dann auch gewinnen. Aber das setzt diese Kontinuität voraus. Es genügt nicht ein einfacher Staatsakt einer gegenwärtigen zufälligen Regierung.

Es wäre von größter Bedeutung, wenn vor dem vielleicht einmal entstehenden abendländischen Völkerbund schon jetzt in der Zeit notwendiger gemeinsamer Selbstbehauptung ohne ausdrücklichen Bund die Grenzen dieser Welt klar und in das allgemeine Bewußtsein dringen würden.

Diese Grenzziehung des Abendlandes kann nicht äußerlich erfolgen. Entscheidend ist nicht die Geographie, sondern der geschichtliche Mensch und das Wesen seiner Freiheit und die Zusammengehörigkeit durch Herkunft und Schicksal und Miteinanderleben. Die militärischen und ökonomischen Interessen vergessen diese allem anderen vorhergehende Substanz. Dann aber schwanken die Urteile und widersprechen sich. Ich erlaube mir, einige Urteile aus der Idee des Abendlandes heraus beispielsweise vorzubringen.

Spanien lebt unter einer Diktatur, aber ist keineswegs totalitär. Es gehört ohne Zweifel durch Geschichte und gegenwärtige geistige Wirklichkeit zum Abendland, kennt die Freiheit und Würde des einzelnen Menschen. So unerfreulich sein Regime ist, es ist nicht dauernd. Spanien gehört substantiell in das Abendland. *Deutschland* war zwölf Jahre unter Diktatur und davon sieben Jahre totalitär. Es gehört trotzdem zum Abendland.

Staaten abendländischer Völker, die zur Zeit unter dem russischen totalitären Regime stehen, wie *Ungarn, Ostdeutschland, Polen, Rumänien, Tschechoslowakei, Bulgarien,* können wegen der Weltlage, wie sie in ihrer ganzen Härte durch die Atombombe besteht, nicht durch Gewalt befreit werden. Aber die Seele des Abendlandes soll für sie offenbleiben. *Jugoslawien* ist unter Titos Regime zwar nicht totalitär, aber als Diktatur kommunistisch und dem totalitären Rußland zugewandt und im Fall Ungarns für die Unterdrückung von Ungarns Freiheit eingetreten. Es kann in solcher Gestalt unmöglich dem abendländischen Bunde angehören; die Völker dieses Staates aber gehören ihrer inneren Neigung und ihrem Wesen nach zum Abendland, wie am Ende das *russische Volk* selber, obgleich sein gegenwärtiges Regime zum Gegenpol geworden ist.

Israel, ein Staat erst seit zehn Jahren, gegründet von Juden, ist von den abendländischen Staaten, auch von Rußland, Indien u. a. anerkannt, ist Mitglied der UNO. Aber es ist nicht anerkannt von den umliegenden arabischen Staaten. Sein Dasein und seine Grenzen sind weder von Amerika noch von einer anderen Großmacht garantiert.

Israel ist als Heimstätte für Juden begründet durch feierliche englische Zusagen. Es ist als Staat entstanden, als die Engländer 1948 ihr Mandat aufgaben und aus Palästina abzogen, ohne für eine Ordnung nach ihrem Abzug Vorsorge zu treffen. Es blieb den Juden in Palästina nichts anderes übrig, als selbst ihre staatliche Ordnung zu schaffen. Am selben Tage schon fielen alle umliegenden Araberstaaten über sie her, um sie auszutilgen. Es ging für alle Juden in Palästina um Leben und Tod. Ihre Selbstbehauptung gegen Gewalt durch Gewalt hat den Staat in der Wirklichkeit gegründet. Damit ist seine Tatsache da. Rechtliche Überlegungen können nur sagen, daß die Niederlassung der Juden ohne Gewalt erfolgt war, der Landkauf Stück um Stück nach den Gesetzen ohne Betrug und Übervorteilung, ihre Leistung durch Arbeit und Unternehmung erstaunlich wurde. Niemals konnte vor 1948 von Eroberung die Rede sein. Der Zustand aber, der durch einen Krieg geschaffen wird, ist nie durch Recht zu begründen oder zu verwerfen. Er ist da und nunmehr neue Voraussetzung von Rechten. Daß dieser Zustand für die Israeli so ungünstig ist und bleiben muß (weil die Grenzen nur durch Gewalt erweitert werden könnten), beruht auf dem Eingriff der Engländer, die den siegenden Juden mit ihrer Luftwaffe drohten und sie zum Waffenstillstand zwangen, aber keinen Frieden zu errichten vermochten (der einem Israel als Sieger ohne Zweifel gelungen wäre). Die Folge dieses Waffenstillstands war die Unbereitschaft aller arabischen Staaten, Frieden zu schließen, ihr wirtschaftlicher Boykott und die von ihrer Seite wachsende Drohung, Israel zu vernichten.

Warum aber ist dies alles geschehen? Es war die Folge der Schuld der gesamten Christenheit, in der die Juden durch Jahrtausende immer wieder an Leib und Leben bedroht, beraubt, verjagt, ermordet wurden. Die Tötung von sechs Millionen Juden durch Hitler-Deutschland machte die Rettung der Überlebenden in einer ungewissen Zukunft (in der das Gleiche sich anderswo wiederholen könnte) zur Notwendigkeit.

Was durch die Schuld Deutschlands und die Mitschuld der großen abendländischen Staaten einschließlich Amerikas geschehen ist, die unumgängliche Selbstbehauptung der verlassenen, mit dem Tod bedrohten Juden im Jahre 1948, bedeutet jetzt eine Verpflichtung des gesamten Abendlandes. Israel hat 1956 reagieren müssen gegenüber ständigen Einfällen von Mordtrupps, gegenüber dem Boykott aller arabischen Staaten, gegenüber dem ägyptischen Verbot der Fahrt seiner Schiffe durch den Suezkanal, vor allem aber gegenüber den umfangreichen, durch gewaltige russische Waffenlieferungen ermöglichten militärischen Vorbereitungen Ägyptens auf der Sinai-Halbinsel. Sie hatten ausgesprochenermaßen den Zweck, Israel als Staat zu vertilgen, das heißt zugleich die jüdische Bevölkerung umzubringen. Keine Macht der Welt half den Juden in Israel im entscheidenden Punkt, denn keine garantierte Israels Grenzen und keine erzwang den Frieden. Wenn die israelischen Juden nicht kampflos auf ihr Dasein verzichten wollten, mußten sie etwas tun. Die Katastrophe stand bevor. Im Zusammenhang mit partikularen Interessen Englands und Frankreichs schuf

Israel durch sein militärisch hervorragendes und politisch maßvolles Handeln eine Lage, die nun, weiter offenbar und dringlich geworden, die Welt vor die Frage stellt: Wird Israel der Friede gegeben statt des trügerischen Waffenstillstands, und wird dieser Friede von den abendländischen Mächten einschließlich Amerikas garantiert?

Warum ist diese Frage für das Abendland so bedeutungsvoll, obgleich es sich um ein winziges Völkchen handelt? Die Juden überall und der Staat Israel gehören auf eine einzige Weise zum Abendland. Einst haben die Juden durch die biblische Religion dem Abendland die Tiefen aufgeschlossen, aus denen für uns noch in allem Unheil das Leben möglich, durch die Gottesgewißheit die Menschenwürde unantastbar wurde. Aus Jesus spricht der Jude in seiner überwältigenden Leidenskraft und Liebe, in seiner alle Bande zerreißenden Unbedingtheit, in seiner Gottesgewißheit noch am Kreuze mit dem Psalmwort: »Mein Gott, mein Gott, warum hast du mich verlassen!« Durch das Alte und das Neue Testament (das fast ganz von Juden stammt) haben sie das Christentum in die Welt gebracht. Damit haben sie neben den Griechen und Römern den Boden des Abendlandes, aber den festesten und tiefsten Boden gelegt, der alles trägt. Die heutigen Juden sind die Nachkommen derer, die den Schritt zum Christentum paulinischen Charakters nicht taten (Jesus und die Urgemeinde fühlten sich noch als Juden im Gottesglauben, der für die Juden längst den universalen Sinn der einen Wahrheit angenommen hatte). Dadurch haben die Juden die unvergleichliche und einzige Stellung als Gründer des Christentums und als Ausnahme vom Christentum zugleich.

Das Dasein der Juden kann jederzeit der Stachel zur Rettung der Seele des Abendländers werden durch ihre Unbequemlichkeit, durch ihre Infragestellung der christlichen Dogmatik, durch die Größe ihres Duldens, ihres Opfers (in dem das Schicksal Jesu wirklich wiederholt zu werden scheint, wie es zuerst ihrem Bewußtsein erschien im Knecht Jahves des Deuterojesaias), durch ihre Illusionslosigkeit (die das Unheil der Welt nicht wegredet in falschem Trost oder stoischer Starrheit). Hier lebt etwas vom Ursprung des Christentums, der im kirchlichen Christentum oft verschleiert und unwirksam geworden ist. Das Dasein der Juden in ihrer Wirklichkeit erinnert uns, damit wir nicht versinken.

Für die jeweils andersgläubigen Konfessionen (als die historischen Schalen des einen Wahren) ist die jüdische Gesetzlichkeit mit ihrem Ritualismus und Talmudismus so absurd wie Gottmenschheit und Trinität. Man muß diese Dinge dem Konfessionellen überlassen, das übergriffen und beseelt wird von dem einen Gemeinsamen, der Wirklichkeit Gottes selber, wie sie die jüdische Bibel Alten und Neuen Testaments ergriffen und zur Grundlage des Abendlandes gemacht hat. Dieses eine Gemeinsame – in der Chiffre des Bundes mit Gott – wird verraten, wenn die Juden verraten werden.

Wer abendländisch denkt, weiß: Israel gehört durch Überlieferung und Wirklichkeit ganz und gar zum Abendland. Die Juden und nun ihr Staat Israel müßten auf Grund einzigartiger Verpflichtung in den Bund der abendländischen Selbstbehauptung eingeschlossen sein. Ein Angriff auf Israel müßte einen Angriff auf das Abendland selber bedeuten und die Folgen eines solchen Angriffs haben. Weil aber Israels politisches Dasein im Vorderen Orient unbequem ist, gibt es überall Gründe, sich von ihm zu distanzieren. Hier aber ist Halbheit und Unentschiedenheit Symptom des sittlich-politischen Zustandes des gesamten Abendlandes, der, wenn er anhielte, zum Verderben unser aller würde. Das Abendland kann Israel nicht preisgeben, ohne sich selbst preiszugeben. Hat das Abendland hier keine Solidarität, so hat es überhaupt keine verläßliche Solidarität und wird sterben. Geht Israel unter, so geht das Abendland unter – nicht wegen der Einbuße einer winzigen Machtposition auf der Erde und einiger Millionen Menschen, sondern wegen seiner sittlich-politischen Verderbnis (vgl. Franz Böhm).

Die Weltverteilung und die Grenzen: Heute sind die Grenzen weder für das allgemeine Bewußtsein noch durch die faktische Politik überall festgelegt. Die militärpolitischen Zweckmäßigkeiten und die wirtschaftlichen Interessen regieren fast allein. Die dadurch erzielten augenblicklichen Vorteile haben aber die Schwächung der abendländischen Selbstbehauptung im ganzen zur Folge und damit die Hemmung einer etwa entstehenden möglichen Weltordnung.

Der Weltfriede verlangt, daß die Grenzen der Territorien klar und damit die gegebene Verteilung der Erde anerkannt wären. Dann blieben nur vertraglich begründete Korrekturen möglich ohne Drohung von Gewalt. Noch ist nicht zu sehen, wie das verwirklicht werden könnte. Aber es ist ohne Zweifel: Wenn der Kalte Krieg um die Verschiebung der Grenze der Machtsphären nicht beendigt wird durch Respektierung der bestehenden Grenzen, so wird eines Tages aus dem Kalten der Heiße Krieg, und es fallen die Atombomben.

Im gegenwärtigen Weltzustand, in dem es vergewaltigte Satellitenstaaten gibt und militärische Stützpunkte auch auf nicht abendländischen Gebieten und die bedenkenlose Aktivität wirtschaftlicher Interessen, die dem politischen Ordnungssinn zuwiderhandeln, wäre eine Grenzziehung denkbar, die zwischen Rußland und Amerika die bestehenden »Interessensphären« bestimmt, aber die übrige Welt frei läßt von Infiltration von beiden Seiten. Das erst würde »Koexistenz«, wenigstens in einem bestimmbaren Sinn, bedeuten, ist aber durchaus unwahrscheinlich. Denn der Kampf hört nicht auf, solange die Prinzipien der totalen Herrschaft und die der Freiheit gegeneinanderstehen.

Das koloniale Zeitalter hat gelehrt, daß nur, wo Siedlungskolonien entstanden sind, die Erde neu verteilt wurde: so erweiterten sich Rußland und Amerika, jenes nach Osten, dieses nach Westen, beide bis an den Stillen Ozean; Engländer gründeten in Kanada, Australien, Neuseeland abendländische Staaten mit abendländischer Bevölkerung. Außerdem sind damals durch Mischung der Rassen selbständige Staaten entstanden (in Mittel- und Südamerika). Wo aber eine bloße koloniale Herrschaft errichtet wurde, ist sie heute abgeschüttelt. Wo eine winzige Minderheit von Siedlern faktisch über die Eingeborenen herrscht, sind unhaltbare Zustände erwachsen, die nach einer Zeit von Greueln und Gewaltsamkeiten mit der Selbständigkeit der Eingeborenen enden werden (Südafrika, nordafrikanische Staaten)

Noch gibt es weite, fast unbesiedelte Gebiete, Wüsten und Steppen. Wenn in diesen Gebieten Öl gefunden wird, werden sie mit einem Schlage von größter Wichtigkeit. Wo Wüste und Eis herrschen, ist die Welt nicht endgültig verteilt. Moderne Technik vermag aus solchen Gebieten von Menschen bewohnte Länder zu machen. Sahara-Projekte zeigen es. Für solche Unternehmungen, mag es Ölausbeutung oder Fruchtbarmachung sein, gibt es durch die Erfahrung der kolonialen Zeit eine Lehre. Wo immer die Anlagen zur Ausbeutung der Naturschätze entstehen und unter Führung der Abendländer durch einheimische Arbeitskräfte bearbeitet werden, da entsteht eine einheimische neue Schicht, die trotz ihres Wohlergehens oder gerade infolge dieses Gehobenseins Instinkte gegen die Fremden weckt. Eines Tages werden die Anlagen »nationalisiert«, d. h. enteignet.

Das Beispiel des Öls in der Sahara: Seine Ausbeutung durch das Abendland wird voraussichtlich nur gelingen unter drei Bedingungen: *Erstens:* Die Ausbeutung muß durch Siedlungskolonien erfolgen, die unter gemeinsamem abendländischem Schutz stehen. Nur wenn sämtliche Arbeitskräfte, ohne Ausnahme, aus den Ländern kommen, die die Ölquelle nutzen, kann sich der Besitz, der in der Wüste legitim erworben ist, auch halten. – *Zweitens:* Das Unternehmen muß ein abendländisches sein, also von europäischen Staaten gemeinsam mit Amerika errichtet werden. Wenn nationale Vorrechte oder Ausschließungsbestrebungen eine Rolle spielen, wird nicht nur die Kraft im Aufbau des Unternehmens gemindert, sondern später die Kraft zur Erhaltung gegen Angriffe zu gering. – *Drittens:* Die Verbindungswege zum Meer dürfen nicht durch Staaten führen, die ihrerseits den Anspruch auf Souveränität erheben, ohne verläßlich zum Typus freier abendländischer Staaten zu gehören. Diese Wege können von der Sahara nur durch die lange Strecke zum Atlantischen Ozean führen; sie müßten in ihrer gesamten Länge durch abendländische Siedlung betreut und geschützt werden. Ohne das würde eine Enklave entstehen, die eines Tages von dem Willen solcher Territorien abhängt, durch welche die Verbindungswege führen.

Solche Siedlungskolonien fordern den Opferwillen der unternehmenden Menschen, wie er in der kolonialen Zeit lebendig war und Amerika geschaffen hat. Gibt es diese abendländischen Menschen nicht mehr in der notwendigen Menge, so ist die Sache auf die Dauer vergeblich. Man würde mit Geld und fremden Arbeitskräften etwas einrichten, das, von vornherein bedroht, nach kurzer Zeit von den souveränen nordafrikanischen Staaten enteignet würde. Fehlt dazu die Gemeinsamkeit des Abendlands als solidarische Grundlage des Unternehmens, so wird es auch keine zuverlässig gemeinschaftliche Sicherung geben.

Die Sahara als das Land der gloriosen Zukunft Frankreichs ist ein Wahn, weil Frankreichs Kräfte zu gering sind. Die Sahara ist vielmehr eine gewaltige Chance des Abendlands, das nur als Ganzes die Kraft besitzt, innerhalb derer auch Blüte und Reichtum Frankreichs liegen.

Drei Tendenzen in der Politik der Abendländer: Es gibt europäische Nationalpolitik, englische Empire-Politik, amerikanische Weltpolitik. Für die abendländische Selbstbehauptung durch die beginnende Weltordnung ist es notwendig, daß diese drei zusammentreffen. Das kann nur gelingen, wenn alle drei sich begrenzen: Die *Nationalpolitik* der europäischen Staaten muß sich unter den Vorrang des abendländischen, europäisch-amerikanischen Interesses stellen, die *Empire-Politik* sich dem europäischen Interesse Englands, die *amerikanische Weltpolitik* der abendländischen Selbstbehauptung im ganzen unterordnen. Noch aber setzt jede von den dreien faktisch sich selbst absolut.

Europa: Für Europa könnte gelten, was Max Weber einst von Deutschland sagte: es habe die Aufgabe, die Freiheit zu retten zwischen russischer Knute und angelsächsischer Konvention. Darin liegt eine Wahrheit als Anspruch Europas an sich selbst. Aber nie mehr kann diese Rettung als Rettung durch selbständige, souveräne politische Macht gemeint sein. Wir sind absolut solidarisch mit Amerika und wissen, daß wir verloren sind, wenn wir es nicht bleiben.

Die Einigung Europas, sofern sie als Freiheit von Amerika gemeint ist, gilt dem europäischen Geist, der Freiheit des Einzelnen, die dem Europäer in der unerschöpflichen Umwelt seiner überall gegenwärtigen jahrtausendealten Vergangenheit möglich ist. Diese Freiheit ist durch die Lebenspraxis wohl faktisch von amerikanischer Lebensart abweichend, aber auf keine Weise gegen Amerika auszuspielen. Die Amerikaner selber sind Europäer und nicht ohne Liebe hellhörig für das, was ihnen aus Europa kommt, wenn es gut und lebendig und nicht stolz, nicht dummer Anspruch von Unwirklichkeiten ist. Das europäische Selbstbewußtsein wird eng, wenn es sich gegen Amerika wendet. Was ist Europa, wenn Amerika, durch europäische Herkunft abendländisch, nicht selber Abendland in Gemeinschaft mit Europa ist!

Vielleicht ist europäische Selbstbehauptung weltgeschichtlich eine Frage ersten Ranges, wenn mit dem Untergang Europas auch die Freiheit der Menschen überhaupt verloren wäre; vielleicht nur eine Frage zweiten Ranges, wenn Amerika auch allein die Freiheit zu retten vermöchte, was jedoch politisch und geistig ganz unwahrscheinlich ist.

Für uns ist Europa das nächste. Sofern Freiheit Prinzip der Politik ist, ist die Selbstbehauptung Europas für uns die Selbstbehauptung des freien Menschen. Daher kann sie nicht gegen Amerika stehen. Amerika selber wünscht die politische Einheit Europas, die es nicht fürchtet als Konkurrenz, sondern begehrt als Stärke des einzigen zuverlässigen, weil wesensverwandten Bundesgenossen. Eine Freiheit der Welt um den Preis der Vernichtung Europas ist nicht nur unwahrscheinlich, sondern scheint uns unmöglich.

England: England ist ein Glied Europas und ist die Vormacht eines Empire. Es hat in den letzten beiden Jahrhunderten seine Politik als Empire geführt, war in der Tat noch vor einem halben Jahrhundert die Ordnungsmacht der Welt, konnte, bis U-Boote und Atombomben wirklich wurden, durch seine insulare Lage sich geschützt fühlen und in Distanz zum europäischen Kontinent denken, auf dem es seine Politik jederzeit gegen den dort stärksten Staat zugunsten der anderen betrieb.

Das alles hat sich radikal verwandelt. Das Empire ist nur noch ein Bund der englisch sprechenden Siedlungskolonien, nicht mehr ein Weltreich. Die insulare Lage schützt nicht mehr. England ist faktisch ganz und gar ein Glied Europas, beim Untergang Europas auch selber verloren, nur mit Europa existenzfähig.

Heute ist seine Politik noch gefährlich zweideutig. Es lebt mit Gespenstern der Vergangenheit, nicht anders als auch Frankreich und Deutschland mit den ihrigen. Es hat noch das Streben, als Weltgroßmacht fortzubestehen, und hat dieses vergebliche Streben durch die eigene Entwicklung der Wasserstoffbombe mit einem Schein von Möglichkeit umgeben. Es sucht für sich allein seine Sicherung durch Amerika (und demütigt sich), nicht in Solidarität mit Europa. Es geht mit den europäischen Festlandsstaaten in alter Weise um: wie mit Schachfiguren seines Spiels. Daher fällt es immer wieder aus der Reihe und ist das wenigst verläßliche der europäischen Glieder. Es ist ein weiter Abstand zwischen dem Ethos des Engländers im Privatleben, so überzeugend und liebenswert für andere Völker, und der Politik, die ihm den Namen des »perfiden Albion« eingetragen hat, das alle anderen Völker heimlich als fremde verachtet, aber in der Meinung, sie klug zu behandeln, wenn es ihnen Rechte und Freiheiten darbringt und noch dadurch, weil gelenkt von den eigenen Interessen, mit ihnen nur operiert. Seine sture Politik im Vorderen Orient seit Jahrzehnten, auf deren Bahnen nun die Amerikaner, nachdem sie die Engländer verdrängt haben, fortfahren, ist ein Symptom des Haftens an heute gänzlich überholten Vorstellungen.

England und Europa gehören nicht nur, wie immer, der geistigen Herkunft nach zusammen, sondern heute auch politisch und militärisch. Eine abendländische Ordnung liegt auf der von England nur gelegentlich, zögernd und wieder zurücknehmend, betretenen Linie, auf der im Konfliktsfalle die Rangordnung gilt: erst das Abendland, dann Europa, dann England mit seinen Empire-Beziehungen.

Amerika: Amerika hat nie Welteroberung erstrebt. Es hatte genug mit sich selbst und der Inbesitznahme seines riesigen Kontinents zu tun. In beide Weltkriege ist es erst spät, widerwillig und auch dann ohne Eroberungsabsichten eingetreten, weil hineingezogen. Im Ersten Weltkrieg war der die amerikanischen Rechte bedrohende unbeschränkte U-Boot-Krieg seitens Deutschlands der Anlaß zum Eintritt, der vermutlich auch sonst, nur später, erfolgt wäre, wenn England in tödliche Gefahr geraten wäre. Denn die Vernichtung Englands hätte seine eigene Existenz bedroht. Im Zweiten Weltkrieg war es ähnlich: Frankreich versagte gegen Hitler, auf dem Festland zunächst auch England. Dann rüstete England mit Einsatz aller seiner Kräfte und kämpfte, fast schon bezwungen, unerschütterlich. »Blut, Schweiß und Tränen« entmutigten es nicht, als es unter Churchills Führung die letzte Bastion des freien Europa hielt. Aber mit England hat doch erst Amerika (durch Technik, die mit Mut gehandhabt wurde), und dieses nur im Bunde mit Rußland (durch Menschenmassen, die unendlich geduldig, gehorsam litten und starben), Hitler-Deutschland überwunden. Zweimal konnte die Verspätung unter großen Opfern eingeholt werden. Ein drittes Mal würde wegen der modernen Waffentechnik eine Verspätung nicht mehr zu korrigieren sein. Daher ist es jetzt eine Schicksalsfrage der Menschheit, ob Amerika die Weltpolitik, in die es gegen seine Absicht geraten ist und in der es die entscheidende Verantwortung für den Gang der Geschichte überhaupt hat, nun für immer und zuverlässig ergreift oder sie mit der alten Tendenz zur Isolierungspolitik nur als Verteidigung amerikanischer Interessen betreibt.

Der Ansatz zur Weltordnung, die nicht Welteroberung und nicht Streben nach dem Weltstaat, sondern die Ordnung in der Freiheit aller wäre, liegt heute in der amerikanischen Weltpolitik, aber nur dann, wenn diese nicht bloß eine Gebärde kurzsichtiger amerikanischer Interessenpolitik ist. Es ist immer die Gefahr, daß darüber hinaus Amerika nichts tut und denkt: es genügt, die eigene Macht durch Waffentechnik, strategische Stützpunkte, Kauf der armen Staaten (Hilfe für unterentwickelte Völker) zu sichern, und im übrigen werden die Dinge der Natur des Menschen entsprechend überall von selbst zur Freiheit führen, wenn man nur nicht eingreift. Dieses Denken ist um so schlimmer, wenn es gleichzeitig erlaubt, überall seine wirtschaftlichen Interessen zu verfolgen, diese formell von der Politik zu trennen, faktisch aber die Politik in ihren Dienst zu stellen, und damit aufs heftigste einzugreifen, aber ohne Verantwortung für das Ganze, geblendet und beruhigt durch falsche und abstrakte Vorstellungen. Dagegen kann Amerika heute die ihm in der weltgeschichtlichen Situation zugefallene Aufgabe im Dienste der Freiheit festhalten, die Chance seiner eigenen Selbstbehauptung allein in der faktischen Konföderation der freien Völker erkennen, Europa als einen Teil seiner selbst ansehen und die Weltpolitik der Freiheit unter wirklichem Freilassen aller früheren kolonialen Völker und Staaten führen. (Dann kann es nicht mit Feudalherren, Wüstenkönigen und Sklavenhändlern, statt mit den Völkern selbst, seine Politik machen — wegen der Ölinteressen — und nicht der Welt das Schauspiel bieten, solche Kreaturen durch seinen Präsidenten mit allerhöchster Feierlichkeit empfangen zu lassen, während gleichzeitig ein Gespräch mit dem englischen Premier verweigert wird.)

Die Weltpolitik Amerikas müßte koinzidieren mit der Selbstbehauptung des Abendlandes. Diese Weltpolitik dürfte weder durch englische Empire-politik, noch durch Kolonialpolitik eines europäischen Staats, noch durch andere besondere außenpolitische Interessen einzelner Staaten durchbrochen werden.

Russische Politik: Noch sind vielleicht für einige Jahrzehnte die beiden Großmächte der Welt abendländische Völker: Amerika und Rußland; Amerika als Vormacht des schwachen Bundes der freien abendländischen Völker, Rußland mit seinen vergewaltigten Satellitenstaaten. Die durch Rußlands Politik erstrebte Weltordnung ist bisher nur als Ordnung durch Vergewaltigung zu erkennen. Wir sehen vom Anfang des bolschewistischen Staats an seine ständig wachsende Macht. Rußland greift an, wenn die Situation es erlaubt: der Krieg gegen Finnland, die Vergewaltigung der baltischen Staaten (Vertragsbruch, Deportation eines großen Teils der Bevölkerung). Es versucht Erpressungen mit Angriffsdrohungen, die es dann nicht ausführt. Seine gewaltig gewachsene Macht hat es nirgends zur Förderung des Weltfriedens verwendet. Es stiftet vielmehr Unruhe, Unfrieden und veranlaßt Kriege (Korea, Indochina), um dadurch Wege zur eigenen Machterweiterung zu finden.

Seine Politik ist überall von gleichem Prinzip, aber sie ist in den Methoden verschieden gegenüber denen, die in der übrigen Welt in den *Bereich seiner Gewalt* geraten, gegenüber den *europäischen Staaten,* gegenüber *Amerika,* gegenüber der *Welt, die als Vakuum gilt.*

Was es im eigenen Bereich tut, hat man gesehen an Ungarn, an Polen, an der Tschechoslowakei usw. Diese Völker leben daher in tiefster Unzufriedenheit. Gegenüber den europäischen Staaten operiert es mit den kommunistischen Parteien, die diese Staaten erobern sollen (etwa auf dem Weg über die Volksfront usw.). Gegenüber Amerika operiert es mit militärpolitischer und wirtschaftlicher Weltstrategie. Gegenüber dem Vakuum der Völker verbindet es sich mit allen Impulsen der Unzufriedenheit, dem Hasse gegen das Abendland, den nationalen Erregungen, dem wirtschaftlichen Elend — und dann mit der Lust an der Technik als solcher, an Ordnung und Gehorsam. Es sind Völker, die niemals innere politische Freiheit gekannt haben, Kraft und Energie auch einer despotischen Regierung bewundern, ein elementares Selbstgefühl ihrer Rasse haben. Sie fühlen sich den Russen näher als den anderen Abendländern. Und die Russen tun alles, um sie zu verführen zu dem Sprung, mit dem sie sich der totalen Herrschaft unterwerfen. Es ist ein Faktum, daß zahlreiche nichtabendländische, früher koloniale Völker oder deren Führerschichten den Kommunismus für das Beste halten, ahnungslos, was die totale Herrschaft ist, die an die Stelle des erträumten Paradieses tritt.

Ein für uns hartes Beispiel der Wirklichkeit russischer totalitärer Politik und der im Abendland weitverbreiteten Unklarheit über diese sind die Erörterungen über die Wiedervereinigung Deutschlands. Wenn man sagt, Deutschland könne nur wiedervereinigt werden, wenn Mitteleuropa in einen Zustand gebracht werde, der weder für Rußland noch für den Westen bedrohlich sei, so ist das zwar richtig, aber nichtssagend. Denn dieser Zustand könnte nur eintreten, wenn die beiden Großmächte selber einander nicht mehr bedrohlich erscheinen. Solange diese beiden im Kampfe sind, ist für beide Seiten jede Verschiebung der Grenze der Macht bedrohlich. Eine militärfreie Sphäre, eine atomfreie Zone, eine neutrale Zone, ein Vakuum würde von beiden Seiten nur danach beurteilt, welche Gefahren und Vorteile daraus für die eigene Seite entspringen.

Der Grund dieser Gefahren kann sich wandeln. Militärische Stützpunkte, gegenwärtig noch wichtig, könnten unerheblich werden mit der Veränderung der Waffentechnik. Das europäische Gebiet könnte in der Weltstrategie an Bedeutung verlieren, so daß Rußland an dieser Stelle Nachteile in Kauf nehmen würde für Vorteile an anderer Stelle der Erde (noch ist von solcher Möglichkeit kaum etwas zu sehen).

Neutralität eines Gebietes kann zwar für beide Gegner vorteilhaft sein. Aber Neutralität wäre nur glaubwürdig bei einer Macht, die sich selbst verteidigen kann. Eine faktische Neutralität eines wiedervereinigten Deutschland wäre unmöglich. Es würde sich nur um Demilitarisierung handeln und damit das Land im Kriegsfall dem zu Griff stehen, der am schnellsten dort sein kann. Auch würde es geistig dem Westen zugehören und daher den Russen verdächtig sein. Rußland würde denken, ob eine Wiedervereinigung die Chance gebe, durch einen Staatsstreich das ganze Land totalitär werden zu lassen. Der Westen würde denken, daß die Wiedervereinigung das Gebiet der westlichen Freiheit vergrößere. Die Nichtbeteiligung Deutschlands an einem der beiden Blöcke ist eine Formel, die Rußland nie glauben kann, die Amerika anerkennen könnte, weil Deutschland faktisch zur westlichen Freiheit gehören würde, wie der Potenz nach auch die Polen, Ungarn und Tschechen.

Finnlands und Österreichs Neutralität sind kein Einwand. Rußland hat ihrer Neutralität zugestimmt, weil sie Randgebiete sind, diese Neutralität militärisch ihm sogar Vorteile bietet, diese Staaten überdies seinem schnellen Zugriff offenstehen, und weil es durch die Politik an diesen Nebenschauplätzen sich zudem ein Alibi verschaffen könnte, mit dem seine anderen großen Vergewaltigungen verschleiert werden.

Die Wiedervereinigung Deutschlands wird vermutlich erst in dem Augenblick möglich sein, wo entweder die Kriegsspannung zwischen Rußland und dem Westen aufhört oder wo Rußland im Laufe der weiteren Entwicklung so sehr unter chinesische Drohung geriete, daß es den Bund mit dem Westen sucht. Die Perspektive ist entsetzlich. Wir Deutsche müssen fürchten, daß die Deutschen im Osten so lange nicht durchhalten. Würde die Freiheit des ostdeutschen Staats auch ohne Wiedervereinigung erreicht, so wäre alles erreicht. Die Wiedervereinigung ist unwesentlich, nicht aber die geistig-sittliche Vernichtung von Millionen Deutscher, die im Laufe von Generationen aufhören würden, Deutsche zu sein. Wenigstens die abendländische Welt muß ständig wissen, es sagen und wiederholen, was hier geschieht, und daß es für sie so unerträglich ist wie das Schicksal des ungarischen Volkes.

Man wird russisch-totalitäre Politik immer falsch beurteilen, wenn man nur nach den Regeln der Machtpolitik zwischen Staaten denkt. Diese Regeln sind nicht aufgehoben, vielmehr von den Russen raffiniert gehandhabt, aber einem Absoluten unterworfen, das die einzelnen politischen Handlungen nach jenen Regeln allein nicht berechnen läßt. Nur die Tatsachen der russischen

Politik durch Jahrzehnte können uns belehren. Die politischen Argumentationen gehen ins Endlose, wenn man die einfachen Grundlinien der großen Politik des Totalitären nicht jeden Augenblick gegenwärtig behält.

Das totalitäre Rußland will nur eine Weltordnung, die Welteroberung ist mit dem Ziel der Universallösung totaler Herrschaft. Es will also keine Weltordnung, sondern ist die Macht, die vorläufig jede Weltordnung, eine vom Abendland ausgehende Weltordnung freier Staaten, zerstören möchte. Es setzt uns unter den vielleicht heilsamen Druck: Nur wenn das Abendland rein und wahrhaftig durch eine Selbsterneuerung auf den Weg gelangt, der eine Weltordnung in Freiheit für alle ermöglicht, kann es sich selbst behaupten.

c) Das Prinzip der Neutralität

1) Die Gesinnung der Selbstbehauptung ohne Angriff. — Neutralität hat einen mehrfachen Sinn. Man will sich aus einem Kampf heraushalten, um unbetroffen zu bleiben. Oder man will seine Kräfte sparen, um dann am Ende, wenn die andern abgekämpft sind, die Übermacht zu haben als Schiedsrichter der Welt (Stalin 1939). Beide Weisen der Neutralität gehören zu den vielen Geschicklichkeiten und Listen. Sie sind daher faktisch auch nur als vorübergehend gemeint.

Ganz anders eine Neutralität, die ernst macht mit der Idee der Selbstbehauptung ohne den Anspruch auf Machterweiterung. Sie ist für alle anderen ohne Gefahr, denn sie wird auch den Besiegten unter ihnen nicht in den Rücken fallen. Diese Neutralität will die Gewalt ausschließlich und in jedem Falle nur gegen den gebrauchen, der in das eigene Territorium eindringt.

Solche Neutralität ist kein Ausweichen vor dem Opfer. Sie übernimmt die größten Anstrengungen für die Verteidigungsrüstung. Sie ist entschlossen, im Ernstfall lieber unterzugehen, als sich unterwerfen zu lassen.

Aber sie hält den Zustand der Gewaltlosigkeit für den menschenwürdigen. Diesen will sie durch Verhandlungen und Verträge begründen und aufrechterhalten. Daher verwirklicht sie ein spezifisches Ethos mit anderen Begriffen als die Politik sonst: Anders ist ihre politische Verantwortlichkeit (denn sie nimmt nicht das Schicksal der Welt auf ihre Schulter), anders ihre Ehre (denn sie verwirft das Prestige der Macht und den dazu gehörenden Stolz), anders ihre Herrschaft (denn sie will nicht Herrschaft, sondern Freiheit auch in der eigenen Gemeinschaft), anders ihre Diplomatie (denn sie will offen, nicht listig verhandeln).

Tacitus (Germania 35) spricht von den Chauken an der Küste der Nordsee, einer Völkerschaft, »die unter den Germanen die angesehenste ist und dabei ihre Größe doch lieber durch Gerechtigkeit zu behaupten sucht. Ohne Habgier, ohne Herrschsucht, still für sich, reizen sie zu keinem Kriege, erlauben sich keine Plünderungen und Räubereien. Das gerade ist der vorzüglichste Beweis ihrer Tapferkeit und ihrer Stärke, daß sie ihre Überlegenheit nicht durch Ungerechtigkeiten zu erlangen suchen. Doch haben alle ihre Waffen in Bereitschaft und, wenn es die Umstände erfordern, ein Heer, der Männer und der Rosse eine große Menge; und auch wenn sie sich ruhig verhalten, bleibt ihr Ruf derselbe.«

Diese Neutralität ist eine ethisch-politische Gesinnung an sich ungeschichtlichen Charakters. Die Frage ist, wie und unter welchen Bedingungen sie historisch auftritt.

2) Historische Herkunft aus Selbstbeschränkung. — Ein kleines Staatswesen, das sich behaupten will, gelangt im Kampf mit Großmächten zur Einsicht seiner Ohnmacht in der Weltpolitik. Es zieht sich auf sich zurück und läßt nun das Ethos sich entfalten, durch das es sich in seiner Kleinheit zu behaupten vermag. Die Neutralität war zuerst die Bedingung zur Aufrechterhaltung der politischen Freiheit. Aus dieser Notwendigkeit wurde das Ethos einer grundsätzlichen Neutralität veranlaßt, nicht geboren.

Dieser Entschluß ist nur in einem Volke möglich, das sich, wie die Schweiz, die Freiheit seines Staatswesens zugleich mit der Freiheit jedes Einzelnen erwirbt und immer neu befestigt in den unaufhörlichen Gefahren. Denn nur solange der Einzelne seine eigene Freiheit erwirbt durch die Freiheit des Staates, ist die Neutralität des Opfers wert. Daß die größte Freiheit der einzelnen Menschen nur in kleinen Staaten möglich ist, ist nicht ein von selbst eintretendes Geschenk, sondern das Ergebnis des verläßlichen gemeinsamen Opfermutes.

Dies Opfer ist, wie in der Selbstbeschränkung der Neutralitätspolitik des Ganzen, so in der freien Selbstbeschränkung des Einzelnen notwendig. Denn die Freiheit aller Einzelnen bringt die Gefahr, daß im Zusammenhang der großen weltgeschichtlichen Bewegungen das Volk des neutralen Staats durch Parteinahme für die Mächte des jeweiligen Zeitalters (etwa: Katholizismus und Protestantismus, Österreich und Frankreich, Deutschland und Frankreich) in sich selbst zerfällt. Denn einerseits ist die Freiheit, in Fragen des Glaubens, der Weltanschauung, des Urteils über die verschiedenen politischen Prinzipien des eigenen Zeitalters in eigener Seele mitzuleben, notwendig für die freie Weite des Bewußtseins, andererseits aber, wenn das Staatswesen der Freiheit sich behaupten will, ist dies nur möglich, wenn die jeweils entstehenden Parteien kraft der Selbstbeschränkung ihrer Freiheit dem Staatsganzen unter allen Umständen den Vorrang geben, sich angesichts der Gefahr seines Zerfalls gegenseitig tolerieren. Das Staatsethos verlangt, den Kampf untereinander auch bei äußerster Heftigkeit nicht bis dahin zu treiben, daß jeder für sich den eigenen Staat erobern will (gar mit Hilfe auswärtiger Mächte), um mit diesem Staat vielleicht wieder einzugreifen in die große Geschichte. Die Neutralität freier Selbstbehauptung ist nur solange möglich, als die Kraft der Selbstbeherrschung dem Einzelnen wie dem Ganzen eigen ist. Ein freies und daher neutrales Volk vertraut auf die ständige Selbsterziehung in seiner Gemeinschaft.

Diese Selbsterziehung hat ihre Kraft darin, daß der Leidenschaft der Gesinnungen doch das Maßhalten aus dem freien Entschluß der Einzelnen überlegen ist. Wenn der Grund der Gemeinschaft in der Freiheit liegt, so kann die zwingende Institution als solche nicht in jedem Fall die letzte Instanz sein. Die in organisierten Machtstaaten geltende Formel »Nur kein Bürgerkrieg« wird daher hier nicht unbedingt anerkannt. Für den Machtstaat ist der Bürgerkrieg tödlich und wird mit Gewalt und Gesinnungsterror verhindert. Für den freien neutralen Staat bleibt er eine Möglichkeit, die er, wenn auch als eine schreckliche Gefahr, doch offenhält, weil sonst die Freiheit selbst bedroht wäre. Werden den kleinen Selbstverwaltungskörpern so große Freiheiten gelassen, daß etwa im Erziehungswesen oder in der religiösen Organisation die eigenwillige Verwirklichung den Geist des Ganzen unmöglich machen würde, und wird vom Außenstehenden darauf als eine Absurdität der Freiheit hingewiesen, mit der Frage, was dann geschehe, so ist die Antwort: »Dann gibt es eben Bürgerkrieg.« Er bleibt die Grenze, wenn das Ganze des Staats auf die Freiheit der Gesinnung gegründet ist. Wenn aber diese Grenze einmal überschritten wird, so wird doch noch im Überschreiten aus dem eingeprägten Ethos her das Bewußtsein der Gemeinschaft bewahrt. Während Bürgerkriege in unfreien Völkern (Spanien) und in Völkern, die noch nicht die innere geistige Freiheit gewonnen haben, sondern gebunden bleiben an weltanschauliche Verabsolutierungen in der Politik, daher an moralische Diffamierungen des Gegners und an eine Kreuzzugsstimmung im Kampf (Amerika im Sezessionskrieg), vielleicht die grausamsten von allen waren, wird der Bürgerkrieg eines innerlich freien Volks von vornherein mit dem Ziel des Friedens geführt. Daher bleiben die Aktionen von der Art, daß die Versöhnung nicht zu schwer wird, bleibt die Tendenz zur Demütigung des Gegners aus, ist in jedem Augenblick die Verhandlungsbereitschaft da.

3) Geschichtlich geworden und bewährt. — Sittlich-politische Neutralität muß im Unterschied von der nur für den Augenblick gewählten Neutralität geschichtlich wachsen und sich bewähren. Denn ihr Träger ist ein Volk, das sich an ihr entwickelt hat, nicht ein Vertragsparagraph in internationalen Abmachungen. Wenn ein solches Volk die Garantie seiner Neutralität von außen sucht, so ist diese eine Bestätigung und Sicherung der Neutralität, nicht ihr Grund.

Nur einer so gewordenen, gleichsam substantiellen Neutralität können andere Mächte Vertrauen schenken. Daher ist sie nicht ohne weiteres als Staatsprinzip plötzlich durch rationale Erwägung einzuführen.

4) Gefahren und Kraft der Neutralität. — In Großstaaten zwingen Machtorganisationen alle in Ordnungen, die die Freiheit einschränken. Die Gefahren des großen Staats sind: Freiheitsberaubung der Bürger im Interesse der zusammengefaßten Macht nach außen, Geringschätzung des einzelnen Menschen als Menschen, Übermut des Herrschens durch Organisation der Macht, Erziehung des Einzelnen zum Gehorsam statt zur Verantwortung, Simplifikation aller Dinge.

Der neutrale Kleinstaat erlaubt die höchste Freiheit des einzelnen Bürgers. Die Gefahr der Neutralität ist eine ganz andere: Die materiellen Vorteile der Neutralität können verführen zum Wohlleben im Geschäftemachen und zum Nutznießerdasein. Das Nichtdabeisein in vermeintlicher Gefahrlosigkeit läßt den Opfergedanken verlorengehen. Es kann ein Pharisäertum entstehen, das die seine eigene Gefahrlosigkeit bedrohenden Mächte nur moralisch verurteilt, die der Situation entsprechende Verantwortlichkeit aber verschwinden läßt. Der Blick in die Abgründe politischen Tuns trübt sich in dem selbstzufriedenen Glauben an eine mögliche Harmonie und richtige Welteinrichtung, wenn die Menschen nur so wären wie man selber. Alle Probleme scheinen lösbar. Dann kommt eine Falschheit im Daseinsbewußtsein überhaupt zur Geltung.

Diese Abgleitungen aber sind keineswegs das Wesen dieser Neutralität. Es ist vielmehr der hohe Ernst (wie bei der Großmacht das Bewußtsein, verantwortlich zu sein für den Gang der Geschichte), verantwortlich zu sein durch die Freiheit des Einzelnen für die Vorbildlichkeit des opfermutigen Wagnisses, sich unaggressiv auf seine geringe, aber voll eingesetzte Kraft zu stützen, lieber unterzugehen als sich zu unterwerfen, in jedem Fall ein Fanal der Freiheit zu bleiben. Es ist die Freiheit jedes Einzelnen im neutralen Kleinstaat, ohne Drang zum Mehrsein in selbstgewählter Beschränkung, ohne Eroberungswillen opferwillig zu leben.

Der Verantwortung der Großmächte entspricht eine andere Verantwortung der Neutralität: der Menschheit zu dienen durch Bewahrung eines Ortes, an dem in allem Kampf die Kämpfenden sich noch treffen können zum Gespräch; das gewaltlos Menschliche sichtbar und rein zu erhalten; den Gedanken der Hilfe statt den des Kampfes mit gleichen Opfern wie die Kämpfenden zu erfüllen.

Diesen Sinn der Neutralität hat ein Schweizer Staatsmann in die Worte gefaßt: »Neutralität und Solidarität.« Diese Solidarität ist nicht die der militärischen Kampfgemeinschaft. Gemeint ist die hohe Idee friedlicher, hier aber uneingeschränkter Solidarität: in der Gewaltlosigkeit statt des Opfers des sein Leben einsetzenden Soldaten das Opfer durch Handlungen des Friedens zu bringen, aus dem Ernst, der die Grundsituation des Menschen sich nicht verschleiert, darum die Hilfe leistet mit dem Einsatz aller Kräfte des Gedankens und Planens für die Möglichkeiten des Friedens, und materielle Mittel zur Verfügung stellt, nicht als Spende aus dem Überfluß, sondern in kritischen Situationen bis an die nicht zu überschreitende Grenze, wo die materiellen Kräfte selber zerstört würden. Das Maß dieses Opferwillens bezeugt dieselbe Gesinnung, die im Falle des Angegriffenwerdens als der Opfermut des Soldaten der Neutralität sich bewährt, der dann um nichts anderes kämpft als um die Selbstbehauptung in seinem Lande.

Politische Neutralität ist nicht zu verwechseln mit geistigem Neutralismus. Die politische Neutralität bezieht sich auf den Kampf mit Gewalt und beruht auf sittlichem Entschluß. Der geistige Neutralismus dagegen läßt alles in irgendeiner Weise gelten, entzieht sich und ist die Folge des unverbindlichen, ästhetischen Zusehens. Politische Neutralität erstreckt sich daher nicht auf das Urteil des Einzelnen. Da sie nur stark sein kann in Einheit mit dem Ethos, wäre sie selber verloren, wenn die Menschen, die sie tragen, neutralistisch würden. Denn der Neutralismus ist die Erweichung des Charakters. Innerhalb des neutralen Staates aber, der nur durch entschiedene, nicht durch neutralistische Menschen möglich ist, werden alle Möglichkeiten der menschlichen Welt ausgefochten im geistigen Kampf.

5) Neutralität als politische Geschicklichkeit. — Es ist heute in aller Welt viel die Rede von einer Neutralität, die sich nicht hineinziehen lassen solle in die Antithese von Freiheit und Totalitarismus als die Antithese von Amerika und Rußland. Man möchte einerseits sich heraushalten aus dem Unheil eines zukünftigen Weltkriegs, andrerseits gegenwärtige Vorteile gewinnen aus seiner neutralen Stellung.

Ein Beispiel ist die Schaukelpolitik *Titos*. Er möchte sich der Bindung entweder in hegemonialen Verhältnissen oder in Satellitenbeziehungen nach beiden Seiten entziehen. Er möchte um sich werben lassen, um in Freiheit Geschenke anzunehmen. Er möchte als winzige Staatsmacht die Großmächte gegeneinander ausspielen. Wenn er damit eine Weile Erfolg gehabt hat, so wird doch solche Neutralität an eine Frist gebunden sein. Keine der Großmächte wird ihm mehr trauen. Er wird sich entscheiden müssen, entweder seinen eigenen nicht eigentlich totalitären Parteidespotismus dem russischen zu konformieren und sich auslöschen zu lassen oder seinen Despotismus hinüberzuführen in eine schon von einigen seiner früheren nächsten Freunde (die jetzt im Gefängnis sitzen) gesehene Weise der freien demokratischen Formen und damit ein schwaches, aber gesichertes Glied des Westens zu werden.

Die große *übrige Welt*: Japan, Indien, Vorderer Orient, das sich befreiende Afrika ist entweder (Japan) wissend (und gleichwertig der westlichen Politik) oder eine wie von jeher unklar brütende Masse wie Indien, oder eine Menge gärender Völker, die nur negativ wissen, was sie wollen. Sie können auf die Dauer ihre Neutralität nicht wahren. Sie stehen in näherer und fernerer Beziehung ihrer Interessen zu den beiden Großmächten. Sie sind eine weiche, aber explosive Masse. Nur in dem Maße als sie einen wirklichen Zustand der Freiheit ihrer Völker in Lebensformen einen Ausdruck geben, werden sie fähig, an einem heute noch nicht institutionellen Völkerbund teilzunehmen, der von Amerika-Europa (dem Abendland) gebildet werden müßte mit inneren hegemonialen Beziehungen, soweit diese notwendig sind zur einheitlichen Außenpolitik der Selbstbehauptung der Freiheit in der Welt.

Der Neutralitätsgedanke spielt seine verwirrende Rolle für *Deutschland* oder für eine *mitteleuropäische Zone* oder für *Europa* im ganzen. Entscheidend ist, daß in der heutigen Weltlage noch, wie in aller früheren Geschichte, der erörterte eigenständige Neutralitätsgedanke, der nicht bloß politische Geschicklichkeit meint, ausschließlich sehr kleinen Staaten gehören kann. Nur sie können wegen ihrer Winzigkeit von der Verantwortung für den durch Gewaltakte sich vollziehenden Gang der Geschichte entbunden werden und dabei den positiven Sinn der Neutralität erfüllen.

Man denkt heute gelegentlich an ein geeintes *Europa,* das stark genug wäre, sich selbst zu behaupten, und das in einem Konflikt Rußland—Amerika neutral zu bleiben vermöchte. An Menschenzahl und industrieller Potenz (mit Einschluß Englands) hätte es vielleicht die Möglichkeit. Voraussetzung aber wäre das Opfer einer entsprechenden Rüstung. Dies Opfer dürfte nicht geringer, müßte eher größer sein als das der beiden Großmächte. Aber Europa begehrt seinen hohen Lebensstandard, seine Muße und sein gegenwärtiges Daseinsglück. Es tut nicht aus Freiheit, was Rußland durch Zwang verwirklichen kann. Es ist auch nicht im Besitze der Rohstoffe, Bodenschätze und der gewaltig entwickelten Industrien Amerikas.

Aber selbst wenn Europa täte, was es könnte, wenn es alle seine inneren Rivalitäten begrübe, die es beherrschenden Relikte der Vergangenheit abwürfe, so wäre dies zwar großartig, aber nur zur Steigerung seines Wertes als Bundesgenosse Amerikas und als Glied des sich selbst behauptenden Abendlandes. Seine Neutralität wäre auch dann unverantwortlich. Sie würde den Aufbau der Selbstbehauptung des Abendlandes verhindern, das allein im Ganzen und nicht in Teilen Bestand haben wird. Europa könnte nicht, ohne selbst in größte Gefahr zu geraten, neutral bleiben, wenn der Totalitarismus Amerika angreift. Nur im Falle, daß in Amerika selber in der Zukunft einmal der aggressive Wille einer Weltherrschaft oder die Ungeduld in der Unruhe durch das Dasein des Totalitären die Oberhand gewinnen sollte, könnte Europa mit seiner dann gedrohten Neutralität eine bremsende Wirkung haben gegenüber seinem einzigen Freunde, ohne den es selbst nicht sein könnte. Aber es könnte sogar dann nicht faktisch neutral bleiben. Denn wenn Amerika militärisch vernichtet würde, würde Europa folgen (wie umgekehrt). Nur wenn in Amerika selber die totalitären Tendenzen zur Herrschaft kämen (die in MacCarthy und seinem wenn auch vorübergehenden Erfolg sich für die freie Welt erschreckend zeigten), würde Europa die Aufgabe zufallen, um jeden Preis, jeder Gefahr trotzend, allein die Selbstbehauptung abendländischer Freiheit zu wagen, wobei alle die seine Freunde wären, die dann in ihrer Staatlichkeit die Freiheit durchgebildet hätten. Man kann nicht wissen, wer das sein wird, ob Ostasiaten, Inder, Neger. Nur auf die Freiheit käme es dann an, nicht auf Rasse, nicht auf nationale Herkunft, nicht auf Religion.

Das Ziel des geeinten Europa wäre nicht Neutralität, sondern im Bunde mit Amerika, durch das bloße Dasein beider, der Boden einer faktischen Weltordnung unter Freilassen aller anderen zu sein. Die Stabilität würde bestehen durch die eigene Macht und die Lebensform, die sich reinigen müßte dahin, wo sie für alle Welt einen wünschenswerten Charakter gewinnt, und nicht, wie heute noch, ein Gegenstand begreiflichen Hasses für fast die ganze übrige Welt ist.

6) Wandel im Sinn der Neutralität. — Die Wende unseres Zeitalters vom europäischen zum globalen Dasein hat Folgen für den Sinn der politischen Neutralität.

Im europäischen Gefüge standen sich im Kriegsfall Staaten gegenüber, die, weil angehörig einer gemeinsamen Kultur und der sie verbindenden biblischen Religion, sich gegenseitig achteten. Sie führten ihren Krieg im Blick auf den kommenden Frieden in einer grundsätzlich gleichbleibenden Welt. Daher brauchte nicht Partei ergriffen zu werden, da keine Bedrohung der Menschheit im ganzen stattfand. Ein Staat, der keine Erweiterung wollte, konnte als neutral anerkannt werden. So wurde die aus eigenem Ursprung erwachsene Neutralität der Schweiz von den europäischen Mächten später bestätigt und garantiert.

Die Situation ist heute verwandelt. Im Zweiten Weltkrieg hat erstens der Krieg von vornherein als Verbrechen gegolten. Er war nicht mehr unter jene Schranken gehalten, durch die auch eine garantierte Neutralität respektiert werden konnte. Der Krieg war zweitens nicht mehr ein europäischer (wie im Beginn noch der Erste Weltkrieg), sondern von Anfang an in seinem Sinn ein Weltkrieg, und zwar ein solcher, in dem die freie Welt mit dem totalitären Rußland gegen das totalitäre Deutschland stand. Dieser Weltkrieg hat gelehrt, was in Zukunft zu erwarten ist. Wenn der Angreifer totalitär, also Verräter am Geist Europas und des Abendlandes ist, wenn er ein politisches Prinzip vertritt, das die Freiheit aller Menschen vernichten will, dann ist Neutralität nicht mehr mit dem gleichen Sinn zu erfüllen wie vorher. Denn jetzt wird die alte Neutralität nicht von beiden Seiten wie früher garantiert. Für die totalitäre Seite ist sie belanglos und wird je nach Lage überrannt (nur aus Opportunitätsgründen hat Hitler die Schweiz — im Unterschied von Holland, Belgien, Dänemark, Norwegen — unberührt gelassen und hat manchmal geschwankt). Neutralität, die die Selbstbehauptung der Freiheit bedeutet, erregt den Unwillen des Totalitären, daß überhaupt ein solcher politischer Zustand da ist. Er soll nicht sein. Für die freie Seite aber wirkt die Neutralität, als ob der Neutrale sich außerhalb der Interessen der Menschheit stellt. Denn der heutige Weltkrieg vollzieht sich nicht in dem durch eine gemeinsame Gesinnung geschlossenen Raum, sondern als totaler Vernichtungskrieg. Die Menschheit ist zerfallen in Staatsprinzipien, die nicht zusammenkommen können (wie es in den neueren Jahrhunderten noch absolutistische mit freien Staaten konnten).

Es ist zur Frage geworden: Ist die politische Neutralität noch zu behaupten, wenn die Alternative Freiheit - Totalitarismus alle politischen Ereignisse und Entschlüsse bestimmt? Wird sich der Sinn der Neutralität verwandeln?

Sie wird von beiden kämpfenden Gegnern höchstens als etwas an sich Unerfreuliches toleriert, nicht aber im Grunde anerkannt. Daher ist die Neutralität im Nachteil. Wer auch immer siegt, der Sieger wird den neutralen Staat, wenn er ihn nicht vernichtet, doch nicht achten, vielleicht seine Neutralität ihn büßen lassen. Die Neutralität ist der Welt nicht erfreulich, und sie wird sich selber ungewiß.

In dieser schlimmen Lage hat die Neutralität aber immer noch ihre alten Rechtfertigungsgründe: für sich selbst als menschenwürdige Ordnung, für die anderen als Hilfe da zu sein. Der neutrale Staat erweist sich den Großmächten, obgleich sie ihn in der Katastrophe verwerfen, doch als nützlich. Er vermag, wenn Staaten untereinander brechen, die Interessen von deren Bürgern in diplomatischen Beziehungen zu vertreten. Er kann Funktionen der Kontrolle und des Schutzes und sogar der Polizei übernehmen, für die die Kämpfenden nur zu einem Neutralen Vertrauen haben. Er gibt den Ort her, an dem Todfeinde sich treffen können, wenn sie doch miteinander reden wollen.

Aber heute genügt das nicht mehr. In der Zeit der Wende vor dem Untergang aller kann Neutralität vielleicht eine neue hohe Aufgabe im Interesse aller bedeuten. Ein neutraler Staat könnte Symbol der friedlichen Möglichkeit für alle werden. Die geschichtlich bewährte, in der Freiheit und dem Opfermut eines kleinen Volks gegründete Neutralität, wenn sie jetzt noch aufrechterhalten wird, könnte in der sie negierenden Umwelt ein begründetes Selbstbewußtsein haben: Im Zerfall der Menschheit soll ein Mahnmal sein. Wenn es gelingt, dies zu errichten, bleibt ein Strahl der Hoffnung in der Welt und die Ermutigung für alle schon dadurch, daß diese Menschen noch da sind.

Das Opfer, durch das die Neutralität ihre Kraft hat, wird geleistet durch die Stärke der Rüstung. Es liegt in der Bereitschaft, so zu kämpfen, daß der Angriff einer der Großen für diesen keine Bagatelle ist. Wer wagt, auf dies neutrale Wesen, das gepanzert ist in einer Abwehrrüstung unter Ausnutzung aller besonderen Möglichkeiten seines Territoriums, zu beißen, muß an dem Biß selber sterben können. Das würde nur geschehen, wenn der Opfermut des Volks so groß ist, daß es all sein Gut und Leben einzusetzen vermag. Wenn die Großmächte dies glauben, wird ihr Angriff gewaltig erschwert. Das neutrale Volk würde allerdings im Weltkrieg an den Folgen der Atombomben zugrunde gehen wie alle. Die Radioaktivität macht an keinen Grenzen halt. Sollte es zum Opfer der Menschheit im ganzen kommen, würde auch das neutrale Volk mit ihr versinken.

Der neutrale Staat vertritt das nie ganz aufhörende Minimum des Menschseins aller, das, sobald es in den Kämpfenden wieder erwacht, eine Stätte finden muß, wo es in einer Atmosphäre des Friedens und der Freiheit sich wiedererkennt und ermutigt wird. Es ist unerläßlich, daß auch in der Kreuzzugsstimmung, in der es um alles zu gehen scheint, doch ein Ort bleibt, so winzig er sein mag, wo der Mensch als Mensch gilt, weder verfallen an das Totalitäre noch an eine bestimmte Erscheinung der sich für vollendet haltenden Freiheit. Das Außerordentliche zu leisten, ist vielleicht fast unmöglich. Aber es ist eine hohe Idee, die sagt: Es ist nicht zu ertragen, daß die Menschheit in zwei Teile zerfällt, die nur als Bestien miteinander kämpfen.

Unberechenbar ist, ob das Dasein der neutralen Freiheit in gewissen Augenblicken den anderen nicht nur solche Vorteile verschafft, daß das Dasein dieser Neutralität von allen begehrt wird, sondern ob ihr nicht die menschlichen Sympathien von überallher zufließen. Das wird nur dann geschehen, wenn das Verhalten des neutralen Staats und seiner Bevölkerung den bezwingenden Eindruck macht, der Bewunderung und Liebe erweckt. Das kann in Wirklichkeit nur durch den großen beschwingenden Zug der neuen politischen Aufgabe geschehen.

Seitdem die Welt vergeben ist, es keine Weite und Ferne mehr gibt, Eroberungskriege zur Austilgung der anderen werden müssen, wird die Einsicht in diese neue Situation notwendig. Man kann nicht mehr, was man früher konnte.

Die Aufgabe in dieser Situation hat eine Ähnlichkeit mit der Umwendung, die einst im politischen Willen der kleineren Staaten erfolgte, als sie sich des Nichtkönnens des bis dahin Unternommenen bewußt wurden (der Schweiz nach Marignano, Schwedens nach dem Scheitern Karls XII.). Der Ursprung jener früheren Neutralität, nämlich die Erfahrung der Grenze, könnte in Wiederholung vielleicht zum Ursprung für das politische Wollen aller Völker werden. Das Ethos der eigentlichen Neutralität, wirklich in kleinen Staaten bis in die Lebensform und das Daseinsbewußtsein des einzelnen Bürgers, könnte Wegleitung zur Weltordnung werden. Das Moment der Neutralität kleiner Mächte, die Selbstbeschränkung, würde universell. Die Großen sind, wenn der Versuch einer Welteroberung die Vernichtung der ganzen Menschheit zur Folge hat, in der gleichen Lage wie einst die Kleinen, wenn ihre Weltpolitik ihre eigene Vernichtung nach sich ziehen mußte. Aber zu verwirklichen ist die Idee nur, wenn alle Großmächte in ihr übereinkommen. Sonst bleibt noch immer die Verantwortung der Großen durch ihren Besitz an Macht und Gewalt für den Gang der Weltgeschichte. Würden sie aber einmütig in der Selbstbeschränkung, grundsätzlich für immer, wie einst die kleinen Neutralen, so würde alles »neutral«. Keine Großmacht würde mehr um Erweiterung kämpfen, könnte dies aber durch die Kraft des eigenen Opferbringens ohne Schwäche verwirklichen. Wenn alle Staaten »neutral« werden, hören die Kriege auf.

Solange es aber noch nicht soweit ist, ist der neutrale kleine Staat heute ein vorwegnehmender Repräsentant der Idee, soweit er sie tatsächlich in seinem Bereich schon verwirklicht. Die Bedeutung des neutralen Kleinstaates wird sich durch die überzeugende Kraft seines Wesens erweisen, wenn er, beherrscht von dem Ernst des Opfergedankens, aufgeschlossen für die heute drohende Frage des allgemeinen Untergangs, mitlebt im Ganzen der Weltereignisse, das er nicht lenken, aber durch sein Dasein vertretungsweise erleuchten kann.

4. Rückblick und Möglichkeiten

Wir erörterten im Horizont des Abendlandes und der freien Staaten folgende Ereignisse: Das Ende des Kolonialismus durch bewußte Umwendung der Gesinnung der Abendländer mit der Einsicht, was sie in vier Jahrhunderten Unmögliches, Großes und Schreckliches getan haben; — das Risiko des Freilassens aller Völker auf ihren Territorien mit der Bereitschaft zur Kooperation, ohne diese Kooperation zu erzwingen; — die Umkehr der Wirtschaftstendenz von der Expansion nach außen zur Intensivierung nach innen, die ohnehin in Kürze eintreten muß und die, in Freiheit vollzogen, eine ethisch vertiefende und zugleich friedenstiftende Wirkung haben kann, während sie, nur durch Not erzwungen, wegen des gewaltsamen Festhaltens am unhaltbar Gewordenen die Weltordnung unter ständiger Kriegsgefahr verzögert; — die Selbstbehauptung in abendländischer Gemeinschaft unter Opfern. Diese Opfer sind außerordentlich große: Verzicht auf nationale Souveränität — Anerkennung hegemonialer Verhältnisse in bestimmten, begrenzten Sphären des politischen Handelns — vorläufige wirtschaftliche Einbußen als Weg zu einem neuen wirtschaftlichen Aufschwung — Preisgabe von Privilegien und erstarrten Ansprüchen — und nicht zuletzt das widersinnige, aber unumgängliche Opfer der Rüstung, das in der Hoffnung gebracht wird, einst überflüssig zu werden, wenn der Augenblick eintritt, wo die Rüstungen, ohne zur Anwendung gekommen zu sein, vernichtet werden können: heute ist entsprechend der Größe der totalitären Rüstung (von Rußland 1945 fortgesetzt, als alle freien Staaten abrüsteten) die eigene gleich starke Rüstung der freien Staaten notwendig zur Selbstbehauptung der Freiheit (man soll nicht vergessen, daß die westlichen Völker erst nach dem

Gewaltakt in Korea wiederum zur eigenen Rüstung sich gezwungen sahen). Wie dieses Opfer von totalitären Staaten, aus dem Willen der totalen Herrschaft, durch Ausbeutung erzwungen und von den Völkern bewußtlos ertragen wird, so muß es in der abendländischen Welt unter der Drohung von außen frei ergriffen und bewußt getragen werden, sowohl als wirtschaftliches Opfer wie als das Risiko der militaristischen Tendenzen in Gesellschaft, Staat und Gesinnung, die jedoch als erkannte vielleicht auch bewältigt werden können.

Wir erörterten weiter die möglichen Wege zu einer aus dem realen geschichtlichen Zustand heraus zu erreichenden Weltordnung des Friedens. Wir sahen die Widerstände, die unversöhnlichen Gegensätze, die eine solche Weltordnung heute ebenso unmöglich *scheinen* lassen, wie in aller bisherigen Geschichte die Kriege unüberwindlich blieben und darum als mit dem Wesen des Menschen notwendig verbundene Realität betrachtet wurden.

Was soll geschehen, was kann geschehen? Die Politik im Blick auf das unbestimmte Endziel des Weltfriedens stellt die Aufgabe unter Bindung an die zunächst gegebene Realität. Wir müssen das Endziel in Schemata unserer Vorstellung als universales vor Augen haben. Aber zur Verwirklichung kann nichts übersprungen werden: Im gegenwärtigen Zustand sind die Zwischenglieder zu finden, die in ihm verborgen sind. Im bloß Allgemeinen würden wir realitätslos versinken, im bloß Konkreten aber weglos werden. Noch das geringste Tun soll seine Beleuchtung vom Endziel her erhalten. Nur wenn der Blick auf den weitesten Horizont nicht den Boden verliert, auf dem wir jetzt stehen, kann der nächste Schritt sinnvoll sein.

Was im Sinne der Friedensidee, das heißt heute des Fortbestehens der Menschheit überhaupt, notwendig ist, das kann nicht als ein Programm entworfen werden. Niemand hat die Führung der Welt. Aus den verschiedenen Herkünften und Situationen werden die Völker durch ihre Repräsentanten handeln.

Das Geschehen im ganzen enthält materielle und ethische Motive, blinde Eigensucht des Daseins und Opfermut, Tendenzen der Gewalt und Tendenzen der Kooperation. Auf dieses Geschehen, das niemand, auch die größte Macht nicht, in der Hand hält, hat doch jede, hat jeder einzelne Mensch seinen Einfluß.

Die große Frage ist, ob heute unter der Drohung des totalen Untergangs, trotz aller Gegengründe, noch Chancen sind und welche. Wir greifen für die folgenden Erörterungen zwei entgegengesetzte Möglichkeiten der gegenwärtigen Situation heraus: 1. den Versuch, den Weltfriedenszustand durch die UNO zu gewinnen; 2. die in einem kommenden Augenblick vielleicht akut werdende Situation, wählen zu müssen zwischen der Preisgabe der Freiheit an den Totalitarismus und der Selbstbehauptung der Freiheit, aber unter dem Risiko des totalen Untergangs, des Selbstopfers der Menschheit.

Wenn das Ergebnis dieser Erörterung zunächst bedrücken wird, muß am Ende um so entschiedener die Frage nach einer neuen Politik entstehen. Ist eine andere Ebene der Denkungsart möglich, als sie bisher war? Wenn es keinen Ausgleich gibt zwischen totaler Herrschaft und politischer Freiheit, so wäre es doch möglich, daß die Völker, die unter diesen Prinzipien leben und selber mehr sind als solche Prinzipien, sich unter dem Druck der Weltsituation verwandeln. Wenn der Weltanschauungskrieg zum Untergang aller führt, wird die Einsicht möglich, daß der Mensch mehr ist als Träger solcher Weltanschauungen. Der Westen erkennt, daß der gemeinschaftliche menschliche Freiheitswille von ihm noch keineswegs verwirklicht, sondern im weitesten Umfang verkehrt ist. Der Osten erinnert sich, was er preisgegeben hat, und sieht, wie das Prinzip, das er in den ersten Impulsen seiner Revolution gar nicht als solches gemeint hatte, ihn in eine Ausweglosigkeit geführt hat. Beide wandeln sich. In beiden Bereichen werden die Menschen mehr als jemals zu Menschen, durch Erfahrung und Einsicht, durch den Willen zur Umkehr, die beiden Machtbereichen notwendig ist und in der beide sich treffen.

DER VERSUCH, DEN WELTFRIEDENSZUSTAND AUF GRUND DES RECHTSGEDANKENS HERBEIZUFÜHREN (DIE UNO)

1) Die hohen Grundsätze der Charta der Vereinten Nationen. — Die Grundsätze, mit denen die Charta beginnt, sind großartig. Man meint, nun müsse wirklich der Frieden beginnen. Eine Gesinnung spricht sich aus: Glaube an die Menschenrechte, an Würde und Wert der Persönlichkeit, an die gleichen Rechte von Mann und Frau, von großen und kleinen Völkern. — Gerechtigkeit, — Achtung vor den Verpflichtungen aus Verträgen, — der Wille zur Duldsamkeit und zum friedlichen Zusammenleben als gute Nachbarn.

Das Ziel ist, kommenden Generationen die Geißel des Krieges zu ersparen, *erstens* durch die Anerkennung dieser Grundsätze und *zweitens* durch die Einrichtung besonderer Verfahren, die bewirken, daß Waffengewalt nicht mehr gebraucht werde, es sei denn im gemeinsamen Interesse.

Aber bald ist unsere Enttäuschung groß, zunächst schon beim weiteren Studium der Charta, dann im Blick auf die bisherige Realität der geschaffenen Organisation, schließlich in der Einsicht, daß das Prinzip der Lüge, das bisher stets Wesen und Unheil der Politik war, sich rücksichtsloser als jemals durchsetzt.

2) Die Enttäuschung beim Studium der Charta. — Die Charta spricht mehr von Empfehlungen als von Handlungen der UNO. Ihr Verfahren gipfelt in der Entscheidungsunfähigkeit (wenn das Interesse einer der Großmächte beteiligt ist). Noch gut klingt die Bestimmung, daß zu einem Beschluß des Sicherheitsrats sieben von elf Stimmen notwendig sind. Dann aber folgt, daß unter diesen sieben Stimmen sich als Zustimmende die fünf ständigen Mitglieder befinden müssen (China, Frankreich, Rußland, Großbritannien, Vereinigte Staaten von Amerika), das heißt: daß diese fünf Staaten, nur sie, ein Vetorecht haben. Darüber hinaus aber verlangt die Charta das gleiche souveräne Recht aller ihrer Mitglieder. Die Verpflichtungen, die in der Charta so zahlreich ausgesprochen werden, sollen die Souveränität keines Staats aufheben. Das heißt: Jeder hat noch zu entscheiden, wann die Verpflichtung für ihn gilt.

Weiter liest man: Wenn es über Empfehlungen hinaus zu Handlungen kommen soll, so sind vorgesehen zunächst Sanktionen ohne Waffengewalt, dann demonstrative Maßnahmen von Streitkräften und schließlich gewaltsame Eingriffe von Streitkräften. Aber keine dieser Handlungen kann von den Vereinigten Nationen direkt vollzogen werden, sondern nur von solchen Mitgliedstaaten, die von der UNO dazu angefordert sind. Die eigentliche Entscheidung liegt also bei ihnen, nicht bei der UNO. Dadurch enthüllt sich die Fiktion, ein auf gesetzlichem Wege durch eine Institution erkanntes Recht habe realen Bestand auch dann, wenn die Exekutivgewalt fehlt. Denn obgleich die Mitgliedstaaten nach der Charta verpflichtet sind, dem Sicherheitsrat auf sein Ansuchen Streitkräfte zur Verfügung zu stellen, so beruht die Ausführung doch auf ihrem guten Willen. Sie ist nicht durch Befehl zu erzwingen. Eine durch die UNO verurteilte Gewalt ist aber nicht zu bekämpfen durch ein Recht, das nicht Verfügung über eine solche Gewalt hat, die jeder anderen Gewalt überlegen ist.

Eine weitere Schwäche und Unredlichkeit zugleich: Die Vereinigten Nationen haben ausdrücklich nicht das Recht, »sich mit Fragen zu befassen, die im wesentlichen zu den inneren Angelegenheiten irgendeines Staates gehören«. Solche Angelegenheiten den Grundsätzen der Charta zu unterwerfen, sind die Mitglieder nicht verpflichtet. Aber wie verhält sich diese Bestimmung zu der anderen, daß nur solche Staaten Mitglieder werden können, die fähig und gewillt sind, diese Grundsätze anzuerkennen? Nur Staaten, welche die in der Charta formulierten Grundsätze nicht nur einen Augenblick mit Worten, sondern in der Praxis und in der ständig geübten Denkungsart und Begründungsweise anerkennen, könnten auf ihrer Basis miteinander in friedlichem Zustand leben.

Der Geist der Sprache ändert sich völlig, wenn die Charta von ihren Grundsätzen auf ihre Institutionen kommt. Diese sind zahlreich, umständlich, voller Vorbehalte. Es ist, als ob eine Institution errichtet würde, die sich in ihrer Wirksamkeit durch sich selber lähmt.

Gegen solche Enttäuschung beim Studium der Charta läßt sich sagen: Die UNO ist keine Rechtsinstitution, sondern eine politische Institution. Sie hat nur innerhalb ihrer Organisation auch einen Gerichtshof zur Entscheidung von Rechtsfragen errichtet. Die Charta unterscheidet ausdrücklich »Streitigkeiten rechtlicher Art«, die dem Internationalen Gerichtshof vorgelegt werden sollen, von politischen Fragen. Auch diese aber sollen durch sie ohne Gewalt gelöst werden. Der Zweck der Institution ist ausdrücklich: »gemeinsame Maßnahmen zur Unterdrückung von Angriffshandlungen und anderen Friedensbrüchen zu ergreifen und durch friedliche Mittel und in Übereinstimmung mit den Grundsätzen der Gerechtigkeit und des Völkerrechts die Lösung von internationalen Streitigkeiten herbeizuführen«. Wie aber soll das geschehen? Das Ziel der UNO ist: »in erster Linie eine Lösung auf dem Wege der Verhandlungen, der Untersuchung, der Vermittlung, des Vergleichs, der Schiedsgerichtsbarkeit herbeizuführen«. Dann aber werden die Mittel ins Auge gefaßt, durch Auftrag an Mitglieder Gewalt anzuwenden gegen erkannte Gewalt, als ob dadurch die UNO als solche eine Macht besäße, ihren Beschlüssen Nachachtung zu verschaffen.

Ist das im ganzen nun ein rechtlicher oder ein politischer Vorgang? Entweder wird durch den jeweiligen Mehrheitsbeschluß der Gemeinschaft nach Anhören und Durchdenken der Fragen unter dem Maßstab der Gerechtigkeit eine Entscheidung herbeigeführt, die eigentlich als Rechtsentscheidung gemeint ist. Oder es wird nach Verhandlungen ein Kompromiß herbeigeführt, in dem die Beteiligten sich einigen, wie es immer schon in politischen Fragen geschehen ist, wenn sie von den Interessierten nicht als Lebensfragen angesehen wurden oder wenn es als vorteilhaft galt, die Austragung durch Gewalt noch hinauszuschieben. Zu dem Kompromiß würde man nur die Interessierten, nicht das Gremium der achtzig Staaten brauchen. Es wird aber offenbar mehr erstrebt als politischer Kompromiß bei Konflikten durch Aushandeln seitens der Interessierten. Es wird weniger erstrebt als ein Rechtsvorgang, durch den Streitigkeiten friedlich entschieden werden. Doch Politik soll hier einerseits zum Rechtsvorgang werden, sofern sie die Gewalt aus ihren Mitteln entfernt, aber andererseits kann sie es nicht werden, weil Souveränität und Veto es verhindern. Was wird mit dieser Zweideutigkeit, dieser Unbestimmtheit des Scheinhaften im Grunde dieser Institution, in der Realität erreicht?

3) Die Realität der UNO bisher. — Durch ein Jahrzehnt hat sich folgendes gezeigt:

a) Die Exekutivgewalt ist nicht von der UNO, sondern allein von der Politik der souveränen Mächte abhängig. — Die UNO drängt zur Entscheidung auf dem Boden des Rechts, um den Krieg auszuschließen. Sie drängt zu einer Macht mit Exekutivgewalt, um die Befolgung ihrer Entscheidung zu erzwingen. Aber Sanktionen wie militärische Eingriffe sind nur möglich, wenn die souveränen Entschlüsse der Großmächte mit UNO-Beschlüssen koinzidieren (wie im Fall Suez die von Amerika und Rußland).

Eine UNO-Polizeitruppe, bestehend aus den Kontingenten einzelner Staaten, bedeutet keine Exekutivgewalt der UNO. Denn faktisch bleibt jedes Kontingent unter dem Oberbefehl seines Staates, der es jederzeit abberufen kann. Es agiert also nur, solange dieser Staat es will. Eine solche UNO-Macht hat keine Kampfkraft, sondern ist nur ein Symbol der Gegenwart der UNO. Ihre Verletzung würde Folgen haben durch das Urteil des Teils der Weltmeinung, welcher der UNO in dem betreffenden Falle zustimmt, oder durch eine Großmacht, die nun bereit wäre, sich mit ihrer ganzen Kraft hinter die UNO zu stellen. Diese Situation ist noch nicht erprobt worden. So sind UNO-Truppen zwar in weitem Maße, aber nicht ganz zu einer Täuschung geworden.

b) Beschlüsse der UNO werden nicht durchgeführt. — Der Beschluß, Ägypten habe den Israeli die Durchfahrt durch den Suezkanal nicht zu verwehren, wurde von Ägypten nicht befolgt und von der UNO nicht durchgeführt. Der Beschluß, England und Frankreich hätten das Feuer in Ägypten einzustellen und die Truppen zurückzuziehen, fand, wenigstens der Zeit nach, erst Gehorsam, als Rußland mit Atombomben auf Paris und London drohte und »Freiwillige« nach Ägypten schicken wollte.

Umgekehrt: wenn die UNO zu agieren scheint, handelt nicht eigentlich die UNO. Als Amerika den Südkoreanern zu Hilfe kam, war es Amerikas Wille, der sich durch die UNO legitimieren ließ (was nur durch Abwesenheit Rußlands möglich war) und kleine, an militärischer Kraft unerhebliche Kontingente anderer Staaten als UNO-Dekoration erhielt.

c) Staaten, die die Ziele der UNO gar nicht wollen, benutzen die Institution als Mittel ihrer Politik. — Für diejenigen, die nicht wollen und auch nicht erwarten, daß von den großartig proklamierten Zielen der UNO irgend etwas erreicht werde, ist diese Institution ein bewußt gehandhabtes Täuschungsmittel geworden im Dienste ihrer je eigenen Politik.

Die UNO bietet ihnen die Möglichkeit zu Gesprächen und Informationen. Sie öffnet ein Feld für weithin gehörte Weltpropaganda. Man kümmert sich im Ernst gar nicht um die Meinung der UNO. Man benutzt sie, mehr oder weniger bewußt, mehr oder weniger geschickt, mehr oder weniger bedenkenlos als Mittel der Gewaltpolitik alten Stils. Dieser Umweg aber ist nur darum gesucht und gefunden, weil man Begründung seines Tuns durch Recht angesichts der Weltmeinung — wie es seit jeher in den öffentlichen Erklärungen der Politiker geschah — nicht für gleichgültig hält.

d) Nicht Rechtsatmosphäre, sondern Propaganda. — Die Institution der UNO ist in ihren Grundsätzen eine Kundgebung des Respekts für das Recht. Sie bezeugt, daß ein Rechtsbewußtsein in der Welt da ist und fordert. Noch im Mißbrauch liegt diese Huldigung für das Ethos, das im Menschen als Menschen vorausgesetzt wird, auch wenn er dagegen handelt. Diese Huldigung liegt aber nur darin, daß es für nicht ganz unwirksam gehalten wird, sich zum Recht zu bekennen. Man möchte die eigene Sache als rechtlich gegründete überzeugend machen. Man will den Gegner ins Unrecht setzen, sich selbst vor dem eigenen Volke und vor der Weltmeinung rechtfertigen.

Aber so wird mit der sittlichen Rechtsidee ein listiges Spiel getrieben. Getäuscht werden die eigenen Völker und die Welt; die Vertreter der gegnerischen Mächte sollen dupiert werden. Das faktische Geschehen in der UNO bezeugt, daß man ihr Prinzip, Gewalt durch Recht abzulösen, nicht etwa nur einschränkt, sondern preisgibt, außer als Schein für das Bedürfnis der Menschen, die Recht verlangen.

Jedoch hat die Weltmeinung selber Kraft nur in freien gesetzlich regierten Ländern. Die totalitären oder despotischen oder überwiegend analphabetischen Staaten kümmern sich kaum um die Weltmeinung, wohl aber um die öffentliche Meinung in den freien Staaten. So wird die UNO benutzt als ein Mittel der Schwächung der freien Länder. Denn im Unterschied von den freien Völkern entsteht in der übrigen Welt keine spontane Weltmeinung aus den alle Menschen verbindenden Motiven von Freiheit und Gerechtigkeit. Das sah man am Ausbleiben der Wirkung des über alle Maßen gewaltsamen und völlig rücksichtslosen Unrechts der Russen gegen das ungarische Volk. Tschu en Lai sprach demonstrativ in Moskau, in Polen und in Ungarn an Ort und Stelle für das russische Recht in Ungarn. Nehru nahm erst sehr spät und zögernd Abstand von der russischen Aktion in Ungarn und erhielt seinen Lohn durch das russische Veto gegen einen im Sicherheitsrat wegen Kaschmir zu ungunsten Nehrus mit Mehrheit gefaßten Beschluß.

Da in der UNO mit Hilfe des Rechtsgedankens doch nur Politik gemacht wird, so wird der Rechtsgedanke selber diskreditiert. Es entwickelt sich die zynische Stimmung, die weiß, daß geschwindelt wird. Schamlos läßt man nicht zur Geltung kommen, was unbequem ist; man verschweigt, antwortet nicht, wo man nicht mag. Tatsachen und Gründe hört man gar nicht an, wenn sie einem nachteilig sind, sondern prüft sie nur nach dem Grad ihrer Brauchbarkeit für die eigenen politischen Zwecke.

Daher herrscht an dem Verhandlungsort der UNO keine Atmosphäre des Rechts. Jedes Mitglied der Gremien fühlt sich durch nichts verpflichtet als nur durch die politischen Weisungen seines Staates. Es gibt hier in den Diskussionen nicht die Feierlichkeit des Ernstes, mit dem Menschen eintreten in die Erforschung von Tatbeständen, um in uninteressierter Objektivität zu finden, was Recht ist (derartiges wird aber gelegentlich von Kommissionen geleistet wie in dem großartigen UNO-Bericht über Ungarn, ein Jahr nach der Tat). Die Herrschaft hat in dem Verhandlungsgeschehen entweder die freche Lüge oder in feinerer Form das advokatorische Denken.

e) Advokatorisches Denken. — Der Advokat kann mit dem juristischen Denken zwei entgegengesetzte Möglichkeiten verwirklichen. Er kann die sittliche Persönlichkeit sein, die mit der Kraft des Geistes, der Schärfe der Begriffsbestimmungen, der Klarheit der Konstruktion aus seinem verläßlichen Sinn für das Recht der Gerechtigkeit wirkt. Oder er kann der Sophist werden, der mit den gleichen, aber nun formalisierten Methoden kraft des Intellekts durch Konstruktion dupiert. Er steht gesinnungslos im Dienst von wechselnden Auftraggebern und Mächten. Ihm ist es selbstverständlich, Interessen zu dienen, die er nicht prüft und die ihm an sich gleichgültig sind. Er vertritt diese Interessen mit allen aufzutreibenden Gründen, mit Umdeutungen, mit suggestiven, den tatsächlichen Befund abblendenden Unterscheidungen, mit wandelbaren Auslegungen, schließlich mit dem Beibringen sentimentaler Motive, die als lügenhafter Ersatz des hellen nüchternen Rechtssinns dienen müssen. Er kann Recht in Unrecht, Unrecht in Recht verkehren, »die schwächere Sache zur stärkeren machen« und umgekehrt.

Im Raum der UNO sehen wir bisher mehr diesen zweiten als den ersten Typus. Die hohe juristische Leistung der rechtlichen Durchdringung der menschlichen Verhältnisse ist der Boden, auf dem, ihn selber preisgebend, die sophistische Täuschung geschieht. Es ist die Übertragung der Politik in den Bereich, der die Überwindung der Politik werden sollte. Der politische Advokat ist die Figur, die in der UNO einen Betrieb beherrscht, von dem die Welt sich benebeln lassen möchte, um Ruhe im Bewußtsein der Herrschaft des Rechts zu finden. Zwar ist die Welt immer wieder erschreckt, wenn die Lüge offenbar wird, aber auch immer wieder bereit, dies zu vergessen, weil sie sich an die Rechtsidee klammert, die doch dem Ganzen zugrunde liegen muß. Sie erwartet in diesem Raum den großen Staatsmann, der kraft seines juristisch hellen Geistes die Nebel des politischen Advokaten als ein machtvollerer, weil rein im Dienst der Gerechtigkeit denkender Advokat zu durchdringen vermöchte. Er würde das Recht zur Geltung bringen. Denn das Recht setzt sich nicht von selber durch. Es braucht so gut wie das Unrecht den Advokaten. Nur der Bund ethisch verläßlicher Gesinnung mit der Kraft, die auch dem Intellekt des Sophisten durch den eigenen Intellekt überlegen ist, hat in der Realität dauernden Erfolg. »Gute Leute, aber schlechte Musikanten« scheitern in der Öffentlichkeit, weil sie nicht klar zu sagen vermögen, was ist und was sie wollen, und weil sie darum auch nicht überzeugend handeln.

f) Die UNO scheitert am Unrecht, und zwar am Unrecht, das sie in sich selber aufnimmt, und am Unrecht, dem sie in der Welt nicht widersteht.

In der Charta heißt es, daß die Mitgliedschaft denen offen steht, die nach dem Urteil der Organisation fähig und gewillt sind, die Verpflichtungen der Satzung zu übernehmen. Aber nun sind mit gleichem Stimmrecht in der UNO Staaten vertreten, deren Bevölkerung zu großem Teil analphabetisch ist, die Sklavenhandel kennen, die die Menschenrechte mit Füßen treten. Es gehören der Organisation Staaten an, die gar nicht selbständig sind (Ukraine), dagegen nicht das kommunistische China mit seinen 600 Millionen Einwohnern.

Rußland und totalitäre Staaten gründen sich faktisch auf Prinzipien, die den Grundsätzen der Charta widersprechen. Von vornherein ist die UNO gegründet, um zwischen Amerika und Rußland trotz grundsätzlich abweichenden Rechtsdenkens die Form einer Beziehung zu finden, als ob man sich im Rechtsgedanken träfe.

Der Versammlung der Vereinten Nationen gehören also bei formeller Gleichheit höchst verschiedene und im Sinne der Charta fragwürdige Staaten an. Das Urteil über die Qualifikation der einzelnen Staaten im Augenblick der Gründung und bei den Neuaufnahmen in den folgenden Jahren ist offenbar nicht in der Anschauung der wirklichen Zustände am Maßstab der Charta (»fähig und gewillt, die Verpflichtungen der Satzung zu übernehmen«) getroffen worden. Eine gegen das Recht gleichgültige Politik war von vornherein in der Auswahl der Mitglieder schon wirksam. Diese Auswahl ist unter politische Bedingungen, nicht unter die Grundsätze der Charta gestellt.

Eine Folge dessen ist, daß zahlreiche Staaten in jedem Fall ohne Ausnahme für die Positionen stimmen, die Rußland vertritt, andere, nicht so zuverlässig, für die Positionen Amerikas. Ein freies unabhängiges Urteil ist selten wirksam. Der Grundsatz, daß kleine Völker dasselbe Recht haben wie die großen, entschleiert sich in der Praxis.

Daß der politische und nicht der Rechtsgedanke maßgebend ist, führt zu offenbaren Widersprüchen. Amerika will dem kommunistischen China keine Aufnahme in die UNO gewähren. Denn Chinas kommunistische Staatsverfassung ist illegal durch Gewalt zustande gekommen, und der Rest des früheren China (Formosa) besteht nur fort unter amerikanischem Schutz. Im Vorderen Orient aber will Amerika innerstaatliche gewaltsame Umwälzungen als vollendete Tatsache anerkennen. Dieser Unterschied kann nur politisch, nicht aus einem Rechtsgedanken begründet werden.

Die UNO, die so viel Unrecht in ihr eigenes Denken und Tun aufnimmt, kann auch dem Unrecht nicht wehren, das in der Welt geschieht.

Der allgemeine Zustand menschlicher Ordnung ist dieser: Wenn die zwischenstaatlichen wie die innerstaatlichen Beziehungen auf den Boden des Rechts gebracht werden sollen, so darf das Maß des noch immer bestehenbleibenden Unrechts nicht eine gewisse Grenze überschreiten. Geschieht dies doch, so greifen die Benachteiligten zur Gewalt, weil ihnen gegenüber die Rechtlichkeit offenbar selber nur die Form einer für sie tödlichen rechtswidrigen Gewalt ist. Dann ist der Raum geöffnet für die opfermutige Empörung in der Wahrheit des Rechtsgedankens, aber sogleich und untrennbar auch für die Willkür und die Lust an der Gewalt. Der Mißbrauch des Rechts erweckt die Gewalt, die zwar immer rechtswidrig ist, aber nun aus einem Grunde kommt, der selber das Recht will, doch zugleich auch aus einem Grunde, der vielmehr die eigene Gewalt an die Stelle des Rechts setzen will.

Diesen Grundzustand, dem die Kriege entspringen, hat die UNO nicht verändert. Den bestehenden Rechtsordnungen in der Welt ist sie keine Stütze geworden; die Ungerechtigkeiten kann sie nicht beschränken. Wer in der Welt, vom Unrecht zertreten, Recht begehrt, klopft bei der UNO vergeblich an. Nur wenn Interessen großer Mächte dies Rechtsbegehren unterstützen, kann es Erfolg haben.

g) Die Instanz der UNO als Mittel, sich der Verantwortung zu entziehen. — Die UNO wird von Mächten, die die Gewalt haben, je nach dem Fall und ihrer Wahl, als Gebilde für die Manipulationen der Politik zur Instanz erhoben, ist aber nicht als wirkliche Instanz da.

Amerika sieht sich vor mannigfachem Unheil der freien Welt. Freie Völker — noch nicht es selbst — müssen Vertragsbrüche großen Stils erleiden oder sich vor tödlichen Bedrohungen seitens des Nachbarn sehen. Amerika, durch seine Macht der Träger der weltgeschichtlichen Verantwortung für die freie Welt, verhält sich dazu auf zweifache Weise:

1) *Entweder:* Es will nichts tun, da es ihm zu riskant oder politisch nach innen oder außen unerwünscht ist. Es entzieht sich der Verantwortung, gegen tödliches Unrecht einzuschreiten, indem es die UNO vorbaut, die doch machtlos ist. Es wählt die höhere Instanz unter Nutzung der in der Welt konventionell gewordenen Illusion, eine solche Instanz könne ohne Exekutivgewalt die Gewalt ohne Gewalt aus der Welt schaffen. Aber die reale Verantwortung in der Geschichte hat nur der, der zugleich im Besitz der Macht ist, die über die Gewalt verfügt, nicht eine unwirkliche, ganz und gar abhängige, ständig auch in ihrem Dasein nur manipulierte Instanz.

Man drückt sich um die Entscheidung und das Wagnis mit der Gebärde hoher Rechtlichkeit. Damit läßt man geschehen, was zu verhindern das wirkliche Recht verlangt. Man begründet das Nichtstun mit seinem Gehorsam gegen die Rechtlichkeit der Scheininstanz.

Warum aber weigern sich Staatsmänner und Völker, ihre Verantwortung zu erfüllen, die ihnen an ihrem geschichtlichen Ort durch ihre faktische Macht zufällt? Es ist in der abendländischen Welt seit 1918 ein Ruhebedürfnis, ein Wille zum Genuß der Prosperität. Man will nicht wissen, was man doch eigentlich weiß. Es wiederholen sich die Selbsttäuschungen der Völker, die sich den realen Horizont durch Kulissen verstellen lassen, zu denen sie Vertrauen haben möchten, um die Gegenwärtigkeit ihres Daseinsglücks zu haben, das ihnen doch nur in der verzehrenden Hast des Erwerbens und Genießens zuteil wird. So glaubte man an den Frieden und die Reparationen von Versailles 1919. So hielt man sich immer wieder an papierne Sicherheiten und aufgezwungene Verträge. Man ließ geschehen, was Schritt für Schritt zum Weltunheil führen mußte, wenn es nicht im ersten Anfang erkannt und mit Opferwillen bekämpft wurde: den japanischen Einmarsch in die Mandschurei, die Eroberung Abessiniens durch Mussolini, die Rheinlandbesetzung durch Hitler, die gewaltige deutsche Aufrüstung. Man paktierte, weil man auch einen kleinen, noch fast risikolosen Krieg nicht wollte; man wollte nicht die Last einer Rüstung; man gab nach, als es gefährlich wurde, bis München; man ließ sich erpressen. Denn man wollte nicht die andere Seite der Alternative, den Krieg, als Möglichkeit ins Auge fassen. Es sollte keine Alternative geben. Heute ist es ebenso, aber in dem einen Punkt ganz anders: daß es jetzt die Atombomben gibt. Gleichgeblieben ist, daß man der Verantwortung ausweicht.

2) *Oder:* Amerika behält sich die Gewaltanwendung vor, wenn das eigene Interesse nach seiner Meinung unmittelbar auf dem Spiel steht. Im entscheidenden Augenblick bricht die Tatsache durch, daß das menschliche Dasein zuletzt auf Gewalt gegründet ist. Die Verweigerung der eigenen Verantwortung durch Abtretung an die Entscheidung der UNO ist also zugleich nicht ernst gemeint. Denn die Verantwortung ist in der Tat niemals erfüllt durch Festhalten an abstrakten Prinzipien und einer irrealen Instanz, sondern erst durch Übernehmen der geschichtlichen Wirklichkeit.

Man läßt das Unrecht geschehen, solange man sich nicht selbst tödlich bedroht glaubt. Man bleibt kurzsichtig gegenüber dem Unheil, das sich schließlich gegen einen selbst wenden muß. Man will nicht durch Urteilskraft schon im Keim sehen, was, gewachsen, die ungeheuerste Bedrohung wird.

Exkurs: Um den Frieden zu retten, wird der Begriff des *»Aggressors«* zum Strohhalm, an den man sich klammert.

Schon der Genfer Völkerbund behandelte den Begriff des Aggressors. Heute wieder ist er maßgebend für den Begriff derjenigen Gewaltakte, gegen die die UNO durch Rechtsprechung, durch Sanktionen, durch eigene Gewalt einschreiten soll, um den Weltfrieden zu erhalten. Trotz endloser Diskussionen ist es nicht gelungen, ihn so zu bestimmen, daß er zuverläßlich brauchbar wäre.

Man sucht den Begriff in der Charta der Vereinigten Nationen. Sie aber sagt: »Die Mitglieder sollen sich in ihren internationalen Beziehungen jeder Drohung oder Gebrauchs von Gewalt, die gegen die territoriale Unversehrtheit oder politische Unabhängigkeit irgendeines Staates gerichtet oder sonst mit den Zielen der Vereinigten Nationen unvereinbar ist, enthalten.« Dieser Satz enthält aber so viel, daß in gewissen Situationen der Schutz der einen Bestimmung nicht ohne Verletzung der anderen Bestimmung möglich scheint (z. B. Schutz gegen Drohung und gegen Gebrauch von Gewalt ohne Eingriff in das Territorium des Drohenden).

Daher sucht man zur Vorbereitung einer besseren Bestimmung in der Charta eine für jeden zwingende zweifellose Definition des Aggressors zu gewinnen, die, wenn überhaupt, nur durch Beschränkung auf einen einzigen Punkt zu erreichen wäre. An dieser Definition meint man dann die wirksame Zauberformel zu haben. Das scheint am ehesten in bezug auf die territoriale Unversehrtheit zu gelingen. Ein Beispiel sind Gedanken des Physikers Thirring. Er definiert: »Ein Aggressorstaat ist derjenige, der als erster seine Kriegsmaschine zu Lande, auf dem Wasser oder in der Luft zu militärischen Operationen jenseits der eigenen Grenzen in Bewegung setzt.«

Soll der Angriff wirksam sein, müssen die Konsequenzen radikal gezogen werden. Daher will Thirring sogar das Notwehrrecht (Artikel 51 der Charta) einschränken. Denn mögen gewalttätige Rechtsbrüche stattfinden, mögen begrenzte territoriale Gewaltakte (Grenzzwischenfälle) erfolgen, als Gegenmaßnahme – so meint er – wird es am Ende weder seitens des Betroffenen noch seitens der UNO militärischer Gewalt bedürfen, weil alle anderen Mittel ohne solche Gewalt das Ziel der Unterdrückung der Gewalt erreichen werden. Die Vereinigten Nationen haben wirksame unmilitärische Methoden, um den Verurteilten zum Gehorsam zu bringen. So etwa hätte man im Falle Ägyptens, als dieses völkerrechtswidrig den Suezkanal enteignete, es zwingen können durch Handelsboykott, Stornierung aller Ankäufe ägyptischer Baumwolle, Beschlagnahme des ägyptischen Vermögens im Auslande, Sperre des Fremdenverkehrs nach Ägypten, Umlenkung des Flugdienstes unter Umgehung Kairos, wirtschaftliche und politische Unterstützung Israels — aber dies »erst nach Fällung eines objektiven Urteils durch den Internationalen Gerichtshof«. Dadurch würde dem ägyptischen Volke die Unmöglichkeit der Außenpolitik seiner Regierung bewiesen worden sein. Aber Thirring stellt nicht die einfache Frage: Was geschieht, wenn Rußland sich an all diesen Sanktionen nicht beteiligt, vielmehr Ägypten durch die wirtschaftliche Hilfe und Waffenlieferungen dann erst recht unterstützt?

Dies beiseite gelassen, denkt Thirring weiter, daß bei Aufnahme seines Begriffs in die UNO-Charta faktisch alle Gewalt überhaupt aufhören würde. Die UNO wird nur zu beschließen brauchen. Sie wird in fast allen Fällen auch ihrerseits gar keine Gewalt mehr in Anwendung bringen müssen. Denn wenn ein neues Völkerrecht bestände (und es ist doch so einfach mit dem Begriff des Aggressors) und verläßliche Kollektivsanktionen der Vereinigten Nationen zu erwarten wären, dann würde ein Diktator, würde ein Generalstab von Sinnen sein, wenn er einen Angriffskrieg begänne. Die Wirksamkeit der kriegsausschließenden Weltinstitution würde noch erhöht, wenn man die Friedensversicherungen aller Staaten beim Wort nehmen würde: sie alle sollen durch internationalisiertes Recht festlegen, »daß der Soldateneid die Wehrmachtsangehörigen jener Staaten nicht mehr bindet, die eine Aggression gemäß der Definition ausführen«.

Diesen Vorschlag, durch eine einfache Begriffsbestimmung und ihre Aufnahme in die Charta von nun an jeden Krieg unmöglich zu machen, kann man kritisch auf zweifache Weise erörtern.

Erstens läßt sich prüfen, wie die Einführung des bestimmten Begriffs des Aggressors jetzt aussehen und wirken würde:

a) Die Anwendbarkeit des Begriffs beruht nicht nur auf seiner Klarheit, sondern auf dem Willen der souveränen Mächte, ihn im konkreten Fall zur Geltung kommen zu lassen oder nicht. Sowohl ihre Auffassung wie ihr Wille hängt nicht vom Richterspruch eines Gremiums ab. Der Richterspruch wird nie gegen eine Großmacht wirksam sein, sondern nur gegen die Ohnmacht kleiner Staaten. Er hat keine Kraft gegen das Unrecht, sondern nur gegen die, die dem Willen der Großen widerstreben oder ihnen unbequem sind.

So konnte das empörende Schauspiel entstehen: Ägypten wurde geschont, weil Rußland und orientalische Mächte es wollten, während die Vergewaltigung Ungarns durch die Russen (ein Vorgang, der offenbar unter Thirrings Begriff fällt) in der gleichen Zeit keinen Widerstand fand, vielmehr der Vertreter der von den Russen dem ungarischen Volk aufgezwungenen illegalen ungarischen Regierung in der UNO wie selbstverständlich anerkannt wurde.

Der scharfe Begriff des Aggressors wäre nur dann von der erhofften Bedeutung, wenn es eine Instanz gäbe, die ihn mit Zuverlässigkeit in jedem Fall anwendet. Es hat sich gezeigt, daß diese Instanz nicht existiert. Wenn die UNO mit dem Begriff des Aggressors operiert, so ist seine Anwendung doch immer parteiisch gewesen.

Die Ereignisse im Oktober-November 1956 können nicht oft genug vergegenwärtigt werden, um sich das bisherige Fehlen einer übergeordneten Instanz und daher die Unwirksamkeit eines scharfen Begriffs des Aggressors (wenn ein solcher Begriff an sich möglich wäre) gegen all unser Wunschdenken einzuprägen. Man stellte Rußland und Israel in die gleiche Kategorie des Aggressors. Nehru übertraf alle an moralisch empörten Wendungen, während kurz darauf Krishna Menon vor den

Vereinigten Nationen (21. 2. 1957) in bezug auf die Kaschmirfrage erklärte: »Meine Regierung fühlt sich nur durch die Resolutionen gebunden, denen sie zugestimmt hat.« Die UNO schafft zweierlei, vielerlei Recht und hebt damit das Recht auf.

b) Die Beschränkung des Begriffs der Gewalt auf den Akt der Grenzüberschreitung läßt uns fragen: Ist es aggressive Gewalt, wenn ein Staat auf seinem Boden die Büros eines Unternehmens mit Polizei besetzt und das Unternehmen enteignet? Ist ein Unterschied, ob dies geschieht gegenüber eigenen Staatsangehörigen oder gegenüber Ausländern, die durch Vertrag dort ihr Unternehmen betreiben? Oder ist aggressive Gewalt erst dann, wenn diesem innerstaatlichen, rechtswidrigen Gewaltakt der Polizei gewaltsam durch eine militärische Aktion, die sich der Natur der Sache wegen ihrerseits Polizeiaktion nennt, begegnet wird, um den vertraglichen Zustand wiederherzustellen, auf Grund dessen dann verhandelt werden kann zwecks Änderung des bisherigen Vertragszustandes?

Durch Thirring wird die Antwort gegeben: Erst die Überschreitung der territorialen Grenzen bedeutet aggressive Gewalt. Diese allein ist das Verbrechen, das den Weltfrieden gefährdet. Die Folge ist: Innerhalb der Territorien der Völker mag Gewalt stattfinden, welche es auch sein mag. Wenn nur diese Gewaltakte auf dieses Territorium beschränkt bleiben und nicht über ihre Grenzen hinausschreiten, gilt der Weltfriede als gewahrt. Anders ausgesprochen: Man würde sich begnügen, die Gewalt zu lokalisieren, nämlich sie zuzulassen auf den Territorien, die sich für souverän halten und als solche anerkannt sind. Was auf diesen Gebieten geschieht an Greueltaten, an Terrorismus, an Verletzung der Rechte Fremder, das soll den Weltfrieden nicht stören. Es sei Sache der Kraft der jeweils herrschenden Regime, ob sie sich halten können oder nicht, und Sache der Völker, welche Regime sie hervorbringen und zulassen. Der Weltfriede wird dadurch nicht berührt. Aber welche Täuschung liegt in dieser Meinung! Man will auf fremdem Territorium eine Realität zulassen und eine Gesinnung wachsen lassen (wie in Hitler-Deutschland, wie in Nasser-Ägypten), aus der die Aggression nach außen eines Tages mit Sicherheit hervorgeht. Man würde also durch eine Begrenzung der eigenen Gewaltsamkeit etwas erzeugen, das nach geduldeter genügender Vorbereitung seine territoriale Grenze, die ihm geschützt wurde, am Ende selber mit Gewalt überschreitet.

c) Was ist eine territoriale Grenzüberschreitung durch Gewalt? Liegt eine solche Grenzüberschreitung nicht schon vor, wenn ein Staat Truppen an der Grenze sammelt, dort Kriegsmaterial häuft, und wenn diese Handlungen keinen anderen Sinn haben können, als die nah bevorstehende gewaltsame Überschreitung der Grenze, zumal wenn erklärt wird, der Nachbarstaat werde in seinem Dasein nicht anerkannt, sondern müsse verschwinden? Liegt nicht schon eine Grenzüberschreitung vor bei ständigem Überschreiten durch Mordbanden und Sabotageakte oder erst dann, wenn eine militärische Aktion mit größeren Truppenmengen erfolgt? Wie groß muß die Truppenmenge sein, um nicht mehr von Grenzzwischenfall, sondern von Aggression reden zu müssen? Ist es nicht schon eine aggressive Handlung gegenüber einem fremden Staat, wenn dessen Verkehr gestört wird, z. B. durch staatlich verfügten Boykott, durch gewaltsames Verhindern seiner Schiffahrt in internationalen Wasserstraßen?

Ist es Aggression oder Verteidigung in Notwehr, wenn der kleine, auf alle diese Weisen bedrohte und durch Gewalt verletzte Staat, falls er dem offenbaren Überfall durch die angesammelte Heeresmacht entgegensieht, seinerseits im letzten Augenblick ausbricht aus der Umklammerung und Erstickung? Ist es Aggression, wenn er seinen Untergang verhindern will, zumal dann, wenn ihm jahrelange Erfahrung gezeigt hat, daß zum Schutz seines Daseins keine UNO, niemand zu Hilfe kommt?

d) Um diesen Begriff des Aggressors anwenden zu können, müßten ferner die territorialen Grenzen zweifelsfrei bestimmt sein. Sind diese Grenzen schon durch die faktisch bestehende Gewalt (Anwesenheit russischer Truppen in Ungarn, indischer in Kaschmir) gegeben oder erst durch die Unabhängigkeit des Willens der diese kleinen Territorien bewohnenden Völker? Sind sogenannte Waffenstillstandsgrenzen (am Gaza-Streifen) territoriale Grenzen, auch wenn das besetzte Gebiet der Besetzungsmacht Ägypten nie gehört hat? Gehört Ostdeutschland, gehören die Territorien der Satellitenstaaten zu Rußland? Braucht daher kein Eingriff zu erfolgen, wenn Rußland das Volk der Ungarn hinmordet (wie früher das der Litauer, Esten u. a.), sich Eingeborener als Marionetten bedient, andere deportiert und versklavt? Handelt es sich nur um eine innere Angelegenheit des totalitären russischen Staatenkomplexes? Ist der Weltfriede durch solch ungeheures Unrecht der Gewalt nicht gestört? Also: Wie sollen die territorialen Grenzen, deren Überschreitung allein als Aggression gelten soll, festgelegt werden?

e) Bei seiner klaren Bestimmung des Begriffs der Aggression erwartet Thirring, daß alle einmütig sein müßten, wie ein vorliegender Fall zu beurteilen sei. Er meint sogar, daß »bei den Kriegen der letzten Zeit kein Zweifel darüber bestehen kann, wer gemäß dieser Definition der Aggressor war. Es waren Mussolini in Abessinien, Hitler bei allen seinen Kriegen, die Japaner in Pearl Harbour und die Nordkoreaner am 38. Breitengrad im Juni 1950.« Das ist zwar richtig, jedoch in keinem dieser Fälle hat der Aggressor sich jemals als solcher bekannt; immer haben nur die anderen ihn für einen solchen erklärt. Alle Aggressoren operierten »zur Verteidigung«. So behaupten auch bis heute Rußland, China und Nordkorea, daß Nordkorea 1950 sich verteidigt, nicht angegriffen habe. –

Zweitens könnte man die relative Richtigkeit der Thirringschen Definition der Aggression anerkennen, dann müßte man aber sogleich hinzufügen: Die Anwendung eines solchen einfachen Begriffs würde möglich sein nur unter Voraussetzung einer schon geschehenen Verwandlung der Politik und des Menschen selbst. Was in dieser Begriffsbestimmung ausgesagt wird, wäre dann mit tausend anderen Dingen eine selbstverständliche Folge einer veränderten Welt. Aber mit einer solchen Folge anfangen, gleichsam einen Trick des Begriffs zu erfinden, der Wunder tut, das hieße das Pferd am Schwanz aufzäumen. Thirring meint, mit einem Begriff die Rettung in der Hand zu haben. Erkennt man den Begriff an, so wird nach seiner Erwartung alle Gewalt überflüssig. Denn selbst die Gewalt gegen die rechtswidrige Gewalt würde, ohne faktisch angewandt werden zu müssen, in der bloßen Drohung ihrer Möglichkeit verschwinden.

Der Irrtum ist, von der Verabsolutierung eines Begriffs – des »Aggressors« – zu erwarten, daß die Realität der Gewalt aus der Welt geschafft werde. Solche Begriffe stehen im Dienste des faktischen Handelns, sind aber nicht selber die Führung. Das Ethos der handelnden Menschen ist nicht zu ersetzen durch einen rationalen Apparat. Unter dem Druck des drohenden Kriegsunheils möchte man wohl Sicherheit durch eine Formel, durch Definition eines Begriffs. Man klammert sich an sie. Solche formalen Verfestigungen können zwar im Raum des durch die Staatsmacht gesicherten, im Rechtsgefüge verläßlich geordneten Lebens wirkungsvoll sein. Aber mit ihnen diese Sicherung selber herbeiführen zu wollen, kann man nur dann versuchen, wenn man den Grund des Politischen in der Gewalt verkennt. Man möchte durch eine juristisch-technische Apparatur erreichen, was nur aus dem Wesen des Menschen im ganzen auf Grund seiner Umkehr dann im Medium seiner vielfachen Institutionen erzeugt werden kann. Man möchte auf das Nichts der Abstraktion bauen, was nur aus der Wirklichkeit des Menschen hervorgehen kann.

Thirring selber schließt seine Darlegungen: »Ich habe wenig Hoffnung, daß die hier gegebenen Vorschläge von einem internationalen Forum von Politikern und Juristen akzeptiert werden.« Warum? Die Sache ist doch so einfach zu verstehen. Können die Politiker und Juristen nicht verstehen, was auf dem gemeinsamen Gebiet des Interesses aller Menschen ein Physiker denkt? Oder hat Thirring eine ungeklärte Grundhaltung, die selber so hoffnungslos ist, daß sie diesen ganzen Gedanken nur als ein Spiel vorträgt? Ich weiß es nicht. Wohl aber bin ich überzeugt, daß es auf diese Grundhaltung ankommt, von der her die Impulse kommen, auf dem Weg zu gehen, an dessen Ende wirklich werden kann, worauf am Anfang eine vereinzelte Spielerei des Gedankens weist.

Was der wohlmeinende Forscher denkt, ist seinem Inhalt nach geeignet — gewiß gegen den Sinn dieses Forschers —, in das Reich jener bodenlosen Reflexion zu geraten, in dem aus dem Nichts bloßer Abstraktionen gedacht wird, deren Folge auch in der Tat nichts ist.

4. Die Lüge in der UNO.
Exkurs über Lüge und das Prinzip der Lüge in der Politik.

Über die Lüge. — Unwahrheit ist dem Menschen unerträglich. Er will Wahrheit auch dann noch, wenn er sie verrät. Daher beruft er sich, auch wenn er lügt, auf Wahrheit.

Lüge, um sich Vorteile zu verschaffen, ist bewußt und dann keine kleine »Leistung«. Denn sie fordert, wenn sie Erfolg haben soll, eine raffinierte Methode nach dem Prinzip: Es kommt nicht darauf an, ob etwas wahr ist, sondern ob es als wahr wirkt, und sie fordert angesichts der auftretenden widersprechenden Realitäten eine erfinderische Geistesgegenwart, um die Lüge festzuhalten. Viel häufiger ist daher die Lüge zugleich als Selbsttäuschung in der Täuschung des anderen. Dann lügt der Mensch nicht nur, sondern belügt sich selbst, weil er wahr und falsch nicht ständig zu unterscheiden strebt. Er redet sich hinein und redet sich heraus; er lügt nicht, indem er selbst klar weiß, was wahr ist, sondern er ist im Zustand der Verlogenheit. Er verschleiert vor sich, was er nicht sehen will. Wer sich aber der Lüge in der Verlogenheit ergibt, lebt in irrealen Vorstellungen. Plötzlich vor eine seine Vorstellungen widerlegende Realität gestellt, kann er sich im Augenblick zwar nicht entziehen, aber vergißt sogleich und sinkt zurück in neue verlogene Auffassung seiner konkreten Lüge.

Über das Prinzip der Lüge in der Politik. — Der Kampf mit Gewalt fordert List, Irreführung, Überrumpelung. Daher ist, solange Politik im Hinblick auf die jederzeit mögliche Gewalt stattfindet und sich nicht in Rechtsverfahren verwandelt, die Lüge ein Prinzip der Politik.

Die Lebensform der Politik hat ihre Repräsentation in der »Diplomatie«. Hinter ihr steht das trotzige Sichselbstbehaupten jedes Daseins, das die Gewalt dazu hat. Es behauptet sich Dasein auch in seiner Niederträchtigkeit. Es haßt das Bessere, verachtet das Schlechtere. Es verlangt erst Gleichberechtigung und dann Oberherrschaft.

Die Formen aber der Diplomatie sind mannigfach. Man begegnet sich etwa in stillschweigender Übereinkunft nach Spielregeln in der Tatsächlichkeit des Gemeinen. Man behandelt sich mit rücksichtsvoller Gegenseitigkeit nach einem Ehrenkodex bei der Verfolgung der stillschweigend anerkannten, mit maximaler Geschicklichkeit durchzusetzenden Eigeninteressen. Die geselligen Formen der Höflichkeit, der Bonhommie, der Vertraulichkeit verschleiern, daß der potentielle Kampf durch Gewalt hinter jedem Wort steht. Man argumentiert, überredet, bezieht sich auf ein gemeinsam anerkanntes Recht und auf Wahrheit, aber man tut dies mit den Methoden der Sophistik: man überhört den springenden Punkt, wenn er gegen einen spricht. Man lenkt ab auf anderes nach der Weise der Taschenspieler. Man verschiebt das Thema, schiebt den Worten unmerklich einen anderen Sinn unter, redet für etwas, das man als angegriffen behauptet, das aber gar nicht angegriffen ist. Die Sprache ist dazu da, nicht einfach zu sagen, was man denkt und will, sondern auch dazu, beides zu verbergen in der Mischung des wirklich offen und des scheinbar offen Gesagten.

Nur eine Verwandlung der an sich gleichbleibenden Sache sind die diplomatischen

Methoden des Totalitarismus (des Hitlerismus wie des Stalinismus). Sie dupierten zunächst durch Enthüllung der gleichsam vornehmen Spielregeln der alten Diplomatie und gewannen eine vorübergehende Überlegenheit. Aber faktisch taten sie nur unbefangener, hemmungsloser, was immer geschah. Sie wählten die Methoden, die geeignet sind für eine Massengesellschaft bei Verschwinden eines durch Herkunft und Bildung aristokratischen Kreises. Sie vollzogen den Ruck von der verschleierten Lüge, die in einer Gemeinschaft gleichen Geistes stattfand, zu der offenbaren Lüge. Sie taten den Schritt von der durch Spielregeln gelenkten und noch gehemmten, weil unter Bedingungen gestellten Lüge zur rücksichtslosen, virtuosen, totalen Lüge. Und sie entwarfen die Theorie dieser Lüge: Einfache Schlagworte; sonst sind die Massen nicht zu gewinnen! Die klobigste, ohne weiteres erkennbare Lüge ist die wirkungsvollste, da sie am ehesten geglaubt wird! Gedanken, die zur Fahne werden und damit gedankenlos, setzen sich fest, wenn sie nur ständig wiederholt werden!

Aber es ist merkwürdig und ermutigend: In allen Fällen operiert auch hier noch die Lüge mit der Wahrheit. Sie will wahr scheinen. Dadurch bezeugt sie, daß der Mensch, im Gegensatz zu diesem faktischen Tun, Wahrheit will.

Zu dieser neuen Gestalt der politischen Lüge in der totalen Herrschaft ist zu sagen:

1) Die Einfachheit der eingehämmerten Schlagworte, die den demagogischen Erfolg haben, ist nicht die Einfachheit der Symbole, die sich dem Wesen eines Lebens einprägen. Daher ist beim Zusammenbruch eines Totalitarismus plötzlich nichts mehr da, die Menschenmasse ein ratloser Sandhaufen. Beim Scheitern einer Macht, in der Menschen mit wirklichen Symbolen lebten, bleiben diese Menschen übrig als Wesen eines umfassend gründenden Willens, der untilgbar da ist, solange ihr Leben bleibt, und der sich ausspricht in einer Gemeinschaft der Glaubensgehalte, die der Grund neuen Wachsens sein kann.

2) Im Totalitarismus ist das gesamte Reden und Lügen nur ein Vordergrund, der die Gegner erweichen, die Anhänger in einer maschinell ablaufenden Denkweise abschleifen soll. Dahinter steht als die eigentliche Realität die Organisation von Menschen zu schlagkräftigen Körpern. Ein Staat im Staate bereitet die Übernahme des alten Staats durch den neuen vor. Die offene Propaganda, die in der freien Welt erlaubt ist, wird benutzt, um diese Bewegung in disziplinierten Organisationen zu steigern. Das Reden der Propaganda hat die Kraft, die Menschen gleichsam einzuschmelzen. Die Organisation hat die Kraft, die geplanten Gewaltakte erfolgreich vorzubereiten und mit den schon bestehenden Kadern sogleich die totale Herrschaft für die Gesamtheit der Bevölkerung einzurichten.

3) Die Stoßkraft der bewußten und uneingeschränkten Lügen des Totalitären ist überlegen der verschleiernden Unredlichkeit, die sich zum Teil selbst täuscht, in der freien Welt. Die Schwäche der freien Welt dauert so lange, als sie nicht zur vollen, in ihrem Prinzip angelegten Wahrhaftigkeit gelangt. Durch wirkliche Wahrheit aber würde sie zur überlegenen werden. Denn die bedenkenlose Lüge des Totalitären muß sich schließlich in den eigenen Vorstellungen verstricken. Dann wird die totale Herrschaft blind vor den Realitäten der Freiheit selber, die sie sich mit ihren Theorien (die sie als Abschleifungsmittel zur öffentlichen Sprechweise im Bereich ihrer Herrschaft braucht) wie durch Kulissen verstellt.

Lüge ist nicht eine einfach zu beseitigende Untugend. Sie ist nicht durch ihre Aufklärung aus der Welt zu schaffen. Die Unwahrhaftigkeit ist im Grundwesen des Menschen angelegt. »Die Lüge („vom Vater der Lügen, durch den alles Böse in die Welt gekommen ist") ist der eigentliche faule Fleck in der menschlichen Natur« (Kant). Nur in ständiger Umkehr zur Wahrheit ist sie zu überwinden. Die freie Welt wird nur bestehen, wenn diese Umkehr sich entschieden vollzieht und wiederholt in jedem Menschen und an jedem Tag. Wahrheit und Freiheit gehören zusammen wie

Lüge und Gewalt. Nur Wahrhaftigkeit kann die freie Welt verbinden. Ohne Wahrhaftigkeit ist sie verloren. Freiheit und Lüge schließen sich aus.

Nur eine freie Welt kann zum Frieden kommen. Sie gibt es auf, die Lüge vergeblich durch Lüge zu bekämpfen. Jede Unwahrhaftigkeit ist ein Schritt auf dem Wege zum Totalitären.

a) Die Antinomie in der Wurzel der UNO. — In dem Ursprung der Charta liegt eine verhängnisvolle Unklarheit. Die UNO will die Gewalt als Mittel der Politik aus der Welt schaffen. Aber sie ist angewiesen auf die Gewalt der Mitgliedstaaten, welche nach Versagen aller anderen Mittel dem durch die UNO erkannten Recht durch kriegerische Gewalt Nachdruck verschaffen sollen.

Die verwandelte Politik soll in einem Raum des Rechts stattfinden, das die alleinige Verfügung über die Gewalt hat, aber diese Gewalt steht in der Tat nicht zur Verfügung, sondern bleibt wie bisher in der Willkür vieler souveräner Staaten. Der Krieg soll zur Polizeiaktion im Dienst des Rechtes werden, bleibt aber nichtsdestoweniger Krieg.

Bei dieser Unklarheit werden die Prinzipien der Charta in der Praxis in ihr Gegenteil verkehrt. Ihr Mißbrauch wird zu ihrem lügenhaften Gebrauch. So geschieht, was immer geschah: verhandeln, Versuch der Verständigung und des Ausgleichs einerseits, andererseits der Wille des eigenen Interesses auch um den Preis von Gewaltanwendung. Ein Rechtsverfahren würde unter der Voraussetzung stehen, daß unter keinen Umständen Gewalt angewendet wird, man sich vielmehr dem Spruch eingesetzter, rechtsprechender Instanzen unterwirft. Das offene Verhandeln würde unter der Voraussetzung stehen, daß man unter allen Umständen den Kompromiß will, also beiderseits nachzugeben bereit ist und nicht anerkennt, daß es in Daseinsinteressen unlösbare Fragen gibt. Beide Voraussetzungen sind nicht gegeben. Vielmehr haben den faktischen Vorrang die Willensentschlüsse der souveränen Staaten. Und die UNO wird zu einem bloßen Moment des Verhandlungsspiels, das außerhalb der UNO schon stattfindet und in die UNO seine Wirkungen erstreckt und stets in bezug auf mögliche Gewalt steht. Die UNO ist nicht, was sie zu sein beansprucht. Sie repräsentiert eine Unwahrheit in ihrem Grunde.

Diese Unwahrheit würde man wahrscheinlich deutlicher sehen, wenn man genau wüßte, wie die Charta zustande gekommen ist. Es scheint, daß die Gründung im wesentlichen ein Spiel zwischen Amerika und Rußland war. Beide Großmächte wollten nichts von ihrer Souveränität aufgeben, hielten die Gründung aber für nützlich. Der Wille, den Weltfriedenszustand zu erreichen (welcher Wille auf beiden Seiten die Erwartung der friedlichen Welteroberung durch das eigene politische Prinzip in sich schloß), wurde von Anfang an durchkreuzt von konkreten politischen Tendenzen. Die mitwirkenden Amerikaner mußten die Charta so fassen, daß sich nicht

Wilsons Schicksal mit seinem Völkerbund wiederholte (Ablehnung durch den Kongreß), die Russen so, daß sie nicht in den Grundsätzen der Charta, die ihren eigenen politischen Prinzipien ins Gesicht schlugen, gefangen wurden. So koinzidierten von beiden Seiten her, wenn auch aus verschiedenen Motiven, die Tendenzen, die Charta so zu gestalten, daß Einschränkungen und Vorbehalte und Ausnahmen eine wirkliche Bindung ausschlossen, die Formulierungen vielmehr immer Auswege für eine entgegengesetzte Argumentation offenließen. Die Charta entsprang weder dem Kopf eines Mannes, der ein alles zusammenfassendes Gebilde von logischer Deutlichkeit und Widerspruchslosigkeit entworfen hätte, noch der Einmütigkeit eines gemeinschaftlichen guten Willens. Ihre Unbestimmtheiten verschleierten die ursprüngliche Mischung unvereinbarer Absichten.

b) Der Gesamtaspekt der UNO. — Die UNO ist wie eine Bühne, auf der ein unverbindliches Spiel eingeschaltet ist zwischen die realen Aktionen der Großmächte. Sie stellt die Scheinkommunikation dar, in der die Großmächte verbergen, was sie tun wollen, indem sie sich unter die etwa achtzig größeren und kleineren Staaten stellen und die Gleichberechtigung aller anerkennen. Aber in jeder der für eine einzelne Großmacht wesentlichen Sachen durchbricht diese das Spiel.

Die Staaten benutzen diese Bühne, um sich ein Gesicht für die Weltöffentlichkeit zu geben und den Gegner durch dieses Spiel zu überlisten. Das Ganze ist ein Schleier, hinter dem jeder tut, was er will, wenn seine Gewalt und die Chance der Situation es ihm gestatten.

Es finden endlose Reden statt und dann Abstimmungen, die keine Folgen haben außer bei denen, die es als vorteilhaft ansehen, sich ihnen anzuschließen, oder die als kleine Mächte dazu gezwungen werden. So ist die UNO ein dirigiertes Organ der großen Mächte, das zwar nicht immer berechenbar zu dirigieren ist, das aber jeder benutzt, während sich fast alle den Beschlüssen entziehen können außer den kleinen Staaten, die nicht im Schutz einer Großmacht stehen. Frei vom Zwang der UNO-Beschlüsse sind nur die großen Mächte selber und andere, soweit sie praktisch nicht ohne weiteres bezwingbar sind.

Die augenblickliche Situation (Winter 1956/57) scheint diese zu sein: Amerika möchte seine Politik durch die UNO machen und dadurch sich decken. Zu diesem Zweck muß es jeweils die Mehrheit gewinnen, also um die Staaten sich bemühen. Diese sind zum Teil Blöcke, die immer gemeinsam stimmen. Aber weder der russische noch der amerikanische Block hat die Mehrheit. Die fluktuierende Masse der anderen entscheidet oder gar die gemeinsame Stimme von Rußland und Amerika, die möglich wird, wenn das benachteiligte Volk keine Macht von Belang und niemandes Hilfe hat, also geeignet ist, daß auf seine Kosten gehandelt wird.

Hinter der UNO arbeitet die alte Diplomatie in Besprechungen kreuz und quer. Es kann scheinen, daß man sich im geheimen über etwas einigt, über das man öffentlich nicht reden will. Andere sprechen sogleich von Machenschaften, die sie nie anerkennen werden. Eisenhower schreibt während der Suezkrise an Ben Gurion, daß Israel einen Rückzug nicht bereuen würde, und erklärt, Amerika sei nicht der Auffassung, daß Ägypten die Schiffe Israels daran hindern werde, durch den Suez-Kanal und durch den Golf von Akaba zu fahren. Die Äußerungen Israels sind viel bestimmter: Falls Gewalt gegen die Schiffahrt im Golf von Akaba gebraucht werde, so halte es sich auf Grund des Artikels 51 der Charta zur Selbstverteidigung für berechtigt und werde Gewalt mit Gewalt erwidern. Ben Gurion sagt, die Worte des Präsidenten von Amerika und die Persönlichkeit Eisenhowers bedeuteten ihm mehr als ein Vertrag. Amerika aber erklärt, daß es keine moralischen Zusicherungen gegeben habe. Israel betont, nur auf Grund solcher seinen militärischen Rückzug vollzogen zu haben. Alles geschieht in öffentlich unbestimmten, sehr allgemeinen, auch mehrdeutigen Äußerungen, die unter Freunden zwar das Sicherste sind, bei Indifferenz aber einen Schein darstellen, der zu nichts verpflichtet. Inzwischen tut der ägyptische Diktator, was er will, weil er als Marionette Rußlands in jedem Fall auf dessen Hilfe rechnet. Solange Amerika die UNO als das wesentliche Mittel seiner Politik sieht, bindet es sich an die Unvernunft und scheint wie gelähmt.

Es ist gespenstisch, wie vor dem Weltunheil im Raum der mit Weltautorität ausgestatteten UNO Fiktionen wirksam sind, die eigentlich jeder weiß und an denen doch jeder teilnimmt. Die UNO scheint auf dem Wege zur totalen Lüge ihres Daseins zu sein.

Die Institution, die dazu dienen soll, die Gewalt aus der Welt zu schaffen, ist ihrerseits eine Verkleidung der Gewalt. Sie sollte den Weg beschreiten, auf dem das Prinzip der bisherigen Politik, die mit der Gewalt stets verbundene Lüge, zugunsten von Recht und Wahrheit verschwindet. Aber dieser Weg wird selber zu einer Methode, die Lüge in raffinierten Verdrehungen und brutalen Akten erst recht zu verwirklichen. Für den Zustand der UNO ist diese Lüge das Merkmal, daß sie bisher ein Ort der immer gleichen Politik ist. Und doch bleibt die Frage, ob auf solchem Boden ein neues politisches Denken und Handeln gewonnen werden könnte, in dem das Recht nicht nur gedacht, sondern auch wirksam würde.

5) Die positiven Chancen der UNO.

Es ist leicht, Kritik zu üben, wie eben geschehen. Aber man darf darüber nicht die außerordentlichen Anstrengungen auch des guten Willens vergessen, die hier gemacht worden sind. Wo Selbsttäuschungen stattfinden, wo der Zustand die Atmosphäre mannigfach abgestufter Unwahrhaftigkeit ist, wo feinere und faustdicke Lügen ein Operationsmittel sind, da braucht keineswegs alles Schwindel zu sein. Es ist vom Gründungsakt her ein Wille am Werk, der etwas durchsetzen möchte, was die Rettung des Friedens bringen könnte. Es gehört Mut und Geduld ehrlicher Staatsmänner dazu, dies festzuhalten gegen die Überflutung durch den in den Souveränitäten sich kundgebenden Gewaltwillen und gegen das Ersticken in der Unwahrhaftigkeit.

Man soll die Stimme der tätigen Staatsmänner hören. Spaak schrieb nach der Suez-Affäre 1956 in den Foreign Affairs: Obgleich die Vereinigten Nationen bis zu einem gewissen Grad den Krieg verhindert hätten, fürchte er, daß sie nicht dem Rechte zum Durchbruch verhalfen. Die Charta müsse geändert werden. Er weist auf die wesentlichen bekannten Punkte: Das Vetorecht müsse verschwinden; eine Abstimmung müsse entscheiden können. Staaten, die das internationale Recht verletzen, müßten ausgeschlossen werden. Eine schlagkräftige UNO-Armee sei zu bilden. In den Beschlüssen müsse das weniger Wichtige vor dem Wesentlichen zurückstehen.

Aber solche positiven Vorschläge sind in ihrer Eindeutigkeit auf ihre Wirkung im Augenblick zu befragen. Auf dem angegebenen Wege würde eine UNO entstehen als eine Gemeinschaft der freien Staaten, Rußland aber ausgeschlossen werden. Etwa vor die Wahl gestellt (im November 1956), sich aus Ungarn zurückzuziehen oder aus der UNO ausgeschlossen zu werden, hätte mit größter Wahrscheinlichkeit Rußland den Ausschluß gewählt. Die Welt zerbräche in die zwei Lager. Die UNO wäre nicht mehr die UNO. Die UNO-Armee wäre nur die eine Armee der Partei, die der anderen gewaltigen Armee Rußlands gegenüberstände. Aber die Gründung der UNO hatte doch den Sinn, eine Welteinheit der Mächte zu schaffen. Mag diese noch so gering sein, noch so unwahrhaftig sein: solange sie besteht, ist die Aufgabe, zu sehen, wie die Einheit gestärkt, wie die Wahrhaftigkeit vermehrt werden könne. Zur Wahrhaftigkeit gehört auch die Anerkennung, daß eine UNO ohne Rußland nicht mehr die UNO wäre und daß sie ohne China nicht die UNO bleibt. Aber kann der Wille zur Wahrhaftigkeit die Anerkennung der Unwahrhaftigkeit in sich aufnehmen?

Das wäre nur möglich als Versuch, zu sehen, wieweit man dadurch zur besseren Wahrheit gelangt. Im Fall der UNO bedeutet das: Wenn jede Veränderung der Charta das Einverständnis zwischen Amerika und Rußland voraussetzt, um die Welteinheit nicht zu verlieren, so ist eine Wandlung der praktischen Wirksamkeit der UNO doch nur mit der Umkehr des sittlich-politischen Bewußtseins zu erwarten, das erst die unerläßlichen Veränderungen der Charta zur Folge hätte. Dieses Bewußtsein könnte an vielen Orten der Erde entspringen, aus Lichtpunkten zur Flamme werden. Erst dann, wenn die UNO der bereite Rahmen für die Erfüllung hinreißender Impulse würde, könnte ihre Funktion wirklich den Frieden sichern. Daß ein solcher Rahmen bereitsteht, ist vielleicht etwas wert.

Die UNO zeigt der Weltöffentlichkeit doch mehr als die Diplomatie der einzelnen Staaten. Ein Organ der Menschheit — und sei es noch so miserabel — zeigt sich der Menschheit. Es wird offenbarer, was ist — die mächtige Idee des Friedens und der Einheit der Menschheit. Es vollzieht sich die Enthüllung des Scheins, der Lüge in der Politik — bis in die Realität der Lüge in der

UNO selber. Es ist die Frage, ob das Versagen der gegenwärtigen Institution, ob die öffentlichen, weltweiten Erörterungen der Gründe dieses Versagens, ob die Diskussion, die die Rechtlichkeit aus der Einseitigkeit ihres Miß-brauchs in die Allseitigkeit für alle treibt, ob die Taten des Unrechts seitens der UNO — ob dies alles nicht zur indirekten Erziehung der Menschheit werden könne. Die schlimmen Erfahrungen mit der UNO würden das Bessere nicht erzeugen, aber erwecken und in Bewegung bringen. Was sonst als ein Denken Einzelner wirkungslos blieb, ist zur öffentlichen Frage und Bewährungsmöglichkeit geworden. Die Sorge um das große Ziel könnte gesteigert, die Umkehr des Menschen selbst veranlaßt werden.

Noch ist der Zweifel begründet: Kann die UNO überhaupt umgebaut werden? Steht ihr nicht das Schicksal des Völkerbundes (der Genfer Liga) bevor? Ist nicht die Weise ihrer Gründung schon zugleich der Keim ihres Verderbens? Ist, was mit Lüge beginnt, auf den Weg der Wahrheit zu bringen? Antwort: Nur weil unter den Impulsen des Anfangs auch der gute Wille war, ist dieser Weg vielleicht nicht völlig ausgeschlossen. Die wahre Idee mußte sich gefallen lassen, in Einrichtungen gesteckt zu werden, die sie selber fast, aber nicht ganz, aufheben. Denn die Lüge wurde doch noch zur Hingabe an die Wahrheit, in die als Maske sie sich verkleidete.

Bei allem Zweifel, allem Unwillen, aller Empörung darf man diese zwar nicht ersticken, muß sich aber fragen: Was soll geschehen, wenn die UNO zerschlagen wird? Etwa eine neue Gründung mit klarem, wahrhaftigem Willen aller Beteiligten? Dies würde den Zerfall der Welt in zwei oder mehr Blöcke zur Folge haben, in mehrere UNOs, die dann keine UNO mehr sind. Daher würde ein Umbau ebenso wie einst die Gründung nur durch ein Einverständnis zwischen Amerika und Rußland möglich sein. Bis heute kann eine neue Politik nur im Schein einer neuen Gründung, die in der Tat alte Politik geblieben ist, stattfinden. Würde der Schein zur Wirklichkeit werden und aufhören, Schein zu sein, so würde zugleich die beherrschende Bedeutung Amerikas und Rußlands zurücktreten. Von deren Gnaden besteht heute die UNO und ist es all den Staaten erlaubt, sich als Glieder dieser UNO wichtig zu fühlen und ihr Selbstbewußtsein zu steigern.

Wird das eigentliche Ziel der UNO, der Weltfrieden, nicht erreicht, so könnte sie doch vielleicht vorläufig einen Beitrag leisten zum Hinausschieben der Atempause unseres gegenwärtigen Friedens. Allerdings kann man nie wissen, ob durch die UNO als Zwischenschaltung wirklich eine Hemmung des Krieges erfolgt, oder ob sie nicht nur in der Zeit, wo ohnehin keine Großmacht den Krieg will, nur diesen Zustand zum Ausdruck bringt, und ob sie nicht im Augenblick des Gewaltwillens, der seine Chance zu sehen glaubt, als nichtiger Schein einfach außer acht gelassen wird. Mit ihr ist noch nicht eine zuverlässige Hemmung errichtet gegen den Ausbruch der Gewalten in die totale Vernichtung. Aber die Institution der UNO, außer der es keine andere gibt, ist immer noch das Minimum einer Chance.

Allerdings würde die UNO eine Gefahr für die freie Welt, wenn diese sich die Realitäten vernebeln ließe. Es könnte sein: Die freie Welt klammert sich an die UNO und versäumt das Notwendige; sie verläßt sich auf etwas, auf das kein Verlaß ist. Daher ist das ständige Bloßlegen des Versagens, wie es in der Weltpresse geschieht, fortzusetzen. Die Bejahung der Existenz der UNO kann nur dann zum Heile sein, wenn man sich nicht über sie täuscht.

Die UNO zu zerschlagen, wie seinerzeit den Völkerbund, ist leicht. Es geschieht, wenn der Gewaltwille einer der Großmächte sich endgültig offenbart und es für zweckmäßig hält, dies zu zeigen. Oder es geschieht aus der dann verantwortungslos werdenden abstrakten Wahrhaftigkeit der freien Staaten, die die ständige Dupierung nicht mehr ertragen wollen, aber ohne Fähigkeit, etwas an die Stelle der UNO zu setzen.

Heute ist die UNO durch keine andere Institution zu ersetzen. Die Realität der feindlichen Großmächte, die hinter ihr steht, und die Scheinhaftigkeit ihres künstlichen Daseins können sie jeden Augenblick zerbrechen. Dann, sagt man wohl, beginnt das Chaos. Nein, es ist schon da. Die UNO, wie sie heute ist, ist das zweideutige Gebilde, das, selbst im Dienste dieses Chaos, es doch in Ordnung überführen möchte.

Die UNO ist mehr als nichts. Da es im Augenblick unmöglich ist, das Handeln der großen und kleinen Mächte sofort, durch einen Umschlag der Gesinnung, zum Frieden zu bringen, ist die UNO ein Operationsmittel, wenn es auch noch so schlecht funktioniert, um in nicht voraussehbarer Weise doch dem Frieden zu dienen. Trotz allen Widersinns steckt in der UNO ein Sinn. Trotzdem sie so groteske Täuschungen entstehen läßt, leistet sie selber etwas, das gegen diese Täuschungen steht. Die Überführung des Angstzustandes der Menschheit als fragwürdigen Grundes des Friedens in den Rechtszustand als echten Grund des Friedens ist in der UNO wenigstens proklamiert. Noch sehen wir nicht, wie die Labilität des Friedens, der durch Angst besteht, in die Stabilität des Friedens, der durch eine Organisation des Rechts gehalten wird, stattfinden soll. Die UNO aber gibt den Rahmen für den Fall, daß eines Tages die Bewegung zum Recht wie ein Sturm durch die Menschheit ginge.

DRITTES KAPITEL

DIE MÖGLICHE ALTERNATIVE:
TOTALE HERRSCHAFT ODER ATOMBOMBE

1) In der Kriegsgefahr die Grundfrage. — Da der Krieg der Großmächte heute die Wahrscheinlichkeit des Untergangs der Menschheit in sich schließt, wird er fast um jeden Preis vermieden. Aber doch nur »fast«. Denn es bleibt die Frage, unter welchen Umständen wer und wann die Selbstbehauptung durch Gewalt vollzieht.

Die freie Welt möchte der unermeßlichen Verantwortung genug tun, indem sie der Gewalt mit Rechtshandlungen begegnet, solange die Gewalt nicht geradezu tödlich für die Freiheit überhaupt wird. Wo Amerika spürt, daß Rußland eingreifen könnte, ist es wie gelähmt; es wird grenzenlos nachgiebig gegen Diktaturen und Wüstenkönige, mit denen sich nicht reden läßt, wird ungerecht gegen freie Staaten. Auch die totalitäre Welt ist von der Sorge um das Dasein der Menschheit ergriffen. Wo Rußland spürt, es könne selbst in den Krieg mit Amerika gerissen werden, zuckt es zurück. Es ist eine auf beiden Seiten aufs höchste gesteigerte Sensibilität, bei der aber doch von beiden Seiten versucht wird, wie weit man, gleichsam bei gemeinsamer stillschweigender Friedensverabredung, durch Drohungen wohl gelangen könnte. Dieser Friede liegt auf einem Vulkan, aus dem jeden Augenblick der Ausbruch erfolgen kann, der alles begräbt. Es ist die unheimliche Lage heute, daß bei einem Konflikt das Drohen zur Realität des Weltkriegs werden kann. Keine der beiden Großmächte darf sagen, daß sie unter keinen Umständen einen Weltkrieg wolle. Denn damit würde sie sich der fortschreitenden Gewalt der anderen gegenüber wehrlos machen. Jede muß drohen, daß irgendwo eine Grenze ist, an der sie nicht weicht. Wo sie aber liegt, das steht nicht fest (die Lage kann einen gewissenlosen Staatslenker herausfordern, die Drohung zu nutzen, ohne sie realisieren zu wollen, dann aber selber gefangen zu sein und »nicht mehr zurück zu können«).

Wird in dieser Gefahr die beschwörende Frage gestellt: Ist es denn nicht ausgeschlossen, daß Menschen sich zum Einsatz der Atombombe entschließen könnten? — so wird die Antwort heute nur allzu deutlich gegeben. Die beiden Großmächte stellen die Bomben her. Sie weigern sich, sie bedingungslos abzuschaffen. Tatsächlich heißt das: die Bomben sollen unter Umständen, die jeden Tag eintreten können, zur Wirkung kommen (während man sagt, sie sollten nur zur Abschreckung dienen).

Wollen wir diese Antwort zur eigenen machen? Oder soll man auch einseitig, auch ohne Kontrolle des anderen, die Atombombe an sich verwerfen, hier der Drohung keine Drohung entgegensetzen, sich des Besitzes der Atombombe entäußern, weil es sich nicht mehr nur um Krieg, sondern um die Vernichtung der Menschheit handelt? Oder ist eine andere Antwort möglich, ja unumgänglich?

Diese Frage ist rational unlösbar. Aber für unser gesamtes politisches Bewußtsein ist es notwendig, die Möglichkeiten der Antwort klar zu vergegenwärtigen.

2) Die politische Situation. — Bevor wir antworten, ist die politische Situation zu kennzeichnen.

a) Totale Herrschaft und Freiheit: Die Frage hätte einen grundsätzlich anderen Sinn, wenn sie allein zwischen freien Nationen zu beantworten wäre. Ob Amerikaner, Franzosen, Engländer, Italiener, Deutsche herrschen würden, keiner würde und könnte die nationale geistige Substanz des anderen und sein Menschsein vernichten. Nun aber ist heute die Frage verbunden mit der Alternative: totale Herrschaft oder Freiheit. Es handelt sich um die Bewahrung der Möglichkeit der Politik selber und damit der Menschenwürde. Denn Politik ist nicht nur auf Gewalt bezogen, sondern wesentlich auf Freiheit. Sie will im Umgang mit der Gewalt gegen sie die Freiheit gewinnen durch maximale Überführung aller menschlichen Beziehungen in Rechtsbeziehungen.

Politik kann auf zweifache Weise aufhören: entweder wenn die Gewalt aus der Welt käme, oder wenn die Gewalt zur Alleinherrschaft käme und der Mensch in dem durch zentrale Planung dirigierten Terrorapparat seines Menschseins beraubt würde. Damit der Mensch nicht nur Mensch bleibe, sondern mehr und besser Mensch werde, muß die Möglichkeit der Politik bewahrt werden.

b) Die Rüstungssituation: Die atomaren Großmächte, Amerika und Rußland, meiden den unmittelbaren Krieg gegeneinander. Beide aber wenden alle ihnen mögliche Energie auf die Steigerung der Zerstörungswirkung der von ihnen massenhaft hergestellten Bomben. Amerika scheint zur Zeit noch einen erheblichen Vorsprung in den Bomben zu haben, aber mit den Raketen zu ihrer Beförderung ins Hintertreffen geraten zu sein. Rußland kann von seinem Territorium aus mit seinen Raketen die Bomben nach Amerika befördern und zielen; Amerika kann nur von seinen näher an Rußland gelegenen Abschußbasen auf begrenzte Entfernung mit Raketen, auf weitere nur mit Flugzeugen ans Ziel gelangen.

Rußland hat ein gewaltiges Heer mit alten Waffen, Amerika nur ein kleines. Rußland ist in einem Krieg ohne Atombomben der übrigen Welt durch Massenhaftigkeit seiner Heere und durch die Bedenkenlosigkeit auch gegenüber dem Leben der eigenen Soldaten überlegen. Was würde geschehen, wenn der russische Totalitarismus und Amerika miteinander in offenen Krieg gerieten? Der Totalitarismus hätte dann seine Übermacht durch Menschenverschwendung gegenüber allen Ländern an seinen Grenzen. Er hatte vorher schon die Überlegenheit durch Ausbeutung der eigenen Bevölkerung zur waffentechnischen Vorbereitung des Krieges. Amerika dagegen möchte seine Menschen schützen, sie in möglichst geringem Umfang den Gefahren des Krieges aussetzen. Es neigt daher dazu, auf die alten Waffen, welche die Massenheere verlangen, zu verzichten, in dieser Hinsicht relativ wehrlos zu werden und die Gefahr abzuwälzen auf das rein technisch Überwältigende, im Vertrauen auf die Atombombe. Die soldatischen Wirklichkeiten und Notwendigkeiten werden weggeschoben in das technische Können und seine totale Brutalität, in der Hoffnung, die Drohung werde genügen, der Krieg werde nicht ausbrechen.

Dies Vertrauen auf die Technik hat nun den schlimmsten Stoß erhalten, als die Amerikaner begriffen, daß Russen ihre Atombomben mit ihren Raketen auf die großen amerikanischen Städte und Industriezentren werfen könnten, während die Russen selber ihre Arbeitsstätten in einem riesigen Kontinent viel mehr verteilt haben. Wohl sind durch die russischen Massenheere vorläufig nur die europäischen Staaten bedroht (und alle an Rußland grenzenden Länder). Aber der Sieg Rußlands in diesen Gebieten würde die Vernichtung Amerikas zur weiteren Folge haben. Die Tatsache der Rüstung eines riesigen Volkes mit allen alten und neuen Mitteln der Waffentechnik, unter dem Zwang zu niedrigem Lebensstandard, ist da. Sie ist nicht wegzureden.

Die Situation wird von Monat zu Monat schrecklicher. Wird das Drohen mit der stets stärker werdenden Atomproduktion nie in Wirklichkeit umschlagen? Werden russische Massenheere einen Weltkrieg führen in Europa und Asien, ohne daß die Atombombe gebraucht wird? Beides ist unwahrscheinlich. Man sieht vor sich einen Weltkrieg, in dem doch mit allen Waffen gekämpft würde, von der Superbombe bis zum Revolver — aber dann, wie dieser Kampf selber getilgt würde durch den Untergang aller in der Radioaktivität.

Die Beruhigung, es sei nur Drohung, wäre verhängnisvoll. Wer unter keinen Umständen die Bombe anwenden will, brauchte sie auch nicht herzustellen. Er hätte sich dem, der sie anzuwenden bereit ist, schon unterworfen. Drohung durch Bomben gegen die Drohung des die Bomben besitzenden Gegners wäre, ohne Bereitschaft, Ernst zu machen, auch keine Drohung mehr. Man würde sich täuschen in der Meinung, es handle sich um eine bloße

Drohung und um das Gleichgewicht der Drohungen. Eine nicht ernst gemeinte Drohung ist keine Drohung.

c) Die politischen Gedanken, um sich vor dem Unheil der Bomben zu retten: Alle Staaten überlegen sich aus der durch ihren geographischen Ort und ihre faktische Macht und ihre Bundesgenossenschaft gegebenen Weltperspektive, wie sie die Kriegs- und Atomgefahr für sich so gering wie möglich halten könnten. Diese Überlegungen sind vielfach und veränderlich. Sie gehören zur jeweiligen Waffentechnik und zur praktischen Politik des Augenblicks. Die Kombinationen kommender Möglichkeiten sind fast unerschöpflich. Man spekuliert, welche Motive die Großmächte (und auch andere Mächte) haben und wie sie sich wandeln könnten. Man erörtert die grundsätzlichen Gedanken, ob unter Umständen gegenüber einem Koloß Schwäche mehr sichern könne als Stärke oder gerade umgekehrt. Man erwägt, ob eine militärisch verdünnte oder gar neutrale Zone durch Mitteleuropa hindurch zwischen Ost und West für diese Zone oder für den Weltfrieden oder für beide gute Chancen böte. All solche Gedanken sind unumgänglich, können aber nur richtig werden, wenn sie die Gesamtsituation, die Weltstrategie, die große Politik der herrschenden Mächte, vor allem den für den Westen so schwer zu verstehenden russischen Totalitarismus, keinen Augenblick vergessen.

Deutschland und *Europa* haben in der Weltstrategie je nach dem Standort ein anderes Ansehen. Für Amerika ist Europa strategisch ein Vorfeld. Es ist wichtig für Abschußbasen, durch die Amerika möglichst nahe an Rußland herankommen möchte (was bald mit der Entwicklung der Raketen unerheblich werden könnte). Es ist ein Industriepotential, das dem Gegner nicht in die Hände fallen darf. Es ist eine Gruppe von Bundesgenossen, an deren Schicksal Amerika nächsten Anteil nimmt; denn in Europa liegt seine eigene Vergangenheit, der es sich verpflichtet fühlt. Da aber Europa doch nicht selber Amerika ist, kann der Amerikaner leichter auf den Gedanken kommen, etwa gleichzeitig mit Rußland seine Armee aus Europa zurückzuziehen, an einen militärisch neutralen Raum zu glauben, und, letztlich ohne Verständnis für die Radikalität des totalitären Prinzips, Europa dadurch faktisch dem Zugriff Rußlands in einem für diesen geeigneten Augenblick preiszugeben.

Für Rußland ist Europa ein Ort seines Umkreises, in dem es für sein Bewußtsein durch die amerikanischen Stützpunkte bedroht ist. Es ist ferner ein Gebiet stärkster industrieller Potenz, als Gegner gefährlich, als Unterworfener eine Verdoppelung der eigenen Kraft. Für Rußland wäre Europa besser vernichtet als auf Seite des Gegners.

Für Europa ist Rußland in unmittelbarer Nähe. Europa ist dem plötzlichen Angriff Rußlands, auch ohne Atombomben, ausgesetzt. Es fragt daher sowohl nach der eigenen Sicherheit gegen einen partikularen, lokal bleibenden militärischen Gewaltakt wie nach seiner Sicherung gegen Atombomben in einem Weltkrieg.

Ständig ändern sich die besonderen Situationen und Möglichkeiten bei gleichbleibender Grundsituation. Eine gewaltige Rolle zu eigenem Schutz und zu bremsender Wirkung gegen den Ausbruch des Weltkriegs könnte ein wirklich geeintes Europa spielen. Seine Menschenzahl, seine Industrie, seine Intelligenz und Überlieferung ist heute, militärisch und weltstrategisch gesehen, eine ohnmächtige Summe von Rivalitäten, Eigeninteressen der Staaten, Mißtrauen ohne eine zur Macht werdende Zusammenarbeit. Es hat eine auch in der Addition der einzelnen Staaten gegenüber Rußland verschwindend geringe Rüstung, die dazu heute noch verteilt ist in Algerien und im englischen Restempire. Europa könnte – aber nur unter dem Opfer mancher seiner Nichtigkeiten, seiner Ansprüche auf hohen Lebensstandard, seiner nationalen Souveränitäten, der sein Blut saugenden Gespenster der Vergangenheit – wieder ein Faktor der Geschichte werden und dadurch allein auch sich selber retten.

Heute geht über die ganze Welt ein Gedanke, der vielen wie die Rettung scheint. Man fordert die Einstellung der Versuche mit den Wasserstoffbomben. Diese Einstellung wäre – so meint man – ein erster Schritt. Sie wäre ohne Kontrolle möglich, da das Stattfinden solcher Versuche durch die physikalische Beobachtung auch außerhalb des Territoriums des die Versuche anstellenden Staats festgestellt werden kann.

Diesen Schritt, gegenseitig auf weitere Atombombenversuche zu verzichten, hat Rußland angeboten, Amerika verweigert. Stevenson hat 1956 im Wahlkampf die Einstellung der H-Bomben-Versuche gefordert, Eisenhower aber geantwortet: nur im Rahmen allgemeiner Abrüstung unter gegenseitiger Kontrolle werde er einem Verbot der H-Bomben-Versuche zustimmen. Amerika werde seinen Vorsprung verlieren, wenn die Versuche aufhörten. Man darf sagen: Nicht aus »Menschlichkeit«, sondern weil der technische Vorteil bei Rußland wäre, kam das Angebot von ihm, das seinerseits jeden Vorschlag Eisenhowers für kontrollierte Abrüstung, auch nur für gegenseitige Luftinspektion, geschweige von weiteren Kontrollen, ablehnte.

Was auf den ersten Blick so einfach scheint, ist doch nur im Zusammenhang aller anderen Schritte und Gefahren richtig zu beurteilen. Wenn ein einzelner Schritt, der zwar nach Abrüstung aussieht und nach Verringerung der Bombengefahr, in der Tat aber der militärischen Macht einer der beiden Seiten mehr Abbruch tut als der anderen, so ist seine Forderung entweder verlogen (seitens der bevorteilten Macht) oder dumm (seitens des gedankenlosen Zuschauers). Die Frage aber des Vorteils kann vielleicht nicht eindeutig beantwortbar sein; dann kann eine Diskussion sinnvoll bleiben. In jedem Falle aber ist diese Frage faktisch eine täuschende Ablenkung vom eigentlichen Problem. Die Atomgefahr wäre in der Tat nicht verringert durch Einstellung dieser Versuche in Friedenszeiten. Eine Einschläferung gegenüber der wirklichen Gefahr wäre die Folge.

Gesteigert wird diese Ablenkung durch die Forderung: Eine der beiden Großmächte solle aus eigener Initiative erklären, sie werde für ein Jahr die Versuche einstellen und nur, wenn in dieser Zeit die andere Macht nicht folge, die Versuche nach einem Jahre wieder aufnehmen.

Freda Wüsthoff hat die Forderung zuerst ausgesprochen. Die Sache wird ganz ins Moralische gesetzt. Der eine soll dem anderen gegenüber als der Bessere auftreten (so wie in hellenistischer Zeit Philosophen wohl einander als Tugendbolde bekämpften). Man soll eine gute Gesinnung durch eine äußere Handlung (vielleicht eine einem selber vorteilhafte) beweisen und dadurch den anderen im Kampf über-trumpfen. Es ist eine Aufforderung zu der fatalen Methode, den Beweis der Tugend als Mittel im höchst untugendhaften Kampf zu benutzen. Es ist weiter die Methode, das Denken der Menge durch Fixierung auf eine scheinbare Einfachheit stumpf zu machen für die Anschauung der gesamten Situation und ihrer Realitäten. Diese Simplizität rational-moralischen Denkens hat eine den Blick beschränkende Über-zeugungskraft. Erstaunlich, daß auch Theologen solchen Vorschlag sich zu eigen ge-macht haben.

Die dem Menschen gestellte Aufgabe, die Bomben los zu werden, würde auf solchem Wege täuschend zu einer leichten Lösung gebracht. Statt zur Um-kehr zu finden, die die Voraussetzung einer Rettung ist, würden die Menschen leben wie bisher. Begierig greift man nach jeder Möglichkeit, das Ziel der Ausschaltung der Atombomben zu erreichen, ohne sein Leben wandeln zu müssen. Vergeblich, denn es ist unendlich mehr und anderes vom Menschen in dieser Situation heute gefordert, als von der Angst befreit zu werden und alles beim alten zu lassen.

Das Unheil wird nicht beschworen, wenn nicht das Wesen der Sache ständig im Bewußtsein bleibt. Der Weg der Rettung wird erst beschritten, wenn die Möglichkeit des Kriegs überhaupt getilgt, die totale Abrüstung unter totaler Kontrolle vollzogen wird. Das aber ist nur durch eine Wandlung der Lebens-verfassung der Menschen erreichbar. Diese setzt eine Wahrhaftigkeit voraus, die schon durch jene Ablenkung gerade verhindert wird. Es kommt auf die Bedingungen des Friedenszustands an. Solange diese nicht im ganzen ge-sehen und verwirklicht werden, ist das Herausheben eines Aktes vergeblich und unwahrhaftig. Es ist die Folge einer blinden Angst, die sich an irgendein zunächst Greifbares klammert, oder es ist die Folge einer List zu eigenem Vorteil.

Bevor die Wandlung zu einer neuen Lebensverfassung nicht im Gang ist, ist die Einstellung der Bombenversuche wirkungslos für das Wesentliche. Sie ist nur zu erwarten, wenn durch sie die Macht für keinen Staat mehr geschä-digt wird als die des anderen. Diese Einstellung, obgleich als solche noch kein Schritt zum Frieden, wäre übrigens ein höchst wünschenswerter Akt im Sinne der Gesundheitsfürsorge. Für die Abwehr des totalen Unheils würde sie noch nichts bedeuten. Und man soll die Größenordnungen nicht verkennen: Was würde selbst der Tod von Tausenden von Menschen an Knochenkrebs oder die Entstehung von tausenden Mißgeburten bedeuten gegen die Austilgung der Menschheit und allen Lebens auf der Erde überhaupt!

d) Der zögernde und der grundsätzliche Verzicht auf die Bomben: Die Unklarheit, die Atombombe eigentlich nicht gebrauchen, aber auf sie auch nicht verzichten zu wollen, liefert sich dem Totalitarismus aus, ohne es sich einzugestehen. Man erliegt dessen Erpressung wie einst die westlichen Staaten den Erpressungen Hitlers. Zuerst nimmt man Vertragsbrüche hin und läßt sich dadurch, wenn auch zunächst nur außerhalb seines Territoriums, vergewaltigen. Dann läßt man durch Gewaltakte gegenüber anderen freien Staaten, da man ja selbst nicht unmittelbar betroffen ist, die Positionen der totalen Herrschaft sich erweitern, die sich vorläufig noch hütet, die territorialen Grenzen der relativ Mächtigen geradezu zu verletzen. Schließlich aber, nach Vorbereitung der Weltsituation, bricht das Totalitäre auch in diese Grenzen ein.

Was geschieht dann? Entweder ist man in der Masse bereit, die Freiheit zu verlieren, weil der Totalitarismus längst in den Geistern auch der freien Welt gewuchert ist; nun wird er, auch wenn er von außen kommt, von vielen sogar mit Begeisterung angenommen. Oder man sieht jetzt die äußerste Situation und entschließt sich, mit allen Mitteln Widerstand zu leisten, und kämpft mit vollendetem Opfermut, diesmal aber (anders wie 1939) vergeblich, auch wenn man nun zur Atombombe greift. Denn die Waffentechnik läßt heute keine Zeit mehr, wie es noch das letzte Mal war. Zu lange hatte man den Erpressungen nachgegeben.

Anders der grundsätzliche Verzicht: Niemals darf die Atombombe fallen, niemals werde ich, wird mein Staat sich daran beteiligen. Aber wer dazu entschlossen ist, hat bereits auf den Widerstand gegen die totale Herrschaft verzichtet und sich ihr in der heutigen Weltlage schon ausgeliefert. Wenn der zum bedingungslosen Verzicht auf die Atombombe in der Tat Entschlossene meint, einen solchen Verzichtwillen dürfe man haben, aber allerdings nicht aussprechen, so ist dieser Rettungsversuch lächerlich. Das Schweigen, das hinausschieben möchte, was es durch die im Schweigen verborgene Bereitschaft doch schon fördert, wird schnell offenkundig.

Die Lage ist heute: Nachdem alles versäumt wurde: die Abschaffung der Atombombe unter gegenseitiger Kontrolle, der Schutz der freien Welt durch die alten Waffen (das heißt das ständige Opfer der Bevölkerung in der militärischen Ausbildung und durch wirtschaftliche Leistung für die Kriegsvorbereitung); nachdem weiter versäumt wurde die politisch zuverlässig organisierte, in der Gesinnung aller Abendländer gegründete Solidarität der freien Staaten — kann der Augenblick eintreten, wahrscheinlich plötzlich, wo die Anwendung der Atombombe entschieden werden muß von den Männern, die dann vermöge der Bedingungen und des Mechanismus des politischen Aufstiegs am Steuer stehen. Zu spät ist es dann für andere Möglichkeiten.

3) Erörterungen der Möglichkeiten der Entscheidung gegen oder für den Einsatz der Bombe.

Für diese These: Unter keinen Umständen soll die Atombombe zur Wirksamkeit kommen, lautet das eindrucksvolle Argument: Wenn alle Menschen und das Leben überhaupt zerstört würden, darf es keinen Atomkrieg geben. Denn für jedes sinnvolle Tun ist Voraussetzung, daß das Leben bleibt, nicht mein Leben, nicht einmal das Leben meines Volkes, aber das Leben von Menschen. Daher ist es besser, sich sogar dem Totalitarismus zu unterwerfen als den Atomkrieg zu wagen.

Ein Widerspruch gegen diese These scheint menschenfeindlich. Denn wer widerspricht, dem fehlt das Vertrauen, daß, wenn der Mensch nur lebe, er auch den Weg zum lebenswerten Leben wieder finden werde. Wer den Menschen liebt, hat die Zuversicht, daß die Chancen des Menschen nicht vernichtet werden können, wenn er nur lebt. Man dürfe rechnen auf die Unendlichkeit der Möglichkeiten. Nur eins dürfe man nicht: diese Möglichkeiten mit dem Leben selber total abbrechen.

Diese These wird weiter begründet: Für die Freiheit das Leben wagen, das konnten Einzelne. Sie starben für die Freiheit der Überlebenden. Nicht aber könnten Menschen das Recht haben, diejenigen mit in das Risiko des Todes zu reißen, die nicht wollen. Wohl hätten Menschen ihre Völker unter dem Rufe »Lieber tot als Sklav« mitgerissen, auch wenn die Menge vielleicht nicht wollte. Sie haben das Leben derer nicht geachtet, die bloß um zu leben sich dem Rufe versagten. Sie haben nicht aus Schonung für sie das Wagnis unterlassen, sondern den eigenen Opfermut als maßgebend für alle angesehen. Heute aber hätte das Risiko, welches das Dasein aller Menschen in die Waagschale werfe, auch alles verändert. »Lieber tot als Sklave« gelte nicht mehr, selbst nicht angesichts des Totalitarismus, wenn das Dasein der Menschheit im ganzen durch den Kampf auf dem Spiele steht. Vielleicht denkt einer: Ich werde mir das Leben nehmen, wenn der Totalitarismus siegt; ich sterbe lieber, als daß ich in totaler Lüge leben muß. Aber ich werde nie zugeben, daß man die Atombombe werfen darf.

Weiter geht die Begründung: Wer um seine Freiheit kämpft, darf nicht töten den, der auf Gewalt verzichtet und um jeden Preis leben will. Denn dieser hat doch dann sein Recht auf Leben in der Knechtschaft. Der für die Freiheit selbst Opfernde darf für seine Sache den höheren Rang dann nicht mehr in Anspruch nehmen, wenn die um jeden Preis ihr Leben Begehrenden die Sache derer vertreten, die zuerst und vor allem wollen, daß überhaupt Menschen sind.

Schließlich wird begründet: Wohl wurden in allen Kriegen viele Menschen überflüssigerweise getötet. Als im letzten Krieg die Bomben auf die Städte fielen, wußte man, daß eigene Mitbürger, die als Gefangene dort waren, daß unter den Deutschen die heimlich den Alliierten Verbündeten nicht geschont wurden. Man konnte nicht wählen. Wenn aber die unvermeidlich Mitgetroffenen alle Menschen sind, dann fordert die andere Situation auch einen anderen Entschluß, nämlich den, den Kampfakt überhaupt zu unterlassen.

Gegen diese Begründungen der These ist zu anworten: Wer sagt, um jeden Preis müsse die Menschheit am Leben bleiben, ist nur glaubwürdig, wenn er weiß, was der Totalitarismus ist: die von uns erlebte und vorher geschilderte Verwandlung der menschlichen Lebensbedingungen dorthin, wo der Mensch aufhört, er selbst zu sein. Der Totalitarismus schafft den Frieden als eine

Wüste, die gegen revoltierende menschliche Ansprüche doch immer wieder durch Gewalt hergestellt wird. Der totalitäre Weltstaat würde die Atombombe, die nun er allein zur Verfügung hätte, dosiert anwenden ohne Gefahr für das Leben der Menschheit im ganzen. In der Stufenfolge seiner Terrorakte würde er sie benutzen, wo er ausrotten oder auch nur eine Empörung schnell erledigen will. Was im Totalitarismus zu erwarten ist, ist der Phantasie so schwer zugänglich, weil sein Charakter menschlich unmöglich scheint, daher als Wirklichkeit nicht geglaubt wird.

Wer mit dem Risiko des Endes der Menschheit sich gegen den Totalitarismus wehren will, kann den Vorwurf hören: Wir alle müssen Erniedrigungen auf uns nehmen oder können doch in diese Situation geraten. Es ist ein stolzer, menschenwidriger Übermut, sie zu verweigern, statt sie einzubauen in das dem Menschen gestattete Selbstbewußtsein. Aber, so wäre zu erwidern, es ist etwas anderes, ob die Erniedrigung das gesamte Dasein, jede Stunde aller Menschen entmenschlicht.

Wer noch in der Welt als einem Konzentrationslager ein lebenswertes Leben für möglich hält, muß bedenken: das Vertrauen in den Menschen ist nur berechtigt, soweit er einen Spielraum für seine Freiheit hat. Dieser ist die Bedingung seiner Möglichkeiten. Das bloße Leben als solches wäre in dem Falle vollendeter totaler Herrschaft nicht etwa das Leben der Tiere in der Verschwendung der Natur, sondern es wäre eine künstliche Entsetzlichkeit totalen Verzehrtwerdens durch den technischen Verstand der Menschen selber.

Bei allen diesen Argumentationen gegen und für das letzte Risiko darf nicht vergessen werden, daß beide Parteien mit einer Sicherheit rechnen, die nicht besteht: dem totalen Untergang der Menschheit durch die Superbomben, der totalen Zerstörung des Menschenwesens durch die totale Herrschaft. Vielmehr hat keine der beiden Entscheidungen die Zerstörung der Menschheit als Leben oder als lebenswertes Leben zur *sicheren* Folge. Keine Situation ist absolut hoffnungslos.

Auf der einen Seite: Technisch gibt es noch keine Handlung dieser Art. Wohl ist denkbar die Grenze, daß jemand einst an dem Hebel einer Maschine stände, deren Auslösung sei es den Erdball in den Weltraum zerstäuben, sei es die Oberfläche der Erde in den Zustand lebloser Materie versetzen würde. Aber diese Grenze ist längst nicht erreicht. Wer heute in die Lage käme, die äußerste Möglichkeit wagen zu müssen, wird es in der Hoffnung tun, daß es nicht wirklich bis zum Äußersten kommt. Es ist zwar ein Kampf unter dem ungeheuerlichsten Wagnis. Aber niemand kann sicher wissen, ob mit dem Abwurf der ersten Wasserstoffbombe die weiteren Abwürfe wirklich bis zum Untergange der Menschheit sich fortsetzen. Der letzte Bombenwerfer muß selber leben können, um sein Werk zu vollenden. Nur wenn eine einzige Handlung die gesamte Erdoberfläche erreichen könnte, wäre diese durch einen Menschen, der damit zugleich sich selbst vernichtete, möglich. Wenn aber die totale Zerstörung nur durch eine Summierung vieler Bombenwürfe erreicht wird, so bleibt die Frage nach dem Augenblick, in dem erst der Untergang der gesamten Menschheit unabwendbar würde. Vielleicht würde doch ein Rest bleiben. Von den Orten her, an denen noch Leben ist, begänne von neuem, was wir uns konkret nicht vorstellen können. In Jahrzehnten oder Jahrhunderten würde die Reinigung der Erdoberfläche von der erzeugten Radioaktivität erfolgen und sie wieder zugänglich machen.

Auf der anderen Seite: Niemand kann gewiß wissen, daß durch den Totalitarismus mit der Freiheit schließlich das Wesen des Menschen vernichtet werde. Der Totalitarismus kann sich wandeln und von innen her selbst zerstören. Das Menschendasein kann von neuem die Freiheit und damit seine Möglichkeiten ergreifen.

Nach beiden Seiten hin — der endgültigen Zerstörung des Menschendaseins durch die Atombombe, der endgültigen Zerstörung des Menschenwesens durch den Totalitarismus — ist der Gang bis zur wirklichen Endgültigkeit hin nicht zu berechnen. Des Menschen Aufgabe ist vielmehr, in der Ungewißheit des Ganzen mit dem Wissen innerhalb der ihm gegebenen Perspektiven die Wahl zu treffen. Sie läßt sich nicht errechnen. Vielleicht soll er das, was für uns wie endgültige Vernichtung der Freiheit aussieht, durch das Wagnis des Untergangs allen Lebens abzuwehren suchen. Dann hört er in den Horizonten, die uns Menschen zugänglich sind, die Forderung, sich nicht preiszugeben an die totale Gewalt, sondern in Gemeinschaft sich gegen sie zu wehren, mit jedem Risiko, aber bis zuletzt mit der Chance des Gelingens. Vielleicht aber soll er, weil die Bomben da sind, sich der totalen Herrschaft unterwerfen. Dann hört er in den ihm zugänglichen Horizonten die Forderung, alles zu erleiden, sogar die Entmenschung im KZ-Staat, nur weil unter allen Umständen das Leben von Menschen sein soll, mit der Erwartung, es werde das Menschenwürdige sich dem über alle Maßen leidenden, duldenden, in Funktionalisierung und Lüge verschwindenden Menschen doch wiederherstellen. — Beide wagen alles in der Haltung: »Noch am Grabe pflanzt er die Hoffnung auf!«

Diesem doppelten »Vielleicht« gegenüber denken wir: Der Mensch hat, vom Tier unterschieden, stets das Risiko aus seiner Freiheit für seine Freiheit. Wenn er für die Freiheit das Leben der Menschheit in die Waagschale werfen sollte, so will er, wenn er das Wagnis eingeht, keineswegs sterben, sondern leben, aber frei sein. Wenn ihm dies nicht mehr möglich schien, so galt bisher denen, die aufbauende Geschichte machten, die Freiheit mehr als das Leben.

Sollte es anders geworden sein? Sollte die Situation heute den Menschen veranlassen zu seinem tiefsten Sturz, zur Preisgabe seiner Freiheit, und sollte er darin die Erfüllung der ihm gegebenen Aufgabe sehen? Was er dann noch wäre, wäre nicht mehr, was wir bisher einen Menschen nannten.

Oder sollte heute wie immer gelten, daß nicht die Ehrfurcht vor dem Leben an sich, sondern die Ehrfurcht vor dem Leben, das des Lebens würdig gelebt werden kann, soweit dies in der Freiheit des Menschen liegt, der letzte Maßstab ist?

Der Satz darf nicht mißverstanden werden. Das Wagnis des Lebens im Kampf mit der Gewalt, die alle vergewaltigen will, ist etwas radikal Anderes als der Eingriff in das Leben aus eugenischen Torheiten, rassischem Wahn, medizinischem Irrtum. Die Ehrfurcht vor der Chance und dem Wert jedes einzelnen Menschenlebens schließt es aus, ein vermeintlich als lebensunwert erkanntes Leben des einzelnen Menschen anzutasten.

Das Leben, das zu retten der zur Freiheit geborene Mensch alles tut, was möglich ist, ist mehr als Leben. Darum kann das Leben als Dasein, wie das einzelne Leben, so alles Leben, eingesetzt und geopfert werden um des lebenswürdigen Lebens willen.

4) Der Augenblick der Entscheidung.

Ein Augenblick einer ungeheuerlichen Entscheidung kann eintreten. Niemand kann sie durch einen bloßen Gedanken vorwegnehmen. Keine Argumentation vermag die Entscheidung nach der einen oder anderen Seite zu erzwingen. Denn hier wird mehr getan als was sich aus allgemeinen Prinzipien ableiten läßt.

Die Frage kann nur mit dem Gewissen dessen oder derer, die die Tat im entscheidenden Augenblick vollziehen oder unterlassen, beantwortet werden. Im letzten Augenblick werden es wenige Menschen, wird es vielleicht nur *ein* Mensch sein, der die Entscheidung fällt. Was für Menschen es sein werden, in welchen Denkweisen sie sich bewegen, mit wem sie in Freundschaft und Rat verbunden sind, ist unberechenbar. Aber die Vorstellung dieser Wirklichkeit muß den höchsten Ernst erwecken in jedem, der politischen Führern zustimmt, sie wählt, ihnen vertraut. Die Bedeutung dieser Akte ist schon in den kleinsten, der großen Politik scheinbar fernsten Kreisen da. Jeder ist mitverantwortlich, ohne daß er die Wege des Aufstiegs der Politiker und die Zufälle, durch die sie in entscheidende Positionen gelangen, überblickt. Welchen Menschen die Bahn geöffnet wird, das bestimmen überall die Zustände der Gemeinschaft. Was im kleinen geschieht, ist nicht nur stellvertretend für das große Geschehen, sondern kann durch unvoraussehbare Konstellationen dorthin die verderblichen Menschen oder wahre Staatsmänner bringen. Welchem Menschen der Einzelne sich verbindet, welche Zeitgenossen er verehrt, von welchen er lernt, auf welche er, unmerklich sich selbst formend, blickt, das ist eine Grundwirklichkeit und die Verantwortung jedes Einzelnen. Dort entspringt, was am Ende die Art der politischen Führer bestimmt, die zur Macht gelassen werden.

Auch der Augenblick der Entscheidung und die Situation, aus der er entsteht, ist nicht vorauszusehen. Aber es ist sinnvoll, im versuchsweisen Entscheiden für erdachte äußerste Situationen die Gewissensfrage zu klären. Argumentationen erweitern den Raum der uns bewußten Möglichkeiten. Sofern wir uns Orientierungen schaffen und im denkenden inneren Handeln eine Haltung gewinnen, bereiten wir im gegenwärtigen Tun vor, was die Zukunft erwirkt.

Wir wollen nicht blind in die Situation geraten. Das Vorwegnehmen von Möglichkeiten hat Folgen für die Entscheidung selber. Unredliche Vorstellungen einer täuschenden Beruhigung verschwinden; die Grenzsituation in ihrer Härte wird offenbar. Die Wirklichkeit selber stellt ihre für das endliche Denken unlösbare Frage.

Unheimlich ist die Frage: Ist diese Tat, wenn sie zur totalen Vernichtung der Menschen führen kann, absolut böse? Hat das erlaubte Wagnis des Lebens eine Grenze? Ist auf die Atombombe bedingungslos zu verzichten? Oder kann der Sinn der Entscheidung Einsteins, der in der Bedrohung der Welt durch den Hitlerischen Totalitarismus zur Herstellung der Atombombe riet, wiederkehren? Kann, was damals, im Grundsätzlichen freilich noch ahnungslos, geschah, in neuer bewußter Gestalt zur Entscheidung kommen?

Wir gelangen wieder in die Situation, die über das Politische und über das bloß Moralische hinausführt dorthin, wo der Opfergedanke in neuer Gestalt seinen Ernst gewinnt.

In aller bisherigen Geschichte kehrte der Augenblick wieder, wo das Verhandeln aufhörte und die Gewalt entscheiden mußte — wie man früher sagte: wo Menschen am Ende sind und der Himmel sprechen soll. Diese Weise der Entscheidung ist heute grundsätzlich verwandelt. Einst war die Entscheidung gesucht mit der selbstverständlichen Voraussetzung des Überlebens des Siegers. Jetzt ist diese Voraussetzung hinfällig.

Der Augenblick der Entscheidung, so plötzlich er kommen mag, wird bestimmt von all dem, was bis dahin geschieht. Unser Nachdenken kann ihn nur zur Klarheit bringen. Er könnte als gedankenloses Tun des Nichtgewollten sich ereignen. Daß er, wenn er eintritt, die Entscheidung wenigstens aus höchstem Bewußtsein entspringen läßt, ist die Forderung und Leistung des Philosophierens.

Denken wir an dieser Stelle nur an einige reale Möglichkeiten: Da ein Weltkrieg mit Menschenmassen und alten Waffen ohne Atombomben heute die Überlegenheit der Totalitären zeigen würde, so würden die Ereignisse schnell an einen Punkt führen, an dem für die freien Staaten die Frage sein wird: Anwendung der Atombombe oder Hinnahme des Totalitarismus? Wagnis der Menschheitsvernichtung oder Preisgabe der Freiheit? Einmütig sind zwar alle: die Atombombe muß verschwinden. Nicht einmütig ist man im Westen in der Frage: Was sollen wir tun, wenn es um Leben oder Tod der Freiheit geht? Die Atombombe würde wahrscheinlich, wenn auch nicht sicher, alles Leben zerstören. Die Beraubung der Freiheit durch den Totalitarismus würde das Leben lebensunwert machen, wenn auch nicht sicher für alle Zeiten.

Wenn der Weltkrieg in einer Situation wie der gegenwärtigen ausbräche, ist es wahrscheinlich, daß eine Macht sogleich die Superbomben anwendet, schon in der Erwartung, daß auch der Gegner sie gebrauchen werde, aber in der Hoffnung, durch den ersten Überraschungsschlag den Gegner sogleich auf die Knie zu zwingen.

Oder es steigert sich die Spannung. Jeder erwartet, der andere könne losschlagen. Es wird ein Punkt erreicht, wo die Entscheidung eine Sache von Stunden ist. Ausbruch des Krieges und die ersten Kriegshandlungen würden unter einem ungeheuren Druck unmittelbar tödlicher, vom Gegner drohender Gefahr stehen. Die zu entscheiden haben, fühlen sich nicht mehr frei. Jeder meint, er handle nur, weil der andere ihn zwinge, zu tun, was er eigentlich nicht will. In jenem furchtbaren Augenblick würde, wer die Katastrophe in Gang setzt, zu handeln glauben, weil der andere es tun will. Niemand will, und es geschieht doch.

Auf dem Weg zu diesem Augenblick kann es etwa so gehen: Wenn der Totalitäre droht, erpreßt und, wie schon oft, ohne Krieg sein Ziel erreichen möchte, dann kommt der Augenblick, in dem die freie Welt der Drohung nicht nachgibt. Nun glauben die drohenden totalitären Führer, ihren Mißerfolg im eigenen Kreise und vor ihrem Volk nicht ertragen zu können. Sie wollten nicht, aber nun meinen sie, die Drohung verwirklichen zu müssen, wenn sie selbst politisch überleben wollen. Die freie Welt aber will der Drohung widerstehen, da sie ihr diesmal als der Anfang der endgültigen Unterwerfung erscheint. Beide sehen sich gedrängt, dem Zerstörungsprozeß den Lauf lassen zu müssen, und beide werden den Gegner für den Angreifer erklären.

Es können Stimmungen zu gewaltsamem Austrag drängen. Im Westen kann die Geduld aufhören. Die ständige Spannung und der Rüstungswettlauf werden unerträglich. Es erfolgt eine Explosion der Leidenschaft, zumal wenn in späteren Generationen, die den Krieg nicht mehr kennen, die Vorstellung des Unheils ihre Wirkungskraft verliert. Im Osten wird vielleicht für die Tyrannen die Bedrohung von innen und außen so groß, daß sie im Bewußtsein ihres mächtigen Militärapparats zur Selbstbehauptung des Nichts schreiten.

Wenn der Kampf ohne Atombomben beginnt, aber doch in der Folge um alles geht, so wird der Unterliegende zur letzten Möglichkeit greifen, auf jede Gefahr hin, um der Chance für seine Rettung noch einen Spielraum zu geben und um äußerstenfalls wenigstens den Gegner in den eigenen Untergang hineinzuziehen: entweder Selbsterhaltung (sei es der Freiheit oder des Totalitären) oder Untergang aller.

Die friedliche Gewalt ist so erbarmungslos wie die kriegerische. Daß sie still und langsam und schrittweise vor sich geht, bis der Augenblick zwar nicht der unmittelbaren physischen Vernichtung des Gegners, aber der Beraubung seiner Subsistenzmittel eintritt und damit der Hunger, macht für den Einzelnen den Endeffekt nicht erträglicher. Daher kann der Durchbruch mit physischer Gewalt gegen die hoffnungslos erscheinende Einschnürung durch friedliche Gewalt immer dann geschehen, wenn diese letztere der Gerechtigkeit dauernd ins Gesicht schlägt. Die verzweifelte Revolte könnte von kleinen Staaten ausgehen.

Wie es auch gehen wird, klar und aus dem Gewissen wird die Entscheidung nur dann fallen, wenn die Alternative Freiheit oder Totalitarismus wirklich unausweichlich ist. Niemand kann hier neutral bleiben, niemand, der Verantwortung kennt, der Mitentscheidung sich entziehen, außer dem »Heiligen«, der ohne jeden Anspruch in der Welt lebt, keine Verantwortung für sie hat, daher nicht kämpft, der der Gewalt keine Gewalt entgegensetzt, das Böse ohne Widerspruch erleidet, jeden Augenblick bereit ist, sich klaglos quälen und vernichten zu lassen.

5) Das Opfer.

Im physischen Kampf der Gewalt gelten Wagnis und Opfer des Lebens. Kein Menschsein ist ohne Opfer. In der Situation heute ist die Wahl zwischen zwei Möglichkeiten: Entweder wird *das Dasein* der Menschheit überhaupt zum Opfer, ohne daß die überwältigende Mehrzahl der Menschen dies will. Durch das Wagnis ihrer Minderheit vollzieht sich das Selbstopfer des Menschendaseins überhaupt. Ihm ist ein Ende gesetzt, weil der Mensch nicht frei sein kann. Oder die Menschheit opfert *ihre Gewalt als Mittel* zur Durchsetzung ihrer Zwecke im Kampf untereinander, das heißt aber: das Menschsein selber wandelt sich, nicht als vererbbare biologische Konstitution, sondern als geschichtliche Erscheinung, in ständiger gefährlicher Schwebe seines bedrohten Wesens.

Man kann fragen: Muß es dem Menschen möglich sein, alles zu wagen, auch das Dasein der Menschheit, damit angesichts dieser Möglichkeit der Ernst entsteht, ohne den die von jeher geforderte Verwandlung des Menschen nicht vollzogen wird? Soll der Blick auf die Möglichkeit dieses totalen Wagnisses und die Bereitschaft zu ihm der Ursprung eines neuen Menschen werden?

Oder soll, wenn diese Umkehr nicht stattfindet, der Untergang aller sein? Soll die Menschheit, wenn sie nicht den Weg findet, auf dem die sittlichpolitische Gemeinschaft die Wirklichkeit wachsender Gerechtigkeit ist, zugrunde gehen? Wenn aber dieser Weg nicht gefunden wird, liegt dann die Substanz des Menschseins dort, wo das Scheitern kein Einwand mehr ist, wo vielmehr die letzte Wirklichkeit und Wahrheit des dem Menschen aufgegebenen Ernstes sein Untergang ist?

Die Frage ist möglich, aber niemand kann die Antwort geben. Nur mythische Antworten aus geschichtlicher Urzeit liegen vor. Gott sandte die Sintflut. Als die sittliche Verwahrlosung der Menschen zu groß wurde, faßte er den Beschluß, die Menschen untergehen zu lassen; denn sie waren des Lebens nicht mehr würdig. Schon einmal war die Sintflut da, aber auch die Rettung Noahs. Und am Ende versprach Gott, sie nie zu wiederholen.

Goethe sagte in seiner Weise angesichts des hereinbrechenden neuen Zeitalters (zu Eckermann, 23. 10. 1828): »Klüger und einsichtiger wird die Menschheit werden, aber besser, glücklicher und tatkräftiger nicht, oder doch nur auf Epochen. Ich sehe die Zeit kommen, wo Gott keine Freude mehr an ihr hat und er abermals alles zusammenschlagen muß zu einer verjüngten Schöpfung. Ich bin gewiß, es ist alles danach angelegt, und es steht in der fernen Zukunft schon Zeit und Stunde fest, wann diese Verjüngungsepoche eintritt. Aber bis dahin hat es sicher noch gute Weile.«

Diese mythischen Vorstellungen haben Handlungen Gottes vor Augen. Heute aber steht keine kosmische Katastrophe in Frage, die über den Menschen kommt, sondern was die Menschen selber vollziehen durch technisches Können. Wenn ihr Handeln die Selbstausrottung bewirken würde, so kann nur ihr Handeln selbst es verhindern.

Das Tor in die Zukunft führt in jedem Fall durch das Opfer, entweder durch das Opfer des Menschendaseins in das Nichtsein der Welt für uns oder durch das Opfer menschlicher Daseinsinteressen in das Werden eines Menschen, der er selbst ist.

Wenn nach all den von Menschen in der Geschichte gebrachten Opfern ihres Lebens nun das totale Opfer der Menschheit als Möglichkeit in den Blickkreis tritt, so bleibt aber eine Zweideutigkeit:

Ist es Verzweiflung? Aus Verzweiflung erfolgt der Umschlag der Todesbereitschaft im Wagnis um des eigentlichen Lebens willen zum Todesdrang dessen, der nicht mehr leben mag. Der Opfermut, der leben will, schlägt um in den Opferdrang, der sterben will. Das Wagnis aus Menschenliebe schlägt um in den Vernichtungswillen aus Menschenhaß.

Oder ist es Notwendigkeit aus dem unbegreiflichen Grund der Dinge? Notwendigkeit ist es nur als Opfer für die Ewigkeit. Gott spricht, wie in der Wirklichkeit der Liebe, so in dem Opfermut des Alleswagens, das durch kein Zweck in der Welt genügend begründet ist, aber sich stets auf einen solchen bezieht. Daher ist dieses Opfer nicht im Abenteuer, sondern nur im Verwirklichungswillen, der vor der Transzendenz hinnimmt, wenn er scheitert. Das Opfer liegt nicht im Zauber, sondern meint Dauer des Bauens in der Zeit, aber weiß sich, wenn alles wie ein Zauber zu vergehen scheint, aufgehoben in der Ewigkeit.

Weil aber Wahrheit in dem Ernst liegt, der den bedingungslosen Widerstand leistet gegen das, was das Leben entwürdigt, so gehört zum Menschen die Möglichkeit des Opfers, das durch keinen Zweck in der Welt genügend zu begründen ist, aber den Zug der Vernunft hat durch ein Ziel in der Situation der Welt selber. Wenn alles zu tun ist, um die Atombombe auszuschalten, so unter der Bedingung, daß es nicht um den Preis der Möglichkeit eines eigentlich menschlichen Lebens geschehe. Wenn das Opfer des Daseins der Menschheit ausbleiben soll, so kann das nur geschehen durch ein Opfer, das an Größe diesem entspricht: das zur Umkehr des Menschen selber notwendige Opfer von Daseinsbefangenheiten. Dieses Opfer würde erst ein Leben begründen, das des Lebens würdig ist.

VIERTES KAPITEL

DER STÄNDIGE WANDEL DER MATERIELLEN BEDINGUNGEN
UND SITUATIONEN DES MENSCHEN

Die Erörterungen der vorhergehenden Kapitel standen unter der Voraussetzung des gegenwärtigen Zustands: Nur zwei Staaten, Rußland und Amerika, sind im Besitz der Bomben und dadurch Großmächte. Aber nicht nur das wird sich ändern, sondern die Technik und Wirtschaft überhaupt, die Menge der Erdbevölkerung. Wenn es aber zum Weltfriedenszustand kommt, dann auch zu neuen, schweren und drohenden Problemen.

1) Falls die Atombombe in die Hand vieler Staaten gelangt. — Heute sind nur Amerika und Rußland im wirksamen Besitz der Atombomben. Allein an dem Entschluß von einem dieser beiden liegt es, ob die totale Vernichtung in Gang kommt. Zwischen ihnen scheint im Augenblick noch das stillschweigende Abkommen zu bestehen, diesen Weg nicht zu beschreiten.

Aber aller Wahrscheinlichkeit nach wird dies ein vorübergehender Zustand sein. Schon ist England nachgefolgt. Frankreich plant das gleiche. Wahrscheinlich wird es weitergehen. Man las aus London, November 1956 (Reuter): »Britische Atomforscher haben ein Verfahren entdeckt, durch das die Herstellung von Wasserstoffbomben so billig werde, daß auch kleinere Nationen sich eigene Vorratslager anlegen könnten. Die Entdeckung wird als Staatsgeheimnis behandelt, da sie enorme Sicherheits- und Verteidigungsprobleme aufwerfe.« Vorläufig ist die selbständige Herstellung der spaltbaren Produkte noch gebunden an den Aufwand sehr großer Kosten, den Besitz von Uranerzen, an technische Kenntnisse und Fähigkeiten hohen Maßes. Wenn aber das spaltbare Material »für friedliche Zwecke« über die Welt geht und in aller Hände kommt, so kann es grundsätzlich auch überall für Bombenherstellung verwertet werden, eventuell unter Heranziehung fremder Techniker.

Wenn es soweit kommt, dann ist die atomare Drohung, statt von zwei Mächten auszugehen, universell. Kleine Staaten könnten in der Verzweiflung, aus Übermut ohne Verantwortung, alles wagen. Wo solcher Entschluß auftritt, da wird diesen Menschen gleichgültig, was aus der Menschheit wird. Dem übermütigen Nihilisten aber ist das Leben der anderen so wenig wert wie das eigene.

Dann wird die Welt noch ganz anders auf dem Vulkan leben. Heute werden dessen kleinere Ausbrüche, die doch überall schon die Vorboten des totalen, vernichtenden Ausbruchs sind, noch gelöscht. Heute liegt die letzte Entscheidung noch allein bei den zwei Mächten. Gemessen an dem, was kommen würde, ist die Lage noch einfach. Der Weltkrieg liegt nur in zwei Händen. Wenn aber überall die Bomben den Staaten zur Verfügung stehen, dann wird die Lage ganz unübersichtlich. Obgleich, was getan wird, immer noch von Menschen getan wird, ist es in die Entscheidung so vieler Orte gelegt, daß der Gang der atomaren Zerstörung wie ein nicht mehr beherrschbares Naturgeschehen werden kann. Solche Voraussicht hat eine erschreckende Wahrscheinlichkeit.

2) Wirtschaft und Technik. — Es ändert sich die Technik, mit ihr die Arbeitsweise und mit dieser die Wirtschaftsform und soziale Ordnung. Heute etwa steht man am Beginn der Automation. Es muß sich die Wirtschaftsordnung ändern, wenn der Wirtschaft die Expansion genommen wird, durch die sie anderthalb Jahrhunderte blühte.

Die Sachkunde der Ökonomen, die ihre wirtschaftlichen Erkenntnisse für absolut allgemeingültige, und auch die, die sie als allgemeingültig für bestimmte Wirtschaftszeitalter behaupteten, hat uns in konkreter Situation nicht selten getäuscht. 1914: »Der Krieg ist wirtschaftlich nicht länger als wenige Monate möglich.« Vor 1945: »Es ist unmöglich, eine total zerstörte Wirtschaft wiederherzustellen.« Der Gang der Dinge hat erwiesen, wie das wirtschaftlich unmöglich Scheinende doch möglich wurde. Es handelt sich um Opfer, die man, wenn man so spricht, nicht bringen will, die aber, wenn sie erzwungen werden, keineswegs den Untergang zur Folge haben. Die neue Situation stellt jedesmal die Aufgabe einer Wandlung. Diese kann rein ökonomisch bleiben zum Verderben des Menschen oder im Medium des Ökonomischen den Menschen zur Besinnung überhaupt und im ganzen drängen.

Von den ökonomischen Dingen vermag ich nicht einmal im Ansatz zu reden. Sie aber zu kennen, ist für das ethisch-politische Wollen wesentlich. Das Einfache und Grundsätzliche müßte durch die Arbeit der Forscher leuchtend für alle heraustreten. Männer, die die Kenntnisse der gegenwärtigen wirtschaftlichen Realitäten und die analytische Kraft erworben haben, sie aufzufassen und in Zusammenhang zu bringen, sollten nicht in das immer Kompliziertere sich verlieren, weder in die beliebig zu vermehrenden statistischen Daten noch in die beliebig zu konstruierenden und zu kombinierenden technischen Möglichkeiten.

Man muß zu den Prinzipien und zu den real herrschenden Kräften gelangen, um mit der Abstraktion zugleich wirkliche und wirksame Einsicht zu gewinnen. In den meisten Wissenschaften kehrt derselbe Fehler wieder: sie verlieren sich ins Endlose. Erkenntnis entsteht, wenn die Dinge im denkerisch entworfenen Zusammenhang zugleich mit Bewährung durch Realitäten gesehen werden. Das geschieht nur durch die unvorhergesehene Erfindungskraft des Forschers. Nur wo man der Endlosigkeiten Herr wird, da ist Erkenntnis.

Erst diese Forscher könnten in der Klarheit der Abstraktion wie der konkreten Befunde durch die Analyse der Industrien, Organisationen, Wirtschaftsformen, der Trusts und der Banken dahin führen, wo man die ethischen Entscheidungen am Werk sieht, in den Einzelnen und im Geist des Ganzen.

Durch den Marxismus ist es ein Gemeinplatz geworden, daß das Materielle unseres Daseins, die Weise der Arbeit und Wirtschaft alles menschliche Tun als den Überbau dieser Grundlage bestimmen. Der Gang der Geschichte wurde, für die Menschen in früheren Zeiten unmerklich, gelenkt durch den Wandel der Technik und der durch sie bedingten Arbeitsmethoden. Seit dies infolge der Schnelligkeit der neuen Veränderungen bewußt wurde, ist heute die Wirtschaftsforschung zu einer für die praktische Politik maßgebenden Wissenschaft geworden. Sie ist für die Wirtschaft selber und für die Staatsregierungen das Mittel ihrer Planungen und Entscheidungen.

Nicht Gemeinplatz, aber nicht weniger wahr ist die Ergänzung: daß die Arbeit, die Wirtschaftsweisen, die sozialen Formungen bestimmt werden von sittlich-religiösen und geistigen Motiven. Max Webers Erkenntnisse der geschichtlichen Gestalten des Arbeitsethos sind noch nicht in das allgemeine Bewußtsein gedrungen.

Zwischen zwei Thesen geht die Diskussion: »Alles liegt an der Technik, läßt sich machen; man muß nur die richtigen Einrichtungen treffen«, — und: »Alles liegt am Ethos, man muß glauben und wollen, dann ergibt sich das technisch Machbare als Mittel.« Und der dritte sagt: »Beides ist notwendig, aber die technische und die ethische Entwicklung haben nicht miteinander Schritt gehalten; heute muß man die vernachlässigte ethische Entwicklung nachholen.« Die beiden ersten Positionen sind jede für sich ungenügend und falsch, weil sie zuviel behaupten; die dritte ist geradezu falsch, weil sie Wesensverschiedenes unter den gleichen Fortschrittsgedanken und die Form des zu Machenden bringt.

Wir müssen einsehen: Die Wirtschaft oder irgendeine ihrer Gestalten ist nicht das Absolute. Sie ist nicht der Maßstab für alles, was wir sind und sein können. Sie ist zwar so unentbehrlich wie das Wasser für das Leben, das ohne Wasser sofort stirbt. Aber sie ist so wenig wie das Wasser schon das Leben. Die Wirtschaft empfängt ihren Sinn erst durch das, wofür sie stattfindet und was nicht Wirtschaft ist.

Die Wirtschaft selber wird durchdrungen durch die Motive, für die sie stattfindet. Daher sind bei gleicher Arbeitstechnik so verschiedene Ordnungen möglich und wirklich.

Der Mensch muß sich den Forderungen der Wirtschaft nur soweit beugen, als sie der Sache entspringen und daher unumgänglich sind. Kalkulieren und Bilanzieren läßt sich nicht abschaffen, wenn ein Unternehmen Erfolg haben soll, gleichgültig, ob es im totalitären Rußland oder im kapitalistischen Amerika stattfindet. Die Wirtschaft ist Sache eines Planens und bei heutiger Technik eines zentralen Planens kleinerer oder größerer Wirtschaftskörper. Wenn heute ein Kampf der Wirtschaftsformen stattfindet, so handelt es sich um die Orte und den Umfang des Planens und um die Verfügungsmacht der Planenden. Entweder findet totale Planung durch den Staat selber statt. Oder eine staatliche Ordnung gibt den Rahmen der Gesetze, innerhalb dessen Planungen aus persönlicher Initiative stattfinden können. Diese gesetzliche Ordnung geschieht gleichsam als Planung des Nichtplanbaren durch Errichtung von Grenzen und Bedingungen der planenden Tätigkeit.

Der Gegensatz dieser beiden Ordnungen ist radikal. Jede wird politisch geschützt. Aber die eine wird selber politisch gelenkt, die andere im Rahmen der Gesetze frei gelassen. Der Gegensatz der beiden Ordnungen bleibt unvereinbar, selbst wenn ein gigantischer Betrieb in der freien Welt Analogien zum Betrieb unter der totalen Herrschaft aufweist. Freiheit und Unfreiheit im Ganzen des Daseins sind nicht Extreme, sondern ein Entweder-Oder. Der Gegensatz wirkt sich aus in der Praxis der Arbeitsweise, in der inneren Verfassung der Menschen, in der Lebensführung.

Die Bedingungen des Lebens sind nicht das Leben selber. Das Leben kann versinken in das Wirtschaftliche, wenn dieses als das Absolute gilt. Dann wird die Freiheit des Menschseins verloren, sowohl unter der totalen Herrschaft in der zentralen Planung wie unter der politischen Freiheit in dem Betrieb, der sich faktisch dem totalitären nähert.

3) Die Bevölkerungszunahme. — Zwischen der Vermehrung der Menschen (die Erdbevölkerung betrug in Millionen: Im Jahre 1800: zirka 775; im Jahre 1850: zirka 1075; im Jahre 1900: zirka 1560; heute zirka 2700), der Vermehrung der Nahrungsmittelproduktion, der Vermehrung des Energiebedarfs besteht ein Zusammenhang. Man fragt, was bei der steigenden Kurve in Zukunft werden wird. Bei der Mehrheit der nicht abschätzbaren Faktoren ist eine Voraussage über das Maximum der Erdbevölkerung nicht möglich. Aber es ist kein Zweifel, daß es besteht. Die stille, im Augenblick unmerkliche, im ganzen ungewollte Vermehrung der Erdbevölkerung bedroht den Frieden durch eine elementare Tatsächlichkeit.

Ungleiches Wachstum der Völker durch Geburtenzahl geschah bisher unkontrolliert. Es erreichte jeweils einen Punkt, wo der »Bevölkerungsdruck« auf die angrenzenden Gebiete entstand. Man wanderte aus, strömte in weniger besiedelte Räume ein, kolonisierte und eroberte. »Volk ohne Raum« war noch vor kurzem der klagende Anspruch, der schon den Willen zum Krieg bedeutete. Man behauptete, anderswo sei von minderwertigen Rassen bewohnter Raum, der dem wachsenden kraftvollen Volke wider das ewige Naturrecht der Tüchtigen vorenthalten werde. »Volk ohne Raum« war zum bösen, hochmütigen, verabscheuungswürdigen Kriegsruf geworden.

Das ungleiche Wachstum der Völker zeigt dem Blick auf die gesamte Menschheit heute folgendes Bild: Wohl findet fast überall auf der Erde Vermehrung statt, aber heute nähern sich die abendländischen Völker einem Bevölkerungsstillstand, während die asiatischen (und auch die afrikanischen und südamerikanischen) Völker die Schnelligkeit ihres Bevölkerungswachstums noch von Jahr zu Jahr steigern. Heute leben in Asien (außer Rußland) 1150 Millionen Menschen, in Europa und den abendländisch besiedelten Ländern Amerikas und Australiens 680 Millionen. Eine Vermehrung, die für Europa in der Vergangenheit liegt, scheint in den asiatisch-afrikanischen Völkern erst zu beginnen. Chinas Völker sind von 315 Millionen (im Jahre 1911) auf 470 Millionen (1941) und heute (1958) auf etwa 600 Millionen gestiegen; die Völker Indiens sind von 1931–1941 um 50 Millionen gewachsen (die Angaben nach Schuster 1951). Der Eindruck der Massen Ostasiens und Indiens, hungernd und unruhig, sich gewaltig vermehrend wie eine wachsende Flut, die über den Erdball rasen kann, wenn diese Massen im Besitz von Technik und Waffen sein werden, ist überwältigend. Was heute noch nicht droht, droht in wenigen Jahrzehnten und muß bedacht werden. Kann man Abflüsse schaffen, Deiche bauen, oder kann man in Gemeinschaft aller eine Ordnung finden?

Was in vergangenen Zeitaltern Geltung hatte, als noch tatsächlich weite Räume der Erde frei waren und als der Kampf um Raum und das Ausweichen in andere Räume ein Grundzug des universalen Geschehens war, das ist heute grundsätzlich anders geworden. Alle Bevölkerungsvermehrung ist nun auf beschränkte Räume angewiesen, wenn Friede bleiben soll. Was kann geschehen?

Die territorialen Grenzen sind erstarrt. Diese Erstarrung scheint zum Unrecht zu werden, wenn durch das Maß der Bevölkerungszunahme die Bevölkerungsdichte sehr stark verschieden wird. Dann gibt es friedliche Wege: Einwanderung wird gestattet, Bodenerwerb zugelassen, der Ausgleich der Bevölkerungen kann nach freiem Willen der Einzelnen unter Staatskontrolle geschehen. Was früher durch Bevölkerungsvermehrung zu gewaltsamen Eruptionen führte, das muß jetzt in rechtliche Formen gebracht werden. Aber dieser Weg kann nur in einzelnen Fällen Erfolg haben (wenn das beiderseitige Interesse von Einwanderern und Einwanderungsland besteht), er muß im ganzen jedoch von geringer Bedeutung bleiben.

Die Übervölkerung ist bisher stets nur lokal gewesen, im Ganzen der Erde aber nie aufgetreten. Man hat die Vorstellung erdacht von einem natürlichen Gleichgewicht, das sich nach einem harten »Naturgesetz« immer wieder von selber herstelle. Es geschah durch Seuchen, Hungersnöte, Kriege. Die Härte dieses Naturgesetzes führt zu immer größeren Katastrophen. Einmal erkannt, ist es durch den Plan der Menschen in der Weise seiner Durchsetzung zu korrigieren. Ordnung und Beschränkung vermögen durch den Willen der Menschen, wenn sie als Erdbevölkerung miteinander übereinkommen, die Entwicklung ohne Katastrophe zu gestalten durch Geburtenbeschränkung.

Um der kriegerischen Explosion infolge von Überbevölkerung der Erde zu entgehen, gibt es nur diesen Ausweg. Die ungehemmte Vermehrung, als natürlicher Anspruch überall bejaht, von Kirchen und Staaten gar gefordert, ist als solche schon ein potentieller Eroberungsakt. Geburtenbeschränkung dagegen wird einst ein unumgänglicher Friedensakt sein. Die unbegrenzte Vermehrung als solche würde, wenn der Erdraum zu eng geworden ist, schon als Gewaltakt gelten. Daß dies noch nicht der Fall ist, und daß man keine bestimmte Grenze der Menschenzahl, die auf der Erde leben könnte, berechnen kann, schiebt das Problem nur in die Zukunft. Es ist ein politisches Problem ersten Ranges. Aus der Notwendigkeit, den Frieden zu wahren, um nicht den Untergang aller zu bewirken, muß irgendwann die sittlich-politische Forderung der Geburtenbeschränkung sich ergeben.

Daß die Geburtenbeschränkung in einem Staate möglich ist, zeigt eine frühere vorübergehende Epoche der japanischen Geschichte. Sie universell zu machen, fordert, daß alle Staaten an ihr teilnehmen (oder daß ein ohnmächtiger Rest dadurch gezwungen würde, daß seine Überschreitung der Geburtenzahl das Elend von Hunger und Sterben unter Abschließung seiner Grenzen zur Folge hätte). Es würde ein Zustand durch Staatsverträge begründet werden, in denen die gegenseitige Verpflichtung zur Einhaltung einer bestimmten Bevölkerungsmenge stipuliert wird.

Die Verwirklichung der Sache scheint uns heute fast ausgeschlossen. Es handelt sich um eine der vielen »Unmöglichkeiten«, die doch möglich sind, weil der Wille des Menschen entscheidet, und die verwirklicht werden, wenn die Menschheit nicht durch die Bomben sich selbst vertilgt.

Man steht vor der Alternative: Entweder wird unter totalitärer Weltherrschaft durch planmäßige Geburtenbeschränkung und durch Ausrottung überzähliger Menschenmassen für die erträgliche Anzahl jeweils lebender Menschen gesorgt. Oder es wird in Freiheit durch Verträge unter Kontrolle wirksamer Instanzen aus gemeinschaftlicher Einsicht die Geburtenbeschränkung erreicht.

In beiden Fällen bleibt eine unaufhaltsame Bewegung. Im einen Fall wird sie dirigiert durch brutale Gewalt gegenüber der Fortpflanzungswillkür einsichtsloser Massen. Im anderen Fall wird sie geführt auf Grund von Verträgen durch freie Einsicht vernünftiger Menschen. Ein abschließend stabiler Zustand ist nicht möglich.

4) Was geschieht, wenn die Atomenergie im Weltfriedenszustand unser künftiges Dasein trägt? — Die Chance ist ungeheuer: Was der Krieg geschaffen hat, die Beherrschung der Atomenergie, könnte den Frieden bewirken. Während die Atombombe verschwindet, würde die Atomenergie ein neues Zeitalter der Arbeit und Wirtschaft herbeiführen.

Die Sorge um das Ende der Kohlen und des Öls, das in absehbarer Zeit bevorsteht, ist überwunden. Man rechnete aus, wann die Bodenschätze, die die Grundlage unseres technischen Zeitalters sind (Kohle, Erdöl), verbraucht sein werden. Es handelt sich um Jahrzehnte, höchstens Jahrhunderte, nach denen das Ende unserer technischen Zivilisation oder vielmehr ihre Reduktion auf begrenzte Maße mit einer viel kleineren Bevölkerung unausweichlich schien. Jetzt wird die Atomenergie an ihre Stelle treten.

Innerhalb des technischen Zeitalters ist der Schritt zum Atomzeitalter der größte, der getan wurde. Wenn das Atom nicht die Vernichtung bringt, stellt es das gesamte Dasein auf neuen Grund. Gleichzeitig erfolgt die schnelle Entwicklung der Automation. Würde dann das Zeitalter der Kriege hinter uns liegen, so würde sich ein an sich nicht utopisches, vielmehr, man weiß nicht wie weit, real mögliches Bild ergeben:

Gewaltige Energiemengen stehen einer automatisch arbeitenden Apparatur zur Verfügung, die alle Gegenstände menschlichen Bedarfs mit einem Minimum von Arbeit hervorbringt und schwere körperliche Arbeit, auf der das bisherige Menschendasein beruhte, vollends zum Verschwinden brächte. Nur im Übergang wird es vielleicht Probleme der Arbeitslosigkeit geben. Dann folgt ein Zustand kurzer Arbeitszeiten für alle Menschen. Das Leben würde seine Vollendung nicht in der Arbeit, sondern in der Muße finden. Was früher für eine einzige aristokratische Minderheit galt, wird nun allen Menschen zuteil. Die Ziele, die früher wenige Bevorzugte haben konnten, können jetzt zu Zielen aller Menschen werden. Es sieht aus, als ob das irdische Paradies bevorstände. Die technische Formung unserer irdischen Umwelt würde unser Dasein befreien, aber diese technische Formung würde uns nicht mehr beherrschen, sondern nur den Boden bereiten. Die spontane, schaffende Tätigkeit in der Muße wäre unbeschränkt. Diese freie Tätigkeit wird zum

Teil erfüllt von den Berufen des Arztes, Seelsorgers, Juristen, Forschers, Technikers, Lehrers. Der Arzt würde wieder Arzt werden, statt in technischen Apparaturen zu versinken, der Seelsorger die Besinnung vermitteln, statt in sozialen Betriebsamkeiten sich noch verlieren zu müssen. Alle haben Zeit, durch Studien und Informationen zu Mitwissenden der Ereignisse und zu Mitverantwortlichen der politischen Handlungen zu werden. Zum Teil wird die freie Tätigkeit den persönlichen Neigungen, der Vergegenwärtigung des ewig Wahren in dem unerschöpflichen Reichtum der Welt, vor allem der Familie und der Erziehung der Kinder zuwachsen. Alles aber wird freies geistiges Tun, geboren aus der Muße, als ein neues Ethos der Disziplin menschlicher Tätigkeit. Mit der belastenden Arbeit verschwände zugleich auch die Faulheit.

Solche Erwartungen gab es, seit die moderne Technik aufkam. Manchen Kopf ergriff der Enthusiasmus, welch herrliches Leben bevorstände. Die Macht über die Naturkräfte, die Entlastung des Menschen von der seine Kräfte verzehrenden körperlichen Arbeit, die Befreiung zur Entfaltung aller Möglichkeiten der Seele und des Geistes stand bevor.

Aber in der technischen Entwicklung geschah bisher ganz anderes. Es trat in vielen Menschen die Empörung und die Wut auf, daß solche Befreiung vielmehr die Fesselung an den Zwang neuer, ungewohnter, alle Zeit raubender Arbeit war — daß die traditionelle Arbeit und die mit ihr zusammenhängenden Lebensformen zerstört wurden — daß unerwartetes, nie gekanntes Unheil in die Welt kam.

So ist auch heute das erwartete Paradies zweideutig. Bisher unbekannte Probleme treten auf.

a) Was werden die Menschen mit der »Freizeit« ihrer Muße anfangen? Es waren immer auch innerhalb der aristokratischen Schichten nur wenige, deren Wesen in der Muße spontan zu erfüllender Tätigkeit gelangte. Wenig Menschen, so scheint es, können sich allein beschäftigen. Die Mehrzahl erträgt kaum eine Stunde Einsamkeit.

Wenn nun die Freizeit nicht, wie bisher, zur Erholung von der Arbeit dient, sondern selber das Leben erfüllen soll, was geschieht dann? Es kann das gegenwärtige Verfahren fortgesetzt werden. Den Massen wird dargeboten, was es ihnen ermöglicht, nicht zur Besinnung zu kommen und nicht auf eigene Initiative angewiesen zu sein. Man technisiert das Vergnügen, das die Freiheit erfüllt. Das Vergnügen wird eine andere Arbeit (etwa im unheiligen Sport). Es wird Sensation des Zuschauens in der ständig wechselnden Inszenierung von Ereignissen. In dieser Zerstreutheit wird die Freizeit, statt Muße zur Vertiefung und Entfaltung zu sein, vielmehr zu einer entleerten Funktion, zu einer anderen Form der Selbstentfremdung.

Wer dem in der Freizeit Ratlosen helfen will, wird doch immer den Anspruch an den Einzelnen stellen müssen, dessen eigene Initiative zur Erfüllung seines Lebens in der Freizeit nur erweckt, nicht bewirkt werden kann. Die Mitverantwortung für das, was aus dem Menschen, bei jedem durch sich selbst, wird, ist unaufhebbar. Die Freiheit müßte durch die Ursprünglichkeit im Einzelnen erfüllt werden.

Wäre dies auf die Dauer nicht möglich, dann bliebe neben der Menschenverachtung (»Die Rasse taugt nicht viel«), aus der leicht der Menschenhaß würde, nur die Hoffnungslosigkeit in bezug auf die Zukunft. Aber dieselbe sich verwandelnde Denkungsart, die allein den Frieden ermöglicht und den totalen Untergang verwehrt, würde auch die Muße erfüllen und in ihr die Höhepunkte des Menschseins verwirklichen. Der allgemeine Geist in Erziehung, Überlieferung, Lebensform würde auch die schlecht Begabten und Selbstflüchtigen hineinziehen zu einer bescheidenen Selbstverwirklichung. Wie jetzt der Teufelskreis der sich hervortreibenden Nichtigkeit in den Sensationen des Leeren auch die hineinzuziehen scheint, die sich sträuben, und wie er mitwirkt auf dem Wege des totalen Unheils, so würde dann umgekehrt der rettende Kreis auch sich der Widerwilligen bemächtigen. Der heilende Kreis ist heute schon sichtbar in Einzelnen und kleinsten Kreisen, aber noch in der Haltung des »Trotzdem«.

b) Mit dem Ausbleiben der Kriege verschwinden nicht die Antriebe, die in ihnen zur Geltung kamen: die Wildheit, die Abenteuerlust, das Rauben und Vergewaltigen — der Drang, sich dem bloßen Leben überlegen zu wissen im Wagnis des Lebens — das Einstehen für eine Sache, für die zu sterben beschwingt — auch der Jubel des Triumphierens wie das Leiden und Dulden des Unterliegens — die Idee des Soldatischen, in der Ordnungswille und Sichfügen in Gehorsam, Opferbereitschaft, Mut und Verläßlichkeit angesichts der Todesgefahr in der Kameradschaft sich zusammenfanden.

Man kann diese Antriebe nicht auslöschen. Also, so ist der planende Gedanke, muß man ihnen einen Spielraum einer unschädlichen Auswirkung verschaffen oder, wo solche Spielräume gegeben sind, diese erhalten. Man denkt: Lebensgefährliche Möglichkeiten im Sport, im Bergsteigen, in naturwissenschaftlichen Versuchen könnten als Ventile wirken. Der Kampfgeist (der Aggressionstrieb) könnte im gefährlichen Spiel befriedigt werden; die Lust zu glänzen, im Virtuosentum. Der Opfermut könnte sich umsetzen in den großen Verzicht und in das Wagnis großer Verluste (der Umlenkung des Kampfes aus der Gewalttätigkeit des Krieges auf andere, kaum weniger grausame, aber nicht zur sofortigen leiblichen Vernichtung führende Methoden der Daseinsbeschränkung), die soldatische Kameradschaft in die Bildung von Freundeskreisen der Vernunft mit ihrer Treue und ihrem Einsatz.

Aber bei solchen Überlegungen erreicht man nie die Substanz des Wirklichen. Es ist ein äußeres Planen von etwas, das sich dem Wissen und dem planenden Vermögen entzieht. Man kann Möglichkeiten darbieten, wie in der Pflege eines Gartens. Aber es handelt sich nicht um Bäume und Pflanzen, sondern um Menschen: und der Mensch kann sich nicht gleicherweise wie pflegend über anderes Leben, so als Mensch über die Menschen stellen. Alle Pädagogik hat die Grenze ihres Planens dadurch: daß der Mensch dem Menschen entgegenkommen muß auf eine unberechenbare Weise.

Von einem dauernden Frieden hieß es früher, daß er den Menschen erschlaffe und schließlich verderbe. Jetzt aber wäre die Frage anders. Denn der dauernde Friede käme nicht als Geschenk, sondern nur auf Grund der Entwicklung von Motiven, die selber Spannung und Stärkung bedeuten. Bisher wurde nach Friedenszeiten der Krieg begehrt auch aus einem Drang, der die Ruhe und Langeweile und die Fadheit des Gesichertseins nicht mehr ertrug. Dieser Weg wäre im Weltfriedenszustand nicht nur versperrt einerseits durch die Angst vor dem maßlos Entsetzlichen, andrerseits durch den Zwang des Rechts, das sich konstituiert hat. Vielmehr würde der Gesamtzustand, in dem dieser Friede gründet, so voller Fragen und Gefahren sein, daß jene Ruhe und Langeweile gar nicht mehr aufkommen könnten.

c) Die Bewirtschaftung der Atomenergie bringt Möglichkeiten zu Machtkonzentrationen (Salin), die für die Freiheit so gefährlich werden können wie eine zentral dirigierte Polizei im Weltfriedenszustand.

Die Tendenz zu dieser Struktur einer absoluten Macht liegt darin, daß der Staat, nicht der freie Unternehmer die Beherrschung der Atomenergie und die Herstellung des spaltbaren Materials unter Indienststellung der Forscher und Techniker im Kriege hervorgebracht hat. Auch nicht der größte Industriekonzern hätte die gewaltigen Kosten mit dem Risiko des Mißlingens investieren können, die hier für Forschung und Versuch notwendig waren. Wenn die Atomenergie zur Grundlage der Industrie und damit alles von ihr abhängig wird, dann entsteht auch die Abhängigkeit von den Staaten, die das Atommaterial liefern, oder von einer internationalen Behörde.

Sollte aber der freie Kauf unter Konkurrenz mehrerer möglicher Lieferanten stattfinden, dann könnte die zentrale staatliche Verfügungsgewalt sich auf anderem Wege wiederherstellen. Bau und Betrieb der Atomwerke fordern ungewöhnliche Sicherungen gegen mögliche Explosionen, die in weiterem Umkreise eine verheerende Zerstörungskraft hätten. Mag die Sicherung noch so groß sein, eine absolute Garantie ist nie möglich. Daher ist eine Versicherung der Bevölkerung in der Umgebung der Atombetriebe notwendig. Solche Versicherung kann keine private Gesellschaft wagen. Das Ausmaß der Schäden wäre unberechenbar groß. So kann nur der Staat selbst versichern. Dadurch hat er die Gewalt über alle Betriebe durch seine Genehmigung und seine Kontrolle. Man durchschaut heute die Möglichkeiten noch nicht, aber fürchtet eine politische Gefahr für die Freiheit aller.

Mit den Kriegen würde die Gefahr totalitärer Herrschaft nicht aufhören, sondern ihren Ursprung verlagern in die Realitäten der Verfügung über die Atomenergie. Das Glück des Friedens würde nicht ausschließen das langsame Entstehen totaler Herrschaft und die gewaltsame Lösung elementarer Probleme durch zentrale Verfügungen auf Grund von Statistik und Planung. Solche friedliche Diktatur könnte, wie heute die totale Herrschaft, allen die Freiheit nehmen mit einer ähnlichen Durchschlagskraft der Maßnahmen. Die bisherigen kriegerischen Kämpfe wären in das Wirtschaftliche übertragen. In beiden Fällen drängen sie zu totalitären Strukturen, sobald wenigen alle Macht in die Hand gegeben wird. Der Wettkampf der Weise des Könnens und Leistens und Schaffens hört auf, wenn er ersetzt wird durch die Operationen, mit denen einige sich in die Position der absoluten Verfügungsgewalt über die Atomenergie bringen, und mit denen andere sich bemühen, von dieser Energie einen Teil zu erhalten, was dann Lebensbedingung ist.

5) Die Bedeutung dieser Fragen. — Die erörterten Fragen fordern Antworten durch Verwirklichungen. Ein Ruck im Wesen des Menschen, das auf gleichbleibender Naturgrundlage geschichtlich erscheint, wird geschehen müssen.

Dieselben Kräfte, die der Atombombe Herr würden dadurch, daß der Krieg verschwände, würden auch imstande sein, diese Antworten zu geben. Gelänge die Ausschaltung des Kriegs aus dem menschlichen Leben, so würde auch die Meisterung der Schwierigkeiten eines kriegslosen Atomzeitalters gelingen. Die Horizonte, die sich hier öffnen, können uns beflügeln, so zu leben, daß Chancen für die Zukunft gefördert werden. Aber wenig läßt sich im bloßen Gedanken vorwegnehmen.

Wenn der Mensch gegenwärtig handeln muß, im weitesten ihm erreichbaren Horizont, so kann er doch nie das Ganze, in dem er steht, überblicken. Er sieht auf den Prozeß, der, indem er ein Bild von ihm gewinnt, sich schon verändert. Er kann wohl besondere Entwicklungstendenzen wahrnehmen, nicht aber ihn im ganzen voraussehen. Hat die Situation sich gewandelt, muß er neue Gesichtspunkte finden, um der Notwendigkeiten ansichtig zu werden, unter deren Bedingung nunmehr sein Handeln steht. Dem Menschen ist keine Ruhe vergönnt in einer vollendeten Welteinrichtung. Nicht einmal eine Vorstellung von ihr kann er gewinnen, vielmehr nur die Einsicht in ihre Unvollendbarkeit. Wir werden uns frei machen müssen von der Neigung, einen schließlich vortrefflichen Endzustand als Ziel anzusehen. Die Welt ist nicht richtig einzurichten, solange sie weitergeht in der Zeit.

Von unserem Zeitalter an wird in Zukunft nie mehr die Gefahr verschwinden, daß das Ende der Menschheit durch Handlungen von Menschen eintritt. Dieser Gefahr muß ständig begegnet werden, um sie immer von neuem zu überwinden. Unter diesem Druck kann der Mensch zu seinen höchsten Möglichkeiten gelangen. Im Augenblick, da er sie, in der Ruhe des Scheins endgültigen Gelingens, preisgibt, wird die äußerste Drohung sogleich wieder real und sein bloßes Dasein am Ende doch verloren sein. Ein nicht mehr wankender Ernst ist vom Menschen gefordert; es kommt im Gang der Dinge auch auf ihn selbst an; er soll wissen, was jeweils zu wissen möglich ist. Dann wird er vor dem unlösbar Scheinenden nicht verzweifeln. Wenn er wirklich mit ganzem Ernst will, zeigen sich unvorausgesehene Hilfen. Sie bleiben aus, wenn er passiv geschehen läßt.

Entweder wächst der Mensch durch Freiheit zu sich selbst und hört nicht auf in der Spannung solchen Wachsens oder er hat sein Recht zu leben verwirkt. Er muß seines Lebens würdig sein oder er vernichtet sich.

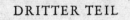

DRITTER TEIL

ERHELLUNG DER SITUATION DES MENSCHEN IM UMGREIFENDEN

EINLEITUNG

1. Rückblick auf die bisherige Darstellung.

Vor uns sehen wir das mögliche, für den Verstand wahrscheinliche Ende der Menschheit. Alle wissen: nur der Weltfriede kann helfen. Einige fügen hinzu: Dieser Friede kann nicht allein durch Verträge und Rechtsordnung erreicht werden, sondern diese selber setzen zur Wirksamkeit eine Umkehr der Menschen voraus.

Wir vergegenwärtigten im Ersten Teil die Prinzipien des Weltfriedenszustandes. Diese sind längst begriffen, faktisch aber gelten sie nicht nur nicht, sondern ihr Gegenteil wird ausdrücklich international anerkannt.

Wir vergegenwärtigten im Zweiten Teil die konkrete politische Weltlage heute und die in ihr liegenden Möglichkeiten. Denn alles politische Handeln kann sinnvoll nur, ausgehend vom Nächsten, von dem Wirklichen an diesem Ort, im Blick auf das Ganze der Menschheit geschehen.

Wir schilderten die heutigen militärischen Vorbereitungen, die in nie gesehenem Ausmaß stattfinden, die kleinen Kriege im Schatten der Atombombe, den labilen Zustand, dann die Herkunft des gegenwärtigen Weltzustandes aus dem kolonialen Zeitalter und das Ende des Kolonialismus. Dieses Ende fordert, als Voraussetzung alles Weiteren: Freilassen und Selbstbehauptung, um auf eine Weltordnung hin zu denken und zu handeln, in der alle Völker, ohne Herrschaft übereinander, als Partner zusammenwirken würden. Dann beobachteten wir den Versuch, den Weltfriedenszustand auf Grund des Rechtsgedankens durch die UNO herbeizuführen. Wir analysierten ihre Idee und ihre Wirklichkeit. Schließlich sahen wir, daß die Situation zu einer Alternative führen kann: entweder ob Menschen guten Willens um jeden Preis auf die Atombombe verzichten sollen, weil das Dasein der Menschheit im ganzen nicht in Gefahr kommen dürfe — oder ob es für den guten Willen möglich sei, auch das äußerste Opfer, den Untergang der Menschheit, zu wagen, wenn die Alternative die Knechtschaft unter der totalen Herrschaft ist.

2. Die gegenwärtige Situation.

Wir müssen immer wiederholen: Heute ist die neue, durch den Menschen selbst hervorgebrachte Situation, daß er die Fähigkeit erlangt hat, die Menschheit und alles Leben auf der Erde zu vernichten. Früher hat das Unheil Staaten und Völker vernichtet, doch das menschliche Leben selber war wieder da. Unheil und Leben gingen immer weiter. Jetzt aber kann es enden. Der Grundvorgang des Unheils ist der uralte, der jetzt zum ersten Male statt des bisherigen partikularen Verderbens den totalen Untergang der Menschheit herbeiführen kann.

Seit Jahrzehnten wurden wir uns bewußt, entweder vor dem Untergang oder vor den Toren zu einer neuen Wirklichkeit zu stehen. Der Eintritt in sie ist noch nicht gefunden. Wir stehen heute in der Situation, in der die Geschichte der Menschheit zu der nicht mehr nur geistigen, sondern realen Krise kommt, aus der der Untergang der Menschheit hervorgehen wird oder eine neue Wirklichkeit des Menschseins selbst.

In allen Kreisen der Staatsmänner, Forscher, Denker, Dichter und Künstler und überall in der Bevölkerung finden sich die Einzelnen, die in redlichem Bemühen und doch ratlos leben. Es ist für sie niederschlagend oder beschwingend, die Mitverantwortung zu spüren für das, was wird.

3. Aus dem Ungenügen zu einer neuen Denkungsweise.

Es hat sich gezeigt: angesichts der Atombombe genügt es nicht, die realen Möglichkeiten und die denkbaren Gestalten eines Weltfriedens im allgemeinen und die politische Weltlage im besonderen zu erörtern. Wenn das Dasein der Menschheit in Frage gestellt ist, muß das Wesen des Menschen im ganzen ergriffen werden und zur Antwort in Tat und Denken kommen.

Die Grundsituation des Menschen selber wird damit von neuem bewußt. In unserer Zeit offenbart sich auf unüberhörbare Weise, was ist, seitdem aus dem Kreislauf des sich in Generationen nur identisch wiederholenden (nur in sehr langen Zeiten sich verändernden) Naturgeschehens der Mensch hindurchgebrochen ist zum Denken und damit zur Geschichte.

Dies Bewußtwerden im ganzen erfolgt aber nicht durch eine einzige Denkungsweise. Alles, was in den beiden ersten Teilen vorgebracht wurde, stieß an Grenzen in unlösbaren Fragen. An ihnen machte sich etwas anderes fühlbar als das, was in der bestimmten rationalen Objektivität zugänglich ist. Wenn von diesem anderen oder aus ihm gesprochen wird, so treten wir zwar mit jedem Satz notwendig auch in das Medium der Rationalität zurück (ohne das würde das denkende Verstehen aufhören); aber nun ist unser Ziel der Gehalt des anderen neuen Denkens, in dem wir unseren Boden finden, uns unserer letzten Antriebe vergewissern, unsere innere Verfassung finden und erzeugen, in der wir Ruhe suchen. Erst wenn dies geschieht, kann das vorhergehende Denken seinen Sinn erhalten. Erst wenn ein wenig von jener Ruhe gewonnen wird, die nicht die Sturheit des Unbetroffenseins ist, sondern die philosophische Klarheit im Grunde, ist der Ernst verläßlichen Handelns möglich.

4. Das Überpolitische in Stufen.

Das rein politische, realistisch genannte Denken des bloßen Verstandes erreicht die Vordergründe, aber nicht die Wirklichkeit der entscheidenden Motive des Handelns. Im Versagen der Politik sahen wir daher das Überpolitische, und zwar zunächst in Gestalt der *moralischen Forderung*. Sie ist ausgesprochen und wirkt seit den Propheten, aber nur vereinzelt; alle sagen, sie sei wahr; aber nur wenige scheinen an sie zu glauben. Man ist ihrer überdrüssig. In der Tat ist sie nicht für sich allein zur Verwirklichung fähig. — Dann blickten wir auf das *Opfer:* Die Grenzsituation des Daseins verlangt den Umgang mit der Gewalt, sei es in Selbstbehauptung, sei es in Unterwerfung; das Opfer ist unumgänglich; Menschen opfern sich im Wagnis des Lebens, Völker im Wagnis des Kampfes um ihre Freiheit gegen Übermacht; oder sie opfern sich in Gewaltlosigkeit, wenn sie diese konsequent bis zu ihrer Vernichtung oder Versklavung treiben lassen. In dieser Grundsituation der Gewalt findet in Orientierung an der möglichen Gewalt *der politische Kampf* statt, dessen Sinn durch den Vergleich von Gesinnungsethik, Erfolgsethik, Verantwortungsethik deutlich wurde. Oder es kommt zum *physischen Kampf*. Dieser Kampf aber hat infolge der technischen Wirklichkeit seinen Charakter völlig geändert. Er ist unsoldatisch geworden. Daher wird das Problem des Kampfes durch Gewalt heute neu und grundsätzlich aufgerollt, ist jedoch bisher weit entfernt von einer Lösung.

Im Scheitern des Moralischen zeigte sich der Opfermut, im Scheitern des Opfers die *Vernunft*. Wir suchen den Raum zu gewinnen, der allumgreifend in der Vernunft (nicht schon im Verstand), d. h. im philosophischen, jedem Menschen eingeborenen, aber meist verschütteten Denken, die Bedingungen zur Geltung kommen läßt, unter denen allein Moral und Opfermut ihren Sinn vollenden und der Weg der Rettung und Entfaltung nicht nur für den einzelnen Menschen, sondern auch für das gemeinschaftliche Leben im Gang der Politik gefunden wird.

Die höhere Stufe der Vernunft hat Wahrheit aber nur in der Wirklichkeit der vorhergehenden. Keine Stufe ist in sich abzuschließen, keine zu überspringen. Das realpolitische Denken, auf sich beschränkt, treibt ins Nichtige und am Ende in den totalen Untergang. Das Moralische führt als selbstgenügsame Moral in die Abstraktionen logischer Konsequenzen und in den

Rigorismus des nach Gesetzen beurteilten Tuns. Der Opfermut gerät in das blinde Opfer, in dem das Über-sich-hinaus-Sein zugleich das Sichpreisgeben des Selbstseins wurde. Und umgekehrt: Die Vernunft wird leer, wenn sie nicht ihren Leib hat in der Realistik, in der Moral, im Opfer.

Die überpolitische Wirklichkeit von Moralität, Opfermut, Vernunft zeigt die Ursprünge. Unsere Lebensauffassung wird von dorther bestimmt. Der in ihnen sprechende Ernst ist uralt, aber vergessen in der Verstandeswelt technischer Zivilisation, bis diese selber nun an einen Punkt geführt hat, wo sie sich vor dem selbstbereiteten realen Abgrund sieht.

In der Vernunft hört das Gewaltsame auf. Von ihr her gewinnen die Selbstbezwingung im Moralischen und der Opfermut erst Führung und eigentlichen Sinn.

Moral, Recht, Opfermut sind selber Vernunft, weil Vernunft nur in ihnen, nicht als bloße Vernunft wirklich werden kann. Die Vernunft weist hin und durchdringt. Aus ihr finden Gesetz und Opfermut erst ihre Bestätigung.

Es ist erschreckend, daß das Herrlichste, daß Erkenntnis, Moral, Opfermut zum Unsinn werden können, wenn Vernunft sie nicht lenkt.

Vernunft ist Befreiung und darin das große Wagnis. Denn sie kann sich nicht endgültig halten an den festen Gesetzen, Gegenständen, Taten, Gedankenfiguren, in denen sie sich verleiblicht. Ohne Vernunft werden Erkenntnis, Moral und Recht zu etwas Totem; ohne Vernunft versinken sie im Doktrinalen, im Lieblosen, im Zwang und im Funktionellen. Weil Vernunft in keinem erkennbaren Ort endgültig zu Hause sein kann, bleibt sie das Wagnis des Unerrechenbaren, dies aber nicht im verführenden Dunkel der nächtigen und unterirdischen Götter, sondern in der ins Unendliche möglichen, nie vollendeten Helligkeit.

Vernunft hält Kopf und Herz offen, sie ermutigt den Ernst, sie ist selber die sanfte Gewalt, die allem, und selbst der Gewalt, Grenze und Maß setzt. Sie überschreitet sich selbst im »Vertrauen«, von dem am Ende die Rede sein muß.

Wirklich aber wird Vernunft immer erst durch das alltägliche Leben aus der inneren Verfassung des vernünftigen Menschen — durch Belebung des Gemeinschaftlichen mit dem Sich-auf-einander-Verlassen in dem, was keinem Vertrag erreichbar ist —, durch Hervorbringung von Ordnungen, Gesetzen, Institutionen, die durch sie ihren Sinn und ihre Grenze haben.

Es ist die eigentlich philosophische Aufgabe, vernünftig zu denken, die Wirksamkeit der Vernunft zu umschreiben, an Beispielen fühlbar zu machen. Durch Vernunft bewahren Erkenntnis, Moralität und Opfermut erst ihren verläßlichen Sinn. Denn Vernunft verlangt Erkenntnis des Verstandes: man muß wissen, was ist, um wissen zu können, was man will. Sie verlangt Moralität: ohne als gültig erfahrene Forderung kein gehaltvolles Handeln. Sie verlangt Opfermut: ohne über das Leben hinauszugreifen kein gegenwärtig erfülltes vernünftiges Leben.

5. Übersicht des Folgenden.

Für unsere Darstellung bleibt jetzt im Dritten Teil der letzte Schritt des Nachdenkens der Politik in ihrer Lenkung durch das Überpolitische. Denn Moralität und Opfermut enthalten ihre Wahrheit erst unter der Bedingung, aufgenommen zu werden in die übergreifende Vernunft. Hier kommen wir zum Einfachsten und Schwierigsten.

Wir fragen zunächst die Forscher, die den neuen Tatbestand in die Welt gebracht und die Öffentlichkeit darüber informiert und selbst eine »neue Denkweise« gefordert haben. Was sie bisher sagten, ist jedoch fast immer ein zweckhaftes Verstandesdenken, der Denkungsart der Forschung entsprechend.

Nicht selten klingt es, als besäßen oder erwarteten sie ein einfaches Rezept, das man einsehen und ohne weiteres befolgen könne. Aber so geht der Weg nicht voran. Das Denken der Forscher selber drängt zu dem anderen Denken. Bei der »neuen Denkweise«, von der sie sprechen, kommt es auf die Umwendung der Denkungsart selber an, auf eine »Revolution der Denkungsart«, zu der Naturforscher und Techniker durch ihre wissenschaftliche Denkweise nicht mehr und nicht weniger befähigt sind als alle anderen Menschen.

Was kommen wird, liegt an der Freiheit der menschlichen Vernunft. Alles, was in ihren Diensten der Verstand erwägen und planen kann, ist kalkulierbar, sie selber aber nicht. Hört darum das Denken auf? Keineswegs. Wir versuchen daher, von der Vernunft zu sprechen. Was ist sie? Wie zeigt sie sich? Wie im politischen Denken, wie im Handeln? Wie im geschichtlichen Erkennen und in der Auffassung unserer Situation? Wie behauptet sie sich gegen Zweifel?

Am Ende aber wird uns die letzte Frage unumgänglich: Wenn die Vernunft versagt, wenn alles zu scheitern scheint und doch der Mut der Vernunft sich behaupten will, woher dann noch Vertrauen?

ERSTES KAPITEL

WAS DENKEN DIE FORSCHER?

Nicht Generäle und Politiker, sondern Forscher und Techniker haben zuerst den neuen Tatbestand rückhaltlos mitgeteilt. Durch sie kann heute jeder wissen, was im Gange ist. Sie haben nicht an der Verschleierung teilgenommen. Sie selbst sind aufs höchste erschreckt. Ihre nüchterne und redliche Geistesart, die in der Forschung, inhaltlich nicht gebunden durch absolute Voraussetzungen, so außerordentliche Resultate brachte, hat sich verantwortlich gefühlt, der Welt zu sagen, was ist. Wir schulden ihnen Dank.

Mancher ist geneigt, die Forscher wegen des Unheils, das durch die Entdeckung der Atomenergie in die Welt gebracht ist, anzuklagen. Mancher erwartet: wie sie dem Menschen die Verwendung der Atomenergie in die Hand gegeben haben, so müssen sie ihn auch lehren, wie er sich nun mit ihr zu verhalten habe; wer etwas hervorbringt, muß auch lehren, mit dem Hervorgebrachten recht umzugehen; wer so Unerhörtes geleistet hat, muß auch dies Unerhörte zu bändigen verstehen. Daher hören manche auf die bewunderten Forscher als auf die großen Einsichtigen. Andere halten ihr Wort, wo es über das Ressort der Physik hinausgeht, für belanglos. Sehen wir zu, wie Recht und Unrecht verteilt sein mögen.

1. Das Epos der Erforschung der Atomenergie und der Konstruktion der Atombomben[1]

1938 spaltete Otto Hahn in Berlin den Urankern. 1942 ließ Enrico Fermi in Chikago die erste durch Menschen gelenkte Kettenreaktion laufen. 1945 war die Atombombe fertig, die zuerst zur Probe über einer amerikanischen Wüste fiel, dann auf Hiroshima.

Diese schnelle Entwicklung war eine Folge des Krieges. Die Sorge, Hitler würde durch die deutschen Physiker die für möglich gehaltene Atombombe schaffen und damit unfehlbar Herr der Welt werden, führte zur Investition von einer halben Milliarde Dollar für eine unsichere Sache, die aus bloß wirt-

1) Jung hat dies Epos anschaulich und ergreifend, mit Objektivität dargestellt. Er stützt sich auf die bisher veröffentlichten Dokumente und auf persönliche Informationen bei den meisten der einst beteiligten, heute noch lebenden Persönlichkeiten.

schaftlichen Motiven in Friedenszeiten unmöglich gewesen wäre. Vom Plan bis zur Erreichung des Ziels vergingen drei Jahre. Die Durchführung verlangte den außerordentlichen Scharfsinn und Einfallsreichtum einiger bedeutender Forscher und Tausender von Mitarbeitern.

Dieser Gang von der Uranspaltung bis zur Atombombe steht innerhalb der umfassenden Entwicklung der Erkenntnis des Atoms seit dem Ende des 19. Jahrhunderts (in Frankreich, England, Dänemark und Deutschland). Es ist bei Jungk zu lesen: Während der ersten Jahrzehnte die enthusiastische Forschungsstimmung produktiver Köpfe in Göttingen, wo sich um die führenden Mathematiker und Physiker Studenten aus aller Welt sammelten, unter denen fast alle sind, die später am Weg zur Atombombe mitwirkten; dann der Zerfall der großen Gemeinschaft infolge der Vertreibung der Juden durch Hitler-Deutschland und durch die neue Situation der entsetzlichen Bedrohung der Welt durch den Despoten und seine Armee, schließlich nach dem Abwurf der Atombombe der Streit unter den Physikern selbst, deren einige auf dem beschrittenen Wege konsequent bis zur Wasserstoffbombe weiterdrängten, während andere, zögernd oder klar, Widerstand leisteten, viele einfach ratlos waren. Nacheinander sieht man: zuerst das freie Zusammenwirken der Forscher in einer Welt des Friedens, als ihnen unerhörte Erkenntnisse aufgingen — dann die großartige, organisierte Gemeinschaftsarbeit in Amerika, als unter dem Druck der Freiheitsbedrohung der Welt durch Nazi-Deutschland die Anspannung des Denkens, die Hingabe alles Könnens an den einen Zweck auf das Höchste gesteigert wurde — dann die zerbrechende Gemeinschaft eines nun ständig unfreier werdenden, vom Enthusiasmus entleerten, von Mißtrauen durchsetzten, kontrollierten Industriebetriebes.

Was in Amerika auf Anregung Szilards (der auch in der Folge die Bedeutung des physikalisch Möglichen in der jeweiligen politischen Situation besser als die meisten Physiker durchschaute) durch den Brief Einsteins an den Präsidenten Roosevelt begann, dann zunächst unter Leitung der Physiker stand, bald aber immer mehr zugleich unter die Führung von Staat und Armee geriet, was als eine zunächst freie Organisation größten Opferwillens der Forscher im Einsatz für die Freiheit der Menschen bald immer mehr militärisch kontrollierte Unternehmung wurde, ist geschichtlich denkwürdig ebenso durch die Größe der Leistung wie durch den Zerfall der »Familie« der Forscher im Streit.

Der Wendepunkt war die Realität des Bombenabwurfs 1945. Die erste Reaktion der Forscher nach dem Abwurf der Versuchsbombe schildert Frau Fermi (S. 262 ff.).

2. Der Fortschritt in der Geschichte

Sprechen wir vom »Grundvorgang des Unheils«, so fragen wir: Ist die Atombombe vielleicht nur ein Symptom? Ist die Freimachung der Atomenergie nur ein Ereignis im Gang eines übergreifenden Geschehens? Welches ist dieses?

Weiter wäre die Frage: Ist dieser Grundvorgang als solcher rational durchsichtig, weil alles, was in ihm geschieht, von Menschen erdacht, konstruiert, verwirklicht wird, daher auch von ihm durchaus, zumal im Rückblick, begriffen werden kann, da aus der Natur der Sache jeder Schritt notwendige Konsequenz ist? Oder liegt dieser Grundvorgang im Ganzen eines undurchschaubaren, nur mythisch zu beschwörenden Geheimnisses?

Der Grundvorgang ist auf den ersten Blick der Fortschrittsprozeß menschlicher Technik, beginnend mit dem ersten Werkzeug und der Feuererzeugung, und schließlich, unermeßlich und planvoll sich entfaltend, auf Grund wissenschaftlicher Naturerkenntnis.

Es gibt nur *einen* Fortschrittsprozeß, den der Rationalisierung. Alles andere von Menschen schöpferisch Hervorgebrachte ist je einzig, eine Folge der Offenbarungen des Seins im Menschen. Es gelangt zu Höhepunkten und Vollendungen, die nie identisch wiederholbar sind, aber verstanden werden können und alle Folgezeit, soweit sie dafür offen ist, angehen. Sie allein sind eigentlich geschichtlich. Nur die Rationalisierung läßt sich, soweit sie gewonnen ist, identisch wiederholen und ins Unabsehbare erweitern. Sie kann von allen Menschen identisch übernommen werden. Es ist irreführend, den Fortschrittsgedanken von hier, wohin er gehört, zu übertragen auf alle Gebiete des Geistes und auf die Geschichte im ganzen. Denn hier gilt er nur insoweit, als die Fortschritte der Rationalisierung allem anderen menschlichen Tun, auch dem je einzigen geschichtlich schöpferischen und existentiellen, Mittel der Verwirklichung und Bedingungen seines Daseins bringen.

Der technische Fortschrittsprozeß geschieht überall, wo Menschen leben. Er ist rückwärts erschließbar als sehr langsamer Prozeß von Jahrhunderttausenden, deutlich erkennbar als Prozeß von fünf Jahrtausenden, der erst seit vier Jahrhunderten (nach verlorenen Ansätzen im Altertum) abgelöst wurde durch einen grundsätzlich anderen Fortschrittsprozeß: die methodische Naturwissenschaft als Mittel technischen Könnens. Dieser neue, zunächst noch langsame Prozeß ist seit der zweiten Hälfte des 18. Jahrhunderts in einen immer schnelleren, schließlich atemberaubend vorantreibenden Gang geraten, in dem wir heute stehen. Die Leistungen einzelner Forscher und Techniker sind wie zwangsläufig. Sie erscheinen, wenn sie der Natur der Sache nach als der je nächste Schritt an der Zeit sind. Die hervorbringenden Individuen sind ersetzbar. Selbst wenn — im Gang des zumeist schon anonymen Geschehens — ein Genie neue Entdeckungen macht und wir bewundernd zusehen, bleibt doch die Lage: es ist nur eine Frage kürzerer oder längerer Zeit; hätte dieser Mensch es nicht getan, dann ein anderer. Im ganzen ist die Geschichte der Wissenschaften und der Technik ein einziger großer Fortschrittsprozeß, zwar mit beträchtlichen Rückschlägen, aber mit der Richtung auf das weitere Vorangehen.

In diesem Prozeß steht, was heute technisch geschieht. Der uralte Weg der Technik, ohne den der Weg des Menschen undenkbar ist, ist heute an einen Punkt gelangt, an dem die Frage an den Menschen, was er mit der Technik machen will, neu gestellt ist. Jederzeit hat Technik zur bauenden Gestaltung der Umwelt gedient, jederzeit auch zur Zerstörung. Heute hat die technische Möglichkeit den Sprung getan von vereinzelten Zerstörungen zur totalen Zerstörung allen Lebens auf der Erde.

Die Angst vor dieser Gefahr hat zu dem Gedanken geführt: es wäre besser gewesen, man hätte nie die Freimachung der Atomenergie gefunden, daher auch nie die Atombombe konstruiert. Könnten wir wählen, so müßten wir auf die Atomenergie verzichten, lieber alle Schwierigkeiten infolge der Begrenzung der uns sonst zur Verfügung stehenden Energie auf uns nehmen als diese Gefahr. Wer so denkt, muß aber zu der Konsequenz gelangen: es wäre besser gewesen, auf die technische Entwicklung überhaupt von vornherein zu verzichten. Denn wenn diese Entwicklung einmal in Gang gekommen ist, läßt sie sich nicht an einer bestimmten Stelle stoppen oder gar rückgängig machen, außer durch die Zerstörung des Lebens, die mit dem Träger der Technik auch diese selber beendigen würde. Die Verneinung des letzten Schritts der Technik hat zur Folge die Verneinung des Beginns aller Technik.

Was der Mensch im Fortschrittsprozeß der Technik hervorbringt, das ist eine je neue Realität seiner Daseinsmöglichkeiten. Ohne vorher zu wissen, wohin es führt, ohne ein Endziel, ohne den Willen zum Ganzen der Technik, gelangt er durch seine technische Schöpfung in je neue Situationen, die an ihn die Frage stellen, was er daraus macht, darin tut, in welchem Sinn er ihrer Meister wird oder ihnen erliegt.

Wer Ja sagt zum Dasein des Menschen, wer denkt, daß er ein Mensch ist und weiß, daß der Mensch nicht schon ist, was er sein kann und sein soll, daß sein Wesen vielmehr die ganze Chance ist, über deren Ausgang er zum Teil selbst entscheidet, der muß erkennen, daß der Weg der Technik unumgänglich ist. Der Mensch bringt, ohne es vorher berechnen zu können, durch seine Technik seine Situation, heute nun die äußerste, hervor.

Darum die Lust im Erkennen und Erfinden. Dabei zu sein und mit zu tun und Kunde zu erhalten von dem Geleisteten, bringt dem Menschen einen berechtigten Stolz. Aber das Wissen von unabsehbaren Möglichkeiten ins Unendliche bringt mehr noch die Bescheidung, die allen großen Forschern eigen ist: wie winzig doch sei, was sie getan haben. Und der Blick auf die entsetzlichen Möglichkeiten bringt den Schrecken, der zweifeln lassen kann, ob der Weg, der doch der Weg des Menschen ist, ein rechter sei.

Der innere Widerstand gegen das empirisch forschende Erkennen und gegen die Technik ist uralt (manche Forscher sind in früheren Zeiten als Zauberer und Teufelsdiener angesehen worden). Zuweilen hat die Unheimlichkeit die Forscher selber überfallen. Es wäre von Interesse, diesen Zug in der Biographie der Forscher der Jahrhunderte zu verfolgen. In unserem Zeitalter erzählte man von Bosch, der im Ersten Weltkrieg mit Haber die Stickstoffsynthese im Dienste der Kriegsführung nutzte (ohne die Deutschland den Ersten Weltkrieg nicht so lange hätte durchhalten können), daß ihm im Alter nicht geheuer war, was er getan hatte. Von Otto Hahn, der selber mit der Atombombe nichts zu tun hatte, aber durch seine Uranspaltung 1938 den ersten Schritt der Entwicklung tat, der zu ihr führte, wird öffentlich berichtet, wie persönlich erschüttert er bei der Nachricht von der Bombe auf Hiroshima war, als ob er selber die Sache angerichtet hätte. Er hat in der Tat diese einzigartige Stellung, durch bloße Erkenntnis, ohne den Gedanken an eine Bombe, die spezielle Entdeckung gemacht zu haben, mit der es anfing. Vor ihm war wohl die große Entwicklung der Atomforschung — Curie, Rutherford, Einstein, Bohr, Heisenberg u. a. — die Voraussetzung. Nach ihm ging der Gedanke alsbald auf die Bombe.

Die widerstrebenden Regungen entspringen dunklen Ahnungen, die schon seit Anfang unserer Geschichte aufgetreten sind. Es waren entgegengesetzte Impulse. Man sah die Größe der menschlichen Macht. Man sah die Hybris des Menschen und das Unheil seines Tuns.

Der Wille zur Größe ist schon in den Menschen, die Gott nach der Schöpfung von Mann und Weib sprechen hörten: »Bevölkert die Erde und macht sie euch untertan und herrscht über die Fische im Meer und die Vögel am Himmel und alles Getier.« Dieser Herrschaftswille über die Natur ist in neuer Zeit durch den Technizismus Bacons zu radikalem Ausdruck gekommen, nun aber in der uneingeschränkten Gestalt, die die moderne technische Gesinnung begründete.

Aber ebenso alt ist der Impuls, der sich gegen die rationale Entwicklung wehrt. Im Sündenfall hat der Mensch die Frucht vom Baum der Erkenntnis gegessen. Gott sagt: »Er ist geworden wie unser einer.« Damit er nicht auch noch vom Baum des Lebens esse, der ihm Unsterblichkeit bringen würde, wird er aus dem Paradies vertrieben. Was ist die Folge? »Im Schweiße deines Angesichts sollst du dein Brot essen, bis du zum Erdboden zurückkehrst, denn ihm bist du entnommen. Denn Erde bist du und Erde wirst du wieder werden.« Aber dieses den Menschen aus allem bloßen Naturgeschehen herausnehmende Schicksal ist gleicherweise sein Unheil und seine

Größe. Angesichts des Mythus der Austreibung aus dem Paradies geht zwar die Klage über die Sünde und ihre Folgen durch die Zeiten, aber in neueren Jahrhunderten auch der Jubel über die menschliche Aufgabe. Bei Milton sagt der Engel Michael zu dem vertriebenen Adam: »Nun füge zu dem Wissen auch die Tat ... Dann läßt du ungern nicht dies Paradies, du trägst in dir ja ein viel seligeres.« Adam und Eva trockneten die Tränen bald: »Vor ihnen lag die große weite Welt, wo sie den Ruheplatz sich wählen konnten, die Vorsehung des Herrn als Führerin.«

Nicht tatenlos ein beständiges Glück zu genießen, sagte Kant, ist der Sinn des Menschen. Es wäre ein Leben wie das des Viehs. Daß er durch Freiheit in den Gang seiner Geschichte tritt, vorangetrieben durch unendliche Aufgaben, läßt ihn erst zum Menschen werden. Er soll ein Mensch werden, der des Lebens würdig ist.

In China sahen die Taoisten eine Urzeit vollendeter Harmonie und reiner Glückseligkeit: »Geister und Dämonen plagten niemanden, das Wetter war herrlich, die zehntausend Dinge waren makellos, und kein Lebewesen starb vor seiner Zeit ... Niemand tat etwas, und doch geschahen alle Dinge stets von selbst« (Tschuang-tse, übersetzt von Waley). Dieser Zustand wurde zerstört durch planendes Tun, durch Erfindungen, durch Ackerbau, durch Ordnungen, durch Gesetze, durch Moral, also durch alles, was Denken ist oder in sich schließt. Zu dem Unheil gehört die Technik.

Tschuang-tse erzählt die Diskussion zwischen einem Schüler des Konfuzius und einem alten Gärtner. Der Konfuzianer sieht diesen sein Gartenland bewässern, indem er mühselig mit seinem Gefäß die Stufen in der Wand seines Brunnens hinab- und hinaufsteigt, um das Wasser zu holen. Er sagt dem Gärtner: Es gibt eine Vorrichtung, Ziehbrunnen genannt, mit der man bei sehr geringem Kraftaufwand viel Wasser heraufholen und das Land schnell bewässern kann. Auf den Vorschlag, dieses bequeme und wirksame Verfahren zu wählen, antwortet der Gärtner mit Entrüstung und Verachtung: »Wo es arge Vorrichtungen gibt, da wird auch der Gebrauch arg sein, und wo der Gebrauch arg ist, da werden auch die Herzen arg sein. In wessen Brust aber ein arges Herz ist, der hat die unverdorbene Reinheit seiner Natur befleckt, hat den Frieden seiner Seele getrübt ... Ich kenne diese Erfindung wohl, aber würde mich schämen, sie anzuwenden« (übers. von Waley). Wilhelm übersetzt denselben Text: »Wenn einer Maschinen benützt, so betreibt er all seine Geschäfte maschinenmäßig; wer seine Geschäfte maschinenmäßig betreibt, der bekommt ein Maschinenherz. Wenn einer aber ein Maschinenherz in der Brust hat, dem geht die reine Einfalt verloren. Nicht daß ich solche Dinge nicht kennte; ich schäme mich, sie anzuwenden.«

Der Gärtner geht weiter in seinen Vorwürfen gegen alle Denker, die sich mit Formen und Ordnungen beschäftigen: »Wenn ihr imstande wärt, alle eure Geisteskräfte zu vergessen und euren ganzen Formenkram wegzuwerfen, dann könntet ihr es vielleicht zu etwas bringen. Aber ihr vermögt nicht einmal, euch selbst in Ordnung zu halten.« Betroffen von Leben und Lehre dieses Gärtners sagt der Schüler des Konfuzius: »Wer den Ursinn festhält, hat völliges Leben ... Der berufene Heilige lebt mitten unter dem Volk, und niemand weiß, wohin er geht. Wie übermächtig und echt ist seine Vollkommenheit! Erfolg, Gewinn, Kunst und Geschicklichkeit sind Dinge, die keinen Platz haben im Herzen dieses Mannes.« Konfuzius aber, als er diesen Bericht hört, sagt: »Die Grundsätze der Urzeit zu verstehen, bin ich nicht fähig.«

Hier in China im letzten Jahrtausend vor Christus wird die Idee des Heils für den Menschen in seinem gemeinschaftlichen Zustand diskutiert. Das Natürliche, der Urzustand, wird gegen das Unnatürliche, Gewordene, Verkehrte gesetzt. Aber der Urzustand kann in der Tat nicht rein und konsequent gedacht werden. »Wenn man den Menschen erlaubt, zu tun, was ihnen von Natur aus zukommt, so tragen sie Kleider, die sie selbst gewoben haben, und essen Nahrung, die sie selbst gezogen haben.« Also ist in diesem Urzustand schon Arbeit und Ackerbau, Herstellen von Geräten, der radikale Unterschied zu den Tieren. Wo liegt der Unterschied zwischen dem »natürlichen Gerät« (dem Gefäß, in dem der Gärtner Wasser trägt, den eingehauenen Stufen, auf denen er auf und ab geht) und der »argen Erfindung«? Man wird Unterschiede in den Stufen der Technik bestimmt aussprechen können; man wird die Sprünge sehen zu einem jeweils neuen Prinzip[1]. Aber man wird das Ganze der Entwicklung nur willkürlich an einer Stelle anhalten können, an der Natur in Unnatur übergehe. Der Sprung zwischen heilsamer, beherrschter und heilloser, gewaltsamer Technik liegt auf jeder Stufe. Auf jeder Stufe ist auch der Gegensatz von Gewohnheit des Traditionellen und Lust am Neuen wirksam.

Mythen von Paradies und Urzeit sind Chiffern eines harmonischen Zustandes, der als in sich geschlossen und als bleibendes Glück geträumt wird im Gegensatz zu dem unaufhaltsamen Anderswerden, dem Disharmonischen, nie zur Einstimmung zu bringenden Dasein in der Zeit. Wird er aus einer Chiffer zum Programm wirklichen Lebens, so entweder für das Leben des Einzelnen, des Weisen, der unbetroffen von dieser Welt durch sie hindurchgehen will, oder für das Leben der Gemeinschaft, das durch eine Revolution zum harmonischen Glück gebracht werden soll. Beides kann nur widerspruchsvoll, daher inkonsequent gedacht und nur zugleich ruinös getan werden. Realisierung mythischer Chiffern ist selber ein neues, nicht notwendiges Unheil im unumgänglichen Unheil des Vordringens in der Zeit. Auf diesem Wege ist Maschinenzerschlagen wie Maschinenromantik gleicherweise wider die Vernunft.

Die Frage drängt sich auf: Ist die Möglichkeit, alles Leben auf der Erde durch den Menschen zu vernichten, nur die letzte Phase des ohnehin in seinem Wesen schon immer zugleich zerstörenden technischen Prozesses? Oder ist dieser Prozeß von jeher die Bedingung gewesen, unter der die Möglichkeiten des Menschen sich erst entfaltet haben, und ist nur die mit ihm jederzeit verbundene Gefahr auf ihren Gipfel gelangt? Die Technik ist keineswegs an sich der totale Zerstörungsprozeß, sondern sie gibt dem Menschen beide Chancen.

Die *Deutung* und der aus ihr folgende *Anspruch* wären diese: Der Mensch ist ein grundsätzlich unvollendetes Wesen, das noch »nicht festgestellte Tier« (Nietzsche). Er selbst hat noch zu entscheiden — durch Entscheidung unzähliger Einzelner —, was aus ihm wird.

Der Mensch kann erkennen, also soll er erkennen, denn dieser Weg ist sein Wesen. Er kann technisch der Naturkräfte sich bemächtigen, also soll er es tun; denn dies schafft ihm die immer weiter greifenden Bedingungen für neue Möglichkeiten.

1) Über die Prinzipien moderner Technik im Unterschied von der früheren meine Schrift: »Ursprung und Ziel der Geschichte«.

Die Technik, durch ihn hervorgebracht, bedroht ihn durch ihn selbst, nicht an sich. Denn die durch die Technik entstandenen Situationen sind Aufgaben für ihn. Er selbst soll anders werden, um diesen neuen Situationen gewachsen zu sein. Entweder wandelt er sich, oder er vernichtet durch seine Technik, des Lebens nicht würdig, wider seinen Willen sich selbst.

Schon im Ansatz der Menschwerdung war dies Wagnis. Nicht wie eine Tierart lebt der Mensch gleichbleibend fort durch unermeßliche Zeiten, bis die Naturvorgänge langsam die vererbbaren Wandlungen des Lebens oder plötzlich vernichtende Katastrophen vollziehen. Der Mensch hat, als er in die von ihm selber hervorzubringende Geschichte trat, ohne es zu wissen, in einer vergleichsweise sehr kurzen Frist von einigen Jahrtausenden sein Leben gewagt. Die Not und das Böse treiben ihn voran (in ihrer Überwindung wird er mehr als er war) oder sie verschlingen ihn. Im Versagen vor der Aufgabe lebte er nicht fort wie die Tiere, sondern er würde sich und mit sich alles Leben vernichten.

Wir wissen nicht von einem Plan und Ziel des Ganzen. Wir sprechen, als ob er bestehe: nämlich der Aufschwung des Menschen selber, aber so, daß er, wenn er ihn nicht nimmt, zum Tod verurteilt ist.

Denken wir, so vollzieht sich in jedem von uns die Entscheidung, ob wir uns selber im Aufschwung wollen, oder ob wir gedankenlos im Vordergründigen uns herumtreiben und an das Unheil verfallen. Wollen wir uns, so müssen wir mit Wissenschaft und Technik auch wollen, daß die höchste Gefahr gewagt werde: wird sie nicht bestanden, so hat der Mensch sich seines Daseins nicht wert erwiesen. Zwar können wir keinen Plan im ganzen denken oder unsererseits verwirklichen, aber wir können teilnehmen an dem Gange sowohl der Gefahren wie der Möglichkeiten und Verwirklichungen, uns aufschwingen ins Ungewußte, das ständig heller wird, oder uns verderben ins Dunkle.

Daher kann keinen Forscher ein Vorwurf treffen, weil er entdeckt und erfindet, was die Gefahren bringt, deren Sinn die Bewährung und Verwandlung des Menschen selber ist. Die Forscher sind Glieder in der Kette derer, die die Möglichkeiten bringen, die der Mensch zum Heil oder Unheil ergreifen kann. Diese Forscher treiben die Situation voran, damit wir erfahren können, was wir wollen müssen, wenn wir Menschen sind. Damit erst werden wir uns des Ganzen des Menschseins, seiner Ursprünge und Chancen bewußter, wenn sie uns auch über die Bestimmtheit der Forderung des Tages hinaus unbestimmt bleiben.

Weil die Forscher selber Menschen sind, stehen auch sie in der Situation und vor der Frage: was aus den Folgen ihres Tuns werden solle und könne kraft unserer Freiheit. Was sie getan haben, war ihnen in den Konsequenzen nicht bewußt, heute so wenig wie in früheren Zeiten. Darum erschrecken sie.

Den ganzen gewaltigen Prozeß der Rationalisierung, von der die Technik ein Teil ist, kann der Mensch zu seiner Steigerung oder Vernichtung werden lassen. Ohne diese Gefahr, in der es um sein Sein oder Nichtsein geht, kann er nicht seinen Weg als Mensch gehen.

Aber auf die Rationalisierung und Technik ist das Leben nicht zu gründen. Sie sind Mittel, nicht Zweck. Aus anderem Ursprung kommt, was ihrer Herr wird, ihm Maß und Sinn gibt. Dieser andere Ursprung aber wird durch sie erweckt, daß er sich zeige: der Mensch als er selbst. Bleibt er aus, so wird das Dasein des Menschen mitsamt der Technik und Rationalisierung bald ein Ende haben.

Der »Grundvorgang« ist nicht schon der fortschreitende Rationalisierungsprozeß und in ihm die Forschung und in dieser die moderne Technik, sondern dieser selbst liegt in der Hand eines Ursprünglicheren: der menschlichen Freiheit.

3. Die Auseinandersetzung der Forscher mit der Weltwirkung ihrer Erkenntnis und Technik

Auf Forscher, die, angesichts der Folgen ihrer Erkenntnisse vom Grauen erfaßt, zum Guten wirken möchten, hört die Menschheit als auf die höchste Instanz der Wahrheit. Aber das Verhalten der Forscher bezeugt mehr Ratlosigkeit als Einsicht. Einstein, der Roosevelt zur Herstellung der Atombombe veranlaßt hat, in der Sorge vor Hitler und den deutschen Physikern, die möglicherweise im Begriff standen, sie zu machen, sie Hitler in die Hand zu geben und Hitler-Deutschland die Weltherrschaft zu bringen, warnte nach dem Kriege die Welt, daß sie dem Untergang verfallen sei, wenn sie auf diesem Wege weiterschreite. Wenn aber die Intelligenz der Forscher und Techniker, zumal mit Hilfe noch nie in solchem Maße für wissenschaftliche Zwecke aufgebrachter Staatsmittel, einmal in Gang gebracht ist, so kann eine gutwillige Warnung kaum etwas ändern. Die Wissenschaftler werden zu Tausenden als gelernte Arbeiter das Werkzeug des Staatswillens, der maximale Zerstörungswerkzeuge haben will, um ständig dem Gegner überlegen zu sein. Viele Physiker tun, was von ihnen verlangt wird, bleiben befangen in ihren technischen Aufgaben und gedankenlos in bezug auf das Ganze. Einigen schlägt unklar das Gewissen; sie zögern, sie entziehen sich der Mitarbeit an den Werkzeugen der Zerstörung.

In der Tat ist von den Forschern die Lösung der Schwierigkeiten, die durch ihre Leistungen in die Welt gekommen sind, nicht zu erwarten. Denn wenn sie zu diesen Fragen das Wort ergreifen, so sind sie nicht mehr Autorität kraft ihrer Wissenschaft, sondern nur Menschen, die wie alle anderen berufen sind mitzudenken. Ihnen verdankt die Welt die Kunde des technisch Tatsächlichen und Möglichen. Doch das rettende Wort vermögen sie als Forscher nicht zu sagen. Es von ihnen zu erwarten, beruht auf dem modernen Wissenschaftsaberglauben, der meint, unser Leben sei auf Wissenschaft zu gründen und durch Wissenschaft zu lenken.

Von anderswoher kommen die Entscheidungen, die sich bewußt werden im politischen und philosophischen Denken. Dieses aber liegt nicht auf der Linie des gewohnten wissenschaftlichen Denkens. In dessen Fortsetzung sind nicht einmal die eigentlichen Fragen zu erreichen, die in Politik und philosophischer Lebenspraxis Antwort, Urteil und Entschluß verlangen. Die Denkungsart der Forscher kann nur eine Voraussetzung an materialer Kunde bringen. Die Probleme entstehen nicht auf der Ebene ihrer Denkungsart. Ein ganz anderer Ursprung kommt hier zur Geltung.

Das politische und philosophische Denken, das jedem Menschen zukommt, ist dem Menschen als Menschen eigen und für niemanden zu entbehren. Die Politik ist für die Zwecke des Daseinsheils des Menschen an der Macht orientiert, an der grundsätzlich jeder, auch wenn er es nicht weiß, beteiligt ist; spezialistische Sachkunde gibt es hier nur in den Mitteln und in den Informationen über gegenwärtige Realitäten, nicht in den Motiven und ihrer Verantwortung. Die Philosophie ist das Denken, durch das der Mensch sich vergewissert, was ist und was er will, seinen Sinn ergreift und aus dem Ursprung zu sich kommt.

Physik, Technik, Wissenschaften sind Sache von Spezialisten, deren Kenntnisse und Können je für besondere Aufgaben notwendig sind. Diese Sachkunde in den eigentlichen Wissenschaften ist schwierig zu erwerben, erfordert ausdauerndes spezialistisches Studium und Übung, aber sie ist nirgends von der Art, daß jeder Mensch als Mensch sie braucht. Was dieser Sachkunde in Politik und Philosophie etwa analog wäre, das braucht dagegen jeder Mensch. Diese »Sachkunde« zu erwerben, dazu ist die Lebenserfahrung selber gefordert und der Einsatz nicht nur des Verstandes, sondern des ganzen Menschen mit seinen ursprünglichen Motiven.

Nicht jeder Mensch kann überall sachkundig sein, nicht jeder ist ein Physiker. Jeder aber hat als Mensch grundsätzlich an Politik und Philosophie teil, erhebt mit Recht den Anspruch, hier überzeugt werden zu müssen und nicht durch autoritative Mitteilung zur einfachen Hinnahme kommen zu dürfen. Jeder will wissen, was er eigentlich will. Zu Hilfe kommen ihm politisches und philosophisches Denken, aber nicht entscheidend durch wissenschaftlichen Unterricht, sondern durch Erhellung dessen, was er schon weiß.

a) Forscher und Politiker

Der Forscher ist als solcher apolitisch. Die Richtigkeit seiner Erkenntnis hat mit Politik nichts zu tun. Diese Richtigkeit bleibt identisch, ob der Forscher selber totalitärer oder freiheitlicher Gesinnung ist. Aber Forschung kann politische Folgen haben. Die Richtigkeiten, die sie an den Tag bringt, können einer politischen Macht unerwünscht und daher Gegenstand der Verfolgung sein. Sie können technisch anwendbar werden, vor allem in der Waffentechnik. Allein dieser letzte Fall ist unser Thema.

Der Zusammenhang von Wissenschaft und Politik hat erst in dem Augenblick die Welt erschüttert, in dem die Zerstörungskraft der Bomben maßlose, nicht mehr verläßlich berechenbare Stärke gewann. Die Forscher erschraken. Viele meinten, ihre Pflicht als Forscher sei nicht erfüllt mit der Hingabe ihrer Resultate und der Verwirklichung technischer Möglichkeiten. Aber was sollten sie weiter tun? Es wurde klar: als Forscher gar nichts außer der Aufklärung der Öffentlichkeit, als Menschen das, was jedem anderen, was allen Menschen als Pflicht obliegt. Beobachten wir aber, was Forscher gesagt und getan haben:

Ein Forscher denkt selbst politisch und wird aktiv, um der Herstellung äußerst wirksamer Waffen den Weg zu bahnen. Das geschah durch Szilard und den berühmten Brief Einsteins an Roosevelt. Ihr Motiv verstärkt sich, wenn der mögliche Gegner, der alle politische Freiheit zerstören würde, selber wirklich die Bomben herzustellen vermag. Das äußerste Vorantreiben oder mindestens das Gleichgewicht ist politisch geboten. Im Forscher scheiden sich zwei Motive: Entweder will er nur die Naturerkenntnis als solche oder er sucht Erkenntnis zum Zwecke der Anwendung. Dort steht am Anfang die reine Idee des Wissens, hier der Zweck. Im Falle der Atombombe: Entweder will der Forscher die Erkenntnis des Atoms als solche oder er sucht die Erkenntnis, um durch technische Mittel die Drohung durch Tyrannen, denen Völker gehorchen, abzuwehren.

Nun aber, nachdem die Bombe da und in ihrer Wirkungskraft erkannt ist, trennen sich die Forscher abermals in ihrer Gesinnung: Einige antworten auf die Drohung der möglichen totalen Vernichtung: Das darf unter keinen Umständen sein. Diese Forscher werden aktiv, um die Herstellung von Bomben mit immer weiter gesteigerter Zerstörungskraft zu verhindern und geraten in die Rolle von Staatsverrätern. Oder sie sagen: Wenn es geschieht, will ich damit nichts zu tun haben. Dann wenden sie sich anderen Forschungen zu und verweigern die Mitarbeit, was in freien Staaten ohne Gefahr möglich ist. Denn nur die Totalitären sehen den Sinn der Wissenschaft allein im Dienst für den Staat und verurteilen dessen Verweigerung als Sabotage. Dagegen ist für die freie Welt der Sinn der Wissenschaft überpolitisch und genügt sich selbst.

Andere antworten: Der Weg der Waffentechnik ist zunächst unumgänglich. Nicht durch Lähmung der Bombenherstellung im eigenen Staat, sondern durch politische Motive, die die Gegner gemeinschaftlich bewegen, ist der Ausweg möglich. Solange diese Gemeinschaftlichkeit nicht erreicht ist, muß und will ich an der maximalen Entwicklung der Zerstörungskraft mitarbeiten, in der Hoffnung, daß das Maximum am ehesten zur Besinnung aller und dann zu den Konsequenzen des Friedens zwingt.

Wieder andere — die meisten — dienen, ohne sich weitere Gedanken zu machen, der eigenen Staatsmacht in ihrem Beruf als Forscher und Techniker und gleichsam als gelernte Arbeiter für die Aufgaben, die ihnen gestellt werden. Die Verantwortung haben nicht sie, sondern trägt die Staatsführung. Sie selber wollen nur ihre Sache so gut wie möglich leisten. Man hat dies für unsere Welt kennzeichnende Phänomen Spaltung zwischen Berufsarbeit und Gewissen genannt. Wo die eine sich vollzieht, schweigt das andere. Für die Befehlsausführung im Beruf weiß sich der Ausführende nicht verantwortlich. An das Endziel wird nicht gedacht, denn es ist nicht die eigene Sache. Jeder ist nur ein Glied in der Ausführung des Ganzen. Wenn dies Ganze ein Verbrechen ist, so hat nicht er es befohlen. Es ist nicht Aufgabe seiner Entscheidung, sondern, wenn er überhaupt daran denkt, ein für ihn unentrinnbares Verhängnis.

Diese Probleme und Möglichkeiten sind während des Dramas der Atombombe in den USA erlebt, erlitten und durchdacht worden von den Forschern, deren bedeutendste die Emigranten aus Italien, Ungarn, Deutschland waren, gehetzt von der mordenden Tyrannei, ohne Schutz bei ihren eigenen Völkern. Einmütigkeit — nämlich die Bombe herzustellen — bestand nur solange, als Hitlers Gewalt die Drohung war, und solange man noch nicht wußte, wie weit Forschung und Technik mit den Superbomben noch gelangen würden.

Nach dem Abwurf der ersten Versuchsbombe, in einem Augenblick, als Hitler-Deutschland schon vernichtet war und es sich nur noch um die Beendigung des Kriegs gegen Japan handelte, entstand die erste Ratlosigkeit. Das Gremium führender Forscher, das auf Trumans Frage wegen des Abwurfs der Bombe auf eine japanische Stadt antworten sollte, erklärte sich für den Abwurf. Sogleich waren zahlreiche andere Forscher dagegen. Aber ihre Sorgen fanden keinen Ausweg. Die Meinungen waren vielfach und wechselten.

Solange Rußland die Atombombe noch nicht besaß, dachte man, daß die amerikanische Bombe nun für immer den Weltfrieden sichern würde, ohne je eingesetzt werden zu müssen. Andere hatten auf Grund ihrer Erfahrungen und insbesondere der Zerstörung Hiroshimas kein absolutes Vertrauen zur amerikanischen Politik; sie hatten die Sorge, amerikanische Brutalität werde die Bombe, wenn Amerika keine Gefahr des gleichartigen Gegenschlags drohe, zu eigener Weltherrschaft anwenden können. Einer — so wird berichtet — sah eine Rettung nur in einem Gleichgewicht der Bombenmacht zwischen Amerika und Rußland und wurde — Vorsehung spielend — zum Verräter durch Mitteilung von Bombengeheimnissen an Rußland.

Die meisten Forscher, so scheint es, gelangten nicht zu radikaler Klarheit. Darum kamen sie nicht dorthin, wo die neue Grenzsituation erfahren werden mußte. Nur uneingeschränkte Redlichkeit verwehrt es, die Realität dieser Grenzsituation zu verschleiern und sie zu umgehen durch irgendeinen Ausweg vom Typus der bisherigen politischen Aktionen in den gewohnten Horizonten. So konnte dieser wunderliche Aspekt des Tuns und Denkens vieler Forscher entstehen: Erschrocken vor dem, was sie angerichtet haben, fordern sie mit Friedensgedanken eine Lösung, indessen sie die Sache weitertreiben. So intelligente Männer wollen und wollen nicht; sie verhalten sich wie Kinder und sprechen von Tragödie.

Jung berichtet von den Forschern nach dem siegreichen Kampf Tellers (der die Wasserstoffbombe sofort und einschränkungslos vorantrieb) gegen Oppenheimer, der zögerte: »Sie sahen in Teller nicht nur einen Verräter an einem Berufskollegen, sondern das lebendige Beispiel und die Verkörperung des Verrats an den Idealen der Wissenschaft« (in diesen Gedanken des »Ideals der Wissenschaft« liegt die ganze Unklarheit und das Unrecht des Urteils gegen Teller). Von einem früheren Mitarbeiter Tellers, der schwieg, meint Jung: »Vielleicht denkt er, wie mancher andere Atomforscher heute, daß Teller gerade dadurch, daß er den Rüstungswahnsinn wie kein anderer befürwortete, durchlebte und auf die Spitze trieb, zum Instrument eines göttlichen Willens wurde und den Frieden herbeiführen half?« Oppenheimer aber sagte 1956 zu einem Besucher: »Wir haben die Arbeit des Teufels getan. Aber nun kehren wir zu unseren wirklichen Aufgaben zurück«, nämlich sich ausschließlich der Forschung zu widmen.

Exkurs: Die Erklärung der 18 deutschen Physiker in Göttingen, April 1957.
Während in Amerika die Atombombe hergestellt wurde, geschah in Deutschland nichts von dem, wovor die Furcht in Amerika so groß war. C. F. von Weizsäcker

berichtet schlicht und glaubwürdig, »daß wir deutschen Physiker gar nicht vor die Entscheidung gestellt worden sind, ob wir Bomben machen wollten oder nicht. Hätten wir vor dieser Entscheidung gestanden, so hätten sicher verschiedene von uns verschieden reagiert . . .«, und weiter »daß wir auch gar nicht auf den Gedanken gekommen sind, man könne in Amerika ernstlich versuchen, Atombomben zu bauen. Wir haben die Schwierigkeit des Problems gekannt und vielleicht noch etwas überschätzt, und wir haben die in Amerika verfügbaren Hilfsmittel unterschätzt . . . So waren wir selbst von der Nachricht von der Bombe auf Hiroshima völlig überrascht.«

Die deutschen Physiker standen außerhalb des weltgeschichtlichen, des wissenschaftlichen, technischen, politischen Dramas der Atombombe, obgleich sie an dessen Voraussetzungen entscheidend beteiligt waren. Ohnmächtig, übergangen und überholt, auf dem wissenschaftlichen Felde erst wieder den Anschluß findend, ergriffen sie im April 1957 das Wort, erteilten Rat und gaben eine Willenserklärung ab. Sie traten ein in das politische Drama. Nicht alle, aber der größere Teil der namhaften Physiker, unter ihnen die weltberühmten Otto Hahn, Heisenberg, von Laue, unterschrieben ein Dokument anläßlich der ihnen bekanntgewordenen Pläne zu einer atomaren Bewaffnung der Bundeswehr.

Sie weisen zunächst auf Tatsachen hin: »Taktische Atomwaffen haben die zerstörende Wirkung normaler Atombomben.« »Jede einzelne taktische Atombombe oder Granate hat eine ähnliche Wirkung wie die erste Atombombe, die Hiroshima zerstört hat.« »Für die Entwicklungsmöglichkeit der lebenausrottenden Wirkung der strategischen Atomwaffen ist keine natürliche Grenze bekannt.« »Durch Verbreitung von Radioaktivität könnte man mit Wasserstoffbomben die Bevölkerung der Bundesrepublik wahrscheinlich heute schon ausrotten.«

Dann sagen sie: »Unsere Tätigkeit, die der reinen Wissenschaft und ihrer Anwendung gilt und bei der wir viele junge Menschen unserem Gebiet zuführen, belädt uns mit einer Verantwortung für die möglichen Folgen dieser Tätigkeit. Deshalb können wir nicht zu allen politischen Folgen schweigen.« Diese Verantwortung bringt sie zu zwei Erklärungen:

Erstens: »Für ein kleines Land, wie die Bundesrepublik, glauben wir, daß es sich heute noch am stärksten schützt und den Weltfrieden noch am ehesten fördert, wenn es ausdrücklich und freiwillig auf den Besitz von Atomwaffen jeder Art verzichtet.«

Zweitens: »Jedenfalls wäre keiner der Unterzeichneten bereit, sich an der Herstellung, der Erprobung oder dem Einsatz von Atomwaffen in irgendeiner Weise zu beteiligen.«

Diese Erklärung kann auf den ersten Blick überzeugend wirken: Hier spricht der persönliche Wille bedeutender Männer, dem Verhängnis, wenn es sein sollte, nicht durch das eigene wissenschaftlich-technische Können Vorschub zu leisten. — Hier erhebt sich der überpolitische Geist selbstbewußten Gewissens gegen den verwerflichen Anspruch der Staatslenker, daß jeder dem Staat in jedem Fall für seine Zwecke zu Dienst verpflichtet sei. — Hier wird das heute sinnvolle deutsche politische Bewußtsein offenbar: Der Verzicht auf die Großmacht (wie er in früheren Zeiten von der Schweiz, von Schweden, von Holland vollzogen wurde) und damit das Ergreifen der Aufgabe des Kleinstaats, das Freiwerden von allen Antrieben zu einer Wiederherstellung. Nicht noch einmal der Weg zur Weltmacht; nicht noch ein drittes Mal! Jetzt vielmehr die mögliche Größe im kleinen, die Erfüllung des vom Kleinstaat geforderten politischen Ethos!

Verweigern der Mittäterschaft, persönliche Freiheit, deutsche Politik, das konnte beschwingen. Doch bei näherem Mitdenken wird man stutzig. Es stimmt etwas nicht. Die Erklärung, bemerkenswert durch den Rang der Forscher wie durch ihre Wirkung in Deutschland, fordert eine Prüfung.

1) Die Verbreitung des Wissens. — Zweifellos ist ihr großes Verdienst, die Kunde einiger grundlegender Tatsachen in Deutschland so zu verbreiten, wie es keiner der bisherigen Erklärungen von Einstein, Otto Hahn, Born gelungen ist. Die Autorität der Sachkundigen hat durch ihr geschlossenes Auftreten und dadurch, daß sie sich an die Bundesregierung wandte, die Aufmerksamkeit des ganzen Volkes erregt und damit erreicht, was kein Einzelner vermochte.

2) Die Verantwortung der Physiker. — Die Erklärung leitet ihre Verantwortung her aus den Folgen der wissenschaftlichen Tätigkeit. Die Forschungen bringen der Atombombentechnik die Mittel. Die Ausbildung des Nachwuchses zieht die Menschen heran, die die Bomben herstellen und handhaben können. »Deshalb können wir nicht zu den politischen Folgen schweigen.«

Die Verantwortung kann zweierlei Sinn haben. Es wäre der Schluß denkbar, daß wegen der bösen Folgen Forschung und Unterricht in der Atomphysik einzustellen seien. Eine solche Verantwortung würde die Aufhebung der Voraussetzungen verlangen, wenn diese so katastrophale Folgen haben können. Oder die Verantwortung ist gemeint als ein spezifischer *Anspruch*, als Forscher und Lehrer der Atomphysik über politische Dinge zu urteilen, nicht nur wie jeder Staatsbürger, sondern mit besonderer Autorität.

Die erste Konsequenz der Verantwortung ist nicht gemeint. Man denkt nicht daran, Forschung und Unterricht in der Atomphysik einzustellen. Vielmehr wird unterschieden: Forschungen und Unterricht zur friedlichen Verwendung der Atomenergie und zur Herstellung der Bomben. Die ersteren werden bejaht, die Teilnahme am zweiten verweigert. Ist aber die Grenze zu ziehen? Dient das eine nicht dem anderen? Jeder der durch die Ausbildung Geschulten kann doch später zum Atombombe zu Diensten stehen. Denn jeder hat später die freie Entscheidung, was er mit seinen Kenntnissen machen will. Forschung und Unterricht in der Atomphysik zur friedlichen Verwendung der Atomenergie zieht die Menschen heran, die die Bomben herstellen können. Die Forscher sind also doch bereit, diese Verantwortung für die Folgen ihres Tuns, die sie nicht wollen, zu übernehmen.

Weil sie diese Verantwortung übernehmen, beanspruchen die Forscher nun als solche, mitzureden bei der Verwendung der Atomenergie und Forderungen zu stellen. Weil die Forscher in der Tat das Feuer bereitstellen helfen, nehmen sie sich ein spezielles Recht, politisch zu urteilen, um das Feuer zu löschen. Aber die Verantwortung dafür, daß richtige Forschung und solide Ausbildung stattfinden, die im Gang des menschlichen Erkennens und technischen Fortschreitens liegt, ist selber noch nicht die Verantwortung für die Politik, durch die die Folgen dieses Ganges zum Heil oder Unheil werden können. Und die erste Verantwortung (für die Qualität der Forschung und der Ausbildung des Nachwuchses) hat nicht die zweite, die politische Verantwortung zur Folge.

Die Vortrefflichkeit bei der Erfüllung der ersten Verantwortung bezeugt keineswegs eine besondere Fähigkeit zu politischen Vorschlägen oder Impulsen im Sinne der zweiten Verantwortung. Die politischen Urteile der Forscher haben ihren Grund in ihrer Unruhe. Denn die Forscher sind doch nicht nur Forscher, sondern Menschen und Staatsbürger. Dann aber sprechen sie nicht als Physiker. Der Zusammenschluß als Physiker zum Zwecke einer politischen Erklärung ist sinnwidrig. Autorität der Physiker und Autorität politischer Weisheit geraten irreführend ineinander.

3) Das politische Urteil für das Handeln der Bundesrepublik. — Wenn die Physiker über den Sinn atomarer Rüstung für Deutschland urteilen, so sprechen sie als deutsche Staatsbürger wie jeder andere, ob Arbeiter oder Bundeskanzler. Jeder Bürger soll grundsätzlich sachkundig sein, wenn es sich etwa um die Frage handelt, was sein Staat als kleiner Staat, der sich der Grenzen seiner Macht bewußt wurde, tun solle. Hier folgen die großen Volksentscheidungen, die kein Einzelner allein fällt, an denen aber jeder Einzelne teil hat. Es ist etwas ganz Einfaches, für dessen Beurteilung es außer dem Wissen, das allgemein verbreitet werden kann, keiner anderen Voraussetzung bedarf als der Vernunft des Menschen. Jeder Deutsche muß in der Erkenntnis des Ortes, an dem sein Staat in der Welt steht, den großen Verzicht vollziehen und die eigentümliche Aufgabe sehen.

Bevor wir die Göttinger Erklärung befragen, wo sie stehe, vergegenwärtigen wir unsere staatliche Situation. Deutschland, herkommend aus seiner totalen Katastrophe, besteht politisch durch die Entscheidungen der Siegermächte, nicht durch eigenen Willen und eigene Kraft. Seine Staatsform ist ihm aufoktroyiert. Westdeutschland hat durch den Willen der Westmächte die freie demokratische Staatsform. Ostdeutschland hat durch den Willen Rußlands die totalitäre Staatsform. Die Deutschen im Westen sind in der Mehrheit vorläufig einverstanden, konnten dank der westlichen Politik ihre wirtschaftliche Blüte durch ihre Tüchtigkeit frei entfalten und formell die Souveränität zugestanden erhalten. Die Deutschen im Osten sind in der Mehrheit gegen das Regime, können ihre Tüchtigkeit unter dem ausbeutenden Zwangsregime nicht zur Entfaltung bringen; freie Wahlen werden ihnen versagt; nur unter wachsendem Terror ist der Bestand dieses Staates möglich. Beide Staaten haben ihre Sicherheit nicht durch sich selbst, sondern durch die Großmächte, deren Willen sie das Dasein ihrer Staatsform verdanken. Sie können den eigenen Bestand nur in Verbindung mit den Großmächten bewahren, durch die sie sind. Darum ist ihre Politik auf die der Großmächte bezogen, aber auf eine im Osten und Westen heterogene Weise.

Für die kleinen Staaten wie für die beiden Deutschland, auch für Frankreich, England u. a. gilt: Die Außenpolitik dieser »souveränen« Staaten ist faktisch in die Weltpolitik der Großmächte so einbezogen, daß sie entweder in freien hegemonialen oder in unfreien Satellitenverhältnissen unter Führung der Großen auf das Ganze der Menschheit bezogen ist. Dabei ist für jeden das eigene Interesse unlösbar gebunden an die Macht, durch die allein die eigene begrenzte Sicherheit besteht.

Daher muß Deutschland wählen, in welchem Großmachtraum es an der Sicherheit teilnehmen will. Im Osten hat es keine Wahl, sondern wird vergewaltigt. Im Westen ist ihm die freie Wahl zugestanden. Es hat sie getroffen, aber noch nicht so zuverlässig, daß neutralistische Tendenzen ausgeschlossen wären oder gar die Neigung, etwa durch mögliche Beziehungen zu dem Osten einen Druck auf den Westen zu eigenen Gunsten auszuüben (was bei Adenauer ausgeschlossen ist, ist es nicht auch bei jeder Partei).

Hat aber Westdeutschland gewählt, welchem hegemonialen Großraum es sich anschließen will, dann tritt eine unausweichliche politische und ethische Konsequenz ein: Sein außenpolitisches Denken muß ein sich eingliederndes weltpolitisches Denken sein. Die Bindung an das gewählte Ganze hat den Vorrang vor etwa erdenkbaren Interessen seiner Eigenmacht (im Osten dagegen befindet es sich ohne freie Wahl im Zustand des vergewaltigten Satellitenstaates, in dem nicht Treue gilt, sondern Zwang).

Daß militärisch alles Lokale zugleich im Rahmen der Weltstrategie gedacht werden muß, ist heute offenbar. Was in dieser Weltstrategie vom amerikanischen und vom russischen Standpunkt eine atomwaffenfreie Zone in Mitteleuropa, was eine atomwaffenfreie westdeutsche Bundesrepublik bedeutet, ist eine partikulare militärische Frage. Jede Partei wird sehen, welche Vorteile und Nachteile für sie und den Gegner entstehen. Die Motive der Bewohner dieser Zonen sind durchweg nicht weltstrategisch, sondern lokal. Sie möchten sich am liebsten aus dem allgemeinen Unheil heraushalten und jedenfalls kein Schlachtgebiet, kein Gebiet der heftigsten Zerstörung werden. Die russische Drohung, immer wieder an alle in seinem Umkreis liegenden Staaten wegen der Atombombe gerichtet, steigert die Angst. Für Deutschland ist die Lage besonders unglücklich, weil ein Teil der totalen Herrschaft unterworfen, ein Teil in freiem Bunde in hegemonialer Ordnung des Abendlandes steht.

Dazu ist zu sagen: 1) Militärisch lassen sich viele Möglichkeiten erdenken, unter denen die Verwüstung deutschen Gebiets und die Ausrottung seiner Menschen (je nach Lage der Front von russischer oder amerikanischer Seite) eine entsetzliche Gefahr ist, aber durchaus keine Gewißheit in der sich ständig wandelnden weltstrategischen Situation und ihren Kombinationen. Deutschlands geographische Lage ist nicht zu verändern. Es ist auf beiden Seiten Randprovinz entweder des Ostens oder des Westens, strategisch auf beiden Seiten ein Vorfeld (analog dem Randgebiet in geschlossenen Staaten). Diese Lage kann nur durch den Weltfrieden von der in ihr liegenden sonst unaufhebbaren Gefahr befreit werden. Es gibt kein Entrinnen aus dem geographischen Ort. 2) Die Gefahr Deutschlands ist bei den waffentechnisch geringen Entfernungen die Gefahr ganz Europas.

In der Zeit vor dem Weltfrieden bietet die einzig mögliche Sicherheit nur die Einheit und Solidarität des weltweiten Abendlandes. Diese Einheit ist militärisch notwendig in der Weltstrategie, sie ist zur Selbstbehauptung aller unumgänglich, sie ist geistig gefordert. Jede Politik, die auch nur droht, den Primat der Einheit des Abendlandes (darin heute der Hegemonie Amerikas) preiszugeben, ist faktisch selbstmörderisch und geistig treulos gegen das Abendland, gegen die Wurzeln unserer gemeinsamen Herkunft.

Politik und militärische Weltstrategie sind heute untrennbar. Jeder Versuch einer Trennung ist ein Versuch, den Gegner zu überrumpeln. Wenn man meint, politisch etwas zu erreichen, indem man militärstrategische Vorteile preisgibt, so wird man leicht einen ephemeren, also illusionären Vorteil um den Preis eines dauernden, also realen Nachteils eintauschen. Es bleibt zwar im Einzelfall zu prüfen. Im allgemeinen werden militärische Rückzüge nicht gegen politische Dinge, sondern gegen militärisch gleichwertige Rückzüge des Gegners ausgetauscht werden müssen.

Nach solchen Erinnerungen fragen wir nun: Wird in der Göttinger Erklärung deutlich, ob sie in diesem Bewußtsein der Weltlage und unserer politischen Realität als Bundesrepublik ihren Standort hat, oder in welchem anderen? Sie scheint die für uns Deutsche unumgängliche vernünftige Einsicht zu besitzen. Hat sie aber auch die Konsequenzen dieser Einsicht gegenwärtig?

Die Forscher sagen: Sie »fühlen keine Kompetenz, konkrete Vorschläge für die Politik der Großmächte zu machen«; sie sagen aber zugleich, daß »ein kleines Land wie die Bundesrepublik . . . sich heute noch am besten schützt und den Weltfrieden noch am ehesten fördert, wenn es ausdrücklich und freiwillig auf den Besitz von Atomwaffen jeder Art verzichtet«. Indem sie (nicht kompetent) Amerika und die NATO-Staaten gar nicht fragen und auch nicht berücksichtigen, betonen sie (kompetent) zwar die Winzigkeit der deutschen Macht, erheben aber den Anspruch der Unabhängigkeit dieses Deutschland in seinen weltpolitisch relevanten Entschlüssen.

Die politische Erklärung der Physiker besagt, die Bundesrepublik sollte ihrer Armee verbieten, die Ausrüstung mit Atomwaffen anzunehmen. Das ist auf Grund der von den westlichen Siegermächten der Bundesrepublik gewährten Souveränitätsrechte möglich. Aber was formalrechtlich erlaubt ist, ist darum nicht auch schon politisch erlaubt. Die Frage ist: Was verlangt das Treueverhältnis in der gemeinschaftlichen Selbstbehauptung des Abendlandes? Heute ist die NATO das unzureichende, aber einzige Gebilde zum militärischen Schutz des europäischen Abendlandes. Würde es eine Schwächung der NATO-Armee im ganzen bedeuten, wenn der deutschen Armee Waffen vorenthalten würden, die die anderen Glieder der NATO-Armee besäßen? Es kann sich in der Atombombenfrage niemals um Deutschland allein handeln, sondern nur um die Verteidigung des Abendlandes, in das Westdeutschland, solange es nicht unter totale Herrschaft gelangen will, mit eingeschlossen ist. Wenn diese Verteidigung nicht unter einheitlicher Führung steht, ist sie schwach.

Deutschland kann seine Gründe vorbringen, wenn es militärisch etwas anderes, als geplant wird, für besser hält, so auch in Erörterungen über die Bedeutung der europäischen NATO-Armee und ihrer Glieder gegenüber dem gegenwärtig überlegenen Koloß Rußlands, und über die aus dieser Lage zu ziehenden Folgerungen (die Erklärung bestreitet m. E. zu Unrecht die Kompetenz von Deutschen zu Rat und Vorschlag für alle Staaten des Abendlandes, insbesondere Amerika). Aber im eigenen Interesse und in dem Treueverhältnis, ohne das die freie Welt keinen Bestand haben kann, muß Deutschland dem einen Führungswillen sich fügen. Tut es das nicht, dann ist alle Solidarität der freien Staaten, aller Schutz gegen den Totalitarismus wenig wert (die englische und französische Politik der letzten Jahre ist nicht vorbildlich, sondern furchtbar enttäuschend).

Die gegenwärtige reale Lage für Deutschland hat folgende Momente: Deutschland hat nicht die Erlaubnis, Atomwaffen herzustellen. Nichts spricht dafür, daß die Atommächte bereit wären, solche Bewilligung zu erteilen. Eine Mitwirkung der deutschen Physiker zur Herstellung deutscher Atombomben steht für absehbare Zeit nicht zur Frage. – Es scheint von der NATO geplant, nicht unmittelbar, aber für später, die deutsche Armee mit Atomwaffen auszurüsten, jedoch so, daß die Verfügung über den Gebrauch praktisch von der Leitung der NATO-Armee, nicht der deutschen Armee abhängt. Die noch nicht eingetretene, aber vielleicht kommende Situation ist also die, daß Deutschland als ein Glied der NATO-Armee wie die anderen Glieder ebenfalls mit Atomwaffen ausgerüstet werden kann, die nicht Deutschland herstellt. – Die deutsche Armee ist faktisch nicht die eines souveränen Staats, sondern unter den Formen einer relativen Souveränität das Glied einer Gemeinschaft, ohne die sie selber nicht wäre. – Im einzelnen kann sich durch Fortschritt der Waffentechnik und durch Entschlüsse der Großmächte alles schnell ändern. Gleich bleibt allein der Sinn der Selbstbehauptung des freien Abendlandes.

Die Göttinger Erklärung hat diese reale Lage im ganzen nicht gegenwärtig. Sie bezieht sich nur auf den einen Punkt: die absolute Verwerfung der Atomwaffen für die deutsche Armee. Die Forderung ist beschränkt, beziehungslos zur Welt und ein bloßes Nein. Dadurch scheint sie in ihrem Sinn so leicht faßlich und annehmbar.

Sie fordert von der Bundesrepublik einen politischen Akt von größter Tragweite für Deutschland. Er liegt in der Tendenz zum Neutralismus, ohne daß dieser selbst vertreten würde. Der Neutralismus erwartet, in Verblendung, eine Schonung durch Rußland, ein Besserwegkommen durch Isolierung, einen Vorteil des Aus-dem-Spiel-Bleibens und macht sich dadurch politisch fragwürdig für die Macht, die allein ein gewisses Maß von Sicherheit auch für Deutschland verbürgt. Soweit ist hier also nicht von Atomwaffen überhaupt, sondern von vermeintlicher Sicherung Deutschlands durch Fernhalten von Atomwaffen die Rede. Die Wege aus dem Unheil können aber nur für die Welt im ganzen, nicht allein für ein kleines Land gefunden werden. Das für Deutschland konkrete politische Urteil kann der einfachste Mann wie der intelligenteste Forscher allein aus der Anschauung der politischen Weltlage im ganzen gewinnen.

Der Verfasser der Göttinger Erklärung will ausdrücklich den Schutz des eigenen Landes *und* den des Weltfriedens. Gedanken und Handlung beziehen sich zwar auf das Nächste, das Interesse der Bundesrepublik Westdeutschlands. Aber damit wird auch der Wille zum weitesten Sinn, dem Verschwinden der Atombombe, ausgesprochen. Doch es bleibt eine Zweideutigkeit: In der Erklärung scheint die Sicherheit der Bundesrepublik wichtiger als der Weltfriede. Aber sie will durch die Ausschaltung der Bundesrepublik aus dem Umgang mit Atomwaffen gerade dem Weltfrieden dienen. Sie geht mit dem Willen zum Weltfrieden wohl im unbestimmt allgemeinen Grundsatz den rechten Weg. Doch verläßt sie diesen wieder, wenn sie Deutschlands Sicherheit als solche faktisch zum letzten Ziel macht. Die Sicherheit der Bundesrepublik ist nur durch den Weltfrieden, und ihr relativer Schutz ist nur durch Amerika möglich. Deutschland kann seine Sicherheit nicht isolieren, ohne sie zu verlieren. Denn diese Sicherheit besteht allein zunächst im Schutz durch den Westen, danach durch eine Sicherheit der Welt infolge des Verhaltens der Großmächte zueinander, durch den Weltfrieden. Wenn aber die Erklärung meint, daß die Bedrohung der Bevölkerung der Bundesrepublik sich verringern lasse durch isoliertes Vorgehen und um den Preis einer militärischen Schwächung und daß damit dem Weltfrieden gedient werde, so ist das nicht nur nicht einzusehen, sondern gefährlich für die geringe, heute noch bestehende Sicherheit selbst.

Doch die Erklärung, die aus einem Anlaß, der Möglichkeit zukünftiger Ausstattung der deutschen Armee mit Atomwaffen, stattfand, hat sich ein weiteres Ziel gesteckt. Dafür ist charakteristisch, daß dieser politische Akt auf die faktische Politik des Augenblicks gar keine Rücksicht nahm. Die Forscher begehrten und erwarteten gewiß nicht den Applaus von Ostdeutschland und Rußland her. Sie fühlten trotz Bezugnahme auf die Bundesrepublik offenbar keine politische Verantwortung für diese Politik im ganzen. Sie schritten über diese Politik hinweg, indem sie ein Absolutes ins Auge faßten. Sie wollten jedenfalls viel mehr, etwas Weltpolitisches, durch das sie sich gerechtfertigt sahen, wenn sie auf die Situation keine Rücksicht nahmen. Der Augenblick der Erklärung scheint in diesem Sinne zufällig. Was ist dies Umfassende, vom Augenblick Unabhängige?

4. Das Nein der Erklärung. — Das Nein ist nicht das des persönlichen Gewissens der Forscher, das dem Einzelnen verwehren kann, in den Dienst eines ihm unheilvoll scheinenden Staatswillens zu treten. Vielmehr wird dieses Nein zu einer Forderung an das politische Handeln der Bundesrepublik. Es ist nicht nur das Nein, das in der Verborgenheit vom freien Einzelnen getan wird, sondern die Forderung des Neins des Staates.

Das persönliche Nein ist unangreifbar, solange es reiner Gewissensakt ist, daher nur faktisch geschieht und sichtbar nur würde, wenn andere es in die Öffentlichkeit zögen. Es ist unangreifbar aber auch nur dann, wenn alle Folgerungen dieses Nein auch persönlich gezogen werden. Ein solches Nein ist nur aus einer Wirklichkeit zu verstehen, die von der auf eine Mitverantwortung für den Gang der Dinge in dieser Welt überhaupt verzichtet wird.

Offenbar hat das Nein der Forscher nicht diesen Charakter. Man darf ihm vielmehr die Gesinnung zugrunde legen, die die Verantwortung für innerweltliches Tun und seine Folgen in dieser Welt übernehmen will. Den Schritt in die Wahrheit tut sie nicht direkt durch einen losgelösten Gewissensakt, sondern auf dem Wege über das Handeln in der Welt unter positiven Leitideen für diese Welt. Solche Verantwortung sucht im Blick auf das Ganze und durch Orientierung in der gegenwärtigen Realität ihr Tun zu finden. Dann kann jedes Nein nur einen Sinn haben, wenn es Moment eines positiven Tuns ist, das sich in dieser Welt ausweist. Das Nein der Physiker, das zugleich das Nein der Bundesregierung gegen die Ausrüstung ihrer Armee mit amerikanischen Atomwaffen bewirken möchte, hat nicht den Sinn der Weltlosigkeit, sondern den, zur Sicherheit Deutschlands und zum Weltfrieden beizutragen. Hier gilt nicht das Nichtbeteiligtsein des Einzelnen, sondern das Sich-nicht-Beteiligen dieses Staates. Daher ist die Kundgabe der Physiker als Kundgabe des Nichthandelns doch selbst ein Handeln im Zusammenhang des Geschehens mit der Atombombe.

Dieses Nein ist darum an seinen Folgen in der Welt zu prüfen. Man kann nicht umhin, in diesem Nein eine Schwächung der einen Seite der Staatenwelt zu sehen, nämlich der, in der diese Physiker leben. Nur beiläufig war der öffentliche Lärm, das Reden der Beteiligten (der Politiker, Generale, Theologen usw.), die Sensation für das Publikum.

Das Nein weist keinen positiven Weg. Weder Sicherheit Deutschlands noch Weltfrieden werden gefördert. Die Mitwirkung der Physiker, die weiter ausgebildet werden, wird dem Staatswillen zur Verfügung stehen. Selbst dann, wenn im Ernstfall die praktische Entscheidung von jedem Einzelnen vollzogen werden muß, würde der Ausfall der Neinsager doch nur für diese Einzelnen entscheiden, nicht für den Gang der Dinge, weil die anderen Physiker und die Physiker der übrigen Staaten die Sache weitertreiben. Das Nein kann den sich dadurch Entlastenden nur außerhalb des Geschehens stellen, nicht die Atombombe verhindern. Es ist die Politik des »ohne mich«.

Aber vielleicht will dieses Nein mehr. Will es Wirkungen erzielen durch ein in ihm sich aussprechendes Ethos? Will es durch ethische Mittel politische Resultate bewirken? Sozusagen mit dem Ethos manipulieren?

5) Der ethische Sinn der Erklärung. – Die Erklärung beruft sich auf Verantwortung. Wo ein ethischer Anspruch auftritt, darf und muß er auch ethisch geprüft werden. Es handelt sich um den objektiven ethischen Sinn der Erklärung, nicht um die Moral der unterschreibenden Persönlichkeiten, die sich in jenem Sinn irren kann oder ihn nicht bemerkt.

Soviel man weiß, sind diese Physiker gar nicht zur Mitarbeit vom Staat aufgefordert. Sie verweigern hypothetisch, was sein könnte, aber nach Lage der Dinge in absehbarer Zeit kaum zu erwarten ist. Die Verweigerung der Mitarbeit ist zur Zeit gegenstandslos. Trotzdem könnte auch solche prophylaktische Erklärung in dem Maße wahr sein, als ein sich selber klares, opferbereites Ethos sich kundgibt. In der Bundesrepublik ist bei den gegenwärtigen Zuständen eine solche Erklärung vielleicht risikoloser als irgendwo in der westlichen oder gar in der totalitären Welt. Die Bundesrepublik, die wenig Autorität und deren Regierung nur ein begrenztes Ansehen bei der deutschen Bevölkerung hat, wird ohne Gefahr diskreditiert. Es gibt sich eine moralisch formulierte Position kund, die Ansprüche macht, Aufsehen durch ethischen Ernst erregt. Dies geschieht kollektiv in einem Lande, das nach den Erfahrungen der Nazizeit vermuten läßt, daß in kommenden Situationen einer starken Staatsmacht manche ausgebildeten Physiker sich gehorsam zeigen würden.

Daß die Erklärung nicht nur als private Gewissensentscheidung, sondern als Anspruch an andere gemeint ist, geht aus einer Bemerkung von Weizsäckers hervor, die (soweit ich sehe, unwiderrufen) von Zeitungen im Bericht über ein Gespräch von Bundeskanzler, Generälen und Physikern mitgeteilt wurde. Von Weizsäcker betonte, »kein Wissenschaftler, der dieser Beziehung würdig sei, würde sich hergeben, um Kernversuche und Forschungen für militärische Zwecke auszuführen«. Die Folge ist, daß die Erklärung nicht nur deutsche Physiker diffamiert, die in Zukunft etwa mitarbeiten würden, sondern indirekt auch die Physiker Amerikas und Rußlands, die heute an der Atombombe beteiligt sind.

6. Der Sinn eines Schrittes ins Dunkle. – Von Weizsäcker schreibt in bezug auf das Göttinger Nein – als eine politische Handlung – einen für unser Thema ungemein wichtigen Satz: »Vielleicht erweisen der Welt auch die Menschen einen bescheidenen Dienst, die, ohne zu wissen, wohin sie dieser Weg führt, für ihre Person die Beteiligung an allem, was mit den neuen Waffen zu tun hat, verweigern.«

Dieser Gedanke weist auf eine Grundsituation des menschlichen Handelns. Niemals ist der Erfolg mit Gewißheit vorauszusagen. Immer geht der Weg des verantwortlichen Menschen unter maximaler Erhellung doch in ein Dunkel. Die Verantwortung ist nie abstrakt. Sie wird übernommen in der konkreten Situation in bezug auf das Ganze durch je bestimmte Handlungen. Aber alles Handeln führt in eine vorweg nicht durchschaubare Zukunft und hat Folgen, die nicht vorhergesehen waren. Der Satz Cromwells: »Der kommt am weitesten, der nicht weiß, wohin er geht«, besagt: Zwar kann nur maximale Klarheit auf Grund des Durchdenkens der sich zeigenden Situation, das selber schon gelenkt ist von einer Hellsicht für das Wesentliche, zu den Handlungen führen, die in der Tat Schritte auf einem Wege werden, der ein positives Ziel erreicht. Aber kein Mensch kann im ganzen rational das voraussehen, worin er sich schon bewegt. Erst im Rückblick sieht er, was er getan hat, wie es geschehen ist unter einer unbegreiflichen Führung, durch die sein Planen und Tun und die entgegenkommenden Ereignisse wie ständige Fragen und Antworten zusammentreffen.

Hat das Göttinger Nein als politische Handlung einen solchen Sinn? Man wird zweifeln und eher die Frage stellen, ob hier nicht durch das bloße Nein, ohne Durchdenken all dessen, was zu erfassen möglich ist, im Gegensatz zu Cromwells Satz durch einen negativen Akt nur ein Schritt ins absolute, unaufhellbares Dunkel getan, aber nicht der Sinn eines Weges in das sich erhellende Dunkel beschritten wird. Es wäre ein zufälliger Akt, der nicht im Zusammenhang der Führung politischen Geschehens stände, auch nicht aus einem umgreifenden politischen Gedankenzusammenhang erfolgte, daher politisch unverantwortlich wäre.

Doch mit jenem unbestimmten Satz, in dem eine Tiefe verborgen liegt, meint von Weizsäcker, wie seine folgenden Sätze zeigen, wohl etwas anderes. Er meint, die Weigerung der Göttinger sei »wahrscheinlich eine sehr primitive Weise, eine Eigenschaft zu üben, die der Mensch des Atomzeitalters wird besitzen müssen, wenn er der Herr und nicht der zum Untergang verurteilte Sklave dieses Zeitalters sein will: die Distanz zum Apparat«. Dieses ständig erörterte und nur von wenigen für ihre Person, aber noch gar nicht im Ganzen der Gemeinschaft gelöste Problem betrifft die Lebensverfassung im Umgang mit Technik und allen ihr analogen Apparaturen. Daß für die Lösung dieses Problems auch nur das geringste getan sei, wenn man Nein sagt zur Mitwirkung bei der Atombombe (noch dazu, ohne es radikal mit allen Konsequenzen zu tun), sehe ich nicht ein. Es scheint mir nicht eine »primitive Weise« der Übung einer Eigenschaft, sondern eine nur verneinende Distanzierung durch das »ohne mich«. Zwei Problemkreise, »Beherrschung der Technik« und »Verzicht auf Gewalt«, die sich nur berühren, werden vermengt in von Weizsäckers Satz: »Man soll nicht alles machen, was man machen kann.« Dieser so unbestimmte Satz ist in jenen beiden Fällen anwendbar und in seiner Allgemeinheit nichtssagend, solange er nicht konkret gedeutet wird.

7. Zusammenfassung. — Die Göttinger Erklärung scheint uns mehr ein philosophisch als ein politisch bedeutendes Ereignis zu sein. Als solches hatte es keine reale, sondern eine enthüllende Wirkung. Der Bundeskanzler geriet in Zorn, hatte in seinem Instinkt recht, aber zeigte, daß er in der Sache der Atombombe noch nicht Bescheid wußte. Und er bezeugte durch seine Erregung, daß hier ein Nerv der Dinge berührt war. Aber er, wie die übrigen, begnügte sich am Ende, durch konventionelle Glättung in höflichen Formulierungen die Sache versinken zu lassen. – Der General sagte: Eine Truppe, die nicht im Besitze der besten Waffen sei, sinke ab im Kampfgeist und Selbstbewußtsein. Aber er sagte nicht, ob sie absinkt, wenn sie weiß, daß sie mit den Atomwaffen nur umgehen, jedoch im Ernstfall sie nur benutzen könne, wenn der Wille der NATO und Amerikas ihr den Schlüssel zur faktischen Verwendung zur Verfügung stelle. – Die Forscher meinten vielleicht einen politischen Akt zu vollziehen, deuteten ihn als ethischen (als Gewissensakt). So konnten sie an ihm als absolutem festhalten und erklärten Ende September 1957 öffentlich in Heidelberg, daß die alle ohne Ausnahme zu ihrer Erklärung ständen. Aber sie gaben keine gemeinsame Erwiderung auf die kritischen Angriffe. Es war das Verhalten von Männern, die trotzig zu ihrer Sache stehen, nicht von Forschern, die erwägen und prüfen. Sie stellten in Aussicht, daß einzelne von ihnen antworten würden, wo der Angriff »sachlich« gewesen sei.

Was aber ist hier »sachlich«? Jedenfalls nicht der Austausch von Höflichkeiten und Anerkennungen, wenn jeder weiter tut wie bisher und nur wiederholt, was er gesagt hat. In bezug auf die physikalischen und technischen Aussagen ist die Sachlichkeit ohne Zweifel, mitzuteilen, was in einem prüfbaren Sinn richtig ist und im Fortschritt korrigiert wird. Hier ist spezifische Sachkunde vorausgesetzt! In bezug auf die westdeutsche Politik wären sachlich alle Erörterungen der Lage, der Zusammenhänge und Konsequenzen. Hier ist die Richtigkeit wohl in Details, in Daten der Geographie und Statistik erreichbar und gemeinschaftlich einsehbar. In der Auffassung der Realität im ganzen aber ist so viel Unsicherheit, daß sachlich hier die Bereitschaft zum Hören, zur Kritik ist, aber auch die jeweilige entschiedene Feststellung und Beurteilung im erhellenden Interpretieren mit dem Vorbehalt, sich irren zu können. In bezug auf die Frage des Gebrauchs der Atomwaffen überhaupt wäre sachlich aber die Erörterung, die sonst ethisch, theologisch und philosophisch heißt. Die Sachlichkeit geht also vom partikular-wissenschaftlichen Erkennen bis zur Anschauung des Sinns persönlichen Tuns. – Unsachlich ist das gedankenlose Preisen und Schelten. Sachlich ist der Wille zur Wahrheit in jedem Sinn, auch zum Mitwissen der existentiellen Wahrheit und Unwahrheit in den Akten des einzelnen Menschen. – Unsachlich ist die Emotion ohne Denken, die Aggression ohne einen objektivierbaren Sinn, das Sichentziehen, wo Tatsachen und Gedanken unbequem werden, seine »Meinung« sagen und auf ihr bestehen, als ob man die anderen nicht höre. Sachlich wäre die uneingeschränkte Offenheit.

In der Göttinger Erklärung scheint eine hintergründige Vieldeutigkeit zu liegen, in dem einzelnen Bestimmten eine Unbestimmtheit der Grundhaltung sich zu verbergen. Aber das Verdienst der Erklärung bleibt: das große Thema *öffentlich* fühlbar gemacht zu haben. Die *Spannweite* zwischen dem Sinn angebbarer Handlungen, die ausgehen vom Nächsten, und dem umgreifenden Sinn des Friedens in unserer geschichtlichen Weltlage ist faktisch, wenn auch keineswegs mit klarem Bewußtsein aufgetreten. Wahr und richtig sagt die Erklärung, wenn heute der Weltkrieg noch verhindert wird durch die gegenseitige Angst vor den Wasserstoffbomben: »Wir halten diese Art, den Frieden und die Freiheit zu sichern, auf die Dauer für unzuverlässig, und wir halten die Gefahr im Falle ihres Versagens für tödlich.«

b) Forschung und »neue Denkungsart«

1. Das Ethos der Wissenschaft. – Forscher, am bewegtesten Einstein, haben von der Wissenschaft selbst, die die Gefahren gebracht hat, auch die Rettung erhofft. Denn der Geist der Wissenschaft soll als solcher der der Wahrhaftigkeit, Vernunft und Menschlichkeit sein. Darin liegt eine große Wahrheit. Aber sie gilt nur für einen Ursprung der Wissenschaft, nicht für die Wissenschaft selbst, nicht für den vom Ursprung sich lösenden, doch faktisch noch voranschreitenden modernen Wissenschaftsbetrieb. Das ist näher zu sehen.

Der philosophische Geist gibt der Wissenschaft erst Sinn. Er will, daß Wissenschaft sein soll. Er kennt das Leben in der Erkenntnis als Würde des Menschen. Dieser Geist der Redlichkeit und der Liebe zur Welt, die erkannt werden will, ist der Ursprung des universalen Wissenwollens. Er stellt den Anspruch, sich durch nichts, durch keine Befangenheiten und Vorurteile, täuschen zu lassen. Er entwickelt die Methoden zwingender Erkenntnis in unausgesetzter Selbstkritik. Er ist verläßlich. Große Forscher geben ein Beispiel, so Kepler. Von wem die Wissenschaft Besitz ergriffen hat, meint er (die folgenden Zitate nach Caspar), aus dessen Herzen kann unmöglich das Ethos verschwinden. Denn das Erkennen der Natur ist ein Nachdenken der Gedanken des Schöpfers. Das Erkennen der Sternbewegungen, des Himmels, das Begreifen der ewigen Ordnungen, nicht in spielenden Phantasien, sondern in der Zusammenwirkung mathematischer Entwürfe mit empirischer Beobachtung, d. h. hier Messungen, prägt dem so erkennenden Menschen eine gewisse Ähnlichkeit mit den göttlichen Werken ein. Solche Erkenntnis zähmt seine unordentlichen Begierden. Sie läßt ihn Liebe gewinnen »zur Gerechtigkeit, Lindigkeit, Ehrbarkeit und Holdseligkeit«. Daher auch Keplers Gleichgültigkeit gegen Priorität. Als man ihm mitteilte, Galilei trage Keplers Gedanken als seine eigenen vor, antwortete er, mitnichten halte er Galilei zurück, seine Sachen für sich in Anspruch zu nehmen. »Mögen diese und andere Geheimnisse Gottes die Garamanten und Inder vernehmen, mögen sie auch meine Feinde verkünden, mag auch mein Name untergehen, wenn nur der Name Gottes, des Vaters der Geister, dadurch erhöht wird.«

Wissenschaft heißt nun aber heute nicht dieser philosophische Ursprung, durch den ihr Dasein Sinn hat, sondern der moderne Gang der Forschung, der die zwingenden Erkenntnisse bringt. Die Richtigkeit der Erkenntnis löst sich vom Ursprung, der sie suchte. Der verlorene Ursprung wird nicht mehr bedacht. Denn die Kriterien der Richtigkeiten gelten unabhängig von jenem Ursprung. Sie bestehen, gleichgültig welches die Impulse waren, durch die sie gefunden wurden. Der Fortgang der Forschung, wenn sie einmal in Gang gesetzt ist, ist möglich als Betrieb des Intellekts ohne jene Motive. Die Entdeckung wird zu persönlichem Ruhm, der Besitz der Priorität leidenschaftlich verteidigt. Die Erkenntnis wird nützlich und dann des Nutzens wegen gesucht.

Jenes philosophische Motiv schließt die Wahrhaftigkeit im ganzen ein, das Erkennenwollen, wo immer es möglich ist. Denn man weiß, daß das ganze Leben unter Mephistos Drohung steht: »Verachte nur Vernunft und Wissenschaft, des Menschen allerhöchste Kraft, so hab' ich dich schon ganz gewiß.« Aber die Wissenschaft, losgelöst von diesem umgreifenden und sinngebenden Motiv, betrieben als jeweilige Spezialisierung allein nach dem Kriterium von Richtig und Unrichtig, geht wohl auf der Straße des fortschreitenden Erkennens, jedoch sind ihre Träger keineswegs verläßlich außerhalb des besonderen Gebiets, auf dem nicht zu täuschen Bedingung ihrer Reputation ist. Mit der Richtigkeit der Forschung ist nicht auch die Wahrhaftigkeit des Forschers überhaupt zu erwarten. Das wissenschaftliche Ethos der verläßlichen Richtigkeit in der Forschung ist keineswegs als solches verbunden mit dem Ethos verläßlicher Wahrhaftigkeit des Forschers.

In der wissenschaftlichen Forschung als solcher liegt noch nicht die verbindende Gemeinschaft der erkennenden Menschen. In ihr verbindet sich allgemein für alle nur der Verstand, dieser bloße Punkt des Bewußtseins überhaupt, in dem jeder mit jedem sich verstehen kann, weil das Verstandene logisch oder empirisch zwingende Erkenntnis ist. Es ist die Gemeinschaft der gleichen Erkenntnis in der Konstruktion der Atombomben, die man doch dann gegenseitig zur Vernichtung brauchen kann. Man sucht die Gemeinschaft zur Förderung der Erkenntnis hier auch mit dem ärgsten Feinde. Die Wissenschaft ist nicht die welteinende Macht, der wissenschaftliche Verkehr nicht Zeichen von Freundschaft und Vertrauen. Das ist er nur dort, wo das sinngebende Grundmotiv der Wissenschaftlichkeit Menschen existentiell verbindet, sie in der gemeinschaftlichen Arbeit zu Freunden werden läßt durch diese Arbeit, weil in ihr das philosophische Motiv, der Geist der Wissenschaft, gegenwärtig bleibt. So schickte Rutherford jenem langjährigen russischen Mitarbeiter und Freund, als dieser bei einer Reise in die Heimat von Stalin zurückgehalten wurde, sein kostbares Instrumentarium zur Fortsetzung der Forschung nach Rußland. Was ging die Forscher die Politik an! Nur was in der Wissenschaft mehr als Wissenschaft ist, erzeugt die seltene wahrhafte Gemeinschaft in der Idee. Die losgelöste Wissenschaft dagegen erzeugt diese Gemeinschaft gerade nicht.

Da die Wissenschaft – als der Fortschritt der zwingenden Naturerkenntnis – ihren eigenen Sinn nicht begreifen kann und nie zureichend begründet, daß sie sein soll, ist sie auch unfähig, den Ausweg aus der Unheilsdrohung zu zeigen. Heute entbehrt sie in ihren Trägern häufig jenes hohen philosophischen Impulses, wenn sie betrieben wird als eine Arbeit der Intelligenz, die wie jede andere ernähren, Stellung und Ansehen verschaffen kann (Rutherford, Einstein und viele andere, auch heute Lebende, sind ergreifende Ausnahmen). Die losgelöste Wissenschaft, wie sie faktisch ist und ständig fortschreitet, ist als solche weder menschlich noch vernünftig, sondern von neutraler Gleichgültigkeit außer gegen dies, daß richtig sein soll, was sie findet. Die Motivation des Wissenschaftsbetriebes ist keineswegs notwendig verbunden mit der Humanität im Ursprung des eigentlichen Wissenwollens.

2. Die Forscher fordern eine »neue Denkungsart«. – Einstein hat in seiner Botschaft an die italienischen Naturforscher von 1950, als er schon hinwies auf die technische Möglichkeit der Zerstörung jeglichen irdischen Lebens (»Alles scheint sich diesem verhängnisvollen Ablauf der Dinge zu fügen«), auch auf die einzige Möglichkeit der Rettung gewiesen: »Die entfesselte Macht des Atoms hat alles verändert, nur nicht unsere Denkweise . . . Wir brauchen eine wesentlich neue Denkungsart, wenn die Menschheit am Leben bleiben soll.« Worin besteht sie? »Die Menschen müssen ihre Haltung gegeneinander und ihre Auffassung von der Zukunft grundlegend ändern«. Worin aber liegt diese Änderung? Einstein sagt: in den Methoden; die Gewalt »darf nicht mehr Mittel der Politik sein«, das heißt der Krieg ist abzuschaffen. Einstein schließt: »Im entscheidenden Augenblick — und ich sehe diesem schwerwiegenden Augenblick entgegen — werde ich mit aller mir verbleibenden Kraft meine Stimme erheben« (aber der »entscheidende Augenblick« wäre gewiß zu spät für eine solche Stimme; die Verwandlung der Denkungsart müßte unter den Menschen sich verbreiten — was Zeit braucht —, um im »entscheidenden Augenblick« wirksam sein zu können).

Seitdem sprechen viele Physiker von der heute zur Formel gewordenen »neuen Denkweise« als von dem, was kommen müsse. Born z. B. sieht denselben Weg wie Einstein: die Abschaffung des Krieges überhaupt, die gewaltlose Politik. »Heute ist nicht mehr viel Zeit verfügbar; es kommt darauf an, daß diese unsere Generation es fertigbringt, umzudenken. Wenn sie es nicht kann, sind die Tage der zivilisierten Menschheit gezählt.«

Ganz anders als Einstein und Born spricht ein Naturforscher wie Oppenheimer (zitiert nach Jungk). Bei Oppenheimer ist von »Schönheit« die Rede, von »unserer Fähigkeit, sie in weltfernen, seltsamen, ungewohnten Plätzen zu entdecken«, von Wegen, die »in einer großen offenen windigen Welt in Existenz halten«. »Das ist Vorausbedingung des Menschen, und unter dieser Bedingung können wir helfen, weil wir einander lieben.« In solchen Sätzen sehe ich nur das Ausweichen ins Ästhetische, ins »Kultivierte«, in ein existentiell verwirrendes, verführendes und in bezug auf die Realität einschläferndes Gerede. — Wieder anders weist Pauli auf einen lang vernachlässigten »inneren Heilsweg«. Er hält »die Vorstellung vom Ziel einer Überwindung der Gegensätze, zu der auch eine das rationale Verstehen wie das mystische Einheitserleben umfassende Synthese gehört, für den ausgesprochenen oder unausgesprochenen Mythus unserer eigenen, heutigen Zeit«. Die »Wiederanerkennung eines inneren Heilsweges« soll zu einer »neuen Bescheidenheit« führen. Mir scheint auch mit solchen Vorstellungen keine existentielle Wandlung getroffen zu sein. Es ist eher ein Ausweichen ins Mystische. — Diese Naturforscher bezeugen mit solchen Äußerungen ästhetischen oder mystischen Charakters zwar ihren Antrieb, der aus einem neu erfahrenen Ungenügen naturwissenschaftlicher Einsicht entspringt. Aber sie bringen das, was sie suchen, da es in den ihnen gewohnten Denkungsweisen gar nicht liegt, nur als ein Bildungswissen, das unverbunden neben ihrer beruflichen Tätigkeit einhergeht.

3. Die Frage nach der neuen Denkungsart. — Das Wort von der neuen Denkungsart rührt an den entscheidenden Punkt. Vielleicht aber ist bisher mit der »neuen Denkungsart« von den Forschern nur ein Wort ausgesprochen. Sie wissen dann nicht, was sie eigentlich fordern, und mißverstehen ihren wahren Antrieb, wenn sie die neue Denkungsart selber entwickeln. Aber man muß den Sinn, den Ursprung, die Weise, die Folgen dieser neuen Denkungsart sehen.

Manche Forscher neigen zum Vertrauen, daß die Menschheit sich einigen werde auf Grund einfacher rationaler Schlüsse, die jeder Verstand als zwingend anerkennen müßte, oder sie werden, wenn dies versagt, ausweglos pessimistisch. Es ist rührend, wie sie der Verständigkeit vertrauen, und daß sie meinen, selber schon soweit zu sein, schon so zu leben, daß, wenn alle ihnen folgen würden, die Rettung da sei. Es ist erschreckend, wenn sie — bisher nicht öffentlich — alle Hoffnung aufgeben. Beide, die Vertrauenden wie die Hoffnungslosen, scheinen nicht zu ahnen, welche tiefe Verwandlung in der Denkungsart, nämlich das Durchdringen des Verstandes durch Vernunft, stattfinden müßte. Nur mit einer Wandlung des Lebens zum vernünftigen Leben würde jener Schritt getan, der bei den Menschen, die den Gang der Dinge in die Hand bekommen werden, die rettenden Entschlüsse, Worte und Taten ermöglichen könnte.

Die »neue Denkungsart«, das »Umdenken«, liegt nicht in der Fortsetzung der alten Denkweise, weder in der Richtung technisch-wissenschaftlichen Denkens noch in der Richtung politischen Zweckdenkens. Auf dem Wege der wissenschaftlichen Denkungsart, die zur Entdeckung der Atomenergie geführt hat, ist eine Lösung der durch das Dasein der Atombombe aufgeworfenen Probleme nicht möglich.

4. Der Anstoß zur neuen Denkungsart. — Die Atombombe erweckt aus dem philosophischen Schlummer eines Fortschrittsglaubens, der ein grundlos optimistisches Vertrauen hat. Es wird wieder ernst, nicht nur wie schon früher durch Kriege, Seuchen, Hunger, sondern durch den drohenden realen Untergang der Menschheit.

Jeder weiß als Einzelner, daß er sterben muß — und lebt vielleicht, als ob es nicht so sei. Obgleich er seinen Tod nicht eigentlich glauben kann, weiß er ihn doch gewiß. Daß die Menschheit untergeht, ist nicht gewiß, aber möglich, ja, wahrscheinlich. Aber dies ist kein unabänderlicher Naturvorgang. Es liegt am Menschen selbst, ob es dahin kommt oder nicht. In dieser Perspektive muß das Leben anders werden als unter der bisherigen Vorstellung eines unabsehbaren Weitergangs der Geschichte des Menschen.

Aber erschüttert die neue Lage wirklich? Gewöhnt man sich nicht an die Gefahr? Lebt man nicht dahin, da es ja heute noch nicht unmittelbar soweit ist? Lenkt man sich nicht ab durch besinnungslose Aktivität in gegenwärtigen Unternehmungen? Ist dem Menschen nur je sein eigener Tod von Bedeutung, nicht aber der Untergang der Menschheit, der für ihn nichts anderes bewirken würde als auch seinen Tod, den er ohnehin sterben wird?

Wer diese Fragen bejaht, hält so wenig vom Menschen und vermutlich von sich selbst, daß, wenn er recht hat, in der Tat keine Hoffnung besteht, weil der Anstoß zur Umkehr dann gar nicht stattfindet. Er hat keine ihm glaubwürdige Erfahrung von Menschen, in denen das Menschsein selber durch alle Trübungen hindurch uns begegnet, und keine Erfahrung von den Wirklichkeiten in der Geschichte, die durch dieses gegenwärtige Menschsein erst ganz überzeugend werden. Ihm nivelliert sich alles in ein turbulentes Grau, in dem das Menschsein und seine Möglichkeit aufhört. Hätte er recht, so sähen wir jetzt den Anfang vom baldigen Ende.

Gewiß ist, daß der Anstoß zur neuen Denkungsart nur dort geschehen kann, wo jenes Versinken in die existentielle Passivität der horizontbeschränkten vitalen Arbeitsaktivität sich nicht vollendet, wo der Mensch die ursprüngliche Möglichkeit des Menschseins nicht verliert, seinen Grund in der Vergangenheit nicht preisgibt und dessen Forderung hört, für die Zukunft mitbauen will, an Kinder und Enkel im physischen und geistigen Sinne denkt, sich als Beauftragter weiß im Gang der Dinge, ein Platzhalter ist für die Kommenden und ein Treuhänder zur Bewahrung des Anvertrauten.

Was aber heute Anstoß zur neuen Denkungsart werden kann, ist nicht ihr Ursprung. Denn dieser liegt vom Anfang her im eigentlichen, sich von der Transzendenz geschenkten Menschsein, das in jedem Neugeborenen wieder da ist. Der Anstoß erweckt die neue Denkungsart, aber erzeugt sie nicht. Sie ist in gegenwärtiger Situation vielmehr eine neue Gestalt der uralten, vom Menschen schon immer in der Umkehr gefundenen Denkungsart.

5. Vorläufiger Ansatz zur neuen Denkungsart. — Hört das Denken auf, wenn es keinen bestimmten Gegenstand mehr zeigen kann, wenn aus ihm nicht in direkter sachlicher Schlußfolgerung ein Vorschlag, eine Einrichtung sich ergibt? Oder gibt es ein Denken, das gegenstandslos vergegenwärtigt, was zu innerem Handeln wird?

Ist Schweigen angemessen, wo kein Weg zu weisen ist? Wenn das Denken in jede mögliche Gestalt gegenständlichen Wissens, in jede mögliche Mitteilbarkeit seiner Sachen eingetreten ist, und wenn es dann an die Grenze der Greifbarkeit und an die Grenze aller objektiven Bestimmtheit gelangt ist, hört es dann nicht auf? Und ist darüber hinaus nichts?

Keineswegs. Hier erfolgt der Schritt vom bloßen Verstandesdenken zum umgreifenden Vernunftdenken. Mit ihm wird der Mensch selbst im ganzen verwandelt. Die jederzeit »neue Denkweise« ist die Umwendung, die in Menschen geschah, seitdem philosophiert wurde. Zwei Akte sind zu vollziehen. Der erste ist: die Grenze der alten und gewohnten Denkungsweisen einzusehen. Dann wird klar, daß zur Rettung die Fortsetzung dieses Denkens auf der gleichen Ebene vergeblich ist. Der zweite Akt aber ist: zu erfahren, daß das Denken mit dem Überschreiten des bisherigen Denkens nicht aufhört, daß man sich hier nicht dem Dunklen überlassen muß und darf, auf das als Gefühl, Instinkt, Takt man sich gern beruft, sondern daß man sich des umfassenden Denkgrundes bewußt werden kann, aus dem auch der Verstand, seine Forschung, Planung und Technik die objektivierenden Schritte tut. Diese bedürfen der Führung.

Dieses neue Denken kann dem, der nur Anweisung und Planung will, nichts mehr sagen. Aber es kommt dem zu Hilfe, der durch die letzte Ziellosigkeit aller Planungen und Ziele ratlos geworden ist. Denn er hat die Ohnmacht des Verstandes erfahren, das Leben der Existenz, den Entschluß führen zu können. Wenn er die Ratlosigkeit nicht mit dem Lärm der zerstreuten und als solcher nichtigen Unternehmungen übertäuben und nicht in Gedankenlosigkeit versinken will, dann retten ihn die Gedankenvollzüge der neuen Denkungsart, die ihre Wahrheit erst mit der Umwendung des Denkenden, nicht als bloßes Denken von etwas haben. Sie erzeugen mit dem Erkennen von Sachen eine innere Haltung des Sehens, der Unterscheidung, des Urteils. Im Gebrauch der alten rationalen Denkmethoden selber, die keinen Augenblick zu entbehren sind, wirkt sie sich aus als eine bewegte Ordnung des Weltbewußtseins.

Es ist also in der Wende ein Zweifaches zu vollziehen: Zunächst vom Planen, vom bestimmten Wissen der Möglichkeiten des Geschehens zum philosophischen Denken aus dem Umgreifenden; — und dann von dort wieder zurück zum Denken in jener Welt des Wissens und Planens. Die erste Wende führt im Denken zur Verwandlung des Menschen mit diesem Denken, die zweite zur Auswirkung dieser Wandlung in der Welt mit der Folge der neuen Richtung im Gang der Ereignisse. Die eine Wende ist ohne die andere nicht möglich. Die Vernunft setzt den Verstand voraus. Der Verstand, der sich genügen wollte, bliebe leer an Gehalt.

Aus dem vernünftigen Denken folgt nicht in logischer Konsequenz von Sätzen, sondern in der Wirklichkeit des so denkenden Menschen die Führung seines gegenständlichen und planhaften Denkens. Es bewährt sich in der Wirklichkeit, es geht nicht beziehungslos neben ihr her.

Diese philosophischen Gedanken nur in dem Sinn von Sätzen zu denken, ist noch nicht die Wirklichkeit dieser Gedanken. Denn das philosophische Denken, das in der Sprache sich mitteilt, ist in solcher Gestalt nur veranlassendes und vorbereitendes Denken. Solche Vorbereitung kann in jedem, der diese Denkbewegung zunächst unzureichend nur in der Form der Aussage von Sachinhalten versteht, zu dem Sprung führen, der ihn in die Wirklichkeit bringt. Erst dann ist die Kraft dieser Gedanken da. Die sprachliche Mitteilung ist nur der Abglanz, aber als solcher die einzige Form der durch Mitteilung sich konstituierenden Gemeinschaft der Menschen selbst (nicht nur der Gemeinsamkeit ihres Verstandes). Im Abglanz vergewissert sich der Denkende und kommt zu sich der im Hören Mit- und Weiterdenkende.

6. *Widerstand gegen die neue Denkungsart.* — Unser aller Denken ist eingewöhnt in den Verstand und seine Zweck-Mittel-Verhältnisse (und muß auch dann, wenn es den Verstand überschreitet, doch mit jedem Schritt auch in ihm bleiben). Wo das umwendende, aber nicht gegenständlich belehrende Denken uns begegnet, sind wir immer zu fragen geneigt: Was kann ich damit machen? Welche Anwendbarkeit hat es? Was soll ich tun? Welche Einrichtung ist zu treffen? Die Gewohnheit rational-zweckhaften und technischen Denkens verlangt auf alle praktischen Fragen eine Antwort im Sinne einer Anweisung. Auch wenn das neue Denken einen Augenblick formal gelungen sein sollte, neigen wir dazu, mit jenen Fragen schnell in das bloß alte zurückzufallen. Das neue Denken gewinnt den Mut zu sich selbst allein in der Umkehr unseres Inneren, nicht durch irgend etwas Aufweisbares, äußerlich Bestehendes, nicht durch eine sichtbare Leistung.

Wer in den Gewohnheiten des Verstandes lebt, kommt aber tatsächlich nie mit dem Verstande aus. Daher hören wir von dem Rationalisten manchmal plötzlich das pathetische Reden in vielen Gestalten, zum Beispiel als Gerede nationalen, marxistischen, optimistischen, pessimistischen, religiösen Charakters. Es ist dann Dekoration am Rande oder Äußerung dunkler Ansprüche und Rechtfertigungen und Tröstungen. Obgleich damit der Ort bezeichnet wird, von dem her in ganz anderer Weise als in der der Pläne und Programme kommen müßte, was not tut, wird dieser Ort doch wieder ausgefüllt durch neue Rationalisierungen, Objektivierungen, Leibhaftigkeiten, illusionäre »Wissensinhalte«, die die Denkungsart keineswegs ändern. Aber sie sprechen, in diese alte Denkungsart zurückfallend, etwas Phantastisches aus, bei dem man sich beruhigt, indem man sich über die Lage hinwegtäuscht, die mögliche Verwandlung versäumt und den gewohnten Weg, nun noch mit Blindheit geschlagen, weitergeht. Wir alle neigen dazu, das in der Umwendung Gedachte selber sogleich in das planhafte, rationale, objektivierende Denken zurückzunehmen, um es faßlich zu machen. Dadurch verliert es seinen Sinn.

Die Verstandesgewohnheiten, unbemerkt zum Absoluten gesteigert, sind wie eine Barriere, die uns den Weg zur Vernunft versperrt. Mit Unwillen sträuben sich diese Gewohnheiten gegen alles, wodurch sie, ohne sich darum aufgeben zu müssen, über sich hinausgelangen sollen: »Reden eines Trunkenen«, »Schwärmerei«, »Romantik« sind abwehrende Klassifikationen seitens des Verstandes. Was er nicht fassen kann, schiebt er rücksichtslos, ohne sich auf ein Verstehen einzulassen, beiseite. Wenn es sich um praktische Fragen handelt, ruft er etwa aus: »Lamentiere nicht, sondern sage, was zu tun ist!« »Predige nicht, sondern zeige den Weg!« »Entwirf keine Zaubereien der Spekulation, sondern halte dich an die Wirklichkeit!«

Wo die Situation die Umwendung des Denkens zur Vernunft fordert, da kann statt des Aufschwungs zur Vernunft in der Tat der Absturz in das Irrationale geschehen. Mit jenen Ausrufen hat der Verstand nur dann unrecht, wenn er Vernunft und irrationales Dunkel für dasselbe hält. Wo »Lamentieren« oder »Predigen« oder »Zaubern« stattfindet, da ist allerdings alle Vernunft verloren. Vernunft ist vielmehr die einzige Rettung, wenn Menschen, ratlos in der Ausweglosigkeit des Verstandes, sich plötzlich in das Irrationale stürzen wollen, in Lamentieren, Predigen und Zaubern geraten. Der Mensch ist mehr als Verstand. Dieses Mehr kann in den Dunkelheiten des Irrationalen sich mißverstehen oder in der Helligkeit der Vernunft zu sich kommen. —

Der Unwille gegen die umwendende neue Denkungsart hat seinen eigentlichen Ursprung darin, daß der Mensch nicht er selbst werden will. Der Unwille wird zur Abwehr dagegen, als man selbst beansprucht zu werden, das heißt er hat seinen Ursprung in unserer Verschlossenheit. Wir möchten uns nicht zeigen, nicht bloßstellen, nicht als uns selbst einsetzen.

Verschlossenheit als Schweigen: Wo im Raum der gewohnten Denkungsart des Verstandes der Weg nicht weiter geht und Schweigen diesem Verstande angemessen scheint, da braucht der Mensch in seiner Vernunft nicht zu verstummen. Das Schweigen wird erst dann wahr, wenn es nicht leeres Verstummen, sondern erfülltes Schweigen ist, in dem ein neues Denken wächst, das indirekter Mitteilung fähig wird. Liegt im Schweigen nicht die

Tiefe des sich emporarbeitenden Denkens, das das eigentliche Denken inneren Handelns ist? Ist daher jedes absichtliche dauernde Schweigen, vor allem das Schweigen gegen sich selbst, nicht schon unwahrhaftig? Ist nicht vielmehr die äußerste Offenheit gefordert, um den Grund des Schweigens als Quelle neuen, ursprünglichen Denkens und indirekten Mitteilens in Kommunikation zu bringen?

Verschlossenheit als Verweigerung des Selbstseins: Der Mensch will Anweisungen folgen können, ohne sich selbst einsetzen zu müssen. Er will in Reserve bleiben, sich nicht aussetzen. Er will irgendwo unberührbar sein. Er will als er selbst nicht beansprucht, nicht befragt, nicht in Gefahr seines Selbstbewußtseins gebracht sein. Dies aber bedeutet: Er will nicht er selbst sein. Denn das Unberührbare, im Hintergrund Gehaltene, sich nicht Offenbarende erweist sich vielmehr als Verzweiflung des Nichtseins. Kierkegaard hat unüberbietbar diesen Kreis der ihrer selbst nicht bewußt werdenden Verzweiflung im »Manselbstseinwollen« und dem »Nichtmanselbstseinwollen« aufgezeigt.

Der Unwille gegen das umwendende Denken ist das Sträuben dagegen, als Einzelner Verantwortung zu haben. Man will nicht als Wahrheit anerkennen, daß es am Einzelnen, bei jedem an ihm selbst, liegt, was ist und was aus der Menschheit wird. Man will nicht leben und verwirklichen unter solchem Druck.

Die Vernunft als das Offenbarwerden im Ursprung ist Bedingung alles Guten. Die Verschlosenheit oder das Nichtoffenbarwerdenwollen ist der eigentliche Ursprung des Bösen.

Verschlossenheit als Verabsolutierung des Verstandes: Der Verstand distanziert, was er denkt, die Dinge und den Menschen, zu einem Gegenüber, das zu denken den Menschen selbst, der denkt, nicht miteinbezieht.

Ist das Festhalten am Greifbaren des Verstandes als dem letzten uns Zugänglichen nicht schon ein Sichverbergen? Ist daher das sich auf den Verstand beschränkende Denken nicht im ganzen eine Unwahrheit, weil eine Weise der Verschleierung? Es ist sie, wenn es nicht aufgenommen ist in ein umgreifendes Denken, das die Umwendung im Menschen als Ausgang und Folge hat.

Wer bei der Distanzierung durch den Verstand bleibt, will sich selbst verschlossen halten. Er setzt den Verstand absolut. Wenn dagegen durch den Verstand die Distanzierung des Denkenden zu den Dingen und zu sich selbst im umgreifenden Raum der Vernunft erfolgt, so läßt solche Distanzierung durch sie selber den Menschen in seinem Innersten sich dem Lichte aussetzen, also aufschließen.

In unserer denkenden Existenz ist der sich in sich verschließende Verstand wie eine Mauer, die uns beschränkt, ohne daß wir es recht merken. Wir möchten alles, worauf es ankommt, in der Objektivierung haben, die wir erkennen und beherrschen können. Wir wollen alles als Technik, aber ohne den Grund, auf dem Technik erst Halt, Maß und Sinn hat. Wir wollen nicht das Denken, das allen Plänen nicht nur Richtigkeit, sondern Gehalt gibt. Wir wollen nicht das Denken als inneres Handeln. Wir wollen, was zu tun ist, auch noch in seinem Ursprung gleichsam als ein Anderes vor uns hinstellen.

Wir möchten die Geschichte erkennen und lenken, als ob wir selbst dabei nicht mit in Frage und Einsatz kämen. Wir suchen daher Erkenntnisse in Psychologie, Soziologie, politischen Wissenschaften, um Mittel der Lenkung in die Hand zu bekommen, was nur in Einzelzusammenhängen recht ist. Aber wir erwarten mehr. Wir entwerfen uns Bilder des Ganzen, auf Grund derer wir urteilen, was getan werden muß, dieses Ganze zu lenken. Wir möchten mit diesen Bildern, die Aspekte (Fassaden) sind, als Realitäten operieren und uns selbst dahinter verschlossen halten. Alles möchten wir »machen«, und wenn es nicht gemacht werden kann, verzweifeln wir, statt zu uns selbst zu kommen und in den Ursprung zu gelangen, aus dem alles Machen erst Sinn und Führung erhält.

Damit geraten wir in die *existentielle Konfusion,* in der wir alles in die sogenannten Sachen legen und von uns selbst meinen absehen zu können. Aber damit geraten wir zugleich auch in die *Sachkonfusion,* in dem wir unkritisch die Methoden des Erkennens nicht unterscheiden. Hinter beiden Konfusionen verbergen sich unerhellte Antriebe: die totale Resignation, die Verzweiflung, der Wille zum Tode, verbirgt sich der Zustand empörten Beurteilens aller Dinge, der Revolte gegen das Dasein.

Es ist in uns ein sich selbst nicht bewußter Drang, uns im Innersten, das wir für dunkel, unberechenbar, als solches schon für tief halten und Geltung beanspruchen lassen, gegen die Berührung zu wehren. Der Verstand, an sich das Gegenteil zu diesem verworrenen Dunkel, wird selber zum Mittel, die Unberührbarkeit zu schützen. Dann besteht der Verstand trotzig auf sich selbst und verweigert sich jenem Dunkel, das unbehelligt bleibt.

Aber der Verstand kann ganz anders — seine eigenen Grenzen begreifend — mit seiner Kraft im Dienste der Vernunft stehen. Für ihn ist beides dunkel, die Verworrenheit des Unberührbaren und die Vernunft. Aber er braucht nicht, sich degradieren lassend, zum Mittel der Verschlossenheit, jenes Dunkel stehen zu lassen, indem er sich zugleich in seinem Trotz von dorther nährt und dabei selber falsch wird. Er kann sich der Vernunft willig unterordnen und dadurch erst auch selber zu seiner freien Entfaltung gelangen. Dann erweist sich der Verstand als das unumgängliche Mittel der Vernunft, die ständig über den Verstand hinausgeht, ohne den Verstand zu verlieren.

Das Dunkel des Unberührbaren und die Helle der Vernunft ist der große Gegensatz, zwischen dem wir uns entscheiden, wenn wir wir selbst werden. Aus dieser Entscheidung entspringt die »neue Denkweise«.

Diese ist im Denken zugleich das Selbstsein des Menschen, der denkt. Er verbirgt sich nicht mehr, sondern ist ganz dabei als der, der er ist und wird. Die neue Denkweise läßt ihn offenbar werden, sich selbst zugleich und dem anderen und allen, die mit ihm sind und mit denen er ist, dort, wo er mit sich selbst eigentlich identisch, das heißt vernünftig ist.

ZWEITES KAPITEL

DIE VERNUNFT

Das neue Denken ist das uralte, das bisher nicht durchdrang, um den Menschen in Gemeinschaft zu prägen und zu führen: Es ist die Vernunft, ist die Philosophie. Philosophie hat sich selbst zu erwecken, zu ermutigen und sich zu verwirklichen. Ist also unser Vorschlag: Treibt Philosophie, studiert Philosophie! etwa der Vorschlag, sie in der philosophischen Arbeit unserer Zeit, wie sie in den Büchern und Zeitschriften und Kongreßberichten vorliegt, zu studieren? Keineswegs. Aber die Forderung ist: Bewegt euch im Philosophieren, das im Menschen als Menschen wirksam ist! Dieses hat durch die Jahrtausende in großen Philosophen Gestalt angenommen, von denen Kunde zu erhalten, jedem Menschen zu wünschen ist, der Muße hat und sich besinnen will (und wieviel freie Zeit steht den meisten Menschen zur Verfügung, außer den Managern und den Besessenen und den unter Zwangsregimen Ausgebeuteten). Nur in der Philosophie gibt es die Klarheit gegen die Unphilosophie, d. h. gegen die Verkehrung der Vernunft. Nur dort wird in Weite und Tiefe bestätigt, was jeder Mensch in sich birgt, durch seine Besinnung sucht, in der Verwirklichung seiner Existenz findet.

In der Realität unseres gegenwärtigen Daseins vermag akademische Philosophie, die auf ihre Wissenschaftlichkeit pocht, gar nichts. Nicht nur Sacherkenntnis, wie in allen Wissenschaften, tut not, sondern Umkehr, wie sie seit Sokrates und Plato zu vollem Bewußtsein gekommen ist. Wer philosophiert, wendet sich nicht nur an den Verstand, aber unter Nutzung dieses mit den Wissenschaften maximal entwickelten Verstandes an den Menschen selbst. Philosophierend vermag der Mensch keine neue bestimmte Erkenntnis zu gewinnen (als ob er zu den Wissenschaften auch noch eine andere Wissenschaft hinzubrächte). Philosophie als solche bringt nicht Vorschläge, Pläne und Programme, sondern sie kann die innere Verfassung wecken, aus der dann diese faßlichen Zweckhaftigkeiten ihren führenden Sinn haben.

Wenn Vernunft eine Voraussetzung ist, die vor allem Bestimmten liegt, das wir im Gegenständlichen, Moralischen, Rechtlichen ergreifen, so gewinnt doch Vernunft selber Gestalt nur in diesem Bestimmten. Wenn wir aus der Vernunft handeln und diskutieren, so verwirklichen wir doch nur mittels solcher Einsenkung in das Faßliche die Vernunft selber.

Was wir nun darzulegen haben, muß inhaltlos anmuten und unverständlich bleiben, wenn wir nicht die Frage, wozu es zu brauchen sei, suspendieren.

Gegen unsere Neigung, bei allem zu fragen, was wir damit machen können, müssen wir lernen, zweckfrei zu denken. Des Menschen Wesen fordert, daß zweckfreie Selbstbestimmung, absichtslose Vergewisserung uns dorthin bringe, wo Grund und Führung all unseres Tuns wirksam wird.

1. Was Vernunft ist

a) Verstand und Vernunft: Es ist ein Irrtum, zu meinen, die Einigung der Menschheit werde durch die Wissenschaften gefördert und schließlich verwirklicht. Wissenschaft ist Sache des Verstandes. Die durch ihn bewirkte Einmütigkeit ist die der zwingenden Erkenntnis, die nicht die Menschen vereint, sondern den identischen Punkt ihres Denkenkönnens bezeugt. Einmütig begreifen sie alles Technische und die Atombombe. Erst die Vernunft kann Menschen im Ganzen ihres Wesens vereinen.

Den nach allen Seiten zu entwickelnden, den reinen und kritischen Verstand braucht die Vernunft in jedem Augenblick. Nicht einen Schritt kann sie ohne ihn tun. Aber sie verliert sich nicht in ihm, sondern führt ihn.

Die Vernunft ist gleichsam der Ort, an dem und von dem her wir leben, wenn wir zu uns selbst kommen. Von ihm wird unablässig jede rationale Möglichkeit, die Rationalisierung ins Unendliche vorangetrieben. Aber die Vernunft selbst ist rational nicht faßlich. Alles, was für uns Sinn hat, hat ihn von ihr her. Sie selber ist, als ob sie nicht sei, aber dieses Nichts ist die Lebensbedingung allen Ernstes.

Vernunft erzeugt neue Denkungsweisen, die mit dem Verstand über den Verstand hinausführen. Sie heißen die philosophischen. Sie sind das wesentliche Denken, das die Denkungsweisen des Verstandes, die wissenschaftlichen, moralischen, juristischen Sacherkenntnisse, bewegt, so daß sie erst aus dem philosophischen Denken ihren Sinn erfahren, den sie durch sich selbst nicht begreifen, und die Führung gewinnen, ohne die sie ins Endlose und Nichtige geraten. Das Vertrauen auf solche Denkungsart und ihre Mitteilbarkeit ist die Kraft des Philosophierens.

b) Abstraktes Denken:
1) Jeder Begriff vollzieht eine Abstraktion. Insofern ist Abstraktion ein Mittel aller Klarheit des Verstandes und dadurch der Vernunft. Nur was bestimmt, daher in Unterscheidung und Gegensatz gedacht wird, ist klar gedacht.

Obgleich ohne Abstraktionen keine Klarheit ist, macht das Hängenbleiben in Abstraktionen wirklichkeitsfremd. Abstraktes Denken wird unwahres

Denken, wenn ein endlich Bestimmtes den Anspruch erhebt, beziehungslos an sich wahr zu sein, das heißt wenn es verabsolutiert wird.

Anders als dieses abstrakte Denken des bloßen Verstandes nimmt das vernünftige Denken die Abstraktionen in sich auf, um mit ihnen über sie hinauszuschreiten und damit zur Wirklichkeit zurückzukehren. Dieses konkrete Denken ist erfülltes, anschauliches, gehaltvolles Denken. Es selber vollendet sich nicht in sich. Das konkrete Denken benutzt die fruchtbare Abstraktion als Mittel der Klarheit. An ihr sich haltend, dringt es tiefer in die Wirklichkeit ein. Aber es läßt nicht fortgleiten das, worauf es sich bezieht, woher es kommt, wodurch es Gehalt und Sinn hat: die Wirklichkeit selber.

2) Beispiele aus der Politik: In unserer Darstellung begegnete uns die falsch werdende Abstraktion in politischen Anschauungen, Vorschlägen, Forderungen immer wieder. Ich greife einige Beispiele heraus:

Isolierungen in der politischen Praxis: Die »Zuständigkeit« läßt im Ressortdenken das eigene beschränkte Tun verabsolutieren, ohne Rücksicht auf das Ganze vollziehen und wie einen Tumor im lebendigen Körper, trotz gegenseitiger formeller Anerkennung der Zuständigkeiten, zum Schaden des Geistes des Ganzen wuchern.

Man spricht von »*Interessen*«, die alles bestimmen. Aber in Wirklichkeit kommt es darauf an, welche Interessen es sind, wie man sich ihrer bewußt ist, wie sie durch Bewußtwerden sich wandeln und unter Führung gelangen können, wie sie von den Politikern und den Massen vertreten werden. Für die Abstraktion ist ein definiertes Interesse absolut, für das konkrete Denken aber einzuordnen und zu gestalten. Die Vertretung von »Interessen« ist durch ihre Selbstauffassung stets in Gefahr, an Abstraktionen zu verfallen. Durch Isolierung werden die Interessen selber verletzt.

Man fordert abstrakt das »*Opfer*«, etwa für bestehende Staaten als solche, wie sie sind, für das Glück kommender Generationen, für den »Führer«. Man meint über das Opfer rechnend verfügen zu können, es von anderen bringen zu lassen. Konkret ist jedoch das Opfer erst, wenn es z. B. in der sittlichen Substanz, die aus der Vergangenheit von den Ahnen her unsere Gegenwart trägt und für die Nachkommen sich verantwortlich weiß. Doch auch solche Bilder von Vergangenheit und Zukunft begründen das Opfer nicht, sondern sind Chiffern im freien Bewußtsein des Opfernden, der in der Würde des einzelnen Menschen und jedes Einzelnen in seiner Gemeinschaft der Ewigkeit opfert.

Abstrakte Auffassungen des Grundgeschehens: Zum Beispiel: Die heute geläufige Formel, die ethische Entwicklung sei nicht der technischen entsprechend vorangeschritten, ist nur abstrakt, ohne Vergegenwärtigung gedacht. Denn was Entwicklung oder Fortschritt im Technischen heißt, hat keine Parallele in dem, was ethisch die Umkehr heißt. Der Fortschritt des übertragbaren Wissens und Könnens ist etwas grundsätzlich Anderes als die sittliche Umkehr, die durch alle Jahrhunderte jederzeit stattfindet, stets an die Einzelnen gebunden ist. Die Verstandesarbeit des Fortschritts und die existentielle Gründung des sittlichen Menschen sind unvergleichbar.

Das vermeintliche Ei des Kolumbus: Man meint durch eine Abstraktion unter Absehung von aller anderen Wirklichkeit die Lösung der Probleme wie etwas ganz Einfaches in der Hand zu haben: so einen Begriff des Aggressors, so den Gedanken von Zinslosigkeit und Freigeld, so etwa auch das Mittel zur Erzwingung der Einstellung der Atombombenversuche. Freda Wuesthoff und die ihr Folgenden nehmen einen absolut überparteilichen, von allen Situationen der wirklichen Politik, allen militärischen Realitäten absehenden Standpunkt ein. Sie sagen: Der Staat, mag es Rußland oder Amerika sein, solle erklären: Ich stelle alle Atombombenversuche ein in der Erwartung, der Gegner werde es auch tun; — tut er nicht das gleiche, so muß ich nach Ablauf eines Jahres die Versuche widerstrebend wiederaufnehmen. Der so handelnde Staat gilt durch diese einzige Handlung als der an sich sittlich höherstehende; darüber hinaus wird der Gegner ihm gar folgen müssen, weil das »Gewissen« der Welt es verlangt. Der Grundirrtum dieses abstrakten Denkens ist, zu meinen, in diesem Vorschlag spreche eine Instanz, die aus einer gemeinsamen, uns alle schon verbindenden Welt (als ob diese schon da sei) die ganz einfache, so klar verständliche, so heilvolle Forderung stellt; — ihre Wahrheit gelte unabhängig von allen politischen und waffentechnischen Realitäten; — es sei gar nicht zu fragen, ob ihre Erfüllung für den einen machtpolitisch vorteilhafter als für den anderen sein könne und ob etwa ein politischer Trick den eigenen Vorteil auf solche Weise ethisch einkleiden könne. Die Abstraktion einer unabhängigen Eindeutigkeit vernachlässigt die Realität, in der die Frage für die verschiedenen Staaten durchaus nicht gleich liegt.

Allgemein kann man sagen: Die bedenkenlose Politik macht sich diese Neigung zum abstrakten Denken (gerade bei denen, die am wenigsten »denken«) zunutze, indem sie bei Verhandlungen ständig die Fragen voneinander trennen will, die militärischen von den politischen, die politischen von den wirtschaftlichen, die wirtschaftlichen von den kulturellen. Jedoch die Wahrheit vernünftigen Denkens macht zwar auf ihrem Wege die Unterscheidungen, trifft aber die Entscheidungen so, daß in ihren Motiven alles miteinander zusammenhängt.

Die Staatspolitik löst sich von dem Interesse des Ganzen der Staatenwelt: Selbstbehauptung isoliert sich, wenn sie die Selbstbehauptung aller anderen nur als Widerstand, nicht als ihrerseits berechtigtes Interesse ansieht. Die Selbstbehauptung ist konkret mit der anderen, wird abstrakt in ihrer Isolierung.

So wird die amerikanische Politik, die konkret das Ganze der freien Welt vertritt, abstrakt, wenn sie die anderen nicht als Partner, sondern als Vorfeld im Kampf mit Rußland ansieht. Solche falsche Abstraktion gab sich etwa in Worten Eisenhowers während der Suezkrise kund: zum erstenmal sei die Unabhängigkeit der amerikanischen Politik in Asien von den Intentionen Englands und Frankreichs gewonnen worden. Diese stolze, abstrakte Selbständigkeit zahlte den Preis, im Bunde mit Rußland gegen England vorzugehen.

3) Die Macht der Abstraktion dient der konkreten Einsicht. Aber die Gefangenheit in der Abstraktion schließt ab von der Wirklichkeit.

Wegen der Herrschaft von Abstraktionen und des heute noch durchschnittlichen Mangels an Erziehung im vernünftigen Denken sieht das Treiben der Politiker oft etwa so aus: Es wird in den Vordergründen agiert. Mit dem Ton, etwas Wesentliches zu sagen, etwas Neues vorzuschlagen, werden wiederum Abstraktionen hervorgebracht, die verschleiern und die Aufmerksamkeit zur Abwechslung auf einen anderen Punkt lenken, das eigentliche Handeln aber hinauszögern. Es bleibt schlafen, was nicht geweckt werden will. Der Politiker macht fort, weil er gegenwärtig eine Position besetzt und etwas repräsentiert, wohinter so lange nichts steht, als keine Idee die bewegende Kraft ist, in der die Vernunft sich mit der Wirklichkeit trifft. Er muß den Völkern etwas sagen. So wird eine schwankende, leicht zu erschütternde und leicht wiederhergestellte Befriedigung bewahrt. Befriedigt ist ein Publikum, das Ruhe begehrt und Blüte der Wirtschaft und Lebensstandard und Vergessenheit im Vergnügen. Befriedigt ist der Politiker, der von sich reden macht und, weil er einen Augenblick gesehen und angehört wird, sein Dasein fühlt. Man wartet auf das große Ereignis: die Verständigung, den Frieden, und meint schon auf dieses Ziel hinzuwirken. Man ist beweglich in der Erzeugung und Glättung von Wellenkräuseln an der Oberfläche, ratlos vor herankommenden, noch unsichtbaren Wogen der Sturmflut. Es wird nicht ernst, nicht ernst genug. Es ist noch, wie es immer war und wiederkehrte vor 1914, vor 1933, vor 1939. Man will nicht wissen. Man läßt an sich herankommen, was man nicht ändern zu können meint.

Gegen diese Welt des Weitertreibens in den Unentschiedenheiten stehen nun die auf, die zu enthüllen meinen und zu sagen wissen, was getan werden soll, damit alles gut wird. Es sind die Projektenmacher, die Fanatiker je einer Abstraktion.

Anders wie jene Masse der Spieler und diese vereinzelten Gegenspieler sind die Menschen, die sich der Vernunft anvertrauen. Wer denkt, so ist ihre Grunderfahrung, ist selber nur *im* Erwachen, noch nicht zur vollen Helle erwacht. Dieses Denken zeigt und überwindet die Abstraktionen, scheucht auf aus Beruhigungen, Bequemlichkeiten, Gemütlichkeiten und bekämpft die Fanatismen. Es sucht die fast immer wieder schnell gedämpften, bald vergessenen Ausbrüche, die aus dem vulkanischen Boden gegen den Betrieb auf der Oberfläche erfolgen, zu angemessenem Aussprechen der in dieser Verwirrung verborgenen Wahrheit zu bringen.

Der Verfasser dieser Schrift bemüht sich um solches Denken der Vernunft. Er hat nicht die Lösung in der Hand und kennt kein Ei des Kolumbus. Er möchte mithelfen am Durchdenken, um der Wirklichkeit näher zu kommen. Er sucht die Abstraktionen, sofern sie ein Mittel sind, die Wirklichkeit besser zu erreichen. Er verwirft sie, sofern sie zur Fixierung von Positionen werden, die immer ungenügend sein müssen. Er glaubt, daß rückhaltloses Durchdenken mehr erzeugen kann als bloße Aushilfsmittel in dem scheinbar unwiderstehlich voranschreitenden, sich im blühenden Wirtschaftsleben verbergenden Prozeß zum Abgrund hin. Er sucht das dem Denken verbundene innere Handeln. Es kommt an auf das Wachwerden, nicht nur in bezug auf diese und jene Tatsache, sondern in der Grundhaltung des eigenen vernünftig, also konkret denkenden Wesens. Er wendet sich an Menschen, die nicht vergessen wollen. Aber er weiß, wie weit er von seinem Ziel entfernt ist.

Es ist ein Grundfaktum unseres Daseins, daß wir von Abstraktionen beherrscht sind, durch die wir sehen, was ist. Aber wir können einsehen, was Goethe sagt: »Alles Faktische ist schon Theorie.« Das heißt: Was wir für faktisch erklären, ist unausweichlich schon gesehen unter den Voraussetzungen einer Begrifflichkeit, durch die wir überhaupt erst sehen und feststellen können. Durch diese Einsicht werden uns die Formen, durch die wir sehen, nicht zur verzerrenden oder verfärbenden Brille, die uns täuscht, sondern zum Mittel, die Wirklichkeit hell werden zu lassen. Daher fassen wir die Idee der Vorurteilslosigkeit, durch die wir der Vorurteile, die wir ständig brauchen, zugleich Herr werden.

Der Gegensatz zwischen den Abstraktionen bloß rationalen Meinens und dem Denken aus der Anschauung des Wirklichen, zwischen dem sich isolierenden Verstand und der allaufgeschlossenen, den Verstand in sich schließenden, Vernunft ist folgenreich. Das doktrinale Denken glaubt die Wirklichkeit schon zu kennen. Die Offenheit der Vernunft sucht die Wirklichkeit immer noch fragend und hörend ins Unendliche zu erfahren. Der Verstand wird vergeblich von der Angst zu Hilfe gerufen, die mit irreführenden Abstraktionen opportunistisch nur Auswege für den Augenblick sucht. Die Vernunft sucht das Leben aus dem Grunde, das, mit dem Innewerden des ungeschlossenen Ganzen, der Wirklichkeit ins Angesicht zu sehen wagt. Nur das Ertragen des Blicks in das Antlitz der Gorgo, kann sowohl den Ernst wie das Wissen hervorbringen, die für die Entscheidungen im Gang der Welt gefordert sind.

Zu den falschen Abstraktionen greift der Mensch, der das Konkrete scheut, weil er selbst sich nicht wandeln will. Er verfängt sich in den Abstraktionen wie in einem Halt, durch den er seiner selbst gewiß zu sein meint. Man will bleiben, wie man ist, will aber eine äußere Hilfe. Man will ungeschoren bleiben, nicht mitgerissen werden im Aufschwung zum Besseren, nicht Opfer bringen.

4) Die Abstraktionen des Verstandes führen ins Leere oder in die Fanatismen. Die Konkretionen liegen in der Geschichtlichkeit unserer Existenz. Die Vernunft vermag auf die Existenz zu hören; sie treibt sich hervor, wenn sie, in uns gegenwärtig, mit der Wirklichkeit unseres Wesens identisch wird.

Daher gehört zur Schwebe des unendlichen Möglichen die Entschiedenheit des gegenwärtigen Entschlusses, zum eigentlichen Denken die Wirklichkeit.

c) Erkennbarkeit und Freiheit: Für das neue Denken ist eine Einsicht gefordert, die jeder Mensch besitzt, aber damit noch nicht weiß. Sie ist von Kant zur Klarheit gebracht. Sie ist einfach, aber schwer festzuhalten. Wir können diese Einsicht für unser Thema so aussprechen:

Was ist der *»Grundvorgang im Ursprung des Unheils«*? Man hat ihn auf vielfache Weise gesehen: *Psychologisch:* als die Wildheit des gewalttätigen Menschen, die Raubgier — als die Lust an Gefahr und Abenteuer, an der Erfahrung der Überlegenheit über das Leben im Wegwerfen des Lebens usw. *Ökonomisch:* als das blinde Eigeninteresse, das unter Verlust des Sinns für die Rangordnung des Wesentlichen, alles unterwirft dem nivellierenden Geld an sich, in dem der Mensch sich selbst entfremdet ist. *Technisch:* als der Prozeß, der durch intelligente Erfindungen die Werkzeuge zur Produktion wie zur Vernichtung zugleich hervorbringt, bis er dazu gelangt, eine unbegrenzte Produktion und eine totale Vernichtung zu ermöglichen. *Politisch:* als verkehrte Einrichtungen der Machtpragmatik (der Herrschaftsweise), die die staatliche Gemeinschaft zu ruinösen Handlungen bringt, auch wenn die überwältigende Mehrzahl des Volkes es nicht will. — Diese und andere Auffassungen sehen einerseits das uralte, immer wiederkehrende Geschehen, das sie allgemein formulieren, andrerseits das jeweils Neue, das sie im Gang des historischen Prozesses beschreiben und erklären. Auf diesen Wegen geht in der Tat unser Erkennen der objektiv feststellbaren Erscheinungen ins Unendliche hinein voran. Der Forschung auf Grund der Voraussetzung, daß die Dinge nach erkennbaren Notwendigkeiten geschehen, ist keine Grenze gesetzt. Nur eine Grenze besteht: daß diese gesamte Erkenntnis nicht den Grundvorgang an sich erreicht, sondern seine Erscheinungen in den Formen, in denen sie je nach Gesichtspunkt sich uns zeigen.

Nun ist es ein folgenreicher Irrtum, *diese erkennbaren Erscheinungen zu verwechseln mit dem Sein an sich.* In den erkennbaren Erscheinungen herrscht *Notwendigkeit.* Aus dem Sein an sich aber entspringt *Freiheit.* Freiheit ist in der Welt der Erkennbarkeiten nicht anzutreffen und bleibt unbegreiflich. Aber wir vergewissern uns ihrer durch unser eigenes Tun. Es ist unmöglich und widersinnig, mit Freiheit umzugehen wie mit etwas, das es für unsere Erkenntnis gibt, das man also behandeln, mit dem man operieren und kalkulieren kann, oder das man auch auf Grund einer Wissenschaft der Psychologie, etwa psychotherapeutisch, wiederherstellen kann. Dieser Grundirrtum verkehrt trotz der bewußtlosen Selbstverständlichkeit, mit der er vollzogen wird, die Wahrheit unseres Seinsbewußtseins. Er wird, wenn wir auf ihn unser planmäßiges Handeln gründen, ruinös. Freiheit zeigt sich im inneren Handeln des Menschen, der er selbst wird, spricht in der Kommunikation von Existenz zu Existenz. Aber es gibt sie nicht als Gegenstand der Erkenntnis.

Die Einsicht in die Disparatheit von Erkennbarkeit und Freiheit wird, auch wenn wir sie gewonnen haben, so leicht vergessen, weil wir als endliche Sinnenwesen uns ständig wieder einfangen lassen in das täuschende Gefängnis unseres Bewußtseins, das die erkennbaren Gegenstände für absolut hält.

Wenn man den Unterschied von Erkennbarkeit und Freiheit begriffen hat, so sieht man auch: Der »Grundvorgang im Ursprung des Unheils« ist nicht ein erkennbarer Prozeß, weder ein psychologischer noch ein ökonomischer, noch ein soziologisch-politischer, noch ein geschichtlich notwendiger (noch ein metaphysischer), sondern er ist für Menschen innerhalb eines undurchschaubar Umgreifenden die Folge der Akte seiner Freiheit. All jene Prozesse, die zum Teil in einem ständig zu erweiternden Umfang erkennbar sind, sind insgesamt doch nur Symptome, Erscheinungen oder Folgen dessen, was in den freien Entscheidungen ursprünglich getan oder versäumt wird.

Die Freiheit selber wird heller und umfassender sich offenbaren, je unbeschränkter die Erforschbarkeiten ergriffen werden, aber auch um so entschiedener, je klarer das Wissen von den Grenzen dieses Wissenssinns, das heißt je klarer das methodische Bewußtsein ist.

Exkurs über politische Freiheit: Politische Freiheit ist der reale Zustand einer Regierungsart des Staates. Als solcher ist sie erkennbar. Was Thukydides oder Montesquieu oder Tocqueville oder Max Weber unter politischer Freiheit verstanden haben, läßt sich bestimmt aufzeigen und in der Erfahrung des Staatslebens beobachten. Damit tritt sie in mannigfachen Gestalten auf. Die politische Freiheit ist eine erkennbare Realität.

Der Wille aber zu dieser politischen Freiheit ist selber ein Akt der existentiellen Freiheit. Die politische Freiheit ist nicht identisch mit diesem Willen. Die existentielle Freiheit, von der die Rede war, gibt es, wo Menschen sind. Sie ist vorpolitisch und überpolitisch. Sie ist die persönliche Freiheit des Selbstseins und scheint möglich auch in Zuständen politischer Unfreiheit. Sie ist überall möglich, solange ein Mensch als er selbst da ist. Dagegen ist politische Freiheit nur bei einem Teil der Völker des Abendlandes, seit den Griechen und den republikanischen Römern, aufgetreten. Brauchen wir sie also nicht so wichtig zu nehmen? Ist sie, als ein Gegenstand politischer Erkennbarkeit, nicht etwas Vereinzeltes in der Welt, das nicht für alle Menschen gültig und gefordert ist?

Die Trennung der beiden Freiheiten darf uns nicht täuschen. Politische Freiheit ist nicht daseinsfähig ohne die Leidenschaft aus dem Ursprung existentieller Freiheit. Politische Freiheit wird substanzlos und verschwindet, wo sie nicht bezogen ist auf die tiefere Freiheit des Menschen als Menschen.

Aber auch existentielle Freiheit ist in ihrer Verwirklichung in der sichtbaren Erscheinung gefährdet oder schließlich vielleicht unmöglich, je mehr die politische Unfreiheit von der Art ist, daß sie den ganzen Menschen und die gesamte Bevölkerung in allem, was getan und gelebt wird, unter Zwang setzt. Die politische Unfreiheit fast in aller menschlichen Geschichte mit Ausnahme jenes schmalen Streifens — oft unterbrochen — innerhalb der abendländischen Geschichte, hatte die Unfreiheit des Menschen selbst keineswegs zur Folge, aber nur weil sie unter früheren Lebensbedingungen die Menschen in weitem Umfang faktisch frei ließ. Erst die moderne Technik hat mit der Allgegenwart des Staatswillens durch den Verkehr und alle anderen Mittel, die die Technik an die Hand gibt, die völlige Versklavung aller ermöglicht. Darum wird erst heute das, was im Abendland die immer bedrohte Sache einiger weniger Völker war, zur Existenzbedingung aller Menschen. Jetzt verlangt, anders als jemals bisher, der Mensch als Mensch, um sich überhaupt verwirklichen zu können, die politische Freiheit. Es gibt in der Unfreiheit nicht mehr wie früher die Auswege in die Weltlosigkeit einsamer Gebiete, gibt nicht den breiten Spielraum faktisch freien Lebens.

Sicherung gegen die totale Herrschaft (die erst mit den Mitteln der modernen Technik möglich geworden ist) bringt nur die politische Freiheit. Die großen asiatischen Völker und alle andern eignen sich diese Technik an. Vermögen sie sich ebenso die

Formen politischer Freiheit anzueignen, die ihre Menschen gegen die Folgen der Technik schützt? Ist wie die Technik so auch die politische Freiheit übertragbar?

Wir antworten wieder: Die erkennbare politische Freiheit ist als Wirklichkeit gebunden an die unerkennbare existentielle Freiheit. Diese aber liegt im Menschen als Mensch. Ist sie durch die Technik in ihrer Verwirklichung bedroht, so muß sie zur Rettung des Menschen überall die politische Freiheit suchen. Wenn die Formen politischer Freiheit nicht übertragbar sind wie technische Möglichkeiten, da der Sinn und das faktische Gelingen der freien Institutionen, dieser erkennbaren Freiheit, gebunden ist an die unerkennbare existentielle Freiheit des Menschen, so ist heute die große Frage der politischen Freiheit in aller Welt: Wie kann geschehen, daß die bloß formelle, gleichsam technische Freiheit nicht zum Übergang zu totaler Herrschaft, sondern wirkliche Freiheit wird? Freiheit ist unablösbar von Autorität; substantielle Freiheit hat ihren Gehalt durch geschichtliche Überlieferung; Freiheit ist gebunden an gehaltvolle Ordnung aus der Gemeinschaft in der Freiheit.

d) Versuch des Unmöglich-Scheinenden: Die Vernunft läßt sich umschreiben, aber nicht definieren. Sie ist zu erwecken, aber nicht zu erkennen. Sie ist kein Gegenstand planenden Willens, sondern läßt uns in ihrem unendlichen Raum den Weg finden, auf dem wir zu uns selbst und zugleich zu den Notwendigkeiten der Dinge und zu dem Schicksal gelangen, in dem und das wir sind.

Darf man es wagen, von dem zu reden, von dem zu reden nicht möglich scheint, wenn doch alles auf dieses ankommt? Alle Philosophie hat dies getan. Und sie ist sich in ihren größten Erscheinungen zugleich der Unmöglichkeit bewußt geworden. Aber nicht, um nun zu schweigen, sondern um die Unmöglichkeit selber in den philosophischen Gedanken aufzunehmen.

Welchen Sinn hat das? Auf diesem Wege sind die tiefsten Verbindungen zwischen Menschen gestiftet, ist der Ursprung in uns erhellt worden, das, was uns trägt, der Grundvorgang von dem, was durch uns ist. Mit diesem Denken wird Vernunft wirksam, offenbart sich (im Medium der Bestimmtheiten des Verstandes, in denen allein wir sinnvoll denken können) das Reich des dem Verstande verborgenen Geschehens, aus dem alles Gute und Wahre und Große, was Menschen vermocht haben, entsprungen ist.

Der Vorwurf wird immer sein: was gesagt werde, sei unbestimmt und undeutlich; man wisse dadurch nicht, *was* man nun denken und tun solle. Darauf ist nur zu antworten:

Erstens: Unmöglich ist hier dieselbe Bestimmtheit, wie wir sie mit unserem Verstand in bezug auf endliche Dinge, Ziele, Mittel und Pläne gewinnen. Vielmehr ist der Entschluß zu einem anderen Denken notwendig, das von jeher das eigentliche Philosophieren war. Ohne dieses aber bleibt alle endliche Erkenntis, alles zweckhafte Handeln, das alltägliche Tun bodenlos im Nichts.

Zweitens: Gefordert ist eine andere Weise der Bestimmtheit in Bewegung und Vergegenwärtigung dessen, was in Worten und einzelnen Sätzen und in ableitenden Gedankengängen nicht erreicht wird. Dabei ist der Leitfaden von greifbaren Erfahrungen und das Anknüpfen an die Bestimmtheit des Endlichen unentbehrlich, aber sie täuschen, wenn sie als solche und nicht als bloße Brücke benutzt werden.

e) Objektives Wissen und Chiffern: Das neue (uralte) Denken geht hinaus über das endliche Denken, das an Gegenständen haftet. Als spekulatives Denken ist es das Transzendieren über den Verstand in den Ursprung des Denkens selber. Solches spekulative Denken ist von gewaltiger Wirkung für den, der es vollzieht und hörend nachvollzieht. In Begriffen, begrifflichen Bewegungen, in Bildern und Gleichnissen, in der Kraft der Chiffern (oder Symbole) hat es in Jahrtausenden eine Sprache geschaffen.

Dieses Denken ist vieldeutig in einem Raum voller Spiegel und Gegenspiegel. Wenn es rein und redlich bleibt, hält es alles Gesagte in der Schwebe. Es erreicht darin die Selbstvergewisserung des Ernstes. Aber es ist als existentiell gewichtig nicht schon an seinen Inhalten zu erkennen, sondern mit diesen erst an der Weise, wie es denkend getan wird.

Wenn dieses Transzendieren aus Anlaß des Ungenügens in der Welt geschieht, entspringt es doch aus der Gegenwart des Umgreifenden alles Umgreifenden. Es wird nicht getrieben von dem, worüber es hinausgeht. Es wird gezogen von dorther, wohin es geht.

Zu diesem Denken führt kein Aufstieg, als ob es die Konsequenz von vorhergehenden Schritten oder von Voraussetzungen wäre. Vielmehr führt von ihm als dem Ursprünglichen her der Abstieg in die Verwirklichung, die ihm erst Dasein und Leib in der Zeit gibt.

Dies transzendierende Denken findet im Menschen als Menschen statt. Es kann in philosophischer Methodik zu begrifflicher Klarheit kommen; es kann auch in Besinnung und in natürlicher Frömmigkeit seine reale volle Kraft haben. Ohne im Denken zum Selbstbewußtsein gekommene Philosophie kann dieses Transzendieren zwar schwer gegen den bloßen Verstand und seine Negationen mit begründender Sprache sich wehren. Aber auch dann noch kann sie in Leben und Taten und Worten sich aus unbefangener Gewißheit unbeirrbar behaupten. Auf seinem Boden wird das Denken als praktische Einsicht entscheidend für den Gang der Dinge.

Praktische Einsicht und Transzendieren vollziehen sich im Raum der Vernunft. Von der Umkehr aus der gewohnten, sich in sich genügenden Denkweise des Verstandes in die der Vernunft hängt ab, was aus dem Menschen wird.

Vernunft selbst ist unabhängig. Man kann ihre Träger töten, doch man kann sie selbst nicht zur Funktion von äußeren Mächten in der Welt, nicht von

Staaten und Kirchen machen. Aber Vernunft kann diese alle durchdringen.

Dieses Denken ist nicht Mittel zum Zweck der Selbsterhaltung der Menschheit. Es würde vergeblich in einen Plan aufgenommen, der es immer nur ruinieren würde. Aber wenn es ist, so kann ein Leben die Folge sein, das durch Freiheit, gegen die Drohung der Atombomben, auch das Dasein der Menschheit retten würde.

Jedoch kann dieses Denken als leere Intellektualität und als literarischer Ästhetizismus zu nichts werden. Als Artistik ist es nur noch eine dunkel gebundene Spielerei: es bezaubert wegen seiner einst edlen Herkunft, aber es verdirbt (wie die erotische Zügellosigkeit) durch Schwächung des Selbstseins; es verliert die Vernunft, der es einmal entsprang; es erweicht den Menschen im Schein tiefer Wahrheit und macht ihn bereit zum blinden Gehorsam. Was dieses Denken ist, zeigt sich in dem, was der Denkende tut. Wo es aber wahr, vom Ernst der existentiellen Verantwortung des Denkens getragen ist, da ist es ein freies, erhellendes Spiel: sein Inhalt und seine Bewegung bringen durch Chiffern zur Gegenwart, was kein Verstand wissen kann und was doch das Leben trägt.

f) Vernunft als Grundverfassung: Vernunft ist in uns die Grundverfassung, die von anderswoher in diese Welt der Realitäten tritt, aber so, daß die Aufgabe, die uns von dorther gestellt ist, nur hier in dieser Welt lösbar ist. Allein durch Vernunft gewinnen wir die Distanz zu uns selbst und zu den Dingen, aber so, daß wir zugleich mit Leidenschaft als wir selbst in ihnen leben (statt skeptisch oder angeekelt oder unbetroffen daneben zu stehen). Durch Vernunft sind wir davor bewahrt, uns zu verfangen in Beschränktheiten, die fälschlich zum Ganzen, in Endlichkeiten, die fälschlich zum unendlichen Absoluten werden. Wir sind bewahrt vor dem Abgleiten in nichtwissende und nichtwissen-wollende Unbewußtheit. Vernunft schenkte uns die Hörkraft für das Wesentliche und für die Rangordnung der Dinge. Sie lehrt uns, uns zu bescheiden und das zu ergreifen, was zu tun möglich ist, und hält uns in der Spannung, nicht zu versäumen, was uns als Chance gegeben wird. Dies gelingt, wenn die Vernunft des Alltags erst die Vorbereitung und nachher die Verwirklichung der großen Entschlüsse ist, die entscheiden zwischen Heil und Unheil.

Nur im einzelnen Menschen ist der Ursprung der Verwirklichung von Vernunft. Für jedes Wort, das er spricht, für jede leichtfertige Redensart zu den Dingen, auch den politischen, für jedes übereilte Urteil, jede Unbesonnenheit ist er ebenso verantwortlich wie für das Ausbleiben der Motive zur Freiheit und zur Solidarität mit freien Menschen.

Die Vernunft ist nicht schon in der Summe klarer Gedankenakte. Diese selber vielmehr entspringen einer das Leben tragenden Grundstimmung. Diese erst heißen wir Vernunft.

Aber diese Stimmung überkommt uns nicht als heitere oder als trübende Lebensverfassung; sie ist den Schwankungen der Vitalität, obgleich sie von ihnen gestört wird, nicht unterworfen. Sie geschieht nicht als vitaler Prozeß.

Diese Stimmung der Vernunft ist nicht eingeboren. Sie wird erworben unter Voraussetzungen, die ihr günstig sind, ohne daß ihr Sinn an diese realen Voraussetzungen ihrer Verwirklichung gebunden wäre. Nur im stillen, unablässigen Kampfe um sie kann sie wachsen. Nur im immer neuen Erringen aus der Vernunftwidrigkeit heraus ist sie da.

Sie ist das eigentlich Menschliche. Was sonst menschlich ist, leuchtet erst durch sie in seiner Reinheit auf. Sie ist die hohe Stimmung des Menschseins selber.

Sie hat ihre Kraft in der Jugend so gut wie im Alter. Aber sie ist durch alle Lebensphasen in ständiger Gefahr, zu versagen. Nie ist sie vollendet.

Sie ist nur gemeinsam. Der Einzelne, für sich allein, kann nicht vernünftig sein.

Vernunft liegt im Innewerden der Umwelt, in der Arbeit des Bauens, des Erwerbs für jetzt und für die Nachkommen, sie liegt im Kampf des friedlichen Wettbewerbs, im Schauen des Schönen, im Denken des Wahren, in der Erfüllung des Lebensschicksals. Vernunft vertraut dem Menschen und seinem Freiheitswillen, dem ungreifbar und unerrechenbar die Transzendenz zu Hilfe kommt.

g) Gegen die Vernunft: Gegen die Vernunft steht der Drang zur Selbstvernichtung und stehen die Daseins- und Denkweisen, die eine solche vorbereiten, steht die Lässigkeit des Zusehens, steht die atemlose ruinöse Tätigkeit, die unfähig wird zu erfülltem Leben.

Gegen die Vernunft steht das vermeintliche Recht auf Verschlossenheit. Das Nicht-offenbar-werden-Wollen verlangt, nicht gefragt zu werden, schweigt, verschließt sich auch dem Nächsten und sich selbst, unter Berufung auf die für den konventionell geformten Umgang mit Recht gültige Diskretion. Was aber im Intimsten mit dem Offenbarwerden des existentiellen Grundes geschieht, ist die Voraussetzung aller Wahrhaftigkeit und Vernunft in der Welt.

Gegen die Vernunft steht auch der Anspruch auf Vergessen. Man schiebt fort, was man doch weiß. Es soll ein Strich unter das unerwünschte Vergangene gemacht werden, damit es als erledigt gilt. Man will nicht davon hören. »Das Moralische versteht sich von selbst«: warum davon reden! Böses ist getan: warum alte Wunden aufreißen! Schreckliche Tatsachen bestehen: warum sie nennen und sagen, was ohnehin bekannt ist! Was so aus dem Felde der Aufmerksamkeit gebracht wird, ist damit wie nicht existent. Es ist nicht mehr nötig, seine Folgen in sich zur Geltung kommen zu lassen. Man weiß es zwar, aber lebt, als ob man es nicht wisse. Die Vernunft aber fordert, nicht zu vergessen, jedes Wissen nicht nur im Gedächtnis, sondern in wirksamer Erinnerung zu bewahren, verwehrt dagegen, »die Zeit zu vertreiben«, sich zu betäuben in Arbeit, Betrieb, Leistungserfolg, sich zu zerstreuen im Vergnügen. –

In dieser Schrift ist es in solcher Beiläufigkeit nicht möglich, angemessen zu sagen, was Vernunft sei[1]. Ich versuche im folgenden den Blick nur auf eine politisch relevante Seite der Vernunft zu richten, die als überpolitische Kraft das politische Denken und Handeln entscheidend bestimmen kann, obgleich sie selbst keine sichtbare organisierte Gestalt annimmt: die Gemeinschaft der Vernünftigen.

2. Die Gemeinschaft der Vernünftigen

Für die Politik ist die Vernunft wesentlich, weil sie für die Gemeinschaft aller im Staat und in den Institutionen den Grund legen sollte.

Aber die durch Vernunft erzeugte Gemeinschaft ist zunächst immer die Gemeinschaft Einzelner, die sich finden und ohne Vertrag, ohne Organisation, ohne es auszusprechen, die verborgene Solidarität der Vernunft verwirklichen. Diese Wirklichkeit ist überpolitisch. Sie muß in die Politik eingreifen, wenn diese auf den Weg des Bauens und Dauerns gelangen soll. Sie ist nicht selbst in die Politik hineinzuziehen. Sie ist und will mehr als Politik, wenn die Politik zur leidenschaftlich von ihr ergriffenen Sache wird, die das Dasein aller Menschen begründet oder verdirbt, daher Aufgabe eines jeden sein muß (alle großen Philosophen, sogar die Großen unter den Mystikern, waren politische Denker).

Auf das Dasein der Gemeinschaft der Vernünftigen ist nicht wie auf einen politischen Faktor zu rechnen. Aber Vernunft kann ein solcher werden, wenn sie den planenden Verstand dahin lenkt, sein Tun auf das real Mögliche zu begrenzen und damit ihn zu verpflichten, in allem Geplanten die Chancen

1) Eine Hilfe für die Besinnung der Vernunft möchte mein Buch »Die großen Philosophen«, 1957, sein, das den Leser im Raum der Vernunft, in dem er immer schon lebt oder leben könnte, heimisch werden lassen möchte. – Über »Vernunft« habe ich geschrieben in »Vernunft und Existenz«, 1935; »Von der Wahrheit«, 1948, S. 113–121, 906–1021; »Vernunft und Widervernunft in unserer Zeit«, 1950.

offen zu lassen, damit die Vernünftigen sich treffen und wirken und zur Entfaltung kommen. Alle Einrichtungen sind daraufhin zu bedenken. Sie sind nur gerade so weit zu regeln, als für die Sache unumgänglich erforderlich ist, darüber hinaus aber ist eher das Risiko erträglicher Fehler im Betrieb in Kauf zu nehmen als den Raum zu verengen, in dem die Vernunft der Einzelnen wachsen und zur Geltung kommen kann. Sie kann zwar nur wachsen, wenn sie in den Menschen da ist. Ist sie nicht da, so errichtet man eine mechanische Apparatur mit Menschen, die nur Verstand haben. Das Ganze funktioniert wie eine Maschine. Es wird ein Dasein, das nicht menschenwürdig ist und sinngemäß mit dem Untergang dieses verdorbenen Daseins überhaupt endet. Alle menschlichen Einrichtungen, die mit Menschen als Gliedern arbeiten, müssen den Menschen selber als der Möglichkeit nach vernünftig voraussetzen, wenn sie menschlichen Charakter bewahren sollen. Nur wenn Vernunft erwartet wird, kann sie entgegenkommen.

Es ist irreal, etwas organisatorisch zu gründen auf die Gemeinschaft der Einzelnen, der Vernünftigen. Die Gründung der Organisation muß an alle denken und daher maschinenähnliche Organisationen aufbauen. Es ist aber ein umgreifender Realismus, dabei zu wissen, daß nur durch die Gemeinschaft der Vernünftigen der Geist des Ganzen entsteht, dem die Maschine dient und der den ständig auftretenden Schwierigkeiten gewachsen ist. Wie Maschinen bei Verletzungen repariert werden müssen, Leben aber sich selbst zu helfen vermag, so müssen maschinisierte Institutionen zerfallen, wenn nicht die Vernunft des sie beseelenden Geistes sie lebendig zu verwandeln vermag, ihre Störungen zu reparieren, ihre Selbstbehauptung im Ganzen zu sichern weiß. Schwächung des augenblicklichen Leistungseffekts kann Symptom der Stärkung des soliden Lebens sein.

Keine Organisation kann die Vernunft und ihr Gewissen hervorbringen. Sie setzt sie voraus. Die Organisation als solche kann sich ins Endlose komplizieren und muß dabei die Vernunft vernichten. Die durch Vernunft auf Vernunft hin entworfene Organisation wird bei aller rationalen Komplizierung einfach bleiben. Sie ist bei jeder Einrichtung gedacht unter Hinhorchen auf die Vernunft der Einzelnen, durch die jede Organisation erst Menschlichkeit hat und auf die Dauer einen Sinn erfüllt.

Die heute sich steigernden und vervielfachenden Organisationen der Apparate gipfeln in den Spitzen, an denen zwar Menschen am Steuer stehen, aber solche, die selber dem Apparat unterworfen, »apparatisiert« sind. Diese Gebilde sind zum Untergang verurteilt: Entweder werden sie eingeschmolzen in revolutionären Krisen und machen neuem, vernünftig getragenem Menschsein Platz. Oder sie vollziehen, ohne Willen dazu, aber auch ohne Widerstand, mit der Bombe die Vernichtung der Menschheit. Daher wird überall mit Recht gegen Bürokratie, Apparat, Mechanismus gesprochen. Aber alle Planung scheint diese nur zu vermehren und wie ein Spinnennetz die Menschen wie Fliegen zu töten. Dagegen steht allein das, was als Phantasterei verworfen wird: die stille Gemeinschaft der Vernünftigen, die bei wenigen beginnt und schließlich zur Gemeinschaft aller wird und alle Apparatur in ihrer Struktur begrenzt und mit vernünftigem Geist durchdringt.

Reden wir nun von dieser Phantasie, die nach unserer Einsicht doch die einzige rettende Wirklichkeit des Menschen ist.

a) Kommunikation.

Alles Vertragsmäßige und rechtlich Erzwingbare, alles Versprechen und Worthalten ist zwar die unser gemeinsames Dasein ermöglichende Zuverlässigkeit, aber doch noch äußerlich im Vergleich zur Verläßlichkeit vernünftiger Kommunikation. In ihr ist die Offenheit ohne Grenze, geschieht alle Fixierung mit Vorbehalt der umgreifenden Wahrheit, ist das irrende Sprechen verstattet, weil die Bereitschaft zur Korrektur uneingeschränkt bleibt, ist sogar das Beleidigende ohne Gefahr des Bruches, weil es anerkannt und verziehen wird in der umgreifenden Bindung der Existenzen. Hier aber erwächst auch die existentiell größte Ratlosigkeit, wenn solche Kommunikation sich im Vordergrund irgendwelcher Festigkeiten zu verrennen, an persönlichen unberührbaren Realitäten, die wie durch ein Tabu geschützt werden, zu stranden scheint. Denn in der Kommunikation ist die einzige wirkliche Garantie des Seins zu erfahren. Fallen wir aus der Kommunikation heraus und scheint Kommunikation überhaupt zu scheitern, so sehen wir das Nichts oder die Wüste des Daseins verlorenen Existierens. Wir haben nur noch Beziehungen zueinander, eine Ordnung gemeinsamen Daseins, aber in der Tat eine absolute Distanz. Falsch Gesagtes findet keine Erörterung mehr, sondern wird nur abgewiesen, bleibt unerhellt. Solcher Umgang gerät in das Unheil entgegengesetzter Entgleisung: entweder halten wir uns in absoluter Distanz oder werfen uns in Verzweiflung der Einsamkeit einander grundlos aus unerhellbaren Motiven an den Hals.

In der Kommunikation der Vernunft ist eine gemeinsame Instanz, die in der Kommunikation selbst erst zur Klarheit kommen soll. Man kann an sie nicht gegeneinander appellieren, sondern sie nur gemeinsam finden. Hier gibt es nicht wie bei politischem, geschäftlichem, beruflichem Verhandeln die Willenserklärungen, die dann unberührbar dastehen. Dem Zur-Sprache-Bringen ist keine Grenze gesetzt. Jede Grenze ist vernunftwidrig, wenn sie auch dem Verstande, den Konventionen, dem gesunden Menschenverstand, der Psychologie einleuchten mag. Das Gespräch führt in den Stufen der Diskussion von der Ebene der Angabe endlicher Gründe (die bis zuletzt der unentbehrliche Leitfaden bleiben) bis zur Ebene des Lautwerdens existentieller Ursprünge.

Hier gibt es keine »letzten Standpunkte«, die man formulieren könnte. Der letzte Standpunkt, als letzter ausgesprochen und als der meinige behauptet, ist Abbruch der Kommunikation oder ihre Beschränkung auf das, was unter gegenseitiger Anerkennung dieser Standpunkte noch möglich bleibt. Und doch ist schon das Einnehmen letzter Standpunkte vernunftwidrig.

Das Preisgeben logisch letzter Standpunkte als existentiell absoluter bedeutet zugleich Einschmelzen des Eigenwillens oder des Eigensinns. Bei Rückkehr zu dem im weitesten Sinne konventionellen Verkehr respektiere ich letzte Standpunkte beim anderen und nehme sie auf mich als Aspekt im Spiel unserer Rollen. Bei grenzloser Kommunikation dagegen, die allein die der Vernunft ist, wird erstrebt, wenn auch schwer erreicht, die unbeschränkte Offenheit, in der alles gewagt und alles korrigiert werden kann. Die Korrektur ist selber als Akt der verbindenden Kommunikation nur möglich, wenn der Sprechende dem Irren sich aussetzte, sich bloßstellte und es sich nun erst zeigt, ob er damit auf einen erhellenden Weg geriet oder nicht.

Nur wo solche unbeschränkte Kommunikation gewagt wird, da ist Verläßlichkeit des Menschen selbst, nicht nur seiner Versprechen und Verträge.

b) Treue in der Kommunikation.

Die Gemeinschaft der Vernünftigen entzieht sich jedem Vertrag und jeder Organisation. Diese würde zerstören, was nur in Freiheit ursprünglich bleibt. Jede materielle Daseinsfrage kann und soll in Verträgen geordnet werden. Was bestimmt faßlich ist, unterliegt solcher Ordnung bis zu hohen Ebenen, etwa bis zur Ehe und zur beruflichen Verpflichtung. Um so verantwortlicher, weil jeder äußeren Ordnung sich entziehend, ist die Kommunikation in der Gemeinschaft der Vernünftigen.

Treulosigkeit unter denen, die der Vernunft folgen, ist nicht möglich, wohl aber der Schein der Treulosigkeit beim Abirren im Urteil, in den Bewegungen des Herzens, in dem verderblichen Meinen, der andere sei treulos, mit dem skeptischen Gedanken: Warum soll Treulosigkeit der Vernünftigen nicht möglich sein?

Sie ist unmöglich, weil der Mitteilbarkeit von Gründen und Motiven keine Grenze gesetzt ist und weil die Erhellung des einmal dagewesenen guten Willens dort zur Einmütigkeit führen muß, wo es, auch bei schärfsten Differenzen der Vordergründe des Meinens, für die einmal Verbundenen in der Substanz ihrer Geschichtlichkeit wesentlich ist. Die Vordergründe bleiben in Bewegung, werden nicht (außer versuchsweise zur Erhellung) als Standpunkte fixiert. Kein Wort ist unwiderruflich. Die sich offenbarende Mitteilung führt schließlich noch bei tiefer Differenz konkreten Handelns und Liebens zur Einmütigkeit in der Offenheit, aber nicht zur Anerkennung eines Tabu. Bewegungslos in eherner Ruhe ist nur die Voraussetzung des Willens zur Vernunft, zur grenzenlosen Kommunikation, der von dorther bewegenden, der Möglichkeit nach jeden Menschen mit jedem Menschen verbindenden Liebe.

Trennung durch Differenzen ist objektiv möglich: wir alle gehen in die Irre. Wo aber einmal das Treffen in der Kommunikation der Vernunft wirklich stattfand, da ist etwas Untilgbares. Ihm die Treue zu halten, hat zur Folge, die eigenen Abirrungen wie die des anderen zu ergreifen, reifen und nicht zur Trennung werden zu lassen. Denn die Abirrungen auf dem einmal gelegten Grunde können nicht böse sein, sondern nur wie Bezauberungen, wenn sie nicht vielmehr umgekehrt Wahrheit sind, die den anderen überzeugen muß. Das gelingt nicht im Schweigen, sondern im Reden und im Wagnis der Offenheit ohne Verstecken, ohne sich in den Hintergrund eines Reservats zurückzuziehen.

c) Schwankungen in der Kommunikation.

Die Gemeinschaft der Vernünftigen ist in aller Verläßlichkeit kein identisch bleibender Zustand. Zwischen den einzelnen Menschen ist es wie ein Näher- und Fernersein in der Verbundenheit. Wenn Liebe in der gemeinsamen Teilnahme an dem vernünftig Übergreifenden, nicht nur in dunklen Sympathien ihren Grund hat, so fällt und wächst ihre Kraft in der Zeitfolge in dem Spielraum ihrer unerschütterlichen Wirklichkeit. Sie sinkt etwa, wenn dem einen scheint, der andere liebe Unwürdiges, in seinem Blick verkehre sich die Rangordnung des Substantiellen. Vernunft führt unsere Urteile über den Gehalt geistiger Erscheinungen, über das Gewicht von Menschen, über das Gute und Böse der Taten. Obgleich die Wahrheit solcher Urteile nie feststeht, sondern selber in Bewegung bleibt, keines Menschen Vernunft in den Besitz der ganzen Wahrheit gelangt, so ist doch die kommunikative Verbundenheit zwischen Menschen jeweils erfüllt in der Einmütigkeit solcher Urteile. Obgleich es keine objektive Instanz gibt, die entschiede, wird, unentrinnbar in Gegenseitigkeit, der Einzelne getroffen, wenn die Urteile des Anderen im konkreten Fall durch ihren Sinn das Gewicht seines Urteilens überhaupt zu vermindern oder zu steigern scheinen.

Diese Grundverfassung in der Bewegung der Kommunikation läßt sich in Bildern treffen: Es ist wie ein ständiges Steigen und Sinken verborgener existentieller Kräfte, die die liebende Kommunikation selber wachsen und fallen lassen, ohne daß Gefahr für die Kommunikation selber entsteht. Denn sie kann, wo sie einmal wirklich war, nie verschwinden. Aber es hilft nicht, sich aus gutem Willen zu sträuben und seine Neigung zum anderen nur um so stärker zu fühlen, weil sie zu sinken droht. Hier regiert eine Gewalt, die als solche wirkt und überwindbar ist nur in wiederholender Gründung der Einmütigkeit, die dann vielleicht anders ist, als jeder der beiden es vorher meinte. Nur schnöde Gleichgültigkeit bloßen Zusehens, die schon in kommunikationslose Distanz getreten ist, könnte unbetroffen sinken lassen, was war. Aber die Kraft dieses Gewesenen vermag sich besser wiederherzustellen, wenn sie bedroht schien. Und selten wird eine Kommunikation ohne bis an die Grenze der Katastrophe gehende Auseinandersetzung wachsen können. Denn ruhige Gleichmäßigkeit ist nur die Schönheit der Sympathie, nicht die zum Menschen gehörende Wahrheit der Vernunft im Leben der Zeit.

Wir spiegeln einander zugleich damit, wie jeder ein Spiegel der übrigen Menschen ist. Die Wertschätzungen, deren Verantwortlichkeit begründet ist von einem gemeinsam Geglaubten, aber gänzlich Unbestimmbaren und Inappellablen her, verlieren oder gewinnen selber an Wert. Was Giordano Bruno vom Eros der Geschlechter sagt: »Hinneigung der Geliebten zu ganz gewöhnlichen Persönlichkeiten mißfiel mir vor allem, da sie dem Liebenden jede Hoffnung raubt, bei der Geliebten durch die eigene größere Würdigkeit den Vorzug zu erlangen«, das gilt analog von aller Liebe zwischen Menschen.

Wir sind wie Funken, aufglimmend zu hellerem Leuchten, verschwindend bis zur Unsichtbarkeit, wechselnd in ständiger Bewegung im Gang des Lebens. Die Funken sehen sich, und jeder flammt heller, weil er andere sieht. Der Eros der Vernunft verbindet, ohne Verabredung und Vertretung, alles, was leuchtet. Und wo ein gesehenes Leuchten abnimmt, da ist der Schmerz zugleich auch als Verlust an der eigenen Leuchtkraft. Das Leuchten nimmt ab durch Blindheit, durch Einlassen mit dem Dunklen, durch das Befreunden mit dem Widervernünftigen.

Es ist wie eine große, nie zu fixierende Gemeinschaft der Funken, selten in gleichbleibender Höhe. Von jedem wird verlangt, zu dulden, wenn andere, sich dem Luziferischen (den Irrlichtern) zuwendend, an Glanz abnehmen, an Gewicht ihres Urteils verlieren. Von jedem wird verlangt, daß er reflektierend in sich selbst die Schuld sucht in beiden Fällen: ob er ein Sinken zu sehen meint oder selbst in dieses Sinken gerät. Es gibt keinen Richter. Niemand weiß endgültig über den anderen Bescheid. Aber die Erfahrung des Aufleuchtens und Verglimmens, des Hin und Her zwischen beiden, und die durch keinen Willen zu verhindernde Gewalt des dadurch wachsenden und fallenden Eros ist das unbegreifliche Schicksal der verborgenen menschlichen Gemeinschaft derer, die einander überhaupt ansichtig werden, der Gemeinschaft der Vernünftigen. Daß dies nicht der Eros vitaler oder geistiger, leidenschaftlicher oder spielender Nähe und Ferne, sondern der Eros einer höheren Welt von Vernunft und Existenz sei, ist eine Grundgewißheit für diese selber. Aber zugleich ist die Ungewißheit, ob die Erfahrung des Fallens und Steigens der Leuchtkraft, die identisch ist mit der Zuwendung zu dieser Welt der Vernunft und Existenz, im einzelnen Fall wahr oder täuschend sei. Sie wird gegen den Willen, als unumgänglich, erlitten. Es ist ein Schwanken, nicht ein Verschwinden.

Diese Erfahrung des Schwankens spricht sich offen aus. Sie teilt sich nicht mit als absolutes Wissen, das recht hätte und sein Urteil fällte. Sie ist, wenn sie sich als Faktum konstatiert, immer als Frage gemeint zur Selbstprüfung für den Sprechenden durch die Antworten, die er hört, und für den Angesprochenen, ob er vielleicht vergessen hatte.

Wir haben die Neigung, das Unausgesprochene stehenzulassen. Aber es fordert die Arbeit des Gedankens und die Erhellung der Herzen. Was nur vergessen wird, ist in der Tat nicht vergessen, sondern wühlt und kann als Gift wirken, das die Kommunikation verdunkelt und von einander entfernt, was zueinander gehört.

Das Miteinander als solches ist eine Abstraktion. Die Chance im Miteinandersein zwischen je zweien ist, daß beide als sie selber stärker werden im Grund des Menschseins. Die Chance nicht preiszugeben, bezeugt das Vertrauen zum Menschen als Menschen. Die Chance als solche aber schon als ihre Verwirklichung vorauszusetzen, bezeugt eine vor der wirklichen Situation ausweichende Selbsttäuschung.

Diese Bequemlichkeit kann verhängnisvolle Folgen haben. Die Unwirklichkeit des noch wirklich Scheinenden kann mißbraucht werden. Es kann wie eine Falle wirken, wenn schließlich der Schein der Kommunikation zu einem tückischen Mittel des Daseinskampfes wird.

Wie herrlich dagegen die andere Möglichkeit: Heute in dieser wachsenden Not, und in dieser Vergessenheit so vieler, in diesem Strom anscheinend unaufhaltsamen Unheils, in dieser Welt des Schwindens einer noch verläßlich tragenden faktischen Gemeinschaft, in dieser zunehmenden Entwurzelung von Menschen aus ihrer bodenständigen Geschichtlichkeit, in diesem absichtslosen Verrat der Völker an ihrer eigenen Überlieferung — können Menschen sich treffen, die sich verbinden in Vernunft, Liebe, Wahrheit. Sie können gründen, woraus unberechenbar neue Welten erwachsen werden. »Die Wahrheit beginnt zu zweien.« Dieses Nietzsche-Wort darf jede Gemeinschaft von Einzelnen, vor allem unter totalitären, aber doch nicht weniger in freien Regimen (wenn das Leben in ihnen zu »totalen Konventionen« wird), bestätigen. Hier ist die bleibend mögliche menschliche Substanz, die kräftigste, verläßlichste.

Alle Freiheit liegt im *einzelnen* Menschen. Was durch Freiheit geschehen soll, kann nicht abgewälzt werden auf Vorgänge, Einrichtungen, soziologisch erkennbare Kausal- und Sinnzusammenhänge. Die Freiheit liegt in der Tiefe, vor der alle jene Zusammenhänge zu Vordergründen werden. Sie kann nur vom Einzelnen, von vielen Einzelnen ausgehen, die sich, die äußeren Gemeinschaftsgebilde überschreitend, in der Kommunikation von Mensch zu Mensch erst eigentlich begegnen.

d) Vernunft und Organisation in der Welt.

Vernunft gewinnt in Gebilden, Werken, Institutionen, Gesetzen, Ordnungen eine Sprache, die aufhört, Sprache zu sein, wenn das Leben der Vernunft selber aus ihnen verschwindet. Denn sie sind wirklich nicht schon als ruhendes Bestehen, sondern erst in der Auffassung, Wirksamkeit, Tätigkeit durch die Einzelnen in der Zeit.

Die Quelle der Vernunft liegt daher für alle Dinge in den Einzelnen und ihrer Kommunikation, in der Gemeinschaft der Vernünftigen, sei es, daß sie sich lebenwährend verbinden, sei es, daß sie nur einen Augenblick sich treffen und in der Vernunft sich begegnen. Was immer in der Welt geschieht, ist entweder ein Mechanismus am Ende verworrener Sinnbezüge und Kausalitäten, oder es ist getragen von dem, was diese führt.

Der Grund der menschlichen Dinge ist nicht schon die sichtbare Organisation, die Gemeinschaft in den Institutionen, sondern in ihnen erst die Gemeinschaft der Vernünftigen. Ihre Wahrheit kann aber nicht anders sichtbar werden als in jenen Realitäten selber. Die Gemeinschaft der Vernünftigen läßt sich als solche nicht organisieren. Es gibt »keinen Trust der anständigen Leute«. Diese wesentlichste, weil alles tragende Gemeinschaft besteht durch eine Verläßlichkeit ohne Vertrag. Sie ist in ihren Leistungen uneinklagbar.

Die Gemeinschaft der Vernünftigen, die selber nie Organisation werden kann, darf sich, ihrem Sinn folgend, nie nur abseits halten. Sie sollte in alle Organisationen eindringen, in alle Staaten und Kirchen und Genossenschaften. Denn diese alle haben nur durch die Vernünftigen ihren Ursprung und ihr Leben. Die Vernünftigen sind überall gegenwärtig wie die unsichtbare Kirche. Wo sie nicht sind, ist leerer Betrieb, Mechanismus des blinden Ganges der Dinge, Verholzung und Zerstörung.

Daher die Notwendigkeit, daß die nicht verabredete, aber faktische Gemeinschaft der Vernünftigen zur Geltung kommt in allen Gebilden mensch-

irchen, in Schulen, in Gewerkschaften,
n eine Gemeinschaft auch noch quer
die Konfessionen, durch die Parteien,
t überall da, wo der Einzelne erwacht
m auch andere (bisher vereinzelt, zer-
an sich darauf berufen kann. Denn
Gemeinschaft. Und niemand hat ein
sich in Anspruch zu nehmen. Im Hier
olche immer unausgesprochen. Denn
aren, Planbaren, Erkennbaren.
unumgänglichen Macht alles Organi-
t der Organisationen in allen großen,
en Entschluß, ihnen fehlt die Hell-
Entscheidung eignet allein den Ein-
schaft der vernünftigen. Die Organisation wird rat-
los, wo der gewohnte Betrieb nicht zureicht — dann ernennt man eine neue
Kommission, »was immer geschieht, wenn nichts geschehen soll«, und wenn
man zugleich die Täuschung begehrt, als ob der Ratlosigkeit abgeholfen würde.

Wenn aber über alle fragwürdig werdenden Organisationen und Institutionen und Programme und Betriebe und Tagungen hinaus das rettende
Andere nicht, als ein auch noch zu Machendes und zu Planendes, wieder mit
der alten Denkweise in diesen Kreis gezogen werden kann, was dann? Jedenfalls ist es nicht eine neue Sache für Leute, die ihr Leben damit verbringen,
von Tagung zu Tagung zu reisen, zu reden, zu hören, gesellig zu sein, Resolutionen zu fassen und nichts zu bewirken, weder im inneren Handeln noch
im äußeren Tun, weil sie das solchem Betrieb schlechthin Unzugängliche, das
sie vielleicht irgendwann einmal spürten und begehrten, im Betriebe selber
ersticken. Denn es ist kein Gegenstand des Wissens, Planens und Machens.
Die Wirksamkeit dessen, was, aller Organisation überlegen, diese führen
sollte, kann durch nochmalige Organisation nicht gefördert, sondern nur diskreditiert werden. Organisation ist da für die Tätigkeit an real greifbaren
Aufgaben. Wie in diese die Vernunft eindringen kann, das allein ist die Frage.

e) Wie das Überpolitische der Vernunft politisch zur Geltung kommt.

Nur wenn das, was vor aller Politik wirklich ist, Führung der Politik
wird, sind Wege zur Rettung sichtbar. Nur wo in Kommunikation füreinander
verläßliche Menschen verwirklichen, was Vertrauen findet, kann die politische
Gemeinsamkeit aller auf die Bahn der Vernunft kommen. Wo sich Vernünftige begegnen, da ist der Keim auch alles öffentlich Guten.

Das Überpolitische, das das Politische ordnen muß, ist nicht eine Instanz, die objektiv errichtet werden könnte. Sie ist nicht da außer in der Gemeinschaft der Vernünftigen selbst, deren Dasein doch nicht festgestellt werden kann. Erst von dieser unobjektivierbaren Instanz, die als solche von keiner Gewalt beschützt ist, kommen die verläßlichen Motive für die Gesetze, Institutionen und für die Auslese der Menschen zur Erfüllung der Aufgaben (in deren Ordnung jeder seinen Platz haben sollte). Der Zustand, der aus der Vernunft erwachsen kann, als ob in dem verbindenden Ethos dieses Ganzen die Vernunft erweckt sei, ist nur möglich, wenn er in jedem Menschen aus seiner Freiheit mitbegründet wird.

Eine Zündung der Vernunft vollzieht sich zwischen Mensch und Mensch. Der Einzelne wird durch den Einzelnen und durch das öffentliche Wort angesichts konkreter Aufgaben getroffen. Glaubwürdig ist, was aus einem Leben kommt, das selber bestätigt, was es geistig hervorbringt. Die Glaubwürdigkeit der Menschen beginnt im kleinsten Kreis intimer Gemeinschaft der Vernünftigen. Sie breitet sich aus in der Öffentlichkeit, im bewußten Widerstand gegen das Vernunftwidrige.

Jedem Einzelnen ist Verantwortung auferlegt dafür, worauf er hört und wofür er im Konkreten wirkt. Aber eine organisatorische Förderung moralischer Erneuerung ist nicht möglich. Ihre Organisation wäre schon ihre Selbstaufhebung.

Die Realität der Gemeinschaft der Vernünftigen ist nicht zu beweisen. Aber man kann auf sie weisen und ihrer Möglichkeit vertrauen in dem Maße, als man selbst für sie zu wirken sucht. Man kann von dieser Möglichkeit und jedem Ansatz ihrer Verwirklichung bewegt sein in der Nüchternheit, die weiß, daß die Gemeinschaft der Vernünftigen und nichts anderes die Politik auf einen rechten Weg zu bringen vermag.

Das Schicksal der Menschheit hängt daran, wie die Gemeinschaft der Vernünftigen in der politischen Wirklichkeit zur Geltung kommt. Keineswegs ist der Erfolg der Vernunft gewiß. Was kein Zwang leisten kann, sondern allein die Freiheit der Vernunft, das gedeiht doch nur dann, wenn diese Freiheit sich selbst zu führen vermag.

Ein Element dieser Wirklichkeit ist der *öffentliche Kampf des Geistes*. Er ist eine Bedingung für die Ausbreitung der Gemeinschaft der Vernünftigen. Nicht durch Gesetz und Gewalt, sondern durch nichts anderes als die Freiheit als solche ist dies möglich, und zwar durch die Freiheit aller, die im Kampf keine Grenze des Offenbarwerdens und Offenbarmachens kennen darf. Von diesem so leicht Mißverstandenen soll jetzt die Rede sein.

f) Der öffentliche Kampf des Geistes: Zensur oder Freiheit.

Als Plato die Macht von Dichtung, Musik, Kunst für das Ethos jedes Menschen erkannte, zog er für seinen Idealstaat die Folgerung, sie alle unter Zensur zu stellen. Homer sei mit Ehren aus dem Staat zu entfernen, da er verderbliche Götterlehren verkünde. Ethisch erweichende Musik sei zu verbieten.

Die Voraussetzung dieses Gedankens ist: Herrschen sollen die Philosophen, die unter den von ihnen geschauten Urbildern der ewigen Ideen leben, die allwissend durchschauen, was ist und was geschieht, daher allen bestimmten Gesetzen und Ordnungen durch ihre Einsicht überlegen sind. Da es aber solche Philosophen, die mehr als Menschen wären, nicht geben kann, muß unter Menschen ein anderer Weg gegangen werden.

Die von Plato gemeinte Zensur können Menschen nicht vollziehen. Solche Zensur, die immer wieder von kirchlichen und staatlichen Gewalthabern angestrebt wird, ist zu bekämpfen, weil der Geist nur in Freiheit gedeihen kann. Unter dem Druck des Zwanges kann der Geist wiederholen und variieren, aber nicht schaffend hervorbringen. Die Zensur würde mit dem Unfug zugleich die Möglichkeit der Wahrheit ersticken, mit dem Unkraut zugleich das Korn ausrotten. Daher muß jeder Mensch sein Recht auf freies Hervorbringen haben.

Aber der Sinn der Platonischen Forderung besteht dennoch. Nicht Zensur, aber Verantwortung für das, was er hervorbringt, bejaht und verneint, ist Bedingung einer wahren und heilvollen Wirkung des Geistes. Wenn aber die Verantwortung häufig versagt und verführende, ethisch verderbliche geistige Schöpfungen die Öffentlichkeit durchdringen und beherrschen, welcher Weg ist dann ohne Zensur möglich?

Wir leben in der paradoxen Situation: Nur in Freiheit können wir eigentliche Menschen werden, aber freigelassen geraten wir auf Wege des Verderbens. Wollte — unangemessen gesprochen — Gott selbst durch Eingreifen die Zensur lenken, so würde er zwar das Wahre treffen, damit aber zugleich die von ihm geschaffene Freiheit des Menschen rückgängig machen. Da für uns aber immer nur Menschen Zensur über Menschen ausüben, so werden die Zensurierenden grundsätzlich dieselben Mängel haben wie die Zensurierten. Beide vollziehen menschliche Akte, daher häufig irrend. Die Akte der Zensur aber sind Gewaltakte. Im Sinne des Menschseins, das als Möglichkeit der Freiheit in der Welt ist und daher ständig Aufgabe bleibt, ist der Weg der Gefahr zu wählen. Denn er ist die Gefahr des Menschseins selber und weniger gefährlich als die Zerstörung schöpferischer menschlicher Möglichkeiten durch menschliche Zensur.

Im freien Kampfe muß sich offenbaren, was in den Gebilden geistig tätiger

Menschen am Werke ist. Das Verführende, Bezaubernde, Verschleiernde, Erweichende ist da und hinzunehmen. Es soll bekämpft werden, aber ohne Gewalt. Durch die Erkenntnis seiner Unwahrheit werden Wahrheit und Ethos selber heller und befestigter.

An die Stelle der staatlichen (oder kirchlichen) Lenkung des Geistes durch Zensur tritt daher die im Kampfe sich bewußt werdende Verantwortung aller. Diese Verantwortung erzeugt die Gemeinschaft der Vernünftigen. Es gibt andere, sogenannte »verschworene Gemeinschaften«, die unter strengen Ordnungen, deren Verletzung Lebensgefahr bringt, einem behexenden Zauber vernunftwidrig erliegen und in blindem Gehorsam folgen. Jene verschworenen Orden haben für die Zeit ihres Bestehens eine unerhörte Gewalt; bei ihrem Zerfall zeigt sich in der Ratlosigkeit aller Einzelnen das schon ursprüngliche Fehlen des Ethos. Im Gegensatz zu ihnen steht die »Gemeinschaft der Vernünftigen«. Sie ist, objektiv sogar für sich selber unsichtbar, von einer in der Tiefe des Menschen gegründeten Verläßlichkeit; jeder Einzelne ist von ihr getragen, und sie trägt ihn noch als das Reich der Geister in der Not einer augenblicklichen Vereinsamung.

In dieser unsichtbaren Gemeinschaft trägt jeder die Mitverantwortung für die Wirkung des geistig Geschaffenen. Jede Zuwendung und Aneignung, jeder kritische Akt, jedes Rühmen und jedes Tadeln, ja, das bloße Nennen hat schon eine faktische Wirkung. Jedes Urteil ist im Raum des Geistes bestätigend, steigernd, vorbereitend, prägend, verderbend, wo unablässig der Kampf um die Vernunft stattfindet. Jedes verantwortliche Urteil denkt in der Gemeinschaft der Vernünftigen, nicht in der Willkür des Geschmacks. Was immer in diesem Raum auftritt, ist ein Faktor für den ethisch-politischen Zustand.

In jenen Strömen der aufleuchtenden und matter werdenden Funken ist jedes öffentliche Wort Spiegel und Wirkung. Hier ist nichts isolierbar. Die Zensur liegt im Kampfe aller, im Ja und Nein eines Jeden. Nur wenn diese freie Zensur als verantwortlich bewußt wird, ist Vernunft wirksam. Hier gelten nicht persönliche Attachements, nicht Kreise und Cliquen, nicht Bünde. Das frei Verbindende ist allein die Idee des Guten und der Wahrheit.

g) Liberalität und Strenge.

Zum geistigen Kampf gehören alloffene Liberalität und Strenge der Entschiedenheit. In dieser Spannung gerät jede Seite für sich in Verwirrungen, aus denen nur Vernunft befreit:

Die Liberalität, abgewandt jeder Gewaltsamkeit, zugewandt dem Menschlichen in seinen unübersehbaren Wirklichkeiten, erblickt, liebt, denkt aus dem

Prinzip: Ich bin ein Mensch, nichts Menschliches, glaube ich, ist mir fremd (homo sum, nihil humanum a me alienum puto). Aber dies »Wir alle sind Menschen« wird zweideutig. Es kann fälschlich besagen: »Alles verstehen, also alles verzeihen.« Aber welche Instanz hat das Recht zu diesem Verzeihen? Jeder Mensch kann und darf nur das verzeihen, was ihm selber angetan wurde. Die Folge des universalen Verzeihens ist eine Nivellierung von Gut und Böse, der man sich, während man sie geschehen läßt, doch wieder, aber nur pathetisch, entgegensetzt. Dagegen kann das »Wir alle sind Menschen« heißen: Wir alle können die Umkehr finden; wir alle haben die Chance, den Entschluß zu fassen, der neu beginnt. Niemand ist endgültig verloren. Die Liberalität fordert, sich auf den Standpunkt eines jeden Anderen zu stellen, aber nicht um jedem recht zu geben, sondern um den Sinn in ihm zu begreifen und als Moment zur Geltung kommen zu lassen.

Die Strenge dagegen im geistigen Kampf, die aus der Vernunft entspringt, ist zwar Bedingung aller Wahrheit. Aber sie entartet so leicht wie die Liberalität: Die richterliche Beurteilung des anderen wird billig: »Nur der Betrachtende hat Gewissen.« Das Unzufriedensein, in ständiger Empörtheit, wendet sich gegen das Unheil durch ein Moralisieren, das viel mehr der Befriedigung an der eigenen Empörung Vorschub leistet als zum Offenbarwerden des Wahren führt.

Wahre Kritik kommt aus einem Positiven, das im Kampfe Verbindung sucht. Wenn das Kritisierte offengelegt wird, soll der Kritisierte sich mitaufgenommen sehen in das gemeinsame Wahre. Diese Kritik will zur Umkehr erregen, nicht die Chancen eines Menschen verneinen.

Die Liberalität der Vernunft ist nicht Weichheit. Während sie alles zu verstehen und zu bejahen scheint, erfährt sie das Unerbittliche, dem nicht auszuweichen ist. Sie fordert die Strenge.

Die Strenge im Raum der Vernunft jedoch ist in kein Gesetz zu bringen. Dieses wird zwar gesucht, aber ohne es allgemeingültig festhalten zu können. Denn was moralische oder juristische Erkenntnis geworden ist, das wird, wenn absolut genommen, falsch. Daher bringt Vernunft zwar solche unumgänglichen Fixierungen hervor, aber ist in Gefahr, selber zu verschwinden, wenn diese Fixierungen, statt endliche Gedanken und Handlungen endlich zu beurteilen, den ganzen Menschen richten wollen. Nur in der Bewegung der Vernunft sind alle Möglichkeiten des Menschen gleichsam durchglänzt, in der Ruhe der Endgültigkeit werden sie dunkel. Daher fordert die Strenge der Vernunft wieder die uneingeschränkte Liberalität: nicht die äußerliche Toleranz, die alles zuläßt, sondern das innere Dabeisein. Vernunft setzt nie ein Ende, sondern führt weiter in die Bewegung, die zwischen Menschen das

Außerordentliche werden kann, das doch das ganz Einfache ist, durch das der Mensch er selbst wird.

Die Paradoxie der Vernunft ist: offen zu sein und dadurch die Freiheit zu bewahren, und hinzulenken auf die Entscheidung in der geschichtlichen Konkretheit des Augenblicks und dadurch sich zu binden. –

Die Gemeinschaft der Vernünftigen kommt nun durch zwei scheinbare Selbstverständlichkeiten in Gefahr: den Anspruch auf Geltung der *Geistigkeit an sich* – und die Forderung der *Trennung des Öffentlichen und Privaten*. Beide Ansprüche haben ihr Recht: der Geist gegen die Zensur, gegen diese äußerlich wirksame Einschränkung auch nur seiner Willkür – und das Private gegen eine in es eindringende Öffentlichkeit, die neugierig, sensationell, moralistisch sich des Intimen bemächtigt. Der Geist ist gegen Zensur, das Private gegen Zudringlichkeit zu schützen.

Aber beide Schutzansprüche werden zu Verführungen. Die Verantwortung der Vernunft wird unmerklich beiseite geschoben durch den Anspruch einer Geistigkeit, die als solche bedingungslos gelten möchte – und durch die Forderung der Trennung des Öffentlichen und Privaten im Sinne der Gleichgültigkeit des Privaten für den Wert der öffentlich werdenden geistigen Akte. Darüber näher:

h) Die Verführung der Geistigkeit an sich.

Die öffentlichen Hervorbringungen im Raum des Geistes verbreiten Vorstellungen und Denkweisen. Was nichts als Besinnung und freies Spiel und Anschauung des Schönen zu beanspruchen scheint, steht durch seine faktischen ethischen Wirkungen im Kampf der Mächte. Dieser geistige Raum verlangt die Selbständigkeit des Urteils in allen, die daran teilnehmen, und denen, die zuhören.

Der Schutz dieses Raumes gegen gewaltsame Eingriffe wie die Zensur ist Bedingung nicht nur freien geistigen Schaffens, sondern der politischen Freiheit der Menschen in freien Staaten. Dieser Raum ist als das »Palladium der Freiheit« (Kant) zu verteidigen. Gefahr für diese Freiheit sind schon die Eingriffe gegen »Schmutz- und Schundliteratur«, gegen sittlich gefährdende, auflösende, nihilistische Produkte, gegen Beleidigung geistiger Wirklichkeiten wie der »religiösen Gefühle«. Wenn die Freiheit des Willkürlichen und Bösen in der geistigen Öffentlichkeit nicht gewagt wird, kann die Freiheit der Verantwortung nicht gefunden werden. Durch gewaltsame Eingriffe der Zensur wird keine lebendige Ordnung geschaffen, sondern ein dirigierter, in der Tiefe ungeordneter chaotischer Boden.

Etwas ganz Anderes und sehr Ernstes ist es, daß die freie Geistigkeit auf die Dauer nur möglich ist, wenn die Vernunft selber durch freie Akte das an sich beliebige geistige Treiben führt und unter Maße setzt. Die Freiheit des Geistes setzt voraus die Verantwortung der Einzelnen. Durch sie findet die Lenkung des an sich wilden, in beliebigen Formungen sich gefallenden Geistes statt. Da Freiheit des Geistes auch die Freigabe der verführenden Mitteilung existenzlosen Geistes, unüberwundener böser Antriebe und Stimmungen und des Scheins zur Folge hat, so ist Rettung allein durch die Freiheit selber möglich: durch die verantwortliche Führung in jedem Einzelnen.

Sätze wie: Das Richtige ist richtig, ein guter Vers ist ein guter Vers, eine schöne Zeichnung ist eine schöne Zeichnung, sind zwar unbestreitbar, aber dann unwahr, wenn in ihnen ein Absolutes gesagt werden sollte. Denn Richtigkeiten in den Wissenschaften, Qualität in Versen und Werken, Ausdruckskraft und Phantasie sind wahr nur, wenn sie einem Umgreifenden dienen, dem Offenbarwerden des Ewigen in Chiffern, der Existenz des Menschen, dem Heil seiner Seele.

Was alles Herrliche und Schreckliche, alles Gute und Böse durch Gestaltung im Bilde oder durch Erkenntnis gleichsam in einen anderen Raum versetzt, hat eine befreiende Wirkung. Aber es ist wahr nur, wenn zugleich damit die Klarheit tiefer, die Unterscheidungsfähigkeit sauberer, das Ethos stärker, die vernünftige Existenz entschiedener wird. Dagegen ist alle Geistigkeit, die nichts als geistig ist (Wissenschaft als Selbstzweck, Kunst und Dichtung als eine nicht nur andere, sondern isolierte Welt, l'art pour l'art), die eigentliche Verführung. Denn alles Geistige ist an sich zweideutig.

Der Geist schafft den Raum objektiver existentieller Mitteilung. Sich ihm anzuvertrauen, ist der einzige Weg des Menschen zu Klarheit, Sprache und Selbstbewußtsein der Existenz. Aber in geistigen Schöpfungen kann gleicherweise das Existentielle und das Nichtige zur Geltung kommen. Sich dem Geiste anzuvertrauen, kann daher auch ein Weg werden zur verborgenen Selbstrechtfertigung des Nichtigen, des Abgleitens, des Verfehlens, des Erlebens als solchen, weil es nun im Bilde angeschaut wird. Es kann weiter die Sucht werden, für die das Geistige sich in das Gift verwandelt, das die mögliche Existenz tötet, indem es ihr den Ernst nimmt.

Der Geist an sich ist als produktives Vermögen vergleichbar dem Wachsen des Lebendigen überhaupt. Er ist wie das Leben jenseits von Gut und Böse. Aber er ist wie das bloße Leben, das nichts als Leben ist. Der Geist hat erst als Medium der sich in ihm kundgebenden existentiellen Wahrheit selber Substanz.

Geistigkeit als solche ist eine gefährliche Lust. Im Denken und Dichten gibt es die Zauberei, die den von ihr Gefangenen von der Vernunft abwendet.

Erst die Lust am Geistigen, die sich unter die Bedingung der Vernunft setzt, ist selber Moment der Wahrheit, wie der Eros, der sich unter die Bedingung der Existenz und ihrer Treue setzt.

Der schöpferische Geist heißt Genie. Dieses ist als solches nicht auch schon Vernunft. Vernunft ist dem Menschen als Menschen eigen, wenn er will. Sie kann sich bei jedem entwickeln, wenn er redlich, geduldig, uneigennützig denkt. Das Genie ist wenigen eigen, es ist bewunderungswürdig, Quelle allen Reichtums unseres Lebens, der Bilder, Gestalten, Symbole, der Erfüllung unserer Phantasie. Es kann sich einen mit der Vernunft — wie in Plato, Shakespeare, Goethe und anderen Großen — und schafft dann die hohe Sprache der Vernunft, durch die sie in jedem Menschen zu sich selbst kommen kann. Dort finden wir, was zu erfahren Bedingung der Entwicklung unserer eigenen Möglichkeiten ist. Aber Genie, das nicht schon in sich selbst die führende Macht der Vernunft hat, ist zweideutig. Was es hervorbringt, kann unersetzlich und kann verderbliche Zauberei sein. Es ist zu prüfen als jenes mögliche Gift. Seine Wirkung ist unter die Leitung der Vernunft zu stellen, die in ihm als solchem nicht verläßlich war.

Wäre Vernunft Sache des Genies und beruhte das gemeinschaftliche Menschendasein auf dem ständigen Auftreten von Genies, so wäre unsere Lage hoffnungslos. Hoffnung aber ist, weil die Vernunft in jedem Menschen liegt und weil, was Vernunft vermag, von dort, wo es beginnt, auf jeden anderen Menschen übergehen kann. Denn jeder hätte selbst vermocht, was er hört, und bedarf nur der Ermutigung und der Sprache, die die genialen Menschen der Vernunft gebracht haben.

Die Einmütigkeit in der Vernunft ist nicht die der Wissenschaften. Denn Wissenschaften sind schon allein durch den Verstand zu fassen und übertragbar. Sie gehören allen Menschen, aber verbinden sie auch nur im Verstande. Auch Vernunft gehört allen Menschen, aber sie gehört ihrem Wesen im ganzen zu und ist nicht bloß ein besonderes Feld des Begreifens. Sie verbindet die Menschen, die in allem anderen äußerst verschieden sein, ganz anders leben und fühlen und wollen können; sie verbindet sie stärker als alle Verschiedenheit sie trennt.

Die Alternative zur verantwortlichen Freiheit des Geistes ist die Anarchie des Geistes. Vernunft verlangt das Freilassen des Geistes als Bedingung des Menschwerdens selber. Sie wagt die möglichen Folgen der Verantwortungslosigkeit, weil sie die Begrenzung der geistigen Möglichkeiten aus der Verantwortung jedes Einzelnen fordert, nicht durch äußere Zensur, sondern mit der Hoffnung, daß der Mensch zum Werden des Menschseins geboren ist und nicht zum Untergang gleichsam eines vergeblichen Versuches.

Der Mensch bedarf der Freiheit, deren Verantwortung niemand, keine Institution erzwingen kann; darum muß die Freiheit durch ihr Versagen am Ende selber die Unfreiheit erzeugen. In der Tat erzeugt die verantwortungslose Freiheit geistigen Produzierens einen sittlich-politischen Zustand und ist zugleich dessen Ausdruck. Dieser Zustand mit all seinem Zauber kann nicht bleiben:

Geistige Gebilde, die die Stimmung erweichen, in den Rausch des Unbestimmten führen, böse Impulse wecken, bereiten vor: einerseits zur Unentschiedenheit, andrerseits zu blindem Gehorsam unter der Gewalt. Die Menschen selber, die ihr geistiges Tun in diesen vernunftwidrigen Zauber führen, wollen die Gewalt, unwissend, was und wie sie ist. Ihre eigenen geistigen Akte sind schon gleichsam vorwegnehmende Gewaltakte. Daher wird am Ende der verantwortungslos gewordene Geist mitsamt dem ihm sich ergebenden allgemeinen Zustand mit einem Schlage weggewischt durch den Terror totaler Herrschaft. Sie macht die verantwortungslos gewordenen Geistigen, die den Weg zu ihr bereiteten, nun mit Erfolg zu ihrem Werkzeug. Sie bezeugen ihre ethisch-politische und existentielle Nichtigkeit darin, daß sie die Gewalt jubelnd begrüßen und ihr mit eigenen Entwürfen dienen, ihre Befehle gewissenlos ausführen. Mit der gewohnten Lust der bloßen Intelligenz und des bloßen geistigen Produzierens und mit Enthusiasmus glauben sie nun einfach gehorchend auf dem Wege der Wahrheit zu sein, die ihnen in der Tat vorher wie jetzt, jenseits von Wahrheit und Lüge, bodenloses Nichts ist.

i) Die Grenze des Rechtsanspruchs auf Trennung des Öffentlichen vom Privaten.

In der staatlichen Gesellschaft wird das Private durch die Strafgesetzgebung geschützt gegen Verleumdung und weiter gegen nachteilige, auch gegen richtige Aufdeckungen, wenn zu diesen kein aufweisbares öffentliches oder Sachinteresse berechtigt.

Gesetzlich gegründete und konventionell bestätigte Sicherheit, in seinem privaten Dasein verborgen und unangefochten zu sein, gibt es uneingeschränkt für alle, soweit sie keine Führung in Politik oder Geist, d. h. keine öffentliche Wirkung erstreben. Wer aber dies tut, wagt die Öffentlichkeit. Denn wer vernünftig sein will, also die Bewährung des Rechts zu dieser Öffentlichkeit riskiert, darf nicht verbergen wollen, was er ist.

Auch wer nur mit loslösbaren Sachlichkeiten, etwa wissenschaftlichen oder technischen Erkenntnissen, an die Öffentlichkeit tritt, beansprucht mit Recht, daß wegen dieser, ihrer Natur nach unpersönlichen Leistungen nicht nach seiner Person gefragt werde: Er kann das Private von der Sache trennen, weil die Sache selber partikular ist und keine Bewährung durch den Menschen, sondern nur durch sich selber, ihre allgemein nachweisbare Richtigkeit, verlangt.

Wer aber mit einer Sache an die Öffentlichkeit tritt, die ihrer Natur nach mit dem Wesen des Menschen als Selbstsein, mit der Persönlichkeit verknüpft ist, wird, wenn er den Sinn seines Tuns versteht, die Trennung von Privat und Öffentlich nicht mehr verlangen. Denn in seinem Tun ist die Scheidung nicht mehr zu vollziehen. Wo der Mensch als er selbst da ist, da ist er auch dieser ganze Mensch. In dieser Einheit ist er zur Öffentlichkeit nur berechtigt, wenn er die Konsequenzen des Wagnisses der Öffentlichkeit zu übernehmen bereit ist.

In dem Maße als der Ernst der Vernunft in die Öffentlichkeit des Geistes, der Politik, der höheren Berufe dringt, um so weniger wird die heute noch so selbstverständliche Unterscheidung zwischen Privat und Öffentlich ihre Geltung behaupten. Denn wer öffentlich in Politik, Philosophie, geistiger Produktivität wirken will, setzt sich auch mit seinem ganzen Wesen der Öffentlichkeit aus. Was er tut, wäre unehrlich als ein gleichsam vor sich hin gehaltenes Tun, hinter dem man sich verborgen halten dürfte.

Im idealen Fall ist etwa ein Staatsmann als Person und Sache, als privat und öffentlich derart eins, daß von ihm als bloß privater Person gar keine Rede mehr ist, weil er dem Urbild treu lebt, dadurch andere überzeugt. Mit seinem Dasein im ganzen ist er eine öffentliche Wirklichkeit und wirkt mit diesem bloßen Dasein schon fördernd. Der ständige Mißbrauch, den man das Zerren an die Öffentlichkeit nennt, kann ihm nichts antun. Die Gesetze gegen lügenhafte Verleumdung sind Schutz genug und brauchen nur selten beansprucht zu werden, wenn er durch sich selbst schon, für alle überzeugend, die Widerlegung ist.

3. Vernunft kann helfen durch ständig wiederholte Umkehr, ist aber nicht zu planen.

a) Vom Menschen Hervorgebrachtes muß auch vom Menschen gemeistert werden. — Der Untergang durch die Atombomben ist kein notwendiger Prozeß, der über uns kommt und nur hingenommen werden muß. Vielmehr liegt jeder Schritt an Menschen, die ihn tun auf dem Wege, der zur Katastrophe führt. Es sind immer wieder Einzelne, die an entscheidender Stelle stehen. Auf dem Wege der Atombombe: die Entdeckung der Naturerscheinungen — die technische Umsetzung — der Befehl zur Herstellung der Bomben — der Befehl zum Abwurf — die Ausführung des Befehls.

Wohl kann man vor der fast unausweichlichen Zwangsläufigkeit sich ohnmächtig fühlen. Aber trotzdem: Jeder Einzelne wirkt durch die Weise seines Lebens, Handelns, Sprechens mit an dem gemeinsamen Ethos der Menschheit, das schließlich jene Einzelnen trägt, die das Entscheidende tun: im Bewußtsein des Auftrags, in der Meinung der Unumgänglichkeit, im Gefühl des Drucks der Notwendigkeit in dieser Situation — oder einfach in Gedankenlosigkeit (nach dem Worte des Kanzlers Oxenstjerna an seinen Sohn: Du weißt nicht, mit wie wenig Verstand die Welt regiert wird). Passives Zuwarten ist Mitschuld.

Aus der Denkungsart der Vernunft, die immer schon da war, entspringen die Chancen der Rettung. Was wir Menschen hervorgebracht haben, ist nicht auf andere Weise zu meistern als durch uns selber. Da aber der Verstand in der Weise seines wissenschaftlichen und technischen Denkens allein dazu nicht fähig ist, muß es die umgreifende Vernunft sein. Nur sie kann dem Hervorgebrachten gewachsen sein. Sie allein erweckt die Hoffnung: dem, was der Mensch hervorbringt, dem muß er selber überlegen werden können. Nicht ein Naturereignis, nicht ein kosmisches Ereignis, nichts Fremdes ist es, das von außen überwältigt. Vielmehr ist es Sache der Verantwortung des Menschen. Es ist seine eigene Welt, daher ihm zugänglich. Hier gilt das alte Wort: Gott hilft dem Menschen, der sich selber hilft. Der Mensch, wenn er sich hilft, baut auf die ihm gegebene Freiheit. Wenn er seine Vernunft verwirklicht, ist ihm zumute, als würde ihm geholfen, und wenn er sie verfehlt, als würde er verworfen. Die Chiffernsprache drückt diese Abhängigkeit aus: Gott wird den Menschen zugrunde gehen lassen, wenn er auf halbem Wege stehenbleibt, wenn der Mensch das von ihm selber Hervorgebrachte nicht als sein Werk behandelt und meistert, sondern wie eine fremde Naturmacht über sich kommen läßt.

Daher stehen wir vor dem Unheil der Atombombe anders als zu früheren Katastrophen. Wir müssen den Unterschied anerkennen zwischen Menschenwerk, das unsere Sache ist, und Naturwerk, dessen wir immer nur bis zu einem gewissen Grade Herr werden. Wir dürfen in dem, was unsere Sache ist, nicht versagen dadurch, daß wir uns vorweg hingeben ans Verhängnis. Wir sollen, um zu erfüllen, was an unserer Freiheit liegt, auf diese nicht verzichten zugunsten vorzeitiger Unterwerfung.

b) Schuld und Aufgabe. — Die großen »Erfolge«, mit Triumph gewonnen, im Jubel genossen, blind vor dem Weiteren, waren zugleich die große Schuld, daß sie in ihrer Äußerlichkeit der gewonnenen Macht als genügend angesehen wurden.

Aber es genügt auch nicht, daß wir das wissen und sagen. Aller Realismus, alle Entschleierung bewirken als solche noch nichts, wenn nicht die Entscheidung des Menschen selbst erfolgt. Noch nicht die Erkenntnis, noch nicht Erwartung, noch nicht die Hoffnung sind genügend wirksam, sondern erst der Entschluß, den der Mensch in seinem Grunde als er selbst für sich selbst faßt.

Die Aufgabe unseres Denkens ist es, die Entscheidungssituation vor Augen zu bringen. Es soll durchleuchtet werden, was die Situation verdunkelt mit den Motiven, die vor der Entscheidung ausweichen möchten. Aber es soll auch denkend ergriffen werden, was die Entscheidung ist: worin sie stattfindet, was ihre Folgen sein können. Auch dieses Denken ist noch nicht die Tat selbst, wohl aber kann es vorbereitendes inneres Handeln sein.

Aber, so wird eingewendet, welch phantastische Erwartungen! Man denke an die Realität der Rüstungen! Diese ungeheuren Anstrengungen, die die Hälfte der Arbeit der Völker verzehren, sollen »umsonst« geschehen sein? Ihre Produkte sollen nie angewandt werden? Diese ganze Energie beruht doch auf dem Ernst, daß man diese Waffen gebrauchen müsse.

Doch dieser Ernst selber, zwar zunächst unter dem wachsenden Druck der Angst, die alle Menschen angesichts dieser Realität befallen muß, kann umkehren in seiner Richtung. Im Besitz der größten je dagewesenen Zerstörungsmittel, auf dem Grunde des uneingeschränkten Opfermuts, mit ihnen das Wagnis des Untergangs auf sich zu nehmen, erwächst der hochgemute Entschluß, sie wegzuwerfen: dem Menschen den Frieden zu geben in Gegenseitigkeit, weil der Opfermut selber umgeschlagen ist in den Opferwillen, der nicht nur so unerhörte Werke ungenutzt verschwinden läßt, sondern das größere Opfer der Lebensverwandlung überhaupt zu bringen bereit ist mit all den Verzichten, aber auch mit der Eröffnung neuer unabsehbarer Möglichkeiten.

Niemand darf behaupten, daß der Mensch so sei. Wohl aber dürfen wir in Asien und im Abendland uns erinnern unserer Wegweiser und hoffen, daß der Mensch so sein könne, wie es in solcher Perspektive vorausgesetzt wurde. Es scheint für das offene Ohr unmöglich, den Anspruch aus unserer Geschichte zu überhören. Es ist kein anderer Ausweg. Wenn der Schritt zu diesem anderen Menschsein nicht getan wird, sind wir alle, ist die Menschheit für immer als Dasein auf der Erde verloren. Wer den Schritt für unmöglich erklärt, spricht das Todesurteil über die Menschheit aus, das die Realität im kommenden Jahrhundert vollstrecken wird.

In der Möglichkeit, ja, Wahrscheinlichkeit der Selbstvernichtung der Menschheit kann die Vernunft zur höchsten Wachheit gelangen und aus ihrer Freiheit der Ursprung der Wende werden. Es ist mehr gefordert als die unentbehrliche Praxis, die klug vorausscht und ihre Veranstaltungen trifft. Solche

Praxis ist immer beschränkt auf das Nächste und darin noch ungewiß. Es ist die Vernunft gefordert, die nicht nur weiter blickt, sondern zur Umkehr des Menschen wird.

c) Was im politischen Zustand das Ethos der Vernunft fordert. — Der politische Zustand, als Ethos der Vernunft, in dem die Atombombe abzuschaffen möglich wäre, fordert: Alle politischen Entscheidungen sind von dem Äußersten des Untergangs her zu prüfen, in die Rangordnung ihrer Wesentlichkeit zu bringen. Dieses Äußerste darf nicht einen Augenblick vernebelt werden. Von ihm her soll das eigensüchtige, bequeme, wunschbedingte Verschleiern verwehrt werden. Die Entscheidung auch des scheinbar Kleinen soll im Horizont des Äußersten geprüft werden.

Eine neue Verantwortungspolitik würde wirklich werden. Das augenblickliche Interesse würde unter die Bedingung eines höheren Interesses gestellt. Dieses höhere Interesse wäre nicht mehr negativ die Angst vor dem Untergang, sondern positiv die Idee der Menschheit als freier Gemeinschaft unendlicher Vielfachheit der Lebenswege und Glaubensweisen, der Erfahrung des übersinnlichen Grundes, durch den wir sind.

Das freiheitswidrige Totalitäre würde mit sicherem Sinn überall schon in seinen Ansätzen erspürt und abgewiesen, so daß staatliche Sicherung fast unnötig, Gesinnungsschnüffelei verpönt wäre.

Solche Freiheit, die in der Politik die Vernunft zur Herrschaft bringt, ist nur wahr und wirklich, wenn sie in allen Stufen und Bereichen menschlicher Tätigkeit sich bewährt. Erst dann würde die Erwartung des Menschseins nicht trügen. Denn jetzt würde der Mensch sich verstehen in seiner Aufgabe, zu werden, was er nur der Möglichkeit nach ist. Will er frei sein, so will er vernünftig sein und offen, damit er, seine Welt und die Gemeinschaft, besser werde auf dem Wege zu voller Freiheit und Vernunft.

d) Die unerläßliche Umkehr ist nicht zu planen. — Es ist ein radikaler Unterschied zwischen partikular lösbaren Problemen und der Wandlung des Menschen. Erstere sind möglich bei Unberührtheit des Menschen selbst im Vorbau seines planenden Verstandes. Letztere fordert den Einsatz des ganzen Menschen.

Die Wandlung kann nicht als Zweck gewollt werden. Aber aus ihr entspringt ein neuer zwecksetzender Wille. Die Revolution der Denkungsart kann nur aus Freiheit geschehen als das, woraus alles Planen erst Sinn erhält. So ist, was mit dem Ziel, die Vernichtung der Menschheit zu verhindern, vom Verstand geplant wird, für sich allein vergeblich. Nur wenn in dem Denken selber etwas geschieht, aus der Freiheit der Vernunft geboren, dann kann eine

Folge auch das Handeln sein, das die Rettung herbeiführt, weil nun die bestimmten Pläne geführt sind von etwas, das hinausliegt über die Frage von Rettung oder Untergang der Menschheit. Retten kann nur, was vor allem Planen liegt, aber alle bestimmten Pläne hervorbringt und trägt.

Da die Umkehr nicht zu planen ist, wäre es auch vergeblich, eine Verwandlung des Menschen herbeiführen zu wollen als Mittel zum Zweck der Rettung vor dem Untergang. Was nur als Mittel gemeint wird, ist als solches nicht mehr selber ernst. Nur eine Wandlung, die zweckfrei den Menschen zu sich selbst bringt, kann wie die innere Bereitschaft zum möglichen Untergang so auch die Rettung zur Folge haben. Nie kann als Mittel erkannt und gewollt werden, was entweder aus eigenem Ursprung ist oder gar nicht sein kann. Die Anschauung des Äußersten, wie sie heute möglich ist, kann wohl veranlassen, daß solch anderer Ursprung wirksam werde, kann ihn aber nicht erzeugen.

Wir wiederholen: Die Wahl unseres Weges in unserer Situation ist durch Planen allein nicht möglich. Das bloße Planen bedeutet schon die Wahl des Weges zum Untergang. Es ist ein anderes notwendig. Dieses andere kommt — oder bleibt aus — aus dem Ursprung des freien Menschen, seinem Entschluß, der in sich die Umkehr findet zu einem neuen Zustand der Handlungsbereitschaft, aus dem geplant, der aber selber nicht geplant werden kann. Das bloße Planen wird zum Ausweichen; es wird zur Flucht vor dem, worauf es ankommt. Nicht aber der Verzicht auf irgendein sinnvoll mögliches Planen, nicht Planlosigkeit ist erlaubt, sondern gefordert ist, was allem Planen vorhergeht, den Gang des Planens selber gestaltet, es in der Tat konkreter und gegenwärtiger, umfassender und eindringlicher macht.

e) Zwei Aspekte der Umkehr. — Ein Einwand ist: Die Umkehr des Menschen als eines immer Einzelnen ist doch nicht die Wandlung des allgemeinen Zustandes der Politik. Der neue Mensch als Einzelner und als viele Einzelne, das ist etwas ganz Anderes als ein neuer politischer Zustand, der neue Voraussetzungen, Gemeinsamkeiten, Spielregeln hätte.

Der Einwand sagt weiter: Der Grundzustand, in dem Politik notwendig ist, kann nicht anders werden. Eine neue Politik wird immer nur Abwandlung der immer gleichen Politik mit anderen durch das jeweilige Zeitalter gegebenen Mitteln sein. Wohl ist das Ausmaß der Zerstörungsmöglichkeiten ein neues Motiv. Das Äußerste, Tod von Soldaten, Gefahren des Untergangs von Staaten und Thronen, war schon immer im Spiel. Daß es heute gesteigert ist zur höchsten Gefahr jedes Staates und seiner Völker im Weltkrieg, wirkt hemmend, aber verwandelt nicht grundsätzlich die Politik. Diese ist daher, wie sich zeigt, bis heute nicht anders geworden.

Der Einwand weist auf den gegenwärtigen Weltzustand: Es stehen sich Großmächte gegenüber, die als politische Lebensformen, selbst in der Sprache, keinen gemeinsamen Boden haben. Sie stehen sich mit Ausschließlichkeit unvereinbarer Glaubensmotive gegenüber. Selbst wenn innerhalb des einen Kreises die Politik eine Wandlung erführe, wäre sie noch nicht in der Welt im ganzen möglich. Daß immer auch die anderen da sind, und mit stärkster Gewalt, macht die Politik im alten Sinne, als Orientierung an der Gewalt als der ultima ratio, notwendig.

Der Einwand gipfelt in der These: Das Anderswerden der Politik war von jeher die unendliche — daher unerfüllbare — Aufgabe. Daß der Druck der neuen totalen Gefahr sie erzwingen sollte, dafür ist kein Ansatz sichtbar.

Die Antwort auf den gesamten, in seinem nur objektiven Blick verzweiflungsvollen Einwand ist: Wenn die Umkehr der Politik geschehen sollte, so jedenfalls nicht durch einen objektiv erkennbaren soziologisch-politischen Prozeß. Der Weg geht über die Umkehr der einzelnen Menschen. An Einzelnen, die in entscheidenden Augenblicken an einem Steuer stehen, und schließlich an allen Einzelnen liegt es, was mit der Menschheit geschieht. Die Vorgänge zwischen Einzelnen, beginnend zu zweien, gründen, was in der Politik wirklich ist und wird.

Der Realist, der jene Einwände machte, kann erwidern: Von dorther ist die führende Kraft im Politischen nicht zu erwarten. Denn der Einzelne muß erfahren, daß ihm zugänglich ist nur die Selbsterziehung, das Selbstwerden und sein eigener Entschluß. Dort ist er mächtig, sofern er sich geschenkt wird; auch dort schon wird er ohnmächtig, wenn er sich ausbleibt. Wenn er sich aber in dem unübersehbaren Ganzen der Menschheitsgeschichte sieht als verschwindend winziges Atom, so muß ihn die Geschichte im ganzen anmuten wie ein Naturprozeß, auf den er keinen Einfluß hat, den er vielmehr einfach hinnehmen muß, und der über ihn, den Ohnmächtigen, hinweggeht.

Dagegen ist immer wieder zu erinnern: Die Geschichte im ganzen geschieht doch durch Handlungen ungezählter Einzelner. Im Ursprung und am Anfang stehen Einzelne. Der Einzelne ist mitverantwortlich für das Ganze durch alles, was er tut. Er ist in irgendeinem noch so geringen Maße mächtig. Denn er nimmt teil an dem Geschehen, handelnd in seinem Bereich oder nichthandelnd. Durch jede kleine Tat und Unterlassung schafft er mit an dem Boden, auf dem schließlich wieder Einzelne in Machtpositionen die für das Ganze entscheidenden Handlungen vollziehen. Was geschieht, geschieht durch Menschen. Menschen sind immer Einzelne. Auch wenn sie im Zusammenhang von Gruppen, Völkern, Massen handeln, ist ihre Tat je die des Einzelnen, mag er sich auch als Werkzeug übergreifender Mächte oder eines allgemeinen

Willens fühlen. Das Überpolitische liegt im Menschen selbst, weil es Sache seiner Freiheit ist.

f) Der einzelne Mensch. – Ein Unheil liegt im Ursprung des Menschen. Der Anblick der Geschichte zeigt das Sichherausarbeiten und Zurückfallen. Das Hohe wurde meistens bezahlt durch Unmenschlichkeiten und böse Zustände, unter deren Bedingung es möglich wurde.

Das Unheil im Ursprung des Menschen liegt aber in jedem Einzelnen. In uns selbst erfahren wir das »radikal Böse«, das uns überwältigt, wenn wir nicht mit ihm in stetem Kampf unserer Freiheit bleiben. In der Freiheit entspringt der Grundvorgang des Unheils und des Heils.

Immer war es das Schwere, das von jedem Einzelnen neu zu Gewinnende, das kein Mensch dem anderen geben, nicht für ihn tun kann: das Zu-sich-Kommen in den Grenzsituationen, die Umkehr, die daraus entspringenden Antriebe, die von nun an das Leben führen.

Radikale Besinnung anläßlich der Erschütterung durch die Tatsache der Bomben kann zunächst nur im einzelnen Menschen die Folgerung ziehen: das persönliche Leben in dem Ernst zu führen, der den beiden gegenwärtigen Aufgaben der Menschheit entspricht: der Rettung vor der totalen Herrschaft und der Rettung vor der totalen Vernichtung durch die Atombombe. Dieser Ernst selber aber tut allein der ewigen Aufgabe genug: eigentlich zum Menschen zu werden.

Wandlung der einzelnen Menschen durch lebenslänglich wiederholte Umkehr ist notwendig. Diese ist nicht ein blindes Ereignis, auf das man warten dürfte. Die Vernunft ist von jedem Menschen, dem sie aufleuchtet, sogleich und nicht erst in Zukunft, aber immer von neuem zu vollziehen, und zwar in Kommunikation mit anderen Einzelnen und mit Hilfe der Transzendenz, durch die er sich in seiner Freiheit geschenkt weiß. Sie ist nicht ein Willensakt, sondern der in der Tiefe am Ursprung stattfindende Entschluß, aus dem erst alles Wollen folgt. Sie ist zu erwecken im Umgang mit den hohen Menschen, die aus der Geschichte zu uns sprechen. Sie ist wahrzunehmen in Menschen der Verborgenheit, die auch heute der eigentliche Grund sind für den Zusammenhalt der Menschen, für unseren Zustand, der nicht ganz und gar in existentielle Anarchie sich auflöst und dann totalitär würde.

Wie ist es heute? Der Einzelne als er selbst war immer selten. Scheint er heute nicht fast inexistent zu werden? Ist es nicht eine gewaltsame Illusion, noch auf den Einzelnen zu hoffen? Ist nicht längst die Entwicklung zur Nivellierung fortgeschritten, zur konventionellen in Amerika, zur totalitären in Rußland, zur technisch-funktionellen überall, wo industriell und bürokratisch gearbeitet wird? Ist nicht längst vergessen, worum es sich handelt, wenn der Mensch als er selbst da ist, frei denkt und lebt und sich in seiner Welt verwirklicht? Und hat man nicht längst ausgesprochen, vorausgesagt und beobachtet, daß es so sei? Ist es nicht lächerlich, gegen die Walze des Geschichtsprozesses etwas beschwören zu wollen, was nicht mehr ist und nie mehr wird sein können, das Selbstsein und die Vernunft?

Die Bejahung dieser Fragen kann durch kein Wissen, keine Erfahrung erzwungen werden. Gegen die suggestive Kraft dieser Fragen, denen eine bereitliegende Hoffnungslosigkeit entgegenkommt, wendet sich der Wille, der dort, wo kein zwingendes Wissen ihm Schranken setzt, sich den Raum offen hält, um zur Entfaltung zu bringen, was in seinem Ursprung liegt.

Das erste Unheil im Menschsein selber muß heute durch die technische Situation die Folge der nunmehr totalen Vernichtung haben, es sei denn, daß der Mensch, unter der Drohung des Äußersten, im Ursprung des ersten Unheils vermöge seiner Freiheit seine eigene Wandlung vollzieht mit einer unberechenbaren und unerfahrbaren und nicht zu erwartenden, aber zu erhoffenden »Hilfe von oben« in dem Falle, daß er wirklich alles tut, was er kann, und in einer ungeheuren Spannung aus dem Innersten seines Wesens hören und wirksam werden läßt, was er eigentlich sein kann. Dann wird er das uralte Heil, das immer wieder verloren und nie ganz verloren wurde, zur Führung werden lassen: die Vernunft. Alle Ansätze, die einst zur Erneuerung, Umkehr, Wiedergeburt des Menschen getan worden sind, sind jetzt zu steigern vor der letzten Situation des Entweder-Oder. Nur so könnte der Grundvorgang des Unheils sich umwenden in den des Heils, wie es immer schon in großen Menschen wie in zahllosen verborgenen geschehen ist. Was bisher in der Auswirkung auf die gesamte Menschheit gescheitert ist, müßte in einem Zuge, der auch den Weltfrieden ermöglicht, wirklich werden, wenn nicht das Ende allen Menschendaseins eintreten soll. Die Umwendungen, die einst geschehen sind, können wir wiederholen. Auf sie zu hoffen, ist selber Bedingung vernünftigen Lebens.

Was nun der Einzelne — und immer werden es Einzelne sein müssen — tun wird, wenn er die Apparate der Zerstörung in Händen hat und Befehle ihn erreichen oder er Befehle geben soll, das liegt am Einzelnen selbst. Was er im Gange seines Lebens aus sich im inneren Handeln hat hervorgehen lassen, das wird entscheidend für den Einsatz dieser Apparate. Es ist dasselbe Ereignis in aller Technik. Was der Mensch als er selbst wird, das führt auch die Weise des Gebrauchs der Technik. Nicht aus der Technik ergibt sich durch fortgesetztes technisches Denken, wie sie zum Heile dienen kann, sondern aus einem anderen Ursprung.

DRITTES KAPITEL

DIE IDEE DES VERNÜNFTIGEN STAATSMANNS

1. Die Situation des Staatsmanns.

In der Masse der Einzelnen wird der Grund für das Geschehen im ganzen gelegt. Aus dieser Masse wachsen die Politiker. Sie entsprechen dem Boden, in dem sie wurzeln.

Aber der Einzelne in führender Stellung muß erfahren, was die anderen nicht kennen. Hier steht er unter einem Druck, der mehr von ihm zu verlangen scheint, als Menschen vermögen: im Umgang mit der Gewalt zu tun, was Wohl und Wehe, Sein oder Nichtsein der Staaten und heute der Menschheit zur Folge hat.

Viele Politiker sind dieser Position nicht gewachsen, viele scheinen sie gar nicht zu spüren. Sie setzen sich dem Druck nicht aus, weil sie ihn nicht eigentlich erkennen. Ein Staatsmann ist erst der, der unter diesem Druck in seine Aufgabe hineinwächst. Perikles lachte nicht mehr, seitdem er Staatsführer war, seine Verantwortung wußte und täglich um die Zustimmung der Athener ringen mußte. Er überzeugte sie durch sein Dasein und sein Wort und war in steter persönlicher Gefahr, bei ausbleibender Zustimmung vernichtet zu werden.

Der Staatsmann hat es zu tun mit der Gewalt. Er steht vor dem Äußersten. Es ist in seine Hand gegeben und es bedroht ihn selber in seinem Dasein. Noch in scheinbar ruhigen Zuständen darf er nicht vergessen: es geht um Kopf und Kragen. Wagt er das nicht, dann hat er unverantwortlich die Machtposition eingenommen mit der an dieser Stelle unerlaubten ängstlichen Beruhigtheit, sei es eines juristisch gebildeten Beamten, sei es eines Gewerkschaftsfunktionärs, sei es anderer Berufe. Hat er nicht mit ständiger Sensibilität für das Faktische alle Mittel seiner Macht und Gewalt im Auge und zur Verfügung und weiß er nicht, wo er steht, dann endet er etwa in der sein Dasein rettenden, für ein Volk verhängnisvollen Lächerlichkeit, sich als Ministerpräsident von ein paar Leuten entfernen zu lassen mit den Worten, er weiche der Gewalt.

Das Wagnis im Auf-sich-Nehmen der Macht gibt dem Staatsmann den Schimmer des Außerordentlichen, Geheimnisvollen — oder den des Verbrechers —, oder er wirkt, wenn er nicht merkt, wo er steht, wie ein dummes Kind; aber: »Kinder dürfen ihre Hände nicht in die Speichen des Rads der Weltgeschichte stecken.«

Der Staatsmann steht an der Grenze des Menschlichen, an dem Ort, an dem jemand stehen muß, damit alle leben können. Von einer kleinen Anzahl von Staatsmännern wird das Schicksal aller bestimmt. Durch Handlungen bestimmen sie den Gang der Welt, ohne daß einer von ihnen die Welt zu übersehen vermöchte oder sie in der Hand hätte.

Der Staatsmann steht im Mittelpunkt der öffentlichen Aufmerksamkeit. Denn er repräsentiert die Macht und hat die Macht. Das Volk und alle Einzelnen stehen in einer inneren Beziehung zu ihm, aber auf vielfache Weise:

Die meisten Menschen, und sehr viele auch in der abendländischen Welt, sehen die Staatsmänner als Wesen, die den Völkern von anderswoher kommen. Man fühlt für ihre Art keine eigene Verantwortung. Man ist unterwürfig noch gegenüber den Attrappen und untersten Instanzen, die ihre Macht vertreten. Sie werden in den Augen der Menge andere Wesen, als sie waren, bevor sie in die Machtstellung gelangten. Sie scheinen aus Motiven zu handeln, deren Sinn man nicht versteht oder gutgläubig so versteht, wie sie es den Völkern und der Welt sagen. Sie tun und denken alles, wir nichts. Sie sind das Verhängnis, das gute oder böse. Sie werden hingenommen, wie sie sind. Sie werden verehrt und umschmeichelt oder gescholten und gemieden. Man verherrlicht sie als Retter oder schiebt ihnen als den Unheilbringern zu, was auch immer an Schlimmem geschieht. Die selbstverschuldete Unzufriedenheit mit sich und der Welt bürdet man dem Staatsmann auf. Er soll schuldig sein für das, was nicht er bewirkt, sondern was er vorfindet, das heißt für den Zustand des Menschseins, der es notwendig macht, daß er seine Aufgabe hat.

Gegenüber diesen unvernünftigen Haltungen ist die vernünftige: den Staatsmann mit Respekt vor dem Außerordentlichen zu sehen und zugleich mit Sorge; denn in ihm wird das uns alle gemeinsam treffende Schicksal gespürt; daher sollten wir auf ihn blicken, zwar mit kritischem, aber gerechtem und, wo immer Grund dazu ist, mit zur Dankbarkeit geneigtem Urteil.

Wie billig ist unser Nachdenken und Reden und Schreiben über den Staatsmann, ohne selbst das Handeln zu kennen in dieser Situation der Macht heute, sei sie klein oder groß, Tag für Tag an der Grenze des Äußersten! Wir sollten uns bewußt sein, welcher Druck auf dem führenden Staatsmann liegt, welche Verantwortung er trägt für jedes Wort, jede Handlung, jede Anweisung und für das Bild der Lage und der Dinge, das er sich macht, und wie jeder Schritt für ihn immer auch noch ein Schritt ins Dunkle ist.

Nie werden alle Menschen auf den Weg gelangen, den der Staatsmann gehen soll: im Umgang mit möglicher Gewalt, die Gefahr vor Augen, aus der Kraft der Vernunft die Entschlüsse zu finden, die zuletzt über Leben und Tod entscheiden aus dem Sinn des Bauens und der Stiftung von Dauer in der Welt.

Das Schicksal der Menschheit liegt daran, wieweit die Einzelnen, die zum Staatsmann berufen sind, für die Anderen, für die Meisten oder für Viele oder für eine Gruppe weniger überzeugend wirken, so daß diese, weil sie selbst in ihrem Besten sich in ihnen wiedererkennen, auch wie sie denken, leben, handeln wollen.

Diese wenigen, nicht abgesonderten, nicht vergötterten Menschen, die ihre Wurzel haben im eigentlichen Wollen derer, die sich in ihnen erkennen, könnten die Macht gewinnen, weil sie die Menschen nicht zuerst durch Gewalt von außen, sondern durch ihr Wesen von innen bezwingen.

2. Politiker und Staatsmann.

Heute sieht man Politiker, deren Angesicht und Habitus uns verblüfft. Wissen sie, was sie tun, worin sie stehen? Welche Vorstellungen haben sie? Ständig haben sie lachende Gesichter. Es ist, als ob die Welt erwarte, daß sie heiter seien, mögen sie sich in einem starren, undurchdringlichen Lächeln, oder in einem jovial vergnügten, gutmütig zufriedenen, oder in einem erstaunt betroffenen Grinsen oder in anderen Abwandlungen verstecken. Wollen die Völker und wollen sie selbst, daß der ungeheure Ernst dessen, was sie sehen und wissen und tun, hinter der Fassade einer über die Welt sich legenden Albernheit verloren werde? Oder wird eigentlich gar nichts verborgen, zeigt sich vielmehr die durchgehende Ratlosigkeit? So wie Menschen, die auf einer Lüge oder Dummheit ertappt werden, statt niedergeschlagen zu sein, vielmehr lachen, als ob nichts sei? — Nein, dies ist nur ein Aspekt. Die Wirklichkeit einiger der Verantwortlichen ist, so dürfen wir vermuten, auch heute ganz anders.

Man darf den Staatsmann von den Politikern unterscheiden:

Politiker von vitaler Wucht gewinnen ihre Macht und verwirklichen sie vielleicht durch eine unerhörte Geschicklichkeit im Wagemut. Diese wirken wie in jedem Augenblick geistesgegenwärtige Tiger, ohne Hemmung als die durch das Ziel der Macht an sich bedingte Selbstdisziplin. Das Volk ist für sie eine Masse, die manipuliert wird, damit sie gehorcht, arbeitet und in Ruhe bleibt. Der Staatsmann dagegen wird von sittlich-politischen Ideen in geschichtlicher Situation geführt. Seine Wirklichkeit überzeugt und prägt ein Volk. Er ermöglicht nicht Nachahmung, aber Nachfolge.

Bloße Politiker genießen die Macht, haben Lust an ihrer Sichtbarkeit, begnügen sich wohl auch ahnungslos mit der Scheingröße einer augenblicklichen Macht, die sich laut kundgibt. Der Staatsmann dagegen will die Macht, die ihm die Erfüllung seiner hohen Aufgabe ermöglicht. Er ist zwar empfindlich für Schwankungen der realen Macht, um jederzeit der Gefahr zu begegnen. Aber ihm liegt nichts an der Sichtbarkeit und am Auftrumpfen der Macht; eher läßt er sie verbergen. Der Staatsmann erfährt die hohe Machtstellung nicht als Anspruch an andere, sondern an sich selbst, nicht im eitlen Sich-zur-Geltung-Bringen, sondern im faktischen Wirken-Können. Es ist der Anspruch der Verantwortung, die, obgleich es über Menschenkraft zu gehen scheint, von Menschen getragen werden muß. Der Staatsmann hat keine Instanz über sich, auf die er sich berufen könnte, keine Instanz in der Welt.

Die *betriebsamen Politiker* schliddern mit im Gang der Dinge, mit Reden, Noten, Schriften, die nichts bewirken, sondern alles beim alten lassen, in der intelligenten Rationalität des Betriebes durch Gesetze und Ordnungen die Produktivität der Wirtschaft steigern, je nach Lage mit Erfolg oder Mißerfolg. Der Politiker wird zum Staatsmann, wenn er sich nicht begnügt, fortzumachen im Gang des Unheils mit den endlosen kleinen und größeren Operationen. Der Staatsmann findet im Dunkel wahrnehmend, wählend den Weg. Sein Tun für die Notwendigkeiten des Tages durchdringt er mit dem Ethos, das, über sie hinausdenkend, durch die Weise ihrer Führung beiträgt zur Verwandlung des Unheilsprozesses selber. Jene Politiker hantieren chaotisch im Dauerlosen, sie schreiben durch ihr Tun Geschichte in Flugsand. Der Staatsmann wirkt gründend in der Kontinuität für ein Dauerndes.

Heute sieht das Bild, das die Politiker in all ihren Verschiedenheiten zeigen, etwa so aus: Einzelne Motive geben sich je im Augenblick den Vorrang unter Vergessenheit der Rangordnung des Wesentlichen. Sie behaupten, aus der Substanz des geschichtlich Gewordenen zu leben, halten sich aber nur an noch bestehende, innerlich ausgehöhlte Realitäten und gespenstische Wiederherstellungen. Sie kennen in der Tat nicht Treue und nicht Kontinuität. Verbündete werden plötzlich zu Feinden, Todfeinde schreiten zu gemeinsamen Aktionen.

Die Verantwortungsscheu flüchtet sich in die Passivität des zwar ständig galvanisierten Betriebs: Man wartet in der Hoffnung, die Dinge würden sich von selbst in Ordnung bringen. Das alte »Warten und Sehen«, in gewissen Situationen aus einem umgreifenden Willen das rechte Verhalten der Besonnenheit, wird zur Grundverfassung des Nichtstuns in jener gesteigerten Betriebsamkeit. Man denkt die Dinge seinem Wunsche entsprechend, sieht gern die Zeichen, die für die erhoffte Entwicklung sprechen, die ohne eigenes Zutun das Heil bringen werde. So verhielten sich die Politiker Hitler gegenüber und ließen ihn den Weltkrieg vorbereiten, unter dessen Folgen wir heute leben. So scheinen sie auch jetzt wieder ratlos und betriebsam, aber nun noch viel gefährlicher dem Totalitarismus gegenüber unter dem Druck der Atombombe.

Der Politiker heute scheint zu wollen, weil andere wollen, weil er meint, daß sie wollen, und weil er sich orientiert an denen, die selber nicht wissen, was sie wollen. Niemand will eigentlich und alle wollen, weil alle meinen, daß die anderen wollen. Aber dieser Wille und dieser vermutete Wille beziehen sich nur auf endliche in beschränktem Denken ergriffene Zwecke. Sie sind nicht der eigentliche Wille des Menschen, der er selbst ist und im Horizont des Ganzen seine bestimmten Ziele sieht.

Ein Staatsmann aber wäre heute der Mann, der wüßte, daß der politische Gang, der zur Rettung führen soll, gebunden ist an eine Umkehr des Menschen. Zwar wäre es Tollheit, nun so zu handeln, als ob die Menschen diese Umkehr schon vollzogen hätten. Aber er kann in seiner Person glaubwürdig vor Augen stellen, daß er selbst diese Umkehr vollzieht, daß er auf ihrem Grunde seine Ziele ausspricht, seine Gründe mitteilt, seine Schritte tut. Er antwortet den Menschen, dem eigenen Volke, jedermann. Er läßt nicht zu, daß sie gedankenlos ausweichen und verderben. Er ist offen, ohne Hintergedanken. Er verlangt, daß die anderen sehen lernen. Unablässig macht er aufmerksam auf das Wesentliche, die Rangordnung der Dinge, die Realitäten der Lage.

Er weiß: Er darf nicht zusehen und warten. Er darf nicht meinen, nur rein empirisch von Augenblick zu Augenblick noch einen Weg finden zu können. Soweit er dies tun muß, setzt er sein Denken und Handeln dem Licht aus, das ihm von seiner Erfahrung der geschichtlichen Situation heute und von dem Bewußtsein der Aufgabe des Menschseins kommt.

Er findet die Sprache, mit der er die inneren Motive in den unzähligen Einzelnen erreicht, sie erhellt und erweckt — und mit ihnen ein öffentliches Bewußtsein erzeugt. Er bringt in die Seele der Menschen, worauf es ankommt, durch einfache Sätze, die die Realitäten treffen, die logisch begründen, die bildhaft vertreten.

3. Staatsmann und Fachmann.

Politik als das Denken und Handeln, das allumgreifend die menschliche Gemeinschaft ordnet, ist kein lernbarer Beruf. Staatsmänner entstehen nicht durch Hochschulen der Politik. Sie haben nichts Professionelles, spezifisch Sachkundiges an sich. Sie vertreten das Ethos eines Volkes, etwas, das jeder begreifen sollte und könnte. Sie erfüllen keinen Beruf, sondern durch ihre Berufung das, was allen gemeinsam ist.

Aber sie bedürfen der Sachkunde der Spezialisten, der wirtschaftlichen, militärischen, kulturellen, ideologischen Sachkunde, und je nach der Völkergemeinschaft auch der zu ihr gehörenden Sachkunde. Alles Professionelle wird ihnen zum Mittel. Die Größe des Staatsmannes aber liegt darin, den Sinn für diese Weisen der Sachkunde zu haben, das Wesentliche schnell zu begreifen, die Sachkundigen zu finden und zu hören, arbeiten und wirken zu lassen, nicht aber selber in irgendeinem der Sachgebiete Spezialist zu sein. Einen erfolgreichen Bankdirektor, der nicht im Geschäft von unten auf gelernt hatte, sondern auf Grund von Bildung und Können gleichsam von oben her hineingesprungen war, hörte ich sagen, er verstände nichts von doppelter Buchführung. Der Staatsmann weiß, wo etwas zu wissen ist, welches Wissen er jeweils braucht. Er ist, statt Spezialist und ohne allwissend zu sein, überall orientiert. Er lebt aus dem Ganzen im Ganzen.

Staatsmänner sind aber nicht, wo sie groß sind, isolierte Phänomene. Sie ziehen Menschen gleichen Ranges an, lassen sie zur Geltung kommen, durch Teilnahme an den Geschäften lernen. Wenn man hier von einer Schule der Staatsmänner reden will, so bedeutet das persönliche Überlieferung im Geist einer Gemeinschaft, durch die das politische Denken als ein universales Denken geübt wird, das direkter Lehre sich entzieht.

4. Der Staatsmann als Demagoge.

a) Realität und Möglichkeit des Menschen. — Der Staatsmann täuscht sich nicht über die Realität der Menschen. Er weiß, was heute noch in der Menge Dummheit, Triebhaftigkeiten, Gewohnheiten, Illusionen, magisch wirkende Versprechungen bedeuten. Er weiß, was die materiellen Zustände, was Armut und Hoffnungslosigkeit bewirken. Aber der Staatsmann weiß auch, daß diese Einschätzung nie endgültig ist. In den Massen ist jeder Einzelne ein Mensch. Der Staatsmann will die sittlich-politischen Grundsätze seines Tuns von der Menge getragen sehen, in der sie verborgen bereitliegen. Die Menge kann schuldhaft verfallen an die Verführung von politischen Zauberern, weil die Unvernunft und Widervernunft in jedem Menschen wirksam ist. In derselben Menge kann ein vernünftiger Staatsmann, glaubwürdig und machtvoll, die Gegenkräfte erwecken. Die Menge wartet, daß der Staatsmann ihr sagt, was sie eigentlich will. Und weil er es sagt, folgt sie ihm. Daher wendet er sich alltäglich an diese Menge, die schließlich darüber entscheidet, was gelingt. Was nicht bei den Menschenmassen Gehör findet, ist politisch auf die Dauer, als ob es nicht wäre.

Der Staatsmann muß mit der Realität der Menschen, die jetzt und hier da und seine Welt sind, sein Werk treiben. Er kann sich die Menschen nicht erfinden. Hitler sagte, er müsse mit den Menschen arbeiten, die er vorfinde. In der Tat: er brauchte für die Weise seiner Macht Schwärmer, Verbrechernaturen und Vernunftlose, aber solche, die intelligent, aktiv, vital und fleißig waren. Vielleicht sind diese Vernunftlosen zu anderer Erscheinung zu bringen, wenn andere Ansprüche an sie gestellt werden. Jedenfalls aber sind aus demselben Volk ganz andere Menschen herauszuholen, je nach dem, woran in ihnen appelliert wird, was von ihnen erwartet wird, welches Vertrauen man ihnen schenkt und welche Aufgaben man ihnen sichtbar macht, und je nach dem, was sie als Vorbild sehen und was sie zu hören bekommen.

b) Die Weise der Demagogie des Staatsmanns. — Wer als Staatsmann wirken will, muß heute unter den Bedingungen von Parteien und Wahlen, von unwillig machenden, demütigenden Widerständen zur Geltung kommen. Er muß die Mittel, zur Macht zu gelangen, in der ihm gegebenen Situation, in seiner Zeit und in seinem Lande übernehmen. Was aber jederzeit Einzelnen und vernünftigen Freunden miteinander möglich ist, ist nie vorauszusehen. Dem Wagenden kann durch Erfolg sich zeigen, welche vorher nicht geahnten Bedingungen faktisch da sind, wenn er sich, Parteibeschränkungen durchbrechend, an das Volk wendet. Es ist immer die Frage, an welche Motive zu appellieren die sittlich-politische Vernunft des Volkes und zugleich die eigene Macht zur Folge hat. Der Realismus der psychologischen und soziologischen Erkenntnis und die sogenannte Menschenkenntnis haben immer nur in bezug auf Aspekte des bisher wirklich Gewordenen, in bezug auf die Zukunft aber niemals allein recht.

In der freien Welt gilt die öffentliche Meinung, aus der die Abstimmungen hervorgehen, als letzte Instanz. Aber die jeweils ausgesprochene öffentliche Meinung ist nicht eine und steht nicht fest. Sie ist in Gegensätzen vielfach gespalten und in ständiger Bewegung. Sie scheint selber dirigierbar und suggerierbar. Oder sie kann wahrer Ausdruck ursprünglicher Einsicht sein und zeigt sich zuweilen, gänzlich unvoraussehbar, als tiefe Weisheit.

Politiker und Staatsmänner müssen sich an die Kräfte wenden, die ihnen Stimmen verschaffen. Sie erspüren, was in der Bevölkerung fühlbar wird, sich mehr oder weniger klar als öffentliche Meinung zeigt. Dies aber geschieht auf zweifache Weise: Der Politiker unterwirft sich einer öffentlichen Meinung, die er als bestehend auffaßt. Der Staatsmann erzeugt eine öffentliche Meinung, weil er durch das jeweilige Gerede hindurchblickt auf den verborgenen Willen, den er erweckt.

Der Staatsmann weiß: Es müssen Persönlichkeiten auftreten, in denen ein Volk sich wiedererkennt, die ihm sagen, was ist und was wünschbar und was zu tun ist. Und dies sagen mehrere, in verschiedener Weise, zur Prüfung seitens des Volkes. Dadurch soll jeder Einzelne im Volke, geistig lebendig, politisch fragen und denken lernen. Er soll zum Bewußtsein der Lage in seinem Bereich und im Großen kommen und sich klar werden, was er will. Das politische Ringen um die Stimmen des Volks ist dem Staatsmann daher von vornherein Erziehung des Volks, eine für die politische Freiheit selber zu ihrer Selbstbehauptung unumgängliche Erziehung.

Diese Situation aber gibt mehrere Möglichkeiten: Die Erziehung zur Vernunft und die Bezauberung auf dem Weg des Verderbens und die nivellierende Führungslosigkeit einer nur noch formalen Demokratie ohne politische Erziehung des Volkes.

Wer tritt als Sprecher, als Werbender, als Kandidat für politische Führerschaft auf? Es ist möglich, daß eine Solidarität des politischen Unernstes und Banausentums alles ausschließt, was sie durchbrechen und überflügeln könnte. In allen Parteien werden überlegene Persönlichkeiten nicht gern zum Aufstieg an die Spitze zugelassen. Die Parteibürokratien neigen zur Mittelmäßigkeit, die sie selbst sind. Aber sie erfahren, daß ihre Machtchancen schwinden, wenn die persönliche Anziehungskraft und Überzeugungskraft der Persönlichkeit ausbleibt. Daher fragen sie in ihrem eigenen Daseinsinteresse nach Kandidaten, die Eindruck in der Bevölkerung machen. Dabei mögen sie wieder irren in Nachgiebigkeit an deren vernunftwidrige Stimmungen.

Aber mag man noch so sehr erschrecken über Zufälle und Mißgriffe, in der Tat ist die Situation doch die, daß das Hochkommen eines wirklichen Staatsmannes nicht ausgeschlossen ist. Wer will, wer sich vertraut, wer es wagt, wer es besser machen kann als die zur Zeit Führenden, wer die Not an ihren entscheidenden Stellen sieht, wer den Weg mit grenzenloser Geduld und mit stets gespannten Kräften geht und wer das ihn bedrängende Bewußtsein der Bedeutung des politischen Handelns hat, an dem das Dasein aller hängt, der hat als vernünftiger Staatsmann dann die Chancen, wenn er zugleich in die Zwangsläufigkeiten der Apparate, in die Welt der Interessen und der menschlichen Unzulänglichkeiten einzutreten vermag, um mit ihnen sie selber zu überwinden.

Der Staatsmann ist Demagoge entweder im guten oder im schlechten Sinn, im großen Sinn des Perikles, der erzieht, indem er den Rat gibt, oder im gewöhnlichen Sinn des Kleon, der ins Unheil des bereitliegenden Übermutes führt. Der Demagoge weiß um die Unerrechenbarkeit und Unerläßlichkeit der persönlichen Wirkung. Diese Wirkung hängt ab von den Kräften im Menschen, an die sich der Demagoge wendet, ob mit der für den Augenblick größeren Erfolgschance an die gemeinen oder ob in höchster Spannung und Unsicherheit an die edlen. Das Unerrechenbare tut sich nicht nur in der teuflischen Dummheit auf, sondern vor allem in den durch das Ethos der großen Politik sich aufschwingenden Menschen. Der Rattenfänger von Hameln ist der Doppelgänger des Staatsmanns, der in der Wüste den Weg zeigt, wie Moses.

c) *Einheit von Politik und Ethos.* — Das Ethos des Staatsmanns gehört zum Ethos, das ein Volk und die Einzelnen trägt. Es ist ein Ausweichen vor der Situation, wenn wir Politik und Moral trennen und die Aufgabe der großen Entscheidungen von dem gemeinschaftlichen Ethos in eine von anderen zu verantwortende bloße Politik verschieben und diese anderen vielleicht zugleich verachten (»Politik macht gemein«). Als ob ein Mensch außerhalb, unverantwortlich für die Politik, leben könnte, durch die er faktisch sein eigenes Dasein hat! Dieses vermeintliche Reinhalten eines freien privaten Daseins und einer geistigen Welt, abgesondert von der Politik, ist in gewissen Zuständen relativ stabilen politischen Daseins scheinbar möglich. Aber nur scheinbar. Denn diese Verantwortungslosigkeit muß die Politik, die sie verachtet, gerade weil sie sich unwahrhaftig nicht um sie bekümmert hat, als Verhängnis, vernichtend und entlarvend, über das eigene Dasein hereinbrechen sehen.

Für den vernünftigen Staatsmann ist die Politik selbst das Ethos. Im Großen des Staatslebens zeigt er, was der Einzelne in der Masse dieses Volkes ist und tut. Der vernünftige Staatsmann ist nur durch die Vernunft im Volke möglich, die er zur Wirkung zu bringen vermag durch Treue und Dauer in der Gemeinschaft der Vernünftigen.

Das Einssein von Politik und Ethos ist ihm das Ursprüngliche, das erst in der Reflexion getrennt wird. Wenn dann gefragt werden kann, was ein Staatsmann nie tun, unter keinen Umständen in Kauf nehmen kann, so ist die Antwort nur formal: Er kann das nicht tun, wodurch er den Sinn seiner sittlich-politischen Aufgabe selber preisgeben würde. Was den Sinn seines

Tuns — Einheit von Ethos und Selbstbehauptung — zerstört, verwirft er, wenn Situationen und bloße Politiker es ihm nahelegen. Er operiert im Umgang mit dem Vernunftwidrigen aus der Führung durch Vernunft. In welchem Umfang er dabei selbst wissend in das Vernunftwidrige sich glaubt einlassen zu dürfen, ist aus keinem Satz in concreto abzuleiten.

Die Welt wird nicht durch Vernunft unmittelbar erobert und durchdrungen. Politisches Handeln und Denken heißt gerade eintreten in die Welt der Unvernunft und Widervernunft, der Listen und Geschicklichkeiten. Dem Staatsmann aber stehen seine Listen und Geschicklichkeiten im Dienst der Vernunft.

Der Staatsmann, der die Selbstbehauptung seines Staates und Volkes will, will zugleich mit ihr das Ethos des Volks, dessen Selbstbehauptung erst dadurch ihren Gehalt und Wert hat. Der Staatsmann ist, was auch immer er tut und sagt, Erzieher seines Volkes, zum Bösen oder zum Guten. Er wirkt aus dem Überpolitischen hinein in die Selbstbehauptung durch Politik und von da zurück ins Überpolitische.

d) Vertrauen und Kritik. — Man neigt zum Gehorsam gegen den vertrauenerweckenden großen Staatsmann. Man erhebt wie selbstverständlich die Forderung, daß einem ein guter Staatsmann, wer weiß woher und warum, geschenkt werde. Dann wäre man aller eigenen Verantwortung ledig. Dementsprechend gibt es die Regierungen, die als Erstes, als sittlich-politisch zu Forderndes erwarten, daß man ihnen Vertrauen schenke.

Aber der große Staatsmann, eins mit dem Volke, sein Repräsentant und Erzieher zugleich, verlangt nicht bedingungsloses Vertrauen. Er legt die objektiven Möglichkeiten und seine Motive offen dar und fordert selbst die Kritik heraus. Nur dadurch wird das Volk mit verantwortlich. Er meint keineswegs, daß das Amt, das er einnehme, als solches schon Vertrauen verdiene.

Politische Handlungen können aber ganz nur verständlich sein, wenn man weiß, was der Staatsmann weiß. In der Situation der Not, im Druck des Augenblicks, in einem Kampf, dessen Erfolg ein Schweigen voraussetzt, bedarf der Staatsmann eines Vertrauens derer, die im Augenblick nicht alles wissen können. Dann muß der Staatsmann sagen: Vertraut mir und laßt mich handeln und gehorcht — aber zugleich dem Sinne nach hinzufügen: Am Ende zieht mich zur Rechenschaft.

Dieses Vertrauen, das das Volk einem Staatsmann schenkt, ist selber verantwortlich, zunächst schon auf dem Wege, der den Staatsmann zur Höhe gelangen läßt, und dann auf Grund des erworbenen Vertrauens in den Zeiten der geschichtlichen Entscheidungen. Im Volk soll die Forderung bleiben, mitwissen zu wollen und begründet zu hören, im Augenblick, was irgend möglich ist, auf die Dauer alles.

Die in Deutschland durch alle Regime seit einem halben Jahrhundert unverändert hindurchgehende Vertrauensforderung hat sich als Absurdität erwiesen. Sie macht es den Regierenden, die sich nicht hineinzureden lassen brauchen, wie den Regierten, die nicht nachzudenken brauchen, bequem. Verderblich ist es, konventionell sich zu beugen vor der Macht der politisch Herrschenden. Vertrauen zu schenken ist oft die Bequemlichkeit der Gedankenlosen, die von sich abwälzen, was sie erschüttern müßte, und Ruhe wollen in dem Glauben, die Regierung werde es schon recht machen.

Die Kritik soll den Politiker, der Staatsmann werden will, gleichsam beklopfen, beobachten und befragen, ob er berechtigt ist, an diesem Ort ans Steuer zu treten. Sie soll fragen, aus welchem Grund ein Politiker faktisch Vertrauen erweckt, welche Motive diejenigen lenken, die ihn wählen. Sie darf diese Motive wie das öffentliche Gesicht des Politikers, seine Gedanken, seine Reden, seine Gebärden, seine Handlungen, seinen Umgang mit der Öffentlichkeit und mit einzelnen Menschen charakterisieren. Sie darf kein blindes und kein falsch motiviertes Vertrauen dulden. Der Staatsmann soll sich Vertrauen erwerben, das begründet ist. Er selbst will es im Sturm der Öffentlichkeit gewinnen. Sein Leben liegt offen, weil es alle angeht. Sein Wesen hat einen Zug des Vorbildlichen für ein Volk, das sich in ihm erkennt, während es kritisch bleibt. Er wird gegen solche Kritik, was die Sachen angeht, durch Gründe und Überzeugung, was das Ethos angeht, durch seine eigene Wirklichkeit sich durchsetzen.

Die Kritik wiederum ist ihrerseits verantwortlich. Sie ist böse als bloße Lust am Negieren, Bloßstellen, an witziger Ironie, als diese ziellose Nichtigkeit geistigen Glänzens, als bloß sensationelle Literatur. Sie ist in parteilicher Auseinandersetzung selber befangen. Sie erreicht ihre Höhe im freien, noch gegen sich selbst kritischen Erörtern, das in der Öffentlichkeit rein um Wahrheit bemüht ist. Die vielen in gegenseitiger Diskussion vertreten das, was Kant den »Rat« der Philosophie nennt, der heute nicht als Diktum der Autorität eines einzelnen Philosophen, nicht als Redelust der Parlamente, sondern als die in der gemeinschaftlichen Öffentlichkeit sich offenbarende Wahrheit auftritt.

Hat der Staatsmann durch sein Dasein, sein Handeln, seine Sprache, seinen Erfolg Verehrung und Liebe und Dankbarkeit sich erworben, so darf er trotzdem nicht vergöttert werden. Es gehört zum Wesen des vernünftigen Staatsmannes, daß er eine solche Vergötterung selbst verwehrt. Er weiß nicht nur, daß er sich irren kann. Er würde bei solcher Haltung eines Volkes zu ihm den Sinn seines politischen Tuns, das Wirken für die Freiheit, zerstört sehen.

5. *Der Staatsmann und der Totalitarismus.*

a) Die Denkweise in der totalitären und in der freien Welt. — Jedes politische Handeln geschieht in einem Raum von Vorstellungen mit einer begründenden Denkweise. Der totalitäre Machtpolitiker benutzt die Vorstellungswelt und Denktechnik als Mittel zur Lenkung und Düpierung der Massen. Vorstellungen und Denktechnik werden von den Funktionären schulmäßig gelernt. Sie sind geeignet, alles, was die Macht jeweils will, zu begründen, dialektisch und sophistisch. Je klarer der totalitäre Wille der Macht ist, desto mehr ist dieses gesamte Denken ein Operationsmittel, das man beliebig verwenden kann. Der Einzelne soll dabei nach dem Willen der Machthaber etwa von einem »marxistischen Glauben« oder einem »Rassenglauben« getragen sein. Aber die politischen Führer selbst denken faktisch in dem Sachsinn totaler Herrschaft, von ihr selber verzehrt, wenn sie an ihr Anteil gewinnen.

Der vernünftige Staatsmann dagegen ist der Vorstellungen und Denkmethoden nicht weniger Herr. Er läßt seinen Horizont durch keine Ideologien beschränken, ist geistig in ihrem Besitz und wach für die Wahrnehmung neuer Möglichkeiten. Aber er beherrscht sie nicht aus dem Willen zur Macht an sich, aus den Prinzipien totaler Herrschaft, sondern aus dem Gehalt des freien Menschseins. Er denkt aus dem tiefen Grunde seiner geschichtlichen Wahrheit, die nicht fertig ist, sondern sich immer noch zeigen muß.

Für den vernünftigen Staatsmann ist der Sinn der politisch-philosophischen Denkarbeit von den Griechen bis heute der: dieses Denken in seiner Vielfachheit, Gegensätzlichkeit, in seinem ständigen Kampf zu bewahren. Unordnung und Anarchie des Denkens muß gewagt werden, damit sich Ordnung und Einheit ursprünglich wiederherstellen. Denn dies muß in Wahrhaftigkeit geschehen, nicht im Zwang der Züchtung einer Denktechnik mit dogmatisch fixierten Inhalten. Die Lebendigkeit des uneingeschränkten freien Denkens stellt sich der Gemeinschaft in politischer Freiheit zur Verfügung. Es ermöglicht die Sprache, in der der Staatsmann sagen kann, was er will, und in der die Völker, mit solchem Denken anders werdend, verstehen, was sie selber wollen.

b) Die Aufgabe, miteinander zu sprechen. — Totalitäre und freie Denkweise werden beide von Menschen vollzogen. Mag der Abgrund noch so tief sein, er muß überbrückbar sein durch das gemeinsame Menschsein. Der vernünftige Staatsmann wird die Aufgabe lösen, wie mit den Totalitären zu sprechen möglich ist.

Die überkommene Diplomatie mit ihren Spielregeln als guten Manieren ist hilflos mit der Voraussetzung, man stehe schon auf gleichem Boden: dem interessebedingten Aushandeln durch Kompromisse. Das mag geschehen und hier und da ein kleines Ergebnis haben. Im Ganzen und Wesentlichen führt es zu keinem Frieden.

Darum werden die, die auf dem Boden der alten Diplomatie stehen, enttäuscht. Ausweglos setzen sie dann alles allein auf die Karte militärischer Stärke und des Friedens durch gegenseitige Einschüchterung. Sie sagen: Wie kann man sprechen mit dem, der die Sprache ständig benutzt, nicht um in ihr mitzuhelfen und Gemeinsamkeit zu erzeugen, sondern um zu täuschen? Er verkehrt doch den Sinn des Sprechens durch sein Sprechen selber. Ist es nicht überhaupt sinnlos, mit ihm zu sprechen? Er versteht nur Macht und Gewalt.

Das ist gewiß ein Irrtum. Denn die Totalitären sind Menschen wie wir. Daß sie wenigstens in den Schein der Sprache sich hüllen, ist schon das Minimum, durch das sie dies bezeugen. Der vernünftige Staatsmann wird die Methoden finden, mit ihnen so zu sprechen, daß dieses Sprechen von ihnen gehört wird. Wie aber? Das ist die geistige Schöpfung, die heute unmittelbar bevorsteht. Nur in abstrakten Wendungen kann man sie vorwegnehmen: Der Staatsmann wird mit ihnen sprechen, ohne Gleiches mit Gleichem zu erwidern. Er wird nicht Lüge mit Lüge, nicht Schimpfen mit Schimpfen beantworten. Vielmehr wird er so sprechen, daß, was er sagt, stets wahrhaftig ist. Mit Ruhe wird er das Einfache treffen. Vor seinen Worten und Fragen und Feststellungen wird sich die Lüge entschleiern, ohne als Lüge ausdrücklich bezeichnet werden zu müssen. Damit wird er den totalitären Führern selber in die Seele dringen, darum zunächst vielleicht der Verhaßteste sein. Aber er wird geduldig, unablässig wiederholen und kraft der Gesinnung, die keine Hintergedanken verbirgt, nicht nur den freien Völkern immer mehr die Augen öffnen, sondern die unter totaler Herrschaft stehenden Völker selbst erreichen. So nicht einmal, sondern dauernd zu sprechen, und diese Sprache in Bewegung zu bringen als unwiderstehliche Sprache der Welt, ist schwer. Heute schon ist solche Sprache gelegentlich zu hören, wie ein Ton, der wundersam berührt und schnell verklingt. Sie ist noch keineswegs die gemeinsame Sprache der Politiker der freien Staaten. Aber sie muß jeden Tag da sein, wenn sie, weil sie Wahrheit bringt, die Menschen ergreifen soll.

c) Die Erziehung. — Der vernünftige Staatsmann weiß, daß der Kampf um Freiheit und totale Herrschaft vordergründige, aber als je augenblickliche zwingende Realität, seine militärische und politische Seite hat, und erwägt täglich, was zur Selbstbehauptung zu tun ist. Aber er weiß auch, daß im Grunde geistig-sittlich gekämpft und auf die Dauer entschieden wird. Mit diesem Wissen sieht er die Erziehung. In ihr ist organisatorisch das Größte zu leisten. An ihr liegt nicht nur der geistige Rang der kommenden Generationen, sondern heute die Entscheidung zwischen Freiheit und totaler Herrschaft, und am Ende das Dasein der Menschheit überhaupt.

Man darf nicht verwechseln die Ausbildung zum Zwecke technischen Könnens und die Erweckung zum eigentlichen Menschen. Beides ist notwendig, aber so, daß die zweckhafte Ausbildung unter Führung des Menschen bleibt oder wieder unter sie gelangt.

Da militärisch die Waffentechnik entscheidend ist, wird im Westen mit Schrecken konstatiert, daß in Rußland der Vorsprung in einigen Punkten gewaltig ist, daß dort fast unbegrenzte Mittel für die technisch brauchbare Forschung aufgewendet werden, die Arbeit in der Konzentration der Gemeinschaft der Köpfe stattfindet, die Forscher als Kostbarkeiten ersten Ranges gepflegt und privilegiert werden, ein Nachwuchs in einer Breite herangezogen wird, hinter dem der westliche Nachwuchs an Naturforschern und Technikern zurückbleibt. Die Verwandlung des russischen Volkes aus einem in der Masse analphabetischen unter dem Zaren in ein schulmäßig gelerntes heute ist von großen Folgen. Demgegenüber steht die Vernachlässigung der Erziehung im Westen. In Deutschland ist der Aufwand an Mitteln geringfügig im Vergleich zum Aufwand für alle anderen Interessen. Das Wichtigste sinkt in die Hand der parteibedingten und konfessionell gerichteten, oft nur sachkundigen Menschen. Der Lehrerberuf hat seine Anziehungskraft verloren. Die begabtesten und die persönlich unabhängigen Männer haben keine Lust mehr zu dem Professorenberuf, wie er heute geworden ist. Es fehlt noch der große Zug eines erzieherischen Aufschwungs, der mit der Umkehr verbunden sein würde. In Amerika ist auf Grund der verderblichen Grundsätze Deweys das Schulwesen verwahrlost. Die Kinder schon fangen an sich zu empören, weil sie zuwenig lernen. Die Universitäten klagen über die unzureichende Vorbildung. Aber der große Schrecken kommt hier — wie in Deutschland — nicht von dem Ungenügen der Erziehungsgrundlage, sondern nur von dem einen Punkt her, daß der technische und industriell notwendige Nachwuchs nicht ausreicht, nicht an Zahl und nicht an Qualität.

Hier liegt der Ansatz für die Zukunft. Hier zeigt sich das Versagen der Staatsführung nicht unmittelbar, sondern erst in Jahren, wenn die Verantwortlichen längst durch andere ersetzt sind. Der Ansatz wird versäumt durch die Unlust der Politiker, die, was sie tun, nur von Tag zu Tag und für die nächsten Wahlen bedenken. Dies Unterlassen aber ist bedrohlich für die fernere Zukunft wie kaum etwas anderes.

Der Wettbewerb im Technischen und in der Wirtschaftsproduktivität ist zwar keineswegs gleichgültig. Er könnte durch Waffentechnik zum Siege des Totalitarismus ohne Krieg führen. Aber entscheidend ist der Wettbewerb zwischen der totalitären und der freien Welt im Gehalt des Lebens, der durch Erziehung begründet wird. Die totale Herrschaft will nur Techniker und leistet in der Erziehung darüber hinaus die marxistische intellektuelle, unfreie Dressur, die die Jugend dort — wenn die Berichte zutreffen — schon langweilt, von ihr nicht einmal bekämpft, sondern möglichst vernachlässigt wird. Die freie Welt aber kann ihre Umkehr nur erreichen, wenn die Substanz der Erziehung aus den geistigen Engen der technisch zweckhaften und konfessionellen Beschränktheiten herauskommt. Es gibt in Amerika treffliche Privatschulen und überall vereinzelte Erziehungsleistungen hohen Ranges, in Deutschland die hervorragenden Lehrer, die als Einzelne trotz allem ihre Sache gut gestalten. Aber bis heute ist der Schwung der Wende nicht da. Wenn der vernünftige Staatsmann, was seinem Wesen entspricht, der große Erzieher ist, wenn er in Einmütigkeit mit den geistigen Kräften und den pädagogischen Begabungen handelt unter Aufwand von Geldmitteln, die die heute zur Verfügung stehenden um das Vielfache übertreffen, dann ist jene langsame Bewegung im Werden der neuen Generationen möglich, die in der zum Abgrund drängenden Zeit den Grund der Zukunft legen kann. Das wird heute nicht gelingen ohne die großen vernünftigen Staatsmänner, die, getragen vom Willen der Bevölkerung, der durch sie selber zur Klarheit gebracht wird, das hervorbringen, was nicht sogleich sich zeigt, wie die Wirtschaftswunder, sondern langsam die Menschen selber verwandelt. Das braucht im Ganzen Zeit, während es in Einzelnen schon sichtbar leuchten kann. In der Erziehung wird wahrscheinlich der Kampf zwischen Freiheit und totaler Herrschaft entschieden, unmerklich, still und dauerhaft.

Auf der Ebene der Technik geht es um die Wirtschaftsproduktivität und militärische Stärke, auf der Ebene des Geistes um die Wandlung des Menschen. Jene für sich erzeugt nur Apparate und führt ins Unheil der Funktionalisierung des Menschen und der Vernichtung durch die Bombe. Diese ermöglicht die Umkehr und das Werden zum eigentlichen Menschen und die Rettung des Daseins, wenn durch sie Wirtschaftsproduktivität und Waffentechnik in die Hand des Menschen selbst gelangen, statt ihn zu erschlagen.

WOVON AN STELLE DER VERNUNFT DIE REDE SEIN KANN

Das Rettende, das wir Vernunft nennen, sucht jeder. Man spricht von »dem gesunden Menschenverstand«, von dem politischen »Realismus«, von der »Religion«. Der gesunde Menschenverstand aber reicht aus nur in relativ gleichbleibenden Zuständen. Er ist zu wenig. Der politische Realismus lehrt, im Tatsächlichen sich zu orientieren. Aber er versäumt das Überpolitische, worauf es in der Politik eigentlich ankommt. Die Religion hält dem Menschen offen, was bleibt, wenn alles in der Welt scheitert. Aber als kirchliche Religion ist sie Organisation in der Welt, je eine unter vielen anderen, treibt selber Politik und vermag die Politik nicht zu führen.

Gesunder Menschenverstand, politischer Realismus, kirchliche Religion schließen selber Wahrheit in sich und sind der Vernunft unentbehrlich. Sie werden wahr, wenn sie von Vernunft durchdrungen sind, Vernunft durch sie sich verwirklicht.

Aber sie dürfen nicht an die Stelle der Vernunft treten. Wenn sie sich für absolut halten, damit von der Vernunft lösen, werden sie verkehrt. Sie können Vernunft nicht ersetzen.

Die Vernunft ist als solche nicht organisiert, ist auch kein System des Denkens. Sie ist nirgends als Instanz lokalisiert, kann von niemandem ausschließend in Anspruch genommen werden. Sie ist die Freiheit des Menschen als solchen. Durch sie findet er die unendliche Kommunikation. Sie ist durch nichts zu ersetzen, aber sie kann im gesunden Menschenverstand, im politischen Realismus, in der kirchlichen Religion, die alle, auf sich allein gestellt, ins Vernunftwidrige geraten, gegenwärtig sein und damit auch diese selber zu ihrer je einen Höhe und Reinheit bringen.

1. Der gesunde Menschenverstand.

Der gesunde Menschenverstand (bon sens, common sense) wird in schwierigen Situationen gern in Anspruch genommen, um das Natürliche und Einfache zu finden gegen das Phantastische und Umständliche. Er ist die Urteilskraft, die trifft, was wirklich ist und was getan werden muß. Er schützt gegen allgemeine Grundsätze, die, obgleich richtig, in der Anwendung, weil abstrakt, wirklichkeitsblind zerstören. Der gesunde Menschenverstand findet, was logisch nicht deduzierbar und nicht zureichend begründbar, aber die überzeugende Lösung der Aufgabe hier und jetzt ist.

Aber der gesunde Menschenverstand meint jederzeit ein gemeinschaftliches

Allgemeingültiges, das ohne Begründung unmittelbar da ist.

Zu einem Teil ist er ein selbstverständlich gewordenes Ethos der unbestimmten Regeln — des »Taktes« — im Rahmen gegebener Ordnungen und Konventionen. Er ist beschränkt durch ein Vertrauen, das den Bestand dieser Ordnungen voraussetzt, daher nur möglich unter stabilen, zur Gewohnheit gewordenen Verhältnissen. Er bringt die Formeln für die Bescheidung, die eine Menge fester Bestimmungen durch die unbestimmten Grundsätze rechtfertigt: Man soll nicht . . . Das tut man nicht . . . Das ist gehörig . . .

Der gesunde Menschenverstand meint jedoch mehr, nicht nur die Regeln einer bestimmten Gesellschaft, sondern etwas allgemein Menschliches. Auch dann setzt er eine unbestimmte Ordnung voraus, eine Richtigkeit in der Natur der Sache, ein gültiges Maß. Diese in concreto zu erkennen, ohne sie im allgemeinen zu wissen, macht den gesunden Menschenverstand aus. Er wird als Sinn für das Richtige, Mögliche, Wirksame zur höchsten Instanz.

Auf diesem Boden aber kann er zwei Gestalten annehmen. *Entweder* weiß er sich als *fertig* und als inappellable Instanz. Unter seiner Voraussetzung des Richtigen vernachlässigt er das, was zu seinen Ordnungen nicht stimmt. Er verschleiert die Grenzen, übersieht das stumme Vergewaltigtsein, das ausweglose Hinsinken. Er bleibt blind für dieses in der Welt Wirkliche als Symptom dessen, was eines Tages die Ordnung des sich fixierenden gesunden Menschenverstandes hinwegfegt. *Oder* der gesunde Menschenverstand verwandelt sich aus einer Instanz zum *Wege*. Dann wird er zur Vernunft in den »Maximen des gemeinsamen Menschenverstandes«, die Kant formuliert als: »1. Selbstdenken; 2. an der Stelle jedes anderen Denken; 3. jederzeit mit sich selbst einstimmig denken.« Dieser Kantische »gemeine Menschenverstand« (es ist kennzeichnend, daß er ihn nicht den »gesunden« nennt) ist mehr als das Wort sonst meint. Er ist die Vernunft selbst. Wir sprechen jetzt vom gesunden Menschenverstand im ersten Sinn.

Jeder von uns wünscht sich auch diesen gesunden Menschenverstand. Man sucht ihn als Hilfe in den Verwirrungen des bloßen Daseins. Aber er versagt dort, wo die Seele durchbricht durch das Allgemeine. Im Äußersten bedarf es mehr als des gesunden Menschenverstandes. Wo er aus tieferer Wirklichkeit suspendiert wird, da ist auch die Gegenwirkung gegen solche Suspension nicht mehr aus seiner Sphäre möglich, sondern nur aus der Vernunft.

Der gesunde Menschenverstand ist zu wenig für die Existenz. Denn er richtet sich gegen das für ihn, nicht aber für den Menschen Unmögliche. Durch dies Unmögliche ist der Mensch doch erst eigentlich Mensch. Der gesunde Menschenverstand ist blind sowohl für das äußerste Böse wie für das höchste Gute. Der gesunde Menschenverstand versteht nicht die alles wagende Kommunikation, weil es in ihr Infragestellungen gibt, die dem gesunden Menschenverstand unerlaubt, seinem Sinn für Oberfläche zuwider sind. Denn der gesunde Menschenverstand fordert für den Umgang Fixierungen, die die undurchdringlichen Dunkelheiten unter ein Tabu stellen. Die Gehörigkeiten dieses gesunden Menschenverstandes neigen dazu, die vermeintliche Freiheit (die doch nur die Willkür des Privaten, absolut Eigenen, des »Idiotischen« ist) zu sichern gegen vermeintliche Gewaltsamkeit (die doch nur Anspruch an Helligkeit im Offenbarwerden ist). Aber im Raum des liebenden Kampfes der Vernunft gilt weder die Willkür des Eigenen noch die Gewaltsamkeit eines Allgemeinen, das durch Intelligenz sich kundgibt. Durch diesen Kampf schmilzt alles ein in die umgreifende Wahrheit der Vernunft und den ewigen Grund der geschichtlichen, in der Vernunft hell werdenden Existenz. In diesem keine Grenzen kennenden und kein Tabu achtenden liebenden Kampf wird in aller Leidenschaft doch jede Gewalt, auch die der bloßen Intelligenz, verworfen. Jedes Tun und jedes Wort gerät wieder vor eine neue Frage. In den Umkreisungen, Gründen, Hinweisen, Handlungen, die zwar den gesunden Menschenverstand für Augenblicke in Trümmer gehen lassen, zeigt sich das Bleibende der Wahrheit durch die Vernunft.

Die Vieldeutigkeit des Wortes »gesunder Menschenverstand« macht es möglich, daß man sich so oft auf ihn beruft. Er bleibt irgendein »ich weiß nicht was«, dessen Anspruch wie der der Vernunft auftritt. Es ist aber nicht nur eine Frage des Wortgebrauchs, wenn man statt von Vernunft von gesundem Menschenverstand redet. Keine große Philosophie hat sich als Entfaltung gesunden Menschenverstandes entwickelt. Wohl aber ist große Philosophie stets auf Vernunft gegründet worden, in der, was an Wahrem im gesunden Menschenverstand liegt, aufgehoben ist.

Obgleich die Gehalte des jeweils wirklichen gesunden Menschenverstandes zu gutem Teil aus tieferer Philosophie stammen, ist er eine Formel geworden, um sich gegen die durch die Jahrtausende gehende Philosophie zu wehren, wenn sie gegenwärtig ernst genommen werden soll. Der Aufstand gegen den Adel der Philosophie seitens derer, die als Durchschnitt des oberflächlichen Daseins, nicht als die in jedem Menschen verborgene Möglichkeit der Existenz, den Menschen schlechthin zu vertreten beanspruchen, bedient sich dieser Formel. Diese wird dann aggressiv nicht nur gegen die Verwirrung im Dasein, sondern zugleich gegen die Existenz und ihre menschliche Größe und gegen das nicht aufhörende unendliche Denken.

Die rettenden Entscheidungen im Äußeren, überall im Kleinen wie in der großen Geschichte, kommen aus einer Tiefe, die der gesunde Menschenverstand nicht erreicht.

2. Der politische Realismus.

Politische Vernunft soll sich zeigen als politischer Realismus. Gegeben ist die Natur menschlicher Durchschnittseigenschaften, sind die Menschen mit ihren Antrieben, ihrer Aggressivität, ihrer Angst und Feigheit, ihrem Abenteuerdrang und Sicherheitsbedürfnis, ihrer Unwahrhaftigkeit. Gegeben sind die Notwendigkeiten der soziologischen Situation. Man muß die Realitäten kennen und mit ihnen rechnen, wenn man erfolgreich handeln will. Vernunft ist nichts anderes als der Realismus.

a) Prinzipien realistischen Denkens: Im politischen Realismus werden die menschlichen Motive nicht als sie selber ernst genommen. Sie werden nicht nach ihrer Wahrheit und ihrem Recht befragt. Sie sind da und werden befragt auf ihre politische Wirkung hin. So meinte Machiavelli zu sehen, daß die christlichen Tugenden militärisch untüchtig machen, aber Verläßlichkeit in der Gemeinschaft erzeugen. Er meint, daß die Kirche diese Tugenden zerstöre (je näher die Menschen Rom seien, desto ungläubiger und abergläubischer und sittenloser würden sie). Solche Gedanken haben ihre Evidenz im Verstehen von möglichen Motiven. Wieweit sie aber die Wirklichkeit treffen, bedarf jedesmal der empirischen Forschung. Diese erst zeigt, in welchem Umfang das richtig Verstandene auch wirklich ist.

Alles, was Menschen tun, wird politisch relevant. Es ist zu erkennen und mit ihm ist zu rechnen. So erwächst eine verstehende Psychologie der menschlichen Motive und eine verstehende Soziologie der Situationen, Situationszusammenhänge, der Strukturen der Gesellschaft, der Weisen der Macht und der Ordnung.

In dieser politischen Wissenschaft und Psychologie verschwindet das Überpolitische. Politik ist Eroberung und Behauptung der Macht durch Gewalt und durch alle Mittel der Ordnung, die die Macht unter Drohung der Gewalt stabilisiert. Alles was wir überpolitisch nennen, ist selber nur menschliche Realität, ist Material der Politik, ist unterpolitisch, ist Faktor, den das politische Denken kalkulieren muß. Nicht aber gibt es eine Lenkung der Politik durch etwas, das nicht selber politisch wäre. Die Politik ist das Absolute der menschlichen Wirklichkeit. »Die Politik ist das Schicksal« (Napoleon).

b) Grenzen der Politik: Wenn die »politische Vernunft« alles Menschliche als politisches Material erkennt und behandelt, so ist doch das politische Handeln selbst nie bis dahin zu bringen, daß es auf Grund gleichsam eines Rechenexempels erfolgreich unternommen werden könnte.

Diesem Satz widerspricht die konsequenteste und rücksichtsloseste politische Doktrin, die es gibt: Die indische Theorie der Politik (im *Arthashastra* des *Kautilya*) erdenkt alle Folgen des Tatbestandes der Gewalt unter genauer Entwicklung der geeigneten Methoden, um im Kampf der Gewalt obzusiegen. Das Prinzip ist: Richtig ist, was Erfolg hat. Daher werden alle moralischen Bedenken beiseite gestellt. Gute Politik ist die totale Lüge, wenn sie nur mit Erfolg täuscht. Gute Politik ist, nicht unmittelbar in den Kampf mit Gewalt einzutreten, sondern durch List und Tücke die Macht des Gegners zu schwächen, ihn selber in scheinbarer Freundschaft zu benebeln, bis am Ende der letzte Akt der Niederringung ohne das Risiko eines Kampfes durch Gewalt erfolgt, wie gegenüber Bestien, die man in Fallen lockt. Wer richtig rechnet, wer sich nie durch einen leisesten Rest moralischer Anwandlung hemmen und stören läßt, handelt nach der Ordnung, die in der Politik gilt und in diesem Bereich der Welt unerbittlich und absolut ist. Darum muß er Erfolg haben gegen alle Halben, die in der Politik ordnungswidrig verfahren. Es gibt keine Grenze, an der ein Nichtdurchschaubares stände. In diesem indischen Denken werden die Mittel, um in der Situation der Gewalt die Oberhand zu bekommen, ohne Rücksicht auf Ideen, ohne Führung durch irgendein Überpolitisches entfaltet mit dem einzigen Zweck der Macht an sich.

Diese äußerste Position politischen Denkens erinnert an *Machiavelli,* aber zu Unrecht. Bei diesem größten modernen Denker des politischen Realismus treten die Grenzen des Nichtdurchschaubaren auf als die virtù des großen Staatsmannes, der im Kampf und im Bunde mit der Fortuna seinen erfolgreichen Weg findet. Man kann sehr viel errechnen und, zumal nachträglich, erkennen, aber diese Grundmächte der Politik, virtù und fortuna, sind selber etwas Überpolitisches, weil der Kalkulation Entzogenes. Sie sind nicht wie die Kräfte des Naturgeschehens und die Notwendigkeiten ihrer Kausalität erkennbar, sondern gerade das Unerkennbare, das doch die Substanz der politischen Wirklichkeit ist. Der Staatsmann Machiavellis ist getragen von der Selbstgewißheit seines unberechenbaren Könnens aus seiner virtù, die jeder Situation gewachsen ist, und von dem Schicksalsbewußtsein, in dem er sich als Freund der doch unzuverlässigen fortuna weiß. Was diesen politischen Realisten trägt, kann selber nicht einbezogen werden in das, womit er rechnet. Machiavelli nennt diese Grenze, die er beschreibt, aber nicht mehr erkennt. Diese Grenze selber aber, zeigt sie nur dies? Bei Machiavelli sind wesentlich die Ideen von Staatsgründung und Staatserhaltung, von republikanischer Freiheit und nationaler Unabhängigkeit. Doch beherrschen diese Ideen nicht den Entwurf seiner Werke. Man sieht, daß sie in breitem Umfang da sind, aber sie werden nicht zum Prinzip gemacht.

c) Machiavellismus: Machiavelli ist der große Analytiker des rücksichts-losen Treibens des Machtwillens als solchen, der bedenkenlosen, durch keine Hemmung gestörten Lüge und List, Gewalt und Brutalität. Er beschreibt die Handlungen und Ereignisse nach ihren Gründen, Motiven und Ergebnissen. Man spürt bei ihm die Bewunderung für die Größe der virtù, aber auch für den großen politischen Verbrecher, auf den bei ihm, auch dann, wenn er bald scheitert und nichts gründet, ein Glanz fällt. Grundsätzlich wird von ihm nicht angeklagt und gerechtfertigt, was für ihn jenseits von Gut und Böse liegt.

Kennzeichnend und doch vielleicht nicht ganz gerecht ist, was Tocqueville von Machiavelli sagt: »Im Hintergrund seiner Seele denkt er, daß alle Taten in sich gleichgültig sind und daß man sie alle nach ihrer Geschicklichkeit und nach ihrem Erfolg beurteilen muß. Für ihn ist die Welt eine große Arena ohne Gott, wo das Gewissen keinen Platz hat und wo ein jeder sich so gut durchschlagen soll, wie er kann.« Wenn Machiavelli die großen und schönen Taten lobt, so erkennt man: »Für ihn ist es eine Sache der Phantasie.« Man-cher Machiavelli-Leser ist von schaudernder Bewunderung für diese beden-kenlosen Politiker ergriffen, von einer Lust angesichts dieses »dämonisch« genannten Tuns — eine Stimmung, die sich leicht umsetzt in die Bereitschaft zur Unterwerfung unter das Faktum der Gewalt und ihres Erfolgs, weil in ihr der Gang der Geschichte, der Wille des Grundes aller Dinge zu sprechen scheint.

Solche Stimmungen sind eine Abgleitung von dem sehenden, kritisch analysierenden, realpolitischen Denken Machiavellis. Eine Abgleitung ist auch der Übergang aus der objektiven Erkenntnis Machiavellis in moralische Rechtfertigung. Was für ihn jenseits der Moral steht, verträgt nicht eine mo-ralische Rechtfertigung. Es widerspricht dem Sinn Machiavellis, das Böse zum Grundvorgang der Geschichte zu machen, aus dem die Verletzung der Moral als politisch geboten begründet wird. Dann wird, was Machiavelli als unter Umständen faktisch geschehend begreift, zu einem Absoluten, und es ergibt sich folgende Konstruktion: Die Moral ist selber ein Faktor in den Menschen. Dieser Faktor muß politisch genutzt werden. Moral ist notwendig in der Menge für den Bestand der Gesellschaft, sie ist verderblich für den um Macht kämpfenden Politiker. Dieser aber kann seinen gleichsam über-menschlichen Standpunkt nur einnehmen, indem er ihn verbirgt. Er muß für die Menge sich als moralischen Menschen verkleiden, seine Handlungen dem Volk gegenüber moralisch begründen. Der politische Realismus ist eine Dok-trin, die nur für den führenden Staatsmann gelten kann in einer Welt, in der sie nicht ausgesprochen werden darf. Denn ausgesprochen zerstört sie die Substanz der Gesellschaft, deren der Staatsmann für die Dauer der Macht bedarf, und diskreditiert ihn selber, so daß die Menge sich ihm nicht mehr fügen würde.

Gegen diese Konstruktion ist zu sagen: Sie versteht mit Machiavelli etwas, was faktisch vorkommt. Sie beschreibt, wie lügenhafte Politik dadurch, daß sie sich ethisch verkleidet, noch ihren Respekt vor dem Ethos bezeugt. Aber es ist unmöglich, sie als Ausdruck des politischen Grundgeschehens aufzufassen, das Dauer und Kontinuität erwirkt. Diese wird ermöglicht nur durch das, was alle verstehen und billigen können. Der Bau des gemeinsamen Daseins muß auf die Länge der Zeit aus den Ursprüngen erfolgen, die allgemein kommunikabel sind.

Nun ist kein Zweifel an den außerordentlichen Einsichten, die auf dem Wege des politischen Realismus gewonnen sind. Alle großen politischen Denker haben teil an diesem Realismus. Sie sehen die Bedeutung der persönlichen Charaktere, ihrer Schwächen und Stärken, und sie sehen die soziologischen Kausalitäten und Sinnzusammenhänge. Sie strukturieren sie in ihren besonderen Erscheinungen als Folgen gewisser Prinzipien (Plato, Montesquieu, Tocqueville). Daher kann kein modernes politisches Denken ohne Machiavelli noch wahr sein. Dieses realistische Denken aber ist zu wenig und wird, wenn es sich absolut setzt, falsch.

d) Der politische Realismus und die Vernunft: Am Maßstab solcher Verabsolutierung gilt die Vernunft als wirklichkeitsfremd, also selber im Sinne der Realpolitik als vernunftwidrig. Die (dann idealistisch genannte) Vernunft, so meint man, denkt an der Realität vorbei, politisch träumend, ohnmächtig, verderblich. Dazu ist zu sagen:

Erstens: Die großen politischen Denker geben sich nicht zufrieden mit virtù und fortuna, dieser Grenze, die sie nicht leugnen, deren Dunkel aber für sie keine Anziehungskraft hat. Sie wollen mehr. Was Thukydides in allem Realismus vor Augen hat, zeigt sich in der Rede des Perikles und in dessen Gestalt, die ohne alle Psychologie, ohne Charakterisierbarkeit wie die Vernunft selber als Norm dasteht. Was Tocqueville in seinem allseitigen politischen Realismus will, hat er ausgesprochen: »Ich habe nur eine Leidenschaft: die Liebe zur Freiheit und zur menschlichen Würde. Alle Regierungsformen sind in meinen Augen nur mehr oder weniger vollkommene Mittel, um diese heilige und legitime Leidenschaft des Menschen zu befriedigen.« Was aber diese Freiheit sei, was sie als politische bedeute, das bleibt bei Thukydides und Tocqueville und allen anderen ebenso mächtig, wie es im ganzen sich der bestimmten Fassung entzieht. Sie selber ist aus überpolitischem Grunde.

Zweitens: Was empirisch geschieht, gehört zu der Realität, in der der Staatsmann handelt. Aber Realität ist nicht die Norm, nach der gehandelt wird. Aus der Realität läßt sich die Norm nicht entwickeln. Woher aber die Norm kommt, ist eine neue Frage. Sie wird durch virtù und fortuna nicht beantwortet.

Drittens: Was in der politischen Realität möglich ist und plötzlich auch wirklich sein kann, darüber täuschen sich die Realisten selber: Was in einer Situation brüchig gewordener, mit Kulissen der Gewohnheit umstellter Gesellschaft im Bösen durch Angst unter Erpressung eines bedenkenlosen totalitären Planens möglich ist (bis zur Ermordung von sechs Millionen Juden durch Hitler-Deutschland) — oder was im Guten durch Opfermut mit einem Appell an Recht in der Unerträglichkeit eines Lebens der Lüge geschieht (Aufstand der Ungarn 1956) — das ist für die Realisten jedesmal völlig überraschend. Aus dem Überpolitischen erst geht der Blick einerseits in die tiefsten Abgründe, andrerseits in die höchsten Möglichkeiten.

Viertens: Geht die Vernunft auf zwei Wegen, die im Grunde einander nichts angehen? Auf dem realistischen, der greifbaren Tatsachen sich zuwendet, und dem fiktionalistischen, der phantastisch an Freiheit appelliert? In der Tat sind es zwei Ebenen, aber auf der einen ist die Realität selber stets ungenügend gesehen, auf der zweiten handelt es sich um Ideen, nicht um Fiktionen. Die Doppelspurigkeit wäre verkehrt, wenn es sich um das gleiche Denken handeln würde. Aber es handelt sich um Verstand und Vernunft, um Erkennbarkeit und Freiheit. Wahrheit erwächst, wenn das reale Wissen in den Dienst der Freiheit tritt und diese die Welt verändert, so daß neue Tatsachen entstehen, die aus den vorhergehenden nicht durch adäquate Verursachung zu begreifen sind, sondern nur aus dem Gehalt der Freiheit selber verstanden werden.

3. Die kirchliche Religion.

Wir hören: Was von uns der Vernunft zugemutet wird, dessen Quelle fließt in der Religion. Diese ist jener Ort des Überpolitischen, von dem her die Politik zum Heil gelenkt wird. Das, was vor allen Weltdingen liegt, selber nicht faßlich ist wie sie, spricht in der Religion durch Offenbarung, durch die Kirche im Kult und im Glaubensdogma, durch das von Gott gewollte, von der Kirche ausgelegte Ethos. Dort wird das, was über den Verstand hinaus in der Vernunft unanschaulich wirksam gegenwärtig sein soll, erst faßlich: Es wird leibhaftig in Mysterien, wird Heiligkeit von bestimmten Menschen, Gebilden, Institutionen, Orten, Zeiten.

Aber was so in der Welt faßlich wird, ist zugleich Menschenwerk. Wird es, wie in Kulten und Kirchen, absolut, wird es Gott in der Welt, so dient es dem Begehren nach sinnlicher Gegenwart, dem Willen des hilflosen Menschen zu realer Garantie, gerät aber mit dieser Kraft, die den Menschen stützt, zugleich auf den Weg, die gemeinte Transzendenz in einer »transzendenten« bloßen Realität des Heiligen in der Tat zu verlieren. Nur als Chiffer bewahrt es Wahrheit und die Kraft, als vieldeutige Sprache der Transzendenz dem Menschen den Raum zu geben, in dem sich erhellt, was er eigentlich aus seiner Freiheit will. In seiner verhüllten und in ihren Gründen undurchschaubaren Situation findet er nicht nur aus der realen Orientierung, sondern erhellt durch Chiffern der Transzendenz seinen Entschluß. Im Bewußtsein dessen, was ist, sucht er seinen ungewissen Weg zu finden.

Unersetzlich sind daher die Überlieferungen der Chiffernsprache durch die kirchlichen Religionen. Die kultischen Erfahrungen und die Denkfiguren der Dogmen sind Gefäße einer transzendenten Substanz. Das Kind schon wird eingeweiht in Wirklichkeit, die es erlebt, wenn auch nicht versteht. In Bildern und Gleichnissen, in Stimmungen und Feiern wird ihm das Unvordenkliche zugänglich. Das alles zu verstehen, vermag auch keine lebenwährende Verstandesarbeit.

Aber gerade die Vieldeutigkeit fordert unsere Freiheit heraus, um nicht in die Vernunftwidrigkeiten und Unmenschlichkeiten zu geraten, die in allen Religionen, zumal auch in unseren christlichen, eine von den Kirchen und ihren Vertretern zu verantwortende Realität geworden sind. Und die Vieldeutigkeit fordert, ständig und immer zu wiederholen: die Verwandlung unseres Bewußtseins aus dem Haften an der Realisierung in sinnlicher Leibhaftigkeit zur Freiheit der Schwebe der Chiffernschrift. Nirgends ist Gott selbst (der in der Chiffer der Offenbarung sagt: Du sollst dir kein Bildnis und Gleichnis machen). Immer bleibt die Verantwortung des Verstehens seitens des freigeschaffenen Menschen selbst.

Kirchliche Religion ist wahr nur in dem Maße, als sie von Vernunft durchdrungen ist. Vernunft ist die stille Macht, die alle Religion läutert, ihre trüben und dunklen Quellen reinigt. Sie kommt in allen Religionen, Konfessionen, Kirchen zur Geltung.

Die Vernunft ist *eine*. Niemand hat sie, jeder sucht sie. Sie hat ihre Gestalt in der Welt nur durch Einsenkung in das Objektive, so auch in die kirchlichen Religionen.

Die Vernunft, die die Religion reinigt, während sie sich von ihr nährt, hat zur Folge: die Bescheidung im Nichtwissen bei maximalem Ergreifen allen möglichen Wissens — die Zuversicht im guten Willen — das Bewußtsein der Transzendenz, durch die ich mir in meiner Freiheit geschenkt bin — den Gewinn eines Grundes des Vertrauens noch im Äußersten, im totalen Scheitern.

Was in der Religion Vernunft ist, ist schon Philosophie. Was in ihr mehr als Vernunft ist, steigert die Vernunft und bezeugt dadurch seine eigene Wahrheit. Wo Religion aber der Vernunft sich entzieht, wird sie zu einer Gefahr für den Gang der Dinge.

Wir haben die Vernunft der gegenwärtigen kirchlichen Religion und Theologie zu befragen, was sie in der Situation der Atombombe zu sagen vermag.

a) Das Argumentieren unter Berufung auf Gottes Willen.

»Vernunft ist, Gottes Willen zu folgen.« In dieser Chiffer zu sprechen, könnte uns alle verbinden. Aber was ist Gottes Wille? Welchen Willen hat er in bezug auf die Atombombe? Was müssen Menschen tun, wenn sie seinem Willen folgen wollen?

Der Theologe antwortet: Gottes Wille ist durch Offenbarung bekannt und in der Bibel zu finden. Die Bibel ist von der Kirche und den Theologen zu interpretieren. Sie sagen uns, was wir tun und was wir nicht tun sollen. Unter Berufung auf den Ursprung in Gottes offenbartem Willen ergreifen Kirchen und Theologen auch heute das Wort.

Vorweg ist zu sagen: Suchen wir Gottes Willen in Sätzen der Bibel, so stoßen wir auf Widersprüche. Die Bibel ist reich, umschließt viele Möglichkeiten des Menschen und bietet dem, der sucht, fast immer ein Wort an in dem Sinn, den er will. In der Bibel ist das Eine und das Andere gefordert. Eindeutig kann nur eine Interpretation werden, die einen Standort nimmt, von dem her sie in der Bibel unterscheidet und ausscheidet, damit aber die Bibel von diesem Orte her, den sie in ihr selber findet und wählt, kritisch beurteilt.

Der tiefste Widerspruch ist der von Weltverneinung und Weltbejahung. Die gewaltige rationale Anstrengung des kirchlich-theologischen Denkens durch bald zwei Jahrtausende enthält die bewunderungswürdige Leistung, die Radikalität des biblischen Glaubens, die er in seinen Höhepunkten erreicht und weltunfähig macht, auszugleichen mit dem natürlichen Leben in der Welt, dem Willen zur Dauer in der Welt, zu Staatlichkeit und Kultur. Man kann diese Anpassung, die doch nie endgültig gelingt, die Methode des kirchlich-theologischen Denkens nennen und die reiche Entfaltung und spekulative Kraft dieser Methoden zergliedern.

Blicken wir auf den Glauben Jesu und den Glauben der ersten Christen an Christus, den Gottmenschen, und vergleichen das Leben der Christen durch die Zeiten, so ergibt sich: Das kirchliche Leben und Denken hielt sich tatsächlich an die Forderungen der Ermöglichung kultureller Welt- und Lebensgestaltung und staatlicher Ordnung, des Fortbestandes der Kirche selbst und ihrer Erweiterung zur allumfassenden Kirche als realer Macht. Dabei nahm sie in Anspruch, die schlechthin revolutionäre Gesinnung des Gottesreiches noch zu vertreten. Die Folge dieses Zwiespalts war: Die im Sinne des Neuen Testaments eigentlichen Christen waren nie die Kirche, sondern sie waren Ketzer oder in der Kirche potentielle Ketzer, denen der Konflikt erspart blieb. Die Kirche mäßigte die umstürzende Wirklichkeit des Neuen Terstaments und der Ketzer. Sie schaltete sie faktisch aus, indem sie deren existentielle Kräfte gleichsam umleitete zu Kräften ihrer eigenen kirchlich dirigierten Welt. So nahm sie ihnen mit ihren tiefen Impulsen auch die Gefahr, die sie für ein weltliches Dasein der Dauer bedeuteten. Ob die großen Gestalten der katholischen Kirche, ob Luther und seine Nachfolger, sie alle stimmten überein in der Errichtung weltlicher Dauer, vielleicht um so entschiedener, je tiefer die Einzelnen zunächst die weltfreie, umwendende, gottverbindende Kraft des Glaubens, unmittelbar ohne Mittler in der Welt an Gott gebunden, erfahren hatten.

Die Widersprüche vervielfältigen sich: Es gibt nicht den einen biblischen Glauben, sondern viele Kirchen. Alle haben die Bibel in der Hand, aber interpretieren sie verschieden. Innerhalb der protestantischen Kirchen gibt es wieder die Theologen, die keineswegs miteinander übereinstimmen. Die scharfen Kämpfe scheinen die im Glauben Verwandten leidenschaftlich auseinander zu reißen und gegeneinander zu kehren. Denn das ewige Heil liegt ihnen am »richtigen« Glauben. Der Zuschauer sieht, daß entgegengesetzte Konsequenzen aus der Gottesoffenbarung gezogen werden.

Gegen diese gesamte Weise der Widersprüchlichkeit — gegen deren Ausgleich durch die theologisch-kirchlichen Denkmethoden und gegen die ausschließende Dogmatisierung je bestimmter Glaubenserkenntnis — steht die Vernunft. Angesichts der Mehrdeutigkeit der Offenbarung, die nichts anderes ist als die Mehrdeutigkeit der Chiffern überhaupt, bewahrt die Vernunft die Freiheit, die Chiffern aus eigener Verantwortung jeweils neu und ursprünglich zu lesen. So sucht sie auch unter der Chiffer »Wille Gottes«, was dieser Wille sei. Sie kann ihn aus der Freiheit der Existenz nur durch sich selbst erfahren, dies aber niemals endgültig, sondern in geschichtlicher Bewegung durch die Zeit. Daher kann sie nicht den Anspruch erheben, aufzutreten im Namen von Gottes Willen, den sie allgemeingültig allen mitzuteilen vermöchte. Sie kann nur aus verborgener Vernunft an Vernunft sich wenden und in der gemeinschaftlichen Vernunft an diesem Ort zu dieser Zeit das Wahre, wie sie es erkennt, unter allgemeinen Gesetzen überzeugend denken und aussprechen.

Wenn Kirchen und Theologen sich mit der Frage, was Gottes Wille sei, zur Atombombe äußern, so sind sie so wenig einmütig wie sonst in Glaubensfragen und so wenig einmütig wie die übrige Welt in der Atomfrage.

Wenn sie das Unheil, die Verwandlung des Krieges aus soldatischem Tun zum Massenmord, schildern und ihr Entsetzen aussprechen, so tun sie nichts anderes als alle Menschen. Dann aber kehren dieselben, auch von weltlicher Seite geäußerten, entgegengesetzten Ansichten wieder.

Entweder: Man müsse die Atomrüstung fortsetzen, solange der Gegner rüste. Gerechtfertigt wird das Tun der Staaten, wie sie sind. Man argumentiert mit den altüberlieferten Gedanken von der Erbsünde, dem Grunde des Daseins und Tuns der Staaten, den wir nicht eigenmächtig und irreal überspringen dürften.

Oder: Man dürfe in keiner Weise an der Atomrüstung teilnehmen, auf jedes Risiko hin; die Folgen müßten der Vorsehung Gottes überlassen werden. Man argumentiert, daß die früheren moraltheologischen Gedanken in bezug auf Staat und Politik (ihre Begründung aus dem Zustand der Erbsünde) vor dem völlig Neuen der Vertilgung durch Bomben nicht mehr gültig seien. Jetzt wird gefordert der Verzicht auf Politik zugunsten einer Unbedingtheit, die aber nur gedacht wird. Das radikale Nein zur Bombe wird bedingungslos ausgesprochen, aber ohne damit auch nur eine Chance zu sehen, die Bombe aus der Welt zu schaffen. Man überläßt die Dinge einerseits der zynischen Kraft des Totalitären, andererseits dem auf jedes Risiko standhaltenden politischen Freiheitswillen. Diese Radikalität des bedingungslosen Nein hat man durchweg nur dort gewagt, wo die Ohnmacht des eigenen Staats die Sicherheit gewährte, daß dieses Denken keine Folgen für den Gang der Dinge haben konnte. Je mehr dagegen die Situation von Kirchen ihren Worten Weltwirkung gibt, desto vorsichtiger sind sie, wie etwa der Vatikan.

Das radikale Nein zur Bombe schließt ein die Unterwerfungsbereitschaft unter den Totalitarismus. Daß, wenn dieser zur Weltherrschaft käme, die Bombe nicht abgeschafft wäre, erörtert man nicht. Sie wäre nun nur in einer Hand und würde als Abschreckungs- und Ausrottungsmittel gegenüber Revolten dienen: Sie wäre nur ein Mittel mehr, den einmal zur Herrschaft gekommenen Totalitarismus unangreifbar zu machen.

Wenn ich in der Chiffer spreche: ich wolle tun, was Gottes Wille sei und wolle seiner Vorsehung vertrauen, was sie mir auch bereite, so bleibt — in der Chiffer — immer die Frage, was Gottes Wille sei und wie ich ihn erfahre, auch in bezug auf die Atombombe. Die Antwort darauf ist untrennbar von der Gottesvorstellung.

Man sagt: Der Mensch darf Gottes Vorsehung nicht dadurch unmöglich machen, daß er ihr die Grundlage, nämlich daß überhaupt Leben da ist, nimmt. Sein Griff zum Äußersten entspringt dann dem Mangel an Vertrauen in Gottes Vorsehung. Dem Menschen ist die Wahl zwischen einem in seinen Augen lebenswerten oder lebensunwerten Leben, zwischen politischer Freiheit und Totalitarismus, nicht erlaubt, wenn die Folge der Wahl für das ihm allein lebenswert scheinende Leben das Lebensrisiko für die Menschheit im ganzen ist.

Dagegen ist — in derselben Redeweise unsererseits fortfahrend — zu sagen: Wer so denkt, würde sich zum Herrn der Vorsehung machen. *Woher weiß er, daß Gottes Vorsehung auf das Dasein der Menschheit und die Erde beschränkt ist?* Er verlangt Vertrauen zu Gott für die menschlichen Möglichkeiten, im Falle er sich dem Totalitären unterwirft. Aber er hat das Vertrauen zu Gott verloren, wenn er meint, ihm zu Hilfe kommen zu müssen dadurch, daß er um schlechthin keinen Preis den Untergang des Lebens auf der Erde wagt. Er versäumt die Möglichkeit, durch die von Gott geschenkte Freiheit für die Freiheit mit jedem für menschliche Augen sichtbaren Risiko einzutreten. Was aus seinem Handeln wird, steht »in Gottes Hand«. Er selbst kann nur zu erkennen suchen, was aus seiner Handlung folgen wird; er wird sich immer auch irren. Ihm ist aufgegeben, in der Perspektive seines unzureichenden Wissens zu handeln. Nichthandeln läßt ihn zurücksinken in die Natur des bloßen Geschehens.

Wenn ich das Handeln aufgebe, die Menschen und mich den Funktionalisierungen des Totalitären preisgebe, weil ich das Leben im ganzen nicht in Gefahr bringen dürfe, dann versage ich mich der Vorsehung, der ich, als Mensch geboren, ihr als freies Wesen im Horizonte dieser Freiheit dienen soll. Sich hier mit der Begründung zu entziehen, Gottes Vorsehung nicht vorgreifen zu dürfen, bedeutet vielmehr, ein vorwegnehmendes Wissen von dieser Vorsehung zu beanspruchen. Dieses Wissen aber wäre in der Tat nur ein Hängen am Leben überhaupt als letzter Instanz.

Im biblischen Glauben gibt es nicht nur den Widerspruch von Weltbejahung und Weltverneinung, sondern auch die großartige Polarität von Weltverwirklichung und Weltindifferenz. In der Chiffer gesprochen: Gott hat die Welt geschaffen und sah, daß sie gut war, und Gott verlangt vom Menschen, daß er sich in ihr einrichte, sich mehre und die Natur sich untertan mache; — Gott aber öffnet zugleich sein Reich jenseits der Welt dem Menschen, der indifferent gegen die Welt wird, und verlangt Weltentsagung. Jeder der beiden Pole dieser Chiffer verführt, wenn der Mensch meint, Gottes Willen allgemein erkennen zu können. Hat dieser Wille den Bestand oder das Ende der Welt im Sinn?

Erstens: Wird die Weltbejahung zur Bejahung um jeden Preis, so erhebt eine Chiffer des Gottesglaubens Einspruch gegen die Theologen, die behaupten, Gottes Willen zu wissen, nämlich daß Gott wolle, die Atombombe solle von Menschen nie benutzt werden. Sie leiten es ab aus dem Gebot: Du sollst nicht töten, und aus der These, daß Gott das Leben der Menschheit wolle.

Aber — auf dieser Ebene der Chiffernsprache redend — wäre mit gleichem Gewicht zu sagen: Vielleicht wolle Gott den Fall der Bomben, damit die Menschheit in dieser ihrer jetzigen Gestalt durch sie selber vernichtet werde. Vielleicht ist das Versprechen Gottes nach der Sintflut, keine zweite folgen zu lassen, eine falsche Chiffer. Vielleicht fordert er vom Menschen, es müsse mit ihm etwas geschehen, was seiner Freiheit selbst entspringt, der Mensch müsse sich wandeln; — wenn er es tut, dann solle er leben, wenn nicht, dann nicht. Denn in diesem Zustand, in diesem Grade der Verwahrlosung, sei er des Lebens nicht würdig. Und wenn dagegen gedacht wird, Gott werde der wenigen »Gerechten« wegen nicht die ganze Menschheit zugrunde gehen lassen, so könnte es sein, daß keiner der »Gerechten« getan hat, was er konnte, und dadurch mitschuldig wurde. Daß die anderen aggressiv und gewaltsam erscheinen, liegt nicht nur an ihnen. Weil wir ihnen nicht stets mit schleierloser Offenheit begegneten, reagieren sie so, daß wir das Vertrauen verlieren. Ich vermute, daß kein Mensch sich als der »Gerechte« fühlen darf, um dessentwillen der Untergang der Menschheit nicht eintreten werde, und daß eine Liebe, die dem Adel eines anderen Menschen mit unendlichem Vertrauen zugewendet ist, die Erhaltung des Daseins des anderen nicht so hoch einschätzen darf, daß Gott seinetwegen das Unheil verwehren würde.

Zweitens: Wird die Weltindifferenz zur Untätigkeit in der Welt, unter Überfliegen der Welt zur Hingabe an Glauben, Weltende, Gericht und ewige Seligkeit, so erhebt wieder eine Chiffer des Gottesglaubens selber Einspruch gegen die Theologen, die ohne Rücksicht auf die Folgen in der Frage der

Atombomben sich klagend, aber praktisch gleichgültig verhalten. In der Chiffernsprache redend: Gott will, daß der Mensch lebe, in der Welt Dauer erwirke, in einer Entfaltung, die der Mensch nicht vorweg übersieht, deren Voraussetzung aber der Fortbestand in der Zeit ist. Doch Gott will dies nicht bedingungslos. Der Mensch soll ein Leben führen, das diesem Fortbestand nicht zuwider ist. Er hat unermeßliche Zeiten überlebt, indem er durch Geschicklichkeit und wachsende Naturbeherrschung, durch Gemeinschaft und Ordnung aus dem bloßen Leben heraustrat. Jetzt soll er überleben in der neuen Möglichkeit der totalen Selbstvernichtung. In der Chiffer des Gotteswillen dürfen wir denken: Gott hat dem Menschen nicht aufgetragen, den Untergang zu vollziehen. Vielmehr stellt er den Menschen zeitlich vor die Wahl: Entweder Dauer unter der Bedingung seiner Wandlung zu einem des Lebens würdigen besseren Menschen, oder Untergang. Die Befreiung vom Atomtod gelingt nicht, wenn der Mensch im übrigen mit sich alles beim alten bleiben läßt.

Bisher war trotz der Katastrophen nicht totale Vernichtung. Jetzt ist wie noch nie seine Freiheit aufgerufen. Weil nun alles auf dem Spiel steht, muß sie den Menschen selber in seiner Denkungsart wandeln. Wer lebt, soll bis in jede Stunde seines Daseins das tun, wodurch er zum eigentlichen Menschen werde, und auf diesem Grunde das tun, was für Ordnung und Dauer wirkt. Wer dagegen für seine ewige Seligkeit durch Weltverneinung sorgt, der versäumt die ihm aufgetragene Sorge für das Dasein. Wer aber für eine andere Seligkeit (ewige Gegenwärtigkeit) sorgt, die daran gebunden ist, daß er in dieser Welt das Gute und Vernünftige tut, was möglich ist, der führt ein Leben und verwirklicht ein Menschsein, das, wenn andere es mit ihm teilen, den Fortbestand zur Folge, wenn auch nicht zum Zweck hat. Dann hört die Unruhe um alle Aufgaben in der Welt nicht auf zugunsten einer ohne diese Bedingung falschen Ruhe im Glauben.

Solche Erörterungen erfolgen in der Chiffernsprache, sind daher in der Schwebe zu halten. Niemand weiß, was Gott will. Denn am Ende zeigt all dieses Sprechen in Chiffern, wie sie uns ansprechen und abstoßen, nur, daß sie insgesamt unser totales Nichtwissen zum Ausdruck bringen. Wir wissen nur im Horizont einer immer unzureichenden, aber ins Unendliche zu erweiternden Weltorientierung, was wir jeweils durch unsere Vernunft aus Freiheit wollen, im Bewußtsein, daß es an dieser Stelle so sein solle, im Vertrauen, daß es einem Ganzen diene, und im Glauben, daß es, wenn es wahr und wirklich ist, in der Ewigkeit geborgen sei, im Grund der Dinge, ohne Raum und Zeit.

Wenn ich zu wissen behaupte, was Gott will — in unserem Falle: daß er keinen Gebrauch der Atombombe will, oder umgekehrt: daß er den Untergang der Menschheit will —, so taste ich den Gottesgedanken selber an. Dieser Gedanke steht gegen alles Wissen von Gottes Willen. In solchem Wissen wird der Gott der Bibel, unser Gott, die »Transzendenz« der Philosophie, verschleiert.

Auf die Frage: Ist es Gottes Wille, daß die Menschheit fortdauert und nicht als Ganzes zugrunde geht? gibt die Bibel keine eindeutige Antwort. Aber die Bibel ist das Dokument, gewachsen im Laufe eines Jahrtausends, das im Ernst und in höchster Betroffenheit die Möglichkeit des Endes von allem kennt.

Wir können nur wissen, was wir, in beschränkter Lage, auf Grund unserer uns geschenkten Vernunft wollen, und können hoffen, daß dieser Wille ein Moment sei in dem Umgreifenden, das wir, an sich unvorstellbar und undenkbar, als Chiffer des Willens Gottes vor Augen haben. Wir dürfen nicht vergessen, daß wir in der für uns zwar unumgänglichen Chiffer doch immer schon unangemessen vorstellen und denken.

In der Wahl der Chiffern selber sind wir frei und verantwortlich. Die Chiffer: Gott wolle unter allen Umständen das Fortleben der Menschen, erscheint uns als unbiblisch und unphilosophisch. Nicht unter allen Umständen, sondern nur, wenn der Mensch tut, was er kann, sich zu wandeln, und auf Grund dessen das rechte politische Handeln findet, ist das Fortleben möglich. Die Chiffer vom Willen Gottes ist vielleicht immer noch am angemessensten gedacht in der Form: Gott stellt die Menschen vor die Wahl. Aber die Wahl und die vorgestellte Chiffer, beides gehört der Zeit an, die nicht die absolute Wirklichkeit ist.

b) Gefahren und Chancen der Kirchen.

Die Kirchen sind heute noch wirksame Organisationen. Obgleich ihre geistige Macht im letzten Jahrhundert gewaltig abgenommen hat, ist ihre materielle Macht — etwa in ihrem Einfluß auf Schule und Gesetzgebung oder in ihrer politischen Ämterpatronage — gestiegen. Ihre Autorität wird heute mehr berufen als in den vergangenen Jahrzehnten. Es wäre irreal, die Kirchen nicht in ihrer Bedeutung für den Gang der Dinge zu erkennen. An institutionell geformter Macht des Gottesglaubens und damit der Philosophie in der Welt sind sie immer noch einzig. Wir können ihnen nicht vorschreiben, was sie tun sollen. Wohl aber dürfen wir auf sie blicken, fragend, was sie tun werden, was sie tun könnten.

Leicht ist es, auf die Gefahren der Kirchen hinzuweisen:

Sie veranlassen eine *falsche Beruhigung:* durch Versprechen jenseitiger Gnade, durch Gedanken, die für sich befriedigen. Theologen reden gar von Zuständigkeiten, auf Grund deren sie für ein Gebiet sachkundig seien, nämlich das der Erlösung und der Lösung aller Schrecken in der Welt. Es genügt, fromm zu glauben und der Kirche zu folgen.

Dem entspringt die Möglichkeit ihrer *politischen Verantwortungslosigkeit.* Kirchen und Theologen kommen aus ihrem ethisch-theologischen Denken zu partikularen, aber politisch relevanten Urteilen, durch die sie, ohne es zu wollen und ohne danach zu fragen, faktisch bestimmten politischen Parteien Hilfe leisten, sei es den Kommunisten, sei es der CDU in Deutschland, sei es den Sozialisten usw.

Da sie den Glauben dogmatisch verkündigen und Andersgläubige ausschließen, *diskreditieren* sie die Wahrheit des Glaubens selber durch die Leidenschaft ihrer Gegensätze unter sich in ihrer Glaubenserkenntnis. Sie helfen ihrem immer beschränkten Kreise, nicht der Menschheit.

Sie waren in der Vergangenheit meistens eine Gefahr für *die Wissenschaften* und für alles, was sie seit dem Mittelalter als das Neue, als den jeweiligen Modernismus bekämpften. Sie sind heute eine Gefahr für *die Vernunft*, die in der neuen Lage (der realen Möglichkeit des Endes) durch ihre Radikalität Hilfe bringen könnte. Denn sie lassen die Vernunft erlahmen durch ein fragwürdiges Gottvertrauen, nämlich ein Vertrauen auf die Kirche, d. h. auf endliche Dinge in der Welt. Sie lassen die Vernunft des Menschen ruhen, stimmen die ihm auferlegte eigene Verantwortung herab und fördern die Passivität unter Hinweis auf Gottes Vorsehung.

Die Kirchen neigen dazu, den Gang der Dinge seit 500 Jahren für einen einzigen Verfallsprozeß zu halten. Daher sind sie bisher *unbereit, sich in die Größe und Schicksalshaftigkeit dieses Prozesses* – in dem Wissenschaft und Technik ein Moment sind – selbst hineinzustellen. Sie wehrten sich gegen die Radikalität der Wahrheit und Freiheit. Sie waren die beruhigenden, einhegenden und verschleiernden Kräfte, gerade auch dann, wenn sie miteinander in die Kämpfe auf Leben und Tod traten, die für die Geschichte des Christentums und des von der Bibel abhängigen Islam charakteristisch sind.

Heute *scheuen sie zurück vor dem Radikalismus der Vernunft*, die weiß: Es ist mehr notwendig als die sich anpassende Denkungsart und Handlungsweise der Kirchen und als die Dogmatisierungen und als die blinden Scheinradikalismen von Theologen, die christlich-neutestamentlich sein möchten, aber nicht sein können.

Diese Gefahren können wir nicht für das Wesen der Kirchen halten: denn die Bibel ist das Buch, auf das sie sich gründen. Dadurch ist die Beruhigung verwehrt. Untilgbar ist der Ernst des eschatologischen Denkens. Die politische Verantwortungslosigkeit und der Rückzug auf »Zuständigkeiten« ist durch den biblischen Gedanken der Geschichtlichkeit und der Einschließung von allem in den großen Gang der Dinge unmöglich. Dieser Gang ist – in der Chiffer gesprochen – im Bunde mit oder im Abfall von Gott. Auf Gott kommt es an. Daher können die Kirchen nur bei bedingungsloser Solidarität, unter Preisgabe jeden Anspruchs auf eigenen Vorrang in ihrer besonderen Gestalt oder auf die allgemeingültige Wahrheit einer Theologie oder auf Katholizität, wahrhaft von Gott zeugen und in jene Tiefe des Menschen wirken, aus der durch die Transzendenz die Rettung kommen würde. Die dogmatische Formulierung ist grundsätzlich so beweglich wie die Sprache der

Chiffern. Die eine Wahrheit erscheint in der Vielfachheit der Gestalten, aber nicht als eine einzige gültige Gestalt. Der Glaube bedarf der Chiffern, in denen er in der Praxis seiner existentiellen Unbedingtheit sich jeweils vergewissert. Die Kirchen sind selber erst glaubwürdig, wenn sie durch den Glauben der Überlieferung in verwandelter Gestalt den gegenwärtigen Menschen ergreifen können. Nicht jederzeit ist jede Chiffer, und keine ist in irgendeiner Zeit für alle gültig.

Der Wandel in der Gestalt dogmatischer Glaubensinhalte — oder anders: der Wandel im wirksamen Sinn der Chiffern verlangt Verzichte und neuen Ernst. Vielleicht werden heute vergeblich von Theologen festgehalten: die Menschwerdung Gottes in Christus, die spezifischen Dogmen der Trinität, die Gesetzlichkeit absurd gewordener Verpflichtungen, der Anspruch einer spezifisch christlichen, von indischer und chinesischer wesensverschiedenen und über sie den Vorrang heischenden Offenbarung und vieles andere. Sie scheinen mit einem gewaltsam anmutenden Trotz — genährt von der Kierkegaardschen dialektischen Begrifflichkeit des Absurden — von Theologen noch bewahrt. Sie müßten fallen, wenn sie in der Tat nicht mehr lebendig, Existenz gründend, geglaubt werden. Der Verzicht auf das nicht wirklich Geglaubte ist Bedingung dafür, daß die Kraft biblischen Glaubens wieder durchzubrechen vermöchte: in der Wirklichkeit Jesu, des revolutionärsten Menschen, in den Zehn Geboten und in der Chiffer des Sinai, in den unabsehbaren biblischen Chiffern überhaupt. In der Rückkehr zum Glauben, der sich in Chiffern, sie aneignend und abwehrend, vergewissert, erwüchse die Unbedingtheit und damit Verläßlichkeit der Existenz, verschwände die Unredlichkeit, die so oft, kaum bemerkt, unseres philosophischen und theologischen Sprechens sich bemächtigt.

Alle Chancen der Kirchen liegen in der Bibel, wenn sie diese im Bewußtsein der Weltwende heute wieder ursprünglich zum Sprechen zu bringen vermögen.

Wenn die Weltwende, in der wir stehen, dahin gelangt ist, daß es sich wirklich um das Ende der Menschheit handelt, dann sind auch die Kirchen in die uns allen gemeinsame Lage gekommen, in der das Gewohnte, Überlieferte, Gelernte unter die Frage gestellt wird: Was bedeutet es für Leben oder Sterben der Menschheit? Werden sie sich dem drohenden Verhängnis der Situation und der Größe der Aufgabe entsprechend einsetzen? Werden sie, ihrem eigenen Ursprung getreu, noch einmal tun, was getan worden war, als sie in der äußersten Not seit der Zeit der Propheten entstanden?

Vergegenwärtigen wir zunächst einen Grundzug dessen, was die Kirchen bisher getan haben. Die Äußerungen des Glaubens, alle Radikalismen, die von dem biblischen Grund her entzündet worden waren, stellten sie faktisch unter die Frage: Was bedeuten sie für Ordnung und Dauer der Welt? Wie müssen sie behandelt werden am Maße dessen, was die Menschen nicht bloß als Einzelne, sondern in der Masse zu opfern vermögen? Was ist für Bestand der Kirchenmacht selber notwendig an Nachgiebigkeit ebenso wie an Unnachgiebigkeit in den Forderungen?

Es ist die große Frage der »Überforderung« des Menschen. Man sagt, der Mensch dürfe nicht überfordert werden. Wie aber, wenn die durch die Freiheit des Menschen hervorgebrachte Situation faktisch eine Forderung stellt, der er nach dieser Auffassung nicht gewachsen ist? Und wie, wenn die Freiheit selber, das Geschaffensein als freies Vernunftwesen (denn der Mensch hat nicht sich selbst geschaffen, aber als zur Freiheit Geschaffener soll er nun, für sich selbst verantwortlich, sich hervorbringen) schon eine Überforderung wäre?

Es sei, so heißt es, die Barmherzigkeit Gottes, den Menschen nicht zu überfordern, sondern ihm seine Gnade zuteil werden zu lassen.

Gnade hat einen mehrfachen Sinn: (1) Das Sichgeschenktwerden in der Freiheit – (2) die unbegreifliche, nicht zu errechnende und nicht festzustellende entgegenkommende Hilfe bei gutem Willen – (3) die Erlösung als Befreiung von der Hölle durch richtigen Glauben an den stellvertretenden Tod Gottes am Kreuz. – Der erste Sinn ist die Überforderung selbst mit der Ergänzung, ihr genügen zu können. Der zweite Sinn ist eine Hoffnung, eine Ermutigung, ein Fürmöglichhalten ohne Erwartung. Der dritte Sinn ist unbegreiflich. Wir müssen hinnehmen und respektieren, daß Menschen sagen, sie glaubten es.

Unbegreiflich ist die Gnade Gottes als Verzeihung der Schuld. Verzeihung kennen wir unter Menschen: diese tiefe Kommunikation in der überwindenden Einmütigkeit des durchhellenden Einander-Verzeihens. Auch sie kann nicht ungeschehen machen, was geschah, wenn es auch im Verziehenwerden nun gleichsam verweht. In der Chiffer kann man es Gottes Gnade nennen, wenn Menschen sich verzeihen. Tun sie es aber nicht, dann kann der Gedanke an Gottes Gnade die Ausflucht bedeuten vor dem unnachgiebigen Anspruch menschlicher Kommunikation. Oder sie ist der Ausdruck des frommen Wissens von der untilgbaren Schuld des Menschen als solchen, die nun in Gottes Gnade aufgehoben ist.

Gehört Überforderung nicht zum Menschen? Kann er sich seiner Freiheit entziehen durch Verwerfen der Überforderung, die er doch unerbittlich hört?

Ist heute die »Überforderung« nicht offenbar und unumgänglich? Die Situation spricht deutlich. Sie fordert – und in ihrer Chiffer die Transzendenz durch sie –, was Unwille und mitleidige, aber lieblose Menschenfreundlichkeit Überforderung nennt. Die Situation erlaubt nicht, uns die Realität zu verschleiern (oder setzt als Folge der Verschleierung den Untergang der Menschheit): Nur der Mensch selbst, sich wandelnd zur Vernunft, kann Rettung bringen. Gott hilft, in dieser Chiffer gesprochen, dadurch, daß er der Vernunft hilft, kräftig zu werden, nicht durch ein Wunder von außen.

Die kirchlich fixierte Religion steht – seit dem Angriff der alten Propheten auf das Priestertum – jederzeit in Spannung zum ursprünglichen Glauben. Die Kirche sucht den Sinn solchen Glaubens, indem sie ihn in seinen zeitgenössischen Offenbarern abwehrt, einzuschließen in sich selber. Es war die große kirchliche Leistung: Im Sicheinlassen mit der Welt wurden die Formen gefunden, mittels derer das Dynamit der prophetischen biblischen Religion durch die Zeiten bis heute getragen wurde. Das sich selber überlassene Dynamit, in dem Menschen sich mißverstehen, hätte zerstörend wirken können und hat es nicht selten getan, wenn etwa das erwartete Weltende durch eigenes nihilistisches, gesetzloses Tun herbeigeführt werden sollte.

Aber was die Kirchen auch immer für die Ordnungen der Menschheit in der Welt geleistet haben, man darf nicht vergessen: diese Ordnungen sind Menschenwerk. Sie berauben den ursprünglichen Glauben der Kraft oder mindern sie doch zugunsten der Macht der verwalteten, organisierten, politischen Stabilität. Die Kirchen haben zwar die tiefste Wahrheit aufgefangen und können sie zur Geltung bringen, aber sie tun es allzu oft nicht. Die Ordnungen sind in jeder ihrer auf Bestand und Dauer Anspruch erhebenden Formen unzureichend. Die Wirklichkeit der Gottheit und die Aufgabe des Menschen sind zu ernst, als daß diese öffentlichen Realitäten und Denkungsarten genug tun könnten.

Die kirchlichen Denkmethoden, in meditativer Vertiefung und mit gewaltiger rationaler Arbeit reich entwickelt, lehrten das Entgegengesetzte zu verbinden. Das Äußerste, seiner zerstörenden Gewalt beraubt, bauten sie ein als ungefährlich gewordenes Moment. Nur von Fall zu Fall wurde einmal mit der Unbedingtheit von jenem Äußersten her gesprochen und gehandelt, wenn Volksmassen oder Interessen der Mächtigen mit dem kirchlichen Tun, es stützend, koinzidierten. Wie das radikal Böse bei jedem Menschen darin liegt, daß er zwar das Gute tun will, aber unter der Bedingung, daß seinem Glückswillen keine allzu große Schädigung und Gefahr erwachse, so liegt das radikal Böse bei den Kirchen darin, daß sie den biblischen Gottesglauben und das Äußerste zwar wagen wollen, aber unter der Bedingung, daß sie selber damit zur Macht gelangen oder diese nicht verlieren. Sie fragen etwa, was der Bevölkerung zuzumuten sei, und scheinen heute zu wissen, daß ihr, verglichen mit früheren Zeitaltern des Glaubens, an Opfer- und Sterbensbereitschaft fast nichts mehr zuzumuten ist.

Das aber kann durchaus nicht das letzte Wort über die Kirchen sein. Vielleicht schlummern in den Kirchen, dank ihrem Ursprung im biblischen Glauben, Kräfte der Vernunft, mit denen im Bunde heute die Welt zu verwandeln wäre. Aber das wird nur geschehen, wenn in den Kirchen die Verfahren von Jahrtausenden, die kluge Anpassung, die menschenkennerische Weisheit weltlicher Politik nicht mehr die Führung haben, wenn vielmehr die hohen Worte der Bibel von ihnen nur mit wirklichem Ernst und nicht als Formeln verwendet werden.

Jetzt vor dem Äußersten liegt in den Kirchen, soweit ihnen Angehörige noch Gläubige sind, vielleicht die größte Möglichkeit. Sie können nicht mehr die Aufgabe haben, entweder — wie bisher — Kriege zu rechtfertigen, zur Aufrüstung zu raten, oder — entsprechend einem modernen Pazifismus — den Krieg zu ächten und jede Teilnahme an Rüstungen den Gläubigen zu verbieten. Das wären vordergründige Eindeutigkeiten. Eine einfache Entscheidung ist unmöglich in einer Lage, die für die Vernunft sich so ganz anders darbietet. Die Kirche muß tiefer wirken, so wie sie es von jeher beansprucht hat, auf jeden Einzelnen. Hier aber müssen ihre Forderungen so ernst, so streng, so klar, so bedingungslos werden — ohne Anpassung an die durchschnittliche Schwäche und die Bösartigkeit der Menschen, ohne Anbietung von *erleichternden* Gnadenmitteln —, daß die Kirche Gefahr läuft, daß die Menschen ihr davonlaufen. Die Gefahr der Abtrünnigkeit wegen Überforderung kann nur dadurch gemindert werden, daß die Menschen, die so Ungeheures wie priesterliche, seelsorgerische Hilfe leisten zu können meinen, durch sich selbst, durch die unbezweifelbare Güte, Liebe, Opferbereitschaft, mit jedem Wort und jeder Handlung schlicht und ungesucht bezeugen, daß sie in der Wahrheit stehen, die sie verkünden. Nur dadurch überzeugen sie andere.

Hier scheint die große Entscheidung der Kirchen zu liegen. Werden sie, anders als in ihrer bisherigen Geschichte, in der neuen Situation, vor der Aufgabe, wie sie noch nie war, sich selbst einsetzen, ihre Macht in der Welt, ihr eigenes Dasein wagen im Namen Gottes, von dem sie sprechen? Werden sie jetzt vor dem Äußersten noch bestehen wollen, wie immer, noch denken und handeln in den alten Bahnen, und dann als ein altes Gerümpel mit dem anderen Gerümpel der Menschheit zugrunde gehen, oder werden sie unter dem noch nie erfahrenen Anruf lieber durch das Wagnis, vollends von den Menschen im Stich gelassen zu werden, scheitern mit der Chance, allein durch dieses Wagnis zu ihrem Teil die Rettung zu bringen? Sie müßten ihr Dasein wagen, um den Menschen zu erwecken, nicht ihre Macht stärken, um die Menschen zu beruhigen.

Es scheint gewiß: Die Zumutung an die Gläubigen, in Opfer einzutreten, ist unwirksam, wenn mit ihr nicht verbunden ist das Wagnis des Opfers der Kirche selber. Dies Wagnis, die Völker aus der Kirchenruhe aufzuscheuchen, mit dem Risiko, daß sie abtrünnig werden, ist der Einsatz des Daseins der Kirche selber. Vor dem möglichen Ende aller menschlichen Dinge kann die Kirche, die wahrhaftig ist, nicht weniger tun, als das Opfer ihrer selbst zu wagen. In der Situation, in der der Mensch nur dadurch, daß er in die höchste Möglichkeit seines Seins eintritt, auch sein Dasein retten kann, würden die Kirchen ihren Sinn erfüllen, wenn sie für sich selber die Alternative stellten: *Entweder* durch ihre Lenker und Glieder das Äußerste bezeugt und bewährt zu haben und mit den Menschen in eine neue Gestalt sich zu verwandeln, *oder* nichts Besseres zu tun als törichte Beruhigung mit großen Worten, und mitzugehen in die totale Selbstvernichtung, ohne ein Besseres, das des Fortlebens wert wäre, gewesen zu sein. Die Kirche würde dann von den Menschen verlangen, auf das zu verzichten, was sie Jahrhunderte bei ihr gefunden haben. Die Gläubigen dürfen nicht mehr aus ihrem endlichen Glückswillen und aus ihrer Unvernunft die Kirche abergläubisch auf ihrem eigenen unseligen, ins Verderben laufenden Wege zur Hilfe haben wollen.

Würden die Kirchen diesen Schritt wagen, der ihr eigenes Dasein gefährdet, dann würde täglich, überall in den Stimmen der Priester und Theologen, das Bibelwort glaubwürdig, würde gesagt, was ist, was droht, was bevorsteht, was getan wird; es würde das ewige Ansinnen an den Menschen mit neuem Ernst wiederholt: wie er sich wandeln muß von Grund auf, und dies würde im Zusammenhang gehalten mit dem Alltag, mit allem, was Menschen tun und denken. Dann würden angesichts der Transzendenz wirklich werden (und nicht nur in feierlichen Stunden verkündet): Freiheit und Vernunft und Liebe und was in diesen liegt: die Bereitschaft zum Opfer.

Mit diesem Wagnis würde für die Kirchen ihre Politik (die in einem gewissen Umfang immer bleibt, weil sie Organisationen sind) an letzte Stelle rücken. Sie würden aufhören, als Ganzes im früheren Sinn Politik zu treiben. Ihre organisatorische Einheit wäre gleichgültig, weil die eine Wahrheit in vielen Gemeinden, in vielen Gestalten ihrer Erscheinung verwirklicht würde. Sie wären vergleichbar früheren Sekten (solange diese gegen den politischen Einheitsgedanken der sichtbaren Kirche zugunsten der übersinnlichen, unsichtbaren Einheit der Wahrheit revoltierten und nicht ihrerseits kirchlichen Charakter annahmen). Sie würden nicht mehr in die Staatspolitik unmittelbar eintreten, sondern wirken durch Erweckung zu jenem Ernst, der dann dem Ernst der Politik Antrieb und Halt zu geben vermag. Das aber würde nicht der Politik wegen, nicht der Atombombe wegen geschehen, wenn es auch heute durch sie veranlaßt wird, sondern zweckfrei um Gottes und des Menschen willen. Die Kirchen würden in sich selber die Umkehr erzeugen, die sie im Menschen überhaupt erregen sollen.

Die Situation des Menschen jederzeit und heute verlangt die Neugeburt des Menschen. Auf biblischem Grunde dem Äußersten, vor das wir heute gestellt sind, gewachsen zu sein, fordert eine tiefere Wandlung, als einst etwa die protestantische Reformation sie erreichte. Keine Philosophie wird solche Wiedergeburt in der Breite der Völker erzeugen (während sie es im einzelnen Menschen auf eine unvergleichliche Weise vermag). Nur die Kirchen vermöchten es.

Wie die Wiedergeburt geschieht, das kann nur erfahren und getan werden. Wenn ich die Chancen auf dem protestantischen Boden am größten sehe, so liegt das nur am protestantischen, der Philosophie nahen Prinzip: »ohne

Mittler«, »unmittelbar zu Gott«, »allgemeines Priestertum« und an der dazugehörigen Zulassung der institutionellen Zerschellung der Kirche in viele Erscheinungsformen des Glaubens und in selbständige Gemeinden.

Die Kirchen, vor allem die katholische, haben noch eine mächtige, schwer abzuschätzende Autorität. Man sieht nicht, wieweit sie nur eine letzte begierig gesuchte und doch nicht eigentlich geglaubte Zuflucht im Zusammenbruch aller Autoritäten sind. Wie es auch sei: diese Autorität einzusetzen, so daß sie Träger von Wahrheit und Vernunft im Glauben werden, könnte eine gewaltige helfende Wirkung haben.

Das Geschehen, das in der Atombombe zu seinem Gipfel kommt, betrifft alle Menschen, alle Glaubensweisen, alle Lebenswege. Ihm zu genügen, bedarf es mehr als der Anpassungsmethoden der christlichen Kirchen. Es bedarf der Verwirklichung der Wahrheit aus allen tiefen geschichtlichen Ursprüngen, soweit sie von überall her zusammentrifft darin, daß sie an der Welt nicht vorbeigeht in eine vorweggenommene Ruhe ewiger Seligkeit, sondern unsere Verwirklichung in der Zeit zunächst als höchste Aufgabe für uns sieht.

Noch finden die Kirchen nicht das Wort und nicht das Handeln, das überzeugen und helfen könnte. Sie sehen das drohende Menschheitsende noch nicht mit der Rückhaltlosigkeit, die ihm zu begegnen vermöchte. Sie denken noch so kurzsichtig wie der Vatikan, als er mit Luther brach und mit Hitler das Konkordat schloß. Sie beten, aber lassen weitgehend nur noch auf die Traditionen ihrer Kulte und Institutionen und Formeln hören.

Heute, so scheint es, verschleiern sie den Gott, der der Gott der Propheten war. Sie lassen die Unmittelbarkeit zu Gott erlahmen, indem sie diese binden an die Formen der durch sie gegebenen Vermittlung, und indem sie den Irrglauben verlangen an die Heiligkeit der Kirche selber.

Daher heute die Sorge, die Kirchen könnten vor dem drohenden Menschheitsende versagen, wenn sie nicht für den Geist der Propheten von Moses bis Jesus in neuer Gestalt das durch die Glaubwürdigkeit handelnder Menschen wirksame Wort finden.

Die biblische Religion birgt in sich die Kraft der großen Vernunft, die nicht abzuwälzende Verantwortung jedes einzelnen Menschen vor der Transzendenz. Beides, Vernunft und Verantwortung, wird von der kirchlichen Religion abgemildert und schließlich fast aufgehoben.

Das wird jetzt, da es um Sein oder Nichtsein der Menschheit geht, auf andere Weise gefährlicher als es je war. Wenn die Kirchen sich nicht aufraffen aus ihren Verstrickungen in Weltlichkeit und weltliche Geschicklichkeiten zum Ernst des Gottesglaubens, dann treiben sie mit auf den Weg des Untergangs. —

Ein Philosophieprofessor, wird man sagen, hilft doch erst recht nicht. Das ist richtig. Philosophie kann durch ihr Denken wohl reinigen, vorbereiten, vergewissern, aber sie weiß nicht den entschiedenen Rat, wenn sie gefragt wird, was jetzt an diesem Ort, in dieser Machtposition von Menschen getan werden solle. Diesen Rat findet — vielleicht durch philosophisches Denken in die rechte Verfassung gebracht — nur der handelnde Mensch, der die Verantwortung trägt, selbst. Das, was im gegenwärtigen Augenblick in bestimmter Situation von einem Mann am Steuer getan werden solle, kann erörtert, aber nicht durch einen vermeintlich besser wissenden Philosophen diktiert werden. Der Handelnde ist selbst Philosoph, wenn er im Ernst handelt. Aber Aufgabe des Philosophierens ist es: Tatsachen und Möglichkeiten in weitestem Umkreis zu zeigen und zu sagen, was ist und was sein kann, und an aufgestellten Maßstäben zu prüfen, was konsequent, sachgemäß, wahr scheint, und was nicht.

c) Predigen und Philosophieren.

Die Zukunft der Menschheit liegt nicht allein an den Kirchen biblischer Religion. Sie umfassen nur einen Bruchteil der Menschheit. Dieser abendländische Teil der Menschheit ist wiederum in weitem Umfang kirchlich ungläubig geworden. Die Kirchen vermöchten viel. Aber allein bringen sie nicht die Rettung.

Was mit ihnen und nicht gegen sie not tut, was allen Menschen zugänglich ist, was nicht an den Offenbarungsglauben der Kirchen gebunden ist, das ist die Philosophie. Den Unterschied sehen wir in dem Sinn der Mitteilung von Predigen und Philosophieren.

Predigen ist die Verkündigung des Wortes Gottes, das geoffenbart ist. Es beschwört dadurch den Glauben und den Gehorsam des guten Willens und vermittelt leibhaftig die Gewißheit der Transzendenz. Predigt wird Anklage der Sünde und Forderung der Buße. Sie tritt auf im Namen einer höheren Autorität. Die Kirche leitet diese Autorität von Gott selbst her.

Philosophieren dagegen ist bescheidener, aber von anderem hohen Anspruch. In ihm wendet sich der Mensch an den Menschen, auf gleicher Ebene, ohne andere Vollmacht als die, die jedem Menschen als möglichem Vernunftwesen zukommt. Es verharrt in der menschlichen Situation. Es vergewissert den guten Willen seiner selbst. Es fordert keinen Gehorsam, aber leitet zur Besinnung, um in sich den Anspruch möglicher Existenz vor der Transzendenz zu finden. Es will aufmerksam machen. Aber es legt alle Entscheidung, die ganze Verantwortung in jeden Einzelnen. Es vermag nicht zu »geben«, sondern nur wach zu machen, was ihm entgegenkommt.

Die Geschichte scheint zu lehren: Philosophie versagt, wo Menschen in ihrer Hilflosigkeit begehren, Halt zu gewinnen durch etwas objektiv Greifbares und durch eine Garantie von dorther, — wo die Menge durch eine von ihr nicht begriffene Autorität geführt werden muß, wenn sie nicht in Anarchie und Verzweiflung versinken soll, — wo sie ratlos von ihrer Freiheit befreit zu werden drängt, Befehl erhalten und gehorsam sein will.

Sollten wir die Zukunft nicht besser bauen auf das, was in der Predigt durch die Kirchen verkündigt, gegeben, gefordert wird? Ist das Philosophieren, die ständige Aktion der Vernunft, nicht vergeblich? Die Antwort: Predigt allein wird es nicht mehr schaffen. Propheten und Bußprediger, selbst wenn sie für viele glaubwürdig werden, reichen nicht aus. Erst wenn die von dort kommende Kraft in Vernunft übersetzt würde, kann sie in der heutigen Lage zur notwendigen weltweiten Wirkung kommen. Warum?

Erstens: Weil der Verstand die technischen Mittel des totalen Untergangs bereitgestellt hat, selber aber nicht die Fähigkeit hat, das zu schaffen, was seiner eigenen Leistung die Führung ihrer Verwendung bringt, kann nur die Macht helfen, die selber diesen Verstand in Bewegung gebracht und ihn schöpferisch gemacht hat. Das, was im Ursprung des Wissenwollens gegenwärtig war (bevor dann das Rad der Erfindungen durch den Verstand allein beinahe automatisch weiterlief), die Vernunft, sie will dem Verstand, auch mit den kritischen Mitteln des Verstandes selber, in seinem nicht einzuschränkenden Fortgang doch die Grenzen seines Sinnes setzen. Wenn die Vernunft, mit dem Verstand im Bunde, vorandringt, so geschieht dies unter Beherrschung des Verstandes (nicht seiner Richtigkeiten, sondern seiner Wege). Diese Vernunft ist nicht der kirchliche Glaube, kann aber diesen selber zur Klarheit bringen und seine Hilfe erfahren.

Wo der Verstand die Möglichkeit des Unheils gebracht hat, gelingt keine Hilfe ohne die Macht der Vernunft. Wie diese ursprünglich sich in Forschung und Erkennen übersetzte — und diese auch frei ließ bis zur Vernunftwidrigkeit —, so setzt sie das Erforschte und Erkannte unter ihre Führung. Sie erzeugt die nun angemessene umgreifende Planung des Unplanbaren, die sich nicht schon auf der Linie der bisherigen Planungen ergibt. Durch die Situation ist für alles Handeln auch das Planen gefordert, aber ein solches, das zwar mit den Mitteln des Verstandes arbeitet, jedoch von der Vernunft gelenkt wird.

Zweitens: Hilfe ist heute nur möglich durch eine Wandlung des Menschen, die in die Breite wirkt, zwar erst wenige, dann aber viele und schließlich vielleicht die Mehrzahl ergreift. Denn was jetzt durch die Technik vorbereitet ist, kann nur durch die Wogen des in der Menge begründeten Willens der Vernunft, nicht durch die traditionell an Macht und Machtbehauptung gebundenen Politiker, zum Heile gelenkt werden. Was heute öffentliche Meinung heißt, was unklar, veränderlich, propagandistisch dirigierbar sich zeigt, das ist trotz seiner Unverläßlichkeit doch von dunklen und verborgenen Kräften getragen, die plötzlich hervorbrechen können. Es würde, wenn von der Vernunft bewegt, diese über alles hintragen, auch die Menschen ergreifen, die die Waffen in der Hand haben und die Bomben bedienen. Sie würde die ihr entsprechenden Politiker hervorbringen oder sie zwingen, ihrer eigenen Macht wegen diesem Willen zu folgen. Der Atombombe, des Krieges, des Anspruchs absoluter Souveränität und all dessen, was mit diesem eines ist, werden die Staatsmänner heute nicht Herr, wenn nicht die Massen in Ost und West, durch Vernunft erleuchtet und bewegt, unter Wandlung der Denkungsart und des Menschen selber es erzwingen.

d) Die Wahrheit in der kirchlichen Religion.

Die eigentliche Wahrheit in den kirchlichen Religionen und in der Vernunft ist eine. Wir suchen und wollen alle dasselbe. Vor diesem »Dasselbe« sind die Chiffern nur Sachen zweiten Ranges. Da aber nur in Chiffern zu sprechen und vorzustellen ist, bleibt das Eine, das gemeinschaftlich ist, unaussagbar oder nur sagbar in so allgemeinen Formen, daß diese erst mit ihrer geschichtlichen Erfüllung in je besonderen Chiffern ihre Kraft haben.

Der Mensch fragt: Wodurch ist das Leben lebenswert? Wo bleibt Vertrauen im Tod? Wo angesichts der Möglichkeit des Endes der Menschheit? Wo an der Grenze aller Dinge? Diese Fragen beantwortet die Religion, indem sie die Frage selbst schon in der Chiffernsprache stellt: Was ist Gottes Wille? Und die Antwort gibt: daß der Mensch Gott nahe komme —, daß er in die Tiefe, in den transzendenten Grund der Dinge gelange —, daß wir in dem, was wir tun, und sei es angesichts des Untergangs der Menschheit, zu uns kommen in dem Einen, das mehr ist als alle Welt.

Daß diese Wahrheit sich nicht verkehre, nicht zur Erleichterung von der Last der Freiheit, nicht zum Versäumen der Aktivität in der Welt werde, nicht zu beruhigtem Leben verführe, dafür kann nur unsere Vernunft sorgen.

FÜNFTES KAPITEL

VERNUNFT UND WIDERVERNUNFT
IM GESCHICHTLICH-POLITISCHEN WELTWISSEN

Von der Weise unseres Weltwissens im ganzen hängt ab, was wir politisch sehen und für möglich halten, und dann, was wir in unserer Situation wollen, und wie uns dabei zumute ist.

In allen Menschen sind Vorstellungen von der menschlichen Gemeinschaft, ihrer Ordnung und Unordnung, ihrer Wirklichkeit und Wünschbarkeit, meist aus Bruchstücken zusammengesetzt, aber zerfallen in Denkgewohnheiten, fixiert in Widersprüchen. Die Öffentlichkeit läßt ihre Diskussionen durch solche Vorstellungen als unbefragte Selbstverständlichkeiten begrenzen. Die Werke der Philosophen, Juristen, Historiker haben Entfaltungen solchen Denkens in folgerichtige Konstruktionen gebracht.

Unser Seinsbewußtsein wird bestimmt dadurch, wie wir uns in der Geschichte wissen, und unser Handeln durch unsere Vorstellung, wie Geschichte als Aufgabe für uns da ist. Diesen Grundtatbestand hat man längst aufgezeigt und befragt. Man wollte der Selbstverständlichkeiten als der bis dahin unbefragten Voraussetzungen sich vergewissern. Man möchte jede Befangenheit durchbrechen, um nun aus dem Ursprung der Wirklichkeit selber das Wahre zu tun.

Aber, so fragen wir weiter, ist nicht jeder solche Versuch nur die Klärung einer neuen Befangenheit, die ihre vorausgesetzten Selbstverständlichkeiten nicht bemerkt? Oder, wenn er das nicht ist, endet dann der Versuch nicht in der Bodenlosigkeit des Nichts? Denn bleibt in der Gesamtheit aller Möglichkeiten, bei Aufhebung aller Befangenheiten, nicht die Wirklichkeit selber aus, die doch immer auch auf Beschränkung, Entscheidung und Ausschluß anderer Möglichkeiten angewiesen ist? Leicht ist darauf die Antwort, es bleibe nur die Wahl zwischen Nihilismus und Befangenheit, also müßten wir die Befangenheit vorziehen (man schmäht die »Objektivität« als lebenzerstörend). Aber diese Antwort ist falsch. Wirklich ist die Bewegung der Vernunft, die wissend und sich orientierend in jede Möglichkeit eintritt (daher alloffen und unbefangen ist), aber je gegenwärtige geschichtliche Existenz wird (daher nicht alles ist). Unsere wirkliche Existenz aber ist selber nur in Aspekten ihrer historischen Erscheinung und diese nur rückblickend zu sehen, nicht in ihrer ihr eigenen Unendlichkeit und Ewigkeit Gegenstand für uns.

Der Weg der Vernunft verlangt, nach jedem möglichen Wissen zu greifen.

Vorstellungen, ob unter Menschen verbreitet oder nur möglich, müssen gekannt und versucht werden, ohne uns einer von ihnen zu unterwerfen. Sich von Aspekten und Denkkonstruktionen überwältigen zu lassen, ist widervernünftig. Aber durch sie kann der Grund erweckt werden, für den sie alle nur Mittel oder mögliche Standpunkte sind. Wenn in dieser Vernunft das historische, soziologische, politische, juristische Bewußtsein weder erstarrt noch in der endlosen Vielfachheit des beliebig Möglichen sich zerstreut, so kann es den Ursprung wach werden lassen und uns in die Wandlung treiben, die für die Meisterung unserer Lage unerläßlich ist.

1. Das Problem: Die geistige Situation für unsere Vernunft.

Zunächst vergegenwärtigen wir uns einen Grundbefund unseres Wissenkönnens überhaupt, den Unterschied von Glauben und Wissen und die Bedeutung des Glaubens in der Politik.

a) Der philosophische Glaube: Wissenschaft und Philosophie.

Philosophischer Glaube ist nicht ein Inhalt, an den geglaubt wird, sondern ein Tun, mit dem geglaubt wird. Ein frommer Katholik konnte mir sagen: Ich weiß nicht, ob Gott ist, aber ich fühle mich in ihm geborgen. Das ist gewiß theologisch nicht korrekt, aber es ist ein im philosophischen Glauben möglicher Satz.

Dieser Glaube hört nicht Gott selbst, aber hört ihn in der Wirklichkeit, wenn diese in zweideutigen Chiffren sich ihm zeigt. Er macht nicht seine Vernunft zum Maßstab Gottes oder zur Gottheit, sondern erfährt seine Vernunft als das von Gott geschaffene Organ, auf den Weg zur Transzendenz in der unendlichen Bewegung zu gelangen. Nur hohe Augenblicke sind eine alsbald wieder in die Schwebe geratende, in der Erinnerung untilgbar wirkende Vollendung.

Der philosophische Glaube kennt sich selber nur als geschichtliche Bewegung im Vertrauen auf den Grund, durch den er in seiner Vernunft sich aufgegeben ist, zu hören und zu folgen dem, was der Vernunft sich zeigt. Darum beruft er sich auf keine Offenbarung, weder auf eine in (immer nur begrenzten) Gemeinschaften anerkannte, noch auf eigene Erleuchtung. Die Diskretion, auch sich selbst gegenüber, in bezug auf das, was sich schlechthin nicht fassen, halten, zum Besitz machen läßt, und was, bestimmt ausgesprochen, schon sich selber ungewiß ist, ist das Kennzeichen dieses Glaubens. Wer in der Wirklichkeit dieses Glaubens lebt, beruft sich nicht begründend und rechtfertigend auf ihn. Und jeder Versuch, ihn inhaltlich auszusprechen, weiß sich selber nur als eine Weise des Lesens der Chifferschrift, nicht als Bekenntnis zu einem Dogma, das er in Glaubensfragen für widersinnig halten muß.

Der philosophische Glaube muß daher alle Glaubensinhalte als geschichtliche Chiffern sehen, die ihn angehen. Er ist nicht nur tolerant gegen diese Dinge (weil sie etwa ihm gleichgültig wären), sondern aufgeschlossen für die sich verwirklichenden Gehalte, weil er von ihnen mitbetroffen ist.

Es gibt nur eine Grenze dieser die Hand ausstreckenden, zu hören begierigen Toleranz. Sie muß intolerant werden gegen Intoleranz. Das heißt: Wo Glaubensinhalte sich in der Welt mit Gewalt durchsetzen wollen, wehrt sie sich gegen Gewalt mit Gewalt.

Dies ist ein Grundphänomen des geschichtlichen Daseins bisher, daß immer wieder in großen, die Weltherrschaft erstrebenden Mächten ein Glaube als zu bekennender Glaubensinhalt, in dem man belehrt, unterrichtet und geübt wird als in dem einen ausschließenden wahren Glauben, zu schrecklicher Wirkung gekommen ist.

Das ist heute wieder auf eine dem wissenschaftlich-technischen Zeitalter eigene Weise der Fall. Die marxistische Doktrin ist Glaubensinhalt von Anfang an gewesen und heute in einer Ausbreitung geworden, die durch die Zahl der ergriffenen Menschen die Zahl sowohl der Christen wie der Buddhisten zu übertreffen scheint. Um diese Situation zu verstehen, muß man folgendes begreifen: Der Inhalt des Marxismus ist Wissenschaftsaberglaube. Er stützt sich auf Wissenschaft, indem er sie selber faktisch preisgibt, und das, was er behält, zum Götzen macht. Er gibt die Wissenschaft preis, weil er nicht mehr methodische Forschung, kritische Prüfung, Allgemeingültigkeit durch zwingende Einsicht für den Verstand sucht, sondern die Wahrheit als fertige, unveränderliche Doktrin besitzt (etwa wie die katholische Kirche in Thomas von Aquin, der wegen seines hohen geistigen Niveaus und Reichtums allerdings kaum noch vergleichbar ist). Diese Pseudowissenschaft (der Götze) verlangt die Opfer in der Einheit der Lehre, in der Verfolgung der Abweichungen, in der Anerkennung zentraler Lenkung (Moskaus Anerkennung durch Mao).

In dieser Lage ist heute eine Einsicht notwendig, die, untrennbar von Freiheit, selber wissenschaftlich begreifbar ist, aber in der Verwirklichung nur als sittlicher Akt des vernünftigen Menschen gelingen kann: Philosophischer Glaube ist nicht gegenständliche Erkenntnis, Philosophie ist nicht Wissenschaft, aber sie steht im Bunde mit ihr. Vernunft ist nicht Verstand, aber verliert ihn keinen Augenblick. Der Sinn dieser Sätze ist zwar im letzten Jahrhundert zur Helligkeit gelangt. Die Einsicht ist da, aber sie ist keineswegs herrschend, nicht einmal in der Welt der Wissenschafter selber. Diesen Sinn in concreto durchzuführen, ist eine unvollendete Aufgabe. Sie verlangt den sittlichen Charakter des ganzen Menschen in der Verläßlichkeit seines kritischen Denkens überhaupt.

Vernunft wird nicht wirklich, solange sich Philosophie als Wissenschaft gibt, wodurch sie heute unfehlbar zum Wissenschaftsaberglauben führt. Die Vernunft wird auch nicht wirklich, wenn von der Philosophie die Wissenschaften als für sie gleichgültig angesehen werden, wenn sie an ihnen vorbeigeht, sie gar verwirft. Vernunft steht bedingungslos zur Wissenschaft, will sie, fördert sie, bewegt sie, geht ständig mit ihr um.

b) Politik und Glaubenskampf.

Vernünftige Politik bezieht sich auf Daseinsfragen, nicht auf Glaubensfragen. Der philosophische Glaube, der in der Bewegung der Vernunft sich vollzieht, ist nicht in dem Sinne Glaube, wie man von einem zu bekennenden Glaubensinhalt spricht. Der philosophische Glaube bedeutet vielmehr Freilassen alles dessen, was nicht mit Gewalt die Totalität beansprucht. Daher will er Daseinsfragen nicht mit den Glaubensfragen verbinden. Daseinsfragen beziehen sich auf materielle Interessen. Für diese gibt es stets Kompromiß, Ausgleich, Vertrag. Nur der Glaube, der Totalität beansprucht, und der Machtwille, der erst im Weltimperium Genüge findet, machen eine gemeinsame Ordnung der Daseinsfragen, eine Politik der immer partikularen »Interessen« unmöglich.

In dieser Lage ist folgendes zu bedenken:

Erstens: Die Gewalt bekennender Glaubensmächte ist für eine Zeitlang scheinbar überwältigend. Alles scheint ihnen entgegenzukommen. Sie wirken wie ein unwiderstehlicher Strom. Das Maß an Opfermut und Opferdrang, das Märtyrertum, die Lust am Sterben für die Sache, am Sichwegwerfen in absurden Schuldbekenntnissen ist so groß, daß eine wachsende Zahl von Menschen von der Glaubwürdigkeit dieses Ernstes, dem solche Opfer gebracht werden, mitgerissen wird.

Im Blick auf solche Phänomene meinen manche: Man müsse solchem Glauben einen gleich starken Glauben entgegenstellen. Damit aber gibt sich der Vernunftglaube selber schon auf. Denn einem fanatisierenden und menschenverzehrenden Glaubensinhalt einen entsprechenden Glaubensinhalt entgegenstellen zu wollen, das bedeutet: Die eigene Glaubensweise der Vernunft soll verraten werden an die Glaubensform des gefürchteten Gegners, auf dessen Ebene der Vernunftwidrigkeit man mit anderem Glaubensinhalt treten solle (denn Vernunft ist nicht auch ein Glaube; sie ist nicht organisierbar, kann nicht Kirche, nicht Doktrin und System werden, sondern ist die Freiheit des Menschen selbst, die in Bewegung ist). Es wäre zudem vergeblich, denn es läßt sich ein solcher fanatischer Glaube nicht machen und planen.

Die Situation verlangt ganz Anderes: Der Wissenschaftsaberglaube des Marxismus tritt absichtlich und faktisch mit Gewalt auf. Der Gewalt muß, wer sich behaupten will, Gewalt entgegensetzen, der gesteigerten eine ebenso gesteigerte Gewalt. Nichts in der Welt, auch nicht und am wenigsten der philosophische Glaube der Vernunft, kann sich im Dasein halten ohne Opfermut. Der Opfermut redlicher Solidarität der freien Menschen wird die Entscheidung bringen und bezeugen, daß der in der freien Welt wirksam gewordene Glaube der Vernunftbewegung nicht in dieser Welt selber erlösche, daß er vielmehr in der Freiheit des geistig-sittlichen Kampfes sich zu neuer unwiderstehlicher Kraft gegen die ihn verderbenden Mächte erhebe. Zur Zeit ist diese Entscheidung im Abendlande noch nicht mit der Folge verläßlicher Solidarität gefallen.

Die Reinheit der Politik, die sich bescheidet in der Ordnung der Daseinsinteressen und in der Selbstbehauptung gegen Gewalt, ist selber nur durch Glauben möglich. Dieser Glaube aber, der keinen Inhalt absolut setzt, vielmehr alle Glaubensgehalte freiläßt, kann nicht, was zu geschehen hat, rational aus Glaubensthesen ableiten, sondern nur rational aus der jeweiligen Natur der materiellen Interessen sachgemäß zu einmütiger Einsicht entwickeln. Daß er Glaube ist, zeigt sich in der Opferbereitschaft, die hier in Gegenseitigkeit ihr Ziel erreicht, auf der Ebene der Daseinsfragen Ordnungen in Gemeinschaft zu finden, die der Grund des Gedeihens menschlicher Entfaltung sind. Derselbe Glaube aber erweist seinen Opfermut im Einsatz von allem, wenn die Ebene der möglichen vernünftigen Gemeinschaftlichkeit verlassen wird und die nackte Gewalt durchbricht.

Zweitens: »Mit Glaubenskämpfern läßt sich nicht reden.« Dieser Satz Max Webers besagt: Wo Vernunft nicht zur Geltung kommt, hat Politik einen grundsätzlich anderen Sinn.

Innerhalb der Interessenkonflikte konnten früher zwar so radikale Verschiedenheiten des Anspruchs auftreten, daß die Beteiligten, trotz des Raums der Vernunft, der sie noch verband, den Himmel entscheiden ließen, das heißt den Krieg eröffneten, mit der Voraussetzung, daß beide Seiten bestehen blieben, wenn die fragliche Sache im Sinne des Siegers geordnet wurde. Nur wo Staatsmacht an sich die Ausbreitung an sich, die eigene Weltmacht, schließlich das Weltimperium begehrte, wurde Krieg geführt mit der Alternative der völligen Unterwerfung. Anders wieder war die Politik, wenn die

Weltmacht nicht in der Nüchternheit eines weltlichen Interesses, sondern im Namen Gottes zur Ausbreitung des einen, allein wahren Glaubens den Krieg führte (die frühen Kriege des Islam, die Kreuzzüge, die Religionskriege innerhalb der Christenheit).

Heute ist die Situation durch das Dasein der Atombombe grundsätzlich anders. Trotz aller Verschiedenheit der Kriegsbegründungen in der bisherigen Politik ist daher heute die Alternative in dieser Einfachheit zu sehen: Entweder handelt es sich um Daseinsfragen, die zwischen freien Rechtsstaaten niemals Glaubensfragen werden und dazu in der heutigen Lage unter allen Umständen friedlich gelöst werden. Oder es handelt sich um die Identifizierung von Glaubensfragen und Daseinsfragen (heute: von Sozialreligion des Marxismus und imperialem Anspruch der totalitären Großmacht, jetzt Rußlands, in späteren Zeiten vielleicht Chinas). In diesem Fall liegt alles anders als zwischen Rechtsstaaten mit freiem Glauben, mit freier Wissenschaft, mit freier Philosophie (die als solche Philosophie der Vernunft ist).

Da wir aber mit diesem Machtwillen der fremden Glaubenseinheit in derselben Welt unter der Drohung der Atombombe zusammen leben, darf der Satz: »Mit Glaubenskämpfern kann man nicht reden« nicht das letzte Wort bleiben, wenn die Menschheit überleben soll. Der Versuch, miteinander zu sprechen, darf nie aufgegeben werden. Da die Träger jenes Glaubens, mit denen sich nicht reden läßt, doch Menschen sind, muß heute bis zum letzten Augenblick, noch in scheinbarer Hoffnungslosigkeit, der Vernunftglauben die Frage festhalten: wie trotzdem mit ihnen zu reden sei. Diese Frage wird in Selbsttäuschung durch Wunschdenken verderblich beantwortet, wenn man vergißt, was der Sinn des Glaubenskampfes ist und daß der Gegner gegenwärtig von diesem Sinn ergriffen ist (das heißt: daß zunächst noch zuerst an die Vorbereitung der eigenen Gewalt gedacht werden muß, um sie zur Selbstbehauptung der Gewaltvorbereitung des Glaubensgegners mindestens in gleicher Stärke entgegensetzen zu können; jede Minderung dieser Stärke ist die Folge eines durch Bequemlichkeit verschuldeten Vergessens). Die Frage wird dagegen in Wahrheit beantwortet durch die Geduld, im Gegner durch das rechte Sprechen, die rechten Begründungen, das sachgemäße Handeln in Offenheit, die Vernunft zu erwecken, die in ihm, da er Mensch ist, verborgen da sein muß. Aber dies alles ist nicht möglich allein durch rationale Anstrengung, die rechten Formulierungen zu finden, sondern erst auf dem Boden der Wiedergeburt des abendländischen vernünftigen Menschen. Denn dieses Sprechen mit dem Glaubenskämpfer, mit dem nach den bisherigen geschichtlichen Erfahrungen nicht zu reden ist, verlangt, wie in der Kommunikation zwischen Einzelnen, die Reinheit der Motive, die Kraft des Gedankens, das

Ethos unbedingter Existenz. Die gesamte Erscheinung des Staatsmanns, sein Ton, sein augenblickliches Reagieren, die Verläßlichkeit seines Wortes, die Haltung, die seinen Verzicht auf Ausbreitung seiner Macht glaubwürdig macht, und das Vertrauen, daß dieser Staatsmann der Repräsentant eines Volkes ist, das dieses Ethos in weitem Umfang verwirklicht, könnte Wunder wirken. Dazu aber ist nicht weniger als die Umkehr erfordert, von der immer wieder die Rede war. Hier würde ursprünglich durch das Wesen der Vernunft bewirkt, was durch keine militärische Stärke und ihre Drohung erreichbar ist. Die Stärke der Vernunft liegt in der unerschütterlichen Gewißheit, daß ihr Weg im Prinzip der wahre für den Menschen ist, mit der politischen Freiheit, die er fordert. Diese Stärke liegt aber auch in der Bescheidung jedes Einzelnen, sich selbst nicht bei jedem Schritte schon auf dem absolut richtigen, nicht mehr zu korrigierenden Weg zu wissen, vielmehr den anderen hören zu müssen.

Das Miteinandersprechen der totalitären und der freien Welt steht unter dem Druck der Vorbereitung zur Gewalt auf beiden Seiten. Jede wirft der anderen dies vor. Der erste Schritt der Vernunft wäre die gegenseitige Anerkennung, daß der Gegner nicht auf die Gewalt verzichten kann, die man selber in der Hand hat. Noch geht die Politik im alten Sinn fort als dieser ständige Bezug auf mögliche Gewalt, als Form des Verhandelns und als der Abschluß von Verträgen »rebus sic stantibus«, als Geschicklichkeit und Schläue. Jenes Miteinanderreden müßte erstreben, auch dies als Faktum vorläufig anzuerkennen. Denn der Sinn des Miteinanderredens der Vernunft ist nicht, sich mißbrauchen zu lassen zur Täuschung im Kampf der Gewalt, sondern zwischen den Menschen zu erzeugen, was diese Weise des Kämpfens schließlich unmöglich machen würde. Vernunft, die nicht rückhaltlos ist, sondern sich zum Mittel der Täuschung (von der totalitären Seite) oder der Bequemlichkeit (von der freien Seite) degradieren läßt, ist nicht mehr Vernunft.

2. Forschung und Totalwissen

a) Die Frage nach dem Grundvorgang.

Das menschliche Dasein kehrt nicht wie das der Tiere nur als dasselbe in unzählbaren Generationen wieder. Es verwirklicht sich auf diesem Grunde vielmehr als unwiederholbare Geschichte. Wenn wir von dem geschichtlich-politischen Prozeß wissen, in dem wir als dem uns überkommenen stehen und den wir je gegenwärtig mit hervorbringen, so erkennen wir ihn zwischen zwei Polen. Wir sehen Regeln und Typen, nach denen ähnliches wiederkehrt.

Aber alle Regelmäßigkeiten, Ähnlichkeiten, Analogien von Abläufen haben ihre Grenze. Sie weisen unsere Auffassung gerade auf das nicht Wiederkehrende, eigentlich Geschichtliche. Dieses ist, vom Standpunkt des Allgemeinen gesehen, nur das Besondere eines Falles; aber vom Dabeisein her gesehen, ist es die Wirklichkeit, die wir existentiell erfüllen. Beide Pole werden verabsolutiert: die bleibende allgemeine Gesetzlichkeit und der einmalige Geschichtsprozeß. Dieses Einmalige heißt im Unterschied vom Allgemeinen das Ganze, in dem jedes Besondere wieder ein Ganzes im Ganzen ist.

Wenn wir uns vergewissern wollen, was wir tun sollen, so möchten wir wohl wissen, an welchem Ort im Ganzen des geschichtlichen Vorgangs wir stehen. Die je einmalige Situation jeder Gegenwart steht im Zusammenhang mit früheren und späteren Situationen. Das Wissen um den Hergang würde unser Handeln bestimmen nicht nur nach allgemeinen Regeln, die für die wiederkehrenden gleichen Fälle gelten. Vielmehr würden wir aus dem Wissen von dem, was im Ganzen vom Ursprung bis zum Ziel hin ist, auch wissen, was wir an dem Ort, an dem wir stehen, mit Erfolg tun können, weil es »an der Zeit« ist und im Einklang mit dem umgreifenden Prozeß sich vollzieht, und nicht vergeblich und nichtig, weil wider diesen Prozeß ist.

Das Geschichtsbewußtsein, zum Wissen im Ganzen geworden, kann beflügeln zum Enthusiasmus, aktiv zu tun, im Bunde mit dem Geist der Geschichte, was geschehen muß, oder es kann niederschlagen zur Passivität: Mag ich tun, was ich will, es geschieht ja doch, was geschehen muß, ich kann es nicht ändern; es graut mir vor dieser Notwendigkeit, und ich bescheide mich.

Die Frage ist aber, ob wir in beiden Fällen uns nicht narren lassen von einer zwar bezaubernden, aber für Vernunft und Politik verderblichen Fiktion. Ist ein solches Weltwissen der Geschichte im Ganzen möglich? Gibt es überhaupt den Gegenstand eines solchen Wissens, wenn wir unser Wissen unermeßlich gesteigert denken? Oder gibt es ihn in der Tat nicht? Dann ist alle Wahrheit und Freiheit des Menschen darin gegründet, daß er im Ganzen nicht nur nicht wissen kann, sondern daß der Gegenstand dieses Wissens selber inexistent ist. Der Gang der Dinge steht für den Menschen offen, der in wissender Orientierung über das Tatsächliche aus Freiheit seine Entschlüsse faßt. Nur ein ganz anderes, uns unvorstellbares, für unsere endliche Logik widersinniges, göttliches Erkennen würde die Freiheit und ihre Akte in seiner Anschauung des einen Ganzen, das als bestehende unendliche Ewigkeit vor ihm läge, erkennen.

Noch einmal diese große, unser Seinsbewußtsein und die Weise unserer Verantwortung entscheidende Frage: Gibt es einen *Grundvorgang* des Unheils und des Heils, der als ein objektiver an sich besteht und für menschliches Denken erkennbar ist? — Oder liegt der Grundvorgang in der Freiheit selber? Das heißt: Wird er durch Menschen getan, die aus ihrem Ursprung noch entscheiden und noch nicht endgültig entschieden haben?

Heute ist die Gefahr, daß unsere Situation verschleiert wird durch den Glauben an einen Grundvorgang, der gar nicht ist. Falsche Vorstellungen lassen versäumen, was möglich ist.

b) Interpretationsmethoden der wissenschaftlichen Forschung und ihre Grenzen.

Das unermeßliche und unerschöpfliche Reich der wissenschaftlichen historischen Forschung ist hier nicht zu entwerfen. Diese Forschung ist charakterisiert durch methodisches Bewußtsein, durch ihren für jeden Verstand zwingenden Charakter, daher durch ihre Allgemeingültigkeit, die mit Recht und faktischem Erfolg beansprucht wird, weiter durch die Bestimmtheit und Partikularität des in ihr erreichbaren Wissens. Ich beschränke mich auf wenige Hinweise.

Kausale historische Erklärung.

Was diese vermag und nicht vermag, wird nicht schon durch allgemeine Erörterungen, sondern erst am Beispiel deutlich. Eine der großen wissenschaftlichen Erkenntnisse der modernen Zeit von repräsentativem Charakter liegt vor in Max Webers: »Die protestantische Ethik und der Geist des Kapitalismus«. Hier findet man allseitige Beobachtung der zugänglichen Tatsachen, von statistischen Phänomenen bis zum Sinn von Predigten, minuziöse Detailforschung und Klärung der grundsätzlichen Fragen, lebendige historische Bilder für die Anschauung und begriffliche Fragen und Antworten für das methodische Bewußtsein. Was aber ist das Ergebnis an allgemeingültigem Wissen? Ein so großer Aufwand belehrt durch die geschichtlichen Inhalte, übt das methodische Denken, aber was wird zuletzt sicher gewußt? Max Weber hat gesagt: Nachgewiesen habe ich, daß in der Entfaltung des modernen Kapitalismus die protestantische (calvinistische) Ethik ein Faktor war; wie groß dieser Kausalfaktor war, kann ich nicht beweisen; ich *halte* ihn für groß. Die Leidenschaft der Forschung, die Vergegenwärtigung des Tatsächlichen und zugleich die kritische Bescheidung im Abmessen des Sinns und der Sicherheit der allgemeingültigen Ergebnisse ist charakteristisch für dieses Wissenwollen, solange es Wissenschaft bleibt und sich nicht an die Stelle von Glaubensgehalten setzt.

So vorbildlich diese Leistung ist, so charakteristisch sind auch die Mißverständnisse, die sie in unserem Zeitalter erzeugt hat. Man verabsolutierte, was für Max Weber eine relative Erkenntnis war. Daher widerlegten die einen, was Max Weber gar nicht behauptet hatte, und wiesen auf andere Faktoren in der Entstehung des Kapitalismus, die längst erkannt waren und deren Kenntnis Max Weber voraussetzte. Andere beriefen sich auf Max Weber mit dem gleichen Mißverständnis, wenn sie behaupteten, er habe den Grund des Unheils unserer Zeit im Protestantismus nachgewiesen. Nun sei der Ursprung enthüllt und man könne sich von ihm befreien. Nichts von dem ist der Sinn der Weberschen Forschung. Jede solche Verabsolutierung eines Wissens und seine Verwandlung in Glaubensimpulse zerstört den Sinn der wissenschaftlichen Forschung. Diese entspringt dem ursprünglichen, unbeschränkten und in jedem Schritt kritischen Wissenwollen an sich, mag das im Wissen Angetroffene erwünscht oder unerwünscht sein. Daher vollzieht Forschung sich in einer stets von neuem zu erwerbenden Unbefangenheit. Die Leidenschaft der Beteiligung am Wißbaren wird suspendiert, sofern sie durch Verblendungen und Werturteile die Erkenntnis trübt. Aber sie bleibt doch der Antrieb dessen, daß überhaupt geforscht wird. Denn nicht die Gleichgültigkeit gegen das zu Wissende und die bloße Richtigkeit vermöchten die verzehrende Aktivität des Erkennens in Gang zu bringen und zu halten. Die Betroffenheit bestimmt die Wahl der Themata. Betroffenheit, Interesse, Leidenschaft sind Kräfte, die das Erkennen bewegen, aber nicht den Erkenntnisinhalt bestimmen. Dieser soll richtig sein, daher auch gegen die Wünschbarkeiten des Erkennenden heraustreten. In dieser Richtigkeit aber soll sich die Erkenntnis mit uneingeschränkter Kritik der Grenze und des Sinns solcher Richtigkeiten bewußt bleiben. Heute ist diese reine Wissenschaftlichkeit weitgehend in den Naturwissenschaften, jedoch nur selten in den Wissenschaften von der Geschichte, der Politik, dem Geist erreicht. Max Weber hat durch seine Arbeiten wie durch seine methodische Bewußtheit die Wissenschaftlichkeit von Geschichte und Soziologie zur höchsten bisher erreichten Reinheit herausgearbeitet, vielleicht in dieser überhaupt erst begründet.

Teleologisches Geschichtsdenken.

Bei der Erforschung der Organismen ist der Gedanke der Zweckmäßigkeit ihres Baus und ihrer Funktionen unumgänglich, schon um sie überhaupt als Lebewesen wahrzunehmen. Es ist, als ob ein Plan ihrem Dasein zugrunde liege. Dieser Plan ist, im Unterschied zu den von Menschen gebauten zweckmäßig konstruierten Maschinen, eine für uns nicht endlich übersehbare, sondern eine ins Unendliche zu erforschende Zweckmäßigkeit. Sie ist nicht wie bei von Menschen gemachten Maschinen eine äußere Zweckmäßigkeit, die bei den Teilen ein Ende hat und der Eingriffe von außen zu ihrer Erhaltung und Korrektur bedarf, sondern eine innere Zweckmäßigkeit, die bis in die kleinsten Teile dringt und sich aus sich selber erhält. Die teleologische (auf den Zweck gerichtete) Auffassungsweise ermöglicht erst die spezifisch biologischen Fragestellungen, die dann kausal (physikalisch, chemisch) beantwortet werden. Die teleologische Auffassung erkennt keineswegs den planenden Willen, sie erkennt auch die Unzweckmäßigkeiten, die angesichts der unbegreiflich tiefdringenden Zweckmäßigkeit als biologische Dummheiten erscheinen. Sie ist eine Methode der Erforschung, die ohne die Fiktion eines agierenden Zweckwillens die Gedanken nicht vollziehen kann, die die Realität des Lebendigen zugänglich machen.

Analog dazu ist eine historische Auffassung möglich, die bei Ereignissen fragt, wozu sie gut waren, welches Wünschenswerte sie erreichten, was sie verhindert haben. Man braucht nicht und kann nicht einen Lenker der Geschichte als eine daseiende Realität erschließen (dieser Lenker der Geschichte würde für menschliche Einsicht ebenso wie der Lenker der biologischen Zweckmäßigkeiten unbegreiflich weise wie unbegreiflich dumm, heilvoll wie zerstörend, gut wie böse, erbarmungsvoll wie erbarmungslos erscheinen). Aber die teleologische Auffassung macht uns Zusammenhänge klar, die auf andere Weise, ohne die teleologische Fragestellung, nicht deutlich würden. Sehen wir Beispiele solchen teleologischen Denkens aus dem Bereich unseres Themas und zugleich, wie leicht solches Denken verkehrt wird.

1. Europas Verlust der Weltherrschaft. — Weil Europa, blind für die faktische Weltlage, seit 1914 sich selbst im europäischen Bürgerkrieg zerfleischte –, weil es Inder (Churchill begrüßte damals jubelnd das Erscheinen der Gurkas an der deutschen Front) und Afrikaner als Armeen gegen Deutschland in Europa einsetzte –, weil es nach entschiedenem Krieg keinen Frieden der Ordnung zu finden vermochte (u. a. wirtschaftliche Unmöglichkeiten verlangte und durchzusetzen versuchte) –, weil die Situation eines ohnmächtigen Völkerbundes entstand, in dem nichteuropäische Mächte über europäische Angelegenheiten entschieden und das Land des Schöpfers des Völkerbundes, Wilsons, ihm nicht beitrat, jedoch ständig auf ihn einwirkte –, weil in dem Zustand europäischer Ordnungslosigkeit, Ungerechtigkeit und Lüge ein Hitler-Deutschland zur Errichtung des Totalitarismus in Europa kam und bis zum Massenmord verbrecherisch agierte, mit einem sich selbst in der Militärdiktatur entfremdeten Japan kooperierte –, weil die gegen Deutschland stehenden Abendländer nur im Bunde mit dem totalitären Rußland sowohl Deutschland wie Japan vernichteten –, war von all diesem die unwiderrufliche Folge: die europäische Welt steht in den Augen aller anderen bis dahin beherrschten Völker zugleich in ihrer militärischen Fragwürdigkeit (der »Bluff« der unwiderstehlichen Weltbeherrschung ist verpufft – nach dem Wort von Liddell Hart) und in ihrer sittlich-politischen Verächtlichkeit da. Die politische Befreiung von europäischer Herrschaft wurde in wenigen Jahrzehnten vollzogen und wird, wo sie noch nicht geschehen ist, mit wachsender Leidenschaft begehrt. Teleologisch kann nun gedacht werden:

Die endgültige Vernichtung europäischer Weltherrschaft ist die Folge des Verlustes des europäischen Ethos im Glanz seiner industriellen Blüte und des von Europa erzeugten Unheils in der Welt. Diese Folge könnte der Ausgang für eine europäische Wiedergeburt werden, vermöge einer Selbstbesinnung auf den Ursprung.

Diese Wiedergeburt würde nun nicht mehr zu einer neuen Form der Gewaltherrschaft führen, sondern zur Kommunikation der so verschiedenen Völker in der Gemeinschaft eines Friedens. Statt der europäischen Gewalt käme der menschlich überzeugende abendländische Freiheitsgedanke in der Welt zur Geltung. Denn er ist im Ursprung des Menschen begründet, nicht als ein fremder übernommen. Er stellt die

Initiative jedes Volkes in seinem geschichtlichen Lebensweg auf sich selbst.

Wenn das Abendland, wie früher mit der Gewalt, so jetzt nach seiner noch zu vollziehenden Wiedergeburt gewaltlos durch Überzeugungskraft zur Wirkung käme, so würde der Untergang der für einen Augenblick erreichten und damals für immer drohenden europäischen Gewaltherrschaft eine neue politische Denkhaltung erzeugen. Sie ermöglicht die friedliche Gemeinschaft aller Völker und schließt damit auch erst die Vernichtung der Menschheit durch die Atombombe aus.

Da aber mit dem Untergang der europäischen Weltherrschaft die übrigen Völker keineswegs frei und keineswegs besser sind, sondern bisher durch das in blindem Jubel ergriffene technische Zeitalter in ein unvorhergesehenes Chaos stürzen, dessen in Ratlosigkeit entfesselte Leidenschaften durch despotische Gewalten bisher nur gebändigt, nicht sittlich geordnet werden, so beginnt die neue Frage nach der friedlichen Kommunikation aller, aber zunächst angesichts einer Welt, die mehr als je wie die blinde Feindseligkeit sprungbereiter Tiger scheint.

Da das Versagen der Qualität Europas noch nicht eine bessere Qualität irgendwo anders auf der Erde bedeutet, läßt das gegenwärtige Aufbrechen totalen Unheils kein Volk aus. Europa hat, während es die anfängliche Herrschaft verlor, die Welt in unaufhaltsame Bewegung gebracht. Nun sind die Menschen, die an Zahl den Abendländern um das Doppelte überlegen sind, ebenso entscheidend für den Gang der Geschichte wie die Erneuerung der Abendländer selber. Die Wiedergeburt des Abendlandes kann dem Ziel des Weltfriedens nur näher kommen gemeinsam mit der Wiedergeburt der nun zunächst von dem Boden ihrer eigenen Überlieferung sich ahnungslos tollkühn loslösenden Völker der Erde.

Der teleologische Gedanke möchte in der Negativität den Keim des Positiven entdecken. Gerade durch die höchste Gefahr könnte dieser Keim überall zum Wachsen kommen. Der Gang des Unheils hätte als sein verborgenes Ziel, auf der Erde die Freiheit und Wahrheit und den Gehalt des Menschenlebens zur Entwicklung zu bringen, weil die universale Kommunikation, ohne die alle verloren wären, gerade dann, wenn sie durch die Situation zur Lebensrettung aller am dringendsten gefordert ist, so veranlaßt, durch die Freiheit auch wirklich kommen kann.

2. Teleologisch kann der Totalitarismus als notwendig erscheinen, damit die Freiheit wirklich werde.

Weil in der abendländischen Welt die Freiheit nicht als Verantwortung für das gesamte Leben durchdrang, sie sich vielmehr in Heucheleien verlor, in Willkür mißverstand, bedurfte sie einer furchtbareren Bedrohung als je: sie soll sich auf sich selbst besinnen, aus ihrem Verfall aufraffen, im Verfall wirklich und wahrhaftig werden.

Nur redliche Freiheit wird zum Vorbild für andere, die ihrerseits frei werden wollen. Nur durch sie spüren sie, daß es ihre eigene Sache, weil die Sache des Menschen ist. Nur redliche Freiheit abendländischer Staaten kann Anlaß werden, daß andere Völker aus ihrer eigenen Spontaneität auf denselben Weg gelangen. Sie würden der im philosophischen Glauben gegründeten Freiheit des Abendlandes entgegenkommen aus den chinesischen und indischen, dort scheinbar bei den gegenwärtigen Führern verschütteten Glaubensgründen. Sie würden Partner im gemeinsamen Raum der Aufgabe des Menschen, sich selbst aus gottgeschenkter Freiheit hervorzubringen. Sie würden mit den wiedergeborenen abendländischen Völkern in den Bereich und schließlich in den Bund freier Staaten treten. Das schlechte, ja abschreckende Vorbild der abendländischen Welt heute steigert dagegen mit dem eigenen Unheil das Unheil der ganzen Welt.

Vor der Drohung des furchtbaren, die Freiheit in der Wurzel vernichtenden Totalitarismus muß sich jeder bewähren, äußerlich in der Selbstbehauptung gegen die fremde Gewalt, innerlich gegen die totalitären Neigungen, die im Menschen überhaupt und heute in so vielen versagenden Abendländern liegen. In diesem Kampfe ist Chance für die Freiheit nur, wenn die innere Selbstbehauptung vorhergeht. Diese aber gelingt nur auf dem Wege über das hellste Bewußtsein, und dieses ist nur möglich durch die schreckliche Erfahrung selber in den totalitären Staaten (in diesen und mit ihnen für die ganze Welt).

Für diesen entscheidenden inneren Kampf ist teleologisch der Satz gültig: Eine dialektische Synthese von Totalitarismus und Freiheit ist ausgeschlossen. Dem Kampf liegt ein Entweder-Oder zugrunde. Ich kann nicht redlich, nicht verläßlich, nicht klar sein, wenn ich im Herzen beiden Seiten zugewandt, beide als Moment eines übergreifenden Ganzen sehe. Eine Synthese, auch nur in der Form friedlicher Koexistenz, ist auch äußerlich von seiten der totalen Herrschaft auf die Dauer unmöglich. Die These der Koexistenz wird ein Täuschungsmittel, um den Kampf um die Erdherrschaft, im Stadium seiner Vorbereitung, zu verschleiern. Die These bedeutet, für den Augenblick noch keinen Krieg zu wollen. Wer sie für mehr hält, läßt dem Gegner in blindem Vertrauen in trügerische Erwartungen Vorteile zukommen.

Nach beiden Richtungen — in der inneren Auseinandersetzung und im äußeren politischen Sichverhalten von Staat zu Staat — ist das Suchen einer für möglich gehaltenen Synthese der Selbstbetrug eines Teils der freien, im Neutralismus verantwortungslos verkommenden Literatenwelt. Der teleologische Gedanke deutet so: Das Äußerste des Totalitarismus ist wirklich da und bezeugt sich. Wer nicht sieht, was es ist, soll wegen Blindheit und schlechtem Willen vernichtet werden. Aber ihm sind Chancen gegeben zum Sehen, um damit auf den rechten Weg der gesamten inneren Lebensverfassung und des aus ihr entspringenden sachgemäßen politischen Handelns zu kommen.

Das teleologische Denken zeigt also zugleich, wie der in der Situation liegende mögliche Zweck verfehlt wird. Man hört heute die Forderung, mit dem russischen Bolschewismus sei zu einer fruchtbaren Polarität zu kommen. Solches Denken ist nur auf dem Boden der gleichen ethisch-politischen Verwahrlosung möglich, die 1933 seitens der Westmächte und des Vatikans ein fruchtbares Zusammenwirken mit dem Nationalsozialismus erwartete. Es werden elementare Tatsachen ignoriert, die die Unwahrheit jener Voraussetzung einer Synthese anzeigen, insbesondere die Tatsache, daß der Gegner die Voraussetzung des gemeinsamen Bodens, auch nur von gemeinsamen Spielregeln des Kampfes und Verkehrs, nicht anerkennt, sondern nur vorspielt.

Täuscht man sich über die Radikalität des Entweder-Oder von Totalitarismus und Freiheit, so verzichtet man praktisch schon auf die eigene Freiheit. Keineswegs aber soll man deswegen politisch die Verbindungen abbrechen. Vielmehr bleiben das Verhandeln, Verträgeschließen, Sichinformieren die Methoden, die Atempause zu verlängern, bis vielleicht eine Änderung der Situation und eine Wandlung der Menschen die bloße Atempause in einen Friedenszustand überführt.

Nicht Synthese kann teleologisch der Sinn des Daseins des Totalitarismus als faktischer Herrschaft neben der freien Welt und als Potenz in ihr selber sein. Wohl aber ist der Totalitarismus der Stachel, der jede Halbheit, Selbstzufriedenheit, Unredlichkeit, Verkehrung innerhalb des Lebens der freien Welt aufdeckt und zur erkannten Wunde macht. Der Stachel bewirkt, daß die Freiheit sich selbst erziehen und ihr Leben wandeln muß. Das ist der denkbare teleologische Sinn dieses Unheils. Die Wandlung kann nicht geschehen zum Totalitarismus hin, nicht durch Vereinigung von Kommunismus und Kapitalismus, nicht so, daß Freiheit und Gerechtigkeit, die man fälschlich auf die eine oder andere Seite (jene auf die freie, diese auf die kommunistisch-totale Welt) verteilt, sich durch die Verbindung von Totalitarismus und freier Welt vereinen.

Freiheit und Gerechtigkeit sind beide nur in der politisch freien Welt möglich, hier aber wegen Unehrlichkeit und voreiliger Zufriedenheit noch gar nicht erreicht. Die Selbstprüfung und Wandlung zu wahrhaftigerer Freiheit und Gerechtigkeit hin besteht als Grundmöglichkeit aber nur in der freien, nicht in der totalitären Welt. Denn die Bedingung, daß der Stachel wirksam werde, ist die Publizität, die in der totalitären Welt bewußt ausgeschlossen ist. Die totale Welt gelangt in die Öffentlichkeit der freien Welt und schärft den Stachel. Das Umgekehrte wird in der totalen Welt bisher verhindert.

Die totale Herrschaft kann teleologisch nach ihrem Sinn gedacht werden als Mittel zur Erschütterung, Selbstbesinnung und Wiedergeburt des in sich selber ethischpolitisch verwahrlosten Abendlandes.

3. Teleologisch ist der Gedanke: *Die Atombombe ist zwei Großmächten zu eigen, damit keine in Versuchung komme, als Alleinbesitzerin durch ihre Gewalt die Welt ebenso rücksichtslos wie bequem zu bezwingen.* —

Würde der Alleinbesitz der Atombombe Amerika zur Weltbeherrschung geführt haben derart, daß es in Konfliktsfällen jedesmal Gewalt oder Drohung der äußersten Gewalt gebraucht hätte? Daß Amerika das nicht kann, hat zur Folge, daß die freie Welt sich selbst in sich zur Umkehr bringen muß und nicht selbstzufrieden in ihren Schäden verkommen darf. Das Dasein des Totalitarismus zwingt sie, die Aufgabe des Menschen größer und tiefer zu sehen als bisher und ihr Genüge zu leisten. Dieser teleologische Gedanke kann abgewandelt werden:

Damit nicht eine ungerechte und ausbeutende neue Weltherrschaft durch die Weißen — nun Amerikas — eintrete, damit nicht das koloniale Unheil in neuer Gestalt durch die Unwiderstehlichkeit des Bombenmonopols in der Hand Amerikas sich wiederhole, entstand das Gleichgewicht der Bomben zwischen Rußland und Amerika.

Nur diese neue Gefahr, die sich vor den Weg zur Weltherrschaft, um sie unmöglich zu machen, legt als die Drohung der Vernichtung der gesamten Menschheit, könnte einen Friedenszustand erzwingen, der selber nur möglich ist durch eine bis in den Grund gehende sittlich-politische Erneuerung des Menschen.

Amerika hätte durch Alleinherrschaft der Atombombe vielleicht die Welt durch eine höchst begrenzt gedachte Freiheit vergewaltigen können, in einer selbstsicheren, optimistischen Unfähigkeit, in den Grund der Dinge zu blicken. Damit dies nicht eintrete, der Raum des Menschen offen bleibe, mußte (teleologisch) der möglichen Vergewaltigung eine andere mögliche Vergewaltigung gegenübertreten. In der Gefahr der Spannung — der Untergangsdrohung für alle — erwächst erst die Wahrheit.

Das teleologische Geschichtsdenken, ob es sich auf Vergangenheit oder Zukunft bezieht, ist niemals Wissen von einer Notwendigkeit des Geschehenen und nicht Voraussage dessen, was kommen wird. Es kann als Fragestellung dienen, um in den Tatsachen all das zu zeigen, was einem solchen Sinnzusammenhang entspricht — und nicht entspricht. Es kann vor allem eine Beschwörung an die Freiheit werden, die in dieser möglichen Deutung des Geschehenen Mut zur eigenen Zukunft gewinnt. Dem reinen guten Willen kann ein unerkennbarer zweckmäßiger Naturwille zu Hilfe kommen. Der Gedanke an ihn kann nur in dem Maße der durch ihn erweckten Verantwortlichkeit des Willens wahr sein.

Das gesamte teleologische Denken, so wunderlich es uns durch die mögliche Wirklichkeit des in ihm Gedachten berühren mag, ist ein Spiel. Weder erkennen wir eine lenkende Vorsehung in ihrem gesamten Plan, noch sind die einzelnen teleologischen Zusammenhänge zwingend. Sie können eine

Situation deutlicher machen. Vor allem kann die freie Welt durch sie den Anspruch spüren, dem sie gewachsen sein muß.

Aber dieses Denken ermöglicht nicht ein dem gedachten Geschichtszweck gleichsam zu Hilfe kommendes planendes Tun. Das wäre die Verkehrung des Verhältnisses von Freiheit und teleologischem Erdenken. Denn der Mensch kennt nie die Vorsehung. Statt die endlichen, menschlichem Zweckdenken zugänglichen Ziele und Mittel zu ergreifen, würde der Wahn entstehen, das historische Geschehen im ganzen vermeintlich lenken zu können.

Wenn eine Krankheit durch ihre Bedrohung als heilvoll für den existentiellen Ernst des betroffenen Menschen nachträglich, aber nur in schwebender Möglichkeit, interpretiert werden kann, so folgt nicht, daß ich in irgendeinem Fall Krankheit zu diesem Zweck herbeiführen dürfte oder es mit dem beabsichtigten Erfolg tun könnte. Denn der so interpretierte Zweck liegt über alle menschliche Zweckhaftigkeit hinaus: er würde, mit solchen Mitteln erstrebt, verfehlt werden. Das metaphysisch-historische Denken, das im Spiel die Chancen einer Situation vermittels der in ihr liegenden möglichen objektiven Zwecke durchdenkt, würde, wenn es zum absichtlichen Herbeiführen solcher Situation wird, für den Menschen selber den Ort der über allen Menschen stehenden Vorsehung für sich beanspruchen. Wenn daher zum Beispiel aus solchem vermeintlichen Wissen der Vorsehung der Verrat von Bombengeheimnissen an die Russen stattgefunden hat, so ist die Handlung im menschlichen Zusammenhang nichts als Verrat (und durch Vorsehungsgedanken nie zu rechtfertigen). Es liegt ein anmaßendes und knabenhaft naives Irren in der philosophischen Haltung solchen Denkens.

Interpretation der Ideologien.

Tiere kämpfen ums Dasein. Auch Menschen; diese aber kämpfen um mehr als bloßes Dasein, um das Dasein einer Sache, eines Glaubens, um einen Lebensweg, eine Lebensverfassung. Menschen interpretieren im Kampf, was sie wollen. Dann ist der Kampf zugleich ein geistiger Kampf und dieser ist politisch das Werben für die eigene Überzeugung.

Die Entwürfe von politischen Überzeugungen nennt man Ideologien. Sie bestehen nicht in einzelnen Argumenten, sondern gehen auf die Grundanschauung im politischen Handeln, auf die Vorstellungen von der Geschichte und auf die Wertschätzung dessen, worauf es im Leben ankommt.

Zählen wir in Kürze einige ideologisch formulierbare politische Grundhaltungen auf. Wir lassen (roh und in Auswahl) Selbstinterpretationen reden und ihnen (in Klammern) eine charakterisierende Kritik aus jeweils anderer Ideologie folgen:

1. Die Zustände des menschlichen Daseins sind geordnet, zwar voller Ungleichheiten der Glieder, aber so wie sie sind grundsätzlich »gottgewollt« und einer ewigen Weltordnung entsprechend. Diese »organische« politische Weltanschauung sieht den geordneten Zustand als schon seiend. Die Ordnung kann gestört oder verläßlicher befolgt, aber nicht grundsätzlich in Frage gestellt werden. (Solche Ordnungen entsprechen tatsächlich zugleich den Interessen von Privilegierten in ihren Abstufungen.)

2. Wir haben uns abzufinden mit der sündigen Welt, die wir, selber Sünder, nicht anders haben können als sie ist. Daher haben wir sie nach Kräften relativ zu ordnen, immer ungerecht, weil immer sündig. Diese relativ organischen Soziallehren (für das Reich dieser Welt durch Naturrecht) ermöglichen eine Herrschaft durch Zwang, gemäßigt durch das Sündenbewußtsein. Die Gnadenanstalten der Kirchen bieten die ewige Seligkeit an. (In der Tat wird eine gewisse Zufriedenheit im Sündenbewußtsein und in der Gnadengewißheit und in der Zwangsordnung zur herrschenden Stimmung.)

3. Herrschaft ist ein Grundtatbestand des menschlichen Daseins. Herrschaft muß sein, daher Befehl und Gehorsam, Regierung und Regierte. Die Obrigkeit hat allein die Entscheidung und die Verantwortung. Ich als Untertan muß und soll und darf einfach gehorsam sein. (Das ist in der Konsequenz beim Untertanen die Verengung des eigenen Blickes, die Erleichterung seiner Entscheidung: denn ich brauche nicht zu prüfen, ob das Ziel der Obrigkeit berechtigt ist oder nicht, ob es gar verbrecherisch ist; der Gehorsam als solcher ist Pflichterfüllung und Verdienst; bei den Herrschenden ist die Konsequenz die unkontrollierte Willkür der Verantwortungslosigkeit.)

4. Als das Unbedingte in der Politik gilt das eigene Volk, dessen Staat und seine gegenwärtigen Interessen. Es gibt keine höhere Instanz als die nationale, kein Motiv, das nicht dem nationalen unterzuordnen wäre. Menschlichkeit kann für jeden nur durch sein Dasein im eigenen Volk verwirklicht werden. Außerhalb ist kein Heil und keine Instanz. Das Letzte ist der Kampf der Nationalgötter. (In der Tat wird hier das Bewußtsein der Geschichtlichkeit in einer Verengung objektiviert und absolut gesetzt, während das Interesse des eigenen Volks an das der Menschheit und deren Geschichtlichkeit im ganzen geknüpft sein könnte in dem Maße, daß jedes Volk auch verzichten, die eigene Macht auch begrenzen müßte.)

5. Als absolut gilt die Menschheit, ihr Anspruch, ihr Wesen, ihre Ordnung. Es gibt eine universale Richtigkeit. Von hierher ist alle Politik zu beurteilen und zu führen. (In der Tat bleiben jedoch so nur verblasene Leerheiten übrig; die Geschichtlichkeit verschwindet.)

6. Die Zustände sind in der Wurzel verkehrt; der Mensch ist in ihnen sich selbst entfremdet. Die unrichtige Welt muß richtig eingerichtet werden, so daß der Mensch zu sich selbst kommt. Die Bewegung dorthin ist an sich die Wahrheit; daher ist die ewige Revolution zu fordern; dagegen soll die fälschlich organisch genannte Ordnung, die immer Privilegierung, Ungleichheit, Unrecht ist, zerstört werden. (Der Ursprung dieser Anschauung ist die Verabsolutierung der Verzweiflung am Menschendasein; die Folge dieses Immer-anders-Werdens ist in der Realität der Terror der absoluten Gewalt, die allein das absolute Chaos äußerlich verhindert.)

7. Der gegenwärtige geschichtliche Augenblick ist einzig. Er ist eine Weltwende zu einem neuen Zeitalter. Da gilt keine Norm, sondern das Neue. (Solches Denken geht auf das Ende, das Anfang ist; es heißt eschatologisch und chiliastisch; es wird durch die Realität des faktisch Kontinuierlichen in seinem Sinn widerlegt.)

Solche Ideologien werden entwickelt als Selbstauffassungen und Rechtfertigungen des eigenen Wollens und Handelns. Oder sie sind Interpretationen des Sinnes im Handeln des Gegners und dann als Angriff gemeint. In der Tat ist der Begriff der Ideologie im Kampf entstanden. Man stellt als Ideologie die Anschauung des Gegners dar, will sie durch den Aufweis ihrer Herkunft kritisieren. Man zeigt den Gegner in seinem falschen Bewußtsein oder in seinen verwerflichen Zwecken und Interessen, die sich in seiner Ideologie verschleiern. Die Darstellung der Ideologie des Gegners soll diese erkennen und dadurch überwinden. Denn der Wissende ist dem Unwissenden, der Bewußte dem Unbewußten überlegen. Der geistige Kampf durch Auslegung ideologischer Grundsätze nimmt zwei Gestalten an: des Kampfes durch geistige Lüge und des Kampfes um Wahrheit:

Wenn die Fixierung von Ideologien im Daseinskampf benutzt wird, so wird dem Gegner seine falsche Ideologie vorgeworfen, oder sie wird ihm, als ob er sie hätte, suggeriert. Sein Handeln wird nicht nur als gegnerisch, sondern, weil dieser falschen Ideologie entsprungen, als verwerflich gekennzeichnet. In diesem faktisch kommunikationslosen Kampf wird das Denken zur Lüge: es wird nicht nach der Wahrheit des Gedankens, sondern nach seiner Wirkung im Kampfe gefragt.

Wenn dagegen in Ideologien geistig um Wahrheit gekämpft wird, so setzen die Kämpfenden den sie verbindenden Kommunikationswillen voraus. Der Kampf ist für beide vorteilhaft. Denn beide werden durch ihn bewußter, beide können korrigieren, beide zu den Grenzen gelangen, an denen ein bis dahin Unerhelltes, aber sie Überzeugendes nach weiterer Erhellung drängt.

Aber immer bleibt die Frage: Wie verhalten sich die Ideologien zur Wirklichkeit? Die Ideologien werden gedacht, in der Wirklichkeit wird gehandelt. Doch Denken ist selber Wirklichkeit, aber nicht eindeutig; denn es löst sich von der Wirklichkeit, so daß zwei Wirklichkeiten entstehen: das Ausgelegte und die Auslegung. In keinem Falle ist die Objektivierung zu Ideologien identisch mit der Wirklichkeit, in der der überzeugt Kämpfende steht. Keine wirkliche Macht und kein Mensch darf als Ganzes unter eine Ideologie subsumiert werden, durch die immer nur eine Seite ihrer Erscheinung begriffen wird. Die geschichtliche Wirklichkeit in ihrer Unergründlichkeit ist ein Kampf von Mächten, aber nicht identisch mit dem Kampf der als Ideologien objektivierten Mächte. Die Kämpfe selber werden zwar heller im Bewußtsein durch eigenes Denken und durch das Mitdenken des Denkens der Gegner. Aber jeder Überblick über eine Ideologie und über die gesamte Objektivität der Ideologien ist für den Denkenden und für die so im Gedanken Fixierten doch entweder selber Frontstellung im Kampfe oder ist eine der vielen gleichgültigen, ins Endlose zu häufenden und kombinierbaren Typologien.

Die Situation, in der wir dadurch stehen, daß wir die Wirklichkeit und uns selbst interpretieren, und nur dadurch Menschen sind, daß wir es tun, ist abgründig: Interpretation hat kein Ende. Die Interpretation wird wieder interpretiert. Die Einsicht Nietzsches scheint unumgänglich: Alles ist Auslegung; die Auslegungen unterliegen wieder der Auslegung nach ihren Motiven und Konsequenzen; wenn ich als denkender Mensch da bin, lege ich schon aus, entweder ursprünglich die Dinge oder eine schon vollzogene Auslegung; alles Sein für uns ist Ausgelegtsein. Es gibt keinen Abschluß, außer durch willkürliches Festhalten einer Auslegung. Oder gibt es doch einen Abschluß, der zwar nicht eine Schranke aufrichtet, aber dem Strudel des endlosen beliebigen Umkehrens der Auslegungen entrinnt? Das geschieht entweder durch die Offenbarung Gottes, wenn an sie geglaubt wird; dann erwächst die unendliche geschichtliche Bewegung der Auslegung dieser Offenbarung, die als Wirklichkeit am Anfang steht. Oder es geschieht durch die Vernunft, die auf Grund geschichtlicher Existenz in Kommunikation mit anderen Existenzen in die unendliche geschichtliche Bewegung sich steigernder Kommunikation auch zwischen dem Fremdesten eintritt.

Kritisch ist festzuhalten: Einsicht durch verstehende Auslegung (Interpretation) ist nicht Erkenntnis von Naturvorgängen. Verstehend verwandle ich das Verstandene auf unberechenbare Weise. Daher ist die Verantwortung für das Verstehen eine grundsätzlich andere als die für ein Naturerkennen. Das Verstehen ist als solches durch seinen Vollzug schon Realfaktor; Naturerkenntnis wird erst durch technische Anwendung zum Realfaktor.

Wie dieses Interpretieren im Raum der Vernunft geschieht, sei zum Abschluß vergegenwärtigt: Es ist die Frage: Gibt es überhaupt ein ideologiefreies Denken im Auffassen des Ganzen? Ist nicht jede solche Auffassung selber wieder Ideologie? Können wir, Ideologien interpretierend, selber aus dem ideologischen Denken heraus gelangen? Kann es eine Konstruktion aller Ideologien geben, die selber nicht Ideologie wäre?

Die Antwort ist zunächst *für das praktische Verhalten* zu geben: Wir diskutieren sinnvoll miteinander, wenn wir das von uns Gesagte und Getane ideologisch interpretieren mit der Frage, ob wir einer Einsicht unmittelbar zustimmen, ob wir auch die Konsequenz wollen, ob wir die Grenzen eines Gedankensinns erkennen, ob wir andere Motive anerkennen. Geistig haben diese Diskussionen kein Ende, praktisch müssen sie in jedem zum Handeln, d. h. zur Wahl zwingenden, drängenden Augenblick ein Ende und neuen Anfang finden.

Die Antwort ist weiter *für den Sinn der theoretischen Einsicht* in Ideologien zu geben: Das konstruktive Entfalten von Ideologien in objektiv werdenden Gestalten täuscht nicht und bleibt selber ideologiefrei, wenn es methodisch klar bleibt: Es sind sinnkonsequente Konstruktionen (Idealtypen), die wir vollziehen — und in unübersehbaren Möglichkeiten machen können —, nicht um sie selber schon fälschlich für Wirklichkeiten zu halten, sondern um an ihrer in sich geschlossenen Sinnkonsequenz die Realitäten zu messen, wieweit sie ihnen entsprechen und wo nicht. Wir überblicken mit ihnen dann nicht die wirklichen Mächte, sondern haben mit den Idealtypen Werkzeuge des Verstehens. Der Versuch mit ihnen muß jeweils erst zeigen, wie weit sie reichen. Ideologien hören auf, Ideologien zu sein, und verwandeln sich in diese Werkzeuge des Verstehens, wenn die Vernunft sich ihrer bemächtigt und alle in einem jeweils bestimmten Sinn zur Geltung kommen läßt.

Wenn wir so verfahren, dann unterscheiden wir auch Selbstinterpretation von dem Interpretierten, das wir sind oder sein können. Selbstinterpretation ist als das in die Unendlichkeit erhellende Eindringen nicht nur Erkenntnis eines Seienden, sondern Mitfaktor des Werdens meiner Wirklichkeit. Wie ich mich verstehe, so werde ich. Entweder: Wenn ich im Verstehen erhelle, geht der Weg zur Wirklichkeit des Verstandenen. Oder: Wenn ich im Verstehen verschleiere, wird das Verstehbare meinem Blick entzogen und durch die Verschleierung selber verändert.

3. Im Blick auf die Zukunft: Orientierung oder Totalwissen

a) Weiterschreiten und Planung:

Das Bewußtsein, in dem Prozeß unbegrenzten geschichtlichen Weiterschreitens zu stehen, will den Weg durch rechte Planung fördern. Man ist tätig im Machen. Man entwirft Zukunftsprogramme. Der Sinn des Lebens liegt für diesen Horizont nicht in der Gegenwart, sondern in der Zukunft. Ein Ende ist unglaubwürdig. Die Geschichte ist ein durch Leiden und Irrungen aufsteigender Gang.

Am Leitfaden der Vernunft begreifen wir die folgenreiche Unterscheidung zwischen der unerläßlichen partikularen Planung innerhalb unserer jeweiligen Situation und der unheilvollen Totalplanung innerhalb eines unerreichbaren Ganzen, zwischen der beflügelnden freien Aktivität im menschlich zugänglichen Raum und der fanatisierten Aktivität in einem fiktiven Raum.

Marxismus und Totalplanung:

Marx schrieb sein berühmtes Wort: »Die Philosophen haben die Welt nur verschieden interpretiert, es kommt aber darauf an, sie zu verändern.« Nun hat jede abendländische Aktivität etwas anders und besser machen wollen, hat stets Tradition und Gewohnheit durchbrochen. Der Unterschied zu Marx ist dieser: Alle Aktivität hatte bisher (ausgenommen sektiererische, schnell erlöschende Chiliasmen) mit partikularen Planungen in der Welt gearbeitet, die umgriffen blieben von dem Ganzen, das nur kontemplativ zu erschauen und praktisch zu erdulden war. Marx dagegen vollzog die Umkehr von geschichtsphilosophischer bloßer Betrachtung des Ganzen (Hegel) zur politischen Aktivität aus dem vermeintlichen Wissen des Ganzen. Die geschichtsphilosophische, kontemplativ gemeinte Einsicht wurde ihm als vermeintliche Erkenntnis das Mittel zum Hervorbringen der Geschichte, wie dem Techniker die Naturwissenschaft als Mittel dient, um seine Maschinen herzustellen. Weil Marx das Totalwissen vom Geschichtsprozeß zu besitzen glaubte, konnte er die Totalplanung für sinnvoll halten. In ihr koinzidieren die allumfassende Aktivität des Menschen mit der vermeintlich begriffenen Notwendigkeit der Geschichte.

Die Anwendung des Totalwissens ist jedoch von Marx nicht als eine technische Apparatur gemeint. Denn dieses Totalwissen ist dialektisch: Es sieht die Bewegung in der Geschichte, in die es selber als dialektische Triebkraft eingeschlossen ist. Daher wendet es sich gegen die mechanistische Auffassung. Nicht durch technische Anwendung eines feststehenden Naturwissens nach einem Rezept ist die Geschichte zu lenken, sondern durch dialektische Bewegung des Wissens selber, das in der arbeitstechnischen Produktivität und ihren gesellschaftlichen Folgen geschieht. Dieses Denken bringt hervor, was an der Zeit ist und sich in den Händen der Führenden (der Avantgarde), die zugleich die Wissenden sind, befindet. Daher gilt die Parteilinie als identisch mit der Geschichtslinie, Abweichungen von der Parteilinie als Auflehnungen gegen den inappellablen Gott, der die Geschichte ist.

Was einst ein philosophisch bedeutender Gedanke war, wird praktisch so zur Argumentationstechnik der Gewaltherrschaft und der ihr dienenden intellektuellen Sklavenseelen. Mit dieser Denktechnik ist jeder Schritt zu rechtfertigen, jeder Anspruch zu begründen. Denn dialektisch ist alles möglich, wenn man einmal die Überzeugungskraft der dialektischen Denkmethode — ohne Unterscheidung der außerordentlich verschiedenen Formen der Dialektik und ihres Sinns — anerkannt hat.

Wenn Marx das vermeintliche Totalwissen von der Geschichte zum Grund der Totalplanung werden läßt, so zieht er den ganzen Menschen in seinen Plan. Er will nicht nur die Welt für den Menschen, sondern damit den Menschen selber verändern. Dies meint er nicht durch einen willkürlichen Entwurf zu tun, den der Verstand sich ausdenkt, sondern durch die offenbar gewordene Notwendigkeit der Geschichte, die er entdeckt zu haben glaubt.

In Marx' Werk und Wirksamkeit muß man unterscheiden: Marx hat als erster in umfassender Weise mit außerordentlicher Beobachtungs- und Denkkraft die ökonomische Verwandlung des technischen Zeitalters als Kapitalismus begriffen. Die Enthüllung dieses Zeitalters als eines Vorgangs der technischen Arbeit und ihrer Folgen für die Struktur der Gemeinschaft und des Menschseins und dazu die ökonomischen Erkenntnisse der Zusammenhänge im Kapitalismus haben Erkenntnis für immer gebracht mit zahlreichen korrigierbaren Irrtümern. Hier steht Marx im Zusammenhang des Erkennens, das auch ohne Marxismus als Glied fortschreitenden Wissens besteht.

Aber etwas anderes ist die Grundhaltung bei Marx. Sie ist nicht die eines kritischen Forschers. Er ist der Prophet und Agitator für die politische Herstellung eines neuen Zustands der Menschheit, ohne Blick für diejenigen Realitäten, die dazu nicht passen, und blind für die Ursprünge im Menschsein, die den eigentlichen Menschen als ihn selbst begründen. Marx denkt diktatorisch; er propagiert eine entsprechende Politik der Gewaltakte. Während jene Einsichten ein unverlierbares Moment moderner Erkenntnis sind, wurde diese Verabsolutierung eines politischen terroristischen Willens zu einem Faktor der gegenwärtigen Geschichte. In Marx war eine Utopie des Verstandes, geboren aus Empörung, Haß und abstraktem Gerechtigkeitsenthusiasmus. Heute ist diese Utopie, unter Verlust ihres Sinns, nur noch eine Fassade der totalitären Gewalt an sich. Die Diktatur des Proletariats war von Marx nicht als Diktatur eines Tyrannen oder einer Tyrannenclique gemeint, die sich mit einer neuen Klasse von Privilegierten – als Apparat – an die Stelle des Proletariats setzen sollte. Dieser Totalitarismus ist nicht im Abendland aus der Industriellen Revolution, wie Marx es erwartete, hervorgegangen. Er ist vielmehr die Zwangsgewalt, mit der zuerst Rußland und dann nicht industrialisierte asiatische Völker das technische Zeitalter sich aneignen und das für die technische Arbeit unbrauchbare Analphabetentum abschaffen (Lenin: Sozialismus ist Kommunismus plus Elektrifizierung). Der Enthusiasmus zur Freiheit drängender Klassen im Abendland hat sich in den Enthusiasmus der Aneignung der Technik durch in die Zukunft und ihre Unabhängigkeit drängende Völker verwandelt.

Das marxistische Denken ist in dieser letzten verwahrlosten Gestalt weniger als je Vernunft. Es ist die Widervernunft verabsolutierten Verstandes in Verbindung mit der durch nichts eingeschränkten zweckhaften Gewalt. In dieser Gestalt ist er zur Zeit eine ungeheure Macht der nicht abendländischen Völker und wirkt wie ein schleichendes Gift innerhalb der abendländischen Welt.

Lenkung durch wissenschaftliches Wissen:

Im Unterschied von Marx' dogmatischer, auf einen einzigen Prophetenkopf gegründeter, pseudowissenschaftlich sich rechtfertigender Gewaltsamkeit will eine wissenschaftliche Forschungshaltung mit dem Fortschritt ihrer Erkenntnis den Gang der Dinge im ganzen planhaft lenken: die Erkenntnis soll genutzt und in freien Entschlüssen, in Zusammenarbeit der Initiative vieler, im Rahmen gesetzlicher, freier politischer Zustände verwirklicht werden.

Das klingt einfach. Aber unser Zeitalter zeigt ein Planen, Organisieren, Verapparatisieren, das alle Maße zu überschreiten und das gesamte menschliche Dasein in sein Drahtnetz einzufangen, zu durchdringen sucht und auf dem Wege ist, es als menschliches Dasein zu töten.

Auf sinnvollen Planungen beruht unser ganzes Dasein. Sie sind uralt. Die Planungen zur Beherrschung großer Ströme, des Nil und des Hoangho, ihr Unheil abzuwehren, sie nützlich für den Menschen zu machen, forderten organisierte Arbeit von Menschenmassen und Bürokratie schon Jahrtausende vor Christus. Sie waren ein Moment der Staatsgründungen und Verwaltungsorganisationen. Solche Planungen sind in der Gestaltung der Natur für die Zwecke des Menschen und damit in der Gestaltung der Arbeit und der Arbeitsorganisation an ihrem ursprünglichen Platz. Technisches, betriebswissenschaftliches, ökonomisches Wissen ermöglicht solche Planungen. Diese Planungen sind mit dem Wachsen des Wissens und Könnens im letzten Jahrhundert gewaltig gewachsen. Sie entsprechen der Natur der Sache und sind soweit übereinstimmend in der freien und totalitären Welt. Was heute der Apparat heißt, die Gesamtheit der organisierten bewußten Lenkung, gehört zum technischen Zeitalter. Ob in Rußland, Amerika, China oder sonst, es ist dasselbe Phänomen. Aber es gibt wesentliche Unterschiede:

1) Planung unter totaler Herrschaft und in freier Welt: Die Welt der Industriellen Revolution mit ihrer Massenherrschaft führt zwar überall zu einer möglichen Funktionalisierung des Menschen. Aber der Weg gabelt sich: totale Herrschaft macht den Apparat zu ihrem Werkzeug; die freie Welt läßt die Apparate sich entfalten. In der totalen Herrschaft gibt es nur einen einzigen Apparat, der seine Macht an Unterapparate delegiert, aber zugleich in eigener Hand behalten will. Es gibt keine Freiheit, weil alle der einen Totalplanung unterworfen sind, der Apparat selber der Staat ist. In der freien Welt stehen dagegen Apparate aus je eigener Verantwortung nebeneinander oder in Konkurrenz miteinander. Die Folge ist, daß sie nicht den ganzen Menschen ergreifen, dem Einzelnen die Freiheit seiner Entschlüsse zwar faktisch einschränken (durch unerwünschte materielle Folgen), sie aber nicht aufheben. Auch im Apparat gibt es den Kampf um die Art seiner Lenkung und den Anteil am Gewinn und um das Maß der Arbeit. Mag die Größe der Apparate beträchtlichen politischen Einfluß erstreben und gewinnen, der Staat fällt nie mit ihnen zusammen. Der einzige totalitäre Apparat dagegen erstickt die menschliche Freiheit. Die vielfachen, technisch unausweichlichen Apparate bedrohen zwar den Menschen, aber lassen ihm die Freiheit im Kampf um ihre Gestaltung.

2) Planen dessen, was der Mensch nicht hervorbringen kann: Der Glaube, alles »machen« zu können, verführt. Man will schließlich den Menschen selber, den wünschenswerten Menschen nach Plan machen, sei es biologisch züchten, sei es durch Herstellung zwingender Daseinsbedingungen formieren. Solche Planung kann, zumal wegen der Beschränktheit unseres Wissens und Könnens, bei praktischen Versuchen nur ruinieren.

Zum Beispiel: Die biologische Art des Menschen und die in ihr begründeten psychologischen Realitäten lassen nicht in einigen Generationen und nicht einmal in Jahrtausenden bei allen Schwankungen der Erscheinung eine wesentliche Änderung erwarten. Solche Änderung gar planmäßig auf Grund von Züchtungserfahrungen an Tieren herbeizuführen, scheitert an dem völlig unzureichenden Wissen, das nur objektiv faßbare Vererbungsmerkmale (wie bei Pflanzen und Tieren), etwa körperliche Merkmale oder Leistungsfähigkeiten der Konstitution, des Gedächtnisses, der Ermüdbarkeit usw. treffen könnte (etwa um Menschen als brauchbare Arbeitstiere hervorzubringen), nicht aber das, was der Mensch als er selbst, in der Freiheit seiner Existenz ist. Dies Verfahren verstößt dazu schlechthin gegen die Menschenwürde, gegen die Freiheit des Einzelnen. Sie hebt die Sicherheit von Leib und Leben auf. Der Mensch würde den Menschen machen, von dem er dann wieder gemacht wird. Wer wen? wäre die Frage in diesem Zirkel.

3) Das indirekte Planen des Unplanbaren: Es besteht keine scharfe Grenze dessen, was grundsätzlich bei genügendem Wissen zu planen wäre, und dem, was grundsätzlich nicht zu planen ist. Alles, was der einzelne Mensch aus Freiheit tut, liegt außerhalb des Machbaren. Aber es könnte Bedingungen geben, unter denen die Spontaneität des Menschen eher zur Geltung kommt als unter anderen. Es ist denkbar, das Unplanbare durch Schaffung des Raums für freie Möglichkeiten zu planen. Schon dem Lebendigen überhaupt gegenüber gibt es nicht bloß Züchtung, sondern auch Pflege. Es gibt dem Menschen gegenüber Erziehung. Aber diese kann in ihrer Substanz immer nur von sich selbst erziehenden Erzieherpersönlichkeiten verwirklicht werden, die im Umgang mit dem Menschen, in Hingabe und Hinhören, in Strenge unter der Idee des zu erweckenden Glaubens, mit den Mitteln der Lernbarkeiten und des Übens in einem Raum gehaltvoller Überlieferung den nicht vorzuschreibenden Weg finden. Die Grenzen pädagogischen Planens sind eng. Werden sie überschritten, so folgt entweder Dressur oder Vielwisserei als ein zusammenhangloses Chaos, das den Menschen als solchen gerade *nicht* erzieht.

Aber zu den großen Aufgaben pädagogischer und politischer Führung gehört das Einrichten der geistigen Überlieferungsmittel. Das ist die Sorge für das Unplanbare. Man möchte schließlich wohl Einrichtungen treffen, durch die bei solchem Einrichten die Grenzüberschreitung des Planens verhindert wird. Aber damit bewegt man sich an der Grenze, an der das, was man einrichten möchte, in Gefahr gerät, gerade durch Einrichtung wieder aufgehoben zu werden.

Verstand macht die Planungen. Vernunft führt ihren Sinn, der in dem je besonderen Zweck nicht erschöpft ist, erkennt die Grenzen des Planens. Sachloses Planen ist ruinös. Planung kann nicht an die Stelle der Vernunft treten. Wir planen zuwenig, wenn wir Dinge, die in unserer Hand liegen, dem Zufall überlassen. Wir planen zuviel, wenn wir das Ganze der menschlichen Dinge in die Hand unserer Absicht nehmen und verändern möchten.

4) Totale und wissenschaftliche Planung: Nicht wie Marx durch ein Totalwissen, sondern auf Grund wissenschaftlicher Forschung meint ein modernes technisches Denken den Gang der Dinge in die erwünschte Richtung lenken zu können. Historische, soziologisch-politische Untersuchungen, Statistiken, Vergleiche, idealtypische Konstruktionen, Meinungsforschung und dergleichen wollen Anweisungen ermöglichen.

Man denkt Gesetze des menschlichen Verhaltens, des Geschichtsablaufs zu entdecken und auf Grund solcher Erkenntnisse den Gang der Dinge wie ein Naturgeschehen zu lenken. Man hofft auf eine wachsende Erkenntnis der psychologischen und soziologischen Faktoren. Wenn solche Erkenntnis verbreitet werde, dann, so meint man, könne sie auch zur Anwendung kommen.

Was in der Gestaltung hygienischer Arbeitsbedingungen, zweckmäßiger Arbeitsgestaltung sinnvoll beginnt, was in psychologischen Methoden der Auslese, des Hervorbringens eines reibungslosen Klimas im Betrieb sich fortsetzt, was in sozialfürsorgerischen Maßnahmen geschieht, in der Herbeiführung harmonischen Ehelebens versucht wird, das gipfelt schließlich in dem Gedanken einer vermeintlich kommenden wissenschaftlichen Lenkung aller Dinge.

Es ist erstaunlich, wie hier wissenschaftliche Forschung und Wissenschaftsaberglaube, persönlich hilfreicher bon sens im Umgang mit Menschen und illusionäre Vorstellungen durcheinandergehen. Der Irrweg ist — durch unkritische Verkehrung rechter Ansätze — am Ende nicht geringer als der marxistische. Beide treffen und verbinden sich.

Der Verstand ist in jeder Planung wirksam. Aber er beansprucht zuviel, wenn er die Entschlüsse der Freiheit selber, die zugleich Akte der Vernunft sind, lenken will. Das Unheil beginnt, wenn im Zuvielplanen eine vermeintliche Lenkung durch Wissenschaft an die Stelle der Umkehr zur Freiheit der Vernunft tritt.

Der Mensch kann nur als Einzelner sich selbst verändern und vielleicht von da aus Andere in ihrer Freiheit erwecken. Aber durch den leisesten Ansatz von Zwang würde das, worum es sich handelt, zerstört. Der Zustand der Welt wird verändert durch das, was Vernunft in ihrem Kreis, der Einzelne in seinem Wirkungsraum vermag. Jede Handlung ist noch im Privatesten von der Art, daß (nach Kant) der vernünftige Mensch sich fragen muß, ob er eine Welt wolle, in der das, was er tut, immer wieder geschieht, Vorbild und Norm werde. Es ist in jeder Handlung, als ob der Einzelne Mitschöpfer der Welt sei, die so ist, daß in ihr geschieht, was er tut.

Wenn aber aus vermeintlichem Totalwissen der Mensch durch Totalplanung die Welt in die Hände nehmen, die Geschichte und sich als ihren Interpreten an die Stelle der Gottheit setzen will, dann kann er zwar durch eine terroristische politische Gewalt alle Menschen zwingen. Er kann auch die Dienstleistungen des Intellekts erzwingen, soweit dieser in argumentierender Propaganda, in der Montage von suggestiven Vorstellungen, in technischer Arbeit bis zu technischen Erfindungen und Verwirklichungen etwas zu leisten vermag. Aber er tötet die Vernunft. Die Keimkräfte, die Ursprünglichkeit neuer Erkenntnis, der Sinn dafür, was eigentliche Erkenntnis sei, das schöpferische Leben des Geistes verschwinden, soweit sie sich nicht in einem »Trotzdem« verborgen fortsetzen. Wenn der Mensch als »Zwingherr zur Freiheit« die vermeintliche absolute Wahrheit durch Wiederholung, Dressur und Drohung allen einprägt im Namen der Diktatur des Proletariats (oder der Diktatur der Adelsrasse), hört die Wahrheit selber auf.

Wenn aber, scheinbar kritischer, die freien Wissenschaften im Sinne der Erkenntnisse, die technisch anwendbar sind, verfahren und überall mit ständigen Planungen unkritischer Art die Gesellschaft, die ihnen wissenschaftsabergläubisch folgt, durchdringen, so geschieht durch mißverstandene Freiheit ein vergleichbares Verderben. Denn nicht aus irgendeiner Wissenschaft kommt die Rettung im ganzen. Die politisch gemeinten Wissenschaften lenken, wo sie zuviel zu leisten vorgeben, ab von dem, worauf es ankommt: von dem Grund der Freiheit der Vernunft, der selber nicht zu planen ist, sondern aus dem geplant wird und der die Führung sinnvollen Planens ist.

Totalplanung, die das gesamte menschliche Dasein in ein Gebilde der Massenorganisation verwandelt — eine Planung, die doch selber immer in endlichen Horizonten menschlichen Verstandesdenkens erfolgt —, hebt das Menschliche als solches auf.

Aber auch die Planung, die auf vielfache Weise schließlich unser ganzes Dasein in unnötige und sachwidrige Zwangsläufigkeiten hineinzieht, wird unerträglich. Da sie sich nicht auf das wirklich und notwendig Planbare beschränkt, läßt sie die Freiheit verschwinden.

b) Grenzen von Voraussagen und Erwartungen.
Über Zukunft und Möglichkeiten:
Niemand kann mit einiger Sicherheit voraussagen, was Menschen tun werden, also auch nicht die Ereignisse, die durch menschliches Handeln entstehen. Wohl sind Möglichkeiten und Wahrscheinlichkeiten und Unmöglichkeiten

zu sehen. Aber die Erfahrung ist, daß selbst das für unmöglich Gehaltene geschieht, und daß das Wahrscheinliche nicht eintritt, und vor allem, daß neue Realitäten erscheinen, an die überhaupt nicht gedacht wurde.

Der Verstand sagt immer nur das Negative voraus. Er erkennt, was zugrunde geht. Wenn in der Biologie das Untergehen von Arten festgestellt und zum Teil kausal begriffen wird, so zeigt sich doch niemals irgendeine Möglichkeit, sie wieder hervorzubringen. Ebenso ist es mit den menschlichen Dingen. Der Verstand erkennt Entwicklungen (aber selten mit der Exaktheit der Berechnung von Planetenbewegungen), etwa die angesichts der Menge der Energievorräte (Kohle, Öl, Wasserkraft) zu erwartende Zeitdauer ihres Verbrauchs oder etwa die Möglichkeiten der Erzeugung von Nahrungsmitteln auf der Erdoberfläche und der höchsten dadurch erreichbaren Bevölkerungszahl und dergleichen. Aber alles Schöpferische ist unvoraussehbar. Es tritt durch den Menschen Neues in die Welt, das sich auch nachträglich nicht zureichend aus dem Vorhergehenden begreifen läßt. Wozu Menschen fähig sind, ob etwa Forscher im Geiste Newtons und Einsteins imstande sein werden, das Chaos der heute sich häufenden physikalischen Tatsachen wiederum in einen Zusammenhang zu bringen, durch den sie erst erkannt werden (zugleich mit der dadurch möglich werdenden Entdeckung neuer unerwarteter Tatsachen), oder ob hier ein Ende der fortschreitenden Erkenntnis bevorsteht, das kann niemand vorher wissen, — ebensowenig, ob neue Propheten auftreten werden, die durch ihre Verkündigung ergreifend und entscheidend in eine gottbezogene Richtung vernünftigen Handelns lenken, — ebensowenig, ob es sittlich-politische Erneuerungen geben wird, die die Lebensformen bestimmen, Grenzen setzen, Maß halten lehren und den Menschen zum Aufschwung seines Wesens bringen. Es gibt unausdenkbare Möglichkeiten des Menschen. Alles Große und Gründende ist nicht vorausgesagt und auch nicht nachträglich in seiner Herkunft begriffen worden. Es sind nur Bedingungen angebbar, ohne die es nicht eingetreten wäre, aber nicht die Ursache, durch die es wirklich wurde. Auf diese Möglichkeiten ist nicht zu rechnen, noch weniger sind sie zu leugnen. Der Verstand — ich wiederhole es — kann nur das Negative voraussehen (außer dem, was er selber vielleicht wird »machen« können) und sieht daher immer nur den Untergang. Der Gedanke an positive Möglichkeiten des Menschen bleibt leer. Ihr Erdenken und Voraussagen wäre schon ihr Schaffen. Aber der an sich unbestimmte Gedanke der Möglichkeit ist, obgleich er auf nichts zu rechnen erlaubt, beschwingend. Er hält den Raum frei und verwehrt es dem Verstande, uns mit seiner Negativität niederzuschlagen in Hoffnungslosigkeit.

Voraussagendes und vorbereitendes Denken:

Wohl aber ist Handeln vorzubereiten durch alle mit dem Verstande vorauszusehenden Perspektiven. Das physische Wissen und die politische Erkenntnis können rechtzeitig Maßnahmen treffen, vielleicht unnötige, vielleicht entscheidende, um der Überraschung nicht wehrlos gegenüberzustehen (wie Themistokles zehn Jahre vor Salamis den Athenern das Opfer zum Bau einer Flotte abtrotzte, die allein, als die Perser mit ihren Völkern als vernichtende Sturmflut über den freien Westen gingen, den Sieg ermöglichte).

Das vorwegnehmende Denken hat seinen Sinn durch Erhellung von Möglichkeiten, nicht durch Voraussagen, noch weniger durch Wissen der Zukunft. Wir müssen uns hüten, das vorwegnehmend Gedachte für gewiß zu halten. Wenn einfache einsehbare Grundlinien der Zukunft offenbar sind, wenn entschiedene Richtpunkte unserer Planungen bestehen, so ist der verantwortliche Mensch immer noch frei für die Wahrnehmung des jeweils Neuen, durch die alles wieder anders aussehen kann.

Aber je unbefangener der Mensch die Tatsachen wahrgenommen hat, je mehr er sie erwogen hat, aus desto tieferem Grunde kann er die zuletzt unerrechenbare Entscheidung finden. Die brutale Unbedenklichkeit im blinden Durchhauen des Knotens wird ebenso unmöglich wie das ratlose Fallenlassen aller eigenen Entscheidung im Nichthandeln und Hineinschliddern.

Man kann Situationen und Augenblicke erdenken, in denen Einzelne entscheiden werden, aber dieses Denken versagt, wenn es voraussagen will. Vorbereitendes Denken ist nicht voraussagendes Denken. Denn unvoraussehbar ist der Mensch mit seinem aus dem Ursprung kommenden Entschluß.

Menschen bringen die Geschichte hervor:

Es sind Menschen, die die Ereignisse bewirken. Sie sind unentrinnbar in der Lage, handeln oder nicht handeln zu müssen und in beiden Fällen die Verantwortung zu tragen, auch für das, was geschieht, wenn sie ihren möglichen Eingriff unterlassen. Denn jeder ist — durch Aktivität oder Passivität — ein Faktor des Geschehens, das er als Ganzes nie übersehen kann.

Was er aber tut oder nicht tut, löst sich vom Urheber und seinen Absichten. Jede Handlung hat Folgen, die nicht gemeint waren und an die nicht gedacht war. Wohl steht dem Prozeß im ganzen der einzelne Mensch, und sei er der mächtigste und weiseste, fast ohnmächtig gegenüber. Er scheint wie ein Naturprozeß zu geschehen, aber doch auch nicht. Denn was der Einzelne nicht vermag, vermögen die Einzelnen durch ihre Gemeinschaft. Was der Mensch hervorbringt, kann er durch Gemeinschaft lenken: es ist im Grunde nicht ein unausweichlicher Naturprozeß.

Eine Naturkatastrophe — etwa die Vernichtung der Erde durch eine kosmische Einwirkung — ist etwas grundsätzlich Anderes als eine auf menschliches Tun zurückgehende Katastrophe: soweit die Folgen seines Tuns in den Zusammenhängen des Naturgeschehens vorausgesehen werden können, kann er sein Tun ändern: aber nur in Gemeinschaft. Alles liegt daran, ob und wie diese Gemeinschaft zustande kommt.

Bisher hat der Mensch auch in Gemeinschaft zuviel den optimistischen Erwartungen überlassen. Er hat seinen Blick aus Beschränkung und mangelnder Opferwilligkeit nicht dem Tatbestand und dem zu Erwartenden geöffnet. So wollte man bei Katastrophen ihre ungeheure Bedrohung nicht anerkennen, klammerte sich an den Besitz, versäumte die radikalen Opfer, die die Rettung erforderte, und ließ das Schlimmste hereinbrechen.

Bisher aber war auch das politische Unheil trotz seiner jeweiligen Vergrößerung durch Versäumnis immer noch begrenzt. Heute aber ist, wenn das Grundverhalten des Menschen in der Klarheit des Drohenden nicht in radikalen Entschlüssen geändert wird, der Untergang aller gewiß.

Erwartungen der Marxisten und der freien Abendländer:

Ein Beispiel des zunächst berechtigten Erdenkens von Möglichkeiten und dann ihrer Verwandlung zu trügerischen Erwartungen ist ein auf seiten der Marxisten und freien Abendländern analoges Irren:

Die Marxisten erwarten auf Grund ihrer vermeintlichen Erkenntnisse den unausweichlichen Zusammenbruch des »Kapitalismus«, d. h. der freien abendländischen Völker. Sie haben Geduld und warten und glauben, zur kommunistischen Welteroberung bereit zu sein, wenn der Augenblick der erwarteten Katastrophe da sein wird.

Die freien Abendländer erwarten auf Grund von vermeintlicher Einsicht in das Wesen des Menschen überhaupt, die aber nur als ihr eigenes Selbstbewußtsein (und auch dies nur für Einzelne, nicht für die Mehrzahl der Abendländer) gewiß ist, daß die totalitären Regime sich nicht werden halten können. Weil sie menschenwidrig gegen die ewige Natur des Menschen verstoßen, müßten sich jene Regime durch einen inneren Prozeß selbst vernichten. Sie haben Geduld und warten und glauben, für die Freiheit aller mit ihrer eigenen Hilfe bereit zu stehen, wenn der Augenblick der Katastrophe da sein wird.

Aber man darf nicht Möglichkeit für Wirklichkeit halten. Das Handeln, das auf solche Täuschung sich gründet, ist selber falsch. Die Voraussagen von Marx sind nicht eingetroffen. Nicht die abendländischen Bereiche, in denen die Industrielle Revolution die Lebensverhältnisse so radikal umgestaltet hat, haben jene Entwicklungen, die er irrend voraussagte, gebracht. Vielmehr wurde sein Denken gegen seinen Sinn die Vorstellungsweise im Osten gelegener Welten, die sie als Fassade für die schnellste Entwicklung der nachzuholenden technischen Revolution mit totalitären Mitteln benutzten.

Aber auch die Erwartungen der freien Abendländer sind keineswegs gewiß. Die Vorstellung, es gebe eine erkannte Wesensnatur des Menschen, bei der naturwidrige politische Formen sich nicht halten könnten, weil auf den Willen zur Freiheit überall zu rechnen sei, kann unzutreffend sein.

Zwar ist kein Zweifel an einer Einheit des Menschseins unter vielen Gesichtspunkten, z. B. in dem gemeinsamen Verstehen von Wissenschaft und Technik, überhaupt der Richtigkeiten des Verstandes. Aber neben dem Gemeinsamen könnten so große Verschiedenheiten angelegt sein, daß die nicht nur rationale, sondern menschliche Kommunikation und die auf sie gegründete Kooperation fraglich ist. Wir wollen die Gemeinschaft des Verschiedenen in der Vernunft. Wer sie will, setzt voraus, daß sie möglich sei. Er glaubt an eine tief verborgene Natur des gottgeschaffenen Menschen und nährt daraus seine Hoffnung. Aber er weiß nicht und würde gegen die Vernunft selber verstoßen, wenn er, was er für im Menschen möglich hält, schon als Wirklichkeit des Menschen behaupten würde.

Wir leben zwar aus Vernunft in der Hoffnung auf Vernunft, damit auf die Möglichkeit universaler Kommunikation. Aber Vernunft selber denkt auch an die Möglichkeit des Scheiterns, wenn sie die unermeßlichen Widerstände der Fremdenfeindlichkeit, der Unaufgeschlossenheit und der ausschließenden Gruppenbildungen anerkennen muß, die sich ihr entgegenstellen. Auf das menschlich Ursprüngliche der Vernunft und der Kommunikationsbereitschaft in allen Menschen zu hoffen, daß es irgendwann sich durchsetzt, gilt auf lange Sicht und bleibt das letzte Motiv unseres Tuns. Aber etwas Illusionäres ist es, es für absehbare Zeit schon in der Kalkulation praktischer Politik unmittelbar als existent vorauszusetzen. Was für uns wahr ist als Ziel im ganzen und als Versuch in jeder besonderen Lage und als gegenwärtige Motivation im eigenen Innern, das wird selber vernunftwidrig, wenn es heute schon allen Umgang mit den gegenwärtigen politischen Realitäten der Welt leiten sollte.

Daher wird die Erwartung der inneren Wandlung oder des Untergangs des Totalitären in Rußland und China — obgleich sie vielleicht auf lange Sicht nicht falsch ist — unverantwortlich in jedem gegenwärtigen Tun, das auf Grund solcher Erwartung die Bedrohung als geringer einschätzt und die Selbstbehauptung der politischen Freiheit schwächt zugunsten eines Sich-gefangen-Gebens an den Schein schon stattfindender vernünftiger Kommunikation und schon stattfindender Entwicklung zur Freiheit in der Bevölkerung totalitärer Regime.

Voraussagen wegen der Atombombe:

Man möchte wohl wissen: Wird nach hundert Jahren oder gar schneller die Menschheit vernichtet sein, wird kein Mensch mehr leben? Oder wird die Atomenergie gebändigt und, wenn auch nicht gefahrlos, doch ohne die Gefahr der totalen Katastrophe dem Menschen dienen? Wird die Atombombe verschwinden? In unserer Situation heute können solche Fragen nicht beantwortet werden. Die Aufgabe des Menschen ist vielmehr: die Möglichkeiten und Wahrscheinlichkeiten zu prüfen, aber auch bei größter Wahrscheinlichkeit diese nicht mit Gewißheit zu verwechseln — zu tun, was er kann, um die Wege zu finden für sein Dasein unter Bedingungen eines Übergeordneten —, zu begreifen, warum sein Verstand zwar die negativen Möglichkeiten erdenken, Untergang und Zerstörung voraussagen, ja, für ihn als wahrscheinlich voraussagen kann, aber daß die großen menschlichen Impulse nicht voraussagbar sind, und daß in unberechenbarer Weise alles, was jeder Einzelne hier und jetzt tut, was er verwirklicht und selbst ist, ein Faktor dieser Zukunft werden kann.

Nur mit dem Bewußtsein unseres Nichtwissens sind auch die Erörterungen über die Entscheidung in der möglichen Alternative »Wagnis der Atombombe oder Totalitarismus« richtig aufzufassen. Sie können weder die Entscheidung nach allgemeinen Prinzipien vorwegnehmen (nach keiner der beiden Seiten) noch mit Gewißheit sagen, daß diese Alternative überhaupt auftreten wird. Die Möglichkeiten sind in ihrer Konkretion so verwickelt, daß niemand sie im vorbereitenden Denken schon übersehen kann. Vor welchen Situationen wir schließlich stehen werden, weiß niemand. Aber kommt es dahin, dann wird die Frage klar und die Entscheidung für den, der sie in Freiheit trifft, den Charakter überpolitischer Notwendigkeit haben.

Kein Denken kann die Lösung vorwegnehmen. Von nun an wird vielmehr das Leben des Menschen immer unter der Drohung der Atombombe bleiben, auch wenn sie durch eine große politische Wandlung auf ein Minimum verringert wird. Kein Entschluß kann den Entschluß kommender Generationen vorwegnehmen. Immer von neuem wird die Umwendung notwendig sein durch den realen Ernst dieser durch die Atombombe entstandenen, nicht mehr rückgängig zu machenden Situation.

c) *Totalwissen oder Offenheit in bezug auf die Zukunft.*

Die Geschichte öffnet sich uns in die Vergangenheit und in die Zukunft, nach beiden Richtungen ins Unabsehbare. Wir leben in Horizonten des Möglichen. Die Bilder der Geschichte im ganzen sind selber geschichtlich im Gang der Geschichte der Vorstellungen. Alle werden umgriffen von dem nicht zum Bild sich Schließenden.

Die Bilder der Geschichte prägen unser Bewußtsein in zwei entgegengesetzte Grundhaltungen: Entweder verfestigen sie sich in einem Totalwissen und verwandeln sich in geglaubte Absolutheiten. Dann ist der Sinn des Handelns auf die eine richtige Welteinrichtung bezogen. Sie gilt bei gutem Willen und klarem Verstand als möglich. Beim Beurteilen der Dinge an ihrem Maßstab ist der Grundton die Anklage der anderen. — Oder die Bilder werden aufgenommen in die Vernunft; dann bewahren sie den Charakter partikularer Perspektiven und fordern die Ergänzung des einen durch die anderen. Der Sinn des Handelns ist: Was aus der Zukunft wird, haben die Menschen, hat jeder einzelne Mensch auf eine im ganzen unberechenbare Weise in der Hand. Die Zukunft ist als Raum der Möglichkeiten der Raum unserer Freiheit. Jeder hat die Aufgabe, an seinem Ort zu seiner Zeit, im Wissen von erkennbaren partikularen Zusammenhängen, im Gang einer nie durchschauten Notwendigkeit, aus seiner Freiheit sich zu entschließen.

Im ersten Falle des *vermeintlichen Totalwissens* und der Voraussetzung der richtigen Welteinrichtung wird das Denken dogmatisch, das Handeln fanatisch. Man ist auf dem rechten Wege der erkannten Notwendigkeit, die zugleich der unaufhaltsame Gang der Dinge und das Sollen für den Einzelnen ist. An dem, was ohnehin geschieht, nehme ich teil durch meinen Willen. Tue ich es nicht, so fehlt mir die rechte Erkenntnis und der gute Wille. Dann bin ich ausgeschlossen von der Wirklichkeit und der Wahrheit.

Im zweiten Fall des *vernünftigen Wissens* bleibt der Mensch in den Fragen der ihm gegebenen Situation, die erst auftreten, wenn er der Ungewißheit im ganzen sich aussetzt mit der Einsicht, daß eine endgültige, richtige Welteinrichtung nicht nur nicht bekannt, sondern aus der Natur der Dinge unmöglich ist. Nun wird das Wagnis bewußt, das jedes Tun des Menschen als menschliches in sich schließt. Die Vernunft erleuchtet seinen Weg, der dieses Wagnis erkennt, eingeht und besteht. Sie wehrt sich gegen blindes Wagen und gegen den Schein der Sicherheit. Sie sucht zwar die Ungewißheit nach Kräften einzuschränken, aber erwartet nicht, sie ausschließen zu können. Sie drängt zu dem unumgänglichen, nicht aufzuhebenden Wagnis des Menschen auf dem Boden des Wissens und der Sicherungen.

Die Vernunft vergißt keinen Augenblick: Was in den Möglichkeiten des Menschen liegt, können wir nicht übersehen und nicht im ganzen vorwegnehmen. Wir müssen die Neigung überwinden, unser Wissen vom Menschen in einer beschränkten Perspektive erstarren zu lassen. Wir gewinnen mit keinem übergreifenden Erkennen den Sinn und Zweck des Ganzen, aber leben im Ganzen und entscheiden im Raum der uns sich zeigenden Möglichkeiten, in mannigfachen Horizonten, im Kampf der Mächte, die wir nicht überblicken, weil wir in ihnen stehen. Wir bleiben in Ungewißheit und Unsicherheit mit der durch keine Erkenntnis beantworteten Frage: Wofür das Wagnis? Was gilt die Weise, es zu bestehen?

4. Das Denken des Endes

Angesichts der hoffnungslos erscheinenden Aspekte und angesichts des oberflächlichen Optimismus drängt sich dem Menschen heute in neuer Gestalt die uralte Frage nach dem Ende der Menschheit auf. Vernunft muß sich (im Bewußtsein der Methoden und Grenzen geschichtlich-politischen Weltwissens) bewähren dadurch, daß sie sich allen Tatsachen und Möglichkeiten aussetzt und doch nicht an die Hoffnungslosigkeit, die fast zwingend sich aufdrängen will, verfällt (und an die Gleichgültigkeit und den Zynismus, die ihr entspringen).

a) Die empirischen Aspekte der Geschichte als Untergang.

Tatsachen im Vergleich zu früheren Zeitaltern: Wir weisen hin auf oft Gesagtes: Es gibt immer weniger Menschen hohen Ranges. Heute schon fehlen große Persönlichkeiten im Stile früherer Jahrhunderte. Geschaffene Werke der Kunst, Dichtung und Philosophie sind früheren im Range nicht zu vergleichen. Es wächst überall das im Grunde Reproduktive, das sich in reine Form Entleerende, das existentiell Zersetzte und Zersetzende. Geistige Ereignisse bleiben aus. An Stelle der Persönlichkeit tritt der Star, an Stelle des geistig Beflügelnden die Mode, die Manier. Was die innere Vernichtigung unseres Daseins am rücksichtslosesten ausdrückt, findet das stärkste Echo. Wer durch Artistik der Form indirekt sagt, daß er nichts zu sagen hat, trifft auf eine Stimmung, der diese Wahrheit gemäß und daher befriedigend ist.

Die sittliche Kraft politischer Gestaltung, die Einheit von Staatsmann und Erzieher, die Wirklichkeit eines politischen Ethos nimmt heute schnell ab und scheint in der Mehrzahl der Länder fast verschwunden. Die religiösen Kräfte werden in der Betriebsamkeit der Kirchen matter. Folgenlose Stimmung tritt an die Stelle von Opferwillen, Askese, Verläßlichkeit.

Aber ist nicht von allem auch das Gegenteil zu zeigen? Sind nicht z. B. die Naturwissenschaften mit ihren säkularen Entdeckungen und Erfindungen ein Gegenbeweis? Noch nie sind so gewaltige Schritte der Forschung getan worden wie im letzten halben Jahrhundert. Aber man kann stutzig werden: die Träger dieser Forschung, so treffliche Menschen sie oft sind, haben kaum den Rang als Persönlichkeiten, als Inkarnation hohen Geistes, wie in früheren Zeiten. Sie scheinen eher wie Funktionäre einer erfinderischen Intelligenz im Zusammenhang einer erregenden wissenschaftlichen Bewegung. Ihr Denken beschränkt sich auf spezialistische Erkenntnis, ist herausgefallen aus dem ursprünglichen Wissenwollen umgreifenden Wahrheitssuchens und darum ohne Philosophie.

Aber weiter: Hat dieses Zeitalter nicht Staatsmänner hervorgebracht, die dem hohen Rang früherer Persönlichkeiten entsprechen (etwa Churchill)? Wenn ja, dann sind sie doch in der Tat nicht mehr formende Mächte, sondern, als Repräsentanten eines Vergangenen, Endgestalten mit schwermütigem Wissen in ihrem tapferen Ausharren und mutigen Bewahren.

Doch gibt es nicht Persönlichkeiten höchster Bildung von einer herrlichen Weite des Geistes, im Besitz eines erst durch unser Zeitalter zur Verfügung gestellten Wissens? In der Tat, aber sind sie nicht heute dadurch charakterisiert, daß sie — trotz gelegentlichen entgegengesetzten Bemühungen — die gesamte wissenschaftlich-technische Entwicklung innerlich verwerfen, in sie selber nicht eindringen, sie noch dann, wenn sie sie nutzen, zugleich verabscheuen, als Epigonen eines Vergangenen den neuen Lebensbedingungen sich verschließen? Und gelangen geistig betroffene Köpfe weiter, als daß sie das Unheil in allen Gestalten verzweifelt darstellen und zur Sprache bringen (wenn sie nicht künstlich und gutwillig Gegenwärtiges loben und damit Mut machen ohne volle Redlichkeit und daher ohne anhaltende Wirkung)?

Bisher, durch alle Geschichte, war der Tod für den Einzelnen gleichsam aufgehoben, er selbst geborgen durch sein Weiterleben, sei es in seinen Kindern, denen er die unvordenkliche Überlieferung, halb unbewußt, weitergab durch sein Dasein und sein Wort, sei es in der Substanz der durch die Zeiten dauernden Gemeinschaft, der er zugehörte, in den Bäumen, die er für seine Nachkommen gepflanzt hat, in der anonymen Nachwirkung des Guten, das er tat und dachte. Jetzt wird auf der ganzen Erde diese Kontinuität für immer mehr Menschen abgerissen. Sie werden entwurzelt; die Gemeinschaft, in der sie geboren wurden, wird schwächer, zufälliger; sie werden von der Erde gelöst, in der die Gräber ihrer Ahnen lagen.

Gegen diesen Aspekt sprechen andere Tatsachen: Das wirkliche Leben der Menschen, trotz der Millionen Vertriebenen in aller Welt, trotz Entleerung einst substantieller Glaubensgemeinschaften, trotz Lockerung von Familienbindungen, ist noch keineswegs seiner geschichtlichen Grundlagen und seiner in die Zukunft weisenden Kontinuität beraubt. Überlieferung ist noch da. Denkt man einen Zustand, in dem sie ganz verloren wäre, so sieht der gegenwärtige noch paradiesisch aus.

Es bleiben die unzählbaren Akte der Hilfe und der Menschenliebe in unserer Zeit (»Es kommt nicht darauf an«, sagte ein deutscher Soldat vor dem letzten Weltkrieg, »ob Berlin oder Moskau siegt, sondern darauf, ob der Kamerad dem Verwundeten in aller Gefahr Nahrung und Wasser bringt«). Aber diese Hilfe, die faktisch das gemeinschaftliche Leben noch aufrechterhält, wirkt sich selten aus im öffentlichen Geschehen (sie geschah in der Hilfe Amerikas an seine geschlagenen Feinde 1945).

Weiter bleibt immer, mindestens durch die Sprache, etwas übrig an Überlieferung, auch wenn der Wegfall der bewußten Erinnerung verwildert. Aber alle Überlieferung scheint von Jahr zu Jahr, trotz angstvoller Restaurationen, ohnmächtiger zu werden für die Prägung des Menschen.

Daher fordert jetzt die Situation, anders als je, seinen Grund zu finden quer zur Zeit, nicht nichts zu werden selbst dann, wenn die zeitliche Realität des geschichtlichen Hinzugehörens getilgt zu werden scheint im Aufgesogenwerden durch einen anonymen, menschenfremden Apparat. Sie fordert, wenn die substantielle Überlieferung immer geringer wird, im bewußten Rückgreifen, vermöge der technisch zur Verfügung stehenden Schriften und Werke der Vergangenheit, den Boden im geschichtlichen Menschsein im ganzen zu finden. Aber sie fordert auch, solange Leben ist, mit aller Kraft in der Substanz der immer noch vereinzelt wirksamen Überlieferung, aus der man kommt, mitzuleben, Treue zu halten und für die Kontinuität in der Zeit aus dem Grunde, der quer zur Zeit gefunden wurde, zu wirken.

Das epochale Bewußtsein: Es ist eine Tatsache, daß seit anderthalb Jahrhunderten immer häufiger und entschiedener ausgesprochen worden ist: Wir leben in einer Weltwende zum Untergang erst der politischen Freiheit, dann der Kultur, dann des Menschen in seinem Menschsein, dann des Menschenlebens selber. Die Voraussagen des Niedergangs haben durch ihre teilweise Bestätigung einen mächtigen Eindruck gemacht.

Diese Selbstauffassung ist ein Symptom unseres Zeitalters. Aber solche Wahrnehmungen und Voraussagen sind uralt, gehen fast in den Beginn der überlieferten Geschichte zurück, steigern sich sowohl in Krisenzeiten wie in langen Ruhezeiten. Immerhin ist ihr Umfang, ihre Eindringlichkeit durch die bestimmten empirischen Aufweise, ihre Konkretheit heute allen früheren überlegen. Sie dringen heute in das allgemeine Bewußtsein.

Die letzten vier Jahrhunderte: Der Endprozeß wird gern als der der letzten 400 Jahre gedacht. Im luziferischen Gang des Erkennens wurde, so ist eine Meinung, bei scheinbarem, großartig täuschendem Aufschwung und beflügelndem Fortschritt der Weg in den Abgrund beschritten.

In der Tat hat diese Zeit — im Vergleich zu bloßen Ansätzen im griechischen Altertum — das Neue der modernen Wissenschaft und Technik gebracht. Die Tatsache erweckt unser Staunen. Warum erst jetzt? Warum nur hier im Abendland? Warum nach anfänglich langsamen Schritten dann so rasend schnell, daß wir uns heute wie auf einem Wagen fühlen, dem die Pferde durchgehen? Historische Forschung und Sinninterpretation kann viele Bedingungen dieser Entwicklung zeigen. Aber die Tatsache im ganzen bleibt undurchdringlich.

Diesem Vorgang entspricht in der Staatsverwaltung die Entwicklung zu Zentralisation, Bürokratie, Apparat, begonnen in den Staaten der absolutistischen Herrschaft, fortgesetzt und intensiviert durch die Französische Revolution, Napoleon und unbeschränkt wachsend im Totalitarismus unserer Tage.

Die Wende vom partikularen zum totalen Planen und Machen wurde politisch in der Französischen Revolution vollzogen. Der sinnvolle großartige Anfang dieser Revolution, der die Wende zum totalen Planen und Machen noch nicht meinte, wurde (veranlaßt durch Gedanken Rousseaus) durch andere Kräfte überschwemmt, die in totaler Planung den Menschen durch Terror in ihre Verfügungsgewalt bringen wollten, so daß er selber ein anderer würde. Diese Bewegung wurde durch Napoleon vermittels einer anderen, begrenzteren Diktatur für diesmal beendet. Aber das Prinzip hat Marx unter neuen Voraussetzungen weiter gedacht. Der russische Bolschewismus zog praktisch die Konsequenzen, in denen die anfängliche idealistische Hülse gesprengt wurde. Der durchbrechende Totalitarismus will, ohne klares Bewußtsein, in einem grimmigen Machtwillen anonym werdenden Charakters, den Menschen selber verändern durch totale Planung, zu der die Welteroberung gehört. Denn nur durch sie würde ein Ausweichen unmöglich. Das Menschendasein wird im Apparat der einen absoluten Herrschaft zu einer Nivellierung bloßer Funktionen gebracht. Aus biologischer Fruchtbarkeit sich nährend, kann dieses Menschendasein ständig sich selbst vernichten durch Funktionalisierung und durch Tötung, gleichgültig gegen alle Einzelnen und gegen alle Völker. Es wäre das Ende der Geschichte bei erhalten bleibendem Dasein. Atombombe und Totalitarismus sind die beiden Endformen der Vernichtung.

Dieser Aspekt des neuzeitlichen Geschehens gewinnt an scheinbarer Überzeugungskraft, wenn man das Zusammentreffen vieler Entwicklungen auf das eine Ziel des Endes hin beobachtet.

Die Koinzidenz der Entwicklungen: Wir rekapitulieren:

1) Nachdem die Verkehrseinheit des Erdballs verwirklicht ist, haben zwei Ereignisse Aufgaben gestellt, die noch nicht gelöst sind: *Erstens* der Rückstoß der Verbreitung der Menschen über die Erde: die Erde ist verteilt. *Zweitens* das Ende der kolonialen Expansion: die Befreiung der Völker der Erde von europäischer Herrschaft.

2) Die seit zwei Jahrhunderten fortschreitende Auflösung der überlieferten Glaubens-, Denk- und Lebensweisen ist seit 1914 beschleunigt und hat die gesamte Menschheit ergriffen. Die Lichter erlöschen. Man fühlt sich ins Bodenlose fallen.

3) Eine Destruktion im Denken durch die Kraft des Denkens selber gibt

es bei den großen griechischen Sophisten und als eine Linie im indischen Philosophieren zumal buddhistischer Sekten. Aber die Enschiedenheit und Radikalität und Exaktheit solchen Denkens ist in unserem Zeitalter neu. Was, zwar beschränkt auf einen engen Bereich, logisch Wittgenstein großartig spielte, läuft hinaus auf eine bedenkenswürdige Eröffnung der Bodenlosigkeit, deren Konsequenzen noch vieldeutig sind. Was, zwar selten verstanden, aber wirksam in breite Kreise, Kierkegaard und Nietzsche taten, ist eine Destruktion im ganzen Umfang abendländischen Bewußtseins mit dem Ernst sich opfernder Männer, die die Überwindung der offenbar werdenden Bodenlosigkeit — zunächst vergeblich — suchen.

4) Die technische Entwicklung ist in ein immer schnelleres Tempo geraten. Die jetzt beginnende neue Industrielle Revolution durch Automation und Atomenergie ist eingreifender als jede frühere. Würde sie vollendet, dann müßte sie das ganze Dasein des Menschen verwandeln.

5) Der Mensch ist durch die Technik in eine Situation geraten, die er selber geschaffen, aber nicht vorausgesehen hat. Es ist die Folge des unablässigen Weiterdringens, das allein den Abendländern eigen wurde, als alle anderen Völker (vor allem auch die großen Kulturvölker der Chinesen und Inder) im Traditionellen verharrten, geistig verarmten und ethisch korrupter wurden.

Diesen Geist des grenzenlosen Voran im Wissenwollen, Handeln, Wagen erkennt vorwegnehmend *Dante*. Er sieht ihn in Odysseus, bewundert schaudernd diesen großen Mann, den er doch den Frevel der Maßlosigkeit, des schlechten Rates, des mißbrauchten Ingeniums in der ewigen Verdammnis büßen lassen muß. Odysseus erzählt Dante in der Hölle (26. Gesang) von seiner Fahrt hinaus über die Säulen des Herkules (die Straße von Gibraltar) ins Weltmeer: Ihn hatte der Durst getrieben, die Welt, der Menschen Laster und Vortrefflichkeit, sich unter Vernachlässigung seiner Pflicht in Haus und Heimat, unter grenzenlosen Gefahren anzuschauen, damit ihm nichts verborgen bliebe. Jetzt aber an jenen Säulen, wo Herkules den Grenzstein gesetzt hat, damit der Mensch umkehre an dieser Stelle, läßt er sich wiederum nicht genügen. Er will, was immer er auch erreicht hat, noch mehr. Er will weiter, will wissen. Daher ermuntert er seine Gefährten: »Versagt nicht eurem letzten Lebensrest, eins noch zu erfahren, ob es uns gelingt, den menschenlosen Weltteil zu gewahren.« Er ruft sie an: Bedenkt, aus welchem Ursprung ihr seid. Nicht, daß ihr wie das Vieh lebt, habt ihr Dasein, vielmehr, damit ihr um Tüchtigkeit (virtute) und Wissen ringt. Der Gefährten Eifer wurde so entzündet, daß niemand ihren Drang mehr hätte aufhalten können. Er ließ »zum tollen Flug« die Ruder schlagen. Schon stiegen nachts die Sterne des andern Poles herauf. Fünf Monate drangen sie vorwärts: Da sahen sie einen hohen Berg im Meer (den Berg des Fegefeuers), als ob kein anderer seinesgleichen wäre. »Wir waren froh.« Doch nun, vor der Höhe des zu erreichenden Wissens, überfiel das endgültige, unwiderrufliche Unheil. Von dem neuen Land kam ein Wirbel. Das Schiff drehte sich dreimal im Strudel, das Heck hob sich empor, der Bug glitt in die Tiefe, wie Gott es vorgesehen. »Dann schloß sich über uns das Meer.«

6) Nun aber die Entwicklungslinie, die heute im Blickpunkt aller steht: Arbeitstechnisch, wirtschaftlich, politisch bemächtigt sich unseres gesamten

menschlichen Daseins ein Geschehen, das zur Knechtschaft und Entmenschlichung in Apparaturen führt. Der Weg geht von dem Leben der Arbeit aus ursprünglicher Initiative in freier Konkurrenz unter mancherlei Ordnungen und Unordnungen zu einem Zustand wachsender Unerträglichkeit vielfacher Zwangsläufigkeiten, der als chaotisch empfunden wird und zur Revolte drängt, bis er von dem absoluten Zwang des Terrorapparates totaler Herrschaft aufgefangen wird, in der, weil die Unerträglichkeit ohnmächtig geworden ist, die Revolte aufhört.

Das materielle Dasein ist jederzeit an Arbeit gebunden. Im technischen Zeitalter wurde die Arbeit aus dem Gleichbleiben ihrer traditionellen Gestalten verwandelt in eine Mannigfaltigkeit von neuen Leistungen, die nach dem Prinzip des Wettbewerbs Überlegenheit oder Zurückbleiben unausweichlich machten. In einer ständigen Veränderung der technischen und wirtschaftlichen Situationen und Möglichkeiten wurde der Erfolg gewonnen durch spezifische (keineswegs allgemein menschlich kostbare) Begabungen, durch Erfindungsgabe, Fleiß und Tüchtigkeit, aber auch durch Schläue und Trug. Der Wettbewerb des ehrlichen Agons wurde durchkreuzt durch die Bildung von Monopolen. Die Staatspolitik wurde in weitem Umfang den wirtschaftlichen Interessen unterworfen, den Finanzmächten und der Industrie. Gegen diese Situation sträubten sich die zu Arbeitern werdenden Massen. Sie wehrten sich durch Zusammenschlüsse von Gruppen, welche zunächst Übervorteilungen zu verhindern, begründete Ansprüche mit den gesetzlichen Mitteln des freien Staats wirksam zu vertreten und das Streikrecht als Werkzeug ihrer Macht zu benutzen suchten. Im Kampf innerhalb der Betriebe erreichten sie vertragliche, alle Glieder schützende Einigungen. Sie suchten weiter, auf dem Wege über die Politik, die Gesetze herbeizuführen, die dem Mißbrauch der Freiheit Grenzen setzen, dem freien Wettbewerb eine Ordnung und ein Maß geben und dadurch die Möglichkeit dessen, was gerecht ist, fördern.

Aber der erreichte Zustand ist bei ständigem Wandel stets weit entfernt von Vollkommenheit. Daher werden viele hoffnungslos, durch Herkunft und geringere oder für diese Welt unnützliche Begabung benachteiligt. Je größer ihre Zahl wird, desto mehr wächst der Haß, geht schließlich der Drang auf Gewalt zur Herbeiführung besserer Zustände. Gemeinsam ist die absolute Forderung: Es muß anders werden. Man will den radikalen Umschlag der ungerechten, unerträglichen Zustände in ihr Gegenteil. Man vertraut sich Bewegungen an, die dies versprechen. Das Ergebnis aber ist nicht größere Gerechtigkeit, sondern unter Knechtung der Freiheit aller eine neue größere Ungerechtigkeit. Aus dem Chaos entspringt die Zwangsordnung der totalen Herrschaft. Wo nicht aus Freiheit gearbeitet wurde, da muß nun unter terroristischem Zwang gearbeitet werden. Nur der Terror verhindert die im früheren Zustand stets drohende Revolte. Es gibt kein Streikrecht mehr. Man muß über sich verfügen lassen, was und wo man arbeiten soll. Man wird ganz und gar ausgebeutet im Betrieb und darin zur auswechselbaren Funktion.

Sehen wir die geschilderten Entwicklungslinien zusammen, so scheinen sie zu koinzidieren: Der Mensch ist heute überall an die Grenze seiner bisherigen Daseinsformen gelangt, ausgesetzt dem Äußersten an Bodenlosigkeit, als ob er sich bei seinem gewaltigen Können in der Tat nicht mehr helfen könne.

Und nun? In diesem Augenblick erscheint politisch der Selbstvertilgungsprozeß des Menschen im Totalitären und erscheint technisch das Werkzeug, durch das er sich ganz und gar vernichten kann. Die Bedrohung durch Totalitarismus und Atombombe läßt den Menschen das Ende sehen, so daß er vor der Wahl steht: Wiedergeburt aus seinem Ursprung oder Untergang. Er ist aufgefordert, gegen das Äußerste das Äußerste, das Menschlich-Übermenschliche, zu vollbringen, nicht mehr eine Leistung von der Art, in der er sich bisher so unerhört ausgezeichnet hat, sondern eine Verwandlung seiner Erscheinung aus der Verdorbenheit zurück zu sich selbst, zum Ursprung seines Wesens.

Es kann sinnvoll scheinen, daß zugleich mit den Ereignissen, die eine Wende der Geschichte bedeuten, mit der »die bisherige Geschichte« (Alfred Weber) aufhört, die Atombombe auftritt. Sie ist erschienen in dem Augenblick, da der neue Zustand der Menschheit ohnehin schon auch eine neue Politik erfordert.

Die wunderbare, alle Momente des Unheils steigernde Koinzidenz kann wie ein Akt der Vorsehung aussehen, als ob sie zu Hilfe käme: Durch höchste Lebensnot wird das veranlaßt und erzwungen, was ohne sie Eigenwille und Lethargie des Menschen nicht zu vollbringen vermöchten.

In der Koinzidenz der Bedrohungen, durch den Totalitarismus und durch die Atombombe, ist offenbar, daß beide nur gemeinsam überwunden werden können, nämlich unter den Voraussetzungen, die durch Herz und Kopf des Menschen in ihm selber geschaffen werden müssen. Ohne sie ist jede besondere Maßnahme vergeblich.

Die Geschichte im ganzen: ein Zwischenaugenblick? — Der Aspekt der letzten Jahrhunderte und die Koinzidenz der geschilderten Entwicklungen und das, was die Gegenwart an weiterem Unheil in sich bergen mag, wird übergriffen von einem Aspekt der gesamten Geschichte der vier bis sechs Jahrtausende. In der so gewählten Perspektive sehen wir uns auf einem Wege, der von Anbeginn der Geschichte beschritten wurde.

Jetzt zwar wird das Ergebnis nur der letzten vier Jahrhunderte erreicht: Weil dem Menschen durch seine Wissenschaft die Energien der tiefsten Stufe des Seienden, der leblosen Materie, in die Hand gegeben sind, kann er als Beherrscher dieser untersten Stufe, die alle höheren Stufen bedingt, diese höheren auch vernichten. Ständig schon kehrte das sterbende Leben in das Anorganische zurück. Kosmische Ereignisse, die wir nur als leblose Energieumsetzungen kennen, konnten jederzeit (aber auf lange Zeiten hin unwahrscheinlich für unser Wissen) das Stäubchen Erde oder ihre Oberfläche mit allem Leben vernichten. Was bisher nur kosmische Katastrophen vermocht hätten, kann jetzt der Mensch selbst tun.

Aber, so sagt ein Aspekt der Gesamtgeschichte, der Weg dahin wurde von Anfang an beschritten. Der erste Schritt des Feuermachens im prometheischen Zeitalter hat begonnen, was durch Sprünge des Geistes nun heute bis zu dem Punkt geführt hat, wo mit der Eröffnung ungeahnter Möglichkeiten menschlichen Könnens zugleich die Möglichkeit auftritt (für den Verstand sogar die Wahrscheinlichkeit) der Vernichtung der Menschheit und allen Lebens durch den Menschen.

Solcher Aspekt kann die gesamte Geschichte des Menschen der wenigen Jahrtausende und der vorhergehenden Jahrzehntausende als einen Zwischenaugenblick der Erdgeschichte erscheinen lassen. Aus der Betroffenheit des Menschen heute vom Wesen des Menschseins kann sich ihm das Bild aufdrängen: Das Neue wird total zerstörend, weil der Keim dieser Möglichkeit im Anfang des Menschseins gelegt wurde.

Wenn das Ende (die Zerstörung der Menschen und allen Lebens überhaupt durch den Menschen) auf diesem Wege als natürliches Ergebnis erscheinen kann, so ist dieses Bild doch eine Verblendung. Denn das Ganze ist kein Naturprozeß, sondern von Anfang an und jederzeit und heute aufs Höchste gesteigert steht der Mensch immer vor der Alternative. Der Mensch hat auf dem Wege bis zuletzt die Wahl. Wenn wir uns der Freiheit unserer Entscheidung entziehen, geben wir unser Menschsein preis, heute zum erstenmal mit der Folge, daß das Dasein aller zugrunde geht.

Die großartige Aktivität des Geistes und der Tat ist dem Abendlande eigen seit den Griechen und Juden und Römern in dieser einzigartigen Weise des Ungenügens und Vorandrängens. Wir Abendländer haben sie als Heil und Unheil zugleich erfahren. Wir haben diese Aktivität in den letzten Jahrhunderten über die gesamte Erde gebracht. Dabei verkümmert diese Aktivität, während alle, die leben wollen, zunächst in das bloß Technische hineingezogen werden. Die Menschheit erscheint im Unterschied vom aktiven Abendland vergleichsweise passiv, passiv auch in ihrer Weise der Rezeption der Technik und in der Weise des schon barbarisch gewordenen Sprechens des »aufgeklärten«, vor allem angelsächsischen Geistes. Diese Aktivität zu verneinen, wäre Selbstverneinung des Menschseins. (Jacob Burckhardt schrieb: »Es bedeutet ein hohes Glück, dieser aktiven Menschheit anzugehören.«) Gedankenlos preisgegeben aber wird diese hohe abendländische Aktivität in der Entleerung zur formalen Aktivität, in der Tat zur Passivität eines atemlosen Betriebes, sei es der Arbeit, sei es der Forschung, sei es der Technik. Diese erschreckende Abgleitung soll uns die abendländische Aktivität in ihrem Ursprung nicht vergessen lassen. Dort war sie verbunden mit der alles Tun lenkenden Besinnung. Der vermeintliche »Zwischenaugenblick« einer sich schnell vernichtenden Menschheitsgeschichte aber würde überwunden zur neuen Dauer nur durch die Kraft der großen Aktivität selber, die ihren Ursprung in der Kontemplation inneren Handelns hatte. Dieser Ursprung müßte wieder zur Geltung kommen.

Die Entscheidungen aber, die an dem Steuer der Politik zur Atombombe oder zum Frieden hinführen, werden von Staatsmännern getroffen, die nur auf dem Grunde ihrer Völker und des »privaten« Lebens aller und ihrer selbst vermögen, was sie sind und tun. Ihre Handlungen sind das Resultat aller Entscheidungen im Leben des Alltags eines jeden.

Nur weil überall noch entschieden werden muß, ist kein Aspekt eines notwendigen Ganges der Dinge, auch nicht der zum Untergang hin, zwingend. Ihn als zwingend zu sehen, ist selber ein Akt, in dem die Freiheit sich aufgibt, und ein Akt der Unvernunft, die mehr zu wissen meint, als zu wissen möglich ist.

b) Die Mythisierung des Prozesses.

Eine gewaltige Verstärkung hat die Erwartung des totalen Untergangs durch mythische Gedanken und Bilder gewonnen, die am Leitfaden empirischer Aspekte Totalanschauungen des Geschichts- und Seinsprozesses entwerfen.

Solche Anschauungen sind in den Grundformen uralt. Im eschatologischen Denken (gnostisch, christlich, indisch) ist es auf die Ewigkeit bezogen. Aller Untergang in der Welt und der Untergang der ganzen Welt ist aufgehoben in dem einen Sein vor allem Sein, jenseits allen Seins. Im Weltende geht ihm das Gottesreich oder das Nirvana oder der undenkbare, unvordenkliche Grund des Seins auf, in den alles zurückkehrt. Das Ende ist der Anfang. Innerhalb eines kosmisch-metaphysischen Geschehens spielt sich die Welterscheinung ab.

Im Schatten solcher Vorstellungen erwuchs die Geschichtsphilosophie, die Ursprung und Ziel, Anfang und Ende der menschlichen Geschichte zu sehen glaubte. Im geschichtsphilosophischen Denken ist aber nicht nur Ende und Untergang gedacht worden, sondern auch Fortschritt und Vollendung in der Welt. Beide Weisen der Geschichtsphilosophie überschreiten mit einem Bilde des Gesamtprozesses das empirisch mögliche Wissen zu einer Totalvorstellung.

Die Horizonte der empirischen Geschichtsforschung lösen solche Bilder des Ganzen auf: Kein Anfang und kein Ende ist empirisch zugänglich, die Gegenstände der Forschung liegen zwischen Anfang und Ende. Auch das Ganze jedes Zeitalters, jeder Kultur, jedes historischen Gebildes, jeder Persönlichkeit ist als Gegenstand unerschöpflich, als Objekt geworden nicht mehr es selber, sondern die ungreifbare Mitte vieler Erscheinungen. Sie sind nur unter je besonderen Aspekten in idealtypischen

Entwürfen gegenständlich geworden. Die Forschung drängt ins Unendliche weiter, in die Vergangenheit, in jede Gegenwärtigkeit, in Möglichkeiten der Zukunft.

Nicht Totalanschauungen des Weltgeschehens sind die Vorstellungen von Katastrophen, die, mögen sie auch ein gewaltiges Ausmaß haben, doch partikular als ein Geschehen innerhalb der Welt bleiben. Auch solche Katastrophen werden mythisch gedacht: die Sintflut, in der Gott den Noah mit seiner Arche sich retten läßt; Sodom und Gomorrha.

Heute sind auf Grund realer Möglichkeiten Untergänge auf der Erdoberfläche denkbar, die, kosmisch gesehen, eine winzige, verschwindende Realität wären. Auf Grund theoretischer Gedanken hat man kosmische Endzustände (Wärmetod) gedacht, aber in Spekulationen, die endliche, geschlossene Systeme voraussetzen und die Unendlichkeit der Welt und des Weltgeschehens in jedem Sinne ausschließen (wenn man sie in einem je bestimmten Sinne auf Grund von Tatsachen meint leugnen zu können).

Der Atombombenuntergang wäre ein partikularer Untergang, aber in der Art, daß die Frage, was nach dem Untergang noch Sein sei, nur zu beantworten ist in bezug auf ein Menschendasein, das von ihm weiß. Dieses ist das unsere. Wir denken das Sein nach dem Untergang, als ob wir noch dabei wären, so wie wir den Kosmos denken und wie er vor allem Leben war.

Das gnostische Wissen:

Mythisch haben die Juden im Sündenfall, die Griechen in der Tat des Prometheus den geschichtlichen Grund gedacht für den Menschen, wie er ist, sich quält, Aufschwung und Abfall erfährt. Später wurden im gnostischen Denken mythisch-dämonische Prozesse vorgestellt: der Kampf der Urmächte von Licht und Finsternis, von Gott und Teufel, oder der Abfall von Engeln, die selber Gott sein wollten: Einer schuf als böser Geist die böse Welt, um in ihr einzufangen die Lichtfunken der Seelen, die im Banne der vom Weltschöpfer veranstalteten »luziferischen« Täuschungen ihre Sehnsucht zu Gott vergessen, bis sie durch einen Heilbringer erleuchtet und gerettet werden. Die Vorstellungen, die in diesen dramatischen Geschichten von einem Unheilsprozeß entworfen wurden, der bis zur Rettung des Guten und zur Zerstörung des Bösen gehen und damit sein Ende finden wird, sind anschaulich und unheimlich, eine bis heute ergreifende Sprache von Chiffern. Das Gemeinsame dieser gnostischen Vorstellungen und dieser Denkungsart ist:

Ein einziges großes Verhängnis begründet die Welt, lenkt ihr Unheil und vollendet sich in ihrem Untergang. Die Totalgeschichte beginnt durch ein übersinnliches, entscheidendes Ereignis, aus dem alles Weitere folgt.

Woher dieses Wissen? Es erblickt das Grundgeschehen in der Wirklichkeit der Dinge und Ereignisse selber. Die es offenbarende Physiognomik alles Seienden wird verstanden und im besonderen aufgezeigt. Daher die eigentümlich zwingende Überzeugungskraft für den, der solchen Blicken folgt. Das ständige Aufweisen von Faktischem, dessen Sinn gedeutet wird, als ob er selber faktisch sei, ist eine Analogie zum Beweisen.

Dazu berufen sich die Gnostiker auf Erlebnisse, die sie in Augenblicken oder Phasen ihres Lebens hatten. Diese Erlebnisse sind für sie unerschütterliche Wirklichkeit nicht nur als subjektive Erfahrungen, sondern als Wirklichkeit dessen, was in ihnen erfahren wurde.

Die alltägliche Erfahrung des Menschen gilt als Täuschung, die ihrerseits im bösen Willen des Ursprungs gegründet ist und von diesem Willen festgehalten wird. Was für sie ist, das Seiende in der Welt, verdeckt, was eigentlich ist und geschieht. Es ist Erscheinung des Nichts oder des Bösen, aber Erscheinung auch des Seins. Das eine vom anderen zu unterscheiden, das Verdeckte aufzudecken, läßt den Weg zur Wahrheit, zum Sein und zum Heil finden.

Gnostisches Wissen ist selber ein gegenständliches, höchst anschauliches Wissen. Es ist aber und will sein ein ganz anderes, als all unser alltägliches Wissen sonst ist. Als Wissen vom Ganzen hält es sich für absolut, für die eine und einzige Wahrheit. Durch sie weiß ich, was ist und was einzig zum Heile führt.

Solch gnostisches Wissen geht mit wechselnden Inhalten bei gleichbleibender Struktur der Denkungsart durch alle Zeiten. Es ist heute ebenso da wie vor Jahrtausenden.

Beispiele gnostischen Enddenkens aus unserer Zeit:

Die gnostischen Entwürfe sind von den Verfassern ernst gemeint. Man spürt, daß sie daran glauben. Dadurch entstehen andere Mythen, vorgetragen mit Mitteln heutigen Wissens, gefährlich für unsere freien Entschlüsse, faszinierend und verführend für unser Seinsbewußtsein und unsere Lebenspraxis.

Nur noch von fern an Gnosis erinnernd, ohne einen bösen lebensfeindlichen Akteur, ohne Teufel hat *Nietzsche,* der so viele Möglichkeiten denkend versuchte, den Prozeß des Erkennens als Selbstzerstörungsprozeß des Menschen gesehen: Die Wahrheit selber ist der Tod.

Schon der junge Nietzsche deutete den Ödipus-Mythus: Der das Rätsel der Sphinx löste, d. h. das Geheimnis der Natur enthüllte, mußte aus der Unnatur leben. In ihm, der den Zauber der Natur gebrochen hat, muß eine ungeheure Naturwidrigkeit als Ursache vorausgegangen sein. »Denn wie könnte man die Natur zum Preisgeben ihrer Geheimnisse zwingen, wenn nicht dadurch, daß man ihr sichtlich widerstrebt, d. h. durch das Unnatürliche?« Der das Rätsel der Natur löste, mußte »auch als Mörder des Vaters und Gatte der Mutter die heiligsten Naturordnungen zerbrechen«. Da die Erkenntnis ein »naturwidriger Greuel« ist, muß der, »welcher durch sein Wissen die Natur in den Abgrund stürzt, auch an sich selbst die Auflösung der Natur erfahren«.

Diesen Grundgedanken hat Nietzsche sein Leben hindurch weitergeführt und variiert. »Unser Trieb zur Erkenntnis ist zu stark, als daß wir noch das Glück ohne Erkenntnis oder das Glück eines starken festen Wahns zu schätzen vermöchten.« »Zur

Grundbeschaffenheit des Daseins könnte gehören, daß man an seiner völligen Erkenntnis zugrunde ginge.« Denn Leben ist schlechthin gebunden an Illusionen.

Noch mehr: »Wahrheit tötet sich selbst, insofern sie erkennt, daß ihr Fundament der Irrtum ist.« »Wille zur Wahrheit, das könnte ein versteckter Wille zum Tode sein.«

Wenn der Wille zur Wahrheit der Wille zum Tode ist, dann rückt für Nietzsche die anorganische Welt in den höchsten Rang des Seins. Er preist sie über alles. In der anorganischen Welt herrscht Wahrheit: »die schärfste Wahrnehmung der Kraftverschiedenheit«. Das organische Leben ist nur eine Ausnahme von dem ewigen Sein des Wahren. Mit ihr »beginnt die Unbestimmtheit und der Schein«. Die unorganische Welt ist »das Höchste und Verehrungswürdigste. Der Irrtum, die perspektivische Beschränktheit fehlt da.« »Die tote Welt: ewig bewegt und ohne Irrtum, Kraft gegen Kraft! Und in der empfindenden Welt alles falsch, dünkelhaft.« Von daher gewinnt der Tod die Anziehungskraft der Wahrheit selber: »Vom Leben erlöst zu sein und wieder tote Natur werden, kann als Fest empfunden werden.« Die Natur, das Tote ist »nicht der Gegensatz, sondern der Mutterschoß, die Regel, welche mehr Sinn hat als die Ausnahme: denn Unvernunft und Schmerz sind bloß bei der sogenannten zweckmäßigen Welt, im Lebendigen«. —

Die Zeiten nach Nietzsche haben mannigfache, aus einem verzweifelten Ernst erfahrene und durchdachte Vorstellungen des Endgeschehens hervorgebracht. Auf einige von diesen, die man nicht ohne Betroffenheit lesen kann, sei hingewiesen:

Die gründlichste und reichste Entwicklung einer gnostischen Totalvorstellung findet man bei *Klages* (sie ist entworfen, Jahrzehnte bevor es eine Atombombe gab). Klages sieht den Ursprung des Unheils in einem nicht weiter begreiflichen Akt oder Ereignis der Vorzeit: Es ist der Einbruch des »Geistes«, der das Nichts ist, in das Leben. Die Folge ist ein in den Perioden der Geschichte zunehmender Zerstörungsprozeß, dessen Ende wir uns nähern. Dies Grundgeschehen kann man nach Klages sehen, man braucht es nicht nur zu erschließen. Der Blick des Alltagsmenschen allerdings verfängt sich im Vordergründigen, das ihm das Grundgeschehen verbirgt in dem blinden Jubel seines Geistes, der als Wille nur zerstörend hervorbringen kann, bis hin zur Endzerstörung, die bevorsteht.

Der große Vernichtungsprozeß hat grundsätzlich mit dem Beginn der Geschichte begonnen. Klages selbst erlebte als Jüngling das abschließende große Ereignis: In glühenden letzten Erscheinungen verließ die »Erdessenz« den Planeten in den Jahren um 1890. Klages schildert das Zeitalter, die in diesem Prozeß, noch genährt vom Grunde, Herrliches hervorbrachten. Die Verwüstung des Erdantlitzes »hat spürbar erst seit Goethes Tod begonnen und hat das rasende, immer sich steigernde Tempo nicht länger als ungefähr 50 Jahre inne. Seit 1830 etwa begann in der Menschheit unaufhörlich das zu zerbrechen, was man „Kultur" zu nennen pflegt.«

Das eigentliche ewige Leben nennt Klages das Leben der »Bilder«. Der Geschichtsprozeß ist die Zerstörung der Bilder und das Auftreten von Gegenbildern, »mit denen in die Form des Erscheinens Mächte eingegangen sind, die das Erscheinen selber vertilgen wollen«. So sind natürliche Steppenbrände »Bilder urgewaltigen Todes«, Gegenbilder sind die Verwüstungen der großen Städte durch vom Menschen entfachte Brände. Es sind »Phantome«, die die ursprünglichen Bilder verdrängen.

Die Wiege der Bilder ist das Leben, der Ursprung ihrer Zerstörung der Geist als Widersacher der Seele. »Wird die Wiege der Bilder zertrümmert, so entweichen und verlassen den geschändeten Planeten die Elementarseelen, und es stirbt ihnen nach die Gabe der Urerinnerung in den verödeten Seelen der Menschen. Es ist zu spät geworden für die Walter des Sinnes der Erde.«

Heute geschieht die »Rodung der Wälder, Ausrottung frei lebender Tiergeschlechter, Geländeentwässerung, Regelung und Vergiftung der Ströme, Ausbeutung und

Vertilgung aller Schätze des Bodens«. Wer aber »das Antlitz der Erde« zerstört, der »mordet das Herz der Erde« und beraubt ihres »Sitzes« die nun in den »Äther« entschwindenden Mächte. —

Werthmüller hat durch Denken in Analogien, nach einem uralten von China bis zum Abendland die Weltvorstellungen bildenden Verfahren, den Weltprozeß und den Ort gezeigt, an dem wir stehen (nämlich unmittelbar vor dem diesmaligen Ende). Die Folge der Zeiten steht ihm in Analogie zur Farbenreihe. Jede Phase hat ihr Eigentümliches. Das Grau unseres Zeitalters ist auf dem Wege der Rückkehr zum Urgrau, aus dem wieder von neuem der große Kreislauf erfolgt. Nicht Schrecken, sondern Gelassenheit beherrscht dieses Denken, das sich in der Identität des Ewig-Einen aufgehoben weiß. Da ist kein Teufel. Es wird der Notwendigkeit nachgespürt. —

H. G. Wells, der berühmte Historiker, der die Weltgeschichte fortschrittlich und optimistisch dargestellt hat, hat am Ende seines Lebens (1945) wie in Verzweiflung eine erstaunliche Wendung vollzogen. Dieser »aufgeklärte« Kopf sah, bei unveränderter rationalistischer Denkungsart, in all dem Guten, das ihm bis dahin das Thema der Geschichte war, nunmehr das so ungeheuerlich Bedrohende: Aus dem Gang der Dinge heraus ist ihm der unmittelbar bevorstehende Untergang des Menschen und allen Lebens unausweichlich. Die Entwicklungen unserer Erkenntnis und das reale Tun bezeugen ihm den Weg in diesen Abgrund. Er sucht nach einem Ausdruck für die »unbekannte Macht«, die einst das Sein hervorrief und nun zuletzt sich gegen es gewendet hat. »Macht« hat er gesagt, »weil es schwer ist, dies Unerkennbare auszudrücken, das sozusagen sein Antlitz gegen uns gekehrt hat«. Aber der Ausdruck mißfällt ihm: Macht bedeutet etwas, das »innerhalb des Universums ist und gegen uns kämpft«. Aber dies, was er meint, liegt ganz außerhalb unseres Universums. Nach vielen anderen Versuchen nennt er es den »Antagonisten« — auch das noch mißfällt ihm wegen der Vorstellung einer positiven Feindschaft —, aber er ist ihm die Macht, die jetzt sich anschickt, das Leben auszulöschen.

Wells' »Antagonist« ist in neuer Gestalt der Teufel, nur daß Wells nicht nur den Ausdruck meidet, sondern auch jedes Moment von Schuld und Bosheit fallenläßt, während er an das ihm Entsprechende als an eine Wirklichkeit in offenbar unerschütterlicher Überzeugung glaubt. —

An diesen Teufel im alten Sinne glauben auch heute noch viele Menschen. *Anton Böhm* gibt eine vielseitig beobachtende, geistvolle Schilderung des Zeitalters als einer Aktion des Teufels, der mit wachsender Macht die Menschen täuscht und die Realitäten als Mittel seines Zerstörungswillens benutzt. In allen Erscheinungen des Zeitalters ist der Teufel am Werk. Aber am Ende wird er Gott unterlegen sein in Zusammenhängen, die man aus der christlichen Dogmatik und der sich ihr anschließenden gnostisch-christlichen Spekulation kennt.

Das Gemeinsame und das Widerstreitende in der modernen Gnosis.

Die gekennzeichneten Weisen moderner Gnosis haben gemeinsam den Totalprozeß des Seins und sein Ende. Aber in ihrer Grundstimmung sind sie ganz verschieden: entweder aggressiv, voll Zorn und Empörung (bis zur Wut auf Jahve und bis zu einem niederträchtigen Antisemitismus, den er in der Nazizeit ungehemmt aussprach, bei Klages) oder voll Schwermut bei metaphysischer Zuversicht (Werthmüller) oder von trotziger Verzweiflung rationalen Denkens (Wells) oder von penetranter Beobachtung auf dem Grunde kirchlichen Glaubens (Böhm).

Gnosis bewegt sich zwischen anschaulichen Bildern und spekulativen Gedanken, operiert mit beiden. Vernünftige Kritik wendet sich gegen beide, aber macht sie sich auf andere Weise wieder zu eigen.

1) Es gibt keine Teufel und keine Dämonen. Nur wenn der Mensch sich durch die Vorstellung ihrer Realität täuschen lassen will, haben sie ihr fiktives Dasein (wie schon Augustin einsah). Der Mensch selbst ist verantwortlich; vergeblich wälzt er seine Verantwortung ab auf solche Mächte. Indem er es tut, erleichtert er sich seine Aufgabe und fördert das Unheil, das doch seinem eigenen Wollen, seiner Unvernunft und Widervernunft entspringt. Er redet vom Teufel, wenn er sich selbst anklagen sollte. Indem er die Möglichkeit seiner Vernunft einschränkt, gibt er den Ernst seiner Freiheit preis, versäumt, was er tun könnte, erlaubt sich zu tun oder zu erdulden, was er dem Teufel zuschiebt. Der Glaube an Teufel und Dämonen ist nur solange etwas Wirkliches, als der Mensch selber seine ihm geschenkte Vernunft und Freiheit nicht wagt. Aber die Frage bleibt, was gnostische Vorstellungen als Chiffern bedeuten mögen.

2) Es gibt kein spekulatives Wissen von übersinnlichen Gegenständen. Wo hier ein Wissen als Erkennen von etwas sich befestigen will, bringt es den vermeintlich Wissenden um seine Freiheit. Aber die Frage bleibt, auf welche einzige, unersetzliche Weise in spekulativen Denkvollzügen, ohne Erkenntnis von etwas, eine Vergewisserung im inneren Handeln des so Denkenden stattfindet. —

Gnosis, vernunftwidrig geworden, ist Abfall von den Chiffern zu ihrer objektiven Realisierung und ist Abfall von der Erfahrung vergewissernder Denkvollzüge zu einem Wissen von Etwas. Vernunft erkennt durch ihre Empfindlichkeit das Gnostische auch dort, wo es unbemerkt bei Gedankenbewegungen vorausgesetzt wird, sei es in der Stimmung, sei es in den verwendeten Denkfiguren. Die Gnosis ist ja nicht ein beliebiger Irrtum, sondern liegt in der Natur unseres Menschseins. Sie ist Erhellung und kann Verführung werden. Daher kann sie so wunderlich überzeugend gerade in ihrer Unbegründetheit wirken, in dieser Mischung von offenbar werdendem Geheimnis und Rationalisierung, in dieser absurden Verstandesarbeit im Dunkel. Wo immer in unserem Zeitalter Gnosis sich kundgab, ist sie auf Wegen der Vernunftwidrigkeit gegangen.

c) Die These des Endes überhaupt.

Es ist niemals ein Dauerzustand. Immer ist ein — langsamerer oder schnellerer — Wandel. Gibt es mit Gewißheit ein Ende? Eine Meinung ist etwa: In allen Perspektiven, die uns Dauer ermöglichen, in denen ein Ende praktisch so fern liegt, daß wir es nicht einbeziehen in unser Tun, dürfen wir doch niemals, wenn unser Daseinsbewußtsein wahr bleiben soll, die Vorstellung vom Ende verlieren. Das Dasein der Menschheit hat ein Ende. Ist das wirklich so?

Das nah bevorstehende Ende schien durch den Hinweis auf die bedrohliche Konvergenz verschiedener Entwicklungen sich aufzuzwingen. Die empirischen Feststellungen und mythischen Chiffern sind wohl unheimlich. Aber jedesmal ist die These vom Ende ein unkritischer Sprung vom Aspekt einer Erscheinung zum vermeintlichen Grundvorgang, von einer Orientierung im Wißbaren zu einem Totalwissen. Denn jeder Aspekt ist nur unter einem Gesichtspunkt gesehen und vernachlässigt andere. Die Beziehung mehrerer Aspekte auf einen einzigen Grundvorgang bleibt Fiktion. Keineswegs brauchen wir uns in solche Aspekte als Totalanschauungen gefangen zu geben. Wir dürfen es nicht, wenn wir erfüllen wollen, was uns Menschen möglich ist.

Denn eines ist gewiß: Die Vernichtung des Lebens durch die Atombombe wäre keineswegs das unausweichliche Ende eines an sich zerstörerischen Grundvorgangs, sei dieser nun empirisch oder gnostisch und mythisch als erkannt behauptet. Es bleibt eine Tat von Menschen, die durch nichts erzwungen wird, sondern, bis sie geschieht, der Freiheit der Menschen anheimgegeben ist. Die Tat erfolgt nicht notwendig aus einem vermeintlich erkannten Gesamtsinn des Grundvorgangs, sondern aus realen Zusammenhängen und Motiven, die uns Menschen zugänglich sind. Denn wir sind beides: Lebewesen im Gang der Naturkausalität und freie Vernunftwesen im Gang dessen, was wir selber hervorbringen.

Die Sorge um das nahe Ende möchten manche wohl niederschlagen durch den Blick auf das ferne Ende überhaupt: Ein Ende ist in jedem Fall. Was ist es für ein Unterschied, ob in kurzer Frist oder nach langer Zeit! Daß ein Ende ist, macht alles gleich.

Gegen diese Abstraktion eines nur intellektuellen Gedankens ist *erstens* zu sagen: Es ist nicht nur ein quantitativer, sondern ein qualitativer Unterschied, ob die Menschheit im kommenden Jahrhundert durch Bomben ihr Ende findet oder noch Jahrmillionen vor sich hat. Praktisch würde im ersten Falle die Grundhaltung: Zukunft ist nicht mehr, es ist Torheit und Lieblosigkeit, noch Kinder in die Welt zu setzen, die so Schreckliches leiden sollen. Im zweiten Fall liegt der ganze Tag der unvoraussehbaren Geschichte menschlicher Verwirklichung vor uns, der eben begonnen hat. Mit der bisherigen Weltgeschichte sind nur die ersten Minuten abgelaufen.

Zweitens ist zu sagen: Auch die vermeintliche Notwendigkeit des späten Endes beruht nur auf physikalisch-astronomischen Beobachtungen und Gedanken. Diese können keine absolute Geltung für die reale Prognose im ganzen beanspruchen. Sie gelten immer nur für endliche Systeme. Man kann die

Unendlichkeiten der mathematischen Abstraktion gedanklich beherrschen, nicht die Unendlichkeit des Wirklichen. Wenn man einmal auf dieses Gebiet des Denkbaren sich wagt, wo Physik nicht weniger als Metaphysik in (wenn auch andersartigen) Spekulationen denkt, so darf man der Phantasie sich überlassen: Wenn die Welt einen Anfang hatte, so liegt dieser Anfang in einem Übergreifenden, in der wirklichen Unendlichkeit, die nicht eingeht in eine Zeit. Wenn die Erde, das Sonnensystem nach zwar nennbarer, aber praktisch unermeßlich langer Zeit ein Ende haben, nicht aber die unendliche Wirklichkeit des Alls, so ist nicht abzusehen, was der Mensch, wenn er sich nicht selbst vernichtet, in so langen Zeiten noch technisch erreichen wird. Er kann Fuß fassen zunächst im Sonnensystem, dann im Kosmos überhaupt, kann einen unbegrenzten Weg vor sich haben in der gegenwärtigen Perspektive der Expansion des Weltalls. Solche Phantasien, die, wenn sie in entgegengesetzter Weise auftreten, sich gegenseitig umwerfen, machen den Raum offen für das schlechthin nicht Wißbare, für das heute nicht Wißbare und das für menschliche Vernunft grundsätzlich nie Wißbare.

5. Totalwissen als Ausweichen vor der menschlichen Aufgabe und die Chiffern

a) Die Fiktion eines Grundvorgangs. — Der Grundvorgang im Ursprung des Unheils ist die Vernunftwidrigkeit im Menschen, die Preisgabe seiner Freiheit.

Es gehört zur Vernunftwidrigkeit selber, einen Grundvorgang zum Gegenstand einer doch immer vermeintlichen Erkenntnis zu machen, sei es daß er fortschrittlich optimistisch gesichert gedacht wird, sei es daß er marxistisch als Geschichtsprozeß der Arbeit gemeint ist, der den Menschen aus der Selbstentfremdung zu sich selbst zurückführt, sei es daß er gnostisch beschworen wird als Aktion des Teufels.

Alle diese Vorstellungen verführen zum Ausweichen vor der einzigen, eigentlich menschlichen Möglichkeit, aus Freiheit eine ungewisse Zukunft zu wagen und zu verantworten. In diese Freiheit einzutreten, das bedeutet, auf sich selbst zu nehmen, was in den Vorstellungen des Totalwissens abgewälzt wird auf einen objektiven Prozeß. Der Mensch soll den Weg zur Rettung finden dort, wo er selbst, je einer, viele, alle entscheiden. Er soll seinen falschen Entlastungsdrang in allen Gestalten durchschauen. Er wird zugrundegehen durch Selbstvernichtung, wenn er nicht mit hellem Bewußtsein seine Verantwortung übernimmt.

Die Vorstellung eines vom Menschen unabhängigen Prozesses ist Fiktion: Es gibt keinen Grundvorgang des totalen Geschichtsprozesses ohne ihn. Es gibt auch keinen ihn durch sich selbst unausweichlich zwingenden, unerhellbaren, dämonischen Vorgang, kein mythisch sichtbares reales Geschehen. Vielmehr ist die Aufgabe für den Menschen, das, was er selbst hervorgebracht hat, auch selbst zu meistern. Der Zauberlehrling kann die Geister, die er mit dem Wort des Meisters rief, nicht loswerden, weil ihm das zur Beendigung nötige Zauberwort fehlt, das der Meister besitzt. Der Mensch aber soll nicht nach dem Zauberwort rufen. Es wäre vergeblich. Er lebt unter der Forderung, selbst der Meister zu sein. Er braucht kein Zauberwort, weder beim Hervorbringen von Wissenschaft und Technik durch den Verstand noch beim Beherrschen des Hervorbringens und des Hervorgebrachten durch seine Vernunft. Der Mensch kann sehen, worauf es ankommt, sich besinnen, die Umkehr vollziehen und handeln. Tut er es nicht, so ist, was geschieht, nicht blindes Verhängnis, sondern seine Schuld.

b) Totalwissen oder Bescheidung im Erkennen. — Voraussetzung für klare Verantwortung ist heute die kritische Einsicht in die Möglichkeiten wissenschaftlichen Wissens. Wissenschaftliches Wissen ist heute unerläßlich. Es ist ins Unendliche forschend zu erweitern. Für jedes Tun bedarf es der Sachkunde als Mittel.

Aber nur wer kritisch sein Erkennen erkennt, vermag sein Wissen zu reinigen. Wissenschaften bringen methodisch gesicherte, allgemeingültige, für jeden mit seinem Verstand folgenden Menschen ohne Glauben zwingende Erkenntnisse hervor. Diese Erkenntnis ist begrenzt auf Erscheinungen in ihrer Partikularität. Sie vermag nicht das Ganze zum Gegenstand zu machen, außer in Bildern, die keine Erkenntnisse sind.

Wahres wissenschaftliches Forschen bescheidet sich im unbeschränkt zu erweiternden, nie vollendbaren Erkennen und verzichtet auf das Totalwissen, das ihm unmöglich ist, aber in Fiktionen zu täuschen vermag. Das Totalwissen hört auf, Totalwissen zu sein, wenn der Mensch es als Täuschung seines seine Grenzen überschreitenden Verstandes durchschaut. Die Dämonien hören auf, Wirkung von Dämonen zu sein, wenn der Mensch sie als sein eigenes Werk begreift.

Während ich auf Totalwissen verzichten muß, darf ich nicht verzichten auf irgendeine zugängliche Erkennbarkeit. Statt eines Totalwissens habe ich »Schemata der Idee« eines je Ganzen, aber nur des Ganzen, das meinen jeweiligen Horizont umfängt. Ich sehe die Welt in Perspektiven.

Wenn ich auf Totalwissen verzichten muß, weil es in Wahrheit unmöglich ist, brauche ich nicht zu verzichten auf eine jeweilige Ordnung der letzten mir zugänglichen Horizonte, nicht auf ein Bewußtwerden der faßlichen Ziele und ihrer Rangordnung für mich. Aber umgriffen bleiben diese Ordnungen in der Vernunft von den Ideen und der »Idee des Ganzen«. Deren Ernst liegt in ihrer bewegenden Kraft. Deren Offenheit ins Unendliche für unser zeitliches Dasein tritt an die Stelle des Totalwissens.

Die Bescheidung im Erkennen mit der Einsicht in die Unmöglichkeit des Totalwissens hat Folgen für die denkende Lebensverfassung, für die Lebenspraxis und für das politische Wollen: Ich weiß nicht das Ganze, aber ich soll wissen, in welcher Situation ich stehe, was ich will, wofür ich leben will, welcher Sinn mich trägt und bezwingt. Mit alldem stehe ich in einem Umgreifenden. Durch Verzicht auf Totalwissen begründe ich meine Freiheit und den Willen zur politischen Freiheit gegen totale Herrschaft, die sich auf Totalwissen als Doktrin gründen muß.

c) An der Grenze des Erkennens: Weiterdenken. — Mit der Bescheidung des Erkennens ist die Aufgabe nicht erschöpft. Das Negative als total Negatives wird selber falsch. Wir sahen: Die historischen Aspekte vom Ende oder vom unendlichen Fortschritt der Geschichte, von mythischen Anschauungen bis zu erforschbaren Besonderheiten, sind eindrucksvoll, zum Teil faszinierend. Auch wo sich die Fragwürdigkeit ihrer Wahrheit zeigt, sind sie nicht einfach abzutun. Aber um sich in ihnen so zu bewegen, daß ihre Täuschungen verschwinden, doch ihr Gehalt nicht verlorengeht, muß man den Sinn solchen Denkens in den je besonderen Gestalten sich bewußt machen. Methodisches Bewußtsein ist auch hier Bedingung der Reinheit und ein Zeichen der Verantwortung für die Wahrheit unseres Denkens. Von dem dogmatisierenden, in Scheinklarheit vernebelnden Denken wird Methodologie verabscheut. Dieser Abscheu ist ein Zeichen seiner Verantwortungslosigkeit.

Mit der kritischen Einsicht in die Grenzen unseres gegenständlichen Erkennens sind wir nicht am Ende. Nach der Alternative zwischen wahrem und fiktivem Erkennen stehen wir nun vor einer zweiten Alternative: Will ich im Nicht-wissen-Können aufhören zu denken oder kann ich mit der Umwendung ein neues Denken ergreifen? Dieses neue Denken brächte ein Wissen, das nicht weiß im Sinne dessen, was man in den Wissenschaften und sonst Wissen nennt. Es wäre ein Denken, das mich selbst verwandelt, obgleich es keinen Gegenstand erkennt.

d) Das Denken der Vernunft. — Dieses Denken weiß nicht, aber vermag mehr als Wissen. Es erzeugt das Wissen durch den Verstand für unsere Situationen in der Weise, daß die rationalen Gebilde geführt bleiben aus der Verbundenheit mit dem Ursprung. Die Erscheinung des Wissens für den Verstand ist ständig aus solchem Ursprung zu prüfen, zu bewegen, zu lenken, zu beurteilen.

Im erkennenden Zuschauen der Geschichte stelle ich mich gleichsam außerhalb. Ich möchte in der Absicht des Allverstehens alles so Seiende, so Gewesene in gleichmäßiger Realität sehen. Aber ich gerate so in die Verfassung einer Gottheit, die ihre Sonne scheinen läßt über Gerechte und Ungerechte, damit aber als Mensch in die Ausweglosigkeit des Unverbindlichen. Überall sehe ich Recht und Unrecht, überall Gutes und Böses, und wahrhaft objektiv meine ich mich erst dann zu wissen, wenn ich jenseits von Gut und Böse zu sehen glaube, was ist.

Sehe ich aber mit der Vernunft, so bedeutet das nicht Einschränkung dieses Alles-verstehen-Wollens. Vielmehr scheint dies Verstehen selber zu wachsen, wenn ich mit dem Maßstab des Dabeiseins, als ob es meine eigene Sache wäre, urteile in Zustimmung und Abwehr. Im Fortgang des Verstehens suspendiere ich zwar zunächst mein Urteil, aber um es dann um so entschiedener zu finden. Spricht sich, was unumgänglich ist, dieses Denken in Beurteilungen aus, so sind diese wieder in Bewegung. Denn sie sind das Medium des Verstandes für die innerlich handelnde Kommunikation, nicht fixierte Wahrheiten.

Dieses Denken der Vernunft überschreitet alle vorläufigen Absolutheiten: die pragmatischen des Zweckmäßigen, die Richtigkeiten des Erkennens, die moralistischen des Sittengesetzes, die metaphysischen des Opfers, aber ohne sie aufzuheben. Diesem allen gibt sie vielmehr Sinn und Grenze, ohne ihre Einsicht anders als in geschichtlicher Existenz verwirklichen zu können (in den Objektivierungen des Sichmitteilens und ständiger Verwehrung des Fixierens solcher Objektivierungen).

Die große Vernunft kann keinen Augenblick den Verstand entbehren. Vielmehr steigert sie ihn auf das Höchste und kann nicht dulden, was dem kritischen Verstand — dem wirklich kritischen, dem Kantischen Verstand — eine Grenze setzen will, die nicht der Verstand selber kritisch begreift.

e) Der Sinn der Chiffern. — Im Denken der Vernunft öffnet sich eine weitere außerordentliche Möglichkeit. Was in den Fiktionen objektiver Prozesse scheinbar gewußt wurde, diese ganze reiche Welt, ist nicht nur nichtig. Was als Wissensinhalt hinfällig ist, kann Chiffer eines Unerkennbaren sein. Dann bedeutet es Sprache für das an sich Ungegenständliche. Die Vernunft bedarf der wunderbaren, ergreifenden Welt der Chiffern.

Wir haben uns vergegenwärtigt: Vernunft und Verantwortung finden sich in der Welt, sind nicht die Welt. Sie treffen auf das Andere, das sie zwar ins Unendliche hinein fortschreitend, aber nicht im Ganzen erkennen. Wenn wir in diesem Anderen den Grundvorgang der Geschichte suchen möchten, werden wir vielmehr auf die Akte der Freiheit des Menschen als den Grundvorgang gewiesen. Aber diese Scheidung zweier Welten ist nicht genügend. Sie im Wissen zu vereinen, gelingt nicht. So wird dieses Ganze, der »Grundvorgang« des Seins (dieser Ausdruck selber ist hier schon zuviel), das unerkennbar doch ständig wirklich gegenwärtig ist, von unserem Vorstellen und Denken in Chiffern getroffen. Das Verwerfen des Scheinwissens der Gnosis bedeutet nicht ein Verwerfen der Chiffern. Die unermeßliche Welt der Chiffern, unter denen das gnostische Vorstellen ein Teil ist, ist selber ein Feld, auf dem wir uns mit Chiffern gegen Chiffern wenden, indem wir uns existentiell in Chiffern als möglicher Sprache der Transzendenz verstehen. Chiffern sind nicht indifferent, sondern wirksam für unsere Existenz. Wie wir sie in uns zur Geltung kommen lassen, ist selber Sache unserer Verantwortung. Sie lenken unsere Kräfte in bestimmte Richtungen. Sie sind eine Sprache, die uns das Stille, Verborgene, Ungeheure, Überwältigende zum Bewußtsein bringt. So sprechen wir nicht mit Unrecht etwa von der Dämonie der Technik. Im Dämonischen wird bildhaft der Grund des überraschenden Eintritts von Folgen eines Tuns und Hervorbringens, die nicht gemeint und nicht erwartet waren und die zunächst wie ein übermächtiger Rückschlag gegen den von uns gewollten Gang der Dinge wirken. Die Chiffernsprache täuscht nicht, wenn sie in der Schwebe bleibt, nicht mit Wissen verwechselt wird und selber die Freiheit zur Verantwortlichkeit aufruft.

Vernunft kann die Chiffern aneignen unter zwei Bedingungen:

Erstens: Sie darf die Realisierung der Chiffern zu leibhaftigen Wesenheiten nicht zulassen. Diese ist das Kennzeichen des Aberglaubens. Erfahrungserkenntnis ist grundsätzlich von der Anschauung in Chiffern zu trennen. Ihre Vermengung beraubt beide ihrer möglichen Wahrheit. Vernunftwidrig ist die Verabsolutierung von Erfahrungserkenntnis zu einem rationalen Totalwissen vom Ganzen und ist ebenso die Objektivierung der Chiffern zu seienden Dingen und realen Prozessen.

Zweitens: Die Sprache der Chiffern ist nicht gleichmäßig. Erhellende und verdunkelnde, beschwingende und niederdrückende, eindeutig ergreifende und verführend zweideutige Chiffern umspielen uns. Diese Unterschiede gelten nicht für die ästhetische Phantasie, die allem einen Reiz abgewinnen kann, unersättlich neue Reize sucht, sondern sie gelten erst für mögliche Existenz. Für diese sind die Chiffern auf eine einzige Weise different, denn sie tragen Heil und Unheil in sich. Sich ihnen anvertrauen bedeutet Gefahr, ist daher ein Akt der Verantwortung. Das deutende Umkreisen ist nicht mehr ein Hinstellen der Beliebigkeiten von Sinngebilden, die in sich durch eine gewisse Konsequenz zusammengehalten werden. Es ist vielmehr im Umgang mit ihnen ein ständiges inneres Handeln in Abwehr und Aneignung.

Die Chiffern sind also für Vernunft sinnvoll und unumgänglich, wenn sie *erstens* kritisch gedacht, nicht mit Wissen verwechselt, und wenn sie *zweitens* nicht beliebig angenommen, sondern in ihrem existentiellen Sinn ergriffen oder abgestoßen werden.

Da die Chiffern selber wahre oder falsche, gründende oder verführende, zum Guten beschwingende oder zum Verderben bezaubernde, existentiell erhellende oder luziferisch betrügende sind, muß Vernunft den Kampf innerhalb der Chiffernwelt im Gang halten, gegen irreleitende Chiffern sich wenden, nicht mit Gründen des Verstandes, sondern mit dem Wesen der Existenz, von der die Vernunft getragen wird. Denn Vernunft führt einen radikal anderen Kampf im Reiche der Chiffern als im Felde der Erkennbarkeiten.

Vernunft befreit von der Behexung durch Totalvorstellungen eines Pseudowissens; aber sie läßt sie zu Chiffern werden. Sie treibt den Verstand zum Fortschreiten des möglichen Erkennens ins Unendliche; aber sie hält offen für die Sprache der Chiffern.

f) Die Chiffer der Notwendigkeit. — Am Beispiel des Gedankens der Notwendigkeit in den mannigfachen objektiv gedachten Prozessen sei ihre Bedeutung als Chiffer vergegenwärtigt.

Notwendigkeit begreifen wir als Kausalnotwendigkeit, als logische Konsequenz, als Evidenz in Sinnzusammenhängen. Diese bestimmten Bedeutungen eignen der Kategorie »Notwendigkeit«. Transzendieren wir mit dieser Kategorie über sie selber, so verliert sie alle Bestimmtheit, aber spricht nun auf andere Weise wundersam an.

Sie ist nunmehr transzendente Notwendigkeit, die, über aller bestimmten Notwendigkeit und über der Freiheit, gegenstandslos und ohne Möglichkeit einer Vergegenständlichung gedacht wird.

Von daher ist, was in der Notwendigkeit von Ursache und Wirkung sich zeigt, ein Vordergrund. Denn jene transzendente Notwendigkeit hat nicht mehr den Notwendigkeitscharakter von Naturvorgängen. Was objektiv als »notwendig« erkannt wird, ist dem Wesen des transzendenten Grundgeschehens, das kein »Geschehen« mehr ist, unangemessen.

Der Entwicklungsgang der Menschheit, verborgen, undurchschaubar in den Ursprüngen und den Sprüngen und den Wenden der Geschichte, ist immer mehr, als wir in den Erscheinungen von ihm erkennen. Er ist schon mißverstanden, wenn er überhaupt grundsätzlich im ganzen als ein erreichbarer, nur heute noch nicht erreichter Erkenntnisgegenstand angesehen wird.

Aus Freiheit läßt sich in der Geschichte jedoch nichts objektiv erklären. Sie ist nicht ein anderer Faktor neben dem Faktor der Kausalität und der als Kausalität begriffenen Wirksamkeit von Sinnzusammenhängen. In unserem objektiv erkennenden Auffassen hat die Kausalität keine Grenze. Sie kann nicht unterbrochen oder ergänzt werden durch eine erkannte Freiheit.

Die Wirklichkeit der Freiheit aber erfahren wir in uns selbst als eine andere Notwendigkeit, die nicht mehr »Notwendigkeit« als bestimmte Kategorie ist. Das ist auf folgende Weise vielleicht deutlicher zu machen: Wenn das Ganze ein einziger objektiv faßlicher Prozeß ist, so sind auch die menschlichen Entschlüsse aufgenommen in diesen erkennbaren unausweichlichen Gang der Dinge, der die Entschlüsse als solche entwertet. Denn sie sind als freie Akte überflüssig. Sie sind notwendig als etwas, das nicht eigentlich Entschluß, sondern Zwang des Zuges der Geschichte ist. Der notwendige Prozeß kann dann gedacht werden als hinführend zum Guten, vermöge dessen das totale Unheil gar nicht eintreten kann, oder als hinführend zum Unheil und Untergang, vor dem die Menschheit nicht zu retten ist. So aber wird die Notwendigkeit der Freiheit aufgefaßt in der Kategorie »Notwendigkeit« unter Verlust der Freiheit. Anders wenn die Notwendigkeit als Chiffer spricht: Die Chiffer der Notwendigkeit macht den Sinn der eigenen Freiheit heller durch das Bewußtsein ihrer Grenze. Denn die Freiheit ist nicht absolut. Sie wirkt gegen Widerstände, vor denen sie überhaupt erst zur Freiheit wird. Und sie ist nicht aus dem Nichts, sondern weiß sich als Freiheit geschenkt in einem Umgreifenden.

Im Gang der politischen Geschichte hat das Notwendige als Grenze zweierlei Gestalt. Es ist *erstens* das Gegebene an Realitäten, von den natürlichen Realitäten des Bodens, der geographischen Lage bis zu den natürlichen Eigenschaften der jeweils lebenden Menschen, von der Kausalität des Naturgeschehens bis zur Sinngesetzlichkeit von Situationsfolgen. Die Politik geht um mit diesen Realitäten, die selber nicht politisch sind. Das Notwendige ist *zweitens* das, was als »Grundgeschehen« gedacht wird, in dem die Freiheit des Menschen beteiligt ist, und das nur vieldeutig vor Augen gebracht, niemals erkannt wird. Jene *ersten* Notwendigkeiten sind objektive Realitäten, die man hinnehmen muß. Diese *zweite* Notwendigkeit ist Chiffer, die zu dem in der Transzendenz sich findenden Menschen spricht.

In der Chiffer wird gesagt: Der Grundvorgang des Geschehens liegt in der Freiheit und diese im Umgreifenden. Die Akte der Freiheit sind in ihrer Unabhängigkeit selber von transzendenter Herkunft des Sichgeschenktwerdens. Sie sind in ihrer Gegenwärtigkeit eigentlichen Seins doch von anderswoher. Je freier wir entscheiden und handeln, sehen wir im Grunde zu: Wir erfahren in der eigentlichen Freiheit, was wir müssen. Das Umgreifende ist die Notwendigkeit.

Da wir aber in keiner Chiffer ein Wissen gewinnen, ist sie, indem wir sie aussprechen, sofern sie unwillkürlich zu einem Gegenständlichen wird, auch schon unwahr. Wenn sie aber Chiffer bleibt, spricht sie unüberschreitbare Wahrheit aus an der Grenze, wo Wollen und Tun in einem Anderen gründen oder in ein Anderes aufgehoben sind. Hier aber ist nichts zu gewinnen, womit wir rechnen könnten, nichts, was als Tatsache erfahren oder bestätigt, begründet und widerlegt werden könnte, nichts, womit wir argumentieren und worauf wir uns zur Rechtfertigung berufen dürften.

Die Verkehrung der Chiffer, die sie mit einem wißbar Wirklichen verwechselt, ist eine schwer zu überwindende Täuschung. Die Betroffenheit, die im Denken der Chiffer sich ausspricht, und das Verhalten zu ihr verwandeln sich dahin, als ob etwas gewonnen sei, wonach ich mich richten könnte und müßte. Gerade das ist nicht der Fall. Ich bin allein auf meine Freiheit und meine Vernunft verwiesen, an deren Grenzen die Chiffern sprechen, aber in Wahrheit nur so, daß sie Freiheit und Vernunft steigern, indem sie ihre Grenzen fühlbar machen.

Wird die Chiffer der Notwendigkeit in Lebenspraxis und Politik benutzt, so wird sie vieldeutig und in jedem konkreten Fall fragwürdig. Auf Notwendigkeit haben sich Staatsmänner in gespannten Situationen für ihre Entscheidung berufen, wenn ihre Tat dem Gesetz und dem Ethos, den gültigen Doktrinen und angenommenen Grundsätzen widersprach. Cromwell berief sich auf Notwendigkeit im Pathos seiner großen Entschlüsse, mit denen er das Parlament, sei es rhetorisch, sei es gewaltsam bezwang. Bethmann-Hollweg berief sich auf Notwendigkeit (»Not kennt kein Gebot«), ratlos beim Einmarsch in Belgien 1914. Kraftvolle Staatsmänner, wenn sie in sinnhafter Kontinuität ihrer Verantwortung im Ganzen standen, brauchten das Wort ebenso wie Politikbeamte, die nicht wissen, was sie tun und wo sie stehen. Auch die Marxisten berufen sich auf Notwendigkeit für ihre Gewalt, wo Vernunft, Begründung, Miteinanderreden aufhören.

Die Notwendigkeit ist eine wahre Chiffer, sie weist auf den Grund des Überpolitischen. Aber sie ist zweideutig. Sie kann das Eintreten in die umgreifende Vernunft anzeigen oder der Deckmantel für die Willkür, für den Fanatismus der Verstandesplanung, für die blinde Gewalt sein.

Sechstes Kapitel

DIE VERNUNFT SCHEINT UTOPISCH

Rückblick: Reine Politik als besonderer Bereich menschlichen Tuns, als Ressort, ist der Situation nicht gewachsen. Das Überpolitische — die Moralität, das Opfer, die Vernunft — ist entscheidend für die Entschlüsse. Die Moralität des Einzelnen hat zwar keine unmittelbar politische Wirkung, die sich feststellen ließe, ist aber die Voraussetzung für eine im Volke gründende dauernde Politik. Worauf die handelnden Politiker treffen, aus welcher Gesinnung eines Volkes sie hervorgehen und zur Macht aufsteigen konnten, das entscheidet darüber, ob nur eine Politik der Geschicklichkeit oder eine prägende, erziehende, bauende, bildende Politik stattfindet. Aber die Moralität ist nicht das letzte Entscheidende, wenn nicht Opfermut und Vernunft in sie eingeschlossen sind. Das die drei unterscheidende Denken kommt jeweils an die Grenze, wo Moralität, dann Opfermut, dann Vernunft unzureichend werden. Nur durch diese drei — im Kreise geschlossen — gelangen wir zu dem tiefsten Grund des Entschlusses. Dies umgreifende Eine ist nicht zu den dreien als ein Anderes noch einmal, nicht als Entwurf eines gewußten Ganzen vor Augen zu stellen, sondern zeigt sich in der Geschichtlichkeit des Seins und Handelns.

Die Situation durch die Atombombe: Es ist nicht rückgängig zu machen, daß die Menschheit dahin gelangt ist, sich selbst vernichten zu können. Nur wenn Gewalt als totale Aktion (als Krieg) ausgeschlossen werden kann, ist der Zustand möglich, der den Untergang der Menschheit verhindert. Sollten internationale Rechtsformen und Verträge dem Zustand eine gewisse Haltbarkeit geben, so würden diese wirksam doch nur sein, wenn moralische Gesetze respektiert werden, der Opfermut bereit bleibt und wenn Vernunft dies alles umgreift und durchdringt, an den entscheidenden Positionen die Führung hat und in den Menschen überall ansprechbar ist.

Ohne Umkehr zu dieser Vernunft sehen wir nur das Ende. Den Weg der Vernunft, den der Mensch von Anbeginn gefunden und immer wieder verlassen hat, muß er nun im Ganzen erinnernd wiederfinden. Es ist keine Rettung außer der, daß er sich auf seinen Ursprung gründet als das, woran sein Heil als Mensch und nun auch das bloße Dasein der Menschheit überhaupt hängt.

Äußerungen der Hoffnungslosigkeit in bezug auf Vernunft: Diese Vernunft nun wird (oft unter Anerkennung ihrer Wahrheit) in ihrer Macht für nichts gehalten. Viele sprechen ihre Hoffnungslosigkeit aus. Die Vernunft bewirkt nichts; sie ist utopisch (aus Zuschriften anläßlich meines Radiovortrags 1956 über das Thema): »Wenn es an der Gesinnung liegt, sind wir verloren.« »Der Appell an Vernunft kann nicht fruchten.« »Wenn nur noch Vernunft uns retten kann, und zwar von jedem Einzelnen ausgehend, dann sehe ich schwarz. Das wäre das Schwerste, was der Herrgott von der Menschheit bis jetzt verlangt hat... Dann wird es wohl recht so sein, daß diese Erde, die durch eine Atomexplosion entstanden ist, auch durch Atombomben vernichtet wird.« »Was nützen die paar Vernünftigen, wenn sie durch die Macht, d. h. die Maßgebenden, doch unterdrückt werden!« »Den Proleten Vernunft predigen, ist abgenutzt. Ich habe die Aussichtslosigkeit längst eingesehen und der Herrgott eben auch: deshalb macht er bald endgültig Schluß! Die Zeit zum Predigen ist vorbei! Es läßt sich niemand mehr etwas sagen!«

Ganz anders hat Churchill eine unüberhörbare Beschwörung ausgesprochen, an sich haltend, ohne Endgültigkeit, nur konkret für die englisch sprechenden Völker. Der unerschütterlich Mutige hat durch die beiden Überschriften des ersten und des letzten Bandes seiner Kriegsmemoiren der Welt kundgegeben, was ist. Es klingt fast, aber nicht ganz hoffnungslos. Der Zweite Weltkrieg war nach seiner Einsicht unnötig. »Niemals hätte sich ein Krieg leichter verhindern lassen.« So setzt er vor den ersten Band die Überschrift: »Wie die englisch sprechenden Völker durch ihren Unverstand, ihre Sorglosigkeit und Friedfertigkeit es zuließen, daß die Bösen aufrüsteten.« Und heute vor den letzten: »Wie die großen Demokratien triumphierten und dadurch imstande waren, mit den alten Torheiten fortzufahren, an denen sie beinahe zugrunde gegangen wären.«

Zahlreich sind Churchills Schilderungen der Unvernunft in den konkreten Situationen, so z. B. nach dem Ersten Weltkrieg, als die Forderungen der Alliierten auf Grund des Friedensvertrags wirtschaftlich unsinnig, weil in sich widerspruchsvoll waren: »Niemand in führender Stellung besaß den Geist, die Überlegenheit oder die Unabhängigkeit von der öffentlichen Verblendung, um den wahlberechtigten Mitbürgern diese grundlegenden brutalen Tatsachen auseinanderzusetzen; auch wäre keinem, der dies getan hätte, geglaubt worden.« Wenn nicht einmal Churchill die Einsicht zur Geltung bringen konnte, wer dann? Churchill bietet darüber keine Reflexionen an. Er stellt nur die Situation, die Meinungen und das politische Handeln dar.

1. Vernunft und Demokratie

Trügerisch wäre es, die Ordnung der Welt von einigen vernünftigen Menschen, die dafür sorgen werden, zu erwarten. Die Vernunft muß in die Völker dringen, um Wirksamkeit und Dauer zu gewinnen. Daher ist »Demokratie« unumgänglich. Ihr Sinn ist die Herausarbeitung der Vernunft im gemeinsamen Denken und Handeln eines Volkes und der Völker untereinander.

Wenn die Vernunft durch den Weltfrieden die Atombomben außer Wirkung setzt, dann nur durch die Demokratie als politische Lebensform. Öffentliche Meinung und Weltmeinung sind schwankend. Nur die in Institutionen und

Lebensformen zu anhaltender Wirkung gelangte Vernunft vermag zu tragen. Wenn Demokratie utopisch ist, dann ist es auch die politische Vernunft, die nicht nur zufällig Einzelnen eignet, sondern kraft der Völker ihre verläßliche Wirkung hat.

Heute ist das Reden von Demokratie paradox. Alle Staaten, ob totalitär oder frei, berufen sich auf den Volkswillen und nennen sich demokratisch. Alle lassen das Volk, wenigstens in Versammlungen, Volksfeiern und Festreden, als den Souverän in Erscheinung treten. Das Wort »Demokratie« ist, in der Öffentlichkeit der Massen unantastbar, als Wort zu einem Götzen unseres Zeitalters geworden.

Dagegen wird die Demokratie in der Literatur einer verbreiteten Meinung verworfen. Weil sie unfähig sei, die Vernunft durchzusetzen, führe sie faktisch in die äußerste Gewaltherrschaft. Entweder die Tyrannei der Majorität oder die totale Herrschaft sei das Ergebnis der Demokratie. Die Menschenartung, von Natur unvernünftig, mache die Demokratie zu einem Wahnsinn.

Gegenüber dieser Antithese von Vergötzung und Verteufelung der Demokratie ist der eigentliche Sinn der Demokratie nur durch die Vernunft selber festzuhalten. Dann wird, statt Verherrlichung und Verwerfung, die Tatsächlichkeit mit ihren verzweigten Konsequenzen und die Demokratie als unser schwerer, harter, einziger Weg ins Auge gefaßt.

Alle Grundgedanken über die Gefahren der Demokratie sind da seit Tocqueville und Max Weber. Dort aber, an der Quelle, ist mit dem schmerzvollen, ja entsetzten Blick auf die Möglichkeiten der Demokratie ein untilgbarer Glaube an den Menschen und seine Freiheit verbunden. Der rücksichtslos kritische Blick dieser großen politischen Denker will nicht gegen die Demokratie, sondern zur Selbsterziehung der Demokratie wirken. Denn die Demokratie ist nach ihrer Einsicht unumgänglich infolge des faktischen Ganges der Sozialgeschichte und der Notwendigkeit der Vernunft selber. Die menschliche Aufgabe ist, die Gefahren der Demokratie durch die in der Praxis wirksame Selbstkritik, in einem unabsehbaren Gang der Geschichte, mit ebenso großer Anspannung wie Geduld zu überwinden.

Churchill soll gesagt haben, Demokratie sei die schlechteste Staatsform mit Ausnahme aller übrigen. Sein Humor spricht es aus: Die menschlichen Dinge sind von Grund aus nicht in Ordnung. Aber die Demokratie ist die am wenigsten schlechte Staatsform, weil sie der einzige für uns sichtbare und erdenkbare Weg ist, der Chancen für unabsehbare Verbesserungen durch das Wachsen der Vernunft in den Völkern selber bringt.

Nur unter günstigen Umständen kann im Kleinstaat die Liebe zu Heimat und Volk mit dem demokratischen Denken eins werden. In den Großstaaten ist die menschliche Erbarmungslosigkeit der Politik und sind die Schrecken und Gefahren der Demokratie stärker fühlbar als die Schönheit der Aufgabe. 1914, kurz vor dem Krieg, war ich Zeuge einer Unterhaltung zwischen dem großen Schweizer Juristen Fritz Fleiner und dem großen deutschen politischen Denker Max Weber, beide überzeugte Demokraten. Fleiner sagte: »Man muß den Staat lieben!« Max Weber: »Wie, lieben soll man das Ungeheuer auch noch!«

Aber was ist Demokratie? Begriffe von ihr sind vielfach und widersprüchlich. Ihre Idee aber ist eine.

a) Die Idee der Demokratie.

1) Vernunft kann zu verläßlicher Herrschaft nur kommen, wenn nicht wenige Einzelne, abseits in ihrer Einsamkeit, sondern wenn die Völker mit ihren Führern durch sie bestimmt werden. Das ist nur möglich, wenn jeder Einzelne die Chance hat, mitzudenken und mitzuwirken.

Folge ist: Demokratie verlangt die Erziehung des gesamten Volkes dazu, daß jeder die seiner Naturanlage nach mögliche Fähigkeit zum Mitdenken und Urteilen erreicht.
Demokratie verlangt die Publizität des Denkens, insbesondere der Nachrichten, Diskussionen, Vorschläge, Entwürfe.

2) Vernunft ist nicht Besitz, sondern ist auf dem Wege. Sie kann nur über die Erziehung aller zur Demokratie als gemeinschaftlichem Denken und Tun führen. Daher ist Demokratie nie etwas Endgültiges, sondern sich in der Gestaltung Wandelndes.

Folge ist: Demokratie verlangt Selbstkritik. Sie hält sich nur, indem sie ihre Erscheinung verbessert.

3) Die Vernunft eignet grundsätzlich jedem Menschen. Daher hat jeder Einzelne seinen absoluten Wert und darf nie nur Mittel sein. Jeder ist unersetzlich. Das Volk sind alle und jeder. Das Ziel ist, daß jeder Mensch das eingeborene Wesen des Menschen, die Freiheit, gemäß seinen Gaben verwirklichen könne.

Die Folge ist: Demokratie will Gleichheit: sie will allen gleiche Rechte als gleiche Chancen geben. Dies Ziel ist, soweit es überhaupt möglich ist, allein durch den Rechtsstaat erreichbar. Die Handlungen aller, auch der Staatsführer, sind gebunden an Gesetze, die auf gesetzlich geordnetem Wege zustandekommen und geändert werden können. Ein Wandel der Verhältnisse verlangt einen Wandel der Gesetze. Die immer bleibende Ungerechtigkeit verlangt ohne Aufhören bessere Gesetze.

4) Vernunft wirkt durch Überzeugung, nicht durch Gewalt. Da aber durch Handlungen von Menschen die Gewalt wirklich da ist, muß Vernunft zur Selbstbehauptung gegen Gewalt auch Gewalt anwenden.

Folge ist: Demokratie wendet Gewalt an durch Polizei gegen die Gesetzwidrigkeit, aber nur auf dem Wege gesetzlicher Regelung und richterlichen Urteils. Dadurch ist jeder gegen willkürliche und ungesetzliche Gewalt des Staates geschützt, hat Sicherheit für Leib und Leben.

5) Die Vernunft geht als Gesinnung allen bestimmten Gesetzen und Institutionen vorher. Vor allen Gesetzen und aller Gesetzgebung werden *Menschenrechte* anerkannt, die alle gemeinsam binden und befreien und selber nicht einer ihrer Natur nach wandelbaren Gesetzgebung unterstehen. — Vor aller Beurteilung, Wertschätzung und Ordnung dessen, was Menschen in ihrer Mannigfaltigkeit tun und sind, steht die *Liberalität* in der Anerkennung aller menschlichen Möglichkeiten. — Dem Erdenken, Beschließen und Befolgen der Gesetze geht voraus die *Empfindlichkeit gegen Ungerechtigkeit* und Unrecht überhaupt.

Die Folge ist: Demokratie formuliert Menschenrechte und sucht sie der Gefährdung durch künftige Beschlüsse zu entziehen. Sie schützt alle Einzelnen, schützt die Minoritäten gegen illiberale Vergewaltigung seitens der Mehrheit. Sie lebt durch die Aktivität der Sorge, die jedes Unrecht, das irgendeinem geschieht, zur Sache aller macht.

6) Die Vernunft vergißt in der politischen Verwirklichung nicht: Es sind immer Menschen, die regieren. Sie sind Wesen von derselben Art wie die Regierten. Menschen haben Mängel und sind Irrtümern ausgesetzt.

Die Folge ist: Auch die Regierung durch die besten Menschen bedarf noch zu irgendeinem Zeitpunkt der Kontrolle. Diese aber kommt wieder von Menschen. Daher ist sie notwendig gegenseitig: im geistigen Kampf der Diskussionen; in der Verteilung der Ämter; in den Rechenschaften.

Der Knoten in der Demokratie

Demokratie will die Herrschaft der Vernunft durch die Herrschaft des Volkes. Wie aber kann das Volk herrschen, wenn es noch nicht vernünftig ist?

Es ist die Frage, durch welche Mittel der Wille des Volkes sich selbst klar, öffentlich werden und sich verwirklichen soll. Die Mittel sind die *Presse;* die *Versammlung aller* (in sehr kleinen Demokratien als faktische Versammlung aller Bürger, in großen die Volksabstimmung über vorgelegte, vorher in der Öffentlichkeit allseitig und lange Zeit diskutierte Fragen); die *Repräsentation* des Volkes in gewählten Parlamenten.

Wie nun aber, wenn diese Mittel der demokratischen Idee sich gegen die Idee der Demokratie selber wenden? Wenn etwa ein Majoritätsbeschluß ihres Parlaments ihre eigenen Grundsätze verletzt (wie im selbstmörderischen Ermächtigungsgesetz des Deutschen Reichstags 1933), und wenn eine Volksabstimmung mit Mehrheit beschließt, daß der Rechtsstaat abzuschaffen ist (1933 in Deutschland durch die darin übereinstimmende Mehrheit von Nationalsozialisten, Deutschnationalen und Kommunisten)? Was, wenn die Freiheit beschließt, daß keine Freiheit sein soll? Ist die Majorität berechtigt, zu beschließen, daß sie in Zukunft nicht mehr gelten soll? Ist sie berechtigt, die Demokratie abzuschaffen, die Menschenrechte zu tilgen, die Minoritäten zu vergewaltigen? Ist Recht und Gesetz, was alle Rechtlichkeit und Gesetzlichkeit durch Majoritätsbeschluß vernichtet?

Hier liegt *der Knoten*, der in allen demokratischen Gestaltungen irgendwann in einer kritischen Situation unauflöslich werden kann. Keine Staats*form* der Demokratie garantiert die *Idee* der Demokratie.

Wo ist die Instanz, den unauflösbaren Knoten zu durchhauen?

Die Demokratie setzt die Vernunft im Volke voraus, die sie erst hervorbringen soll. Die widervernünftige Gewalt verschwindet nicht, solange nicht alle vernünftig sind. Wenn aber die Vernunft das Volk im Stiche läßt, was dann? Man kann unterscheiden den Willen der augenblicklichen Mehrheit und den vernünftigen Grundwillen in dem dauernden Wesen des Volkes. Jener augenblickliche Wille kann irren. Die Minorität, vielleicht sehr wenige können aus jenem Grundwillen die Wahrheit vertreten. Aber in der Realität gibt es kein Organ, das Instanz jenes Grundwillens wäre. Jede Einrichtung, das Staatsoberhaupt, das kleinste Gremium, Parlament und Volksabstimmung — jede kann versagen und dem Widervernünftigen verfallen. Wir sind gebunden an reale Instanzen. In der Demokratie sind wir an Majoritäten gebunden mit der Voraussetzung, daß deren Beschlüsse in der Folge als irrig korrigiert werden können. Wenn aber der Beschluß jede Korrektur ausschließt, da er schlechthin vernichtend wirkt?

Den Mißbrauch der Einrichtungen der Demokratie gegen die Idee der Demokratie mit Sicherheit zu verhindern, ist keine Einrichtung fähig, sondern nur die dauernde vernünftige Gesinnung der Menschen, die jener Einrichtungen sich bedienen. Die Grenze ist dort, wo die Vernunft selber, in der Minorität, gegen die Gewalt der Vernichtung aller Vernunft durch die Majorität, duldet und sich vergewaltigen läßt. Damit aber öffnet sie die Schleusen für den Strom der Gewalt überhaupt (bis dieser, wie im Zweiten Weltkrieg, alle früheren Maße überschritt und durch einen Glücksfall am Ende wenigstens zur halben Wiederherstellung der Chancen der Freiheit führte; — das nächste Mal würde der Atomkrieg das Ende aller herbeiführen). Oder die Vernunft greift ihrerseits, nun nur in Gestalt großer Staatsmänner mit vielleicht winzigen Minoritäten, zum Maximum an geschickten Operationen mit Gesetzlichkeiten und im entscheidenden Augenblick gegen die Vergewaltigung durch Majorität und Terror zur Gewalt. Dieser Akt ist ungesetzlich — gegen die gesetzeszerstörenden Handlungen der formell legalen Majorität. Er ist durch keine Institution zu rechtfertigen.

Noch einmal dieselbe Erwägung: Demokratie kann sich als Wirklichkeit nur halten, wenn sie der nur rationalen Konsequenzen ihrer Freiheitsgesetze in den Institutionen Herr wird oder anders: wenn sie aus der Kraft der Idee selbstmörderische Abstimmungen meistert. Das aber ist nur möglich durch Handlungen derer, die in kritischen Augenblicken am Steuer stehen oder nach dem Steuer greifen. Dieselbe Form der gesetzlichen Institutionen kann zur Rettung wie zur Vernichtung der Demokratie benutzt werden (Brünings Rettungsversuch 1932 mit Notverordnungen gesetzlichen, daher notwendig partikularen Charakters; dann Papens und Hitlers Zerstörungsakte mit Handlungen der gesetzwidrigen Gewalt, aber zunächst noch formal gesetzlichen, doch dem Sinne nach auch schon gesetzwidrigen totalen Charakters). Kein Gesetz und keine Ordnung kann vorwegnehmen, was in solchen Augenblicken geschieht. Die einlinige rationale Konsequenz, die Jurisprudenz, die Ressorts, der Beamte — sie alle versagen. Der große Staatsmann, der sich in solchen Augenblicken zeigt oder ausbleibt, bewährt sich dadurch, daß er für seine Vernunft auch die Bundesgenossen an entscheidender Stelle mitzureißen vermag, und durch den Sinn seines mit Erfolg Dauer erwirkenden Handelns.

Demokratie ist tolerant gegen alle Möglichkeiten, muß aber gegen Intoleranz selber intolerant werden können. Sie ist gegen Gewalt, aber muß gegen Gewalt sich durch Gewalt behaupten. Sie läßt alle geistigen, sozialen, politischen Bewegungen zu, aber wo diese organisatorisch und durch Handlungen gegen den Gang der demokratischen Vernunft selber sich wenden, da muß die Staatsgewalt ihrerseits gegen sie handeln können. Demokratische Politiker und Beamte, unwürdig der Demokratie, werden eingesponnen durch ein Netz legaler Verstrickungen von der Intelligenz derer, die alle Legalität aufheben wollen. Sie können sich nicht befreien und verschleiern ihr Verpassen des Augenblicks dadurch, daß sie reden, nach allen Seiten verhandeln und nichts tun. Die Idee der Demokratie ist verloren in den Händen bloßer Politiker, die sie im pseudodemokratischen, emotionell erregten Leben sterben lassen. — Doch alle solche Überlegungen zeigen nur, daß die Demokratie auf vulkanischen Boden gebaut ist und nicht durch rechtliche Sicherheiten allein zu bewahren ist.

Die Demokratie ist gefährlich wie das gesamte Dasein des Menschen. Für die Weltgeschichte sind die großen kritischen Augenblicke in den jeweiligen Großstaaten entscheidend. Demokratie kann sich nicht halten allein in der Geduld des Ausgleichs, in der Verständigkeit der Kompromisse, im Aushandeln der Interessen auf mittlerer Linie. Das vermag sie in ruhigen Zeiten zu tun. Aber nur wenn in solchen Zeiten schon der Atem des Bösen gespürt und nicht vergessen wird, und wenn die Bereitschaft in ständiger Spannung bleibt, können die demokratischen Männer im drohenden Augenblick, statt im Schrekken gelähmt zu werden, im weiten Horizont die wagemutigen Entschlüsse finden und sie dann, andere ergreifend und überzeugend, festhalten.

Idee und Ideal

Die Demokratie ist eine Idee. Das bedeutet, daß sie nirgends vollendet sein kann und daß sie sogar als Ideal sich einer anschaulichen Vorstellung entzieht. Der Mensch sieht mit seiner Vernunft das Ausbleiben einer richtigen, zum Abschluß zu bringenden Welteinrichtung. Der demokratischen Idee entspricht das Bewußtsein der Unvollendbarkeit des Menschen.

Als Idee aber ist sie nicht skeptische Schwäche, sondern das verständig Besonnene der Vernunft, das mächtig Bewegende, das enthusiastisch Ergreifende. Die Idee schwebt vor Augen — nie ergriffen, immer schon da —, stets auch entgleitend, ständig führend.

Dem bloßen Realisten scheint die Idee phantastisch. Er hat recht, wenn man in dem, was nur das Schema der Idee ist, schon das Programm für eine Verwirklichung und wenn man im Bewußtwerden der Impulse schon eine reale Leistung sehen wollte. Er hat nicht recht, wenn er verkennt, daß alle reale Leistung, die nicht nur augenblickliche, sogleich wieder zerrinnende Erfolge, sondern auf den Weg dauerhafter Gründungen bringt, gebunden ist an die Idee. Diese wird kräftig in der Weite der Horizonte, in der Breite des Wissens, in der Tüchtigkeit der Praxis.

b) Begriffe der Demokratie.

Das Wort Demokratie, heute von allen Staaten zur Selbstrechtfertigung benutzt, entzieht sich als Begriff einer einfachen Definition. Es sind zu unterscheiden:

Die Idee der Demokratie und ihre jeweiligen Institutionen: Die letzteren sind fast grenzenlos veränderbar. Sie sind von der Idee nur mehr oder weniger erfüllt. Sie werden zu Gebilden, die die Idee zerstören.

Die Idee der Demokratie lebt aus der Substanz einer geschichtlichen Überlieferung bis in das Ethos des Alltags in der Bevölkerung. Die als bestimmte Verfassung vergötzte Demokratie wird wie ein Heil- und Zaubermittel fix und fertig übernommen oder den Völkern zu ihrem vermeintlichen Besten aufgezwungen.

Daher hat die Idee der Demokratie eine lange Geschichte von antiken Erscheinungen über das Genossenschaftswesen und die Stadtrepubliken im Mittelmeer zu den modernen Formen, die nur in den »altfreien« Gebieten (England, Amerika, Holland, Schweiz) eine geschichtlich gegründete relative

Zuverlässigkeit haben. Sie hat eine andere, moderne Geschichte seit der Französischen Revolution, in der die Verkehrung der Idee in abstrakte Prinzipien zur Folge hatte die nur rationale Konsequenz von Einrichtungen und Handlungen, welche die Demokratie als Idee und die Freiheit ständig wieder zerstörten.

Staatsform und Regierungsart: Demokratie kann gemeint sein im Sinne einer unter mehreren Staatsformen (Demokratie, Aristokratie, Monarchie) gemäß den antiken Lehren. Oder Demokratie ist gemeint als Regierungsart. Kant nennt sie die »republikanische Regierungsart«, die nur einen einzigen Gegensatz hat, die despotische Regierungsart. Beide, die demokratische und die despotische Regierungsart, können in allen jenen drei Staatsformen vorkommen.

Die Idee der Demokratie und der Gedanke der Volkssouveränität: Beides, zunächst dasselbe, wird zum Unterschied und Gegensatz, wenn an die Stelle des Weges zur Vernunft die Voraussetzung einer schon bestehenden absoluten Weisheit in der Wirklichkeit des Volkes tritt. Nun werden nicht nur bestimmte Institutionen, sondern in ihnen das Volk selber zum Götzen.

Dann ist der Volkssouverän da mit einem Charakter gleichsam der Heiligkeit (wie früher die absoluten Fürsten): »Volkes Stimme ist Gottes Stimme.« Der wahre und weise Volkssouverän verlangt Gehorsam. Der Wille des Volkes gilt wie der Wille jener souveränen Fürsten im Zeitalter des Absolutismus als inappellabel. Es ist nur die Frage, wie er zu erfahren ist. Die Voraussetzung, daß er an sich besteht, verlangt, daß er festgestellt wird. Oft scheint er, wo er sich äußert, sich zu täuschen. Wo ist er täuschungsfrei? Die Antwort ist entweder: in der Majorität, die bei Wahlen sich zeigt; oder: in der Minorität einer Avantgarde, die im Gegensatz zur verwirrten und schwankenden und dirigierbaren Massenhaftigkeit die Kenntnis des eigentlichen Volkswillens für sich in Anspruch nimmt. Immer sind es Menschen, die im Namen des Volkssouveräns für sich die Herrschaft beanspruchen. Da der Wille des Volkssouveräns absolut ist, ist dann die Folge die Vergewaltigung der Minoritäten durch die volksgewählten Herrscher als Vertreter der Majorität oder die Vergewaltigung aller durch eine Minorität. Aus dem vermeintlichen Bestand des Volkswillens, den das herrschende Organ zu vertreten beansprucht, wird auch das Recht behauptet zur Vernichtung des Gegners, da er Rebell gegen den Volkssouverän ist. Die in solcher Absolutheit einer Institution sich fixierende Volkssouveränität verwirft alle Abweichung als Unwahrheit und bösen Willen. Die Regierung durch absolute Volkssouveränität, die sich in Organen und Führern inkarniert, hebt die Diskussion auf.

Gegen diese Vergötzung des bestehenden Volkssouveräns steht die demokratische Idee als Weg. Es ist kein Souverän da, der herrscht und regiert, sondern ein Wille, der sich im Volke, das sich selbst erzieht, jeweils und immer von neuem erst bilden muß auf eine Weise, die in Institutionen geformt wird, die ihrerseits bei aller Festigkeit auch noch, wenn auch unter starken Hemmungen und Sicherungen, beweglich sind.

Der Weg verlangt Solidarität noch des Verschiedensten in der auf Vernunft gerichteten, von Vernunft gelenkten Gemeinschaft. Daher gilt die Liberalität einerseits, die Unantastbarkeit bestehender Gesetze andrerseits. Immer regieren Menschen, die auf dem Wege der demokratischen Idee an Gesetze gebunden sind (während Menschen, in denen die Volkssouveränität inkarniert ist, im Extremfall ohne Bindung an Gesetze dekretieren und auch diese selber, weil über sie souverän, wieder durchbrechen).

Auf dem Wege der demokratischen Idee wird in Gemeinschaft ständig noch gerungen, um die Wahrheit zu finden. Daher steht alles im Raum unbeschränkter öffentlicher Diskussion, aber gründet sich nicht auf Diskussion, sondern auf Entschlüsse. Die jeweils gefundene Wahrheit muß unter dem Druck der Situation entschieden werden. Man einigt sich jeweils vorläufig — bei Uneinigkeit — durch Abstimmung auf die für notwendig gehaltenen Aktionen. Die Minorität stellt ihre andere Meinung zurück mit der Chance, sie in der Zukunft in neuen Situationen wiederum zu prüfen und zur Geltung zu bringen. Die Minorität folgt loyal dem nun als gemeinsam geltenden Beschluß. Sie steht ihrerseits unter dem Schutz der Gesetze und der Solidarität auf dem gemeinsamen Boden der demokratischen Idee.

Die Idee der Demokratie ist nüchtern, hell und beflügelnd; der Anspruch der absoluten Volkssouveränität ist wild, dunkel und fanatisiert. —

Sollte man das Wort »Demokratie« vermeiden, da es *so vieldeutig*, so viel mißbraucht ist? Wäre seine Abschaffung nicht um so berechtigter, da der Begriff nach der antiken Lehre von den Staatsformen sie als eine Form neben Monarchie und Aristokratie meint? Die Abschaffung wäre vergeblich und unzweckmäßig. Denn das Wort meint seinem Sinne nach das Volk — also alle Menschen eines Staates. Sie alle sollen zu ihrem Rechte des Mitdenkens und Mitwirkens kommen.

Der eine einzige Gegensatz ist der von demokratischer und despotischer Regierungsart. Wenn wir von der Idee der Demokratie reden, so meinen wir die Kantische republikanische Regierungsart. Es gibt für sie keinen besseren Namen als den der Demokratie.

c) *Alternative zur Demokratie.*

Wo immer Demokratie in Anspruch genommen wird — heute überall —, da ist die Frage nach der Alternative: nach dem, was nicht demokratisch sei. Man verwirft das »Undemokratische«. Jeder wirft dem andern vor, bei ihm herrsche nicht das Volk, sondern eine Minderheit: hier die Monopolkapitalisten, dort eine Parteiclique; hier herrsche die kapitalistische, dort die despotische Ausbeutung.

Aber diese Alternativen sind propagandistische Auseinandersetzungen, in denen Einzelnes zum Ganzen gemacht wird. Gegenüber diesen Alternativen, die sich auf bestimmte Faßlichkeiten beziehen, gibt es aber nur eine einzige Alternative, die radikal ist und das Ganze unseres Wollens und Tuns bestimmt. Diese ist nur ins Unendliche zu umschreiben, nicht selber zu bestimmen.

Denn ihr erstes Merkmal ist, daß sie nicht eine Alternative zwischen Doktrinen ist, die man gegeneinander stellen könnte. Sie ist eine Alternative der Grundrichtungen unseres Lebens. Der Weg der Vernunft kennt Doktrinen als partikulare Mittel zu partikularen Zwecken, wird aber selbst nicht Doktrin, kann daher keine entgegengesetzte Doktrin haben. Er wehrt sich vielmehr gegen das Doktrinwerden überhaupt, gegen jede Weise der Einsperrung in endgültige Verfestigungen, in die Inkarnierung eines Absoluten, in die Drehfiguren einer dialektischen Bewegung.

Demokratie als Weg der Vernunft entzieht sich den Verabsolutierungen. Wenn sie sich auf Vernunft gründet, muß sie die Erfahrung machen, daß Vernunft zwar sein soll, jedoch weder alles durchdringt noch mit Gewißheit ihren Weg unbegrenzt fortsetzen kann (obgleich sie darauf hofft). Sie weigert sich jedoch, auf Grund dieser Erfahrung anzunehmen, daß die Herrschaft der Vernunftwidrigkeit unabänderlich, daß die Beherrschung der Vernunftlosigkeit durch ebenso vernunftlose Gewalt für immer unumgänglich sei.

Demokratie läßt nicht die Voraussetzung zu: daß die Regierenden mehr als Menschen seien oder sein könnten oder sein müßten. Sie hält fest, daß alle Forderungen aus der Natur der Sache an Menschen ergehen, und verwirft jede andere Legitimierung, sowohl das Amt als unmittelbar göttlichen Auftrag wie das Charisma eines Menschen als von Gott eingesetzte Führung. Aber sie kennt den Ernst der Verantwortung des Amtes und die Gabe großer Menschen. Sie respektiert beides mit Ehrfurcht ohne Vergötterung. Sie weiß, daß beides wirklich sein muß, wenn sie gedeihen soll.

Die Alternative zur Idee der Demokratie ist alles, was vor der Aufgabe des Menschseins ausweichen will. Dies geschah und geschieht immer in großartig sich gebenden Gestaltungen, in Wirklichkeiten, sei es göttlichen Anspruchs, sei es des Anspruchs absoluten Wissens.

Alle Alternativen zum Weg der Demokratie kann man mit Kant Zustände der Despotie nennen. Diese ist auch im günstigsten Fall die Versperrung des

Wegs des vernünftigen Menschen und heute des Wegs zur Rettung der Menschheit. In glücklichen Augenblicken haben Despoten wohl, wie man sagt, gut regiert. Aber das ist nur ein Zufall im Gang des Verderbens. Denn so erwachen die Völker nicht; die Masse der Einzelnen gelangt weder zu Einsicht noch zu Verantwortung; sie bleiben eingefangen in schönen oder elenden Umwelten besonderen Charakters unter autoritärer Lenkung; sie werden technisch dressiert, mit ihrem Wissen und Können zu brauchbaren Werkzeugen der Arbeit gemacht, aber in allen Fällen dem großen unendlichen Prozeß der Bildung des Menschen entzogen.

Der Weg der Demokratie hat trotz aller Irrungen und scheinbaren Ausweglosigkeiten die Chancen, daß auf ihm die Menschen in ihrer Mehrzahl zu denkenden, verantwortlichen Wesen heranwachsen, obgleich zunächst die Nivellierung eintritt und mit ihr die Gefahr der Verkehrung der Demokratie zu den schlimmsten Diktaturen, die je erlebt worden sind.

Die demokratische Idee begründet sich aus der Aufgabe des Menschen, in Vernunft sich zu verwirklichen, und aus der Einzigkeit, Unersetzbarkeit jedes einzelnen Menschen und seiner Würde durch Teilnahme an der Vernunft. Die Mängel der demokratischen Verwirklichung werden zwar nicht gerechtfertigt, aber erleuchtet durch die noch größeren Mängel aller anderen Wege heute. Die Verzweiflung an der demokratischen Idee ist Verzweiflung am Menschen.

d) Wahlen und Majoritäten.

Es ist eine zweite Frage, wie die »republikanische Regierungsart« — oder die wahre Demokratie — durch die Institutionen am besten verwirklicht werde. Während die Idee der Demokratie eine ist, sind diese Mittel, die Institutionen, von vieler Art und jeweils durch Erfahrung und gedankliche Konstruktion zu prüfen.

Der politische Zustand, der die Freiheit ermöglicht, wird gebunden an Entscheidungen durch Majoritäten. *Freie, gleiche und geheime Wahlen* werden institutionell als der Mittelpunkt, als die Bedingung, als das Kennzeichen der politischen Freiheit erkannt.

Freie Wahlen, d. h. *erstens:* sie sind geheim, ohne jeden Druck einer möglichen Verletzung dieses Geheimnisses (der Wähler soll gewiß sein, daß niemand erfährt, wie er gewählt hat, damit er vor ihm nachteiligen Folgen seiner Wahl gesichert ist). *Zweitens:* es besteht reale Freiheit für Aufstellung von Parteien und Kandidaten, so daß der Wähler entscheiden kann zwischen Willensrichtungen, Impulsen, Programmen, Personen, die aus der Bevölkerung auftreten und sich zur Wahl stellen. *Drittens:* alle Wähler haben eine gleiche Stimme. Die Organisation dieses Wahlmodus ist selber schon eine Entscheidung der Art des politischen Freiheitswillens.

Die Fragwürdigkeit der Wahlen ist oft erörtert. Man hat den verblendeten

Optimismus der Meinung aufgezeigt: Die Wähler wissen, was sie wählen; sie wissen, worum es sich handelt; sie sind politisch urteilsfähig:

Zunächst: Wahlen bedeuten immer schon Privileg einer Gruppe. In Staaten finden Wahlen statt, nicht in der Menschheit, die doch in ihrer Gesamtheit über ihr Sein oder Nichtsein entscheiden sollte. Wo wäre in der Menschheit, die über sich zu entscheiden hätte, innerhalb der etwa 2,7 Milliarden Menschen, die Mehrheit zu finden und wäre diese überhaupt anzuerkennen? Eine Mehrheit hat Sinn nur in einer Gruppe miteinander in Gemeinschaft und ständigem Verkehr stehender Menschen, die einen Boden gemeinsamen Wissens und gemeinsamer Vorstellungen des Möglichen besitzen. Die Mehrheit ist feststellbar nur durch eine Organisation. Voraussetzung jeder Wahl ist eine Geschlossenheit von Wahlberechtigten.

Weiter: Mehrheit schließt in sich eine Tendenz zur Geltung der Masse, nicht der Persönlichkeit. Masse ist im Prinzip das gleiche, ob es sich um eine herrschende Gruppe von einigen Dutzend aristokratischer Familien, ob es sich um die Gesamtheit der Lehrer einer Universität, ob es sich um die Bevölkerung eines Staats handelt. Gegen das Mehrheitsprinzip steht der Satz: Man soll die Stimmen nicht zählen, sondern wägen.

Weiter: Zwar wählt das Volk, aber die Wahlen sind unfrei dadurch, daß den Wählenden doch vorgesetzt wird, was sie zu wählen, worüber sie zu entscheiden haben. Sie wählen oder entscheiden, was sie gar nicht wollen. Was zur Wahl steht, wird durch den Staat oder die Parteien bestimmt, durch finanziell kräftige Propaganda interessierter Wirtschaftsmächte und durch terroristischen Staatswillen dirigiert. Daher fallen die faktischen Entscheidungen vorweg in kleinen Gruppen der Politiker. Sie arrangieren die Bedingungen der Wahl, an die der Wähler gebunden ist.

Weiter: Propaganda, nicht Vernunft dirigiert die Wahlen. Raffinierte moderne Psychologie hat die Reklamemethoden entwickelt: unbewußte Hintergründe der Seele werden mobilisiert oder Aufklärung über die Vorteile der angebotenen Waren gegeben, um die Motive beim Einkauf zu bestimmen. Die gleichen Methoden werden, instinktiv und planmäßig, bei politischer Propaganda benutzt. Aber es setzen sich Dinge durch auch ohne Propaganda. Und die Vernunft selber könnte sich der Propaganda bemächtigen, ohne daß sie aufhörte, Vernunft zu sein.

Weiter: Die gewählt werden sollen, werben zwar um ihre Wahl. Wer aber überhaupt darum werben kann, ist dazu vermöge einer Auslese durch die Partei (die abhängig ist von der Herkunft ihrer Geldmittel) oder durch den Staat gekommen. Diese Auslese wird von einer vergleichsweise winzigen Gruppe vollzogen. Die Masse der Wähler sieht sich den Vorschlägen dieser kleinen Gruppen gegenüber. Vielleicht bejaht sie keinen einzigen der zu Wählenden, verneint vielmehr alle als nicht vertrauenswürdig. Die Wahl selbst ist ein Zwang, unter Unerwünschten einen Unerwünschten zu wählen, weil kein anderer angeboten wird. Trotz freier Wahl kommen die Politiker wie von anderswoher, erstehen nicht unmittelbar aus dem Volk für das Volk. Sie sind wie eine fremde Welt, der man sich unterwerfen muß, willig oder widerwillig, mit Sympathien oder Antipathien. Eine Wand liegt zwischen den kleinen Gruppen der Parteibürokratien und der Masse der Bevölkerung. Die Wahlen sind ein Schein der Freiheit, sind vielmehr ein Spiel der Mächtigen. Daher spricht man von »formaler Demokratie«: nicht das Volk in seinen besten Kräften kommt zur Geltung, sondern eine Rechtsinstitution, die in ihren Formen die faktische Herrschaft ganz anderer Mächte zur Folge hat. Dann sagt man, Demokratie sei nur eine andere Weise der Oligarchie und Diktatur. Aber diese Mächte liegen selber im Kampfe miteinander, und das Majoritätsprinzip bleibt doch die letzte Instanz. Die politische Macht ist abhängig von den Wahlen mit der Folge, daß jeder Politiker auf die Chancen der nächsten Wahl blickt und tut, was er zu können glaubt, um diese

Chancen für sich zu verbessern.

Weiter: Das Dasein der Parteibürokratien erzwingt, daß Menschen zur Führung gelangen, die bereit sind, unter solchen Bedingungen die Laufbahn zu wagen, in der Partei hochzukommen zu versuchen und zu tun, was verlangt wird, um den Aufstieg zu finden. Sie haben Qualitäten, die diesen Institutionen der Parteien entsprechen. Es sind vielleicht nicht die Schlechtesten, aber keineswegs die Besten des Volkes. Sie sind es, die schließlich an die außerordentlichen Positionen der Macht, an das Steuer gelangen, durch welches das Schicksal des ganzen Volkes geführt wird.

Schließlich aber und der schlimmste Einwand: Die überwältigende Mehrzahl der Wähler heute ist nicht informiert, politisch nicht urteilsfähig, hat kein Interesse für Politik. Heute, wo jeder ein Wähler ist und durch seine Stimme das Geschick des Ganzen mitbestimmt, ist es ein Schrecken für jeden Demokraten, zu erfahren, daß die Mehrheit der Bevölkerung, in allen Staaten Europas und Amerikas, überhaupt nicht weiß, worum es sich handelt, wenn sie politisch wählt. Wer es vor und in 1933 als Deutscher erlebt hat, wie jedes vernünftige politische Argument und jeder Hinweis auf handgreifliche Tatsachen am sturen Eigensinn emotionaler Erregtheit scheitert, wie die aus vielen Gründen unzufriedenen Menschen sich gegenseitig suggerieren, wie die Gemütlichkeit sich bereden läßt, es sei gar nicht so schlimm, und den totalitären Mächten ausdrücklich die Chance geben will, zu zeigen, was sie können, auf Illusionen baut, dann aber, wenn den Fluten die Schleusen geöffnet sind, angstvoll weder an das Äußerste glauben noch allzuviel riskieren mag, sich von der »Volksstimmung« getragen fühlt, auf jeden Fall dabei sein möchte und nichts mehr fürchtet als ausgeschlossen zu bleiben – wer seine Mitbürger in der Mehrzahl, durch alle Schichten hindurch, gleichsam wahnsinnig werden sah, der kann wohl zu Zweifeln an der politischen Qualität der Menschen gelangen.

Soll man sich aber überzeugen lassen von denen, die durch ihr eigenes Verhalten zu beweisen scheinen, was sie behaupten: Demokratie ist absurd? Soll man den Sinn gelten lassen: Ich beweise durch meine Dummheit und Gemeinheit, daß die Menschen dumm und gemein, also zur Demokratie unfähig sind? Nein! Denn man soll nicht vergessen: Es waren 1933 dennoch die Einzelnen da, nicht die Mehrheit, aber viele: der Schlosser, der Elektriker und überall, wieder durch alle Schichten hindurch, die Vernünftigen. Jetzt zwar wirkungslos, waren sie doch unerschütterlich. Was Einzelne sind, können viele und alle werden, da Vernunft in jedem Menschen verborgen ist.

Alle diese Einwände bedeuten nicht das letzte Wort. Wenn sie auch nicht unrichtig sind, treffen sie nicht im ganzen die Chancen des demokratischen Weges. Unser besonderes Thema sind hier die Wahlen und Abstimmungen. Sie sind das unumgängliche Mittel, wenn Freiheit sein, das Volk im ganzen auf den Weg der Vernunft gelangen und an der Freiheit teilhaben soll. Daß Wahlen und Abstimmungen überhaupt stattfinden, ist selber der Anlaß zur politischen Selbsterziehung (was, wenn es auch bisher meistens – nicht immer – nicht geschehen ist, keineswegs unmöglich ist). Wahlen und Abstimmungen sind je im Augenblick das einzige Instrument, wie für die Wärme das Instrument der Temperaturmessung, um festzustellen, was gegenwärtig gewollt wird.

Dabei ist aber *erstens* das, was gemessen wird, nicht nur veränderlich wie die Temperatur. In der Quantität der Stimmen äußert sich (radikal anders wie bei der Temperaturmessung) ein Gehalt menschlicher Freiheit, mag er verdorben, dunkel, verworren, leer oder wahr und erfüllt sein. Dieser Gehalt wandelt sich durch Selbsterziehung in Erfahrung und Denken. Der Volkswille ist nicht da in der Art, daß er festgestellt werden könnte als Vorhandenes. Er selber ist in Bewegung, daher nicht als Bestand zu messen und zum Ausdruck zu bringen. Die Idee des wahren Volkswillens ist die Idee der Vernunft: Das Volk weiß, was es will, jeder Einzelne weiß, was er will, aber erst wenn die Vernunft wirklich wird. Wir müssen uns gegenseitig sagen, was wir zu wollen meinen: das ist das Miteinanderreden in der Demokratie, um dahin zu kommen, zu wissen, was wir eigentlich wollen.

Zweitens aber sind die Wahlen und Abstimmungen selber als Instrument zu modifizieren. Eine Besserung im Funktionieren des Majoritätsprinzips ist möglich durch die technische Gestaltung des Prinzips. Das ist ein weites Feld.

Je nach dem Zweck und Bereich und je nach dem Kreis der Wahlberechtigten ist der Vorgang der Stimmabgabe verschieden zu formen möglich. Die Spannweite geht vom plebiszitären Wählen (Entscheidung der gesamten Bevölkerung über eine einzelne Frage oder über die Herrschaft eines Mannes, z. B. Napoleons III. Bestätigung, Präsidentenwahl in Amerika) zu den durch Parteien gelenkten Parlamentswahlen und zu korporativen Wahlen. Die Idee der Demokratie ist nicht identisch mit einem Wahlmodus und einem einzigen allgemeinen gleichen Wahlrecht, wohl aber damit, daß jeder Staatsbürger an irgendeiner wesentlichen Stelle, die auf das Ganze einwirkt, zu politischem Mitdenken und Mitwirken und zur Mitverantwortung aufgerufen wird.

Im Technischen der Wahlverfahren und der Verteilung der Wahlen auf Gruppen und in der Zeitfolge liegt ein Nerv der demokratischen Institutionen. Wer Verantwortung für die Freiheit kennt, wird daher nie den Wahlmodus selber zum Mittel einer parteiischen Politik machen. Hier erweisen vielmehr die Parteien, ob sie miteinander auf dem gemeinsamen Boden der Freiheit (der demokratischen Idee, der Vernunft) stehen und etwas im Auge haben, das nie Parteisache werden darf, weil es die Grundlage des Gesamtzustandes betrifft, durch die die Parteien überhaupt erst sinnvoll möglich sind.

Technisch ist das Grundgesetz der Bundesrepublik vielleicht heute eines der für den Parlamentarismus besten, die französische Verfassung eine der schlechtesten. Der demokratische Sinn aller Wahltechnik kann nicht und konnte niemals sein die direkte Regierung des gesamten Volkes oder seines Parlamentes. Es kommt vielmehr darauf an, durch die Wahlen die Menschen zu bestimmen, die dann die Freiheit zur und die ganze Verantwortung der Regierung haben. Sie brauchen lange Fristen, eine möglichst große Stabilität. Fristen müssen sein, damit ein jeder, der regiert, ständig weiß, daß er sich nicht für immer mit der Macht identifizieren darf. Es gibt in der Politik Bereiche, zumal die Außenpolitik, die jeweils nur *einer* mit Erfolg führen kann (nicht einmal die Abstimmung kleiner Gremien). Dieser je Eine für begrenzte Zeit soll haften und zur Verantwortung gezogen werden können. Max Weber antwortete dem General Ludendorff auf dessen Frage, was Demokratie sei: Einer wird anerkannt, der sagt: Laßt mich machen und folgt mir, nachher könnt ihr mich hängen. Worauf der General: Solche Demokratie gefällt mir. In dieser Replik zeigt sich wahrscheinlich das Mißverständnis des Generals, der die zweite Hälfte des Satzes überhörte. Aber in diesem Satze sprach der furchtbare Ernst des politischen Handelns, den Max

Weber begriff. Nicht Gesetze regieren, nicht Parlamente, nicht kleinere Gremien, sondern Menschen und an entscheidender Stelle einzelne Menschen. Diese Notwendigkeit wurde in das entsetzliche »Führerprinzip« verkehrt, das aus ihr die Tyrannis aller in der Rangordnung des Tyrannisiertwerdens machte. Das konnte geschehen, weil die Grundnotwendigkeit in der vorhergehenden undemokratischen Demokratie ohne Männer vergessen war. Der Drang zum Führer ist Ausflucht der Ratlosen in ihrer Angst und in ihrem Glückswillen und in ihrem Ruhebedürfnis. Die Bereitschaft, Verantwortung zu übernehmen, und der Wille, sie an andere unter Bedingung zu übertragen, bezeugt den Sinn für das Wesen der Regierung und für die Härte und Nüchternheit der Politik.

e) Über die enthüllenden Analysen des demokratischen Wegs.

Als Hitler zur Macht gelangt war, triumphierte er: er habe den Wahnsinn der Demokratie mit ihrem eigenen Wahnsinn geschlagen. In der Tat, er hatte die Mittel der Demokratie benutzt, um auf »legalem« Wege die Macht zu ergreifen, mit der er alle Legalität und die Demokratie vernichtete. Dann aber nannte er auch seine eigene Herrschaft die wahre Demokratie.

Wenn die Idee der Demokratie die Verwirklichung von Vernunft und Freiheit meint, die ständige Besserung in der Selbsterziehung aller, so war der Gang der deutschen Demokratie in der Realität der »Weimarer Republik« vielmehr der Umschlag in die totale Herrschaft.

Der Weg der Demokratie ist abendländisch. Nur hier ist auch seine philosophische Begründung und das zu ihm gehörende politische Denken entwickelt worden. Nur das Abendland kannte seit Jahrtausenden die Idee politischer Freiheit. Mit ihr ist auch die Gefahr erwachsen, die nur auf diesem Boden möglich ist. Sie entspricht der Gefahr der Technik auf dem Boden naturwissenschaftlicher Erkenntnis.

Die Anklagen gegen die Demokratie sind alt. Wesentliche Grundgedanken finden sich bei Pseudoxenophon (»Staat der Athener«) und Plato. Die Verkehrung der Demokratie in ihr Gegenteil läßt sich auffassen als eine Gestalt der Entartung gemäß der antiken Lehre vom Kreislauf der Verfassungen. Aber in der modernen Demokratie liegt etwas Neues: die technischen Möglichkeiten, die Größe der demokratischen Staatsgebilde, das Mitwissenkönnen der gesamten Völker, die Notwendigkeit des Broterwerbs aller durch Arbeit (es gibt keine Sklaven), die Kompliziertheit der Arbeiten, der wirtschaftlichen Verhältnisse, die wissenschaftliche Erforschung dieser Realitäten und das nie zureichende Wissen von ihnen. Jetzt ist die Alternative: Entweder die das Nichts vorantreibende Kritik der Demokratie ohne die Kraft eines Willens aus der Idee (mit faktischer Vorbereitung totaler Herrschaft und des Untergangs der Menschheit) oder die Selbstkritik der demokratischen Idee in ihrer Wirklichkeit mit der Kraft eines sittlich-politischen Willens, der im Leben des Einzelnen selbst gegründet ist.

Wir Deutsche haben die Jahrzehnte vor 1933 erlebt. Da gab es jede nur mögliche Kritik an der Demokratie in vielen Modifikationen und aus mannigfachen Antrieben: Man klagte an und verwarf total. Man zog sich zurück in eine vermeintlich bessere Welt ästhetischer Beschwingtheit geistigen Lebens und entzog sich der Realität. – Man sagte viel Richtiges, aber darin war kein Wille und keine Verantwortung. – Es gab die rücksichtslose und zu großem Teil treffende Kritik an dem spezifisch deutschen demokratischen Zustand jener Zeit. – Es gab die geistreiche, ironische und die hämische über den Unfug triumphierende Literatur derer, die, an sich empört und konstitutionell wütig, geistig glänzten bei denen, die aus eigener Empörung entgegenkamen. – Es gab die verborgenen Motive, die in alldem auf Umsturz drängten, die Bereitschaft zur totalen Herrschaft erzeugten (wie es auch sei, »es muß anders werden«). – Es gab den offenen Kampf durch Aufruf aller Arten von Unzufriedenheit, durch Erzeugung von Hoffnungen für jedes Elend, für alle Schlechtweggekommenen und Verbrecher: durch Versprechen der Lösung aller Schwierigkeiten, durch täuschende Eröffnung eines glanzvollen Zeitalters des neuen mächtigen Deutschen Reiches. – Es gab die ratlosen Demokraten, die sittlich-politisch versagten, sich in Eitelkeiten, Parteivorurteilen, Interessenbegehren erschöpften, die, selber glaubenslos, nach einem »neuen Glauben«, nach »neuen Ideen« riefen, die den Gedanken einer »autoritären Demokratie« und andere Bodenlosigkeiten erfanden. Man wußte nichts Besseres. Man verriet den eigenen Grund, die Idee der Demokratie.

Gegen die Verwahrlosung einer Demokratie, die selber das Ergebnis nicht des opfermutigen Willens zur Freiheit, sondern des Zusammenbruchs eines Staats und Volkes war, und gegen die geistig sprühenden Kritiken an der Demokratie überhaupt, die nur verneinen, kann man auf Gegeninstanzen weisen. Es gibt die historische Erfahrung des Gelingens demokratischer Regierungsart und die große Literatur der demokratischen Idee, bei Montesquieu und bei Kant, bei Tocqueville und Max Weber.

Aber das genügt nicht. Den Prozeß der Demokratie, sei es zum Umschlag in totale Herrschaft, sei es zur Verwirklichung der Idee, historisch und soziologisch zu betrachten, ist nur ein Schritt der Orientierung. Das Wissen muß zur Erweckung der eigenen Impulse führen. Die Frage ist: Was will der Betrachtende, was will der Kritiker, oder will er nichts? Daß in der Kritik vor 1933 zumeist kein Wille war (außer bei einigen der Wille zur Zerstörung aller Demokratie), das war ihre Verantwortungslosigkeit. Diese Kritik der Demokratie wirkte nur mit zu ihrer Zerstörung. Entscheidend ist, ob der demokratische Kritiker, auch in seiner rücksichtslosesten Kritik, aus der Idee der Demokratie ihr zu Hilfe kommen will oder wozu sonst ihm die enthüllenden Analysen einer unheilvollen demokratischen Realität dienen sollen.

Staatsmann und Masse

Ein Bild der Demokratie ist heute: Der Staatsmann ist abhängig von den Massen, die ihn emportragen und täglich bestätigen. Die moderne Nivellierung der Menschen hat zur Folge die Herrschaft derer, die durch ihnen entsprechende, spezifische, keineswegs menschlich ausgezeichnete Qualitäten an das Steuer gelangen. Sie sind geführt von den Massen, die ihrerseits die Beute der Meinungen und Entscheidungen dieser wenigen sind. Es scheint unmöglich, daß unter solchen Umständen Vernunft zur Geltung kommt. Die mangelnde Qualifizierung der Politiker und die Passivität der nur emotional erregbaren Menge verderben sich gegenseitig. Sie lassen die Vernünftigen überhaupt nicht aufkommen. Diese können nur abseits leben, solange es vergönnt ist.

Die Führenden sind abhängig nicht nur von den großen Massen, deren ständigen Widerhall sie brauchen, sondern überall auch von den begrenzteren Massen, von den Gruppen der Interessierten, von der Partei, von dem Mechanismus der Bürokratie, die, was er will, in der Durchführung durch ihren Apparat entweder erleichtert oder verhindert. Wer zur Macht gelangt, ist an Bedingungen geknüpft, die eine Auslese zu Ungunsten der Berufenen, der eigentlichen Staatsmänner, zur Folge haben. Was in solchen Bildern zum Teil richtig gesehen wird, erzwingt aber weder den Ausschluß großer Staatsmänner noch die endgültige Auffassung von den Qualitäten der Masse.

Wer an die Hebel der Macht gelangen will, kann sein Ziel in der Tat nicht erreichen ohne ein hohes Maß von Anpassung. Er muß »mitmachen« in den Kleidern der jeweils gewünschten durchschnittlichen Typen. Das kann er unter Bewahrung seiner Unabhängigkeit und der allein in ihr sich gründenden Verantwortung nur, wenn es ihm leicht wird, sich zu bewegen wie ein Schauspieler, der kein Schauspieler, sondern des Schauspiels Herr ist. Er vermag sich selbst zu bewahren in den Rollen, weil er im entscheidenden Augenblick unabhängig den Entschluß faßt und im dauernden Wesen mit sich identisch ist. Diese Situation fordert von der Größe des Menschen, der zur Macht gelangt, heute so Außerordentliches, wie von den Heroen im Chaos des Anfangs verlangt wurde, aber nichts Übermenschliches. Wie aber steht es mit den Qualitäten der Massen?

Die Klage über die Eigenschaften der Mehrzahl der Menschen

Als im Anfang des Jahrhunderts die Intelligenzprüfungen aufkamen, waren wir Psychiater überrascht über den Mangel an Kenntnissen und Urteilskraft beim Durchschnitt der Menschen in allen Schichten der Bevölkerung. Jedesmal, wenn solche Untersuchungen — heute auch in Form der Meinungsforschung — wiederholt werden, wirken sie verblüffend. »Normal ist leichter Schwachsinn«, sagten wir vor 50 Jahren.

Daher folgt immer wieder das Urteil: Die Massen könnten nicht demokratisch sein. Denn die Mehrzahl ist nicht begabt genug zu kritischem Denken, ist nicht informiert genug, ist nicht erzogen und gebildet genug, um zu freiem

Urteil zu gelangen. Daher sind die Völker passiv, nur für Augenblicke erregt, dann keineswegs politisch im Urteil, aber durch ihre Stimmen von verhängnisvoller politischer Wirkung. Sie leben durchweg in gewohnter politischer Lethargie.

Die trostlosen Ergebnisse der Intelligenztests, der Meinungsforschung und der Enqueten können jedoch täuschen, wenn man zuviel aus ihnen schließt. Der Mangel oder die Ungenauigkeit der Kunde von den jeweils wichtigen politischen Realitäten, Begriffen, Plänen lassen keinen endgültigen Blick in die Antriebe und das kritische Vermögen in der Praxis der Befragten zu. Auch die sorgfältigsten Intelligenztests können ein falsches Urteil über den Betroffenen erzeugen. Der immer nur teilweisen Objektivität der Testprüfungen ist das verantwortliche Urteil von Persönlichkeiten über Persönlichkeiten überlegen, wie diesen relativ objektiven Prüfungen die Willkür von Sympathie und Antipathie unterlegen ist. Die Bewährung in der Praxis beweist mehr als die Testprüfungen des Augenblicks.

Das Maß der Passivität der Vielen steht nicht fest. Es ist unberechenbar, wodurch sie gelöst wird. Es ist mehr Unruhe in den Völkern, als die These von der Passivität anerkennen will. Einzelne wirklich Betroffene schweigen und werden fälschlich für stumpf gehalten, weil sie von außen nicht angesprochen sind.

Die Unruhe der Einzelnen

Wir wissen nicht, was die Einzelnen denken, alltäglich, in ihrer Lebenspraxis, ohne daß sie sprachlich sich deutlich kundgeben können. Eine unbestimmte Unruhe bei vielen wird verdrängt, weil sie sich ohnmächtig fühlen und nicht den Ort finden, wo sie mitwirken können. Ihre Unzufriedenheit mit dem Gesamtzustand, mit den Parteien, ihre Ratlosigkeit, nirgends zu sehen, was sie dunkel suchen, aber nicht wissen, bleibt verborgen.

In manchen Fällen vereinigt sich aber die Unruhe mit der Unvernunft. Sie wird zweideutig, wenn der Drang, als dieses Individuum zur Geltung zu kommen, sich als Vernunft versteht, die das Heil für alle gefunden hat. Dieser Vernunftanspruch wird selber widervernünftig. An die Stelle der Unruhe der Vernunft tritt die Erregtheit des Eigenwillens.

Aus Vernunft getrieben, will der Einzelne mit Recht wissen und mitdenken, ist begierig nach Unterricht und nach Informationen. Er will sich besinnen und im Gespräch klarer werden. Er weiß sich nicht am Ziel, sondern sucht den Weg zu tieferer Einsicht. Wo aber der Eigenwille als Anspruch der Vernunft auftritt, da glaubt er sich bereits im Besitz der Wahrheit. Der Fanatismus der Projektenmacher, der Erfinder der Quadratur des Zirkels, des Perpetuum mobile, der Lösung der Menschheitsprobleme, der Entdeckung des Ei des Kolumbus, mit der jetzt gleich das Unheil in Ordnung gebracht werden kann, hat etwas Gemeinsames. Unzulängliche Menschen beanspruchen für sich mit Abstraktionen des irrenden Verstandes vernunftwidrig die vollendete Erkenntnis. Sie identifizieren sich mit einer Sache, die eine Scheinsache ist. An die Stelle des Kommunikationswillens tritt der Verkündungswille. Die eigene vermeintliche Erkenntnis soll die Lösung aller Schwierigkeiten bringen. Man beansprucht heimlich die Führung der Welt.

Es ist unheimlich, wie sich in einem leidenschaftlichen Begehren nach Mitteilung Wahrheit und Falschheit verbinden können und wie durch falsche Richtung des Mitteilungswillens und falsch gewählten Ort sich die Vernunftwidrigkeit zeigt. Einer glaubt eine heilbringende Wahrheit zu haben, möchte wenigstens ins Gespräch kommen, nicht mit der nächsten Umgebung, sondern mit den höchsten Instanzen in der Welt oder mit öffentlich bekannten Namen. Ein Mann schickte eine Denkschrift an die UNO und sagte im Begleitschreiben: »Ich bin aus dem kleinen Volk. Dessen Äußerungen sind: Wir dürfen das Beste anbieten, Sie achten es nicht. Das Nichtanhören ist eine Erpressung zum Stillhalten des Volkes bis zum Verderb. So wären wir einer in sich abgeschlossenen Kaste ausgeliefert, trotz Demokratie. Ich bitte deshalb um Diskussion. Mindestens vorerst einen Kommentar. Schreiben Sie mir und schreiben Sie mir, was Sie wollen, ich fühle mich nicht beleidigt. Wir müssen doch reden.« Welche Verkehrung der Wahrheit! Man muß reden, aber gleich mit der UNO? Man sieht sich nicht zur Geltung kommen, aber ist man darum als Einzelner schon das Volk und wird erpreßt? Man bezieht sich auf Kommunikation, aber hat man darum den Anspruch, in eine solche mit irgendeiner sogenannten Prominenz einzutreten? Man denkt, aber darf man darum dieses Denken schon für bevorzugt wahr halten? Die Vernunft selber fordert vom Einzelnen, daß er sich bescheiden muß. Nicht er, sondern andere entscheiden, ob, was er zu sagen hat, zur Wirksamkeit gelangt. Er wendet sich natürlicherweise an seine Nächsten; im Umgang mit ihnen bewährt er seine Vernunft. Vielleicht schreibt er; das ist heute leicht und bedeutet nicht viel. Es muß sich ihm ergeben, wohin er gelangt, wer ihn anhören mag, mit wem und an welcher Sache er mitwirken kann, damit Vernunft zur Geltung komme. Es gehört zur Vernunft, daß ich das, was ich denke und begehre, nicht schon für die Vernunft selber halte.

Der Glaube an den Menschen

Wenn die Auffassung von der Unfähigkeit der Menschen recht hat, dann ist die Konsequenz Verzweiflung an unserem Dasein überhaupt. Sie hat in einem Teil der indischen Philosophie ihren großartigsten Ausdruck vor Jahrtausenden gefunden. Wenn diese Konsequenz nicht gezogen wird, so bleibt die Frage: Wie können jene Wenigen, die auf dem Wege der Vernunft zu gehen vermögen und in diesem Sinne Politik verstehen, zur Herrschaft gelangen? Dazu wird kein anderer Weg gezeigt als der demokratische. Daß irgendein anderer Weg, der immer ein Weg der autoritären Gewalt weniger Menschen ist, mehr Chancen habe, ist uneinsichtig. Die historischen Beispiele einer durch Generationen fortgesetzten sachkundigen und erfolgreichen Politik (Rom, England) sind kein Vorbild für das, was kommen muß. Zwar historisch großartig, vermochten sie doch nicht, eine Bewegung einzuleiten, die zur Verwirklichung der Vernunft in den Völkern führen konnte. Ihr Scheitern ist nicht das unausweichliche Scheitern, sondern, am Maßstab der Dauer in der Welt, Folge von tödlichen Mängeln im Grunde dieser Politik selber. Was Amerika, aus englischer und europäischer Abkunft, vermögen wird, ist noch nicht entschieden.

Die Alternative zur Verzweiflung ist allein ein Glaube an *den* Menschen, nicht an das, was er ist, nicht an *die* Menschen, sondern an das, was er als Mensch sein kann. Wer sich um Vernunft bemüht und Vernunft erfährt, kann nicht glauben, daß sie für immer vergeblich sei. Er neigt kraft eigener Vernunft und der Begegnung mit Vernunft zu der Annahme, daß solches Tun die Chance der Zukunft in sich trage. Wohl ist es nicht sicher. Es ist vielmehr die große Schicksalsfrage: Wie kommt Vernunft in der Realität zur Wirkung? Wie gelangt die Wahrheit, die immer zuerst nur Einzelnen aufgeht, in die Öffentlichkeit? Wie ist es möglich, daß sie dann nicht immer in den Konventionen des Alltags, in der Überschwemmung des Geredes, in der Masse des Gedruckten lautlos verschwindet, sondern sich behauptet?

Nicht auf Überzeugbarkeit und Vernunft zu vertrauen, heißt, keinen Glauben an den Menschen zu haben, die Menschen preiszugeben, sie zu verachten und zu behandeln wie zu bändigende Tiere. Dann hat die Idee des Menschen als Vernunftwesen nicht mehr die Führung. Statt dessen läßt man die Realität des objektivierten Durchschnittlichen zur Norm werden. Man sieht nur noch die flutenden Menschenmassen, getrieben vom Hunger, vom Mehrseinwollen, von zielloser Unruhe, von Glaubensfanatismen. Man sieht als kennzeichnend die besinnungslos werdenden Menschenversammlungen, diese weiche Masse in den Händen des hypnotisierenden Demagogen. Und man vergißt, daß in dieser Masse jeder ein Einzelner ist, deren jeder im Grunde gar nicht dies Verschwinden in der Masse, sondern das Menschsein selber will. In der Masse bleibt jeder, während er im Augenblick mitgerissen wird, als er selbst verborgen. Er wird, sich selbst verlierend, betäubt und gedankenlos.

Wie einer zu seinen Mitmenschen steht, so kehrt es aus diesen zu ihm zurück. Der Verachtende sieht nur Verächtliches. Wer nichts erwartet, dem kommt auch nichts entgegen. Wer Gebärden, Redeweisen, Konventionen des Umgangs schon für den Menschen selbst nimmt, dem bleibt dieser verschlossen. Nichts ist oberflächlicher und zugleich unmenschlicher als Menschenhaß (wenn auch für Augenblicke Menschenverachtung fast unumgänglich scheinen mag). Nichts ist billiger, als von den Menschen zu verlangen, daß sie dem eigenen fragwürdigen Ideal entsprechen, sie an diesem zu messen und zu verwerfen und die eigenen gleichen Mängel zu vergessen. Vernunft gründet sich dagegen auf die Erwartung der Vernunft im Menschen, ist geduldig und klagt sich selber an, wenn sie hoffnungslos werden will.

Die größten Kritiker der Demokratie (Tocqueville, Max Weber), von deren Beobachtungen, Gedanken, Gesichten die nur negierenden Kritiker leben, glaubten an den Menschen und daher daran, daß der Weg der Demokratie zur Freiheit führen *kann*. Wohl hüteten sie sich, als Wissen auszusprechen, was niemand wissen kann. Aber ihre gesamte Kritik stand im Dienste ihres Freiheitswillens. Sie waren Demokraten, ohne die Demokratie zu lieben. Die Freiheit des Menschen ist das Ziel, nicht die Demokratie. Diese ist die harte, unumgängliche Notwendigkeit: In sie einzutreten, ist die einzige Chance, die Freiheit des Menschen zu retten in der Unumgänglichkeit der Wandlung der gesellschaftlichen Verhältnisse im technischen Zeitalter. Dieser Wille zur Demokratie hat aber schon vorher seinen Grund im biblischen Gottesgedanken: Weil der Mensch nach dem Bilde Gottes geschaffen ist, ist jeder Mensch als er selbst zu seinem Recht zu bringen. Die Gleichheit der Menschen — der soviel mißbrauchte und zumeist verkehrte politische Gedanke seit der Französischen Revolution — ist die unantastbare sittliche Grundforderung.

Dieser Glauben *Tocquevilles*, der in all seiner Kritik gegenwärtig ist, sei durch drei Zitate erläutert:

Tocquevilles Ziel: »Ich liebe mit Leidenschaft die Freiheit, die Gesetzlichkeit, die Achtung der Rechte, aber nicht die Demokratie . . . Die Freiheit ist die erste meiner Leidenschaften.« »Ich verachte und fürchte die Menge.«

Die falsche Lehre einer erkennbaren historischen Notwendigkeit: »Ich weiß wohl, daß einige meiner Zeitgenossen die Ansicht vertreten, die Völker seien auf Erden nie ihre eigenen Herren und gehorchten notwendig, ich weiß nicht welcher unübersichtlichen und blinden Macht . . . Das sind falsche und kraftlose Lehren, die stets nur schwache Menschen und verzagte Völker hervorbringen können: die Vorsehung hat das Menschengeschlecht weder ganz frei geschaffen noch vollkommen sklavisch. Sie zieht zwar um jeden Menschen einen schicksalhaften Kreis, den er nicht durchbrechen kann; innerhalb dieser weiten Grenzen aber ist der Mensch machtvoll und frei, so auch die Völker.«

Unter den neuen gesellschaftlichen Bedingungen die freie Entscheidung: »Die Nationen unserer Tage vermögen an der Gleichheit der gesellschaftlichen Bedingungen nichts mehr zu ändern; von ihnen aber hängt es nun ab, ob die Gleichheit sie zur Knechtschaft oder zur Freiheit führt, zur Bildung oder Barbarei, zu Wohlstand oder Elend.«

f) Forderungen der Vernunft in der Demokratie.

Demokratie ist kein fiktiver Punkt des Volkssouveräns als eines persönlichen Herrschers, einer höchsten Weisheitsinstanz, auf die alle Einzelnen die alleinige Verantwortung legen, von der sie selber sich für befreit halten. Demokratie, das ist vielmehr jeder Einzelne selbst. Er hat die Verantwortung dafür, wie er lebt, was er denkt und arbeitet, zu welchen Handlungen er sich entschließt, wie er dies alles in Gemeinschaft mit dem anderen tut.

Sich von dieser Verantwortung frei zu fühlen, das ist die Grundverkehrung in der Demokratie. Man will die eigene persönliche Haftung für das Getane und Geschehene nicht anerkennen, seine Verpflichtung mindern statt sie zu steigern, die Idee der ständigen Selbsterziehung nicht in sich wirksam werden lassen. Wie früher die Herrscher, deren Sünden die Völker büßen mußten, so soll jetzt der Volkssouverän schuld haben. Aber man selbst ist dieser Volkssouverän, denn man hat teil an ihm. Wenn man das nicht will, ist die Demokratie der Betrug, in dem jeder »frei« und niemand beteiligt sein will.

Alle sind gleich. Wenn Demokratie sein soll, so heißt das: Jeder ist gehalten, durch sein Dasein mitzusorgen für das Ganze. Er ist nicht berechtigt, zu fordern, daß ein Staat für ihn sorge, für den er selbst nicht mit allem guten Willen, allem Wissen und Können sorgend eintritt. Früher haben die Menschen die Herrschaft durch andere Menschen ohnmächtig hingenommen wie ein Naturgeschehen, geduldig oder auch in Verzweiflung blind rebellierend. Nur in der Demokratie wollen die Menschen als solche die Herrschaft haben. Nur in ihr können und müssen sie sie verantworten. Wenn aber die Grundstimmung der Verantwortungslosigkeit und der inneren Auflehnung gegen die Vergewaltigung — nun gegen den Volkssouverän als Götzen, der niemand sein will — in der Demokratie fortdauert, so ist das Verneinung der Demokratie.

Es ist kein Zweifel, wie weit wir von der Verwirklichung der Idee der Demokratie entfernt sind. Der Volkssouverän ist nicht weise, gut oder gar göttlich. Er muß erst vernünftig werden. Er ist nur auf dem Wege. Nur wenn die Verkehrungen der Demokratie ständig in den einzelnen Menschen durch diese selber bekämpft und überwunden werden, kann Demokratie bestehen, das heißt als der Grundvorgang der Freiheit, in dem sie erst wird.

Wo diese Freiheit nicht wirklich in den einzelnen Menschen die zu ihr gehörende Verantwortung übernimmt, muß Demokratie zugrunde gehen. Wo Verkehrung und Verneinung der Demokratie nicht ständig von neuem überwunden werden, da gerät die Herrschaft wieder in die Hände weniger Menschen. Die Demokratie ist zu Ende und mit ihr die politische Freiheit und mit beiden die Chance der Vernunft. Dann aber wird das Ende durch die Atombombe vollzogen.

Die großen politischen Denker seit Kant haben den Frieden erwartet, wenn nur die Völker regieren in »republikanischer Regierungsart« und entscheiden. Sie haben ihn nicht von den Völkern erwartet, wie sie sind (das war die ungeduldige Vorwegnahme der abstrakt denkenden Politiker des Völkerbunds), sondern wie sie zur Vernunft sich erziehen. Ihr Gedanke war: Das Schicksal der Menschheit ist nicht in die Hand einiger weniger gelegt, die zufällig die Herrschaft besitzen oder sich ihrer bemächtigen, sondern in die Hand der Menschen selber. Nur in der Gesamtheit der Menschen ist der verläßliche Grund zu finden. Wir werden nicht gerettet durch einige Machthaber, die vorgeben, für uns zu sorgen, sondern durch die besten und vernünftigsten Menschen, wenn sie herkommen aus den Völkern, getragen von den Völkern, dem Willen der Völker, die noch im Werden der Vernunft sind und das, was sie eigentlich wollen, durch diese ihre großen Menschen erfahren, die Menschen sind wie sie.

Daher ist Demokratie nicht zuerst der Anspruch der Menschen an den Staat, sondern der Anspruch jedes Menschen an sich selbst, dessen Erfüllung ihm die Teilnahme an der Demokratie ermöglicht. Unter drei Gesichtspunkten erinnern wir an diesen Anspruch: Verantwortungsbewußtsein, Liebe zum großen Menschen, Selbsterziehung.

Der Volkssouverän ist haftbar.

Freie Wahlen der Demokratie haben nur Sinn zugleich mit der Wahrheit des Satzes: Es liegt an den Völkern, wie sie regiert und von wem sie regiert werden. Wohl kann man in objektiver Analyse der Realität in weitem Umfang zeigen: Welche Herrschaft sich verwirklicht, liegt an der historischen Situation, der Machtlage eines Staats in der Welt, an den materiellen Bedingungen, an der Arbeits- und Lebensweise und der gesellschaftlichen Struktur. Dann liegt es an den spezifischen Qualitäten der Staatsmänner, die in dieser Situation infolge solcher Qualitäten der Völker an die Macht gelangen. Für diese insgesamt soziologische Auffassung bleibt aber immer die Grenze: Die soziologische Analyse erreicht nicht, was wirklich entscheidend ist. Entscheidend sind die freien Entschlüsse, die nie endgültig erkennbare, immer noch offene Freiheit der Völker, die nur besteht als Freiheit eines jeden Einzelnen. Diese Freiheit — auch der Verzicht auf sie und ihr Mißbrauch — ist Voraussetzung, nicht Ergebnis des Geschehens.

Die Abwälzung der Verantwortung auf den Volkssouverän, der nicht auch ich selber bin, ist eine Ausflucht. Das Kollektiv des Staatsvolks äußert seinen Willen durch Majorität. Wenn diese als Souverän anerkannt wird, muß auch ihre Verantwortung als Souverän anerkannt werden. Demokratisch die Majorität entscheiden zu lassen und die Verantwortung abzuwälzen, ist widersinnig und unwahrhaftig. Früher galt: Was die Könige tun, dessen Folgen müssen die Völker tragen. Jetzt: Was die Staatsvölker durch ihre Majoritäten bewirken, das müssen sie als Folge ihres eigenen Tuns auf sich nehmen.

1933 haben in noch freier Wahl wir Deutschen innerhalb der Grenzen des Bismarck-Reiches durch Mehrheit die totale Herrschaft errichtet, den Rechtsstaat und die Demokratie vernichtet (die Stimmenmehrheit von Nationalsozialisten und Kommunisten wollte gemeinsam dies Resultat; daß dabei die Nationalsozialisten siegten, beruhte außer auf ihrer Überlegenheit an Stimmen auf der Hilfe der anderen Parteien, die die totale Herrschaft in der Form des Nationalsozialismus ohne Bürgerkrieg akzeptierten, die Form des Kommunismus ablehnten). Mit noch größerer Mehrheit hat dann der demokratisch gewählte Reichstag durch das Ermächtigungsgesetz sich selbst entmachtet und der totalen Herrschaft freien Spielraum gegeben.

Wenn nun, dem Sinn der Demokratie gemäß, dem Volk die Verantwortung aufgebürdet wird (vgl. meine »Schuldfrage«, Heidelberg 1946), so hat man widersprochen. In der Tat gibt es keine Kollektivschuld; Schuld hat immer nur der einzelne Mensch. Aber die politische Haftung für die Folgen demokratischer Entscheidung tragen alle. Nur wo dies anerkannt wird, kann die Idee der Demokratie leben und sich verwirklichen.

Wenn auch politisch alle haften, so ist die Schuld keineswegs bei allen die gleiche. Wer im März 1933 für Nationalsozialisten, Deutschnationale, Kommunisten gestimmt hat, trägt nicht nur die Haftung, sondern auch die sittlich-politische Schuld. Wer anders stimmte, hat sich bei der Prüfung seiner über die politische Haftung hinausgehenden Schuld zu fragen, ob er alles getan hat, was er vermochte, um entgegenzuwirken, alle Jahre vorher, sein Leben lang.

Demokratie kann ihrer Idee nur folgen, wenn in ihr die eigene Vergangenheit ständig durchleuchtet wird. Die Grundtatsachen des Geschehenen müssen in der Erziehung durch die Schulen berichtet und gedeutet werden, zugleich mit den politischen Einsichten, die eine Wiederholung (in anderer Gestalt) des Verrats an Freiheit und Vernunft und an der Idee der Demokratie erschweren, vielleicht unmöglich machen.

Die Aristokratie in der Demokratie

Die Schicksalsfrage der Demokratie ist: Wie läßt der Volkssouverän seine besten Menschen zur Regierung und zur Wirkung gelangen?

Gleichheit bedeutet Gleichheit der Chancen, Gleichheit vor dem Gesetz, kann aber nie bedeuten Gleichheit der natürlichen Anlagen und der Kraft persönlicher Existenz, nicht Gleichheit der ethischen Verläßlichkeit. Die Idee der Demokratie verlangt die Gerechtigkeit für die Vielfältigkeit und die (nie objektiv zu fixierende) Rangordnung der Menschen. Im demokratischen Ethos der Gleichheit wird niemand verachtet und niemand vergöttert, kommt der Größere und Gewichtigere zur Wirkung, geschieht Zurückhaltung aus Liebe zum Besseren. Niemand verlangt als Besserer anerkannt zu werden. Neid ist das gefährlichste Laster.

Demokratie, die Bestand haben soll, wendet sich gegen ungerechte Privilegien, aber fördert ihre eigene Aristokratie. Sie erkennt das Naturgegebene der Begabungen, das Verdienst der sich verzehrenden Anstrengung in der Leistung, die sittliche Qualität der Urteilskraft und der Vernunft — und dies in freier Anerkennung, nicht in erzwungener Unterwerfung. Die Abneigung der meisten gegen die durch Wesen, Begabung, Verdienst Hervorragenden wird überwunden durch die Liebe zum Besseren in sich selbst, das kräftiger wird in der Liebe zum Größeren. Im demokratischen Ethos liegt daher Ehrfurcht.

Der Idee widerspricht die Realität, durch die man die Idee selber zu widerlegen meint: Die Gleichheit wird verlangt als Nivellierung; der Neid will alles Bessere niederhalten. Das Gewicht der durchschnittlichen Gemeinheit und partikularen Arbeitstüchtigkeit hält alles unten. Nicht eine Auslese der Besten findet statt, sondern der spezifisch begabten Ellenbogennaturen, Schlauen, Geschickten, Bedenkenlosen, derer, die Beziehungen gewinnen und nützen. Selten gibt es Eliten, oft Pseudoeliten.

Soziologisch spricht man von »Auslese«. Sie findet faktisch immer statt, unbewußt oder planmäßig, gut oder schlecht. In aller bisherigen Geschichte waren nur dünne obere Schichten gebildet, konnten lesen und schreiben, hatten teil an der Überlieferung der großen Werke, der geschichtlichen Erinnerungen, der Staatskunst, der Rechtskunde. Man sieht den Vorteil der Herkunft aus politischer Erziehung, der langen Übung im Dabeisein der Jugend vor der eigenen politischen Tätigkeit, des Konkurrierens im geistigen, rhetorischen Kampf vor der realen Konkurrenz um die Macht. Man sieht die menschenkundige Weisheit der Auslese durch einen Herrscher, der Menschen erkennt, die können, was er nicht kann. Heute ist unter den neuen technischen Voraussetzungen grundsätzlich allen Menschen alle Bildung zugänglich. Das Analphabetentum hört auf, es ergibt sich eine gemeinsame, das gesamte Volk verbindende Bildung.

Immer war eine Auslese aus der Masse, früher aus der Masse der Privilegierten, heute aus der Masse der gesamten Bevölkerung. In der Demokratie ist die Auslese oft mißraten. Bestimmte soziologische Situationen lassen spezifische Eigenschaften zur Geltung kommen, während hier andere, vielleicht menschlich viel wertvoller erscheinende Qualitäten unbrauchbar sind. Durch die Institutionen, die persönlichen Entscheidungen, die in deren Rahmen stattfinden, werden die Weichen gestellt, durch die die Bahnen freigegeben oder verschlossen werden. Und immer ist es der Initiative der Einzelnen überlassen, ob sie die ihnen gebotenen Möglichkeiten sehen und ergreifen oder nicht.

Die Verwirklichung der Demokratie ist gebunden an die Auslese der Besten in allen Bereichen des Lebens. Die politisch Führenden haben eine Verantwortung ersten Ranges für die Wahl derer, mit denen sie arbeiten, für die Erziehung ihres Nachwuchses.

Demokratie ist Erziehung

Die Analyse der Ungewißheiten der abendländischen Welt, politisch der Demokratien, die nur das Abendland hervorgebracht hat, ist zuerst und mit einem Schlage von Tocqueville (1832) mit einer großartigen Prophetie, im Blick auf Amerika und dessen Bedeutung für unser aller Zukunft vollzogen. Seither sind diese Analysen in weitem Umfang, wiederholt mit erschreckenden Ergebnissen, erfolgt. Nur durch einen blinden Optimismus ist es zu verschleiern, daß wir nicht in Ordnung, sondern in Todesgefahr sind. Wir müssen uns aufraffen. Unsere Ruhe und Zufriedenheit – die bisher nach jeder Katastrophe sich erstaunlich schnell wiederherstellte – wird zum Verhängnis, das uns in den Untergang treiben läßt. Es wird zur Selbstbehauptung gar nicht genügen, den Verteidigungsapparat mit modernen Waffen aufzubauen und geschickte und schlaue Politik zu treiben. Die Selbstbehauptung verlangt mehr: die Wiedergeburt aus unserem abendländischen Ursprung und politisch die aus der Idee der Demokratie gelenkte Umkehr.

Auch die Kritik, die in Selbstgerechtigkeit verachtend, in Schadenfreude boshaft, im Zynismus zur Freigabe der Willkür wird, ist trotzdem ihrem Inhalt nach ernst zu nehmen. Denn sie trifft zusammen mit der sorgenvoll auf Selbstbehauptung der Vernunft gehenden Kritik. Die Ankläger sagen all das, was auch in dieser Schrift vorkam, so etwa *unter vielem anderem:* Unser Dasein spaltet sich in Arbeitsdasein und Konsumentendasein, läßt beides leer werden und das Menschliche selbst erlöschen – die Familie zerfällt –, in aller Prosperität wächst die Unsolidität der privaten wie der öffentlichen Wirtschaftsführung – die Lohn-Preis-Spirale und das Sinken des Geldwerts sind Symptom dieses Eigennutzes jedes besonderen Interesses und der mangelnden Voraussicht aller; – Sparen wird mit Worten gelobt, heimlich als »Bürgerlichkeit« mißachtet, als Dummheit verlacht; – man lebt gedankenlos in den Tag hinein; – und das alles wird erkannt und ausgesprochen, aber ohne Konsequenz; – es ist wie eine schleichende Unwahrhaftigkeit noch im richtigen Reden selber. – Ist solche Kritik im Recht oder nicht?

Wäre all das so, wie es ausgesprochen wird, so wären wir schon verloren. Es kann nicht die ganze Wahrheit sein. Würden wir aber die Richtigkeiten, die in solcher Kritik gezeigt werden, nicht zum Impuls werden lassen, um sie zu ändern – jeder im inneren Handeln und gemeinschaftlich in öffentlichen Beschlüssen und Einrichtungen –, dann überließen wir uns der unverantwortlichen Ruhe vor der drohenden totalen Vernichtung.

Hier muß die Politik selber helfen, die in der demokratischen Idee zur Umkehr führt. Politik, die Dauer will, entsteht aus der Not. Sie erweckt das Überpolitische, das der Politik die Richtung gibt. Alle große Politik ist in Gemeinschaft eine Selbsterziehung zur Vernunft. Sie ist seitens der Staatsmänner Erziehung durch die Weise, wie sie sich an die Vernunft in den Völkern wenden, und durch ihr Vorbild.

Wie die Vernunft im einzelnen Menschen die Offenheit in ständiger Bewegung bewahrt, so das vernünftige Leben der freien Welt in Selbsterhellung, Selbstkritik, Selbstanklage. Dieser Weg führt über die Denkungsart aller einzelnen Menschen zu der Selbsterziehung der Völker, aus der der Sinn der *Erziehung der nachfolgenden Generationen* folgt. Es gibt für die Demokratie zur Gründung der Dauer dieses Selbsterziehungsprozesses nichts Wichtigeres als Jugenderziehung, und zwar als Erziehung des gesamten Volkes. An dieser Erziehung hängt die Demokratie und die Freiheit und die Vernunft. Nur durch diese Erziehung kann der geschichtliche Gehalt unseres Daseins bewahrt werden und als fortzeugende Kraft unser Leben in der neuen Weltsituation erfüllen.

Zur Erziehung gehören die Lehrer. Erziehung wird heute vielleicht zu selbstverständlich genommen, als ob der Erziehende schon wüßte, was die rechte Erziehung sei, welchen Inhalt sie habe und wie sie zu planen sei. Die

Lehrer selbst müssen erzogen werden. Diese Erziehung liegt im Selbsterziehungsprozeß aller, in jedem Lebensalter. Die Verkehrung der Erziehung in der Demokratie bei gesteigertem Erziehungsbetrieb weist hin auf den Zirkel von Erziehen und Erzogenwerden. Dieser ist fruchtbar, wenn er erfüllt ist von dem Gehalt des Glaubens, Wissens und Könnens. Wie in jeder Entwicklung der Vernunft wird auch hier das Entscheidende nicht begriffen in einem einlinigen Kausalzusammenhang. Die Voraussetzung, der Lehrer sei erzogen und gebe als Fertiger an die unfertigen Kinder weiter, ist im ganzen so absurd wie die Voraussetzung, das Volk der Erwachsenen sei erzogen und urteile daher über alle Dinge recht. Nur der erzieht, der noch erzogen wird in der Selbsterziehung vermöge der Kommunikation. Nur der wird recht erzogen, der zu dieser Selbsterziehung erzogen wird im Medium strengen und hartnäckigen Lernens.

In der Verwahrlosung der demokratischen Idee wird vergessen, was Erziehung ist. Im letzten Jahrhundert ist eine Spaltung von Erziehung und Lehre der Wissenschaft eingetreten. Unter Erziehung wird die vorbereitende Nutzbarmachung der jungen Menschen verstanden. Wenn die Wissenschaft der Wirtschaft nutzt, gewinnt sie Ansehen. Man sucht sie selber und ihre Lehre in den Schulen zu fördern um dieses Nutzens willen. Forscher und Lehrer rechtfertigen dadurch ihre Forderungen an materiellen Mitteln. Dieser Nutzen aber wird aufs höchste gesteigert, wenn an der Wissenschaft das Dasein des Staats hängt. Das geschah zum erstenmal seit der modernen Technik bis zu den Atomwaffen. In Amerika ist es heute akut zum Bewußtsein gekommen durch eine plötzlich sich zeigende (im Schrecken übertriebene) Überlegenheit Rußlands. Die Wissenschaft und die Ausbildung des Nachwuchses für sie (in einem nie dagewesenen Umfang notwendig) gewinnt dadurch ein Ansehen in dem Grade, daß man gewillt ist, ihr die größten materiellen Mittel zur Verfügung zu stellen. Die Atomphysiker sind heute die kostbarsten Menschen, zuerst in Rußland, wo sie, wie es scheint, an materiellem Wohlergehen haben können, was sie wollen, und gefahrloser leben als alle anderen.

Der Augenblick heute mit der Sorge um den technischen Nachwuchs stellt eine die höchste Wachsamkeit erfordernde Aufgabe. Denn die Folge des Schreckens über den Mangel an wissenschaftlichem Nachwuchs wird zweideutig. Man ist bereit, nunmehr gewaltige Mittel für »Erziehung« zwecks technischer, wirtschaftlicher und militärischer Selbstbehauptung zur Verfügung zu stellen. Aber damit ist noch keineswegs, in Rußland sowenig wie im Abendland, eine Wertschätzung der Wissenschaft und gar des Geistes verbunden. Es handelt sich nur um Technik. Diese ist ein partikulares Forschen und Können des Verstandes. Die zu ihr Herangezogenen werden zu einer Funktion höchstgelernter Arbeiter im Dienst von Zwecken. Sie haben damit noch keine Erziehung erworben. Einübung von Kenntnissen und Fertigkeiten, spezialistische Höchststeigerung ist noch nicht Bildung des Menschen, seiner wissenschaftlichen Denkungsart überhaupt, seiner Vernunft, seines geistigen Lebens, seiner

Teilhabe an der geschichtlichen Überlieferung der jederzeit neu zeugenden Gehalte der Menschheit.

Dieses Andere, die eigentliche Erziehung, ist aber die größere Aufgabe, weil folgenreicher auf die Dauer für den Grund, aus dem die Meisterung all des technischen und wirtschaftlichen und militärischen Unheils allein möglich ist. Besinnung auf Erziehung in ihrem ganzen Umfang ist aus dem Ursprung auf das Ziel hin gefordert. Dieses Andere wird in Rußland durch marxistischen Unterricht gebracht, der der Jugend dort schon langweilig wird. In der freien Welt ist dieses Andere die eigentliche Erziehung. Die Zukunft des Menschen hängt daran, ob diese gelingt oder nicht. Es ist viel zuwenig, wenn es heißt, es müßten neben den Naturwissenschaften auch die Geisteswissenschaften gefördert werden. Es ist zuwenig, schultechnische, psychologisch-pädagogische, didaktische Gesichtspunkte zu brauchen. Eine Erneuerung der Erziehung würde das Heranwachsen eines Erzieherstandes, von den Lehrern an den Universitäten bis zu den Volksschulen, voraussetzen, der durch den Gehalt seines Tuns, durch die Bindung an das Große, durch den Ernst seines Lebens im Volke sichtbar wird, Ansehen erweckt und Wirkung gewinnt. Dazu bedarf es der Geldmittel, die das Mehrfache von den heute aufgewendeten betragen. Aber durch Geld allein kann man es nicht bewirken. Auch hier ist eine Umkehr im Menschen selbst die Voraussetzung.

Es ist unmöglich, an dieser Stelle auch nur den Ansatz der längst ausgesprochenen Grundgedanken der Erziehung zu entwickeln. Nur auf drei Punkte, die insbesondere der Demokratie zugehören, sei hingewiesen.

1) Die Kraft der Freiheit ist daran gebunden, daß in den Demokratien der Rang der Menschen zur Geltung kommt. Ein Beispiel: Es gibt die Hilfsklassen für Unbegabte und die gesonderte Erziehung der Idioten. Es gibt aber keine Klassen für Begabte und keine gesonderte Erziehung für Hochbegabte. Die Demokratie bedroht sich selber, wenn die Majorität sich gegen die Gerechtigkeit sträubt, die auch den Begabten zuteil werden sollte. Denn die Demokratie ist auf dem Wege, sich selbst das Grab zu graben, wenn sie die Stärke der Selbstbehauptung des Ganzen dadurch mindert, daß sie in allen Aufgaben und Lebensbereichen, in allen menschlichen Möglichkeiten nicht die Besten zur Erscheinung und Geltung kommen läßt (daß in den Schulen die unumgänglichen Ausleseverfahren große Schwierigkeiten machen und in jedem Fall zu Mißgriffen, Irrtümern und Ungerechtigkeiten führen, braucht nicht näher erörtert zu werden, weil mit jeder menschlichen Einrichtung große Mängel verknüpft sind und es auch hier auf ständige Selbstkritik und Besserung ankommt).

2) Der Gehalt der Erziehung durch Teilnahme an der antiken und biblischen Überlieferung, durch Auffassung des Grundwesens von Naturwissenschaft und Technik, durch Vergegenwärtigung des Ethos demokratischer Gemeinschaft müßte als Gegensatz schon der Jugend auch eine Orientierung über die totale Herrschaft geben. Die Kraft der Freiheit ist in den demokratischen Staaten gebunden an die Einsicht in das Wesen des Totalitären als eines im technischen Zeitalter möglichen neuen Herrschaftsprinzips. Dieses Prinzip kann sich heute überall in der freien Welt, vor seiner Verwirklichung, ausbreiten im Geist wie eine Pilzkrankheit. Der Infektionsstoff ist durch die menschliche Natur selber allgegenwärtig, die Immunität durch die

Vernunft nicht absolut verläßlich, wenn nicht Klarheit durch unbefangenes Auffassen erreicht wird. Die Krankheit wird durch freie Überzeugung und vernünftige Lebenspraxis überwunden. Es wäre falsch, eine antitotalitäre, antimarxistische Gesinnung ohne Klarheit des Wissens zu verlangen. Der Lehrer muß in der Lage sein, in freier Diskussion Rede und Antwort zu stehen. Er muß jeden Einwand zulassen. Wo der Marxismus und Totalitarismus durch Zwangsmaßnahmen, Verfolgungen, Inquisitionen oder auch nur durch Gesinnungsdruck direkt bekämpft wird, wird er vielmehr erzeugt. Denn der mit diesen Mitteln Bekämpfende ist selber schon Repräsentant des totalitären Geistes, den er zu bekämpfen vorgibt. So sind Kommunisten und Faschisten sich zwar als Feinde gegenübergestanden, aber sie haben nicht nur faktisch sich gegenseitig geholfen. Sie verband trotz aller Gegnerschaft eine Solidarität gegen den freien Geist, den sie gemeinsam auf den Tod haßten. Hitler und Stalin verstanden und bewunderten sich gegenseitig.

3) Auf die Dauer wird die eigentliche Erziehung (im Unterschied zu bloß spezialistischer Ausbildung) sogar für die Technik selber von Bedeutung. Die bloß spezialistische Schulung bringt Menschen als höchst brauchbare Werkzeuge hervor, aber auch in den Naturwissenschaften nicht schon Menschen mit naturwissenschaftlicher Bildung. Diese mit ihrer universalen Offenheit für die Realitäten der gesamten Natur und für alle Erkenntnismöglichkeiten, unangesehen ihrer technischen Brauchbarkeit, erzeugt aus ursprünglichem Wissenwollen den unbegrenzten Erkenntnisfortschritt, ohne den schließlich auch neue Entdeckungen ausbleiben und nur noch für eine Weile die auf dem einmal erreichten Boden möglichen technischen Erfindungen fortgehen, bis auch sie aufhören.

In der Idee der Demokratie ist die Politik selber Erziehung. Aber im Unterschied von der früheren, auf privilegierte Schichten beschränkten Politik und Erziehung (wie sie großartig von Plato gedacht wurde) handelt es sich nun um die Erziehung des gesamten Volkes. Die Erziehung ist der Grund der möglichen Politik, und umgekehrt prägt die Politik der Vernunft aus dem Überpolitischen her diese Erziehung. Die Folge wird in jedem Einzelnen wirksam. Sie durchdringt das Private zugleich mit dem Öffentlichen.

Dagegen steht die Auffassung der politischen Realisten, die sagen: Politik ist nicht Erziehung, sondern das sachkundige Handeln weniger, deren privates Dasein gleichgültig ist, und die auch das private Dasein der Menschen im Volke nichts angeht. Die Politik ist eine öffentliche Sache. Ihr hilft nicht, was in der Verborgenheit des privaten Ethos geschieht. Nicht die Stillen im Lande machen die Politik. Darum ist, was die Politik betrifft, der Appell an die Vernunft jedes Einzelnen utopisch.

Aber welcher Irrealismus steckt in diesem »Realismus«! Alle Politik, die nicht nur Geschicklichkeit für den Augenblick, sondern Gründung und Fortgründung, Kontinuität der Wirkung ist, also die Politik auf Dauer, ist immer zugleich Erziehung eines Volkes. Politik ist getragen von der Wirklichkeit in der Verborgenheit aller, deren Wesen in dem, was politisch geschieht, und sei es nur in Wahlen, öffentlich wird. Die Stillen im Lande sind die Träger des sittlichen Geistes, von dem alle Politik abhängt. Sie haben ihre Existenz durch Erziehung, vor allem in der Familie, dann in den Schulen. Schwindet die sittliche Substanz, so werden alle insgesamt von der Realpolitik in den Abgrund geführt.

2. Ist die Vernunft als solche in der Wirklichkeit utopisch?

Die Idee der Demokratie enthüllt sich der Kritik als utopisch, wenn sie die Verkehrungen nicht als Erscheinungen auf dem Wege, sondern als ihr Wesen selber sieht. Diese Idee ist die der Vernunft in unserer gemeinschaftlichen Wirklichkeit, als Völker und als Menschheit. Aber nicht nur in der Politik, sondern überhaupt gilt Vernunft als utopisch. Sie wird aller Realität des Menschen (abgesehen von wenigen, immer noch fragwürdigen Einzelnen) abgesprochen. Schon ihrem eigenen Wesen nach scheint sie zur Ohnmacht verurteilt.

a) Die Artung des Menschen läßt nicht auf Vernunft hoffen.

Der Durchschnittscharakter des Menschen: Die Menschen in der Mehrzahl sind so dumm, so gedankenlos, so triebhaft, weder gut noch böse, daß von ihnen nichts anderes, als was immer war, zu erwarten ist. Das haben die »Weisen« seit Jahrtausenden ausgesprochen.

Dagegen: Welch einseitiger Blick, der wohl Richtiges zeigt, aber nicht alles! Der unendliche Schatz an Güte, Hilfsbereitschaft, gutem Willen, Urteilskraft und an Sinn für Recht und Freiheit kann nicht geleugnet werden. Aber er wird geleugnet. Wer betrogen und enttäuscht und verzweifelt ist, kann wohl (für kurze oder längere Zeit) blind dafür sein. Wer in sich selbst das Gute verdrängt, um zynisch mitzumachen, was er für das Gesetz des Daseins erklärt, kann in seinem verneinenden Drang alles Gute als böse entlarven wollen.

Der Mensch kann nicht anders werden: Die Menschheit soll sich wandeln? Die Milliarden auf der Erde anders werden? Diese Möglichkeit widerspricht aller Erfahrung. Selbst wenn es geschehen könnte, dann nur in sehr langen Zeiten, keineswegs in der kurzen Frist, die heute zur Verfügung steht.

Dagegen: Es handelt sich nicht um eine Wandlung der biologischen, psychophysischen Konstitution. Eine solche ist in der Tat nicht zu erwarten. Etwas ganz Anderes steht zur Frage: Der Wandel durch freie Entschlüsse, die in jedem Menschen, in jeder Generation wiederholt werden müssen. Schon immer ist in einzelnen Menschen solche Wandlung erfolgt. Der Ernst des Entschlusses etwa: Nun werde ich nie wieder lügen, kann beim Kinde in einem einzigen Augenblick erfolgen und für immer wirksam bleiben. Die Vernunft ist eingeboren jedem Menschen, kann unbewußt und selten und kann ganz verschwunden zu sein scheinen, aber leuchtet, bei vielen vielleicht nur in Augenblicken, auf. Wo solcher Augenblick ist, da kann er den ganzen Menschen ergreifen. Wer Vernunft leugnet, erfährt auch nicht ihre Wirklichkeit, wer sie erwartet, trifft sie an. Vor dem Leugner erfrieren ihre Keime, vor dem Erwartenden blühen sie auf.

Wer *die* Menschen zu kennen meint, kennt darum noch nicht *den* Menschen. Er weiß noch nicht, was der Mensch aus seinem Ursprung in seinen Möglichkeiten ist. Mögen die Vorstellungen vom »idealen Menschen« Illusion sein. Was der Mensch als Idee aus seiner Freiheit werden kann, ist doch unabsehbar. Was er aber wird, das ist mitbegründet in dem, was er denkt, in dem, was er für wahr hält, in seiner Denkungsart. Der Mensch läßt sich nicht züchten nach einem Ideal wie Tierrassen; so würde man den Menschen nur als biologisches Dasein treffen und die Bedingungen seiner Möglichkeit verderben. Aber der Mensch kann sich selber wandeln, immer wieder als je Einzelner (und diese sind viele und fast alle Einzelnen), durch die Weise seines Denkens und Sichentschließens vermöge seiner Freiheit.

Sollen ist nicht Wirklichkeit: Doch das ist, so sagt man, ein Sollen. Sollen ist leer und wirkungslos und, wenn es für Wirklichkeit gehalten wird, eine Täuschung. Was geschieht, ist nicht das, was geschehen soll.

Dagegen: In der Tat ist das in moralischen Sätzen formulierte Sollen nicht genug. Aber einem Sollen hört und folgt die Wirklichkeit der Freiheit, die, je heller sie sich wird, um so entschiedener sich als notwendig durch ein Sollen weiß. Durch Sollen wird die Wirklichkeit der Freiheit angesprochen, indem sie sich selbst versteht. Sie wird der Grund von Realität in der Welt. Zwar ist sie selbst nicht Gegenstand der Erfahrung, wohl aber das, was durch sie erscheint. Daher hat Kant die Naturnotwendigkeiten, die wir durch Erfahrung erkennen, im Gang der Geschichte unter folgendem Gesichtspunkt betrachtet: In ihr können die realen Notwendigkeiten zwingen oder doch veranlassen, das zu tun, was als Sollensgesetz der Freiheit gefordert ist. Die Realitäten lassen die Freiheit aus deren anderem Ursprung in die Erscheinung treten. So zwingt die Atombombe selbst die bösen, gewalttätigen Menschen aus Angst zum Frieden und wird Anlaß, daß aus Freiheit erfüllt wird, was aus Angst begann.

Kein Fortschritt des Ethos und der Vernunft: Die Geschichte zeigt: Es gibt einen Fortschritt des Wissens und technischen Könnens. Aber es scheint: ein Wachsen der Einsicht, einen Fortschritt der Moralität, eine aufsteigende Entwicklung zu besserer Vernunft gibt es nicht. Der Fortschritt liegt nur in den zur Verfügung gestellten technischen Mitteln und Lernbarkeiten, nicht im Wesen des Menschen selber.

Dagegen: Das ist richtig. Aber man soll den historischen Fortschrittsprozeß nicht verwechseln mit dem Gang der Verwirklichung von Vernunft und Existenz. Diese letzteren sind nicht weniger wirklich und haben eine andere Wirklichkeit als der »Fortschritt«. Sie sind kein objektiver Geschichtsprozeß im ganzen, aber die Substanz des Menschen. Aus ihr leben wir stets von neuem, stets ursprünglich. Aus ihr allein können wir das, was in dem durch Freiheit hervorgebrachten Prozeß an neuen Situationen auftritt, meistern.

Die Verwandlung in Menschenmassen durch die technische Entwicklung: Es wurde folgendes Bild entworfen:

Die Technik, die die Verkehrseinheit der Erde brachte, hat auch die Begrenzung der Erdoberfläche und die Realität ihrer Verteilung zum Bewußtsein gebracht. Der Rückstoß der Bewegung der Menschen zur Gebundenheit an den nun engen Raum der Erde und an den Ort, wo man seine Staatsangehörigkeit hat, hebt mit dem freien Raum, mit der Ferne und den Möglichkeiten des Abenteuers und der Neugründung auch eine Freiheit auf, die gleichsam die Atemfreiheit in aller Geschichte war.

Die Technik, die die Erleichterungen des Lebens zur Folge hat, hat eine anhaltende Menschenvermehrung ermöglicht. Es leben zwischen zwei und drei Milliarden Menschen. Ihre Zahl vermehrt sich täglich in einem nie dagewesenen Tempo. Diese werden zu den Massen, in denen alle Einzelnen gleichgültig erscheinen; die ungeheuren Menschenmassen selber aber muten an wie eine Flut, in der alles ertrinken kann.

Die Technik, die unseren Besitz an Naturbeherrschung so außerordentlich vermehrt hat, hat den Menschen auch in die Funktionalisierung der Arbeit und des Vergnügens, in die Bodenlosigkeit des Lebensgefühls, in die Schicksalslosigkeit des Glücks wie des Elends getrieben und wiederum in die Massenhaftigkeit.

Die Atombombe ist das natürliche Ende des Weges der langsamen und der akuten Katastrophen, die von Anfang an den Sinn dieses Weges des Menschen kennzeichneten.

Dagegen: Die Faszination durch diesen totalen Aspekt der Geschichte heute zeigt trotz der einzelnen Tatsachen noch nicht das unentrinnbare Unheil. Nur die Kritiklosigkeit der Faszination bezeugt durch sich, was sie als zwingend zu sehen meint: das Ausbleiben der Gegenwirkung durch den Menschen selbst. Wenn der Mensch Glauben und Vertrauen verloren hat, weil ihm die erfüllte Gegenwärtigkeit verschwunden ist, dann erst werden ihm jene

Aspekte, die Tatsächliches, Mögliches und Wahrscheinliches zeigen, zum niederschlagenden Scheinwissen.

Prometheus brachte die Technik, aber den von ihm geschaffenen Menschen auch die Kraft des staatlichen Lebens und das Ethos der Vernunft. Der Prometheus heute hat die Technik gebracht auf Grund wissenschaftlicher Erkenntnis. Das Andere scheint bisher ausgeblieben oder doch in der neuen Gestalt, die nun unter den neuen Bedingungen gefordert ist, noch nicht da zu sein. Die mythische Chiffer des Prometheus läßt uns hoffen unter der Voraussetzung, daß wir aus Vernunft tun, was wir können, und leben, wie es ihr gemäß ist.

Gegen die Menge können einzelne Vernünftige, wenn es sie gibt, sich nicht behaupten: Die Vernunft hat nicht die Führung in der Geschichte. Der Last der Milliarden der Durchschnittlichen, Unvernünftigen und Widervernünftigen sind die Wenigen, die sich um Besseres bemühten, im Gang der Geschichte erlegen.

Dagegen: Sooft das geschehen ist, es ist nicht die einzige Realität. Von wenigen, die in der Vernunft sich trafen, von kleinen Freundesgruppen, gingen die größten Wandlungen aus (von den Gründern der Mönchsorden im Mittelalter bis zu Freundesgruppen unter Forschern der Neuzeit). Warum soll nicht in breite Wirksamkeit treten können, was schon da ist? Wenn es sich nur in der Verborgenheit gegenseitig erkennt, könnte es, ohne daß es jemand im ganzen zu planen vermöchte, zünden und als die eigentliche Wirklichkeit des Menschen sich offenbaren. Die Anpassung an Betrieb und Maschinerie, an Lüge und Schläue, an die Auffassung, es käme auf ein vergnügtes Dasein an, erfolgt so oft widerwillig (im Bewußtsein der Leere, des Gejagt- und Gedrängtseins), daß man sie keineswegs als dem Menschen natürlich denken darf. Vor allem die Menschen der im engeren Sinne geistigen Berufe, die durch Sprache mit Gründen und Hinweisen, durch Symbole und Gestaltungen wirksam werden sollen, haben Verantwortung für den Gang der Vernunft.

Wir Lehrenden und Schreibenden, die Verwaltenden, Ärzte, Pfarrer . . . tun noch nicht das Rechte, so wie wir es jetzt tun. Es liegt am Geiste selber, wenn er nicht auch Macht gewinnt; er hat noch nicht durch Redlichkeit und Glaubenskraft das Überzeugende gewonnen, das Nachfolge findet. Das geschieht erst, wenn der Hörende sich dort selbst wiedererkennt in dem, was er eigentlich will. Der Geist, die Vernunft verratend, gibt sich in die Hände einer Propaganda, die sich an die durchschnittlichen und bequemen Antriebe wendet, an Neugier, Sensationslust, an eine selbstgenügsame Welt ästhetischen Sehens und literarischer Bildung. Aber der Propaganda bedarf auch der vernünftige Geist mit der Chance, dabei als er selbst zur Geltung zu kommen. Er bewegt sich im gleichen Strom wie alle Öffentlichkeit, und niemand weiß, wie weit er wirkt. Der Grund, daß heute die Vernunft nicht durchdringt — obgleich sie in aller Welt nicht schweigt, sondern spricht —, ist nicht ihre Ungeschicklichkeit, denn die Propaganda steht als Tun auch dem, was gut ist, zur Verfügung. Sie dringt nicht durch, weil wir, die für Vernunft wirken, den Rang nicht erreicht haben, der durch die eigene Existenz wirklich zu erwecken vermöchte. Wer über die Menschen Klage erhebt, muß bei sich selbst anfangen, die Umkehr zu finden und täglich zu wiederholen.

Daß in der Drohung durch die Atombombe die Vernunft etwas ausrichte, scheint ausgeschlossen: Wenn auch, gegen die Erwartung, viele Menschen zur Vernunft gelangten, so genügen doch einige Tausend oder Millionen Menschen, um die Atombombe schließlich zur Wirksamkeit zu bringen. Alles Tatsächliche zeigt den Weg in den Abgrund. Alle Momente treffen zusammen, die Vernunft zu überfluten und die konsequente, immer nur noch beschleunigte Entwicklung bis zum Untergang zu treiben.

Für die Erwartung eines solchen Ganges der Überwältigung findet der Verstand eine Stütze in der Erfahrung unserer Generationen. Wir haben den Abgrund radikaler Widervernunft ohne Atombombe erfahren. Daher konnten wir in der Katastrophe, die Millionen durch Mord und Krieg dahinraffte, noch überleben. Für Deutsche ist diese Katastrophe von 1933 von grausamer Unvergeßlichkeit. So viele intelligente, so viele gutwillige Menschen waren plötzlich wie vor den Kopf geschlagen, verwandelt in eine Hammelherde. So viele Einzelne wurden innerlich überwältigt von dem Unsinn aller, unter der faktischen Macht des Augenblicks. Gegen den Ansatz von Vernunft wirkte ein sturer Widerstand in Gestalt des blinden Enthusiasmus aus einem Grunde tief unten: aus der abgründigen Dummheit und dem sich selbst vor sich selbst verschleiernden schlechten Willen des Dabei-sein-Wollens oder doch Nicht-abseits-stehen-Wollens.

Dagegen: Was einmal war, braucht, auch wenn die Gefahr bleibt, nicht immer wiederzukehren. Es ist kein Gesetz. Möglich wäre in Analogie zu jenem Unheil die Umkehrung: die Gemeinschaft des Guten in der Vernunft ergreift alle in hinreißendem Schwunge, aber in Besonnenheit. Der Widerstand der Vernunft auch gegen eine gewaltige Zahl der Widervernünftigen wäre möglich, wie das Herrwerden der Rechtsstaaten über die Ausbreitung der Verbrechen. Ein Hörer meiner Rundfunkrede schrieb: »Die Geschichte zeigt, daß ein oder ein paar Menschen, die Böses wollten, ganze Völker in ihren Bann zogen; warum sollten nicht diejenigen, die das Gute anstreben, dasselbe fertigbringen!«

b) Das Wesen der Vernunft selber verurteilt sie zur Ohnmacht.

Vernunft ist ohnmächtig, weil ihr Denken verblasen macht. — Das Denken der Vernunft, so ist der Vorwurf, führt zum Nichtwollen und Nichtsein zugleich. Denn es beraubt die geistigen Akte der Lebenspraxis und der Politik ihrer Wirkungskraft dadurch, daß es sie aufnimmt und aufhebt in ein unwirkliches Umgreifendes.

Dagegen: Dieser Vorwurf spricht von einer Vernunft, die in der Innerlichkeit einer Betrachtung sich erschöpft und dann nicht mehr Vernunft wäre. Vernunft erfaßt jene spekulativen Akte der Medidation als vernünftige, indem sie sie der unzugehörigen Fanatismen (in dogmatischen Meinungen und der Absolutheit ihrer Objekte) entkleidet und dadurch erst in ihrer bleibenden Tiefe zur Geltung kommen läßt. Aber Vernunft ist dann auf dem Grunde eines solchen philosophischen Seinsbewußtseins eine Haltung, die die Positivität des Bestimmten als unumgänglichen Leib der Vernunft im Dasein ergreift. Vernunft als bloße Gesinnung bewirkt nichts. Sie muß nach außen treten. Das geschieht schon, wo zwei Menschen sich treffen, dann in kleinen Lebenskreisen. Aus dieser Verborgenheit tritt sie in die Öffentlichkeit. Vernunft ohne Verwirklichung ist keine Vernunft. Als bloße Innerlichkeit ist sie noch nicht existent. Ergreift sie aber das Dasein, so sieht sie in keiner Positivität schon den endgültigen Halt. Sie hat vielmehr ihren Halt im Umgreifenden, von dem her erst alle Bestimmtheit vernünftig werden und bleiben kann.

Wenn Vernunft sich jeder Position und jeder Errechenbarkeit ihrer äußeren Handlungen und den eindeutigen und schlagkräftigen Worten und Sätzen entzieht, so doch nur, weil sie diese alle aus einer anderen Tiefe lenkt. In der Tat übergreift die Vernunft diese Faßlichkeiten, aber tritt in sie ein, nach Situation, Ort und Zeit, und wirkt durch sie. Was aus der Vernunft zum Bewußtsein gelangen und zur Geltung kommen soll, muß Gestalt annehmen.

Das Argument der »Ohnmacht der Vernunft« hat selber seine Quelle in der Unphilosophie des bloßen Verstandes. Denn dieser hält für wirklich und für das einzige Positive nur das, was in Tatsache, Doktrin, Entwurf, Gestalt vor Augen ist. Dieser Verstand vermag das suspendierende Denken der Vernunft, das der Raum des geschichtlich-existentiellen Ernstes ist, nur für relativistisch und nihilistisch zu halten.

Vernunft, weil sie nicht eindeutig ist, verkehrt sich. — Jedes Moment der vernünftigen Denkungsart kann zu einer Verkehrung in Vernunftwidrigkeit werden: Aus dem Distanzieren wird zynisches Zusehen, — aus dem Übergreifen über Moral und Opfer eine relativierende Erweichung, — aus der Gewaltlosigkeit die Passivität des Resignierens, — aus dem Vertrauen die lähmende Täuschung der Ruhe. Angesichts solcher Verkehrungen ist der Einwand: Die Menschen sind nicht vernünftig; ihre Vernunft selber wird ihnen zur Widervernunft.

Dagegen: Vernunft als fester Besitz wäre in der Tat nicht Vernunft. Vernunft ist Vernünftigwerden, nicht Vernünftigsein. Sie enthält in sich, daß der Mensch stets und immer von neuem der Umkehr bedarf.

Die Vernunft, weil hochmütig, stößt ab. — In der Philosophie, d. h. in der Vernunft, liegt ein sonderbarer Hochmut, als ob dort gewußt werde, was sei und was zu tun sei, oder als ob dort ein Nichtwissen gewußt werde, aus dem ein bestimmtes Verhalten als das richtige folge. Es ist, als ob Menschen sprächen, die durch Anweisungen den Weg angeben zu können beanspruchen oder die zuschauend das törichte Geschehen stattfinden lassen, das sie nur beurteilen. Mögen sie empört oder gleichgültig scheinen, sie sind nicht dabei, weil sie sich darüber stellen. Auch sie sind nur Menschen. Daher bieten sie ein wunderliches Schauspiel ihres Hochmuts. Sie beschwören den Frieden, die Gerechtigkeit, die Liebe, die sie doch selber täglich verletzen. Sie fordern das Übermenschliche, das sie doch selber nicht erfüllen können.

Dagegen: Wohl ist zu fragen, ob ein philosophisches Denken da sei, das diesem Einwand nicht in irgendeinem Augenblick mit Recht ausgesetzt wäre. Kann ich im Ganzen denken, ohne wenigstens in den Schein jenes Hochmuts zu geraten? Aber von diesem Einwand werden Philosophen, nicht die Philosophie, nicht die Vernunft getroffen. In der Natur der Vernunft liegt nicht der Hochmut, sondern der, wenn auch nie völlig erfüllte, demütigende Anspruch des Denkenden an sich selbst.

Auch der politisch verantwortlich denkende Mensch hat im Philosophieren die Freiheit, sich besinnend, von der gegenwärtigen politischen Realität einen Augenblick abzusehen und in einen Raum zu treten, der nicht mehr mit dem Kampf der Leidenschaften erfüllt ist. Von ihm her aber wird der politische Kampf dessen, der dort zu Hause ist, die heilsame Verwandlung erfahren.

3. Über die Argumente und Gegenargumente

Keineswegs liegt es so, daß in den vorhergehenden Übersichten die Argumente widerlegt werden. Die einfachen, scheinbar einleuchtenden Thesen stehen sich gegenüber, ergänzen sich. Ihr Durchdenken kann uns Klarheit über unsere menschliche Situation verschaffen: sie bringen für unser Wissen noch keine Entscheidung, aber sie öffnen den Raum, in dem die Entscheidung durch den Entschluß der Lebenspraxis, bis in jeden Winkel unserer Seele, bis in jedes Tun unseres Alltags, in jede kleine Handlung, erfolgt.

Alle Argumente beziehen sich auf objektiv faßbare Tatbestände. Die Gegenargumente leugnen diese nicht, aber verwehren ihre Verabsolutierung. Insofern setzen sie gegen Tatbestände nicht die Leugnung der Tatbestände, sondern den Willen. Aber dieser Wille ist nicht der blinde Wille, sondern der einsichtige, der alle jene Tatbestände, soweit sie es wirklich sind, in den Raum seiner Orientierung aufnimmt.

Die Argumente gegen die Vernunft sprechen von ihr, als ob sie sie nicht kennen. Die Argumente für die Vernunft können sie nicht aus einem anderen begründen. Vernunft setzt sich selbst voraus.

Wo Vernunft ist, stützt sie sich auf sich, will sich, wirkt durch sich, hält stand. Wenn ihr mißlingt, was sie will, so fragt sie sich, wo sie selbst nicht rein gewesen sei. Und wenn sie überhaupt scheitert, bleibt sie noch ihrer selbst gewiß: daß sie sein sollte.

Eines ist gewiß: Auch Vernunft ist in der Welt. Menschen suchen vernünftig zu werden und zu wirken. Aber die Welt ist nicht vernünftig. Vernunft sieht sich dem ihr Anderen gegenüber, dem Nichtvernünftigen und dem Widervernünftigen.

Auch heute gibt es Menschen, die sie selbst sind, quer durch alle Schichten, Berufe, Gruppen hindurch. Sie sind noch die Wenigen. Sie suchen sich, ohne sich zu verabreden. Noch kommen sie selten zur Geltung. Oder sind sie vielleicht schon wirksam da? Steht eine gewaltige Reaktion der erwachenden Menschen bevor gegen alle gegenwärtigen Tendenzen? Ist eine Wiedergeburt des Menschen in der Vernunft zu erwarten? Niemand kann diese Fragen mit zwingender Gewißheit verneinend beantworten.

a) Da es Vernunft gibt, kann niemand vorher wissen, was sie vermag.

Es gab sie im asiatischen und abendländischen Philosophieren und in der Wirklichkeit der Politik.

Jeder kann sich gewiß werden, daß es auch an ihm selbst liegt, wie die Welt dort wird, wo er selbst sie ist; daß Vernunft kein Naturgeschehen ist, sondern Freiheit, und daher angewiesen ist auf jeden einzelnen Menschen.

Wissen kann er, daß der Gang der menschlichen Dinge im Ganzen nicht übersehbar und unsere Vernunft nicht der Herr dieses Ganzen ist. Ob aber die Vernunft, wenn sie reiner, dann auch mächtiger wird und auf dieses Ganze wirkt, dann den Untergang, den sie verhindern könnte, auch verhindern wird, das wissen wir nicht. Wir haben, wenn wir Vernunft wollen, dieses Wissen nicht zu verlangen.

Wenn aber Vernunft unmöglich ist, dann gibt es für unseren Blick keinen Ausweg vor der totalen Vernichtung. Denn ein anderer Ausweg, etwa im Sinne einer ausreichenden, zu verwirklichenden totalen Planung, ist nicht möglich. Wohl werden außerordentliche Geschicklichkeiten in Entwürfen und Planungen und Verhandlungen nötig sein. Aber die Politik der Geschicklichkeit kann es allein nicht mehr leisten, wenn die Politik der Vernunft nicht herrschend in den Staatsmännern und nicht der Untergrund im Bewußtsein der Völker wird.

b) Was als Programm Utopie wäre, kann Chiffer möglicher Erweckung vernünftiger Kräfte sein.

Vernunft darf nicht zulassen, daß ihr Inhalt in Programm verwandelt wird, statt daß die immer partikularen Programme vernünftig werden. Sie darf nicht anerkennen, daß sie irrealistisch sei, weil ihre Schritte nur Annäherungen erreichen. Vernunft ist geführt von dem Stern, der selber nicht ergriffen wird.

Der Stern aber wird durch Vernunft wahrgenommen als Chiffer. Dann wird ihr Ziel im vorwegnehmenden Entwurf denkend konstruiert oder bildhaft entworfen. Als Chiffer, nicht als Programm gelten die Sätze des Jesaias: »Und sie werden ihre Schwerter zu Pflugscharen umschmieden und ihre Spieße zu Winzermessern ... Kein Volk wird gegen das andere das Schwert erheben, und sie werden den Krieg nicht mehr kennen.«

c) Der Unterschied unserer Situation von der Platos.

Wie Plato in Athen können wir heute an der Realität des Politischen verzweifeln. Wie für Plato bedeutet diese Verzweiflung den Anspruch: durch Vernunft zu tun, was wir können. Aber der Unterschied ist radikal.

Plato erdachte das Heil, das »nicht unmöglich« sei, und das genügte ihm, weil es in der unendlichen Zeit einmal wirklich werden könnte. Ihm schien die unendliche Zeit für den Menschen zur Verfügung zu stehen, wenn er für jetzt dem Unheil seinen Lauf ließ. Wir haben nicht wie Plato die unendliche Zeit zur Verfügung. Es muß sofort getan werden, was möglich ist. Man darf nicht mehr, im Blick auf hohe Gedanken, den Dingen ihren Lauf lassen.

Plato erdachte ein ideales Staatswesen, in dem der Mensch seine Vollendung gewinnt. Seine konkreten Vorstellungen, obgleich sie Wesentliches treffen und immer bedacht werden sollten, können im ganzen nicht unsere sein. Denn er nahm das abschließende Ziel vorweg und wollte alles oder nichts. Wir müssen unseren Weg sogleich in der Wirklichkeit heute nehmen, und dies mit der so schwer erträglichen, unumgänglichen, weil zum Menschenschicksal gehörenden Unsicherheit. Aber wir dürfen ihn wählen in der Gewißheit der Vernunft, die sein soll, auch wenn sie scheitert. Vernunft darf nicht warten, sondern muß sogleich, in jedem Raum, auch im geringsten Umfang, ihre Verwirklichung suchen.

d) Sinn der Philosophie.

Sollte aber Philosophie wirkungslos sein, sollte sie es im Grunde immer gewesen sein, ist sie dann nichts als eine Reihe begleitender Bemerkungen, gleichgültig für das, was wirklich geschieht? Wozu sich mit Überflüssigem abgeben!

Dagegen steht das Eine: Wenn alles vergeblich gedacht wurde, wenn es immer Menschen gab, die wußten, was zu tun sei, und es in ihrem Daseinsbereich versuchten, so ist es gut, daß es gedacht wurde. Wenn die Menschheit im ganzen zugrunde geht, wäre damit ein Alibi ihrer eigentlichen Möglichkeit wirklich gewesen. Dieses Denken durch die Jahrtausende hätte in dem wahnsinnigen Prozeß der Selbstzerstörung der Menschheit doch die Ehre des Menschen bedeutet.

Ich fasse zusammen durch Antwort auf zwei Fragen:

1) Auf die Vernunft, das Sublimste sollen wir vertrauen? Auf diese Vernunft, die Sache vielleicht einiger Philosophen war, aber nicht der Menschen in ihrer Realität?

Ja, denn die Vernunft ist das Wesen des eigentlichen Menschen. Wenn der Philosoph nicht denkend das täte, was alle Menschen angeht und was der Gedanke in jedem erwecken kann, weil es in ihm bereitliegt, so wäre er nicht, was der Sinn seines Denkens ist: Wegbahner für den Menschen zu sein, Lehrer dessen, was der Mensch ist, welche Stellung im All er einnimmt, was er vermag und was er sein kann. Die Seltenheit der Wirklichkeit der Vernunft und die Unvollkommenheit ihrer Verwirklichung in jedem Fall, auch in dem des Philosophen, zeigt die Schwere des Weges des Menschen, aber nicht seine Unmöglichkeit.

2) Auf die Vernunft sollen wir vertrauen, die keine eigene Organisation hat und nie hatte und nie haben kann, während doch alle durchschlagende Wirkung unter Menschen auf Organisation beruht?

Ja, denn die Vernunft kann alle Organisationen durchdringen und sich in jeder mit diesen selber kräftigen. Sie ist in den Kirchen, im Staat, in der Familie, in den Schulen und Universitäten, in allen gesellschaftlichen Bildungen innerhalb der Völker. Sie wendet sich an diese, ohne ihre geschichtliche Wirklichkeit zu verneinen, vielmehr um sie in die Wahrheit ihres Ursprungs zurückzuführen, aber auch um sie unter die Bedingung ihrer selber, der all-offenen Vernunft zu stellen.

SIEBTES KAPITEL

WO BLEIBT NOCH VERTRAUEN?

Wiederholen wir *noch einmal die Situation:*

1. Bisher konnten auch die größten Katastrophen die Menschheit nicht vernichten. Viele Menschen, fast ganze Völker, ob schuldig oder nicht schuldig, versanken. Es blieben übrig die, von denen es hieß: Der Lebende hat recht. Man vergaß.

Nun aber wird nach dem Gang der Dinge, wie unser bloßer Verstand ihn unausweichlich zu sehen meint, bald niemand mehr sein, der als Lebender recht hat und der vergißt. Denn niemand wird leben. Bisher war ein Zutrauen begründet, weil in allem Unheil Menschen und Völker übrigblieben. Es ging weiter. Aus dem Rest begann ein neuer Anfang. *Heute aber kann der Mensch sich die Katastrophe nicht mehr erlauben ohne die Folge des Untergangs aller.*

Das ist uns als reale Wahrscheinlichkeit so neu, daß man den Gedanken nicht denken möchte. Man muß in sich etwas ihm Widerstehendes überwinden, um ihn überhaupt auszusprechen.

Als Gedanke aber ist er uralt. Es war die Sintflut; es blieb Noah. Es war Sodom und Gomorrha; es blieben Loth und die Seinen. Es gab die Erwartung des Tages Jahves; bald fügte man hinzu, ein Rest werde bleiben. Es gab die Vorstellung des totalen Untergangs in einem Augenblick des Jeremias. Dann gab es den Gedanken in gnostischen Kreisen, auf Grund dessen Johannes der Täufer, Jesus und seine Jünger das Weltende bevorstehend sahen.

2. Wir möchten gewiß wissen, was kommen wird. Aber solches Wissen ist dem Menschen verwehrt. Endgültig ist nur die totale Vernichtungs*drohung.* In schnellem Wechsel wandeln sich die Konstellationen, in denen diese Drohung Gestalt gewinnt. Die Kausalzusammenhänge sind bei objektiver Betrachtung der Dinge so verschlungen, daß jede Berechnung (wie schon immer) täuscht. Es lassen sich Kombinationen ins Endlose erdenken. Die möglichen Situationen sind unabsehbar. Es gibt keinen allgemeingültigen Blick auf den Weg und Sinn der Geschichte im ganzen. Daher gibt es auch kein Wissen vom sicheren Untergang.

Das aber ist keine Beruhigung, vielmehr angesichts der größten Bedrohung Anlaß zur höchsten Aktivität. Wie diese sein kann, was sie vermag, das ist die große Frage. Die Antwort ist: Was auch immer geplant und verwirklicht wird, Voraussetzung des Gelingens ist eine Wandlung im gemeinschaftlichen Wollen, gegründet in der Umkehr der Denkungsart der einzelnen Menschen.

Wir können nicht voraussehen, was Menschen aus Freiheit hervorbringen, welche Entschlüsse in welchen Situationen sie fassen werden, welcher Gehalt der Freiheit wirklich wird. Was wir aber nicht wissen können, dessen Verwirklichung liegt hier an uns selbst. Wissen orientiert in dem Raum, in dem durch den Menschen, durch die Menschen und mich selbst, entschieden wird. Hier ist der Anfang und Ursprung. Jeder muß mit sich selbst beginnen.

3. Alle Gedanken an die Zukunft müssen entmutigen, wenn *Freiheit* und *Transzendenz* vergessen werden. Dann nehmen die bloßen Verstandesgedanken mit dem Vertrauen auch die Verantwortung weg. Sie machen weich und lassen der Katastrophe passiv erliegen. Oder sie machen aktiv nur im angstvollen Greifen nach Strohhalmen, in der Vergeblichkeit totaler Planungen, im nihilistischen Denken und Tun, in wilder Einigkeit mit der totalen Zerstörung, die geschieht, — und finden falsche Hoffnungen oder die Befriedigung des Trotzes.

Wer sein Leben auf rationale Gewißheiten gründen, daher auch in bezug auf den künftigen Gang der Dinge gewiß wissen will, muß verzweifeln. Wer aber die Aufgabe des Menschen aus dem Ursprung seiner Freiheit vor der Transzendenz erfährt, wird beschwingt, zu tun, was er kann. Wer offen wird für die Tiefe der Transzendenz, verlangt keine Sicherheit mehr.

Vor dem Ungeheuren und unergründlich Schweigenden sind alle unsere Erörterungen nur Denkakte der Vergewisserung im Raum des uns Zugänglichen, um bereit zu werden für unseren Sinn, ihn zu empfangen und in Standhaftigkeit festzuhalten.

1. Äußerungen der Hoffnungslosigkeit

In den Zuschriften auf meinen Radiovortrag zum Thema war mir unerwartet die Hoffnungslosigkeit der meisten.

Viele behaupten die *Unausweichlichkeit des Ganges in den Abgrund.* Zum Beispiel:

»Was zu einem Zweck erdacht ist, hat die Tendenz, diesen Zweck auch zu verwirklichen. Es gibt keine Möglichkeit, die nicht verwirklicht würde. Daher muß die totale Zerstörung durch die Atombombe stattfinden.«

»Der Sinn der Technik schließt von Anfang an die Vernichtung in sich. Ihr Sinn erfüllt sich daher in der Superbombe.« Es ist ein Getriebensein durch die Natur der Sache, nämlich durch prometheischen Übermut des Menschen, der hervorbringt, was er nicht in Maßen halten, d. h. meistern kann, oder der den Möglichkeiten seiner Schöpfungen nicht gewachsen ist.

»Das Dasein der Menschheit geht dem Ende entgegen; es ist nicht zu helfen.«

Solche Hoffnungslosigkeit gründet sich (wie ihr Gegenteil) auf Vorstellungen eines Totalwissens von dem Gang der Geschichte (dargelegt im Abschnitt über das geschichtliche Weltwissen) oder auf den ahnenden Glauben an eine vorgezeichnete Richtung des Weltgeschehens.

Dagegen ist zu wiederholen: Es kann sein, daß die Menschheit in kurzer Zeit zugrunde geht, aber es ist nicht gewiß. Denn es liegt an ihr selber. Daß nicht zu helfen sei, ist nicht wahr. Es handelt sich um keinen erkennbaren Natur- oder Geschichtsprozeß. Kommt der Untergang, so ist er keine Notwendigkeit, vielmehr hat dann der Mensch sich seiner Aufgabe versagt. Was hier geschehen würde, ließe sich in der Chiffer aussprechen: Weil der Mensch sich nicht zum Guten wandte, erfolgt die Strafe. So wie er wurde, ist er nicht wert zu leben. Wie ein mißglückter Versuch wird er verworfen. Das prophetische Wort des Alten Testaments gilt heute wie damals und ist jetzt erst in der Wirklichkeit ganz ernst geworden.

Andere betonen insbesondere die *Vergeblichkeit, darüber zu sprechen.* Niemand könne dadurch das Unheil wenden. Zum Beispiel:

»Real gesehen läßt sich der Menschheit doch nichts sagen, sondern geht blind ihrem Schicksal entgegen. Lassen sich die ‚Fachleute‘, speziell die maßgebenden Politiker etwas sagen, wenn Sie ihnen noch so eindringlich ‚predigen‘? Diese sprechen dauernd vom Frieden und beschließen trotzdem Kriege. — Was nützt es! Den Proleten Vernunft predigen, ist abgenutzt. Die Zeit zum Predigen ist vorbei! Es läßt sich niemand mehr etwas sagen!«

»Sie ignorieren, was Matth. Kap. 24 steht: daß der Weltuntergang eben doch kommt, weil die Menschen trotz allem ‚ewig‘ unvernünftig bleiben. Einer allein kann das Unheil nicht aufhalten. Ich habe die Aussichtslosigkeit schon längst eingesehen und der Herrgott eben auch: deshalb macht er bald endgültig Schluß!!«

Die Hoffnungslosigkeit spricht sich in Wendungen aus, die sich auf *vermeintlich erkannte Gesetze des Geschehens* gründen:

Es hat immer Kriege gegeben; wenn Kriege ohne Atombombe auf die Dauer nicht möglich sind, so gibt es keine Hilfe. — Der Mensch ändert sich nicht. — Es ist und wird sein, wie es immer war: Auf Vernunft ist noch nie gehört worden und auf sie wird nicht gehört werden; sie hat zwar recht; aber wer hört ihre heute so ernsten Warnungen und zieht die Folgerungen! — Einstweilen, sagt auch der vorsichtige Skeptiker, geraten wir jeden Tag dem Abgrund näher.

Wer würde nicht immer wieder von der Hoffnungslosigkeit überfallen! Sie ist die große Verführung. Sie wird selber zur Mitursache des Untergangs. Rationale Gründe können immer nur zeigen, daß die Hoffnungslosigkeit dann im Unrecht ist, wenn sie gewiß zu wissen vorgibt. Das ist wichtig, aber es ist zuwenig. Hoffnung hat einen anderen Ursprung, den zu erfahren nicht erzwingbar ist. Aber auch diese wird unwahr, wenn sie zu wissen meint, daß es gut gehen wird.

Konkrete Hoffnung auszusprechen, ist kindlich und besagt wenig, etwa: In unserem engeren Horizont des Abendlandes hoffe ich, wenn ich an Deutschland denke, auf den alten, politisch verschütteten und heute noch überdeckten Ursprung philosophischer Einsicht aus dem sittlich-religiösen Grunde des Abendlandes. – In Amerika, wo heute für die Welt in der politischen Realität alles entschieden wird, hoffe ich auf die alten sittlich radikalen, frommen Kräfte. Dort, wo schon manchmal plötzlich Besinnung und Umkehr erfolgte, kann angesichts der Weltlage jeder Amerikaner die früher nie gekannte Verantwortung für den Gang der Menschheit, den großen Atem der Weltgeschichte und die einzige Aufgabe in ihr spüren. Dann könnte der große umwendende Impuls erwachsen, der den Amerikaner dem oberflächlichen Optimismus, dem moralischen Pharisäertum, dem Rationalismus des Allesmachenkönnens entzieht und zu sich selbst erweckt. Ein Volk, das sein Staatswesen mit Weisheit und Glück begründet, das so große Staatsmänner, das Emerson und James, Dichter und Theologen hohen Ranges hervorbrachte, das abendländisch und doch unbefangener als jedes andere abendländische Volk ist, weil es im Emigrantentum wurzelt und die weite freie Sicht vom Anfang her in sich trägt, vermag vielleicht das Außerordentliche, an dem jetzt die Entscheidung über Leben und Tod der Menschheit liegt.

2. Falsches Vertrauen

Wenn wir den Grund unseres Vertrauens gewinnen und zur Wirkung bringen wollen, dann ist jedes falsche Vertrauen zu vernichten. Wir haben es immer wieder gehabt. Wir haben es in Deutschland erlebt, daß der rechtliche Zustand eines freien Lebens über Nacht umgeworfen werden konnte, weil die Widerstandskräfte zu gering, fast nicht da waren. Unsere Ruhe, die wir jeweils für Jahre – vor 1914, vor 1933 – hatten, war trügerisch. Setzt diese Reihe sich fort?

Es ist merkwürdig, daß heute in Staaten – in Deutschland und Israel –, deren Lage geographisch, politisch und wegen ihrer Herkunft die gefährlichste scheint, während ihre Leistungen das Staunen der Welt und ihrer selbst wegen des »Wunders« bewirken, die innere Ruhe der Menschen am größten scheint. Das wird nur bei Einzelnen eine innere Überlegenheit sein, bei den meisten aber Vergessenheit, weil es sonst unerträglich wäre. Es ist gedankenlos, unser Leben unter die Voraussetzung zu stellen, daß die Katastrophe nicht eintreten wird, oder daß, wenn doch, es in höchster Not dann zuletzt noch einen Ausweg geben werde.

Wenn wir die ganze Gefahr nicht in ihrer Realität sehen, dringt sie uns nicht in Herz und Vernunft. Sie verliert die Kraft, uns heraus aus den Vordergründen der nichtigen Machtkämpfe von Parteien, Wirtschaftsformen, Bürokratien, aus der Sorge um Souveränitäten und Prestige, aus den konfessionellen Absurditäten in das Innerste des Ernstes zu zwingen.

In den Anfängen des Werdens muß begriffen werden, was tödliche Folgen hat. Die Politik des Wartens und Zusehens (nützlich für Fragen zweiten Ranges) versagt, wo es sich um den Eintritt oder die Abwehr von Katastrophen handelt. Wir sollten uns jede Weise eines uns ablenkenden Vertrauens verbieten.

Aber Vertrauen wird verlangt. Es ist wie eine verschworene, doch ihnen selbst nicht bewußte Einmütigkeit so vieler Menschen: einen Weg zu suchen, der es erlaubt, herumzukommen um das Eigentliche, was dem Menschen aufgegeben ist: sich selbst hervorzubringen in seinem Sichgeschenktwerden. Diese Aufgabe ist jetzt zum ersten Male in der Realität verknüpft mit der Entscheidung darüber, ob der Mensch überhaupt noch leben werde oder die Erdoberfläche sich in eine Mondlandschaft verwandeln solle.

Wir alle wollen vertrauen (außer den wenigen, die wild das Nichts begehren und zu ihm hindrängen); mit Recht, wenn wir das Vertrauen gründen, wo es unantastbar wird, aber mit Unrecht, wo es vorzeitig und verderblich und eine Flucht ist. Zunächst skizzieren wir Weisen falschen Vertrauens.

a) Technische Auswege.

Gibt es ein begründetes Vertrauen auf technische Auswege aus dem technischen Unheil? Etwa in der Phantasie eines Ausweichens in den Weltraum? Nein, solche Gedanken gehören zu dem Übermut des technischen Alleskönnens. Und wohin der Mensch auch ginge, er würde seine Zerstörungsmittel so gut mitnehmen wie seine Mittel des Bauens.

Können wir etwa vertrauen auf die Entdeckung gleichsam des Gegengifts gegen die radioaktive Verseuchung, wie man bisher gegen alle Zerstörungswaffen schließlich auch Abwehrwaffen gefunden hat? Es sind keine Anzeichen für die Möglichkeit von wirksamen Schutzmitteln da. Es ist höchst unwahrscheinlich, ein totales Abwehrmittel zu finden gegen die totale Umwandlung des für unser Wissen einzigartigen, physisch höchst merkwürdigen Zustandes, der heute auf der Erdoberfläche das Leben ermöglicht, in einen der kosmisch »normalen« Zustände, die kein Leben dulden.

Es bleibt noch der Gedanke einer anderen Arche Noah: die künstliche Herstellung unserer Lebensbedingungen in gewaltigen unterirdischen Räumen. Sie müßten alles in sich bergen, was zum bloßen Leben und seinem Fortbestand für Jahre und Jahrzehnte notwendig ist. Dort könnte ein kleiner Rest der Menschheit überdauern, Jahrzehnte oder gar Generationen hindurch, bis die Erdatmosphäre dem Lebendigen wieder den Zutritt, ohne zu sterben, erlauben würde. Pflanzen, Tiere und die Menschen selber könnten sich von neuem verbreiten. Es ist Sache eines Jules Verne, sich auszudenken, wie das gemacht werden könnte, und der kritischen und erfinderischen Techniker, der

Biologen und Ärzte, zu prüfen, ob es geht. Die ungeheure Gefahr der Superbombe würde durch eine ebenso ungeheure Unternehmung unterhalb der
Erde, im Gestein der Gebirge, abgewehrt. Es erforderte den Entschluß, unermeßliche Mittel für solche Vorbereitungen aufzuwenden zum Zweck des
Überlebens weniger. Und was würde dann geschehen? Was täten die vielen,
die in diese Rettung nicht miteinbezogen werden könnten?

b) Der politische Ausweg in den bisherigen Bahnen.

Man leugnet die Alternative: Wandlung des Menschen oder Untergang.
Wie die geschichtlich-politische Erfahrung zeigt, daß der Mensch sich nicht
wandelt, so wird auch der Untergang partikular bleiben. Es wird weitergehen wie bisher, nur wird es keinen Weltkrieg mehr geben. Die Konstituierung eines Dauerzustandes des Nichtkriegführens bei ständiger Kriegs-
drohung sei durchaus möglich, ja wahrscheinlich. Denn dauernd wirkt die
Angst vor den Atombomben. Man weiß die Sinnlosigkeit ihrer Anwendung,
weil sie den beiderseitigen Untergang und nicht einen Sieg zur Folge hat.
Da die Zerstörungskraft der Bomben ständig wächst, wird der Weltfriedenszustand nur befestigt: Es entsteht die Gewohnheit der äußersten Spannung,
aber ohne Entladung im Äußersten. Es ergeben sich neue Formen des politischen Verkehrs, der Sprache, des Verbergens. Aber es entsteht weder ein
neuer Mensch, noch kommt es zur Vernichtung des Lebens. Warum soll es
nicht möglich sein, daß der Zustand des Gleichgewichts des Schreckens dauernd
wird? Je größer die Zerstörungskraft, desto weniger wahrscheinlich, daß der
tollkühne Schritt irgendwo erfolgt! Wir werden einen dauernden Frieden
haben, nicht auf Grund der Gesinnung des Rechts, nicht auf Grund der Verwirklichung der Bedingungen des ewigen Friedens, sondern weil der Krieg
einfach unmöglich wird. Es werden sich Formen der Beziehungen zwischen
den Großmächten ausbilden, die stillschweigend oder sogar ausdrücklich den
Krieg ausschließen. Aber es wird zugleich die gegenseitige Drohung des
Schreckens noch gesteigert werden. Es ist ein in der Tat neuer Weltzustand,
aber nicht ein neuer Mensch. Der alte, unveränderliche Mensch wird unter
den neuen Bedingungen faktisch, nicht aus Gesinnung, auf Krieg verzichten,
weil er darauf verzichten muß. Das Motiv der Angst und jenes Minimum
von Verstand, der den Unsinn des kollektiven Selbstmords einsieht, sind für
den Menschen ausreichend. Wie dabei der heutige Gegensatz von totalitärer
und freier Welt sich gestalten wird, ob die totalitäre sich langsam von innen
her auflösen oder ob die freie Luft von innen her eine andere Gestalt des
Totalitären hervorbringen wird, das sind Fragen der politischen Entwicklung,
die, mögen sie geschehen, wie sie wollen, die jetzt entstehende Bedingung

aller Politik nie aufheben werden: daß die politischen Beziehungen den Krieg der Großmächte ausschließen, ohne daß dies von den Mächten selber durch die Tat vollendeter Abrüstung anerkannt wird. Denn das Gleichgewicht des Schreckens ist ebenso die unaufhebbare Bedingung dieses Zustandes wie der Kriegsverzicht. Schwächung dieses Schreckens würde nicht nur die Schädigung der geschwächten Seite, sondern Kriegsgefahr bedeuten. Man darf sich getrost darauf einstellen, in den bisherigen Gleisen fortzumachen, zuwarten und sehen, das sich Ergebende ergreifen, handeln wie bisher aus den immer beschränkten Interessen und Perspektiven: die Menschheit wird nicht Selbstmord begehen. Diese Erwartung fühlt sich als die des gesunden Menschenverstandes. Die Dinge gehen ihren im Wesen stets gleichen, allzu menschlichen Gang. Weder Selbstmord noch Verwandlung des Menschen sind zu erwarten: so Unerhörtes oder so Großes gibt es nicht. Trotz aller entsetzlichen Leiden kann man im ganzen, was das Dasein der Menschheit angeht, in Ruhe sein.

So meine ich reden zu hören. Es klingt einleuchtend. Von allen Begründungen eines Vertrauens *scheint* hier am wenigsten Illusion im Spiel. Hier spricht der gesunde Menschenverstand. Hier gründet sich der Gedanke auf die Unveränderlichkeit der Menschennatur und das im Grunde Einfache der entscheidenden Kausalitäten in den unendlichen Verwicklungen der vordergründigen Erscheinungen, in denen sie zutage treten.

Ich gestehe, daß mich diese Denkungsart von Zeit zu Zeit überkommt. Da aber andere Einsicht der beruhigenden Konsequenz jener Denkungsart widerspricht, wehre ich mich auch gegen sie wie gegen eine Verführung mit folgender Begründung: Alles ist möglich, wenn Menschen das Steuer in der Hand haben, die gegen allen gesunden Menschenverstand, gegen Vernunft und gegen die noch bei den meisten Verbrechern irgendwo bestehenden ethischen Hemmungen den Untergang aller in den eigenen Untergang hineinziehen wollen. Hitler wenigstens hat das deutsche Volk, soweit noch seine Macht reichte, mit vernichten wollen, als er selbst seine Vernichtung vor Augen sah. Kombinationen verhängnisvoller Art können das tödliche Unheil in Gang bringen. Der kollektive Selbstmord ist nicht ausgeschlossen, wenn die Führer sich in Überdruß, Haß, Gleichgültigkeit, blindem Vernichtungswillen treffen oder wenn auch nur einer der Gegner in diese Haltung gelangt. Man kann in den Abgrund schliddern, wie man 1914 in den Krieg geschliddert ist. Das alles ist ungewiß.

Durch die Angst allein kann auf die Dauer kein Friede sein. Die Welt zu gründen auf diese Angst oder auf bloße Verhandlungen und Verträge, wenn sie allein durch diese Angst erzeugt sind, dann durch sie gehalten werden, ist doch ein Wahn. So billig ist der Ausweg aus dem Unheil nicht. Dieser Blick ist zu kurz. Für den Augenblick und das unmittelbar Bevorstehende sieht er zwar, was geschieht. Aber so erwächst keine Ordnung, die halten kann.

Das Vertrauen des gesunden Menschenverstandes in die Politik unterbaut sich durch Vorstellungen des teleologischen Geschichtsdenkens, irrt sich aber (weil Reflexionen hypothetischen Versuchens für Erkenntnisse genommen werden). Etwa so: Der allgemeine, immer gleiche Gang der menschlichen Dinge, ihres Heils und Unheils, hat in allen Katastrophen eine Tendenz zur Wiederherstellung des Gleichgewichts. Das Extreme und als Extrem in falscher Großartigkeit Faszinierende und Niederschlagende ist nur für die sie steigernde Einbildung, nicht wirklich da. Die Dinge haben ihr Maß. Die Bäume wachsen nicht in den Himmel. Es gibt zuletzt immer die richtige Ordnung. Es ist eine Harmonie in der Welt. (Dagegen aber: im Technischen, das die anorganische Materie in die Hand bekommt, ist das Maß nicht mehr auf den Menschen und nicht auf das Leben bezogen, vielmehr, von hierher gesehen, schlechthin maßlos.)

Oder etwa so: Die verborgenen, sinnhaften Prozesse, über die der Mensch nicht verfügt, bringen durch Ereignisse, die wir Zufall nennen, durch Regelmäßigkeiten, die wir nicht begreifen (wie die vorübergehende prozentuale Zunahme der männlichen Geburten nach Kriegen), die neue Form des stets bleibenden Zustands der Menschheit hervor. Auf Vernunft ist nicht zu bauen, wohl aber auf diese höhere Instanz, die die Dinge lenkt.

Solches Denken will unser Vertrauen gründen auf Zusammenhänge, die z. T. feststellbare, aber vieldeutige Tatsachen, z. T. magisch erscheinende, illusionäre Vorgänge sind. Nein, solches Vertrauen täuscht nicht nur, sondern kann lähmen. Selbst wenn es solche uns verborgene und wirksame Sinnzusammenhänge gibt, können sie nicht als Erwartung zum Motiv unseres Handelns und Unterlassens werden, ohne sogleich ein Wahn zu sein.

c) Der Glaube an die Unmöglichkeit des totalen Untergangs.

Das natürliche Daseinsbewußtsein sagt: Es kann nicht sein, daß die Menschheit zugrunde geht. Ich kann nicht an diesen Untergang, in naher Zukunft, durch Menschen selbst vollzogen, glauben. Es wird etwas geben, wodurch dieses Äußerste verhindert wird. Entsetzliches Elend und Leiden und Sterben sind möglich, wahrscheinlich, gewiß. Aber der Untergang der Menschheit im ganzen ist etwas qualitativ, nicht nur quantitativ Anderes. Ich glaube nicht daran.

Wir möchten wohl denken: Diese Katastrophe ist unmöglich. Wenn sie möglich wäre, so würde das doch jeder Staat und jede Kirche jeden Tag hinausrufen. Zwar stirbt jeder Mensch, sterben Völker, ist die Weltgeschichte der Gang einer unaufhaltsamen Zerstörung des Herrlichsten, was sie hervorgebracht hat; aber die Menschheit selber, der Boden des Lebens, aus dem stets neues Leben wächst, wird doch nicht zugrunde gehen. So schlimm wird es nicht werden. Für die Ausschaltung der Zerstörungsmöglichkeiten wird sich die Lösung schon finden. Und auf alle Fälle: Das Ende wird noch nicht sogleich kommen. Wir haben noch Zeit.

Ich gestehe, daß ich, was der Verstand uns unumgänglich von der Wahrscheinlichkeit des Untergangs sagt, nur für Augenblicke in meinem Herzen wirksam werden lassen kann. Ich muß mich zwingen, aus der Neigung zum Vergessen mich wachzurütteln. Es ist etwas in uns, das aus einem ursprünglichen Lebensgefühl widersteht. Wir leben in der Tat, als ob jener Untergang unmöglich sei. Gern lassen wir uns wieder in das schöne Glück des jasagenden Daseins ein. Wir geben es nicht preis, auch wenn wir uns herausreißen und es in dem tiefen Schatten sehen.

Gegen alle Beruhigung steht eine Grunderfahrung, die jeder hat, der heute alt ist: Das unmöglich Scheinende ist mehrere Male in seinem Leben wirklich geworden. Wir haben zwar in Gedanken vorweggenommen, was uns unmöglich schien, und hatten es weggeschoben in ferne Zukunft, die uns nicht betraf. Aber dann überfiel es uns doch in unserer gegenwärtigen Realität: der Erste Weltkrieg mit der Folge, daß Europa aufhörte, Mittelpunkt der Welt zu sein; der Nationalsozialismus mit seiner Ermordung von sechs Millionen Juden. Als wir in den zwanziger Jahren von der Atomenergie hörten, war es Theorie. Diese erstaunlichen Dinge erfuhr man als ungemein interessant für unsere Vorstellung von der Materie; aber praktisch schienen sie keine Bedeutung zu haben. Heute schon sind sie Realität.

Wenn im Gefühl der Unmöglichkeit, weil Ungeheuerlichkeit, die außerhalb aller Horizonte »normaler« Vorstellungen liegt, heute wieder die Beruhigung uns festhalten will, so müssen wir gegen sie, angesichts der bekanntgewordenen Tatsachen, uns sagen: Warum soll die Menschheit nicht zugrunde gehen können, und zwar bald? Es ist doch schon ungeheuerlich, daß der Mensch die kosmischen Energien, die Kraft der Sonnensubstanz selber auf unsere Erde versetzt, indem er sie aus der bis heute ruhenden Erdmaterie frei macht.

Wir müssen uns fragen: Dürfen wir in unserer so ganz und gar labilen Lage, angesichts der unbezweifelbaren Realitäten, uns den Glauben an die Unmöglichkeit des totalen Untergangs überhaupt gestatten? Mindert solcher Glaube nicht schon die Anstrengungen, um durch Freiheit wirklich das zu erreichen, woran voreilig in falscher Gewißheit geglaubt wird? Ist solcher Glaube nicht eine Beschränkung der Chiffer von Gottes Macht und unergründlichem Willen? Müssen wir nicht das Äußerste als möglich vor Augen haben, wenn wir das uns Mögliche gewinnen wollen?

Man möchte, vom Entsetzen ergriffen, dem Äußersten sich entziehen: Es kann nicht sein; es darf nicht sein. Das ist Panik, ruft man. Man will Ruhe. Man meint, in Ruhe werde man es schaffen.

Aber es könnte sein: Nur dann, wenn das Äußerste im Auge bleibt, nur dann, wenn die Wege direkter Rettung in ihrem Versagen begriffen werden, nur dann würden Menschen so erschüttert, daß sie, ohne aus der Welt zu fliehen, doch das, was mehr ist als Welt, so stark erfahren, wieder erfahren, daß die Umkehr erfolgt. Dann würde, was als direktes Ziel zweckhaften Machens unerreichbar ist, nun als Konsequenz solcher inneren Umkehr durch Vernunft verwirklicht werden.

Wie wir auf die reale Möglichkeit des Untergangs der Menschheit durch unsere Verwandlung, durch Gedanke und Tat, antworten, entscheidet über Tod und Leben der Menschheit. Die Situation erzeugt eine Verantwortung, die nur bei vollkommener Aufrichtigkeit zum Bewußtsein kommen kann.

d) Erwartung von Führern und Propheten.

Sollen wir neue Propheten und Offenbarungen Gottes erwarten? Nein, auch wenn ein solches Ereignis möglich scheinen könnte, ist es doch unvorstellbar. In der Erwartung von etwas Unbegreiflichem können wir nicht sinnvoll tätig sein. Diese Erwartung würde uns in einen selbstgemachten Trug bannen und uns versäumen lassen, was wir können.

Die Wahrheit, der alle folgen, zu verkündigen, eindeutig und durchschlagend, scheint heute unmöglich. Überall lernen die Völker lesen und schreiben und damit das Denken des Verstandes. Wo aber der Verstand seinen Anspruch erhebt, nämlich selber einsehen zu wollen, da gibt es nur zwei Möglichkeiten: das Opfer dieses Verstandes im gedankenlosen Gehorsam (wie es Verkündigungen heute faktisch fordern) oder die Entwicklung des Verstandes zugleich mit seiner Grenzsetzung durch Vernunft. Das Opfer des Verstandes ist menschenunwürdig; es bedeutet, daß Menschen andere Menschen, nicht etwa Gott, für sich denken und ihnen befehlen lassen. Der einzige Weg, der dem Menschen, der eigentlich Mensch werden will, allen Menschen, heute offensteht, ist der der Vernunft.

Sein Vertrauen heute auf Propheten zu setzen, führt in die Irre. In unserer Zeit auftretende Verkündigungen entlarvten bisher jedesmal ihren letzten Unernst. Sie hatten nur Scheinerfolge. Es ist heute nicht nur vergeblich, sondern gefährlich, in der Erwartung von Propheten zu leben. Denn an die Stelle des Propheten tritt für die Völker heute sogleich der »Führer«, den sie als Erlöser begrüßen, wenn er auch nur ein Rattenfänger von Hameln ist. Sie glauben ihm, wer er auch sei, wenn er die Qualitäten des verführenden Demagogen und zugleich den Instinkt der Schläue hat, mit der er seine Gefolgschaft und die Massen lenkt, so daß sie alle in seinen Dienst wie durch eine magische Macht gezwungen werden. Aber den Menschen hilft heute kein »Führer«, sondern nur sie sich selber, wenn sie in der Gemeinschaft der Vernunft und Selbstverantwortung sich finden und Staatsmänner hervorbringen.

Philosophie in ihrer Kargheit und die verborgene alte Frömmigkeit in

Einzelnen überall unter der Bevölkerung sind als wirksame Vernunft heute noch da. Auf Propheten und Führer zu warten, ist ein falsches Vertrauen.

e) Die Aufgabe jenseits von Pessimismus und Optimismus.

Weder Hoffnungslosigkeit noch Vertrauen sind durch ein rationales Wissen genügend zu begründen. Unzureichend sind die Gründe, die aus einem Totalwissen in der Erwartung eines unausweichlichen Geschehens hoffnungslos machen. Unzureichend sind nicht weniger die Gründe, die auf den gesunden Menschenverstand vertrauen in der Erwartung, daß dieser im Ganzen doch zur Geltung komme. In diesen einander entgegengesetzten Richtungen verschleiert sich der Blick. Der so Denkende gerät in den Leichtsinn, mag dieser in Empörung oder Vertrauen sich aussprechen.

Hoffnungslosigkeit und Vertrauen sind Stimmungen, nicht Einsichten. Sie heißen Pessimismus und Optimismus. Beide sind unüberzeugbar. Sie finden Gründe ins Endlose und übersehen die des anderen. Beide zeigen widersprechende Gesamtaspekte des Weltgeschehens.

Der *Pessimismus* sieht heute nur den sicheren Untergang. Seine frühere Erwartung eines endlos dauernden, unmenschlichen Ameisendaseins ist altmodisch geworden gegenüber dem heute drohenden Untergang allen Lebens. Triumphierend in stoischer Ruhe sieht der Pessimist seine schlimmsten Voraussagen noch übertroffen. Zu diesem Pessimismus gehört Passivität. Er überläßt den Gang der Dinge dem Zufall und die Menschen den Gewaltnaturen zur Beute. Freie Zeitalter sieht er nur als kurze Übergänge zwischen Despotien.

Der *Optimismus* wendet sich unwillig ab von allen Unheilsvoraussagen. Seine zukunftsfreudige Gesinnung aber hat sich zu bewähren, ob sie den Realitäten gewachsen ist, wenn sie sie überhaupt sieht und ihnen nicht ausweicht. Was wird aus ihm, wenn er nicht mehr auf dem Grunde einer scheinbar unangreifbaren politischen Macht und einer Blüte des Wirtschaftslebens sich über sich selbst täuschen kann? Er täuscht sich weiter in seiner Stimmung, die im Gang der Dinge immer schon das zu spüren meint, was retten wird.

Pessimismus und Optimismus, gleich grundlos, gleich unzureichend, als Wissen eine Selbsttäuschung, sind als Praxis ein Sichablenken von der Aufgabe des Menschen. Sie betreten nicht den Weg, auf dem der Mensch als er selbst gehen muß. Liegt nicht im Gang der Dinge ebenso das Unheil wie die große Chance? Ist nicht der Mensch er selbst und vernünftig nur dann, wenn er, jenseits von Pessimismus und Optimismus, tut, was er kann und, was auch geschehen wird, für alles bereit ist?

Die Aspekte eines unaufhaltsamen Hinabgleitens in den Abgrund hat man längst gezeigt, ebenso die gegenteiligen einer großartigen, zu reicherem Leben führenden Aufwärtsentwicklung. Der vernünftige Mensch weigert sich, in solchen Aspekten den Gang der Dinge als notwendig anzuerkennen. Sie sind bedrohende oder beruhigende Entwürfe, die statt uns in Fesseln schlagen zu dürfen, nur um so mehr den Anspruch zur Geltung bringen: auch an uns selbst liegt noch, was aus uns wird.

Aber was, das wissen wir nicht. Wir würden Optimisten, wenn wir zu wissen glaubten, daß ein neuer Mensch aus dem ewigen Ursprung des Menschseins hervorgehen werde. Die Erwartung hat Sinn, wenn sie sich selbst in der Schwebe hält. Sie ist der beflügelnde Traum.

Wohl sind Pessimismus und Optimismus mächtige Stimmungen in uns allen. Sie sind gleich vernunftwidrig, ertragen nicht die Weite des Möglichen und die Suspension im Nichtwissen. Sie verführen zu hoffnungsloser Passivität oder zu besinnungsloser Aktivität, zur Lähmung oder Ziellosigkeit. Lähmend ist ihr Scheinwissen, daß je nur nach der einen Seite alles zu dieser Gehörende für möglich hält. Ziellosigkeit liegt in dem aktiven Betrieb, in dem vordergründige Ziele eigensinnig festgehalten oder plötzlich preisgegeben werden.

In unseren Stimmungen schwanken wir zwischen beiden, wenn wir nicht an die eine Seite ganz verfallen. Unsere Aufgabe aber ist, sie durch Einsicht zu begrenzen und sie nicht Herr über uns werden zu lassen, damit nicht in ihnen der menschliche Ursprung verschwinde und das helle, erfüllte Leben verderbe.

Wenn wir auch nie wissen können, was kommt, so bleibt doch eines: Wir können uns gewiß sein, daß für den Menschen in dem, was an ihm selber liegt, keine von ihm erkennbare, sein gesamtes Handeln einschließende Naturnotwendigkeit besteht. An ihm liegt es, was er tun wird, und nicht nur an dieser Naturkausalität. Wenn wir Menschen sind, müssen wir auf uns nehmen die Freiheit und damit die Verantwortung. Wir dürfen uns nicht beruhigen. Denn diese Beruhigung ist selber ein Faktor, der die Chancen der Freiheit lähmt, weil sie bereit macht, sich preiszugeben an eine vermeinte Notwendigkeit. Etwas ganz Anderes ist die im Transzendieren erfahrene Notwendigkeit, die je nach Sprechweise Geschick, Vorsehung, Gottes Wille heißt. Sie kann kein Faktor in unserer Orientierung für die Zwecke des Handelns werden, wohl aber der Hintergrund sein, aus dem eine andere Ruhe möglich ist: in allem Handeln und im Scheitern noch getragen zu sein von dem, was sich der Reflexion entzieht und, wenn es in sie hineingezogen wird, verschwindet.

3. Was tun?

a) Die Frage des Einzelnen, was er tun solle.

Wer weiß, was er tun soll, was er will, hat auch Vertrauen. Daher die Frage derer, die kein Vertrauen haben: Sage mir, was meine Aufgabe ist, was mein Beitrag sein kann, was ich hier und jetzt tun soll! Sie wollen Anweisung zum Handeln, das sie durchführen können, als faßliches Rezept. Zum Beispiel (aus Zuschriften nach meinem Radiovortrag):

»Sie betonten immer wieder, daß die Rettung nur durch die Vernunft kommen könne, und zwar durch die Vernunft und Haltung eines jeden einzelnen Menschen. Was ganz genau erwarten Sie da? Was, beispielsweise, käme einem Wesen wie mir als Aufgabe der Mithilfe zu? Worin läge mein Tun der Vernunft? Es erfaßt mich manchmal, als wäre wirklich die Menschheit zum Untergang reif. Ich bitte um ein wegweisendes Wort an mich, meine Haltung, meine Vernunft, in dem letzten Bedrohtsein betreffend.«

Anderes Beispiel: »Trotz allem ist mir unklar geblieben, wie wir und andere Menschen mit der richtigen inneren Einstellung und Vernunft mithelfen können, das Weltgeschehen in gutem Sinne zu beeinflussen. Wie soll das geschehen? Was ist von uns zu ändern? Wir glauben, daß es nicht genügt, anständig, gut und gläubig zu sein, um das zu erreichen, was Sie sich vielleicht vorstellen.«

Richtig ist, daß es für die Weltveränderung im ganzen nicht genügt, daß ich — jeder, der ich sagt — mich ändere. Aber dies ist Voraussetzung für die Wandlung zu einer neuen Politik, in der die Kriege aufhören.

Richtig ist, daß das Weltgeschehen in keines Menschen und in keines Volkes Hand ist. Wer zuviel will, selbst allein schon die ganze Welt verwandeln möchte, der bewirkt gar nichts. Aber es kann in dem Augenblick einer Situation in eines Menschen und eines Volkes Hand liegen, den totalen Ruin zu bewirken.

Richtig ist, daß stets auch der direkte Weg in das Politische gesucht werden muß: dorthin zu wirken und vielleicht mitzuwirken, wo es möglich ist. Politische Freiheit und Demokratie setzen den Willen und die Pflicht eines jeden Einzelnen voraus: die Verantwortung für das politische Geschehen auch als die eigene Verantwortung anzuerkennen. Aber die Wege der Mitwirkung sind nicht nur die direkten. Wie ich mich überhaupt in der Gemeinschaft verhalte, hat politische Bedeutung.

In der so natürlichen Frage (was soll ich hier, an dieser Stelle, jetzt tun?), liegen nun aber nicht selten ungeklärte Voraussetzungen. Soweit sie in ihr unausgesprochen zur Geltung kommen, machen sie die Grundhaltung in der Frage selbst zweideutig. Solche falschen Voraussetzungen sind:

1. Das Verlangen nach dem angebbaren, zweckhaften Tun, das möglich ist, ohne daß ich selbst mich wandle. Man will als man selbst unberührt bleiben, unantastbar dahinter stehen, um nur das zu tun, was im Vordergrunde des Planens zweckhaft gewollt werden kann. Ich will hören, was ich tun soll, aber will als ich selbst, anerkannt als moralisches Wesen wie alle anderen, aus dem Spiel bleiben.

2. Die Selbstgerechtigkeit, schon so zu sein, wie der Einzelne werden muß. Ich muß fähig werden, aus der Substanz umgreifender Existenz die Zwecke zu führen und durch den der direkten Denkbarkeit sich entziehenden Sinn zu begrenzen. Dahin soll ich gelangen. Aber ich bin nicht schon, was ich werden soll.

3. Die Meinung, ein Gedanke als solcher sei schon etwas wert. Man vollzieht nicht die Unterscheidung zwischen dem Denken, das zugleich als inneres Handeln verantwortlich ist, und dem bloß intellektuellen Entwurf von Gedanken unter der Voraussetzung der Gleichberechtigung aller Meinungen, meines Denkens mit jedem anderen Denken.

4. Der Anspruch, das Ethos des persönlichen Handelns des Einzelnen (das private Leben) habe nichts mit Politik zu tun. Man leugnet den Kausalzusammenhang zwischen den Handlungen in der Umwelt der Einzelnen und dem politischen Geschehen im Ganzen. Solches Denken weicht aus, wo der ganze Mensch gefordert wird.

Diese falschen Voraussetzungen treffen in dem einen Motiv zusammen: Ich möchte weiterleben wie bisher, in der alldurchdringenden Unredlichkeit meiner zweideutigen Gefühle und meines halben Denkens — in dem Genuß der Daseinslust, meiner Geltung — in der Zerstreutheit des erotisch Vielfältigen — in der Diskontinuität meines Lebens — in den Konventionen, die ein soziologisches Gesicht geben (einer Aristokratie, eines Proletariats, einer Bürokratie, einer akademischen Gesellschaft, einer Boheme usw.) — in dem Schein faktisch unverbindlicher, nicht in die Tiefe dringender Reflexion.

Ich fliehe vor der Stimme aus dem Inneren, die nur dem Ernst der Besinnung hörbar wird. Ich fliehe vor der unerbittlichen Forderung der Umkehr meines Willens selber, vor dem von mir Überschrieenen oder stillschweigend Verdeckten. Ich fliehe vor dem, was ich, obgleich ich es mit allen Menschen gemeinsam bin, doch nur in der persönlichen Gestalt, als je dieser, je einmal, durch keinen anderen ersetzbar, sein kann. All dieses ist auf kein Vordergründiges, kein zu Machendes, keine von der Freiheit befreiende falsche Autorität (wahre Autorität führt zur Freiheit) abzuwälzen.

Erst wenn diese Flucht aufhört und die Umkehr vollzogen wird, werde ich ich selbst. Dann löst sich die Einsamkeit, in deren Tiefe die Umwendung geschieht (und die in der Einsamkeit ständig wiederholt werden muß). Diese Einsamkeit ist nur noch der eine Pol, aus dem um so reiner die offene Kommunikationsmöglichkeit entspringt.

Wo die in sich wachsende Kraft der Polarität von Einsamkeit und Kommunikation nicht gewagt wird, da trifft der eigenwillige Trotz des Soseins, in verschleierter Wut, auf den anderen, der dasselbe ist. Beide werden in eine Einsamkeit gestoßen, die doch keine ist. Denn da in ihr das Selbstsein ausbleibt (das nur in Kommunikation mit anderen Selbst zu sich kommt), ist sie als Leerheit vielmehr die Verlassenheit infolge der eigenen Inkommunikabilität, die Verlassenheit vom anderen, von mir selbst und von der Transzendenz mit dem verzweifelten Bewußtsein, überflüssig, weil nichts zu sein.

Auf die Frage: Was soll ich tun? sind Antworten möglich, die nicht Anweisungen sind für ein Machen, aber Ansprüche erhellen, die jeder an sich selbst stellt:

1. Ich soll mich allseitig informieren, um meine Entschlüsse gegründet fassen zu können. Ich soll Tatsachen zur Kenntnis nehmen, aber kritisch. Ich soll die Möglichkeiten durchdenken, um den *Raum zu gewinnen, innerhalb dessen ich wissen kann, was ich will.*

2. Ich soll *aus dem falschen Bewußtsein* von dem, was ist und was ich bin, aus diesem Bewußtsein, in dem ich zunächst mich finde, *zum wahren Bewußtsein* zu gelangen suchen. Die Wahrhaftigkeit verlangt das Mißtrauen, um die Akte der Selbsttäuschung zu entdecken, aber dieses aus dem Vertrauen in die Möglichkeit der Freiheit.

Mein Realismus ist wahr nur auf dem Boden des Glaubens an den Grund im Menschen, der, ins Unendliche erkennend, weiß real ist, sich nicht in diesem Realismus, als werde in ihm die Wirklichkeit überblickt, verfangen läßt. Das falsche Bewußtsein läßt versäumen, was möglich ist.

3. Ich soll *mein Leben ändern.* Ohne Umwendung werde ich nicht zum rückhaltlos kommunikationsfähigen, verläßlichen Menschen. Ohne diese Umwendung in zahllosen Einzelnen ist auch die Rettung der Menschheit nicht möglich.

4. *Ich selbst soll entscheiden, dort, wo ich stehe.* Was getan werden soll, ist nicht allein durch allgemeine Vorschriften für alle Menschen in Gang zu bringen. Es bedarf des substantiellen Grundes in der geschichtlichen Existenz jedes Einzelnen.

Wer auf die Politik der Regierenden schilt, soll zunächst bei sich selbst fragen, wie er lebt, was er tut, ob er durch seine eigenen Motivationen und Verhaltungsweisen nicht dazu beiträgt, daß solche Politiker an der Herrschaft sind.

5. Ich soll *einsehen, daß der Zweck* — die Rettung des Lebens der Menschheit — *nicht erreichbar ist als Zweck, sondern nur als Folge.* Wenn Menschen, die den Gang der Dinge entscheiden, ihr Leben derart gewandelt haben, daß der Grund im Umgreifenden sie trägt, dann können sie in der Welt das tun — in der Verfolgung der Daseinsinteressen, im Umgang von Mensch zu Mensch, in der Gestaltung des täglichen Lebens —, was die Handlungen ausschließt, die zur Vernichtung aller führen, und die Handlungen ermöglicht, die einen menschlich gemeinsamen Boden erzeugen.

b) Die Voraussetzungen des politischen Tuns: daß alle wissen, was im Gange ist.

Unsere Situation könnte, wie noch keine frühere, erwecken. Das Dasein des Menschen überhaupt steht auf dem Spiel. Die Situation könnte die schlummernde Tiefe des Menschseins erregen. Aber war diese Situation nicht schon oft, vor einem Ungeheuren, das drohte, vor einem Unheil, in dem die Vernichtung von allem Bestehenden gefühlt wurde?

Heinrich von Kleist schrieb in einem »Aufruf«: »Zeitgenossen! Glückliche oder unglückliche Zeitgenossen — wie soll ich euch nennen? ... Wunderbare Blindheit, die nicht gewahrt, daß Ungeheures und Unerhörtes nahe ist, daß Dinge reifen, von welchen noch der Urenkel mit Grausen sprechen wird ... Welche Verwandlungen nahen! Ja, in welchen seid ihr mitten inne und merkt sie nicht und meint, es geschähe etwas

Alltägliches in dem alltäglichen Nichts, worin ihr befangen seid! . . . Diese Prophezeiung — in der Tat, mehr als einmal habe ich diese Worte als übertrieben tadeln hören. Sie flößen, sagt man, ein gewisses, falsches Entsetzen ein, das die Gemüter, statt sie zu erregen, vielmehr abspanne und erschlaffe. Man sieht um sich, heißt es, ob wirklich das Ende sich schon unter den Fußtritten der Menschen eröffne; und wenn man die Türme und die Giebel der Häuser noch stehen sieht, so holt man, als ob man aus einem schweren Traume erwachte, wieder Atem.«

Das schrieb Kleist vor der Napoleonischen Drohung. Es klingt, als ob es heute gesagt wäre. Aber es war doch nur eine begrenzte und nicht, wie jetzt, eine totale Drohung für die gesamte Menschheit. Heute ist aus der Angst eine politische Realität geworden. Der Frieden besteht heute *nur* durch Angst beider Seiten infolge des Gleichgewichts der Bombendrohung. Dieser Friede ist als solcher aber noch ganz unzuverlässig.

Es kommt darauf an, wohin die Angst uns treibt, ob wir sie verdrängen in blinde Vergessenheit oder sie in unser Inneres dringen lassen zur Erweckung der Macht sehender Vernunft. Sie kann Anlaß werden, daß durch Erinnerung an den Ursprung des Menschseins die Aufgabe bewußt wird: durch Wandel des Ethos der Einzelnen und dadurch des politischen Ethos im Ganzen die Bedingungen zu bereiten, unter denen der Zustand der Angst aufgelöst werde in einen Zustand der Rechtlichkeit, getragen von Opfermut und Vernunft. Diese Aufgabe aber kann nur zugleich mit der anderen erfüllt werden: aus dem gleichen Opfermut und der gleichen Vernunft das Leben zu gewinnen, das des Lebens würdig ist. Die Angst um das Leben und den Grund allen Lebens braucht nicht überall überzugehen in die blinde Angst, die nur um jeden Preis den Krieg ausschließen will, gar nicht rüsten will, wenn die anderen rüsten, gar nicht zur wirksamen Verteidigung sich vorzubereiten, wenn die Anderen ihre geplante Gewalt vorbereiten, unklar geneigt, sich den Gewaltakten des Gegners Schritt für Schritt friedlich ohne Blutvergießen zu unterwerfen, um ein Sklavendasein zu erleiden, wenn man nur am Leben bleibt.

Das erste ist heute, die Angst zu steigern (vielleicht nicht die der führenden Politiker der Großmächte, die wissen und in ihr leben, sofern sie nicht in die abgestumpfte Verfassung geraten sind, die vital nur um die eigene gegenwärtige Macht kämpft, aber gleichgültig gegenüber dem Gang der Dinge im ganzen und daher verantwortungslos ist). Zu steigern ist die Angst der Völker, daß sie wächst zu einer überwältigenden Macht nicht der blinden Nachgiebigkeit, sondern des hellen verwandelnden Ethos, das die ihm entsprechenden Staatsmänner hervorbringt und deren Handlungen trägt.

Denn die Angst ist zweideutig. Als bloße Angst schreit sie nur nach Hilfe um jeden Preis und ist vergeblich. Die Angst muß sich umsetzen in die Kraft, die die Rettung erzwingt im Raum der Vernunft. Dann wird sie Anlaß zu dem Willen, der seinen Sinn vor der Transzendenz ergreift, den Menschen umwandelt und wahr macht. Die Rettung scheint nicht möglich mit weniger als einem solchen Wandel. Jede Rettung, die ohne diesen ans Ziel zu kommen scheint, treibt vielmehr weiter in den Untergang. Die große Angst der Menschheit kann eine schöpferische Angst sein. Dann wirkt sie wie ein Katalysator für den Antrieb der Freiheit aus anderem Ursprung.

Dazu aber müssen alle wissen und betroffen sein, nicht einige wenige, sondern die Völker. Die Forderung ist: ständig durch öffentliches Wort an unsere Lage, an die Tatsachen und Möglichkeiten zu erinnern, die Zerstreutheit zur Aufmerksamkeit zu bringen durch unablässige Wiederholung dessen, worauf es ankommt, in immer neuen überzeugenden Denkbildern. Nur so wird es allen Menschen eingeprägt und wirksam gegenwärtig. Täglich muß es gesagt, begründet, hinausgerufen werden. Die Sache darf nicht zur Ruhe kommen, weder in der Öffentlichkeit noch in der Seele jedes Einzelnen.

Dagegen aber wehrt sich unser Drang zur Ruhe in der konventionellen Ordnung. Man will vergessen. Die Verschleierungen werden mit sittlichem Anspruch als unantastbar behauptet. Wer sie stört, erfährt den Vorwurf, er entmutige, er zerstöre den Boden, auf dem wir stehen, oder: er rufe Panik hervor, Panik sei immer unheilvoll.

Man redet überlegen beruhigend: Der Lärm ist unberechtigt. Man muß mit dem Gegenwärtigen rechnen und handeln, das Zukünftige abwarten. Was werden könnte, ist darum noch keineswegs wirklich. *Die Panik aber könnte Torheiten zur Folge haben,* etwa in der freien Welt die, daß die Völker auf jede andere Gefahr hin die Gefahr der Bomben dadurch loswerden wollen, daß sie sich bei sich selber vernichten, während die totalitäre Welt es sich leisten kann, im verborgenen weiter die Zerstörung vorzubereiten und die ganze übrige Welt zu erpressen.

Die Forderung »Nur keine Panik« lenkt in falsche Richtung. Es ist nicht von dem akuten Augenblick die Rede, in dem das Unheil schon hereinbricht und Panik die Verwirrung steigert. Es ist von der andauernden, drängenden Angst die Rede, die das Heil erzeugen kann.

Die Warnung »Nur keine Panik« entspricht der in Deutschland 1933: »Nur keinen Bürgerkrieg.« Es ist der sich betrügende Wille, ein Schlimmes nicht zu tun, aber um den Preis, in das Allerschlimmste zu geraten. Man wartet auf eine Rettung, auf einen guten Gang der Dinge, der »von selbst« geschehen soll. Das Ruhebedürfnis, das nichts wagt, ist nur blinde Angst im Kleide von Scheinvernunft.

Andere Einwände behaupten die Vergeblichkeit der Erzeugung der Unruhe. Denn die Menschen in der überwältigenden Mehrzahl reagieren ganz anders als hier erwartet werde.

Die Gefahr ist die Stumpfheit: Man hört nicht, was an Tatsachen mitgeteilt wird. Man vergegenwärtigt nicht das Gesagte. Man hat nicht das Minimum an Phantasie, es sich vorzustellen. Man stumpft ab, je öfter das Gesagte wiederholt wird. Man glaubt es im Grunde.

Oder man macht sich überhaupt keine Gedanken über den Untergang der Menschheit. Nur der eigene Tod ängstigt und auch dieser nur, wenn er unmittelbar droht.

Oder: Man reagiert mit Passivität. »Es ist ja doch nichts zu machen.« Man lebt fröhlich in den Tag hinein. Heute ist man noch da. Das Kommende wird sich finden. Es wird so schlimm nicht werden.

Oder man beruhigt sich durch Abmachungen der Staaten untereinander, verlangt Verträge und glaubt, wenn sie nur irgendwie da sind, an ihre Wirksamkeit. Es werde »Schritt für Schritt« gut werden.

Schließlich ist ein Einwand gegen das Reden von der ungeheuren Gefahr: Die erzeugte Angst ruft an Orten und in Augenblicken Panik hervor, wenn etwas geschehen soll, was das Bestehen jener Gefahr unmittelbar fühlen läßt.

Menschen haben Angst vor dem Bau eines Atommeilers. Dieser Bau bedroht durch mögliche Explosion die nahegelegenen Ortschaften. – Im Regenwasser wird gesteigerte Radioaktivität als Folge der Atombombenversuche gefunden: man hört von Leukämie, Mißbildungen der Geburten, Tumoren und anderen Krankheiten. Hier liegen ohne Zweifel Gefahren, um deren Verminderung sich die Sachkundigen bemühen. Aber die Erregung darüber ist eine Ablenkung vom Wesentlichen. Denn selbst die Reduktion dieser Gefahren auf ein Minimum macht die Gefahr der totalen Vernichtung um nichts geringer.

Oder im Augenblick, in dem eine Armee in den Besitz von Atomwaffen gelangen soll, reagiert der Schrecken: Wenn hier bei uns dieses teuflische Ding nicht da ist, sondern nur bei anderen, so ist schon eine Sicherung gewonnen. Verzichten wir, so werden wir vom Gang des Unheils verschont bleiben. Die Folge ist der Drang zu einer Politik des Sichpreisgebens unter der Erpressung der die Panik steigernden Atomgroßmacht. Diese Panik läßt den Blick auf das Ganze der Weltlage, der Weltstrategie, der möglichen Atombombeneinsätze, der Bedingungen des Weltfriedens verlorengehen, lähmt das besonnene und umfassende Nachdenken über die Bedingungen einer Sicherung überhaupt.

Alle diese Einwände zeigen die Gefahren des halben Wissens, und was aus der Angst erwachsen kann. Soll die Folgerung sein: besser schweigen, verschleiern, beruhigen? Nein, denn als Menschen haben wir keinen anderen Weg als den über das Wissen und die Angst. Zu wenig Wissen ist es, das in der panischen Angst zur Geltung kommt; daher ist für das in der Frage relevante Wissen in ganzem Umfang zu sorgen. Die besinnungslose Angst verfällt an abstrakte und unzureichende bloße Verstandesakte. Sie bringt durch illusionäre Hoffnungen und törichte Handlungen ins Verderben. Solche Angst ist zu klären, damit sie statt zu blinder Panik zu sehender Vernunft führt. Wenn die panische Angst in Unvernunft drängt, so befreit erhellte Angst zur Vernunft. Wissen und Angst sind uneingeschränkt zu wagen, wenn wir Menschen bleiben wollen.

Die Gefahren einer falschen Reaktion der Angst bedeuten keineswegs, daß alle Chancen verloren sind. Denn wir dürfen diesen Gedanken denken: Das Sprechen von der ungeheuren Bedrohung bringt die Erhellung der Forderung an den Menschen, die an ihn durch sein eigentliches Wesen ergangen ist. Daß diese Forderung besteht, daran kann kein Zweifel sein. Wenn sie aber besteht, dürfen wir erwarten, daß sie gehört und befolgt werden *kann.* Wer diese Hoffnung nicht teilt, hat keinerlei Vertrauen zum Menschen. Mögen aber noch so viele Tatsachen dieses Vertrauen erschüttern, es kann sich wiederherstellen aus der Tiefe, aus der jeder einzelne Mensch in redlicher Besinnung die Forderung hört. Wer kein Vertrauen zum Menschen hat, hat kein Vertrauen in den Grund, durch den der Mensch da ist.

Wie kann man überhaupt leben ohne alles Vertrauen? Daß es anscheinend ein solches Leben gibt, kann noch als letzter Einwand gegen das Vertrauen selber gewendet werden. Am Ende muß ein Vertrauen sich behaupten, das keinerlei rationalen Beweis für sich bringen kann.

c) Drei versagende Grundhaltungen zum Politischen.

Viele geschichtliche Zeitalter lebten im Bewußtsein stabiler Zustände. Großes ereignete sich, es gab Gefahren und Wagnisse, aber im Rahmen einer gleichbleibenden Welt gültiger Ordnungen. Man war in ihr geborgen. Heute herrscht das Bewußtsein, in einer alles einschmelzenden Bewegung zu stehen, in der wir mitwirken, unabsichtlich oder absichtlich, durch das, was wir tun und sind. Das Tempo der Bewegung steigert sich. Sie reißt jeden mit, ob er will oder nicht. Wohl werden jederzeit noch vorläufige Stabilisierungen gesucht. Aber vergeblich ist eine absolute Stabilisierung der Menschenwelt, wie sie geworden ist. Wohl war faktisch immer geschichtliche Bewegung, aber nicht eine, sondern verstreut in mannigfaltige Lokalität, und nicht bewußt. Jetzt aber ist die Realität dieses Prozesses eine einzige der Menschheit auf dem Erdball geworden und zum Bewußtsein gebracht. Angesichts dieser Bewegung sind drei versagende politische Grundhaltungen aufgetreten.

Erstens: Ich will nicht teilhaben am Gang des Unheils: Ich will meine Reinheit, und dies ist nur möglich, wenn ich mich ausschließe, bereit zu tragen, was der Gang der Dinge mir bringt, und durch ihn unterzugehen.

Seit Jahrtausenden gibt es Lebensweisen, die an diese Haltung erinnern. Die Asketen leben in der Welt, die sie läßt und sie ernährt und manchmal ihr Dasein begehrt. Aber sie leben anderswo mit dem, als was sie sich ihrer Existenz bewußt sind. In dieser Welt hier wollen sie weder leben noch nicht leben. Sie lassen ihr Leben geschehen. Die Welt geht sie nichts an. Sie greifen in sie nicht ein, sie fordern nichts, sie dulden alles. Sie leben, als ob die Welt nicht sei. In der Tat haben sie in hohen Gestalten, soweit wir zu sehen vermögen, ein reines und konsequentes und unangreifbares Leben erreicht. Ihr Tun ist seiner Absicht und seinem Sinn nach wirkungslos in der Welt, solange sie nicht von anderen Mächten zu einem Werkzeug ihres weltgestaltenden Willens benutzt werden, was sie wiederum dulden.

Heute ist solches Leben schwer möglich. Wohin die moderne Welt dringt, wird der Mensch zur Arbeit gezwungen, muß im Arbeitsganzen eine Funktion erfüllen. Die meditative Lebensführung hat wenig Raum.

Andrerseits aber wird solches Leben — in Gestalt des »ohne mich« — faktisch schnell unrein, inkonsequent und verächtlich. Entweder wird es zu einer skeptischen Gleichgültigkeit. Oder es wird zu einem empörten Hinnehmen in noch guter eigener Situation. Damit entsteht die Konfusion des Verurteilens dessen, wodurch ich mein Dasein habe und wovon ich mich doch rein halten wollte. Es sollte mich darum nichts angehen, während ich im Leben und Urteil in es verstrickt bleibe.

Zweitens: Ich will dabei sein: Es gibt den Weltprozeß. Ein unwiderstehliches Schicksal vernichtet und vernichtet, was nicht mit ihm geht. Es ist die Wahl: Entweder bin ich nichts oder habe teil an der Substanz der Dinge. Was mit dem ehernen Schritt der Notwendigkeit auftritt, dem will ich folgen. Ich bin mit ihr, bin sie selber, wenn ich sie höre und ihr gehorche. Mein Schicksal ist in Einigkeit mit dem Weltschicksal. Ich sehe, was an der Zeit ist, und bejahe es. Ich werde Nazi, ich werde Kommunist, weil ich mit der Macht bin, die die Gegenwart beherrscht und die Zukunft trägt. Die Gewalt, an der ich teilhabe, vollziehe ich, ihr gehorsam, gegen Widerstrebende und gegen Nichtzugehörende, gegen die, die schlechten Willens oder ihrer Natur nach unfähig sind für das, was Wahrheit und Wirklichkeit zugleich ist. Was jetzt durch die Gewalt, vermöge der ich selber bin und die mich trägt, geschieht, grausam, scheinbar ungerecht, und was gewaltsam erzwungen wird, ist der Gang des rettenden Schicksals. Diese Gewalt vollzieht nur, was auch ohne sie geschehen muß. Ich erkenne den Weltgeist, den Gang der Geschichte, etwa den Sinn und Weg des Kampfes der Klassen, der Rassen, und tue, was ich erkannt habe. Mein Daseinsgefühl wird mächtig gesteigert und bezeugt selber, daß ich auf dem rechten Wege bin. Und wenn es anders läuft, als ich gedacht hatte, so grüble ich dem dunklen Seinsgeschick nach, erblicke, erfahre, erdenke, daß es dieses gibt. Es hat sich verborgen und wird sich zeigen. Ich bleibe bereit, ihm zu folgen. — Diese befangene Denkweise bereitet jederzeit die innere Haltung vor, die das Mitmachen mit neu auftretender Zwangsgewalt aus einem glaubenslosen Glaubenswissen vom geschichtlichen Schicksal ermöglicht.

Drittens: Ich trotze aus meiner Unabhängigkeit: In dieser chaotischen Welt, dieser Unsumme von Dummheit und Bosheit, will ich nicht gleichgültig sein, denn ich bin empört. Es gibt keine andere Welt. Auf diese aber, wie sie ist, lasse ich mich nicht ein. Meine Wirklichkeit ist das Nein, das selber da ist und alles Nein im Besonderen zur Folge hat. Ich trotze diesem Unfug. Ich ergreife, was an Daseinsglück – im Widerspruch zur Erscheinung des Ganzen – mir zufällt. Ich gehe zugrunde, sinnlos, doch innerlich unabhängig.

Dabei aber verwickle ich mich selbst in Widersinn. Ich bin empört, aber es ist nicht möglich, nicht mitschuldig zu werden. Wie unter den Nazis das Nein doch unter den Bedingungen lebte, die die Nazis gaben, ich also faktisch durch die Nazis lebte, mitschuldig, weil nicht im Nein das eigene Leben sogleich gewagt und geopfert wurde, so ist es mit allem Nein zu dem Gesamtzustand. Das Nein – als solches sichtbar (in der politisch freien Welt, in der auch jeder Unsinn zu sagen erlaubt ist) oder unsichtbar – lebt weiter. Ich meine in diesem Leben das Andere zu tun als ein Wesen, das nicht dazu gehört, als ein »Trotzdem«, im engsten Raum, als privat, außerhalb der Dinge. Aber ich bin mit allem verstrickt in die Wirklichkeit, die ich verwerfe. –

Alle drei Weisen – das »Ohne Welt«, das »Dabeisein«, das »Trotzdem« – sind der Situation nicht gewachsen. Diese jedesmal scheinbar klare Lösung ist in der Verwirklichung in bezug auf das Ganze vielmehr unklar und befangen. Alle versäumen die existentielle Situation. Sie verlieren das menschliche Maß aus den Augen; sie versäumen die menschlichen Möglichkeiten der Vernunft. Der weltindifferente Asket wirkt nicht; es ist, als ob er in seiner Einsamkeit verschwinde. Das Dabeisein gibt sich dem Unheil der Gewalt gefangen. Der unabhängige Trotz bleibt im Nein zum Unheil, zugleich mitschuldig an ihm, stecken.

Die Frage: Was soll ich tun? erhält auf diesen drei Wegen keine Antwort. Diese Antworten zeigen nur, was nicht hilft.

d) Die Grundfrage: Wodurch ist das Leben lebenswert?

Soll das Fortleben der Menschheit gerettet werden, so kann das nur mit einer neuen Wirklichkeit des Menschen geschehen. Die erzeugende Angst darf nicht nur sich umsetzen in planbare Maßnahmen, in Verträge usw. Eine vernünftige Grundverfassung muß aus ihr hervorgehen, die auch erst die Verträge verläßlich werden läßt. Die Menschheit am Leben zu erhalten, wird allein als geplanter Zweck nicht erreicht, wohl aber kann die Rettung als Folge des tiefen Wandels eintreten, durch den das Leben des Menschen würdig wird, weil er ihn fähig macht, seine nie zureichend formulierte Aufgabe festzuhalten und auf dem Weg ins Unendliche zu erfüllen.

Um ein des Menschen würdiges Leben zu erfüllen, muß der Mensch weiterleben. Weiterleben aber wird er nur, wenn er jenes Leben gewinnt. Aus diesem Zirkel können wir nicht herausspringen, um auf irgendeine Weise bloß weiterzuleben. In der neuen Lage vor dem Abgrund ist das bloße Leben an das würdige Leben gebunden. So zu leben, führt allein zu den Handlungen, die die Vernichtung durch die Atombombe ausschließen würden. Das Leben, durch das der Mensch zu sich selbst kommt, ist nun selber Bedingung geworden für die Rettung des bloßen Lebens.

Das so ergriffene Leben kann sich nicht schon in Ruhe und Sicherheit materieller Glücksumstände vollenden. Das Leben als Leben zu preisen, vor dem Leben als solchem Ehrfurcht zu haben, das Leben für heilig zu halten, ist zweideutig. Es ist wahr für die Einsicht in das wunderbare Faktum des Lebendigen überhaupt, dann für die Anerkennung der Unverletzlichkeit des menschlichen Leibes in der staatlichen Gemeinschaft (auch noch, sofern der verbrecherische Mensch, auf gesetzlichem Wege der Einkerkerung unterworfen, vor dem Eingriff in sein leibliches Dasein und vor der Todesstrafe geschützt ist). Die Ehrfurcht vor dem Leben ist wahr im Schauder auch vor dem Töten im Kriege. Aber diese Ehrfurcht vor dem Leben ist nicht das Letzte. Die Lebensheiligung ist unwahr und unwahrhaftig und wird verderblich für die gesamte Lebensverfassung, wenn das Leben als solches zum absoluten einzig Positiven gesteigert wird. Dann tritt der Mensch an die Stelle der Transzendenz, ein Ausdruck faktischer Glaubenslosigkeit.

Dazu ist es ganz und gar vergeblich, durch Verkündigung der Heiligkeit des Lebens dem Gang in den Abgrund totaler Lebensvernichtung entgegenzuwirken. Denn nur folgenlose Emotionen, nicht die Erneuerung des Ethos selber, werden in Gang gebracht.

Die Ehrfurcht vor dem Leben wird immer dort unwahr, wo sie die Lebensüberlegenheit des Menschen vergißt. Nur durch Erfüllung seiner Aufgabe kann der Mensch sein Leben heiligen. Jene Ehrfurcht dagegen vor dem Leben an sich verwandelt sich leicht in das Begehren nach Nichts-als-Leben und in die stumpfe Befriedigung an der Verkündigung der Heiligkeit des Lebens an sich. Wahr ist vielmehr heute wie je die Erschütterung durch die Wirklichkeit der Transzendenz, von der alles Leben in Frage gestellt und nur unter Bedingungen angenommen wird.

Wagnis und Opfer des Lebens sind die Bedingung, ohne die ein menschenwürdiges Leben nicht gewonnen wird und ohne die der Weg zur Rettung nicht gefunden werden kann: aber nicht Wagnis und Opfer an sich, sondern als Moment des Menschenlebens aus Vernunft und Liebe.

Die Frage ist: Um was ist das Leben lebenswert? Was will ich vor dem Letzten? Was will ich tun und sein, wie will ich leben im Bewußtsein meines Menschseins und dessen, was droht? Gibt es Wahrheit, die das Äußerste versucht und, wenn es nicht gelingt, das Ende ohne Angst hinnehmen läßt?

Hier hören Zweck wie Mittel, hören Planen und Machen gänzlich auf. Das, wodurch das Leben lebenswert ist, hat Folgen in Handlungen und Lebensführung. Aber es selbst ist nicht zu wollen. Denn nur aus ihm kann gewollt werden. In der Gegenwärtigkeit des Menschen muß sich zeigen, was ist und was er selbst ist. Aber daß es sich zeigen könne, dafür ist, wie ich lebe, Vorbereitung und schon Erfüllung. Ich lebe darauf hin, daß es zur Erscheinung komme, und solches Leben ist selber schon seine Erscheinung. Der Zirkel, in dem ich mich selbst hervorbringen würde, wird dadurch aufgelöst, daß der Mensch, dem er zuteil wird, sich in seiner Existenz geschenkt glaubt von der Transzendenz, von der er nichts weiß.

e) Zusammenfassung: Von der alten zur neuen Politik.

Die drohende Vernichtung abzuwehren, wird nicht gelingen durch Maßnahmen, die sich auf die Atombombe beschränken. Es wird auch nicht gelingen durch einen Komplex von Maßnahmen, die sich allein auf die Verhinderung eines möglichen Krieges beziehen. Gefordert ist die Gesamtheit des menschlichen Lebens, aus dem die je besonderen Handlungen und Zwecksetzungen, Planungen, Verträge, Institutionen entspringen. Was in irgendeiner dieser Richtungen getan wird, gelingt im Sinne von Dauer und Aufbau nur, wenn alle Richtungen zusammenwirken und keine ausgelassen wird. Eine neue Politik würde die Folge sein.

Die neue Politik muß sich zunächst auf den Bahnen der alten, der noch gegenwärtigen, aber zu überwindenden Politik bewegen. Was die Umkehr im einzelnen Menschen zuweilen vermag, kann sie dann noch nicht in der Gemeinschaft aller. Es ist nicht mit einem Schlage das Neue zu stiften. Das würde nur schnell in totale Anarchie und Despotie führen. Die politische Umkehr muß im Rahmen der alten Politik die neue wachsen lassen, die alten Bahnen mit neuem Sinn erfüllen, bis sie vermöge des Neuen verlassen werden können. Dieser Prozeß wird aus den Entscheidungen der Einzelnen gemeinschaftlich. Während das Licht hier und da zu leuchten beginnt, liegen weite Bereiche noch in völligem Dunkel.

1) Die *alte* Politik hat zum Prinzip die gegenwärtige Feindschaft und den kommenden Krieg. Die *neue* Politik hat zum Prinzip die Möglichkeit des redlichen Miteinander der Vernunft und den kommenden Frieden. Wie sieht die *alte* Politik in ihrer noch gegenwärtigen Notwendigkeit aus?

Wir haben die Weltlage vergegenwärtigt: Sie ist aus dem Kolonialismus erwachsen. Sie birgt in sich den sachlich und gedanklich nicht zu überbrückenden Gegensatz der Prinzipien der totalen Herrschaft und der politischen Freiheit: Es ergibt sich als vorläufige Aufgabe das Freilassen der früher kolonialen Völker und die Selbstbehauptung des Abendlandes (durch innere Wiedergeburt und damit entstehende absolute Solidarität). Das Weltschicksal wird in der Zukunft weitgehend abhängen von den nichtabendländischen Völkern, die heute noch weder zur freien Welt noch zum Bereich totaler Herrschaft gehören. Ein Grundgeschehen ist die ungeheure, von Jahr zu Jahr im Tempo noch wachsende Bevölkerungsvermehrung vor allem in Asien. Das alles ist viel verwickelter, als diese einfachen, doch nicht unrichtigen Schlagworte es aussprechen.

Politik treibt heute noch unvermeidlich jede Staatsmacht von ihrem Orte in der Welt aus. Jede ist beschränkt in ihrer Macht. Es gibt keine übergeordnete Weltinstanz. Großmächte sind heute nur zwei und nur dadurch, daß sie im Besitz großer Massen von Atombomben sind.

Solange die Staaten ihre absolute Souveränität fordern und jeder für sich die alleinige Entscheidung über den Gebrauch ihrer Waffengewalt beanspruchen, ist zur Selbstbehauptung die Vorbereitung auf das Äußerste, den Krieg, unausweichlich. Verzicht heißt in dieser Lage Unterwerfung. Daher ist das Forschen und Erfinden der Techniker in bezug auf Bomben und alle wirksame Waffentechnik zu fördern, ohne andere Einschränkung als die, die in Gegenseitigkeit unter wirklich sichernder Kontrolle stattfindet.

Um den Frieden in dieser Kriegspolitik zu ermöglichen, sind die höchsten Begriffe die des *Gleichgewichts* und der *Koexistenz*. Um das Gleichgewicht wird mit allen Mitteln der Waffentechnik, der Bündnisse, der Stützpunkte, der Einflußsphären gerungen. Die Koexistenz wird als Schleier über den Zustand gelegt mit dem unwahrhaftigen Aussprechen der Bereitwilligkeit, den andern in seinen radikal entgegengesetzten Lebens- und Herrschaftsprinzipien gelten zu lassen.

In dieser alten Politik kommt es darauf an, weder vom Gegner sich betrügen zu lassen noch sich selbst zu betrügen. Beides bedroht die Selbstbehauptung. Darüber hinaus aber kommt es für die Ermöglichung der neuen Politik darauf an, die Realität und den Sinn dieses gesamten Tuns zum allgemeinen Bewußtsein zu bringen. Man muß das, was geschieht, nicht nur bei dem Gegner, sondern bei sich selbst der Verschleierung entziehen. Dann kann in dieser Grenzsituation im drohenden Kampf auf Leben und Tod der Mensch zu sich selbst gerufen werden, heraus aus der Besinnungslosigkeit des Hintreibens. Dann können Ethos, Opfermut, Vernunft wach werden und zugleich mit dem Heroismus der Selbstbehauptung die Umkehr zum wahrhaftigen Friedenswillen einer neuen Politik finden.

Die neue Politik kann nur im Rahmen der alten die beginnende Umkehr sein. Die alte Politik sieht alles in der Realität von Freund und Feind in bezug auf den Krieg, die neue sucht in dieser Realität schon nach dem Frieden und seinen Voraussetzungen. Die Umkehr des *letzten* Orientierungspunktes vom Krieg auf den Frieden wäre die Verwandlung der alten in die neue Politik.

2) Weil es für die alte Politik vermöge ihres letzten Bezugspunktes nichts gibt, das nicht für den kalten Krieg und den drohenden heißen wichtig wäre, verwandeln sich ihr alle Bereiche des Lebens in »*Kriegsschauplätze*«. Man nimmt den Standpunkt ein, als ob man, von einem Übergeordneten her, alles als Mittel ansehen müßte und kalkulieren könne auf seine Bedeutung für den Krieg. Dann gibt es nicht nur den *militärischen* Kriegsschauplatz in den heutigen *weltstrategischen* Gedanken, sondern den *wirtschaftlichen*, *kulturellen*, *ideologischen* und *religiösen* Kriegsschauplatz. An die für die eigene Macht vorteilhafte Wirkung in diesen Bereichen wird in der Propaganda für Meinungen, Begehrungen, Bewegungen, Handlungsweisen gedacht. Sie wird mit moderner psychologischer Bewußtheit kalkuliert. Für das Prinzip der totalen Herrschaft ist charakteristisch, daß ihre Propaganda den Augenblick vorbereitet, in dem durch geschickte, gewaltsame Manipulationen die totale Herrschaft weniger, zunächst noch meistens unter dem Beifall der Massen, errichtet wird.

3) Der drohende Krieg, daher die Waffentechnik, das Wettrüsten, die Weltstrategie, steht für den modernen Staatsmann, der den Weg zur neuen Politik sucht, unausweichlich im Mittelpunkt seiner Aufmerksamkeit. Er muß es hinnehmen, daß er gebunden ist an die Realität heute und den Rahmen der alten Politik, den er doch durchbrechen will. Das Feld schöpferischen technischen und dann militärischen Denkens kann ihm nicht gleichgültig sein. Auf dem Wege zur neuen Politik darf er in dieser alten Politik des Krieges nichts versäumen. Er muß in dem, was aus der Welt zu schaffen sein Ziel ist, selber auf der Höhe sein. Er bedarf der Information durch die technischen und militärischen Sachkundigen, aber so, daß nicht nur sie, sondern er die Fragen stellt, um die entscheidenden Punkte zu sehen. Vieles ist zweifelhaft, manches gewiß, fast alles in Bewegung.

Aufgabe des Staatsmanns ist, die Eigengesetzlichkeit militärischen Denkens der Politik unterzuordnen. Als noch Staatsmann und Feldherr in einer Person vereinigt sein konnten, wurde diese Aufgabe von *einem* Manne gelöst. Heute, wo diese Vereinigung unmöglich geworden ist, muß der Staatsmann die unbedingte Führung haben (was Bismarck erreichen konnte, während die deutschen Politiker des Ersten Weltkriegs von Anfang an von Generälen überspielt wurden). Anders ist auch das Militärische selber geworden. Der moderne Staatsmann kann sich nicht darüber täuschen, daß er größere

Mittel, als Staaten sie je hatten, für ein Instrument verwendet, dessen Verschwinden er durch seine Politik erreichen möchte. Es ist die furchtbare Spannung vor dem Ende (das entweder die Umkehr des Menschen oder sein Untergang ist). Sie verlangt die ganze Energie für das Instrument, das nie zur Anwendung kommen soll. Daß die Unerträglichkeit und Widervernunft dieser Spannung in Gegenseitigkeit erkannt, und daß dann die Folgerungen gezogen werden, ist die einzige Hoffnung. Sie kann nur erfüllt werden, wenn beide Seiten Hintergedanken und Betrug aufgeben, und keiner versucht, den anderen zu dupieren.

4) Grundsätzlich anders liegt es bei den *nichtmilitärischen »Kriegsschauplätzen«*. Denn diese werden es durch Mißbrauch des ihnen eigenen Kampfes zu fremdem Zweck, so das wirtschaftliche Leben, die Kultur, die Seele, die Religion und die Philosophie. Der hier sich vollziehende freie Kampf braucht nicht in Gewaltakten zu enden und darum auch nicht auf Gewaltakte bezogen zu werden, so nicht der Kampf der Leistungskonkurrenz, der Kraft der Mitteilbarkeit der Wahrheit, der liebende Kampf in der Gemeinschaft der Vernunft. Die Unumgänglichkeit, die Härte und Reinheit dieser Kämpfe steht im Gegensatz zu dem Kampf durch Gewalt, der jetzt am Ende durch seine Mittel sich selbst aufzuheben zwingt, sei es im totalen Sterben oder im dauernden Frieden.

Die alte Politik führt zum totalen Krieg und zur totalen Herrschaft. Sie macht alles zum Kriegsschauplatz schon im Frieden als dem Kalten Krieg. Unser Zeitalter wird die Entscheidung treffen zwischen dieser Steigerung der alten Politik und der Umkehr. Wenn die letztere geschieht, dann ist nicht nur die Frage, wo der Kampf völlig aufhören soll (als Gewaltakt), sondern auch, wo und wie er in seinem natürlichen Wesen bleiben soll (unter Abstreifung der Gewalt). Mit jedem Schritt zum reinen gewaltlosen Kampf hin wird die Weise des neuen Kampfes schon ein Schritt zur Kriegsüberwindung.

Noch wäre es Schwächung der Vernunft selbst, wenn ein Staatsmann und sein Volk, solange die Drohung des Krieges da ist, schon alle indirekten, auf den Krieg bezogenen Methoden mit einem Schlage völlig abschaffen wollte. Aber heute kann jeder wissen, was diese Methoden sind, sich daher des Naturwidrigen, Vergiftenden, Ruinösen des Mißbrauchs bewußt sein. Und die gegenwärtige Frage ist, wann das Wagnis politisch erlaubt und zugleich schon selber neue Politik ist: Etwa den Mißbrauch des Wirtschaftlichen zum politischen Kampf zu durchbrechen, weil es auf Grund der Wandlung der abendländischen Welt zu innerer Selbstbehauptung möglich geworden ist (wie im Abschnitt »Freilassen und Selbstbehauptung« erörtert wurde).

5) Der *wirtschaftliche »Kriegsschauplatz«* drängt sich in unserem Zeitalter

in den Vordergrund. Ausbeutung, Hilfeleistung, Konkurrenz — der Kampf der beiden Großmächte um die Völker Asiens und Afrikas — der Kampf der Wirtschaftskonzerne untereinander auf dem Boden der ganzen außerhalb Rußlands und Chinas liegenden Welt —, das alles verflicht sich und wird politisch zum Mittel des Kalten Kriegs.

Die neue Politik würde nicht nur die ungemein verwickelten Zusammenhänge erkennen. Sie würde mit der Umkehr aus der Expansion zur qualitativen Intensität in dem nun geschlossenen Raum ein neues Ethos voraussetzen. Nicht schon die Prosperität und der Glückswille im materiellen Dasein schaffen den Frieden, weder in den industriell hochentwickelten noch in den unterentwickelten Ländern. Wo die Prosperität auftreten soll, setzt sie die Initiative im Arbeitsethos und im Unternehmungsgeist, Fleiß und besonnenes Wagnis voraus. Auch wenn diese da sind (ohne sie bleibt wirtschaftliche Hilfe Wegwerfen von Gütern oder wird Ausbeutung fremder Arbeitskräfte, die dem Zustand innerlich widerstreben), ist aber der Mensch noch nicht befriedigt. Solche Erfolge allein lassen ihn leer, wenn er den Sinn seines Lebens nicht mit ihnen sogleich aus anderen Quellen findet. Die neue Politik ist nur dadurch möglich, daß ihr Bewußtsein und ihre beginnende Wirklichkeit die Menschen beschwingt.

6) Die alte Politik erkennt keine Handlung an, die nicht zum Vorteil der eigenen Staatsmacht ist. Sogar die »Kulturpolitik« ist Machtpolitik. Durch die Vermittlung des Geistes der eigenen Nation, ihrer Sprache, ihrer Werke, ihrer Lebensformen, will sie doch das Prestige dieser Nation, nicht das Menschliche selber, oder dies in dem Wahn, die eigene Nation stelle das Menschliche schlechthin am vollkommensten dar und alle anderen sollten in diese Gestalt der menschlichen Verwirklichung zu ihrem Heil eintreten.

Die neue Politik wird, weil ihre Selbstbehauptung ohne Expansionswille ist und weil sie die Expansion als Mittel einer offensiven Selbstbehauptung aufgibt, *offen verfahren* können: sie läßt den totalen Anspruch fahren, sie läßt frei, sie läßt die Mitteilung des Geistes geschehen unangesehen der politischen Folgen. Sie wagt es, den Weg, den sie selber geht, dadurch für alle als den gemeinsamen zu begünstigen, daß sie auf Machtmöglichkeiten der alten Politik verzichtet. Sie zeigt sich offen sowohl in ihrer je bestimmten Eigennützigkeit und in ihrer Uneigennützigkeit. Dadurch kann sie Kräfte wecken, die ihr entgegenkommen.

7) Der Übergang von der alten zur neuen Politik wäre *der Übergang von Lüge zu Wahrheit*. Die alten »sophistischen Maximen«, die Kant herausstellt, sind heute noch gleich wirksam: *Fac et excusa* — Tue es bei günstiger Gelegenheit und rechtfertige es nachher; die Dreistigkeit der Tat gibt nach

dem Erfolg einen gewissen Anschein innerer Überzeugung, weil der Erfolg der beste Advokat ist. — *Si fecisti, nega* — Wenn du es getan hast, leugne, daß es deine Schuld sei; behaupte, es sei die Schuld der anderen oder die der Natur des Menschen. — *Divide et impera* — Entzweie die Oberhäupter mit dem Volk und die Oberhäupter untereinander: stehe zum Volk unter Vorspiegelung größerer Freiheit, so wird alles von deinem Willen abhängen. Unter dem Schein des Beistandes zum Schwächeren wirst du einen nach dem anderen dir unterwerfen. — Kant fügt hinzu, durch diese Maximen werde zwar niemand hintergangen, denn sie seien allgemein bekannt. Man schäme sich daher auch nicht ihres Offenbarwerdens, sondern nur des Mißlingens. Denn die politische Ehre sei allein die Vergrößerung der Macht, auf welchem Wege sie auch erworben sein möge.

Die neue Politik würde bei jedem, der nach diesen Maximen verfährt, Scham erzeugen. Bisher hat das Augurenlächeln der Kundigen und haben Volksmassen ohne Ironie Beifall gespendet. Sie glaubten nicht an den Menschen, weil sie sich selbst nicht vertrauten. Allein die Umkehr kann den Entschluß bringen, diese sophistischen Maximen, das Prinzip der Lüge in der Politik, im Tun und Reden offen zu verwerfen.

8) Die alte Politik hat ihren Höhepunkt einerseits in der offenen Rücksichtslosigkeit des Machtwillens, der den Gegner ausrottet, wenn er sich nicht unterwirft (Gespräch der Athener mit den Meliern bei Thukydides), andrerseits in der unoffenen, sich und den Gegner betrügenden Rechtfertigung des Kriegs durch die Schuld allein des Gegners, der vom Sieger zur Rechenschaft gezogen wird (Versailler Vertrag von 1919 mit dem Schuldparagraphen). Im Fall der offenen Gewalt ist Gnade möglich, im Fall der heuchlerischen Selbstrechtfertigung die gnadenlose gesteigerte Ausnutzung des Sieges durch Auflegung unerfüllbarer Lasten auf den Besiegten.

Die neue Politik, gegründet auf das politische Ethos, das den Frieden meint als die nunmehr endgültige Bedingung des menschlichen Daseins überhaupt, drängt zum entschiedensten sittlichen Urteil. Aber als das eigentlich Böse gilt ihr die Lüge, vor allem die Heuchelei, und noch der Tropfen Unwahrheit in der wahren Beschuldigung. Sie hebt die teuflischste, obgleich scheinbar unblutige, Weise des Kampfes auf: alles zu benutzen, um sich gegenseitig die Schuld vorzurechnen. Sie will vielmehr, so wie der vernünftige einzelne Mensch, zur Selbstbehauptung die Fehler zunächst bei sich selbst suchen. Wo sie beim Gegner liegen, wo ein Prinzip (darum nicht immer auch die Menschen, die es vertreten, in ihrem ganzen Wesen) als das auch sittlich-politisch Verderbliche erscheint, wird die neue Politik in jedem konkreten Zusammenhang aufzeigen, was geschieht, das Prinzip selber entwerfen und in seiner Erscheinung durchleuchten, bloßstellen, aber nun *erstens* mit der Forderung an die eigene Wahrhaftigkeit auch in jedem Zuge dieser Bloßstellung und *zweitens* ohne Schelten, vielmehr mit dem Ziel des Überzeugens.

Dieser Kampf hört nie auf. Ihn in uneingeschränkter Publizität zuzulassen und durch das gemeinsame, in Gegenseitigkeit entstehende Ethos wahrhaftiger werden zu lassen, ist schon der Beginn des Friedens. Das ist der wahre Kampf der Geister, heute noch oft bis zur Unwahrnehmbarkeit getrübt im Rahmen der alten Politik. Die Aufgabe ist, Tatsachen zu wissen und Gedanken zu verbreiten, den Sinn für das Wesentliche durch die einfachsten Formen zu finden, in denen mitgedacht und dadurch überzeugt wird. Verfälscht dagegen wird Wahrheit und Überzeugung durch Schlagworte und Suggestionen, die das Verstehen des Einfachgewordenen ersetzen. Das ist hier nicht näher auszuführen. Vor uns liegt eine neue große Welt geistigen Kampfes, ausgezeichnet durch Reichtum, Weite und Genauigkeit, beschwingt von dem Ethos wahrer Polemik, die nicht mehr sophistisch übertölpeln, sondern gemeinschaftlich das Wahre finden will.

Der Krieg der Gewalt hört auf, wenn er, im Kampf der Geister, als etwas erkannt wird, das mit allen seinen Voraussetzungen nicht mehr gewollt werden kann. Der Krieg hört auf, wenn Menschen sich nicht mehr täuschen lassen, wenn sie die Überzeugungskraft im Selbstdenken erfahren, und wenn jeder sich verantwortlich weiß, durch eigene Unwahrhaftigkeit das Unheil nicht fördern zu dürfen.

9) Idealistisch törichte Politik handelt, als ob der Zustand schon wirklich sei, der als Ziel vor Augen liegt. Realistisch törichte Politik handelt, als ob jener bessere Zustand der neuen Politik nie eintreten könne. Beide sind unverantwortlich. Der *Weg der Verantwortung* ist, jeden Ansatz zu fördern, jeden Keim wachsen zu lassen, jeden guten Antrieb zum eigenen zu machen, im Realen der Gegenwart schon die Möglichkeit der Zukunft mit wahrzunehmen und im Rahmen der gegenwärtigen Realitäten schon auf sie hin zu denken und zu handeln. Dieser Weg ist nicht der mittlere zwischen zwei Extremen, sondern der höhere über dem Verfallen an die beiden Blindheiten, die man Idealismus und Realismus nennt.

Nur wenn die gesamte Politik der Staaten in eine andere Richtung gelangt, kann der Erfolg eintreten. Und dies ist nur möglich durch den Wandel des Ethos und Opfermuts unter Führung der Vernunft. Der Grundtatbestand aber ist, daß dies wiederum nicht möglich ist für den bei sich bleibenden Einzelnen, sondern erst im Miteinander, schließlich im Miteinander aller Völker. Daß kein Einzelner, daß kein Volk allein auf der Erde ist, ist eine Trivialität, die leicht vergessen wird und doch die eine große Aufgabe der universalen

Kommunikation als Bedingung des Friedens stellt.

Der neue Weg der Verwandlung des geschichtlichen Menschen durch Umkehr kann zwar ursprünglich nur beschritten werden von jedem Einzelnen dort, wo er steht, und dies durch die Einzelnen, die zusammenwirken in jedem Staat dort, wo sie stehen, und als Staatslenker dort, wo dieser Staat im Raum der Staaten politisch zur Geltung kommt. Da aber niemand und kein Volk und kein Staat die Lenkung der Welt in der Hand hat, und da es die Vernichtung der Freiheit aller wäre, wenn solche einheitliche Lenkung, die unfehlbar despotisch würde, sich konstituierte, so kann das Angewiesensein auf Gegenseitigkeit nur in Freiheit aller zum Ziel führen.

Was so gefordert wird, das scheint zuviel. Es ist als Möglichkeit derart unwahrscheinlich, daß man wohl den Mut verlieren kann. Aber die Hoffnungslosigkeit ist schon die vorweggenommene Niederlage. Sie ist nicht erlaubt, solange der Mensch noch etwas zu tun vermag. Denn dieser Weg scheint der einzige, auf dem der Mensch zu sich selber kommen und zugleich sein Dasein in der Welt retten kann.

4. In der Situation heute: Der Mut der Vernunft

1) Wer sich nicht täuschen will, soll die Unlösbarkeiten sehen und ihren Grund. Er soll die Unmöglichkeit der richtigen Welteinrichtung erkennen. Er soll zur Klarheit bringen, was sich ändern müßte, um gegenüber bestimmten Drohungen auf den Weg einer Lösung zu gelangen.

Die Antinomien fordern durch ihre Realität, wenn ich überhaupt handeln will, in ihnen zu handeln. Sie fordern damit auch die Einsicht in das unausweichlich Widersprüchliche des eigenen Tuns. Doch der Widerspruch ist unerträglich. Er drängt dorthin, wo er aufhören würde, das heißt (in der Wirklichkeit der Zeit) im ganzen ins Unendliche, für einzelne Fragen in ein geduldiges, durch das eigene Handeln zu förderndes Erdauern.

Die für menschliche Dinge geforderte Gemeinschaft erhellt sich im Sprechen. Dessen vollkommene Verwirklichung wäre Verwirklichung der Vernunft. Wenn aber die Kommunikation abgerissen wird durch Totalurteile — durch Behauptungen, Meinungen, Erklärungen, die als absolute respektiert werden wollen — durch Forderungen von Alternativen, die keine Erörterung mehr zulassen — durch endlose Diskussionen im Bandwurm, worin Ziel und Sinn und alle Substanz verlorengeht — dann scheint sich im Sprechen selber die Gemeinschaft zu lösen. Daher ist die Bereitschaft notwendig — die selber schon Mut ist —, die in der Sprache formulierten, scheinbar gesicherten Positionen wieder in Frage stellen zu lassen, sich ihrer von neuem zu vergewissern oder sie zu wandeln.

Wer politisch denkt, läßt sich durch die Antinomien nicht umwerfen. Denn er ist grundsätzlich in der Welt für die Welt tätig. Er darf weder seine Aktivität noch seine Hoffnung aufgeben.

Im persönlichen Leben kann ein verzweifelter Mensch zum Kurzschluß kommen: Ich muß ja doch sterben, da kann ich auch gleich sterben. Im politischen entspricht dem: Die Welt geht ja doch zugrunde (was jedoch keineswegs gewiß ist wie der Tod des Einzelnen), warum soll ich noch etwas tun, noch etwas bauen, als ob die Welt bestehen bleibe.

2) Der Gang der menschlichen Dinge ist keineswegs nur unheilvoll gewesen:

Es gab und gibt doch die Wirklichkeit der Vernunft. Die Entwicklung der Vernunft ist die Geschichte der Philosophie, die dem Menschen als Menschen eigen ist, durch die gesamte Menschheit geht, sie aber bis heute nicht beherrscht. An ihr hängt die Rettung. Ist die Vernunft im ganzen unwirksam und versagt ihre Durchschlagskraft, dann scheint heute der Untergang die Folge, ist aber erst im Augenblick des Untergangs selber gewiß. Vorher bleibt Hoffnung durch die Möglichkeit vernünftigen Tuns. Wenn das Vertrauen auf die Vernunft in Frage gestellt wird durch die Erfahrung so vieler unvernünftiger Augenblicke in jedem von uns und durch die Herrschaft von Unvernunft und Widervernunft in der Menschenwelt, so lehrt doch Erfahrung auch, wie Vernunft erweckt wurde und wachsen kann. Wenn mit der entgegenkommenden Vernunft nicht sicher zu rechnen ist, so geschieht doch alles Gute im Vertrauen, auf vernünftige Menschen zu treffen.

Die Ereignisse der Geschichte bringen das Unerwartete, bringen Zerstörung, aber auch Rettung. Der Satz: »Wer nicht an Wunder glaubt, ist kein Realist«, ist aber nur wahr zugleich mit dem anderen: »Wer mit Wundern rechnet, ist Phantast.« Rechnen darf man nur mit dem Berechenbaren. Aber die Realität ist nicht bis zur vollendeten Berechenbarkeit zu durchschauen und mit ihr nicht erschöpft. Die Unberechenbarkeit erzwingt das Wagnis. Stelle ich bei meiner Orientierung in der Realität mich unter den Druck der erkannten Realitäten, ohne mir etwas zu verschleiern, so handle ich, mich hineinwagend in das noch Dunkle. Dann hoffe ich, daß mir dieselbe Macht zu Hilfe kommt, die mir im inneren Handeln verwehrt, daß ich mich selbst betrüge. Sie läßt mir vielleicht von außen fördernde Realität zuteil werden, wenn ich redlich mit dem Dabeisein meines ganzen Wesens getan habe, was an mir liegt. In der Spannung von Berechenbarkeit und Wunder liegt die

Verantwortung des Handelns vor der Transzendenz. Transzendenz aber geht verloren in der Eindeutigkeit des Berechenbaren ebenso wie in der abergläubischen Objektivität von Wundern.

Im Rückblick auf Ereignisse, deren Ergebnis unser Dasein begründete und mit unserem Handeln zur Entfaltung brachte, staunen wir wohl. Es ist, als ob eine Führung war und nun ihr Sinn sich zeige. Aber wenn ich diesen zu einem Gewußten oder gar zu einer Garantie für die weitere Zukunft werden lasse, dann gerate ich in eine böse Unwahrhaftigkeit. Ich möchte den Erfolg legitimieren und das Gescheiterte nicht nur vergessen, sondern auch ins Unrecht setzen. Aber wenn dieses Staunen in der Frage bleibt, macht es den Handelnden bescheiden (denn er muß auf eine zureichende Legitimation durch sein Verdienst verzichten), aber es macht ihn auch mutig im Unberechenbaren. Wenn Goethe, auf sein Leben zurückblickend, sagte: »Mach's einer nach und breche nicht den Hals«, so heißt das: er könnte es selbst nicht noch einmal, denn er weiß nicht, wie er es gemacht hat. Was er tat und erfuhr, ist nicht in Berechenbarkeit für neue Fälle zu verwandeln.

3) Wenn ich verzage angesichts des Äußersten, so lehrt Vernunft: Es ist nicht mutig, Urteile über Ende und unausweichlichen Untergang zu fällen. Mutig ist es, im Wissen und Nichtwissen zu tun, was möglich ist, und die Hoffnung nicht aufzugeben, solange man lebt.

Es ist auch keine tapfere, sondern erstarrende Philosophie, dem vermeintlich erkannten Untergang unerschüttert zuzusehen, bis er einen begräbt. Tapfer ist, sich bis in den Grund erschüttern zu lassen und zu erfahren, was in der Grenzsituation sich offenbart.

Es bleibt, die Herrlichkeit der Welt zu sehen und Menschen liebend verbunden zu sein, solange es vergönnt ist. Es bleibt, in der Geschichtlichkeit unserer Liebe uns des Ursprungs und der Ewigkeit zu vergewissern. Auf diesem Grunde bleibt der Sinn: In unserer Welt aus der Vernunft zu leben — nicht nur aus dem endlichen Verstande, vielmehr aus der großen allaufschließenden Vernunft, und mit ihr unsere Gedanken, Antriebe, Anstrengungen, beginnend beim eigenen alltäglichen Tun, auf die Überwindung der drohenden Endkatastrophe zu richten.

Dann, wenn wir, wenn jeder, wenn einige, nicht nur hier und da, sondern mit dem ganzen Leben zur Vernunft kommen, wenn diese Vernunft, zwischen mehreren einmal entzündet, sich ausbreitet wie eine reinigende Flamme, dann erst dürfen wir mit Zuversicht auf die Überwindung der totalen Katastrophe hoffen.

Daß das utopisch Scheinende möglich ist, sagt uns ein Vertrauen, das nicht in dieser Welt gegründet, sondern uns gegeben wird aus dem Umgreifenden, wenn wir es erfüllen durch das, was wir tun können.

Wenn aber der Augenblick des totalen Untergangs kommen sollte, dann würde sich im Horizont unseres Wissens zeigen, daß im Gang der Dinge unsere Vernunft ein zeitlich vorübergehendes Phänomen war. Wir wissen nicht, wozu. Wir sind uns nur bewußt, daß sie sein soll. Das ist der Vernunftglaube, der der philosophische Glaube ist.

Besser noch wäre es, mit der Vernunft wissend unterzugehen, als blind seine Jahre dahinzuleben, ohne Vernunft in das Verhängnis zu stürzen, erst es selber fördernd, dann von Angst überwältigt.

Vernunft bringt uns das bleibende Vertrauen noch dann, wenn mit dem Dasein des Menschen auch sie in der Zeit verschwindet. Welches Vertrauen? Vernunft ist *in der Welt* das Letzte, worauf wir uns gründen können. Aber sie selbst ist nicht das Letzte.

5. An der Grenze: Die Möglichkeit der irdischen Katastrophe

Sollte auch das Vertrauen auf Vernunft nicht standhalten? Heute ist unumgänglich an die Möglichkeit des Scheiterns der Vernunft in der Weltrealität zu denken. Wenn aber auf die Vernunft im Menschen nicht gewiß zu rechnen ist, bleibt dann überhaupt noch ein Grund des Vertrauens? Wenn die Verzweiflung sagt: Es hilft ja doch alles nichts — lassen wir das Gerede — denken wir nicht daran — leben wir heute — was kommt, ist auf alle Fälle der Untergang —, ist das etwa das letzte Wort?

Gewiß ist: Vernunft darf nicht voraussetzen, daß sie die Welt regiert; wohl aber, daß sie selbst sein und mit nicht einzuschränkender Kraft ihres Vermögens wirken soll. Sie weiß sich in der Welt, aber nicht als Herrscher der Welt. Vernunft kann dann nicht mehr das letzte Wort sein, wenn sie an der Übermacht der Widervernunft scheitert.

Mit welchen Vorstellungen denken wir an diese Möglichkeit? Welche Gestalt nimmt das Vertrauen an, wenn auch das Vertrauen in die Vernunft wankend werden muß?

1. Eine scheinbar evidente, aber für uns jeder Realität entbehrende Vorstellung sagt: Es gibt *Vernunftwesen auf anderen Weltkörpern.* Dort geht der Gang der Vernunft, der bei uns scheitert, in einer anderen Wirklichkeit weiter. Dort leben Wesen, die in der Zeit fortsetzen oder neu beginnen oder vollenden oder auch scheitern in dem, was uns auf der Erde nicht gelungen ist.

Solche Vorstellung führt uns in falsche Richtung. Etwas in der Welt hypothetisch Vermutetes, das mit unserer Realität keinen Zusammenhang hat, soll uns trösten durch den Bestand solcher Realität, wenn unsere Realität untergeht. Das ist grundlos, weil wir keine Kunde und nicht das geringste Anzeichen solcher Realität haben. Und es ist verführend, weil es uns ablenkt von dem einzigen Vertrauen, das uns möglich ist und selber noch durch Vernunft an der Grenze der Vernunft erweckt werden kann. Dies Vertrauen richtet sich nicht auf eine Realität in der Zeit anderswo, sondern auf die Wirklichkeit, die, über aller Zeit, zwar in der Zeit zur Erscheinung kommt, aber nicht als Zukunft in der Zeit selber liegt. Auf die Frage: Wohin gelangt der Mensch, wenn das Risiko, das in der Zeit ihm aufgegeben ist, ihn vernichtet? ist nicht zu antworten mit der Angabe von etwas in Raum und Zeit.

2. Wir wissen längst, daß wir dem Verschwinden in der endlosen Zeit nicht ausweichen können in die vermeintliche Dauer der kommenden Generationen, nicht in das Befestigen von Besitz und Erbe, nicht in die Beständigkeit des eigenen Staates oder der eigenen Kirche oder des eigenen Volkes, nicht in den Erwerb von Ruhm. Nichts von diesem ist dauernd. Es gibt keinen Ausweg durch weltliche Vorstellungen. Wir können nur aus einem tieferen Grunde in der Wirklichkeit leben, die jene in der Zeit verschwindende Realität beseelt. Von dieser Wirklichkeit her kommt die Kraft, sinnvoll das Zeitliche zu tun, solange es aufgegeben ist.

Das zeitliche Dasein ist nicht die letzte Wirklichkeit. Von dieser aber kann nicht geredet werden wie von Dingen in der Welt, von Gegenständen, von Denkbarkeiten und Greifbarkeiten, woran doch alles Reden gebunden ist. Und doch fragen wir, auch wenn alles zeitliche Dasein ein Ende hat, in menschlichen Kategorien: wohin? Es ist nicht nichts, wenn aus Freiheit getan wurde, was Vernunft gebot.

3. Bleiben wir an der Grenze in der Welt stehen und *urteilen von der Welt her,* so nehmen wir den als modern geltenden Standpunkt ein. Von ihm her ist die Perspektive des Untergangs (nicht der Welt, sondern des Menschen) heute nicht aus religiösen Motiven entsprungen. Allein die Realität der technischen Situation erzwingt die Anerkennung der totalen Bedrohung. Sie wird der Angelpunkt unseres Lebens.

Das Vertrauen in der Welt kann redlicherweise kein absolutes sein. Die Gefahr bleibt. Das Vertrauen kann nur darin liegen, daß geschehen *soll,* was Vernunft im Menschen gebietet. Dieses Vertrauen, auf das Ungewisse hin zu leben und zu handeln, hat aber seinen Grund in dem tieferen Vertrauen, das nicht dieser Welt und auch nicht der Vernunft allein entspringt.

Es war ein schrecklicher Gedanke, wenn ein hochgebildeter Mensch schon früherer Generationen keine Kinder wünschte, weil er sie der Gemeinheit der kommenden Massenherrschaft nicht aussetzen wollte, wenn bei anderen sogar vom kollektiven Selbstmord der Menschheit durch Nichtfortpflanzung als dem erwünschten und sinnvollen Tun geredet wurde. Heute drängt sich vielleicht bei einigen noch stärker der Gedanke auf, keine Kinder zu wünschen, weil man sie dem ausweglos drohenden Unheil des Todes durch Atomenergie nicht preisgeben wolle.

In der Tat kann, wenn im Menschen nicht die gedankenlose Vitalität treibt, nur *transzendente Wirklichkeit* ermutigen, beim Gang in eine immer bedrohlicher werdende Welt in seinen Kindern sich selbst zu wagen. Nur von dorther kann er für sie hoffen, daß sie den Weg im drohenden Unheil finden und zu denen gehören werden, die es vielleicht abwehren.

Denn erst im Augenblick der totalen Vernichtung wäre diese gewiß, vorher nicht. Bevor sie wirklich geschieht, ist es kein vernünftiger Ausweg aus der Drohung, schon vorzeitig darum, weil alles vergeblich *scheint*, keine Zukunft mehr zu sehen.

4. Wäre aber nicht der Untergang der Vernunft die *Enthüllung des Nichts*? Nein, denn wo Vernunft ist, ist sie sich gewiß, nicht nichtig zu sein. Daß Vernunft versucht wurde, ist des Menschen würdig, durch ihn möglich, weil er sich in ihr geschenkt wurde, er weiß nicht woher. Weil sie sich selber gewiß ist nur zugleich mit dem Bewußtsein, von anderswoher gefordert zu sein, hat sie eine nicht gewußte Wirklichkeit im Ewigen.

5. In der Ewigkeit trifft der *Gottesgedanke* auf den einzigen ruhenden Punkt. Welche besondere Gestalt er annimmt, ist von zweitrangiger Bedeutung. Denn jede Gestalt ist auch unangemessen. Der Gottesgedanke in der Grenzsituation des Scheiterns ist für den Abendländer geschichtlich auf die Bibel gegründet.

Vom totalen Untergang sprachen die alten Propheten. Der »Tag Jahves« wird kommen, an dem alles vernichtet wird. Von dem Weltende sprachen die ersten Christen als unmittelbar bevorstehend.

Jeremias antwortete seinem verzweifelten Jünger Baruch, als Staat und Volk und sogar der Gottesglaube der letzten Juden, die nun der Isis opferten, zugrunde gingen: »So spricht Jahve: Fürwahr, was ich aufgebaut habe, reiße ich nieder, und was ich eingepflanzt habe, reiße ich aus, und da verlangst du für dich Großes? Verlange nicht! Denn ich bringe nunmehr Unheil über alles Fleisch.« Jeremias will sagen: Daß Gott ist, ist genug.

Dies erst ist der letzte Horizont, von dem her alles in die rechten Verhältnisse gerückt wird. In diesem Horizont wächst der Mut durch das Vertrauen im Grunde, das durch kein Scheitern in der Welt, auch nicht durch das Scheitern der Vernunft getilgt werden kann. In ihm wird der Wille beschwingt, solange Menschendasein ist, Vernunft zu verwirklichen, zu wagen und den Sinn im Bauen zu sehen, auch wenn wir nicht wissen, wie lange stehen wird, was wir hervorbringen.

Die Wirklichkeit, daß Gott ist, ist nicht das Widervernünftige, das als das Nichtige triumphiert, sondern das Übervernünftige, das die Vernunft einschließt und umgreift.

Diese Wirklichkeit ist es, die von uns Vernunft fordert. Von ihr ist sie dem Menschen geschenkt zu freier, ursprünglicher Entfaltung und zum Standhalten. Aber die Vernunft ist nicht der Grund der Dinge. Dieser ist die Wirklichkeit, die – über uns, unbegreiflich – in der Chiffer Gott genannt wird.

Gott ist undenkbar. Aber Gedanken und Vorstellungen von ihm sind Chiffern, die, für sich selbst genommen, irreführen. So kann Gott die alle Vernunft übergreifende, aber die Vernunft in sich einschließende *„Allmacht"* heißen. Aber diese Chiffer wandelt sich, wenn sie nach der Weise der Macht in der Welt gedacht würde, in gottwidrigen Unsinn. Die übervernünftige Gottheit wird dann zur widervernünftigen Willkür. Der Allmächtige wird zum Tyrannen. Die durch Vernunft nicht durchschaubare Weltlenkung, die schon als Weltlenkung unangemessen benannt ist, wird zur Despotie eines Wüterichs.

Gott kann »*Persönlichkeit*« heißen. Auch dieser Gedanke ist eine Chiffer, die zum Ausdruck bringt, daß ich dem Grund verbunden bin, trotz allem vertrauend, wie einer Persönlichkeit. Aber »Persönlichkeit« ist unangemessen für die Gottheit, weil diese mehr ist als Persönlichkeit, und vielmehr »Grund« der Persönlichkeit, wie sie in Menschen zur Erscheinung kommt.

Daher ist die Gottheit in der mannigfaltigsten Weise in Chiffern gedacht und vorgestellt, aber immer unangemessen, am angemessensten vielleicht dort, wo der Gedanke keinen weltlichen Inhalt mehr hat und als ein rein formaler im Nichts zu verschwinden scheint, aus dem doch die ganze Kraft der eigentlichen Wirklichkeit uns hält.

Vertrauen gilt der verborgenen Gottheit. Die Befleckung des Gottesgedankens durch gnostische Erzählungen, durch Spekulationen und Bilder, die in Göttern und Dämonen sich verfangen, verwandelt das freie Vertrauen in eine unfreie Gewißheit. Das Verschwinden der Nebelgebilde, Irrlichter, Zaubereien des Gedankens und der Vorstellungen geschieht mit der Gegenwärtigkeit der Gottheit, ihrer Unveränderlichkeit und Wirklichkeit. Vor ihr wird alles in der Welt belanglos, aber zugleich für endliche Vernunftwesen unendlich wesentlich als das Erscheinen dessen, worin sie sich der Ewigkeit gewiß werden. Nur hier ist wahres Vertrauen.

6. Unsterblichkeit

Es mag genug sein, was an der äußersten Grenze Jeremias sagt. Hiob spricht es aus: Der Herr hat gegeben, der Herr hat genommen, der Name des Herrn sei gelobt. Das ist der selbstlose Gedanke: Daß Gott ist, ist genug; ich will, was er will und was ich nicht weiß.

Was in Gebeten Preis und Dank ist, spricht diese dem Menschen mögliche Selbstlosigkeit aus. Sie hat nur das eine Interesse: Gott ist wirklich. Sie verzweifelt, wenn diese Wirklichkeit ihr verschwindet: Was ist, ist Nichts. Keine Begründung reicht aus, ihr die Wirklichkeit gewiß zu machen und festzuhalten. Noch wenn sie mit ihr lebt — wie schwankend in der Zeit! — weiß sie, daß es nicht ihr Verdienst ist. Daher der Dank für das Unbegreifliche.

Dürfen wir mehr wollen? Die eigene Unsterblichkeit, die ewige Seligkeit, die »Gnade«? Müssen wir mehr sehen: die »ewigen Höllenstrafen«?

a) Der philosophische Gedanke und die Chiffernsprache.

Philosophie begründet das Recht des Unsterblichkeitsgedankens, aber so, daß sie ihn selber verwandelt. Sie hat durch Kant eine bisher nicht überbotene Klarheit erreicht:

Was uns in dieser Welt begegnet, ist an die Formen unserer Anschauung in Raum und Zeit und an die Formen unseres Denkens gebunden. Wir sehen, was vor Augen ist — wir erleben, was gegenwärtig ist — wir denken, was gegenständlich ist. Das ewige Sein selbst – die Wirklichkeit – kommt darin zur zeitlichen Erscheinung. Aber an einer Stelle berührt der Mensch den Ursprung in der zeitlosen Wirklichkeit selbst. Diese Stelle ist seine eigene Freiheit. In der einzelnen Seele spricht, was mehr ist als das Dasein des Menschen und die sichtbare Welt: das Gewissen, erfüllt von der Liebe. Kraft seiner Liebe, in der er sich geschenkt wird, kommt der Mensch in lebenwährendem Entschluß zu sich selbst in der Zeit. Dadurch, daß es geschieht, ist er sich gewiß in der Ewigkeit.

Dieser Gedanke kann als der abwegigste wirken, da er unvollziehbar scheint, und als der tiefste, weil er den Ursprung unseres Daseins erhellt. Er ist in der Durchführung verwickelt, aber im entscheidenden Punkt so einfach, daß jeder im guten Augenblick ihn plötzlich fassen kann.

Gelingt es, diesen Gedanken nachzudenken und zur inneren Handlung werden zu lassen, so geschieht eine Grundverwandlung unseres gesamten Weltwissens. Durch eine solche »Revolution der Denkungsart« ist auch Unsterblichkeit etwas anderes geworden. Sie ist nicht mehr der vermeinte Tatbestand eines früheren oder des kommenden Daseins. Sie ist vielmehr die Ewigkeit, die in der Zeit berührt wird, wenn es zu jenem Durchbruch durch das raumzeitliche, sinnlich und verstandesmäßig erfahrene Weltsein in der Freiheit gekommen ist. In diesem Leben, so muß der scheinbar widersinnige Satz lauten, wird zeitlich entschieden, was ewig ist. Die Entscheidung aus der Kraft der Liebe und dem Gebot des Gewissens ist Erscheinung dessen, was ewig schon ist. Die Gegenwart des Ewigen ist Unsterblichkeit.

Unser Bewußtsein der Unsterblichkeit braucht keine Garantie, wenn es wirklich ist. Alle »Verheißung« ist für den philosophierenden Menschen in der Tat nur Menschenwort; daß sie Gottes Wort sei, gilt für einen religiöskirchlichen Glauben, den man philosophierend weder bestreiten noch bejahen mag: man muß diesen Glauben, der Gottes direkte Offenbarung an Zeit und Ort in der Welt lokalisiert, lassen und an seinen Früchten in der Welt auch in seiner zweideutigen Wirklichkeit sehen. Das Menschenwort ist gewichtig, wenn, die es sprachen, uns als Menschen vertrauenswürdig sind. Wenn es uns im Philosophieren auch keine Garantie, kein Versprechen, keine Offenbarung bringt, so doch die unersetzliche Gemeinschaft mit Menschen, die mit uns in der gleichen Situation zu sich kamen, fragten und ihre Antworten lebten.

Unser Bewußtsein der Unsterblichkeit liegt im Gewissen. Es liegt entscheidend in der Liebe, dieser wundersamen Wirklichkeit. Wir sind sterblich, wo wir lieblos sind, unsterblich, wo wir lieben. Unsere Liebe zu den Toten würde treulos, wenn sie das Ewigkeitsbewußtsein verlöre.

Aber dieses Bewußtsein der Unsterblichkeit verlangt in unserem endlichen Dasein, in diesem Gefängnis von Raum und Zeit, in dem wir durch Wahrnehmen und Denken von Gegenständen unser helles Bewußtsein haben, eine Sprache. Was als materialisiertes Wissen von früherer Existenz und von zukünftigem Dasein eine Täuschung wäre, das kehrt als Gleichnissprache wieder.

Ohne Vorstellungen stehen wir als endliche Wesen wie in der Leere des Nichts. Daher suchen wir in vorgestellten Chiffern die Sprache für das Unvorstellbare. Weil aber alle Vorstellungen unangemessen sind, machen wir sie auch wieder rückgängig. Wie wir uns, nach dem Gebot, von Gott kein Bildnis und Gleichnis machen sollen, so auch von der Unsterblichkeit nicht. Aber was wir nicht sollen, das müssen wir unserer Natur nach doch tun, als ob wir es nicht täten. Daher bleiben wir schwebend in der Sprache dieser Vorstellungen. Sokrates entfaltet aus der Gewißheit der Unsterblichkeit seine Bilder und sagt: Es ist »ein wohlberechtigter Glaube, wert, daß man es wagt, sich ihm hinzugeben. Denn das Wagnis ist schön, und der Geist verlangt zur Beruhigung dergleichen Vorstellungen, die wie Zaubersprüche wirken; darum verweile ich denn bei dieser erdichteten Schilderung.« Der Zweifel des Verstandes, der alle Materialisierungen der Vorstellungen eines in der Zeit gedehnten endlosen Daseins, alle Gestalten des Trugs und des Ausweichens mit Recht zerstört, er selber zerschellt an der ganz anders gegründeten, ungegenständlichen Gewißheit der Unsterblichkeit, die sich der Sprache der Chiffern bedient, um auch diese in der Schwebe zu halten.

Philosophische Einsicht ist kein Wissen. Solange wir in der Zeit leben, ist in uns die Sehnsucht nach der zeitlichen Gegenwart derer, die entschwunden sind, nur in der Erinnerung zu sein scheinen. Uns ist in der Zeit die Trauer auferlegt. Durch keinen Unsterblichkeitsgedanken ist sie zu tilgen, aber sie ist selber hineinzunehmen in die übergreifende philosophische Einsicht.

Dies bedeutet: ob und in welchem Sinne ich mich und die geliebten Menschen unsterblich weiß, das liegt nicht an einem Wissen, das vielmehr ausgeschlossen ist, sondern an uns selbst. Unsterblichkeit gibt es nicht wie das Naturgeschehen, gleich für alle wie Geburt und Tod. Sie geschieht nicht von selbst. Ich erringe die Unsterblichkeit, sofern ich liebe und gut werde. Ich zerrinne ins Nichts, wofern ich lieblos, also verworren lebe. Liebend sehe ich die Unsterblichkeit der mir in Liebe Verbundenen.

b) Vorstellung des Seins im Ende als Realität und als Chiffer.

Wenn Menschen und alles Leben auf der Erde zugrunde gehen, so bleibt der leblose Erdball im Kosmos. Was bleibt da? Etwas, das so, wie wir jetzt davon wissen, zur Erscheinung käme, wenn ein Mensch oder ein sinnliches Vernunftwesen auftreten würde. Aber was ist dieser Kosmos, heute von Menschen auf einen Anfang hin berechnet, dieses Dasein von Jahrmilliarden ohne den Menschen? An sich wäre er etwas, das weder sich denkt noch gedacht wird. Ist er überhaupt? Denken wir sein Sein, so doch nur so, wie es für uns ist. Wir wissen von ihm nichts als das, wie es menschlicher Erfahrung erscheint oder erscheinen würde. Menschen aber gibt es in bewußter Geschichte erst seit fünftausend Jahren, als uns verwandte Wesen vielleicht seit fünfzigtausend Jahren, in biologischen Vorstufen mit Werkzeug und Feuer seit fünfhunderttausend Jahren, also seit knapp einer Stunde, wenn wir vergleichen mit dem errechneten Jahr des Kosmos.

Ende und Anfang sind in der Erscheinung. Diese ist für uns sinnliche Vernunftwesen Realität, an sich aber Moment in einem Kreise, der selber ewige Gegenwart ist. Nur eine Chiffer ist solcher Gedanke. Er spricht unser Nichtwissen aus in der Gewißheit eines nicht angemessen Denkbaren.

Den äußeren Untergang durch technische Zerstörung, von Menschen vollzogen, nicht durch eine kosmische Katastrophe bewirkt, könnte man vergleichen mit einem inneren Untergang, von Menschen im Denken vollzogen, nicht durch eine Hirnkrankheit bewirkt. Dieser innere Untergang würde eintreten, wenn Menschen die Denkoperationen benutzten, um das Erkennen selber zu zerstören, wie es der Sinn mancher indischer Meditationen war. Wie das technische Können, statt zum Aufbau und zur Steigerung der Mittel des Lebens zu dienen, zu seiner Selbstvernichtung führen kann, so das intellektuelle Können, statt zur Steigerung der Präzision und Helle des Erkennens, zur Selbstvernichtung des Erkennens und dann des Denkens selber. Der reale Unterschied ist der, daß die technische Selbstvernichtung alle Menschen und alles Leben einschließt, während die intellektuelle Selbstvernichtung nur die auf diesem Wege Meditierenden trifft, die in die totale Leere eines weltlosen Fakirdaseins geraten.

Die technischen Folgen der Atombombe und die existentiellen Folgen einer vernichtigenden Meditation sind aber nicht parallel; nur eine Analogie ist zwischen beiden. Diese Analogie hört auf, wo die nihilistischen Denkoperationen, wie bei Nagarjuna und den alten buddhistischen und hinduistischen Sekten, zur Interpretation eines erfüllenden metaphysischen Bewußtseins von unendlicher Bejahung werden. An der Grenze vollendeter Verneinung blieb das nun erst vollendete Ja der Ewigkeit, die weder ist noch nicht ist. Wie die christliche Erwartung des nahen Weltendes in diesem das Kommen des Reiches Gottes sah, so sahen die buddhistischen Meditationen, bei Fortbestehen der endlosen Welt in ihrem Nichtsein als Schein, im Nichts der Welt das Nirvana ewiger Vollendung.

Dagegen sieht die realistische Erwartung des durch Menschen herbeigeführten nahen Endes der Menschheit nichts als das Ende. Das absolute Nichts aber ist undenkbar. Ein lebloser Kosmos ist nur, sofern er erfahren und gedacht wird. Der Realist, der Nichts sagt, ist in Ausweglosigkeiten verstrickt, so gut wie der Schwärmer, der sich jenseitige Welten leibhaftig vorstellen will.

c) Die Zukunft als Realität und als Chiffer.

Haben wir uns Kantisch der Erscheinungshaftigkeit des Daseins in Zeit und Raum vergewissert, so folgt: Wenn die Zukunft im Dunkel liegt, wenn sie drohend nichts zu versprechen scheint als Scheitern, Ende, Tod, dann ist diese Zukunft zwar, solange wir leben, für uns der reale Raum, auf den hin wir leben und denken und arbeiten, aber sie ist nicht das Letzte.

Die reale Zukunft ist unsere Sache und unsere Verantwortung. Wir würden unserer Aufgabe in der Welt untreu, wenn uns die Zukunft gleichgültig würde. Aber wir dürfen uns nicht und brauchen uns nicht an die Zukunft zu verkaufen. Es kommt unersetzlich, und unter Gefahr des ewigen, unwiderruflichen Versäumens, auf Gegenwärtigkeit an. Wer hier und jetzt erfüllt lebt, hat in der Gewißheit dieser Wirklichkeit das Bewußtsein der Unsterblichkeit.

Dies Bewußtsein der Unsterblichkeit versteht sich in der Chiffer einer Zukunft: der Gemeinschaft der Geliebten und aller Geister überhaupt. Diese Chiffer hat nicht mehr den Sinn des leibhaftigen Daseins in seiner zeitlichräumlichen Erfahrbarkeit, sondern entwirft das Bild der Ewigkeit als Zukunft in der Zeit.

Täuschung ist es, wenn die Chiffer für Daseinsrealität genommen wird, oder anders: wenn das, was mehr als Realität trifft, als bloße Realität gelten soll. Unsterblichkeit, gemeint als zukünftiges Dasein, wäre nicht mehr Unsterblichkeit, sondern in endloser Dauer festgehaltenes, nach Lessing unendlich langweiliges Dasein. Unsterblichkeit ist die Ewigkeit, die alle Zeit in sich schließt, aber nicht Zeit ist.

Nur wer gegenwärtig erfüllt (»unsterblich«) lebt, dient in der Zeit der Zukunft. Wer gegenwärtig leer wird, trägt auch keine Zukunft. Wer den Augenblick genießt in der Haltung: Nach mir der Untergang, genießt auch den Augenblick nicht, weil nur als Augenblick, nur zeitlich, daher als Nichtigkeit.

Aber der Ernst der Gegenwart, die die Zukunft in sich hineinnimmt und die Vergangenheit zum Grunde hat, vermag beide zu übergreifen. Alle Wirklichkeit ist Gegenwärtigkeit.

d) Gefahr des Unsterblichkeitsgedankens und Gefahr seines Ausbleibens.

Die Chiffer der Unsterblichkeit, als Realität genommen, wird zur *Verführung*, die Aufgabe in der Welt zu ermäßigen. Wenn ich meinen Platz im Himmel sicher habe, so wird mir die Welt gleichgültiger. Wenn mir eine leibhaftige Offenbarung die leibhaftige Unsterblichkeit verspricht, dann werde ich abgelenkt von dem, was bis zum letzten Augenblick in der Zeit wesentlich bleiben muß, um meine Aufgabe in der Welt zu erfüllen und darin allein auch die wahre Unsterblichkeit zu erfahren, die ich mir in Chiffern erhellen lasse.

Wenn aber der Gedanke der Unsterblichkeit *ausbleibt,* wenn der Mensch vielmehr gewiß ist, daß keine Ewigkeit sei und nichts weiter als die erfahrene sinnliche Realität, dann hört aller Ernst auf. Der Mensch gerät in das glücklose Treiben und Getriebensein ohne Endziel, befangen in rationalen Vorstellungen. Alle Dinge verlieren ihre Transparenz. Keine Chiffernschrift spricht, wenn auch noch eine konventionell gewordene Sprache aus der Überlieferung weiterläuft. Wer dann deren Brüchigkeit spürt, fühlt sich alsbald frei von allen Hemmungen: Nichts ist wahr, alles ist erlaubt. Er lebt in stumpfer Gleichgültigkeit dahin oder im Toben der nun erfahrenen absoluten Nichtigkeit.

Kierkegaard sagte: Nicht Hungersnot, Seuchen und Kriege werden den Ernst zurückbringen. Erst wenn die ewigen Höllenstrafen wieder Wirklichkeit sind, wird der Mensch ernst werden. Das scheint richtig. Wer an die ewigen Höllenstrafen nicht glaubt, ohne aus der Kraft des philosophischen Gedankens zu leben, ist verloren. In dem Gedanken der ewigen Höllenstrafen ist mehr Vernunft als in der Scheingewißheit, ich könne ungestraft tun, was ich wolle, da nach dem Tode nichts sei.

Unangemessen ist aber die Strafdrohung so gut wie die Verheißung einer zukünftigen ewigen Seligkeit. Beide trennen, was eines ist, als Ewigkeit in der Zeit. Das Böse hat die Hölle schon gegenwärtig in sich, das Gute ist sich selber sogleich der Lohn.

Was die Angst vor den leibhaftigen ewigen Höllenstrafen vermochte, das vermag der philosophische Gedanke, wenn er nicht nur rational gedacht, sondern im Denken existentiell wird. Daß der Sinn dessen, was in den ewigen Höllenstrafen vorgestellt wurde, wirklich ist, das ist der philosophischen Einsicht so gewiß wie dies, daß ihre Vorstellung nur eine Chiffer ist. In der Wahrheit des Philosophierens wirkt gereinigt die Kraft, die sonst durch das Bild der Höllenstrafen als vermeinter Realität für die Angst des sinnlichen Menschen zur Geltung kam. Das Recht der Wahrheit hat für sich nur, wer sich der Ewigkeit des Gegenwärtigen in Liebe und Gewissen auf solche Weise gewiß ist, daß er entschiedener darin lebt, als es aus sinnlicher Angst vor der Hölle möglich war. Er darf sich Symbole anschaulichen Charakters als Chiffern gestatten, ohne sie für mehr zu halten, als sie sind.

Kierkegaards Satz ist zweideutig: schlecht, wenn der Glaube, der Aberglaube ist, gemeint ist; gut, wenn der Ernst der Ewigkeit im Tun des Menschen wachgerufen wird.

e) Gegenwärtigkeit.

Reale Zukunft, unvoraussehbar, empfängt uns, solange das, was ewig ist, zur Erscheinung kommt. Keine reale Zukunft empfängt uns mehr, wenn wir ihren Untergang erfahren. Beide Male ist das Ewige uns nur wirklich, wenn wir selbst darin sind.

Was ist die Gegenwärtigkeit, die die Ewigkeit ist?

Die hellsichtige Liebe der einander schicksalhaft zugehörenden, in der Vernunft sich verbindenden Existenzen; — das Bewußtsein, recht zu tun; — die Kraft, auf dem Wege der Vernunft voranzukommen; — der Widerstand, der meinem Eigenwillen, meinem Getriebensein, meiner Unwahrhaftigkeit, meinem Zorn, meinem Hochmut entgegentritt wie ein Engel mit flammendem Schwert, an dem zerschellt, was in meinem Dasein sich empören möchte; — das, was im Verborgensten in mir durch mich und nicht nur durch mich geschieht; — das, was mein Tun lenkt, wo es nach außen tritt.

Was ich selbst tue, was die Menschheit durch die Menschen, deren Führung sie unter eigener Haftung überantwortet ist, über sich entscheidet, das ist, gemessen am Maßstab der Gottheit, zwar nichtig, aber in dieser Nichtigkeit für den Menschen unendlich wesentlich: dies, was seiner Freiheit anvertraut ist, was an ihm liegt.

Die Gegenwärtigkeit des Ewigen, die Unsterblichkeit, ist nicht eine Zukunft, die täuschend vorgegaukelt wird dem herrlichen und schrecklichen Lebensdrang, der unfähig ist, je lebenssatt zu werden, sondern immer nur weiterleben will. Er ergreift uns alle, zu unserem Glück und zu unserem Verderben. Er soll in seiner Schönheit nicht verleumdet werden. Weil er aber nicht nur schenkt, sondern auch betrügt, ist in ihm nicht das letzte Heil. Ohne ihn könnten wir nicht leben. Mit ihm allein bleiben wir ausgesetzt einem vernichtenden Ungenügen.

Unsterblichkeit kann ihren Sinn nur haben in der Ruhe des Seins und Überseins, die in der Zeit die Zeit durchschaut und überwindet.

In dem Horizont des Äußersten des Untergangs wächst das Glück der Liebe, des Nahen, dessen, was gewiß nur eine kurze Weile in der Zeit Realität hat. Nicht weil noch schnell genossen werden soll, um zu übertäuben und zu vergessen (»Lasset uns essen und trinken, denn morgen sind wir tot«), sondern weil in dieser Gegenwärtigkeit die Gewißheit dessen leuchtet, was in Zeit und Raum nicht vorstellbar und nicht denkbar ist.

Nicht ganz ist der Einzelne hineingezogen in den Gang der Dinge, zwar wohl mit seinem gesamten physischen und politischen Dasein, mit all seinem Vorstellen und Denken, aber in diesem allen nicht auch mit seiner gesamten möglichen Existenz, die quer zur Zeit, zeitüberlegen, eigentlich gegenwärtig ist.

Diese Gegenwärtigkeit ist nicht jenseits der zeitlichen Dinge, sondern in ihnen über sie hinaus. Sie ist das, wodurch das nur Zeitliche erst erfüllt ist und selber, noch in allem Überschwang, zur Ruhe gelangt. Sie allein widersteht der Entleerung in das nur Unersättliche des Jagens in der Zeit, zum verzehrenden immer Anderen.

Sie ist nicht eine Ewigkeit, die war oder sein wird. Aber in der Zeit ist diese Gegenwärtigkeit zugleich Erinnerung (und als solche Wiederholung) und Hoffnung (und als solche Erwartung). Aber Wiederholung und Erwartung sind nur zeitliche Aspekte, wenn die ewige Gegenwart sich in der Erscheinung zum Bewußtsein kommt in Raum und Zeit und in Denkkategorien durch diese Chiffern. Indem die Ewigkeit sie versteht, bleibt sie bei sich selbst.

Es ist der Mangel der Zeitlichkeit, daß wir durch Erinnerung und Hoffnung in ihr ständig ergänzen müssen, was an sich in selbstgenugsamer Fülle nur sein könnte als die Ewigkeit selber. Im höchsten Augenblick mag der Mensch überwältigend die ewige Gegenwart erfahren, in der Tat des Opfers, in der fraglosen, alles erhellenden Kraft der Liebe, im kontemplativen Akt tiefer Einsicht, im Vertrauen der Vernunft. Aber der die Zeit tilgende Augenblick verschwindet. Er bleibt als Grund der Hoffnung durch alle Zeit.

Unergründliche Erinnerung offenbart die ewige Gegenwart, aber verliert nie den Zug unendlicher Sehnsucht. Die alles übergreifende Weite der Hoffnung läßt die entschwindende Zeitlichkeit ertragen, aber ist nicht zutreffend aussprechbar, weil ihr Inhalt nicht eine Künftigkeit in dieser Welt ist.

Jesus, in seinem von den Propheten durch die Jahrhunderte ihm überlieferten, in höchster Gewißheit wiederholten Glauben an Gott, der sein Reich verheißt, sagte zu seinen Jüngern: Das Reich Gottes ist in euch, es ist schon da. So wie Jesus sagte, ist es für das philosophische Denken: Das, worauf es ankommt, die Wirklichkeit des Ewigen, ist in der Weise, wie gelebt und gehandelt wird, als das Umgreifende, das Unsterbliche.

Aus dieser Gegenwärtigkeit des Ewigen kann eine Folge sein, daß der Selbstmord der Menschheit abgewehrt wird. In dieser Gegenwärtigkeit wird aber auch die Hoffnung bleiben noch im Scheitern von Vernunft und Dasein.

BIBLIOGRAPHIE

Die ungleichwertigen, zu besonderen Fragen oder zum Thema im ganzen gehörenden Schriften, die mir in die Hand gekommen sind, bieten eine vielfach zufällige Auswahl. Sie sind in meinem Buch nur mit den Autorennamen zitiert, hier in der alphabethischen Reihenfolge der Namen mit ihren Werken aufgeführt. Für einzelne Problemkreise seien Namen hervorgehoben:

Über den Tatbestand der Gefahr: Einstein (in der Schrift von Seelig), Otto Hahn, Born. — Martin, Bröndsted.

Für die physikalische Information: Zimmer. Gerlach.

Zur Geschichte der Atomphysik und der Konstruktion der Bomben: Jungk. Laura Fermi. Compton. Bagge u. a.

Physikalische Voraussagen: Thomson.

Atomenergie und industrielle Revolution: Salin.

Für die politischen Fragen grundlegend (aus der Zeit vor der Atombombe): Kant. Tocqueville. Max Weber. — Aus der gegenwärtigen Literatur: Über Totalitarismus: Arendt. Possony. Milosz. Roeder. — Über Hegemonie: Triepel. — Über Demokratie: Martini (dieses Buch, das ich leider erst beim Abschluß meiner Arbeit kennenlernte, ist lesenswert, voll richtiger Beobachtungen und Urteile. Jedoch ist es, aus der Position von Bildung und Liberalität, ohne den Antrieb eines Willens geschrieben. Durchaus abweichend von dem Sinn des Gesamtwerkes von Tocqueville und Max Weber, auf deren Gedanken seine Kritik steht, fehlt Martinis Buch die »Idee der Demokratie«. Daher ergibt sich dem Verfasser die faktische Ausweglosigkeit und die Neigung zum autoritären Staat vom Typus Salazar). Lippmann.

Gandhi: Außer den angegebenen Übersetzungen seiner Schriften: Andrews. Mühlmann.

Theologen zur Frage der Bomben: Gollwitzer, Thielicke.

Das Denken des Endes: Klages, Wells, Werthmüller, Böhm.

Asiatische Völker: Matthias. Abegg.

Israel: Böhm.

Abegg, Lily: Im neuen China, Zürich 1957.

Andrews, C. F.: Mahatma Gandhis Lehre und Tat; übertr. v. Karl Lerbs, Leipzig o. J.

Arendt, Hannah: Elemente und Ursprünge totaler Herrschaft; deutsche Übersetzung von The Origins of Totalitarianism, New York 1951; Frankfurt a. M. 1955.

—: Fragwürdige Traditionsbestände im politischen Denken der Gegenwart. Vier Essays; Frankfurt a. M. o. J. (1958).

Bagge, Diebner, Kenneth Jay: Von der Uranspaltung bis Calder Hall, Hamburg 1957 (darin S. 42–72: Bagges Tagebuch während der Internierung der zehn deutschen Physiker in England 1945).

Böhm, Anton: Epoche des Teufels, Stuttgart 1955.

Böhm, Franz: Eine Weltverpflichtung. Israels Recht auf Existenz. In: Die Gegenwart, II. Jahrgang, Seite 496 (August), Frankfurt a. M. 1956.

Born, Max: Der Mensch und das Atom; in: Atomkernenergie, Heft 1, München 1957.

Braunbek, Werner: Forscher erschüttern die Welt, Stuttgart 1956.

Bröndsted, Holger W.: Das Atomzeitalter und unsere biologische Zukunft, Göttingen 1956.

San Francisco Charta der Vereinten Nationen, Potsdamer Erklärungen und andere Dokumente (englischer Text und deutsche Übersetzung); Veröffentlichungen des Instituts für Internationales Recht an der Universität Kiel, Heft 3, Hamburg 1948.

Die Satzung der Vereinten Nationen (englische und französische Texte und deutsche Übersetzung von Urs Schwarz), Zürich 1945.

Churchill, Winston S.: Der Zweite Weltkrieg; deutsche Übersetzung, 12 Bde., Bern 1948–1954.

Compton, Arthur Holly: Atomic Quest; Oxford University Press, New York 1956.

Ebbinghaus, Julius: Die Atombombe und die Zukunft des Menschen; Studium generale, X, 3, 1957.

—: Die Verantwortung der Physiker und die atomaren Waffen; Studium generale, X, 7, 1957.

Fermi, Laura: Mein Mann und das Atom; deutsche Übersetzung von Atoms in the Family — My Life with Enrico Fermi, Düsseldorf 1956.

Gandhi, Mahatma: Mein Leben; herausgegeb. v. C. F. Andrews, Leipzig o. J.

Mahatma Gandhis Leidenszeit; übersetzt und herausgegeb. v. Emil Roniger, Zürich u. Leipzig 1925.

Gerlach, Walther: Physik des täglichen Lebens — Eine Anleitung zu physikalischem Denken und zum Verständnis der physikalischen Entwicklung, Berlin-Heidelberg 1957.

Gollwitzer, Helmut: Die Christen und die Atomwaffen, München 1957.

Hahn, Otto: Cobalt 60 — Gefahr oder Segen für die Menschheit? Rundfunkvortrag v. 13. 2. 1955; Druck der Max Planck-Gesellschaft, Dokumentationsstelle.

Hersch, Jeanne: Die Ideologien und die Wirklichkeit. Versuch einer politischen Orientierung. Deutsche Übersetzung, München 1957.

Jaspers, Karl: Das Gewissen vor der Bedrohung durch die Atombombe; in der Zeitschrift Comprendre der Società Europea di Cultura, Milano 1950. Deutsch abgedruckt in »Rechenschaft und Ausblick«, München o. J. (1951).

—: Kants »Zum ewigen Frieden«; in der Sammlung »Philosophie und Welt«, München 1958.

Jones, James: Verdammt in alle Ewigkeit (Roman), Frankfurt a. M. 1955.

Jungk, Robert: Heller als tausend Sonnen — Das Schicksal der Atomforscher, Stuttgart o. J. (1956).

Kant, Immanuel: Zum ewigen Frieden.

Kennan, George F.: Rußland, der Westen und die Atomwaffe; sechs Vorträge, Frankfurt a. M. o. J. (1958).

Klages, Ludwig: Der Geist als Widersacher der Seele; 3 Bde. (in 4 Bden.), Leipzig 1929–1932.

Leithäuser, Joachim S.: Katastrophen — Der Mensch im Kampf mit Naturgewalten, Berlin 1956.

Lippmann, Walter: Philosophia publica; deutsche Übersetzung von »Essays in the Public Philosophie«, Boston 1955; München 1957.

Lorenz, Konrad: Über das Töten von Artgenossen; Vortrag, Dortmund 1955.

Löwenthal, Gerhard und Hausen, Josef: Wir werden durch Atome leben; Geleitwort von Otto Hahn, Berlin 1956.

Mann, Golo: Vom Geist Amerikas, Stuttgart, o. J. (1954).

Mann, Golo und Pross, Harry: Außenpolitik; Fischer-Lexikon, Frankfurt a. M. o. J. (1958).

Marshall, S. L. A. (Oberst in der Armee der USA): Soldaten im Feuer — Gedanken zur Gefechtsführung im nächsten Krieg; deutsche Übersetzung, Frauenfeld 1951.

Martin, Charles-Noel: Hat die Stunde H geschlagen? mit Einleitung von Albert Einstein; deutsche Übersetzung, Frankfurt a. M. 1955.

Martini, Winfried: Das Ende aller Sicherheit — Eine Kritik des Westens, Stuttgart 1954.

Matthias, L. L.: China auf eigenen Wegen — Ergebnis einer Reise, Hamburg 1957.

Milosz, Czeslaw: Verführtes Denken; Köln o. J. (1953).

Morgenthau, Hans J.: Has atomic war really become impossible? Bulletin of the Atomic Scientists, January 1957.

Mühlmann, W. E.: Mahatma Gandhi — Der Mann, sein Werk und seine Wirkung; Eine Untersuchung zur Religionssoziologie und politischen Ethik, Tübingen 1950.

Oppenheimer, Robert: Wissenschaft und allgemeines Denken; 1955 (Rowohlt).

Pauli, Wolfgang: Die Wissenschaft und das abendländische Denken; in: Europa — Erbe und Aufgabe, Internationaler Gelehrtenkongreß Mainz 1955, Wiesbaden 1956.

Philbert, Bernhard: Beseitigung radioaktiver Abfallsubstanzen; Atomkernenergie, Heft 11/12, München 1956.

Possony, Stefan T.: Jahrhundert des Aufruhrs — Die kommunistische Technik der Weltrevolution; deutsche Übersetzung von A Century of Conflict — Communist Techniques of World Revolution, Chicago 1953; München 1956.

Roeder, Bernhard: Über die Allmacht des Apparates und die Ohnmacht des Menschen; Merkur, 115, September 1957, S. 805 ff.

Salin, Edgar: Vor einer neuen Etappe der industriellen Revolution; in: Kyklos, I, 1955.

—: Die neue Etappe der industriellen Revolution; in: Zur Ökonomie und Technik der Atomzeit, mit Beiträgen von de Breuvery, Colm, Heisenberg, Kaussmann, Salin, Winiger; Veröffentlichungen der List-Gesellschaft 1957.

Seelig, Carl: Helle Zeit — dunkle Zeit. In memoriam Albert Einstein, Zürich o. J. (1956).

Schmid, Carlo: Politik im Atomzeitalter; in: Weltmacht Atom, Herausgeber Arbeitsgemeinschaft sozialdemokratischer Akademiker, Frankfurt 1955.

Schneider, Reinhold: Der Friede der Welt, Wiesbaden 1956.

Schütz, Wilhelm Wolfgang: Wir wollen überleben — Außerpolitisch im Atomzeitalter, Stuttgart 1956.

Schuster, Hans: Übervölkerung und Auswanderung, Bremen 1951.

Thielicke, Helmut: Christliche Verantwortung im Atomzeitalter, Stuttgart 1957.

Thirring, Hans: Aggression im Atomzeitalter; in: Die neue Rundschau, Frankfurt a. M., Dezember 1956, S. 615 ff. Vgl. ferner Weltwoche, Zürich, 19. 10. 1956.

Thomson, Sir George: Ein Physiker blickt in die Zukunft; deutsche Übersetzung, Zürich 1956.

Tocqueville, Alexis de: Oeuvres complètes par Gustave de Beaumont, 9. Bde., Paris 1860–1865.

—: Oeuvres complètes, Edition définitive publiée sous la direction de J. P. Mayer, Paris 1951 ff.

Deutsche Übersetzungen von Rüder: Über die Demokratie in Nordamerika, 1. u. 2. Tl., Leipzig 1836; Boscowitz: Das alte Staatswesen und die Revolution, Leipzig 1857; A. Salomon: Auswahl unter dem Titel »Autorität und Freiheit«, Zürich 1935; S. Landshut: Auswahl unter dem Titel »Das Zeitalter der Gleichheit«, Stuttgart 1954; D. Forster: Erinnerungen, Stuttgart 1954; J. P. Mayer: Auswahl aus »Über die Demokratie in Amerika«, Frankfurt a. M.-Hamburg 1956.

Triepel, Heinrich: Die Hegemonie — Ein Buch von führenden Staaten, 1. Aufl. 1938, 2. Aufl. Stuttgart 1943.

Weber, Alfred: Abschied von der bisherigen Geschichte, Hamburg 1946.

—: Der dritte oder der vierte Mensch, München 1953.

Weber, Max: Die protestantische Ethik und der Geist des Kapitalismus: Archiv für Sozialwissenschaft, 1904–1905; abgedr. in: Gesammelte Aufsätze zur Religionssoziologie, Bd. I, Tübingen 1920.

—: Politik als Beruf, Berlin 1919; abgedr. in: Gesammelte politische Schriften, München 1921. Neudruck Tübingen 1958.

Weber, Max: Die Werke Max Webers im Verlag J. C. B. Mohr (Paul Siebeck), Tübingen.

Weizsäcker, Carl Friedrich von: Atomenergie und Atomzeitalter, zwölf Vorlesungen, Frankfurt a. M. 1957.

–: Atomenergie und Atomzeitalter; in: Schweizer Monatshefte, Juni 1957, S. 171 ff.

–: Die Verantwortung der Wissenschaft im Atomzeitalter, Göttingen 1957.

Wells, H. S.: Mind at the end of its tether, London 1945.

Weltmacht Atom (Gerlach, Joos, von Bonin, Iwand, Carlo Schmid), Herausgeber Arbeitsgemeinschaft sozialdemokratischer Akademiker, Frankfurt a. M. 1955.

Wendt, Gerald: Die friedliche Verwendung der Kernenergie; aus der Schriftenreihe der UNESCO, deutsch Frankfurt a. M. 1957.

Werthmüller, Hans: Der Weltprozeß und die Farben, Stuttgart 1950.

Wuesthoff, Freda: Es ist keine Zeit mehr zu verlieren, Ravensburg 1957.

Zimmer, Ernst: Umsturz im Weltbild der Physik, 11. Aufl., München 1957.

Karl Jaspers

Augustin
1976. 86 Seiten. Serie Piper 143

Chiffren der Transzendenz
Hrsg. von Hans Saner. 3. Aufl., 13. Tsd. 1977. 111 Seiten. Serie Piper 7

Einführung in die Philosophie
Zwölf Radiovorträge. 20. Aufl., 188. Tsd. 1980. 128 Seiten.
Serie Piper 13

Die großen Philosophen – Erster Band
Die maßgebenden Menschen – Die fortzeugenden Gründer des
Philosophierens – Aus dem Ursprung denkende Metaphysiker.
3. Aufl., 14. Tsd. 1981. 968 Seiten

Die großen Philosophen – Nachlaß 1
Darstellungen und Fragmente. Herausgegeben von Hans Saner.
1981. XXXVIII, 679 Seiten

Die großen Philosophen – Nachlaß 2
Fragmente, Anmerkungen, Inventar. Herausgegeben von Hans
Saner. 1981. XI, 560 Seiten

Lao-tse – Nagarjuna
Zwei asiatische Metaphysiker. 1978. 100 Seiten. Serie Piper 180

Der philosophische Glaube
Neuausgabe. 7. Aufl., 38. Tsd. 1981. 136 Seiten. Serie Piper 69

Karl Jaspers

Die maßgebenden Menschen
Sokrates Buddha Konfuzius Jesus. 6. Aufl., 36. Tsd. 1980. 210 Seiten.
Serie Piper 126

Philosophische Autobiographie
Erweiterte Neuausgabe. 1977. 136 Seiten. Serie Piper 150

Plato
1976. 96 Seiten. Serie Piper 147

Die Schuldfrage
Für Völkermord gibt es keine Verjährung. 1979. 203 Seiten.
Serie Piper 191

Spinoza
1978. 154 Seiten. Serie Piper 172

Strindberg und van Gogh
Versuch einer vergleichenden pathographischen Analyse.
Neuausgabe 1977. 183 Seiten. Serie Piper 167

Von der antiken zur christlichen Metaphysik
Anaximander – Heraklit – Parmenides – Plotin – Anselm. 1979.
141 Seiten. Serie Piper 192

Was ist Philosophie?
Ein Lesebuch. Textauswahl und Zusammenstellung von Hans Saner.
2. Aufl., 15. Tsd. 1978. 415 Seiten

Jonathan Schell

Das Schicksal der Erde
Gefahr und Folgen eines Atomkrieges.
1982. Aus dem Amerikanischen von Hainer Kober. Etwa 280 Seiten

»Jonathan Schells Buch beschreibt das Unbeschreibliche und denkt das Undenkbare zu Ende. Wer nach Lektüre dieses Buches noch weiter gelassen über ›atomaren Schlagabtausch‹ und ähnliches reden kann, dem muß jedes Gefühl für die Realität abhanden gekommen sein. Jonathan Schells Buch sollte in allen Ländern der Erde zur Pflichtlektüre gemacht werden.« Iring Fetscher

»Jonathan Schell schildert, pessimistisch aber nicht unehrlich, die schlimmsten denkbaren Folgen eines totalen Atomkriegs. Betrachtungen, die der seinen ähneln, müssen auch für die Regierenden der Welt Grundlagen ihrer Planung sein: Niemand kann einen Atomkrieg wollen.« Heinz Maier-Leibnitz

»›Das Schicksal der Erde‹ ist ein Buch, dessen Deutlichkeit Erschrecken hinterläßt, das aber auch Forderungen und Hoffnungen vermittelt, denen sich ein politisch bewußter und verantwortungsvoller Mensch nicht entziehen kann.« Wolf Graf von Baudissin

»Nur wenn der zornige Protest der Menschen überall in der Welt die Herrschenden zur Umkehr zwingt, kann die atomare Katastrophe abgewendet werden. Jonathan Schells Buch ist ein Appell an jeden von uns, für die atomare Abrüstung aktiv einzutreten.«
Gert Bastian

»Wenn je ein Buch fünf Minuten vor zwölf geschrieben wurde: hier ist es. ›Das Schicksal der Erde‹ muß einfach jeder lesen — vor allem aber jene, denen daran gelegen ist, die Brisanz seines Themas herunterzuspielen.« Yehudi Menuhin

SERIE PIPER

SERIE PIPER

Serie Piper

SERIE PIPER